Uwe Wesel

Geschichte des Rechts

Uwe Wesel

Geschichte des Rechts

Von den Frühformen bis zum Vertrag von Maastricht

Verlag C.H. Beck München

Die Deutsche Bibliothek – CIP-Einheitsaufnahme

Wesel, Uwe:
Geschichte des Rechts : Von den Frühformen bis zum Vertrag von Maastricht / Uwe Wesel. - München : Beck, 1997
ISBN 3-406-34576-X

ISBN 3 406 34576 X

Satz: Fotosatz H. Buck, Kumhausen
Druck und Bindung: Ebner, Ulm

Gedruckt auf säurefreiem, alterungsbeständigem Papier
(hergestellt aus chlorfrei gebleichtem Zellstoff)

Inhalt

Erster Teil. Frühgeschichte des Rechts

Zweiter Teil. Rechtsgeschichte der Antike

Dritter Teil. Germanen und Mittelalter

Vierter Teil. Rechtsgeschichte der Neuzeit

Erster Teil
Frühgeschichte des Rechts

Einführung

1. Wozu Frühgeschichte des Rechts?

Wo man anfangen soll? Darüber läßt sich streiten. Meistens setzt die Geschichte des Rechts ein, wo es schon voll entwickelt ist, nämlich im antiken römischen. Der Erkenntniswert ist nicht sehr hoch, denn die Gemeinsamkeiten mit dem heutigen Recht sind sehr viel größer als die Unterschiede. Man bewegt sich im selben System, lernt hier mal einige zusätzliche Einzelheiten und bekommt dort einen Überblick, der sonst nicht zu gewinnen wäre, aber was fehlt, ist die Möglichkeit des Vergleichs mit einer ganz anderen Ordnung, die einem die Augen öffnet für die Grundstrukturen, für den allgemeinen Charakter des Ganzen. Sicher, das Mittelalter, das danach behandelt wird, ist dafür schon sehr viel besser geeignet, jedoch zum Teil sehr kompliziert und die römische Kontinuität größer, als man noch bis vor kurzem meinte. Und so führte uns die herkömmliche Rechtsgeschichte im Grunde immer nur durch dasselbe Riesengebäude, in dem wir uns auch heute noch bewegen. Keine Sicht nach draußen, kein Überblick von außen, keine Kenntnis des Grundrisses und wenig Ahnung, wo es überhaupt liegt. Das ist der Grund, warum hier ganz von vorn angefangen wird. In der Zeit vor der Antike muß man beginnen, weil man dann das Folgende besser versteht. Weil man hier einen Blick werfen kann auf eine ganz andere Ordnung, eine andere Welt. Weil man sich hier sogar noch darüber streiten kann, ob überhaupt schon Recht ist, was uns da begegnet. Und weil man dann besser erkennt, was das eigentlich ist, unser Recht.

2. Die methodischen Schwierigkeiten

Die methodischen Schwierigkeiten sind allerdings nicht gering. Zum einen sind es nur begriffliche, also Fragen der Definition von Recht und Staat, Eigentum und Vertrag. Sie werden später geklärt. Das eigentliche Problem besteht darin, daß es über diesen frühen Abschnitt menschlicher Entwicklung kaum direkte Zeugnisse gibt.

Möglich sind nur Rückschlüsse aus den frühestens Nachrichten über das Recht der Antike, die man kombinieren muß mit archäologischen Daten und – nun kommt der kritische Punkt – mit Erkenntnissen aus der Ethnologie. Und hier bleibt die entscheidende Frage, ob die komparative Methode zulässig ist. Sie heißt komparativ, weil sie davon ausgeht, daß Gesellschaften der Frühgeschichte gewisse Ähnlichkeiten haben mit Stammesgesellschaften, die in unserer Zeit von Ethnologen beschrieben worden sind. Sie geht davon aus, man könne sie vergleichen (lateinisch: comparare).

3. Komparative Methode

Henry Lewis Morgan, der Begründer der modernen Ethnologie, hatte die Frage bejaht. Die moderne Ethnologie hat sich dann völlig enthistorisiert und die komparative Methode abgelehnt. Allerdings gibt es dort in letzter Zeit wieder Tendenzen zu historischer Betrachtungsweise und die wenigen historischen Nachrichten über segmentäre Gesellschaften der Frühantike und der Antike sprechen sehr deutlich für die Anwendung dieser Methode. So der Umstand, daß es dort sowohl Patrilinearität – bei Griechen und Römern – wie Matrilinearität gegeben hat. Matrilinearität bei den Lykiern in Kleinasien (Herodot 1.173, Rdz. 23). Außerdem findet sich eines der wichtigsten sozialen Mechanismen rezenter segmentärer Gesellschaften auch in der Frühantike, nämlich das Institut von Brautpreisen. Wir finden sie im mesopotamischen und im antiken hebräischen Recht (Rdz. 61, 72, 98), bei Homer (hedna) und bei den Germanen (Rdz. 180). Es gibt also wichtige Gemeinsamkeiten. Schließlich hat der Archäologe Robert Adams in einer ausführlichen Analyse nachgewiesen, daß es zu völlig verschiedenen Zeiten und an völlig verschiedenen Orten durchaus gleichartige Entwicklung und damit allgemeine Gesetzmäßigkeiten gegeben hat. Dies alles rechtfertigt es, die komparative Methode für sehr allgemeine Aussagen über archaisches Recht zu verwenden. Für Sammler und Jäger ergibt sich die Rechtfertigung auch daraus, daß man überall die gleichen Beobachtungen über Grundstrukturen von Recht macht, obwohl die Gesellschaften an sehr verschiedenen Orten leben und mit völlig unterschiedlicher Ökologie, also z.B. bei den Eskimo einerseits und afrikanischen oder südostasiatischen Waldjägern andererseits. Also wird es auch bei denen der Vorgeschichte nicht grundsätzlich anders gewesen sein.

4. Die rechtsanthropologische Literatur

Grundlage dieses ersten Teils über die Frühgeschichte des Rechts sind also im wesentlichen Forschungen von Ethnologen oder – was aus angelsächsischer Sicht fast dasselbe ist – Anthropologen. Schon vor Morgan schrieb Henry Maine 1861 sein „Ancient Law", mit dem er der Vater der Rechtsanthropologie geworden ist, damals noch in enger Verbindung mit der Rechtsgeschichte, von der sie sich dann später gelöst hat. Eine bedeutende methodische Neuerung brachte Bronislaw Malinowski in den zwanziger Jahren dieses Jahrhunderts mit mehreren Schriften über die Trobriander, von denen für Juristen am wichtigsten ist „Crime and Custom in Savage Society" 1926, eine kleine brillante Schrift, in der er die immer wieder gestellte Frage beantwortete, wie Ordnung in Gesellschaften ohne staatlichen Zwangsapparat funktionieren kann. Seine Antwort: durch soziale Sanktionen, besonders durch Reziprozität, die unabhängig von ihm der französische Ethnologe Marcel Mauss schon drei Jahre vorher entdeckt hatte (Rdz. 13). Später bildeten sich dann in der angelsächsischen Literatur zwei entgegengesetzte Methoden, die juristische und die nichtjuristische Schule. Die juristische Schule geht davon aus, daß man auch die Ordnung früher Gesellschaften mit den Begriffen westlichen und neuzeitlichen Rechts verstehen und beschreiben kann. Ihre Hauptvertreter sind E. Adamson Hoebel, Max Gluckman und Leopold Pospišil.

Andere Wege ging zu Recht Paul Bohannan, ein amerikanischer Anthropologe. Er ist der Begründer der nichtjuristischen Schule. Am Beispiel der Tiv – einer Gesellschaft von Ackerbauern in Nigeria – beschrieb er deren Recht als Instrument sozialer Kontrolle, das sich von unserem grundsätzlich unterscheidet. Ihm folgten unter anderen P.H. Gulliver und der Engländer Simon Roberts, der 1979 mit einer kleinen Schrift „Order and Dispute" die Lehren der nichtjuristischen Schule zusammenfaßte. Danach bestimmen mehr oder weniger informelle Konfliktlösungsmechanismen den Inhalt von Recht, dessen Regeln auch nicht so bestimmt und klar formuliert sind wie bei uns. Was sicherlich richtig ist.

In Deutschland gab es um die Jahrhundertwende eine „ethnologische Jurisprudenz", die sich ebenfalls ausschließlich an unserer eigenen juristischen Begrifflichkeit orientierte. Ihre Hauptvertreter waren der Bremer Landgerichtsrat Albert Herrmann Post und der Berliner Professor Josef Kohler. Sie sind schnell vergessen worden und heute kaum noch von Bedeutung, zumal die ihnen zur Verfügung stehenden ethnologischen Untersuchungen noch sehr unzureichend waren.

5. Die drei Entwicklungsstufen vor der Antike

Zur Frühgeschichte des Rechts gehören drei Entwicklungsstufen früher Gesellschaften. Nicht nur in der Vor- und Frühgeschichte finden sie sich. Sie lassen sich auch bei den Gesellschaften unterscheiden, die von den Ethnologen beschrieben worden sind:

1. Sammler und Jäger
2. Segmentäre Gesellschaften
3. Protostaaten

Die ersten beiden Stufen sind vorstaatliche Gesellschaften, die man auch als akephal bezeichnet. Protostaaten, also frühe Königreiche und Häuptlingsgesellschaften, werden auch kephal genannt (griechisch: kephalé, der Kopf).

Literatur

3. *Morgan*, Ancient Society 1877, deutsch: Die Urgesellschaft 1908, Ndr. 1976; *Adams*, The Evolution of Urban Society 1966; *Wesel*, Frühformen des Rechts in vorstaatlichen Gesellschaften (1985) 36ff. (im folgenden: Frühformen). – 4. Frühformen 356ff. – 5. *Fortes/Pritchard*, African Political Systems (1940) 5ff.; Frühformen 44ff., 49ff.

1. Kapitel

SAMMLER UND JÄGER

Allgemeine Literatur: *Lee/DeVore* (Hg.), Man the Hunter 1968; *Service*, The Hunters 2. Aufl. 1979; *Wesel*, Frühformen des Rechts in vorstaatlichen Gesellschaften (1985) 71–186

6. Die Ewigkeit

Was sind drei Tage gegen eine Ewigkeit? Der Anfang war unendlich lang. Von den mindestens zwei Millionen Jahren ihrer Existenz haben die Menschen nur zehntausend Jahre nicht als Sammler und Jäger gelebt. Zwei Millionen Jahre haben sie ihre Nahrung nicht planmäßig produziert, sondern gesammelt. Die Altsteinzeit. Hier hat sich herausgebildet, was heute noch Grundstruktur menschlicher Gesellschaft ist und auch für das Recht nicht ohne Bedeutung. Nahrungsmittelproduktion gibt es erst mit der Seßhaftigkeit, mit Ackerbau und Viehzucht, und mit viehzüchtenden Nomaden, die etwa zur selben Zeit auftreten. Die Jungsteinzeit. Sie begann vor zehntausend Jahren. Ein halbes Prozent der Ewigkeit.

Die Ewigkeit, das ist also die Ordnung der Sammler und Jäger. Sie wird hier dargestellt auf der Grundlage der Beschreibungen von neun Gesellschaften, die in der ethnologischen Literatur am sorgfältigsten untersucht worden sind. Trotz großer räumlicher Entfernung und ökologischer Unterschiede sind ihre Grundstrukturen verblüffend ähnlich:

1. Eskimo
2. Schoschonen (Indianer im großen Becken der USA)
3. Feuerland-Indianer (Yamana und Selknam)
4. Mbuti (Pygmäen am Ituri im Kongo)
5. !Kung (Buschmänner in der südafrikanischen Kalahari)
6. Hadza (Tansania)
7. Andamanen (Pygmäen auf den Andamanen, Inseln im Golf von Bengalen)
8. Semang (im Bergland von Malaysia)
9. Walbiri (australische Ureinwohner im mittleren Norden des Kontinents)

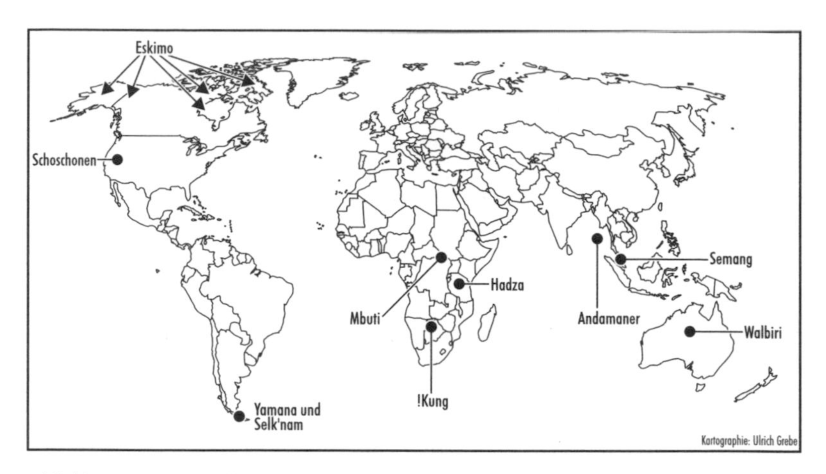

Abbildung 1: Die am besten erforschten Jägergesellschaften

7. Produktionsweise

Der amerikanische Ethnologe Marshall Sahlins bezeichnet ihre Welt als erste Überflußgesellschaft, first affluent society. Die Menschen arbeiten zwei bis vier Stunden täglich. Viel Müßiggang gibt es, viel Schlaf, auch am Tage, zeitweise Hunger, aber nicht so viel wie heute. Sie sind sehr fröhlich, produzieren und konsumieren für den Tag, haben keine Vorstellung von Zeit und planen nicht für die Zukunft wie Ackerbauern. Die Abhängigkeit vom Jagdglück ist nicht so groß, wie man gewöhnlich meint, denn Fleisch macht nur 20–40 % ihrer Diät aus. Der Rest ist pflanzliche Nahrung, sind Beeren, Wurzeln, Blätter, Lianen, Nüsse. Das kollektive Unternehmen der Jagd endet täglich mit der Verteilung des Produkts unter die Produzenten. Es wird gleich konsumiert, nicht konserviert oder akkumuliert. Weil eine Akkumulation nicht stattfindet, können sie sich das labile Gleichgewicht ihrer Horde mit der jederzeit möglichen Lösung des Weggangs einzelner bei schweren Konflikten leisten, denn der Weggang bringt weder Teilungs- noch Produktionsprobleme.

8. Die Horde

Jäger leben regelmäßig in Horden. Die Horde ist aufgebaut auf dem Prinzip der Verwandtschaft. Meistens sind es enge Verwandte, die zusammenleben, etwa zwanzig bis fünfzig Personen. Oft ist allerdings auch die Fluktuation nicht ohne Bedeutung, als Existenzgrundlage der Horde in einem doppelten Sinn. Sie sorgt, durch Zugang oder Weggang, für die ökologisch richtige Größe der Horde und dient gleichzeitig als äußerstes Mittel der Konfliktlösung zur Erhaltung des gesellschaftlichen Gleichgewichts.

Das Kollektiv der Horde bestimmt sich selbst. Entscheidungen über die Jagd, Abbruch des Lagers und den Ort des nächsten werden gemeinschaftlich getroffen. Einzelne haben größere Autorität, besonders die erfolgreichen Jäger, aber sie müssen sich zurückhalten, sind immer, wenn sie es nicht tun, in Gefahr der Lächerlichkeit, und können jederzeit überstimmt werden. In einigen Jägergesellschaften gibt es Anführer der Horden, in anderen nicht. Guayaki und Eskimo z.B. kennen Sprecher, aber sie befinden sich auch in Sondersituationen, in einer feindlichen Umwelt oder ökologisch extremen Umgebung. Die Mbuti, die eher typisch sind für historisch frühe Jäger, haben keine. Bei den Guayaki erhielt Pierre Clastres auf die Frage, was der Anführer der Gruppe zu tun habe, die Antwort: „Er tut überhaupt nichts. Er ist derjenige, der gewöhnlich spricht." Ebenso bei den Eskimo. Der Sprecher ihrer Siedlung wird nicht ausdrücklich gewählt, nur mehr oder weniger stillschweigend anerkannt und kann jederzeit wieder aus der Siedlung herausgedrängt werden, wenn er sich nicht gruppenkonform verhält. Er ist nur der, „dem alle zuhören". Dem entspricht, was Clastres allgemein als Kennzeichen südamerikanischer Indianer beschrieben hat, die absolute Negation von Macht. Die Gruppe behält ihr Souveränität. Jäger sind anarchisch, herrschaftsfrei.

9. Arbeitsteilung, Stellung von Frauen

Es gibt eine Arbeitsteilung der Geschlechter. Die Frauen sammeln und die Männer jagen. Das ist die erste große Arbeitsteilung, nicht die in Ackerbau und Viehzucht, wie Friedrich Engels 1884 in „Der Ursprung der Familie, des Privateigentums und des Staats" noch meinte. Sie führt über das hohe Sozialprestige des Jägers zu einem leichten gesellschaftlichen Übergewicht des Mannes über die Frau, ohne daß man allerdings von Unterdrückung sprechen kann, was sich schon an der großen sexuellen Freiheit zeigt, die es in allen Jägergesellschaften gibt. Ihre Einschränkung ist immer ein Zeichen für die schlechtere Stellung von Frauen. Ebenso, nämlich gleichfalls Indiz für eine bessere Stellung, gibt es kaum Rivalitäten der Männer um Frauen. Eine Ausnahme sind Jäger in Grenzsituationen wie die Guyaki in der sehr feindlichen Umwelt der Bauern in Paraguay oder die Eskimo. Bei den Eskimo findet man sogar sehr stark gewalttätige Rivalitäten um Frauen, was ein sicheres Indiz ist für deren Unterdrückung. Ganz anders die Mbuti im tropischen Regenwald des Kongo, in der günstigen und für historisch frühe Gesellschaften typischen Ökologie der Waldjäger. Sie sind sehr friedlich und ihre Frauen fast vollständig gleichgestellt. Es gibt auch keine erheblichen oder etwa gewalttätigen Konflikte um sie. Die Arbeitsteilung führt im allgemeinen noch nicht zu einer starken Benachteiligung. Auch insofern sind Jäger egalitär. Ihre Egalität beruht auch auf dem Mangel an Habe, die ihre Mobilität beeinträchtigen würde. Sie wäre eine Last auf ihren Wanderungen von einem Lager zum anderen, die sie etwa alle zwei bis drei Wochen wechseln. Jäger begnügen sich mit einem Minimum an Gerätschaften. Konflikte darüber gibt es kaum.

10. Familie

Mangel an strukturellem Druck kennzeichnet auch die Familie. Es gibt keine Hordenpromiskuität, keinen „Hetärismus" (Bachofen), keine „Gruppenehe" (Morgan, Engels), in der man den Grund für die Matrilinearität gesehen hat. Immer sind es grundsätzlich eine Frau, ein Mann und ihre Kinder, die zusammenleben. Die kleine Familie ist sehr alt, zwischen 50.000 und 500.000 Jahre, wobei die höheren Schätzungen wohl die richtigen sind. Der Ursprung dieser Familien ist zurückzuführen auf den aufrechten Gang, der dazu führte, daß die Kinder früher geboren wurden und bei ihrer Geburt zunehmend hilflos waren, also länger angewiesen auf Pflege, die geleistet wurde von den Frauen. Längere Hilflosigkeit (Neotenie) bedeutet längeren Einfluß auf geistige Entwicklung, Zunahme von Lernen. Das war der wichtigste Beitrag der Frauen zur Entwicklung von Kultur. Ihre Belastung mit der langen Sorge für die Kinder führte zur Arbeitsteilung der Geschlechter: Die Männer jagen, die Frauen sammeln. Diese Arbeitsteilung war nicht die logische, wohl aber historische Folge dieser Belastung der Frauen. Die Familie ist diejenige Einheit, in der sie wieder aufgehoben wird durch gemeinsame Verteilung der Produkte und gemeinsamen Konsum. Es gibt keine Hochzeitsriten. Man zieht einfach zusammen, lebt in einer Hütte. Das ist alles. Ebenso leicht geht man wieder auseinander. Im Laufe der Zeit wird die Verbindung fester, besonders wenn Kinder da sind. Oft bleiben die Paare dann bis ins hohe Alter zusammen. Aber auch spätere Trennungen sind nicht ungewöhnlich. Die Erzeugung von Kindern ist nicht gesellschaftlicher Zweck der Verbindung, weil die Horde ihre Lebensfähigkeit auch durch Zugang von außen aufrechterhalten kann. Also eine freie Gemeinschaft, auf die noch kein gesellschaftlicher Druck ausgeübt wird. Dementsprechend gibt es keinen Ahnenkult.

11. Exogamie und Inzest

Horden verstehen sich als Verwandtschaftsgruppen. Es gibt das Prinzip der Exogamie. Sie bedeutet, daß man jemanden aus einer anderen Horde heiraten muß, und sie hat die gleiche Funktion wie die Reziprozität, der sie oft zugerechnet wird (Rdz. 13). Heiratsverbindungen schaffen nämlich freundschaftliche Beziehungen zu Nachbarhorden, das Netzwerk verwandtschaftlicher Beziehungen wird ausgeweitet und damit das soziale und ökonomische Leben der Horde über das eigene Gebiet hinaus ausgedehnt und abgesichert. Ergänzung des Exogamiegebots ist das Inzestverbot. Es bedeutet nicht nur das Verbot von Heiratsbeziehungen unter nahen Verwandten, sondern auch des sexuellen Verkehrs. Aber, muß man ergänzen, bis heute ist der genaue Zusammenhang und sind die Gründe von Exogamie und Inzest nicht geklärt. Man kann nur sagen, beide sind universale Prinzipien, Grundlage menschlicher Existenz. Es gibt sie überall, wo Menschen zusammenleben, aber auch ein Wirrwarr verschiedener Regeln, Vorstellungen und Sanktionen. Unterschiedlich ist die Reichweite des Verbots, die Intensität der Sanktionen und unterschiedlich sind in verschiedenen Gesellschaften die Vorstellungen über seine Gründe. Das Durcheinander ist so groß, daß in letzter Zeit seine Universalität wieder in Zweifel gezogen werden konnte. Sicherlich zu Unrecht. Aber es gibt noch nicht einmal eine allgemeine Übereinstimmung der Regeln für Exogamie und Inzest, auch nicht in einzelnen Gesellschaften. Und wenn man früher annahm, es seien genetische Gründe – „Zuchtwahl" – gewesen, die zum Verbot und zur Exogamie geführt haben, gehen Anthropologen heute davon aus, daß es gesellschaftliche Gründe waren. Was wahrscheinlicher ist. Jedenfalls stehen Exogamie und Inzestverbot am Anfang menschlicher Existenz, aber beide werden noch lange ein Stelldichein von Fragen und Fragezeichen bleiben. In Jägergesellschaften hat die Verletzung des Inzestverbots regelmäßig auch nur schwache Sanktionen zur Folge (Rdz. 16).

12. Eigentum

Eigentum spielt keine große Rolle. Horden leben in festen Gebieten, verhalten sich aber nicht immer territorial. Fremde werden nur vertrieben, wenn die Vorteile der ausschließlichen Nutzung eines Gebiets die Nachteile der Kosten seiner Verteidigung überwiegen. Persönliches Eigentum gibt es bei beweglicher Habe, an der Wildbeute, an Arbeitsgeräten, Waffen, Kleidung, Schmuck. Vererbung ist selten, zumal die Habe oft beim Toten gelassen oder mit ihm verbrannt wird. Über die Andamanen schreibt der englische Anthropologe Radcliffe-Brown:

> „Das ökonomische Leben der örtlichen Gruppe beruht auf der Idee des Privateigentums, obwohl es im Ergebnis einer Art von Kommunismus nahekommt."

Die Gleichheit in der Verteilung von Eigentum wird erreicht durch Reziprozität.

13. Reziprozität

Sie ist das wichtigste Organisationsprinzip in Jägergesellschaften, neben der Verwandtschaft und Egalität. Reziprozität bedeutet Gabentausch. Man findet sie in allen frühen Gesellschaften. Bei Jägern spielt sie aber die größte Rolle. Sie hat eine doppelte Funktion, nämlich eine soziale und eine ökonomische. Die soziale, sehr ausführlich beschrieben von ihrem Entdecker Marcel Mauss: Indem die Menschen sich mit Gaben aufeinander beziehen, wird Gesellschaft hergestellt und Kultur ermöglicht. Die Reziprozität hat eine Art Friedensfunktion. Sie ist ein täglich erneuerter Gesellschaftsvertrag. Mit den Worten eines !Kung Buschmanns: „Das Schlimmste ist, wenn keine Gaben gegeben werden. Wenn Leute sich nicht leiden können, aber der eine etwas gibt und der andere muß die Gabe annehmen, das bringt Frieden zwischen ihnen. Wir geben einander immer. Wir geben, was wir haben. Das ist unsere Weise zusammenzuleben." Außerdem ist Reziprozität das ökonomische Grundgesetz der Jägergesellschaften. Ihre Produktion ist unregelmäßig. Es gibt Notzeiten, Mangel an Wild, manchmal auch an pflanzlicher Nahrung. Und das Jagdglück, besonders bei größerem Wild, ist individuell verschieden. Den Ausgleich schafft die positive Reziprozität. Es wird verteilt. In Beschreibungen von Jägergesellschaften finden sich meistens Bemerkungen über das Eigentum am erlegten Wild. Regelmäßig steht es dem zu, der es erlegt hat. Aber häufig wird übersehen, daß es ein sehr flüchtiges Eigentum ist. Seine Bedeutung liegt nicht im Recht des Verbrauchs, sondern im Vorrecht, darüber zu bestimmen, wie es verteilt wird. Dadurch erhöht der Jäger Prestige und Einfluß, schafft er sich Allianzen. Formale Zuordnung der Beute und hohe Wertschätzung von Großzügigkeit gehören zusammen. Großzügigkeit ohne einen Begriff von Eigentum kann es nicht geben. Um etwas weggeben zu können, muß man vorher etwas haben, und andere nicht. Eigentum hat in bürgerlichen Gesellschaften die Funktion, sich die Arbeit anderer anzueignen. In Jägergesellschaften ist es umgekehrt. Es ist ein Mittel, das Ergebnis der eigenen Arbeit anderen zukommen zu lassen.

Als Entdecker dieses Organisationsprinzips früher Gesellschaften gilt allgemein Marcel Mauss. Einige Jahre vorher hatten schon Richard Thurnwald und Bronislaw Malinowski ähnliche Gedanken geäußert. Um Gemeinsames und Trennendes im Verhältnis zur Gegenseitigkeit unseres Vertragsrechts der §§ 320–327 BGB erkennen zu können, hält man sich am besten an die Unterscheidung von Marshall Sahlins: generalized, balanced und negative reciprocity. Generalized reciprocity ist schwer zu übersetzen. Ich nenne sie die positive Reziprozität. Sie ist das Extrem auf der einen Seite. Das auf der anderen ist die von ihm wörtlich so genannte negative Reziprozität. In der Mitte steht die ausgeglichene (balanced).

Die positive Reziprozität ist Ausdruck der Solidarität, der Freundschaft und der engen Verwandtschaft. Eine Gabe muß nicht unbedingt erwidert werden, jedenfalls nicht gleich und auch nicht immer in gleicher Höhe. Wenn keine Gegengabe erfolgt, bleibt die persönliche Verbindung noch lange aufrechterhalten. Extremes Beispiel ist das saugende Kind, das die Hilfe seiner Mutter erst spät oder gar nicht erwidern wird.

Gegensatz dazu ist die negative Reziprozität. Sie ist völlig unpersönlich. Auch in frühen Gesellschaften gibt es Handel, Fernhandel mit Fremden. Mit ihnen darf man feilschen. Man darf sie auch täuschen. Beides wäre in der Solidarität der engen Gemeinschaft undenkbar. Fremde darf man sogar bestehlen. Extremes Beispiel hier ist der Überfall. Auch er kann erwidert werden. Es sei ein weiter Weg vom saugenden Kind bis zum Raubzug berittener Prärieindianer, meint Sahlins. So ist es.

In der Mitte steht die ausgeglichene Reziprozität. Sie ist weniger persönlich als die positive, aber nicht so unpersönlich wie die negative. Ökonomischer und persönlicher Charakter halten sich ungefähr die Waage. Gaben müssen hier in gleicher Weise und möglichst ohne zeitliche Verzögerung erwidert werden. Ihr Austausch ist mit sozialen Beziehungen verbunden, die abgebrochen werden, wenn die Gegengabe nicht geleistet wird. Transaktionen von Heiratsgütern gehören hierher, und Freundschafts- und Friedensverträge.

Falsch wäre es, Gaben als Geschenke zu verstehen. Das Geben und Nehmen beruht auf selbstverständlichen Erwartungen und gegenseitigen Verpflichtungen. Man teilt, weil es sich so gehört. Deshalb gibt es auch keine Dankbarkeit. Es sind Verpflichtungen. Aber ebensowenig ist es richtig, sie mit unseren vertraglichen Verbindlichkeiten gleichzusetzen, wie Malinowski es getan hat. Auf den ersten Blick gibt es zwar eine große Ähnlichkeit zwischen Reziprozität und unserem Vertrag, besonders seiner Gegenseitigkeit im Sinne der §§ 320–327 BGB. Aber tatsächlich liegen Welten dazwischen. Die Reziprozität ist Ausdruck persönlicher Bindung im engen Miteinander der kleinen Gemeinschaft. Die Gegenleistung ist oft unbestimmt, ergibt sich aus der individuellen Situation der beiden Personen in der nahen oder fernen Zukunft. Und nicht selten handelt es sich um den Austausch identischer Güter. Es ist ein Tausch von Gebrauchswerten, würde Karl Marx sagen. Niemand sucht einen Vorteil. Der Vertrag des BGB dagegen kann auch zwischen Menschen geschlossen werden, die sich gar nicht kennen. Er ist unpersönlich. Leistung und Gegenleistung sind genau bestimmt. Dabei gilt nicht wie bei der Reziprozität das materielle Äquivalenzprinzip, sondern das formelle Konsensprinzip. Mit anderen Worten: Es gilt nur die Abrede, ohne Rücksicht auf die Gleichwertigkeit von Leistung und Gegenleistung, die allein durch den Konsens verbunden sind. Es ist ein Tausch von Tauschwerten. Jeder darf seinen Vorteil suchen, was bei der Reziprozität unmöglich ist, jedenfalls bei der positiven und ausgeglichenen. Also kein Unterschied irgendwo am Rande, sondern in der Substanz des Verhältnisses von Mensch zu Mensch.

14. Konfliktlösungsmechanismen

Der anarchische Charakter der Horde findet sich wieder in den Mechanismen der Konfliktlösung. Auch bei Jägern gibt es Konflikte, die das Gleichgewicht der Horde gefährden. Meistens geht es um die Jagd, zum Beispiel um die Faulheit einzelner, die zum Mißerfolg mit Folgen für alle führt, um Lärm, der das Wild vertreibt, oder um die Verteilung der Beute, für die es feste Regeln gibt. Alle Streitigkeiten werden beigelegt in gemeinsamer Diskussion, kleine in kleinem Kreis, größere mit der ganzen Horde. Die Älteren schlichten, und zwar Männer ebenso wie Frauen. Man redet so lange, bis eine Einigung erreicht ist. Nur selten gibt es eine klare Entscheidung. Notfalls verläßt einer die Horde und wechselt zu einer anderen. Die Fluktuation ist ein sehr wichtiges Mittel der Konfliktlösung.

Sanktionen gibt es kaum, schon gar keine festen Regeln. Allenfalls gibt es einen erregten Ausbruch einiger gegen einen anderen. Ein Extremfall sind die Eskimo mit vielen gewalttätigen Auseinandersetzungen zwischen Männern, bis zur Tötung, und oft mit der Folge der Blutrache, meistens wegen Auseinandersetzungen um Frauen. Streitigkeiten um Eigentum, besonders wegen Diebstahl, sind bei Jägern selten.

15. Delikte

Regelmäßig sind Delikte nur Verletzungen der Person des Betroffenen, nicht nur Körperverletzung und Ehebruch, auch Diebstahl, der weniger eine Eigentumsverletzung darstellt als eine Beleidigung, die darin gesehen wird, daß nicht gefragt wurde. Sehr selten sind sie Verletzung allgemeiner Normen, auch die Tötung nicht. Wohl aber der Inzest, der jedoch gleichzeitig als Verletzung der Person der Frau oder ihrer Familie angesehen wird. Mit anderen Worten: Es gibt kein öffentliches Strafrecht, nur Privatrecht. Weil das öffentliche Allgemeine, der Staat, noch nicht existiert.

16. Der Inzest des Kelemoke

Als Beispiel für Konfliktlösung und Delikt bei Jägern hier die Beschreibung des schwersten Konflikts, den der amerikanische Ethnologe Colin Turnbull bei den Mbuti erlebte, mit denen er ein Jahr lang durch den Regelwald am Ituri gezogen war:

> Man hatte zu Abend gegessen, saß am Feuer und unterhielt sich. Plötzlich hörten sie lautes Geschrei vom Nebenlager. Die Horde am Epulu siedelte in einem größeren und einem kleineren Lager, verbunden durch einen schmalen Pfad. Auch auf dem Pfad hörten sie lautes Rufen. Dann kam Kelemoke in ihr Lager gestürzt, wütend verfolgt von einigen Altersgenossen, die mit Speeren und Messern bewaffnet waren. In dem großen Lager liefen alle in ihre Hütten. Einige der Jüngeren rannten zu den nächsten Bäumen und kletterten auf die Äste. So auch Turnbull, gemeinsam mit seinem besten Informanten, Kenge.
>
> Sie sahen, wie Kelemoke versuchte, in einer der Hütten Unterschlupf zu finden. Er wurde mit zornigen Bemerkungen abgewiesen und ein brennender Holzscheit hinter ihm her geworfen. Jemand schrie ihm zu, er solle in den Wald fliehen. Dorthin verschwand er dann auch, seine Verfolger direkt auf den Fersen. Als sie nicht mehr zu sehen waren, kamen drei Mädchen von nebenan in das Hauptlager gestürmt, unter ihnen Kelemokes Kusine. Auch sie trugen Messer, kleine Schälmesser. Sie waren in Tränen aufgelöst und schrieen laut, verfluchten Kelemoke und seine Familie. Als sie ihn nicht fanden, warf seine Kusine ihr Messer auf den Boden, schlug sich mit den Fäusten und schrie immer wieder: „Er hat mich getötet, er hat mich getötet“, und dann, nach einer Atempause: „Ich werde nie wieder leben können.“ Kenge erlaubte sich aus der Si-

cherheit des Baumes eine kurze Bemerkung zur Logik dieser Feststellung, und sofort richtete sich der Zorn der Mädchen gegen die beiden Männer auf dem Baum, mit Drohungen und Beschimpfungen. Dann warfen sie sich auf den Boden, wälzten sich herum, schlugen sich selbst, rauften sich das Haar. Alles unter lautem verzweifeltem Weinen.

Ein Ruf kam aus dem Wald. Einer der Verfolger hatte Kelemoke gefunden, dicht am Lager versteckt. Die Mädchen hörten das, schwangen drohend ihre Messer. Andere Rufe kamen vom Nebenlager, jetzt zum erstenmal von Erwachsenen. Turnbull konnte nicht verstehen, worum es ging, aber er sah Flammen. Er fragte Kenge, was passiert sei. Kenge sah sehr ernst aus. Er sagte, das sei die größte Schande, die ein Pygmäe auf sich laden könne. Kelemoke habe einen Inzest begangen, mit seiner Kusine, das sei fast so schlimm wie zwischen Bruder und Schwester. Turnbull fragte, ob sie ihn töten würden, und erhielt die Antwort, sie würden ihn nicht finden: „Sie haben ihn in den Wald getrieben, und er wird dort allein leben müssen. Niemand wird ihn aufnehmen, nach dem, was er getan hat. Und er wird sterben, weil man im Wald nicht allein leben kann. Der Wald wird ihn töten. Und wenn er ihn nicht tötet, dann wird er an Lepra sterben." Dann, in typisch pygmäischer Weise, brach er in ein unterdrücktes Lachen aus, klatschte in die Hände und sagte: „Er hat es monatelang gemacht. Er muß sehr dumm gewesen sein, sich erwischen zu lassen. Kein Wunder, daß sie ihn in den Wald gejagt haben." Für Kenge – schien es – war die größere Sünde, sich erwischen zu lassen.

Die Menschen im Hauptlager waren noch in ihren Hütten. Die Jüngeren hatten nach Njobo gerufen, einem erfolgreichen Jäger, und nach Moke, dem einflußreichsten der Älteren. Aber sie weigerten sich herauszukommen, wollten damit nichts zu tun haben. Im Nebenlager wurde es lauter. Turnbull und Kenge kletterten vom Baum und gingen rüber. Eine der Hütten stand in Flammen. Es war die von Masalito, ein zweiter Onkel Kelemokes, der ihn seit dem Tod seines Vaters aufgenommen hatte. Das Feuer hatte Aberi gezündet, der Vater des Mädchens. Leute stand drumherum, Rufe und Schreie waren zu hören. Einige Männer rauften sich und Frauen drohten sich mit Fäusten. Turnbull ging wieder zurück ins Hauptlager. Dort stand man nun herum und diskutierte, in Gruppen von Männern und in anderen von Frauen. Dann kam ein Trupp aus dem Nebenlager und verlangte eine Diskussion. Man schimpfte auf die Kinder, die das ganze genossen hatten und nun die heldenhafte Flucht des Kelemoke nachahmten. Die Erwachsenen konnten das alles gar nicht lustig finden, setzten sich zusammen und besprachen das Ganze. Es ging allerdings nicht so sehr um Kelemokes Verfehlung, sondern um das Niederbrennen der Hütte. Masalito weinte: „Kelemoke hat nur getan, was jeder Junge tun würde. Und nun, wo man es bemerkt hat, haben sie ihn in den Wald getrieben. Der Wald wird ihn töten. Da ist er erledigt. Aber mein eigener Bruder hat meine Hütte niedergebrannt und ich habe nichts zum Schlafen. Und was ist, wenn es regnet? Ich werde an Kälte und Nässe sterben, von der Hand meines Bruders." Der Bruder, Aberi protestierte leicht. Er sei beleidigt worden. Masalito hätte sich mehr um Kelemoke kümmern und ihn besser erziehen sollen. Auch er sprach nicht mehr vom Inzest. Es ging immer noch um den Brand der Hütte. Beide Familien klagten sich gegenseitig für mehr als eine Stunde an. Dann fingen die Älteren an zu gähnen. Sie gingen schlafen. Man könne die Sache auch noch am nächsten Tag beilegen.

Am nächsten Tag ging Turnbull in das Nebenlager. Die Mutter des Mädchens, Aberis Frau, was damit beschäftigt, Masalitos Hütte wieder aufzubauen. Aberi und Masalito saßen einträchtig nebeneinander. Die Jungen sagten ihm, er solle sich keine Sorge um Kelemoke machen. Sie würden ihm heimlich was zu essen bringen. Er sei im Wald, nicht weit weg. Drei Tage später, als die anderen nachmittags von der Jagd zurückkamen, trottete Kelemoke langsam hinter ihnen ins Lager, so als ob er mit auf der Jagd gewesen sei. Er sah vorsichtig umher. Niemand sagte etwas. Man beachtete ihn nicht. Er setzte sich zu den Jüngeren ans Feuer. Die Unterhaltung ging weiter, als ob er nicht da wäre. Dann kam ein kleines Mädchen, von seiner Mutter mit einer kleinen Mahlzeit geschickt. Sie gab es ihm und lächelte ihn dabei an. Kelemoke hat mit seiner Kusine nicht mehr geflirtet. Die Sache war erledigt. Fünf Jahre später hat er geheiratet, mit zwei Kindern, ein erfolgreicher und angesehener Jäger.

An diesem Fall ist Dreierlei bemerkenswert. Zunächst: Es sind nicht die Älteren oder die erfolgreichen Jäger, die sich um die Verfolgung des Verstoßes gegen ihre Ordnung kümmern. Zweitens wird der Inzest nur als Delikt des Mannes angesehen. Das Mädchen, dem wir den gleichen Vorwurf machen würden, gilt als Verletzte, die sogar Rache fordern kann. Typisch ist, drittens, der Ausgang. Nach einiger Aufregung und einem heilsamen Schreck des Täters läßt man die Sache einfach auf sich beruhen. Das findet man oft in Jägergesellschaften.

17. Recht

Man findet auch die Vorstellung, die verschiedenen Regeln würden sich zu einem Ganzen zusammenfügen, ähnlich wie wir – sehr viel abstrakter – objektives Recht definieren als die Summe aller Rechtsnormen. Bei den Mbuti geschieht dies, indem sie ihr gesamtes Verhalten zum Wald in Beziehung setzen. Es ist gut, wenn es ihm gefällt. Es ist schlecht, wenn es ihm mißfällt. Die Feuerländer beziehen sich auf einen Himmelsgott, ebenso die !Kung. Die australischen Walbiri haben sogar ein eigenes Wort für ihre Ordnung: djugaruru. Das bedeutet wörtlich die Linie oder „der gerade oder richtige Weg", wie unser Wort Recht von richtig, aufrecht, gerade, abgeleitet ist. Bei Jägern spielen dabei allerdings religiöse Vorstellungen eine außerordentlich große Rolle. Es sind Naturreligionen mit einer Einheit von natürlicher und gesellschaftlicher Ordnung, mit gleichen Gesetzen für Menschen und Naturabläufe, aber dem Unterschied, daß Menschen diese Gesetze nicht immer einhalten. Recht und Religion können bei Jägern kaum unterschieden werden. Eine Ausnahme machen Totschlag, Ehebruch und Diebstahl, die nie religiöse Bedeutung haben. Warum? Das läßt sich schwer sagen. Diese Ausnahme zeigt, daß die Theorie von der Entstehung des Rechts aus der Religion nicht richtig sein kann. Denn wichtige Teile des Kernbereichs von Recht liegen außerhalb der religiösen Sphäre. Henry Maine, dem diese Theorie oft zugeschrieben worden ist, hat das übrigens auch nie behauptet. Er war allerdings der Meinung, Recht und Religion seien in frühen Gesellschaften sehr eng miteinander verflochten. Das ist, wie man sieht, völlig zutreffend.

Literatur

6. Eskimo: *Birket-Smith*, Die Eskimo 1948; Schoschonen: *Steward*, Basin-plateau ab-original socio-political groups 1938; Feuerländer: *Gusinde*, Die Feuerland-Indianer 1931–39; Mbuti: *Turnbull*, Wayward Servants 1965; !Kung: *Marshall*, The !Kung of Nyae-Nyae 1976; Hadza: *Woodburn*, Minimal Politics, in: Shack/Cohen Politics in Leadership (1979) 244 ff.; Andamanen: *Radcliffe-Brown*, The Andaman Islanders 1922; Semang: *Schebesta*, Die Negritos Asiens 1952–57; Walbiri: *Meggitt*, Desert People 1962. – **7.** *Sahlins*, Stone Age Economics (1972) 1 ff. – **8.** *Service*, The Hunters (2. Aufl. 1979) 35 f.; *Clastres*, Staatsfeinde 1976. – **9.** *Slocum*, Woman the Gatherer, in: *Reiter*, Toward an Anthropology of Women (1975) 36 ff. – **10.** *Gough*, The Origin of the Family, in: *Reiter*, Toward an Anthropology of Women (1975) 51 ff. – **11.** *Lévi-Strauss*, Die elementaren Strukturen der Verwandtschaft 1981, vgl dazu *Harris*, The Rise of Anthropological Theory (1969) 484–513; *Schneider*, The Meaning of Incest, in: The Journal of the Polynesian Society (1976) 149 ff.; *Siebert*, Das Inzestverbot in der normativen Struktur früher Gesellschaften, jur. Diss. Berlin 1997 – **12.** *Radcliffe-Brown*, The Andaman Islanders (1922) 41; U.W. Frühformen 95 ff. – **13.** *Mauss*, Die Gabe 1968; *Malinowski*, Crime and Custom in Savage Society 1926; *H. Ritter*, Gegenseitigkeit, in: *J. Ritter*, Hist. Wb. d. Phil. 3 (1974) 119 ff.; *Sahlins*, Stone Age Economics (1976) Kap. 4–6. – **14.** Frühformen 184 ff. – **15.** U.W., Frühformen 344 ff. – **16.** *Turnbull*, The Forest People 1961, Ndr. 1976. 103 ff. – **17.** U.W., Frühformen 171 ff.

2. Kapitel

SEGMENTÄRE GESELLSCHAFTEN

Allgemeine Literatur: *Tait/Middleton*, Tribes without Rulers 1958; *Fortes*, Kinship and the Social Order 1969; *Wesel*, Frühformen des Rechts in vorstaatlichen Gesellschaften (1985) 189–355

18. Produktionsweise

Das Wort segmentär stammt von Emile Durkheim. Er hat diese Gesellschaften so bezeichnet, weil sie nicht eine starre Einheit bilden, wie staatliche mit ihrer Zentralinstanz, sondern aus mehreren nebeneinander bestehenden Segmenten zusammengesetzt sind. Regelmäßig sind es Verwandtschaftsgruppen.

Mit der Jungsteinzeit geht man allmählich zur Seßhaftigkeit über, vom food gathering zum food producing, im 10. und 9. Jahrtausend v. Chr., in Nordafrika, Mesopotamien, Nordsyrien, Südanatolien. Am besten beschrieben ist das von Gordon Childe, der es als die neolithische Revolution bezeichnete. Das Ende der letzten Eiszeit bedeutete, mit dem Rückgang der Vereisung im Norden, eine starke Austrocknung dieser südlichen Gebiete, in denen die Jagd damit schwierig wurde. Es entsteht zuerst eine gemischte Landwirtschaft, Ackerbau mit Kleinviehzucht, kombiniert mit Jagd. Die Landwirtschaft bringt die Möglichkeit für die Konservierung der Produkte und Akkumulation von Überschüssen. Und damit gibt es auch den Krieg. Es ist eine Hauswirtschaft mit Töpferei und Weberei. Die Grundlagen werden geschaffen für die erstaunliche Entwicklung der Produktionskräfte in den Hochkulturen Ägyptens und Mesopotamiens. Die Zunahme der Bevölkerung ist groß. Alles deutet darauf hin, daß die Gesellschaft von Anfang an in Verwandtschaftsgruppen organisiert war. Eindrucksvoll deutlich wird dies in der Struktur der um 1960 von dem englischen Archäologen James Mellaert ausgegrabenen Siedlung Çatal Hüyük aus dem frühen sechsten Jahrtausend in Südanatolien. Jeweils mehrere Wohnhäuser liegen um eine gemeinsame Kultstätte für die gemeinsamen Ahnen.

Die Produktionsweise der Hauswirtschaft beruht auf einer sehr viel stärkeren Identität von Verwandtschaft und gesellschaftlicher Ordnung als vorher. Die Horde lebt nach dem Prinzip einer unbeständigen Mitgliedschaft, deren Verbindlichkeit letztlich mit der Verteilung des Produkts endet. Ihre Produktion ist punktuell, die Reproduktion ungeordnet und zufällig. Kinder spielen für ihren Fortbestand keine entscheidende

Rolle. Das Problem von Jägern ist selten, daß sie zu wenig Kinder haben. Allenfalls gibt es zu viele und manchmal tötet man die Neugeborenen.

Anders ist es bei der Seßhaftigkeit. Es entsteht das Produktions- und Reproduktionsverhältnis der Verwandtschaft. Der Fortschritt der Landwirtschaft besteht in der planmäßigen Produktion von Lebensmitteln, die nicht nur über den meist einjährigen Zyklus von Anbau und Ernte gestreckt ist, sondern auch – und das ist entscheidend – über die ineinandergreifenden Altersstufen der Produzenten. Die Älteren produzieren zunächst für ihre Kinder, um dann im Alter ganz wesentlich von deren Produktion abhängig zu sein. Kinder werden existentiell wichtig. Die notwendige Ergänzung zur Produktion des Ackerbaus ist also die Organisation einer kontinuierlichen Reproduktion neuer Produzenten. Das geschieht über die neue Form der agnatischen Verwandtschaft, mit der den einzelnen Gruppen über die feste Zuweisung der Kinder ihre Existenz als Produktionseinheit gesichert wird. Deshalb ändert sich mit der Seßhaftigkeit die Verwandtschaftsform. Jäger leben regelmäßig in kognatischer Verwandtschaft, frühe Ackerbauern und Hirten in agnatischer.

19. Agnatische Verwandtschaft, Matrilinearität und Patrilinearität

Familie ist die Lebensgemeinschaft von Mann und Frau, mit ihren Kindern. Verwandtschaft sind die darüber hinaus gehenden Beziehungen von Menschen, die auf gemeinsamer Abstammung beruhen. Hier gibt es zwei Systeme, nämlich das kognatische und agnatische. Kognatisch ist die Blutsverwandtschaft, unser System, in dem ein Kind sowohl mit der Verwandtschaft seiner Mutter verbunden ist, als auch mit der seines Vaters. Sie findet sich bei Sammlern und Jägern, wird mit der Seßhaftigkeit bei segmentären Ackerbauern und Hirten von der agnatischen Verwandtschaft abgelöst und erscheint dann allmählich wieder nach der Entstehung des Staates, der die Tendenz hat, die sehr festen Solidargemeinschaften agnatischer Gruppen aufzulösen. Agnatische Verwandtschaft ist einlinig. Ein Kind ist also nur mit der Verwandtschaft seiner Mutter verwandt oder nur mit der seines Vaters. Man nennt das Matrilinearität und Patrilinearität. In der Antike wurde das Wort agnatisch nur für die griechische und römische Patrilinearität verwendet. Es paßt aber ebenso für die einlinige Abstammung in der Mutterlinie.

20. Lineage

Durch diese einlinige Gliederung entstehen feste Verwandtschaftsgruppen, die man als lineage bezeichnet (griech. genos, lat. gens, germ. Sippe). Innerhalb dieser Gruppen darf man nicht heiraten und zur Verstärkung dieses Exogamiegebotes gibt es regelmäßig das Inzesttabu. Die lineages sind in matrilinearen Gesellschaften kleiner, in patrilinearen größer. Bei Patrilinearität reichen sie fünf bis acht Generationen zurück. Das können dann schon ein- oder zweihundert Menschen sein. Sie haben in der Regel einen Stammsitz, ein Dorf, das ihnen „gehört". Als Beispiel für eine solche agnatische Gruppe in Abbildung 2 die Darstellung

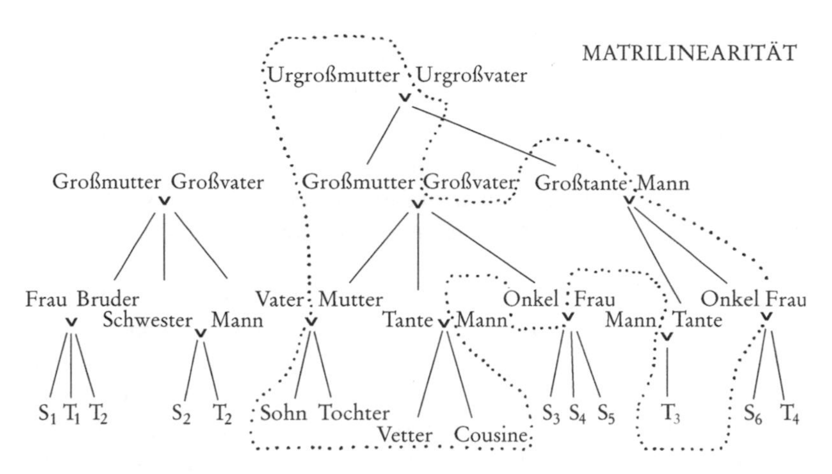

Abbildung 2: Beispiel einer matrilinearen lineage. Zu ihr gehören alle Personen innerhalb der punktierten Linie.

einer kleinen matrilinearen lineage in vier Generationen mit dreizehn Personen.

Sohn und Tochter, unten in der Abbildung sind nur verwandt mit der Verwandtschaft ihrer Mutter, auch mit den männlichen Verwandten, aber nur, wenn sie über ihre Mütter von derselben Urgroßmutter abstammen. Im Beispiel der Abbildung sind sie also verwandt mit ihren beiden Onkeln, aber nicht deren Kindern. Denn die gehören zur lineage ihrer jeweiligen Mütter. Sohn und Tochter sind auch verwandt mit ihrem Vetter und den beiden Cousinen. Auch sie gehören zur lineage, weil sie Kinder von Frauen dieser lineage sind. Mit den Verwandten ihres Vaters sind Sohn und Tochter nicht verwandt, also weder mit dessen Eltern noch mit seinen Geschwistern oder deren Kindern. Nicht einmal mit ihrem Großvater mütterlicherseits sind Sohn und Tochter verwandt. Denn der stammt – wegen der Exogamie – aus einer anderen lineage als ihre Großmutter. Sonst hätten die beiden gar nicht heiraten dürfen.

21. Morgans Entdeckung: Identität von Verwandtschaft und gesellschaftlicher Ordnung

Die segmentären Gesellschaften sind im Gegensatz zu Jägern stärker strukturiert und klar gegliedert. Das war die große Entdeckung Henry Lewis Morgans bei den Irokesen, nämlich die Identität von Verwandtschaftsstruktur und politischer Ordnung. Er sprach noch von Gentilgesellschaften. Die gesellschaftliche Ordnung besteht im Nebeneinander von agnatischen Verwandtschaftsgruppen. Als selbständige und in sich geschlossene Segmente der Gesellschaft bilden sie gemeinsam einen Stamm, in dem sie untereinander verbunden sind durch vielfältige Heiratsbeziehungen. Mit anderen Worten: Der gesellschaftliche Zusammenhalt wird hergestellt durch die Exogamie der Segmente und die Endogamie des

Stammes, also durch die Regel, daß man nur außerhalb der lineage heiraten darf, aber innerhalb des Stammes.

Die Segmente sind aber auch örtlich, nicht nur verwandtschaftlich definiert. Häufig leben die Mitglieder einer lineage zusammen in einer Siedlung. Es gibt allerdings auch Dörfer mit Angehörigen verschiedener lineages. Die örtliche Identifikation kann dabei überwiegen. Man versteht sich dann in erster Linie als Einwohner eines bestimmten Dorfes, erst in zweiter Linie als Mitglied einer lineage.

22. Egalität

Der Parallelität von örtlicher und verwandtschaftlicher Identifikation entspricht eine ähnliche Doppelung bei den Repräsentanten von Dorf und lineage. Lineages haben meistens einen oder mehrere Sprecher, einen Ältesten oder mehrere. Ihre Stellung kann sich allein aus ihrem Alter ergeben. Manchmal wird gewählt. Dann ist ihre Macht regelmäßig größer, besonders wenn junge Männer gewählt werden. Die Älteren sterben bald, wechseln häufiger, haben kaum eine Möglichkeit, ihre Stellung zu befestigen. Sind Dorf und lineage identisch, dann ist der Älteste auch Sprecher des Dorfes. Sonst gibt es andere Lösungen, ab und zu weder einen Repräsentanten des Dorfes noch der lineage.

So verschieden die Positionen in segmentären Gesellschaften sein mögen, eines läßt sich allgemein sagen. Es gibt grundsätzlich keine Herrschaft. Ihre Funktion ist der Ausgleich, die Vermittlung, die Herstellung von Konsens, ähnlich wie in Jägergesellschaften. Allerdings wachsen hier und da aus den Zweigen der agnatischen Verwandtschaft die Knospen institutionalisierter Macht. Herrschaft entsteht aus der Radikalisierung von Institutionen der Verwandtschaft. Und so finden sich viele lineage-Gesellschaften, deren egalitäre Struktur mehr oder weniger geschwächt ist. Die allgemeine Definition bleibt davon unberührt. Segmentäre Ordnung ist aufgebaut auf dem Prinzip der agnatischen Verwandtschaft und im Grundsatz egalitär.

23. Matriarchat, Matrilinearität, Matrilokalität, Matrifokalität

Das Matriarchat ist die Entdeckung Johann Jakob Bachofens. 1861 erschien sein Buch „Das Mutterrecht. Eine Untersuchung über die Gynaikokratie der alten Welt." Ausgehend von einer Bemerkung Herodots über die Lykier, bei denen die Kinder den Namen der Mutter erhalten und nicht des Vaters (Herod. 1.173), in genialer Interpretation der griechischen Mythen und auf der Grundlage weiterer Nachrichten aus der Antike, z.B. über altägyptische Heiratsverträge, nahm er an, die Vorherrschaft der Frauen über die Männer, die Gynaikokratie, sei eine allgemeine Kulturstufe der Menschheit, die bei allen Völkern dem Patriarchat vorangehe.

Seine Entdeckung schien eindrucksvoll bestätigt, als Morgan sechzehn Jahre später in „Ancient Society" 1877 die Matrilinearität der Irokesen beschrieb und sie wie Bachofen darauf zurückführte, daß am Anfang der Entwicklung der Familie die Gruppenehe gestanden habe, die Verbindung mehrerer Frauen mit mehreren Männern, so daß immer nur die Abstammung des Kindes von der Mutter sicher sein konnte. Morgan folgte ihm auch in der Annahme, daß die Namensgebung nach der Mutter auf eine entsprechend beherrschende gesellschaftliche Stellung der Frauen schließen lasse, so wie die Namensgebung über den Vater verbunden ist mit der Herrschaft der Männer über die Frauen. Er folgte Bachofen allerdings nur zögernd, weil dies eigentlich seiner Grundauffassung widersprach, die Gentilgesellschaft sei frei, gleich und brüderlich gewesen. Herrschaft, von wem auch immer, paßte da eigentlich nicht hinein. Den Wechsel von Matrilinearität zu Patrilinearität führte er darauf zurück, daß mit Zunahme der Produktivität, besonders mit dem Zuwachs an Vieh, die „Idee des Privateigentums" sich immer stärker durchgesetzt habe, die Männer das Vieh zunehmend nicht mehr als Eigentum der Gens, sondern als ihr privates angesehen und damit auch das Bedürfnis entwickelt hätten, es auf ihre Kinder zu vererben, was bei Matrilinearität nicht möglich war, weil die Kinder zur Gens der Mutter gehörten, deren Eigentum von dem des Vaters und dem seiner Gens streng getrennt war. Der Ausschluß der Kinder von der Erbschaft des Vaters sei mit wachsendem Reichtum als ungerecht empfunden worden, man sei deshalb zur Patrilinearität übergegangen. Danach kam die Entwicklung zur monogamen Ehe, um zu gewährleisten, daß auch wirklich nur Kinder dieses Vaters in seine Erbfolge gelangten. Schließlich, mit der Entstehung der Sklaverei, der Herrschaft über Menschen, habe sich dann dieses Herrschaftsdenken auch auf das Verhältnis des Mannes zu seiner Frau und seinen Kindern ausgedehnt, besonders stark in Rom und es entstand die patriarchalische monogame Ehe. Diese Lehre wurde von Friedrich Engels übernommen. „Der Ursprung der Familie, des Privateigentums und des Staats" 1884, und in dieser Form ist sie bis heute allgemein verbreitet.

Bachofens Theorie hat sich in der westlichen Vor- und Frühgeschichte direkt durchgesetzt, ohne Vermittlung Morgans. Ziemlich unkritisch bringt man sie in Verbindung mit der großen Zahl weiblicher Statuetten in Funden aus der späten Altsteinzeit. Mit sicherlich größerer Berechtigung spricht man vom matriarchalischen Charakter der Gesellschaft im minoischen Kreta, nachdem die Ausgrabungen in Knossos und in den anderen Palästen eine große Zahl von Bildwerken zu Tage gebracht haben, aus denen man eine starke Stellung der Frauen im gesamten gesellschaftlichen Bereich herauslesen kann.

Bachofen, Morgan und Engels haben von der Matrilinearität auf ein Matriarchat geschlossen. Der Einwand der Ethnologen dagegen kam sehr früh: Edward Westermarck, „The History of Human Marriage", 1891: In allen bekannten matrilinearen Gesellschaften dominieren die Männer. Sie sind es auch, die die Funktion als lineage-Älteste, Sprecher, Schamanen oder Häuptlinge ausüben. Der Schluß von der Matrilinearität auf ein Matriarchat sei also unzulässig. Das ist noch heute herrschende Meinung. Sie ist nur zum Teil richtig.

Man kennt heute mehr als einhundert matrilineare Gesellschaften. Überall in der außereuropäischen Welt finden sie sich. In der Regel sind die Frauen von den Männern unterdrückt, mindestens stark benachteiligt. Von einem überwiegenden oder starken Einfluß der Frauen kann keine Rede sein. Aber es gibt Ausnahmen. In einigen wenigen matrilinearen Gesellschaften, die gleichzeitig matrilokal organisiert sind, sind die Frauen den Männern etwa gleichgestellt. So etwa bei den Hopi im Südwesten der Vereinigten Staaten. Diese Gesellschaften kann man als matrifokal bezeichnen, weil die Frauen im Mittelpunkt der gesellschaftlichen Ordnung stehen, nicht nur im Hinblick auf die Verwandtschaft, sondern auch durch die Residenzregelung, die entscheidend ist. Residenzregeln sind Normen, die bestimmen, wo eine junge Familie ihren Wohnsitz nimmt. Unter den vielen verschiedenen gibt es zwei einfache, sozusagen jeweils am äußeren Rand der Möglichkeiten. Wenn eine Frau einen Mann heiratet, dann kann die neue Familie im Dorf der lineage der Frau ihren Wohnsitz nehmen oder in dem des Mannes. Man nennt das Matrilokalität und Patrilokalität. Matrilokalität war von den Ethnologen nur noch sehr selten zu beobachten, also auch die Matrifokalität als Kombination von Matrilinearität und Matrilokalität. Die Stellung der Frauen ist hier sehr gut, weil sie in der Solidarität ihrer Verwandtschaft leben, mit ihren Schwestern, Müttern, Großmüttern. Der Mann ist dort regelmäßig ein Fremder. Die Trennung von ihm hat keine großen Folgen. Die Hopi sind etwa der Normalfall der Matrifokalität, während die Stellung der Frauen bei den – matrilinearen und matrilokalen – Irokesen im Nordosten der Vereinigten Staaten im 17. und 18. Jahrhundert noch besser gewesen ist. Sie hatten auch sehr starke politische Rechte. Das war eine Ausnahme, die sich aus der ständigen Abwesenheit eines großen Teils der Männer ergibt, die zu Beratungen, auf der Jagd oder auf Kriegszügen unterwegs waren. Bei ihnen gab es eine gewisse Dominanz der Frauen. Und in beiden Gesellschaften, nicht zufällig, Arbeitskollektive von Frauen.

Die Verteilung der Kinder war das existentielle Problem der frühen seßhaften Hauswirtschaft. Daraus entstand die Verwandtschaft, je nachdem, ob sie zur Familie der Frau oder des Mannes gerechnet wurden. So entstand Matrilinearität oder Patrilinearität. Beide Verwandtschaftssysteme sind wohl etwa gleichzeitig entstanden, und zwar aus den beiden möglichen Residenzlösungen. Wenn eine neue Familie am Wohnsitz der Frau lebte, zählten die Kinder zu ihrer Verwandtschaft. Lebte sie am Wohnsitz des Mannes, dann zu seiner. Die Residenzregelung wiederum ergab sich aus der höheren Wichtigkeit von Frauenarbeit oder Männerarbeit, also aus der Arbeitsteilung der Geschlechter. Matrilokale Residenz wohl regelmäßig bei Hackbau ohne Pflug und Stecklingswirtschaft, patrilokale bei Getreidebau und überwiegender Großviehzucht. Matrilinearität ist am Anfang also immer matrilokal. Das bedeutet, daß alle matrilinearen Gesellschaften zu Beginn ihrer Geschichte matrifokal gewesen sind: Bachofen hat teilweise recht. Am Beginn der Seßhaftigkeit gab es Frauengesellschaften. Allerdings muß man seine Theorie mit drei Einschränkungen versehen. Erstens hat es diese Gesellschaften nicht am Beginn der menschlichen Geschichte gegeben, sondern etwa in der Mitte, nach ein bis zwei Millionen Jahren Existenz als Sammler und Jäger. Zweitens war es keine allgemeine Kulturstufe der Menschheit, sondern nur eine Parallelentwicklung neben patrilinearen Gesellschaften und, drittens, war es keine Herrschaft von Frauen, sondern im wesentlichen ihre Gleichstellung, zum Teil eine gewisse Dominanz.

Die Stellung der Frau in frühen Gesellschaften ergibt sich also aus ihrer Stellung als Produzentin von Lebensmitteln und von Produzenten, in einer jeweils arbeitsteiligen Gesellschaft, im Prozeß der Arbeitsteilung von Frauen und Männern:

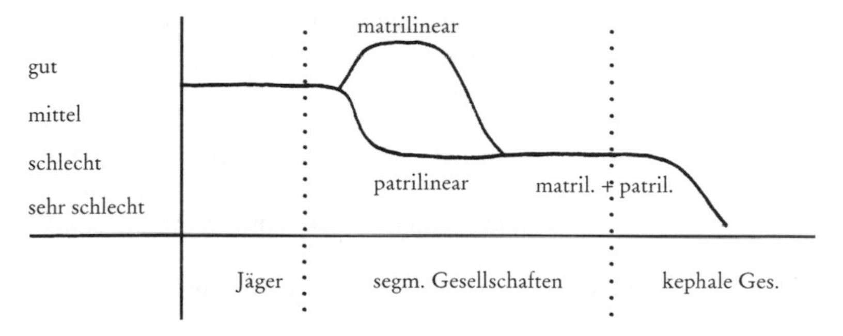

Abbildung 3: Die Entwicklung der Stellung von Frauen auf den drei Entwicklungsstufen früher Gesellschaften

Erste Stufe: In Jägergesellschaften ist die Arbeitsteilung zwischen Frauen und Männern naturwüchsig und führt deshalb nur zu einer leichten Benachteiligung von Frauen, zumal die Arbeit noch keine so große Rolle spielt.

Zweite Stufe: In segmentären Gesellschaften verstärkt sich die Arbeitsteilung leicht. Die Bedeutung der Arbeit nimmt zu. Dadurch verstärken sich ihre Wirkungen, und zwar in zwei Richtungen. Die Benachteiligung von Frauen wird teilweise aufgehoben und teilweise außerordentlich verstärkt. Warum? Weil sie einerseits zu einer matrilokalen Residenzregelung führt, die die in der kleinen Familie schon in Jägergesellschaften angelegte

Benachteiligung von Frauen neutralisiert, besonders auch dadurch, daß die Arbeitsteilung von Frauen und Männern zu einem Teil auf die Ebene von Arbeitskollektiven gehoben wird, die die Benachteiligung von Individuen beseitigt. Und weil andererseits die von der Arbeitsteilung verursachte Patrilokalität in patrilinearen Gesellschaften weitergehende Folgen hatte, und zwar sowohl die ursprüngliche Patrilokalität in patrilinearen Gesellllschaften als auch die nachfolgende Patrilokalität in matrilinearen Gesellschaften, die eine Folge der Veränderung der Produktionsbedingungen ist. Patrilokalität ist an sich schon ungünstig für Frauen. Hinzu kommt aber die Entstehung von Brautpreisen. Ihre Funktion ist sinnvoll (Rdz. 26), nämlich einen Ausgleich zu geben für den Verlust der Arbeitskraft der Frau oder ihrer Kinder. Aber als Folge treten oft Vorstellungen auf über den Sachwert von Frauen, die ihre gesellschaftliche Stellung weiter verschlechtern.

Dritte Stufe: In kephalen Gesellschaften verstärkt sich dieser Prozeß noch weiter, weil nun auch noch die große Masse der unterdrückenden Männer von einer zentralen Herrschaftsinstanz unterdrückt wird.

24. Religion

Je höher der Grad der sozialen Dichte, desto intensiver werden religiöse Vorstellungen und ihre Organisation. Die Mbuti-Jäger zum Beispiel sind alle in gleicher Weise mit dem Wald verbunden, den sie religiös verstehen. Alle sind Priester und Laien zugleich. Die Eskimo haben Schamanen, denn die soziale Dichte ihrer Siedlungen ist sehr viel größer, jedenfalls im Winter. In segmentären Gesellschaften entstehen Kultgemeinschaften in den Dörfern, erhalten Hexerei und Zauberei, Orakel und Magie (Rdz. 31) zum Teil große Bedeutung. Je konsistenter die Produktion, desto fester die soziale Struktur und um so stärker ist der Ahnenkult, den es bei Jägern gar nicht gibt. Intensiv ist er in patrilinearen Gesellschaften mit Getreideanbau, schwächer bei patrilinearen Hirten und in matrilinearen Gesellschaften mit Hackbau.

25. Eigentum

Eigentum verstehen segmentäre Gesellschaften weitgehend in Begriffen von Verwandtschaft, jedenfalls beim Land und anderen wichtigen Produktionsmitteln, zum Beispiel Rindern. Das Verwandtschaftseigentum steht im Vordergrund, gibt den Zugang zu den Produktionsmitteln. Auch insofern haben Morgan und Engels geirrt. Privateigentum ist nicht mit der Viehzucht entstanden. Großviehherden stehen immer in Verwandtschaftseigentum, nur Kleinviehherden können individuelles Eigentum einzelner sein. Individualeigentum besteht daneben von Anfang an. Es findet sich wie bei Jägern an Gegenständen des persönlichen Gebrauchs und an Produkten. Verwandtschaftseigentum ist unveräußerlich, die Teilung von Erbgut selten, zumal am Land verwandtschaftlich bedingte Mehrfachberechtigungen bestehen mit Nutzungsrechten einzelner.

26. Reziprozität, Brautpreise

Auch die Reziprozität spielt bei ihnen eine große Rolle, verändert allerdings ihren Charakter. Bei Jägern ist die positive am wichtigsten, jetzt wird es die ausgeglichene, besonders in Form von Brautpreisleistungen. Das hat nichts mit einer „Kaufehe" zu tun. Sie sind nicht Preis für die Frau, sondern Ausgleich dafür, daß ihre Kinder bei Patrilinearität zur lineage des Mannes gehören werden und ihre Arbeitskraft seiner Verwandtschaft zugute kommt, wenn sie in das Dorf des Mannes zieht. Deshalb ist die Verbindung der beiden in der Familie jetzt stärker als in Jägergesellschaften. Der Druck auf die Frauen wird größer. Verlassen sie ihren Mann, bevor Kinder geboren sind, dann muß ihre Verwandtschaft den Brautpreis zurückgeben. Sind Kinder vorhanden, bleiben sie bei Patrilinearität in der Verwandtschaft und im Dorf des Mannes. Brautpreisleistungen sind immer Indiz für Verwandtschaftseigentum, während Mitgiftsysteme als vorweggenommene Erbschaft von Frauen immer auf Privateigentum beruhen.

27. Konfliktlösungsmechanismen

Die meisten Konflikte entstehen aus Streitigkeiten um Frauen oder über die Zahlung von Brautpreisschulden. Verträge in unserem Sinne gibt es nicht. Die Streitigkeiten haben also deliktischen Charakter. Eigentumsverletzungen sind selten. Konflikte werden entweder friedlich beendet oder unfriedlich.

Zu den unfriedlichen Mitteln gehören die Selbsthilfe und die Rache, die Blutrache und die Fehde. Wichtigstes Mittel der friedlichen Beilegung sind Verhandlungen. Sie können direkt zwischen den streitenden Parteien stattfinden oder unter Einschaltung von Dritten. Bei ihnen hat man zu unterscheiden zwischen Vermittlern und Schiedsrichtern. Der Schiedsrichter entscheidet selbständig, nach Anhörung der Parteien und von Zeugen. Der Vermittler dagegen hat keine Entscheidungsbefugnis. Seine Aufgabe ist es, eine Einigung herbeizuführen. Eine Einigung, die übrigens immer notwendig ist. Beim Schiedsrichter liegt sie am Beginn des Verfahrens, indem man sich über seine Einsetzung verständigt und darauf, daß man seinen Spruch akzeptieren wird. Beim Vermittler liegt sie am Ende, nämlich im materiellen Ergebnis der Verhandlungen, das durch seine Vermittlung erreicht wurde. Schiedsrichter sind selten in segmentären Gesellschaften. Man findet sie nur dort, wo es schon Anfänge von Herrschaft gibt und einzelne stärker aus der allgemeinen Sozialstruktur ausgegliedert sind.

In der Mitte zwischen friedlicher und unfriedlicher Beendigung liegen Streitlösungen durch Ritual oder Ordal. Das Ordal ist eine Sonderform des Orakels, des Wahrheitsspruchs eines höheren Wesens, eines Geistes oder einer Gottheit. Beim Ordal fallen Wahrheitsspruch und Sanktion zusammen, indem man Leben oder Gesundheit riskiert, wie bei afrikanischen Giftordalen. Ähnlich ist das Ritual ein Mittel, den Interessengegensatz der Parteien auf eine höhere – universale – Ebene zu transportieren, auf der die alte Zwietracht nicht mehr verhandelt wird. Die Möglichkeiten reichen vom friedlichen Singstreit bis zum feindseligen Tauschwettbewerb. Am bekanntesten ist der Singstreit der Eskimo, nith. Es gibt ihn auch in segmentären Gesellschaften, zum Beispiel bei den Tiv in Nigeria. Tauschwettbewerbe finden meistens mit Nahrungsmitteln statt, nicht nur bei Sammlern und Jägern, wie das berühmte Potlatsch der amerikanischen Nordwestküstenindianer, sondern auch in segmentären Gesellschaften, etwa in Polynesien.

Selbsthilfe ist die meist unfriedliche Durchsetzung von Recht, ohne Einigung. Die eigenmächtige Wegnahme von Sachen gehört ebenso dazu wie die Rache. Rache ist Ausgleich für Verletzung durch Angriff auf den Verletzer, seine Verwandtschaft oder sein Hab und Gut. Sie muß nicht immer maßlos sein, wie man oft meint. In vielen Gesellschaften gibt es Regeln, die bestimmen, wie weit man gehen darf, besonders für ihre gefährlichste Form, die Blutrache. Wird Blutrache durch Gegenrache erwidert, spricht man von Fehde. Unsere Kenntnisse der Einzelheiten sind spärlich. Die ethnologischen Berichte sagen regelmäßig nur, daß es in bestimmten Gesellschaften die Blutrache gäbe und ihr häufig die Fehde folge, zum Beispiel Evans-Pritchard mit seiner vorzüglichen Schilderung der Nuer und ihres Verfahrens zur Beilegung, in dessen Mittelpunkt ein Leopardenfellpriester steht. Auch er nennt keine konkreten Fälle und gibt keine Zahlen über das Verhältnis von friedlichen und unfriedlichen Lösungen. Ganz allgemein läßt sich sagen, daß die friedlichen auch in segmentären Gesellschaften sehr viel häufiger sind.

28. Der Streit um die Brautpreisschulden des Roikine

Dafür nun ein typisches Beispiel, die Beendigung eines Konflikts in direkter Verhandlung der Beteiligten ohne Vermittler. Ein Fall bei den Arusha, Ackerbauern in Tansania, den Gulliver 1963 beschrieben hat:

> Man stritt um Brautpreisschulden. Vor sieben Jahren hatte Roikine die Tochter des Temi geheiratet und dafür erst zwei Rinder und sechs Schafe und Ziegen gegeben. Der volle Brautpreis bei den Arusha betrug vier Rinder und sieben Schafe und Ziegen, mit genauen Regeln darüber, von welcher Art und Güte. Es fehlten also noch ein Schaf und zwei Rinder. Temi hatte zunächst stillgehalten, aber nun brauchte er dringend Vieh, um eigene Schulden zu begleichen. Roikine sagte, er könne nichts leisten. Er habe gerade genug Vieh, um seine Familie zu ernähren. Temi wollte das nicht akzeptieren, ging zu seinem Vetter Kisita und bat ihn, sein Fürsprecher zu sein und eine interne Besprechung zu organisieren. Die fand dann eine Woche später statt, in kleinem Kreis mit fünf Männern von jeder Seite, meistens Brüdern oder Vettern. Man traf sich eineinhalb Stunden lang unter einem Baum neben dem Haus von Roi-

kine, zeigte auf dessen in der Nähe spielende Kinder und sagte, das sei nicht richtig, er könne nicht beides haben, die Kinder und das Vieh, das er dafür schulde. Er müsse nun endlich den ganzen Brautpreis zahlen. Fürsprecher von Roikine war Olaimer. Er beschrieb lang und breit, ein wie guter Schwiegersohn der sei und was er schon alles für Temi getan und an ihn geleistet habe. Es ging hin und her, etwa eine Stunde, bis Kisita die Bombe platzen ließ. Er habe gehört, daß Roikine sich noch ein Stück Land kaufen wolle. Das löste allgemeine Verblüffung aus. Denn dafür braucht man Vieh. Auch Olaimer hatte davon nichts gewußt, der Fürsprecher Roikines, und war verärgert. Roikine versuchte zunächst zu leugnen und sagte schließlich, er brauche unbedingt zusätzliches Land für seine Familie. Er habe nicht genug. Die anderen verlangten ihr Vieh. Er könne sich nicht neues Land mit ihrem Vieh kaufen. Temis Bruder verlangte laut und aggressiv, er solle seine Tochter wieder mit nach Hause nehmen. Aber das lehnte Temi ab. Die Ehe sei gut und er wolle sie nicht kaputtmachen. Dann war alles still und ratlos. Kisita ging auf und ab. Die Verhandlung endete ohne Ergebnis und man einigte sich nur darauf, das nächste Mal in öffentlicher Versammlung zu verhandeln.
Die fand eine Woche später statt, wieder in der Nähe von Roikines Haus. Sie dauerte etwa drei Stunden und diesmal waren es etwa vierzig Männer, je fünfzehn aus der Verwandtschaft von Temi und Roikine und zehn Zuschauer. Wieder war Kisita der Fürsprecher von Temi und Olaimer der für Roikine. Für Temi war zusätzlich noch Ndaanya gekommen, der Sprecher seiner lineage. Temi erhob sich und sagte ruhig, er sei hier, um zwei Rinder als Brautpreis zu holen. Dann ging Roikine in die Mitte. Er wiederholte seine alten Argumente und beschrieb, wie gut er als Schwiegersohn sei und was er schon alles getan habe. Temis Bruder schrie laut dazwischen: „Ja, das wissen wir alles. Du hast einige Rinder gegeben, aber nicht alle. Sag, daß du uns noch zwei Rinder gibst. Das ist es, zwei Rinder." Roikine antwortete, es ginge nicht nur um zwei Rinder. Er zeigte auf Temis Bruder: „Der will meine Ehe kaputtmachen. Aber Temi will das nicht." Olaimer wollte dazu etwas sagen, wurde aber von Temi zurückgezogen. Ndaanya stand auf, der Sprecher ihrer lineage, ging in die Mitte und sprach leise und höflich. Roikine sei in der Tat ein guter Schwiegersohn, aber Temi ein noch besserer Schwiegervater, denn er sei sehr großzügig gewesen mit seinen Forderungen nach Brautpreis. Dann zählte er noch einmal auf, was zu geben ist und was gegeben wurde und sagte langsam: sotwa, wakiteng. Das waren die beiden noch ausstehenden Rinder, nämlich sot-

wa das Kuhkalb und wakiteng ein Ochse. Danach ging es um den beabsichtigten Landkauf und schließlich sagte er: „Du sagst, Roikine, du seist ein guter Schwiegersohn. Aber gute Schwiegersöhne geben auch Brautpreis." Roikine wurde verteidigt von seinem Vater und Olaimer. Das Land sei dringend notwendig, sagten sie. Und Roikine würde hart arbeiten für seine Familie. Das sei zum Nutzen von Temis Tochter und ihrer Kinder. Temi könne das doch nicht verhindern wollen. Dieser murmelte eine gewisse Zustimmung, sagte aber, auch sein eigener Sohn brauche dringend ein Rind für seinen Schwiegervater. Da rief Roikines Onkel: „Dann nimm ein Kalb. Das ist es. Nimm es." Einige aus ihrer Verwandtschaft klatschten Beifall und Temi flüsterte mit seinen Leuten. „Das ist wakiteng", verkündete Olaimer, womit er sagen wollte, daß die anderen das Kalb an Stelle des Ochsen nehmen sollten. Die schwiegen dazu und gaben auf diese Weise zu verstehen, sie seien damit einverstanden. Verlangten aber dann noch sotwa, das eigentliche Kalb. Roikines Leute sagten, mehr hätte er im Moment wirklich nicht. Schließlich kam das Ende der Verhandlungen. Man einigte sich darauf, daß Roikine als sotwa noch ein Schaf geben würde, nach einiger Zeit, nämlich wenn der kurze Regen käme. Die Einigung war ein Kompromiß. Statt des Ochsen gab es ein Kalb und für das ursprünglich geschuldete Kalb erhielten sie nach einiger Zeit ein Schaf. Daß an sich auch noch ein zusätzliches Schaf geschuldet war, überging man mit Stillschweigen. Es war erlassen. Roikines Frau kam aus dem Haus und brachte ihnen Bier. Als sie es ausgetrunken hatten, nach einer weiteren halben Stunde, gingen alle auseinander.

29. Delikte

Der Ausgleich für deliktische Verletzungen besteht in Bußen, für die sich oft feste Regeln entwickeln. So ist die Buße für Tötungen häufig identisch mit einer Brautpreisleistung, weil damit der Verwandtschaftsgruppe des Getöteten die Möglichkeit gegeben wird, daß einer von ihnen eine Frau heiraten und durch die Geburt von Kindern den Verlust wieder ausgleichen kann. Privatrecht und Strafrecht gehen also noch ungetrennt ineinander über. Normverstöße werden immer noch verstanden als Verletzungen von individuellen Rechten der Betroffenen, nicht als Verstoß gegen die Allgemeinheit von Recht und Ordnung. Feste Bußen gibt es häufig auch für Ehebruch und Körperverletzungen. Ehebruch gilt als Verletzung von Rechten des Ehemannes. Er erhält also Bußleistungen von dem Mann, der mit seiner Frau die Ehe gebrochen hat. Der Inzest ist – wie bei Sammlern und Jägern – ein Verstoß gegen allgemeines Recht, gleichzeitig aber auch Verletzung von individuellen Rechten der Frau oder ihrer Familie, und zwar durch den Mann, der mit ihr den Inzest begeht.

30. Recht

Vorstellungen von Recht und Unrecht kommen unseren teilweise sehr nahe, zum Beispiel bei den Nuer im südlichen Sudan. Ihr Wort für Recht ist cuong. Es hat die Grundbedeutung von aufrecht, richtig. Der Gegensatz ist duer. Es bedeutet falsch, Fehler. Cuong kann wie bei uns sogar im Sinne von objektivem und subjektivem Recht gebraucht werden und ist außerordentlich eng mit religiösen Vorstellungen verbunden. Auf der anderen Seite gibt es andere Vorstellungen von Gerechtigkeit als bei uns. Die Wiederherstellung von Ordnung besteht nicht in der strikten Anwendung von Normen, wie es bei uns – im Idealfall – geschieht. Verhandlung, Vermittlung und Einigung führen meistens zu einem Kompromiß, der allein das künftige Zusammenleben der Parteien ermöglicht. Man trifft sich irgendwo in der Mitte. Gerechtigkeit heißt bei den Kapauku Papua in Neuguinea uta-uta. Das bedeutet Halbe-Halbe. Normen sind bei solchen Verhandlungen oft nur Einsätze in der Hand feilschender Parteien, die sich nicht so sehr für die Tat interessieren, sondern mehr für die Person des Täters, also mehr für die Frage, was in Zukunft wieder von ihm droht, als für das, was er getan hat. Hinzu kommt, daß Normverstöße regelmäßig nur einen Eingriff in individuelle Rechte bedeuten, nicht die Verletzung von Interessen der Allgemeinheit. Deshalb stehen Normen stärker zur Disposition der Parteien als bei uns.

Im übrigen gibt es das Prinzip der strukturalen Relativität. Verletzungen in sehr großer Nähe der Beteiligten, in Familie oder Verwandtschaft, bleiben folgenlos. In der Regel auch bei großer räumlicher Entfernung. Dann bleibt meistens nur die – gefährliche – Selbsthilfe. Je näher die beteiligten lineages zueinander stehen, umso größer ist die Aussicht auf erfolgreiche Durchsetzung von Ansprüchen im Wege von Verhandlungen.

Die Verflechtung von Recht und Religion ist in segmentären Gesellschaften stärker als bei Sammlern und Jägern. Opfer und Tabus spielen eine größere Rolle. Auch Tötungen und Ehebruch haben jetzt religiöse Bedeutung. Und die Magie kommt hinzu, die bei Jägern regelmäßig unwichtig ist.

31. Hexerei und Zauberei, Orakel und Magie

Hexerei und Zauberei, Orakel und Magie gibt es in vielen segmentären Gesellschaften. Seit den Forschungen Evans-Pritchards bei den Azande weiß man, daß sie eine sinnvolle soziale Funktion haben können. Von ihm stammt die heute weitgehend akzeptierte begriffliche Unterscheidung. Danach hat der Hexer, anders als der Zauberer, bestimmte körperliche Eigenschaften, von denen er gar nichts wissen muß. Die Azande sprechen von mangu, einer organischen schwarzen Hexereisubstanz, die sich im Dünndarm befinden soll. Sie vererbt sich vom Vater auf den Sohn, von der Mutter auf die Tochter. Hat der Hexer böse Gedanken gegen einen anderen – Haß, Neid, Eifersucht – dann wirkt das mangu automatisch auf diesen anderen ein, macht ihn krank und kann schließlich töten. Wird jemand krank, muß man also herausfinden, von wem es kommt. Zum Kreis der Verdächtigen gehören alle, denen der Betreffende solche Gedanken gegen sich zutraut. Sie werden einem Orakel vorgetragen. Als sicherstes gilt bei den Azande dasjenige, bei dem Küken mit einem unsicher wirkenden Gift gefüttert werden. Das Orakel antwortet auf Fragen mit ja oder nein, indem es die Küken sterben oder sich nur erbrechen läßt. Ist der Hexer ausfindig gemacht, läßt man ihn das wissen. Er entschuldigt sich höflich, denn das kann jedem passieren, nimmt etwas Wasser in den Mund, versprüht es, um sein mangu zu kühlen, und wünscht dem Kranken gute Besserung. Wenn er es ehrlich meint, ist die Sache damit erledigt. Der Kranke wird gesund.

Orakel und Magie dienen der Abwehr von Hexerei. Das Orakel deckt sie auf. Mit der Magie werden ihre Wirkungen beseitigt, und zwar durch den Gebrauch von Medizinen, meist in ritueller Form. Medizinen sind geheime magische Substanzen. Der Medizinmann gibt sie den Kranken ein und sagt ihnen, was sie tun sollen. Das ist die sogenannte weiße Magie. Aus der Anwendung ihrer Techniken zu bösen Zwecken entsteht die schwarze Magie des Zauberers. Er will schaden, andere krank machen oder töten, aus Haß, Neid oder Habgier. Insofern hat er Gemeinsamkeiten mit dem Hexer. Beide haben unmoralische Gedanken. Bei diesem aber wirkt die angeborene körperliche Eigenart, und manchmal sogar unbewußt. Der Zauberer dagegen muß äußere Techniken einsetzen, Medizin und rituelle Formeln. Das wiederum hat er gemeinsam mit dem Medizinmann. Beide sind Magier, aber der eine ist ein guter, der andere ein böser. Der eine handelt moralisch, im Einklang mit der Gesellschaft, der andere unmoralisch und begeht ein Verbrechen.

Dahinter steht das Problem, daß in segmentären Gesellschaften für das Zusammenleben in der kleinen Gemeinschaft schon die bloße Existenz von Gefühlen wie Haß, Habgier oder Eifersucht bedrohlich ist. Sie allein, und noch mehr ihr erkennbares Hervortreten, gefährdet die notwendige Solidarität von Verwandtschaft und Nachbarschaft. Sehr viel stärker als in staatlichen Gesellschaften geht in segmentären Gesellschaften das unmoralische Verhalten zu Lasten der unmittelbaren Umgebung. Vorstellungen von Hexerei und Zauberei sind ein wirksames Mittel dagegen. Denn wenn Unglücksfälle und jeder Todesfall so erklärt werden, fällt der Verdacht immer auf diejenigen, von denen man weiß, daß sie solche Gefühle haben. Dadurch werden sie tatsächlich zurückgedrängt. Man scheut sich, so zu reden oder auch nur zu denken, weil man jederzeit damit rechnen muß, als Hexer oder Zauberer verdächtigt zu werden.

Literatur

18. *Durkheim*, Über die Teilung der sozialen Arbeit (1898) 1977; *Childe*, Man makes himself 1936; *Mellaart*, Çatal Hüyük – Stadt aus der Steinzeit 1967; *Godelier*, Modes of Production, Kinship and Demographic Structures, in *Bloch*, Marxist Analyses and Social Anthropology (1975) 3 ff.; *Meillassoux*, Die wilden Früchte der Frau 1976. – **19. u. 20.** Frühformen 192 ff. – **21.** *Morgan*, Die Urgesellschaft Ndr. 1976; *Fortes/Evans-Pritchard*, African Political Systems (1940) 1 ff.; *Fortes*, Kinship and the Social Order 1969. **22.** *Dahrendorf/Sigrist*, Europ. Arch. Soz. 1964. 83 ff., 272 ff.; Frühformen 25 ff. – **23.** *Schneider/Gough*, Matrilineal Kinship 1961; *Wesel*, Der Mythos vom Matriarchat 1980; a.M. *Göttner-Abendroth*, Das Matriarchat I (1988), II.1 (1991) – **24.** *Godelier*, Economy and Religion, in: *Friedman/Rowlands*, The Evolution of Social Systems (1978) 3 ff. – **25.** Frühformen 215 ff.; zum Vieh: *Ingold*, Hunters, Pastoralists, Ranchers 1980. – **26.** Vgl. zu Rdz. 13; Brautpreis und Mitgift: *Goody*, Production and Reproduction 1976. – **27.** Frühformen 317 ff. (afr. Giftordale: 295 ff.; nith: 133 ff.). Singstreit der Tiv: *Bohannan*, Justice and Judgement among the Tiv (1957) 142 ff.; Potlatsch: *Mauss*, Die Gabe (1968) 81 ff.; Tauschwettbewerbe in Polynesien: *Young*, Fighting with Food 1971; Beilegung der Blutrache bei den Nuer: *Evans-Pritchard*, The Nuer (1940) 152 ff. – **28.** *Gulliver*, Social Control in an African Society (1963) 242 ff., Fall Nr. 21. – **29.** Frühformen 327, 344 ff. – **30.** Frühformen 331 ff. – **31.** *Evans-Pritchard*, Witchcraft, Oracles and Magic among the Azande 1937, dtsch. (gekürzt): Hexerei, Orakel und Magie bei den Zande 1978; *Gluckman*, Moral crises, in: ders. The allocation of responsability (1972) 1 ff.

3. Kapitel

WAS IST RECHT?

Allgemeine Literatur: *Schwintowski*, Recht und Gerechtigkeit. Eine Einführung in Grundfragen des Rechts 1996

32. Das Problem

Das ist ja nicht ohne Bedeutung für seine Frühgeschichte. Denn man kann schon zweifeln, ob überhaupt Recht ist, was bisher beschrieben wurde. Ein altes Problem. Seine Konturen haben sich im Laufe der Zeit verschoben. Als zuerst darüber nachgedacht wurde, in den großen rechtsphilosophischen Entwürfen der griechischen Antike, da ging es noch um Wichtiges. Was ist Gerechtigkeit?, fragten Platon und Aristoteles. Und ihre Antwort? Gleichheit (Rdz. 124). Seit der Begründung einer Rechtsphilosophie der bürgerlichen Gesellschaft durch Immanuel Kant, in seiner Metaphysik der Sitten von 1797, sind wir mehr mit Formalitäten beschäftigt. Seitdem gibt es Definitionen von Recht. Selten sind sie so meisterhaft wie seine:

> „Das Recht ist also der Inbegriff der Bedingungen, unter denen die Willkür des einen mit der Willkür des anderen nach einem allgemeinen Gesetze der Freiheit zusammen vereinigt werden kann."

Wollten wir uns nach dieser Formel entscheiden, dann würde schon zweifelhaft sein, ob man die Ordnung bei Sammlern und Jägern oder in segmentären Gesellschaften als Recht bezeichnen kann. Gibt es dort ein allgemeines Gesetz der Freiheit? Das die moralische Selbstverwirklichung des einzelnen ermöglicht? Kant würde es dort nicht finden. Wohl aber Gleichheit. Also auch Gerechtigkeit. Womit wir erst einmal zu klären haben, was denn das eigentlich meint, wenn wir beide nebeneinander stellen, Recht und Gerechtigkeit.

33. Recht und Gerechtigkeit, Moral und Sitte

Im Recht unterscheidet man – wie bei der Gerechtigkeit – Subjektives und Objektives. Objektives Recht ist die Rechtsordnung. Subjektives Recht ist, was dem einzelnen zusteht. Objektives Recht ist die Gesamtheit aller Rechtsvorschriften. Subjektives Recht ist zum Beispiel das Eigentum eines Bürgers an einer Sache oder eine Forderung gegen seinen Schuldner. Objektive Gerechtigkeit ist die innere Richtigkeit des Rechts. Aristoteles sagte, Gerechtigkeit sei Gleichheit. Und sehr viel mehr weiß man dazu bis heute nicht zu sagen. Subjektive Gerechtigkeit ist die Eigenschaft einzelner, die gerecht denken und handeln.

Gerechtigkeit ist eng verbunden mit Moral, dem Wissen um Gut und Böse. Seit Christian Thomasius und Immanuel Kant ist die Moral begrifflich vom Recht geschieden, ohne daß man beide letztlich trennen kann. Aber die Unterscheidung ist wichtig. Sie gehört zu den Grundüberzeugungen einer freiheitlichen Gesellschaft, in der ein Staat seinen Bürgern über das Recht nicht moralische Vorschriften machen soll. Sie ist also Grundlage der individuellen Freiheit. Jeder kann sich für das moralisch Gute entscheiden, ohne durch das Recht dazu gezwungen zu sein. Und innerhalb gewisser Grenzen kann er sich auch unmoralisch verhalten.

Als Sitte bezeichnet man Regeln des gesellschaftlichen Umgangs. Kleiderordnungen, Tischsitten, Begrüßungsformeln, Gebräuche bei Festlichkeiten, Umgangsformen. Manchmal wirken sie in das Recht hinein und man hat oft versucht, sie begrifflich vom Recht zu unterscheiden. Das ist immer wieder gescheitert. Es ist auch kein Problem, das systematisch-begrifflich zu lösen ist. Es kann nur historisch erklärt werden. „Die Sitte steht zum Rechte und zur Moral nicht in einem systematischen, sondern in einem historischen Verhältnis. Sie ist die gemeinsame Vorform, in der Recht und Moral noch unentfaltet und ungeschieden enthalten sind" (Gustav Radbruch).

34. Der Prozeß der Ausdifferenzierung

Mit anderen Worten: Recht verändert seinen Charakter im Lauf der Zeit. Am Beginn der Entwicklung bildet es eine kaum zu trennende Einheit mit Religion, Moral und Sitte. In der Antike hat es sich von der Religion weitgehend getrennt, weil die Herrschaft ihren Charakter veränderte, mit der es inzwischen verbunden war. Nicht mehr der König mit seiner religiösen Legitimation war Träger von Recht, sondern Volksversammlungen und Senate. Die Einheit mit Moral und Sitte war aber sehr viel größer als heute. Wie sich leicht an jenem berühmten Satz zeigen läßt, der am Anfang der Digesten (Rdz. 129) steht und vom römischen Juristen Celsus in der Mitte des zweiten Jahrhunderts nach Christus formuliert worden ist, zitiert bei Ulpian in den Digesten.

> *Ulp.D.1.1.1pr.:* ... ius est ars boni et aequi ...
> das Recht ist die Kunst des Guten und Gleichen.

Das Gleiche, das ist die von Platon und Aristoteles formulierte Gleichheit, die die Gerechtigkeit ausmacht. Das Gute ist der Gegensatz des Bösen im Sinne der Moral. Für den römischen Juristen ist also das Recht keine formale Wissenschaft, sondern eine Kunst, und ihr Inhalt Gerechtigkeit und Moral. Das ist meilenweit entfernt von dem durch Kant und die bürgerliche Gesellschaft geprägten Recht des 19. und 20. Jahrhunderts. Auch wenn sich jener Satz des öfteren in den Giebeln unserer Oberlandesgerichte findet. Er paßt nicht mehr.

Das läßt sich auch an den Veränderungen in der Thematik der Rechtsphilosophie zeigen. Keiner der antiken Rechtsphilosophen beschäftigte sich mit der Frage einer Definition von Recht. Es ging immer um die Gerechtigkeit. Erst seit Kant gibt es eine große Zahl von Versuchen, das Recht unabhängig davon zu definieren, „abstrakt". Recht und Gerechtigkeit und, was letztlich das gleiche ist, Recht und Moral werden begrifflich klar getrennt, was natürlich auch Trennungsprozessen entspricht, die in der allgemeinen Entwicklung der bürgerlichen Gesellschaft stattfanden, oder deutlicher: in Zusammenhang stand mit der sozialen Ungerechtigkeit ihres Rechts. Mit diesem Prozeß der Ausdifferenzierung verändert sich das Recht. Mit der Entstehung von Herrschaft und Staat erhält es eine andere Funktion. In vorstaatlichen Gesellschaften entwickelt es sich in einem sich selbst regulierenden Prozeß. Es ist die Gesellschaft selbst, die sich ihre Regeln schafft. Mit der Entstehung des Staates wird das anders. Recht wird nun immer mehr von oben her bestimmt, vom Herrscher, vom Fürsten, vom König. Dabei ist er selbstverständlich nicht völlig frei. Es ist auch notwendig, daß das Recht von unten in der Gesellschaft angenommen wird. Es darf nicht auf unüberwindlichen Widerstand stoßen. Aber im wesentlichen wird es nun ein Steuerungsinstrument, das von oben her eingesetzt wird.

Wenn man Moral als die Gesamtheit der Überzeugungen von Gut und Böse versteht, die sich unten in der Gesellschaft selbst entwickeln. Und wenn man Politik als Ordnungsgefüge begreift, das sich von Staats wegen, also von oben her, über die Gesellschaft legt. Was schon in ihrem Namen zum Ausdruck kommt und seit Platon und Aristoteles so verstanden worden ist: Politik kommt vom griechischen polis, vom Staat. Wenn das also so zu sehen ist, dann wird auch deutlich, warum Recht und Moral immer weiter auseinandergetreten sind und warum die Einheit von Recht und Politik immer stärker wurde. Weil Recht nämlich immer weniger von unten her, von der Gesellschaft, sondern immer mehr von oben bestimmt wird, vom Staat. Vom Rechte, das mit uns geboren ist, von dem ist leider nie die Frage.

35. Der Prozeß der Ausbreitung von Recht und der Integration von Politik

Mit diesem Prozeß ist noch etwas anderes verbunden. Das ist die ständig zunehmende Ausbreitung von staatlichem Recht in gesellschaftliche Bereiche, die bisher rechtlich noch nicht geregelt waren. Die Geschichte des Rechts ist auch die seiner ständigen Ausbreitung. Schon in der Antike. Heute bezeichnet man diese Erscheinung als Verrechtlichung. Darüber wird von rechts und links geklagt. Von rechts macht man sich Sorgen über die Gesetzesflut, die die individuelle Freiheit wieder einschränkt. Von links wurde die Diskussion Anfang der siebziger Jahre begonnen, weil die Verrechtlichung der Politik die Spielräume für Veränderungen immer enger werden ließ. Wie auch immer. Dahinter steht jedenfalls die ständige Ausweitung staatlicher Herrschaft, verbunden mit

Bemühungen, sie auf dem Rechtswege weiter einzuschränken. Beides ist die Funktion von Recht heute. Auf der einen Seite ist es ein Herrschaftsinstrument, das besonders deutlich wird im politischen Strafrecht. Auf der anderen Seite dient es der Einschränkung staatlicher Macht. Iustitia fundamentum regnorum. Recht ist die Grundlage von Herrschaft. Auch sie ist an das Recht gebunden, darf es nicht übertreten. Das war das Schlachtruf der Liberalen für die Durchsetzung des Rechtsstaates im 19. Jahrhundert. Welche Funktion dabei überwiegt, die herrschaftliche oder die rechtsstaatliche, das mag jeder für sich selbst überdenken. Quantifizieren läßt sich das ohnehin nur schlecht.

36. Der Gesamtprozeß der Entwicklung von Recht

Das ist der Gesamtprozeß in der Entwicklung von Recht. Ständige Ausbreitung, Auseinandertreten von Moral und Recht, zunehmende Verflechtung von Recht und Politik:

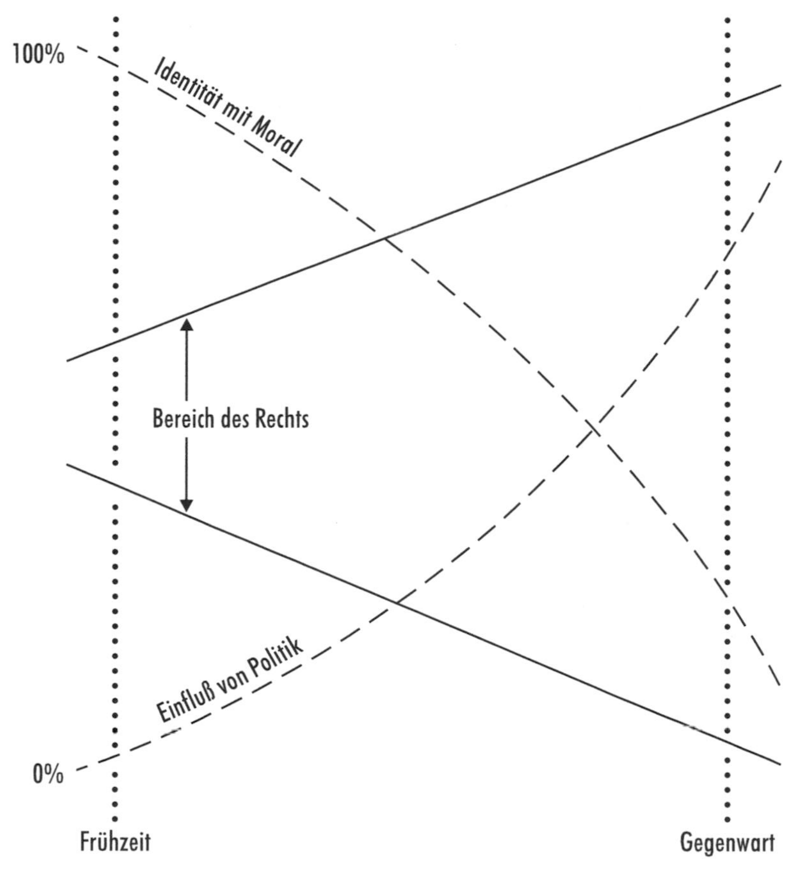

Abbildung 4: Die allgemeine Entwicklung von Recht

37. Die vier Funktionen des Rechts heute

Nimmt man das Recht von heute, so kann man sagen, es habe im wesentlichen vier Funktionen. Eine Definition wird hier bewußt vermieden. Sie wäre genauso fruchtlos, wie wenn man Wahrheit oder Kunst, Wissenschaft oder Religion definieren wollte. Die vier sind:

1. Ordnungsfunktion
2. Gerechtigkeitsfunktion
3. Herrschaftsfunktion
4. Herrschaftskontrollfunktion

Zum einen ist Recht ein Ordnungselement. Übliches Beispiel dafür ist der Straßenverkehr. Wie man ihn im einzelnen regelt, das ist letztlich gleichgültig. Ob Linksverkehr, wie in angelsächsischen Ländern, oder Rechtsverkehr, wie auf dem europäischen Kontinent, das ist egal. Es muß nur eine bestimmte Ordnung geben. Das ist fast immer die Funktion von Recht, nicht nur im Straßenverkehr. In den anderen Bereichen kommt aber noch anderes hinzu.

Zweitens: Recht dient der Durchsetzung von Gerechtigkeit. Das ist seine moralische und soziale Funktion, die es immer noch nicht voll erfüllen kann. Ein Defizit, das verursacht wird durch die Verbindung mit der dritten, der Herrschaftsfunktion. Recht hat nämlich außerdem die Funktion, Herrschaft aufrechtzuerhalten. Rechtswissenschaft ist auch eine Herrschaftswissenschaft, eine Wissenschaft zur Aufrechterhaltung von Herrschaft. Sicherlich ist Herrschaft heute, ist der Staat auch ein Ordnungselement. Insofern gibt es eine Identität von Herrschafts- und Ordnungsfunktion des Rechts. Aber sie täuscht. Es sind Kreise, die sich nur teilweise decken. Erstens ist Herrschaft oft eine Art Selbstzweck. Sonst gäbe es nicht so viele, die sie gern hätten. Zweitens dient sie immer auch anderen Interessen. In einer bürgerlichen liberalen Demokratie sind es die der Erhaltung des Privateigentums an den Produktionsmitteln. Damit ist eine Fülle von Problemen verbunden, Probleme für soziale Gerechtigkeit, Sittlichkeit, Umweltschutz und Frieden, die bis heute nicht gelöst wurden.

Die zum Teil negativen Wirkungen der Herrschaftsfunktion werden dadurch gemildert, daß das Recht inzwischen auch ein Mechanismus zur Kontrolle von Herrschaft geworden ist. Bei uns ist das im wesentlichen die Funktion von Verwaltungs- und Verfassungsgerichtsbarkeit. Der Gedanke des Rechtsstaats. Auch staatliche Herrschaft ist an das Recht gebunden, muß sich kontrollieren lassen. Wobei allerdings der Staat selbst die Rahmenbedingungen dafür gesetzt hat.

38. Unterschiedlicher Charakter von vorstaatlichen Ord-

Zurück zur Frühgeschichte und zur Frage, ob überhaupt Recht ist, was als Inhalt der Ordnung vorstaatlicher Gesellschaften beschrieben wurde. Kann man das mit unserem Recht gleichsetzen? Anders formuliert: Gibt es Recht ohne Staat?

nungen und staatlichem Recht heute

Manches ist ähnlich. „Du sollst nicht töten!" heißt es hier wie dort. Aber die Unterschiede sind größer als die Gemeinsamkeiten. Ist eine Tötung nämlich in egalitären Gesellschaften eine private Verletzung, begangen an der Familie des Erschlagenen, die einen kompensatorischen Ausgleich in Form von Blutgeld erhält, so ist sie in staatlichen Gesellschaften ein öffentliches Verbrechen, mit einem Anspruch des Staates auf Strafe. Die Familie des Getöteten geht leer aus. Kompromißlösungen in vorstaatlichen Gesellschaften ermöglichen den Streitenden, wieder friedlich zusammenzuleben. Die harte Entscheidung staatlicher Gerichte hat oft zur Folge, daß die Verbindungen zwischen beiden endgültig zerstört werden. In der vorstaatlichen Ordnung wird die Lösung des Konflikts durch Verhandlung unter Gleichen erreicht, herrschaftsfrei, durch Konsens. In der staatlichen Ordnung ergeht nach Anhörung der Parteien und von Zeugen eine einseitige Entscheidung, gestützt auf die Macht des Staates, und zwar durch Institutionen, in der Regel Gerichte, die keine andere Funktion in dieser Gesellschaft haben und in ihrer arbeitsteiligen Spezialisierung stark aus der übrigen Sozialstruktur ausgegliedert sind, während eine solche Ausdifferenzierung der Menschen, die in egalitären Gesellschaften die Konflikte lösen, undenkbar ist. Mit anderen Worten: Die egalitäre Ordnung hat selbstregulierenden Charakter, in der staatlichen besteht ein Herrschaftsinstrument, das auch Steuerungsfunktionen für den Ablauf des gesamten gesellschaftlichen Geschehens hat. Die Lösung von Konflikten in egalitären Gesellschaften hat allein ausgleichenden Charakter. Alles bleibt beim alten. Die Gesellschaft verändert sich dadurch nicht, ist statisch. Mit einseitigen Entscheidungen staatlicher Gerichte läßt sich leicht das Gegenteil erreichen, und oft ist das auch ihre Aufgabe, nämlich steuernd einzugreifen und überholte Gewohnheiten für erledigt zu erklären. Die Gesellschaft kann sich verändern, ist progressiv. Dem entspricht der kollektive Charakter der egalitären Ordnung, mit der Einbindung des einzelnen in die Verwandtschaftsstruktur, ohne deren Solidarität er schutzlos ist, besonders im Konfliktfall, während die Unterstützung durch Familie oder Verwandtschaft in staatlichen Ordnungen in der Regel weder notwendig noch möglich ist. Staatliche Ordnungen zielen auf den einzelnen, sind individualistisch.

Vorstaatliche Normen bilden eine moralische Ordnung, in fast unauflösbarer Einheit mit Sitte und Religion. Dabei ist auch ihre Moral von einer anderen Qualität. Bei uns ermöglicht die Trennung vom Recht individuelle Überzeugungen. Wir unterscheiden zwischen Individual- und Allgemeinmoral. Anders in frühen Gesellschaften. Ihre Moral ist kollektivistisch, konformistisch. Äußere Ordnung und innere Einstellung sind weitgehend homogen.

Egalitäre Ordnungen sind konkret persönlich, staatliche abstrakt sachlich. Das heißt, in egalitären Gesellschaften ist es unmöglich, sich eine Handlung getrennt von einer Person vorzustellen. Tat und Täter lassen sich nicht trennen. Die Trennung von Person und Handlung ist das Kennzeichen der staatlichen Ordnung, die stolz darauf ist, ohne Ansehen der Person zu entscheiden. Justitia erhält eine Binde vor die Augen. Sehr deutlich wird dieser Unterschied an Beschwerden in afrikanischen Justizkreisen der neueren Zeit. Aus den Ministerien der jungen afrikanischen Staaten gingen oft Beschwerden an die unteren erstinstanzlichen Gerichte, die sich von der alten egalitären Ordnung nur schwer trennen konnten und stunden- und manchmal tagelang die persönlichen Verhältnisse der streitenden Parteien besprachen. So geht das nicht, wurde ihnen von oben gesagt. Das dauert viel zu lange, ist ineffektiv und hat mit der Sache, über die ihr entscheiden sollt, überhaupt nichts zu tun. Wenn ihr so persönlich entscheidet, heißt das auch, daß ihr nicht nach dem Gesetz urteilt, daß ihr also das Recht von unten her selber schöpft, statt es von oben her zu akzeptieren, wie es eure Pflicht ist.

Vorstaatliche Normen haben nur Ordnungs- und Gerechtigkeitsfunktion. Im staatlichen Recht kommt die Herrschaftsfunktion hinzu, später auch die Herrschaftskontrollfunktion. Durch die Trennung von Recht und Moral ist zwar die individuelle Freiheit außerordentlich gestärkt worden. Gleichzeitig wurde dadurch aber in unserem staatlichen Recht seine Gerechtigkeitsfunktion zum Teil beeinträchtigt.

vorstaatliche Ordnungen	*staatliches Recht heute*
Lösung von Konflikten durch Konsens nach Verhandlung der Streitenden	Lösung von Konflikten durch Entscheidung eines Gerichts nach Anhörung der Streitenden
und notfalls durch Selbsthilfe mit privater Gewalt	und notfalls Erzwingung mit staatlicher Gewalt (Gerichtsvollzieher, Strafanstalten)
geringe Ausdifferenzierung der vermittelnden Personen als besondere aus der gesellschaftlichen Ordnung herausgehobene Institutionen	starke Ausdifferenzierung der den Streit entscheidenden Institutionen aus der Sozialstruktur
selbstregulierend	steuerbar
statisch, konservativ	verändernd, progressiv
kollektiv	individualisierend
konkret persönlich, in Einheit von Person und Handlung	abstrakt unpersönlich, unter Trennung von Person und Handlung
kompensatorisch	strafend

kompromißhaft, ohne normativ berechenbares Ergebnis	rational, mit normativ berechenbarem Ergebnis
struktural relativ	gebietseinheitlich
Normen haben Ordnungs- und Gerechtigkeitsfunktion	Normen haben Ordnungs-, Gerechtigkeits-, Herrschafts- und Herrschaftskontrollfunktion
Einheitlichkeit des Normengefüges	Trennung von Recht, Religion, Moral und Sitte

39. Die Diskussion über Recht in der Ethnologie

Soweit zu den Unterschieden. Sie sind der Grund, warum Ethnologen, die segmentäre Ordnungen beschreiben, in großen Schwierigkeiten sind, sie auf den Begriff zu bringen. Ist es Recht? Oder nicht? Und wenn nicht, was dann? Die Diskussion darüber wird hauptsächlich von angelsächsischen Ethnologen geführt, seit über fünfzig Jahren. Es ist das Problem von law und custom. Law bedeutet nicht nur Gesetz, sondern auch Recht. Custom entspricht unseren Begriffen Brauch, Gewohnheit oder Sitte. Die Schwierigkeiten sind deshalb besonders groß, weil es auch innerhalb segmentärer Gesellschaften noch erhebliche Unterschiede in der Sozialstruktur gibt. Der Abstand zu unserem Recht ist nicht immer eindeutig. In manchen Häuptlingsgesellschaften finden sich Anfänge von Gerichten und staatlichem Zwang, fließende Übergänge, die schwer in ein System zu bringen sind. Was soll man bei dieser Vielfalt machen? Es gibt vier Möglichkeiten. Erstens kann man sagen, es sei alles custom, kein law. Custom is king, war das Schlagwort um die Jahrhundertwende. Die Menschen in diesen Gesellschaften, die „Wilden", leben unter der Herrschaft ihrer Gewohnheiten, automatisch, zwanghaft, ohne daß es Gerichte oder einen Staat geben muß. Seit 1926 weiß man es besser. Damals erschien Bronislaw Malinowskis Schrift über die Trobriander, „Crime and Custom in Savage Society". Er gab den „Wilden" ihre Menschlichkeit zurück, indem er zeigte, daß sie wie wir durchaus in der Lage sind, ihre Vorschriften zu übertreten oder zu umgehen. Ergebnis, zweite Möglichkeit: Es ist alles wie bei uns. Alles ist law.

Bald ist man davon wieder abgekommen. Also dritte Möglichkeit: Es kommt drauf an. Wo es wirklich ähnlich ist wie bei uns, da gibt es law. Sonst custom. Die Frage war nur, nach welchen Kriterien man das entscheidet. Meistens folgte man dem amerikanischen Rechtsethnologen Adamson Hoebel. Für ihn ist es der von einer gesellschaftlich legitimierten Instanz ausgehende Zwang, der das Recht ausmacht. Mit anderen Worten: Nur dann könne man von Recht sprechen, wenn es eine allgemein anerkannte Instanz in der Gesellschaft gibt, die notfalls mit physischer Gewalt gegen Rechtsbrecher vorgehen kann. Bei den Arusha, würde Hoebel sagen, gibt es nur custom, kein law. Denn es gibt keine derartige Instanz, nur Selbsthilfe.

In der letzten Zeit hat sich zunehmend eine andere Auffassung durchgesetzt. Es wuchs das Unbehagen an diesen formalen Unterscheidungen, die aus der europäischen Rechtstheorie stammen und auf solche segmentären Gesellschaften schlecht passen. Die Hoebelsche Zwangstheorie geht zum Beispiel zurück auf Max Webers Rechtsbegriff, der für industrielle Massengesellschaften formuliert worden ist. Man wollte diesen Unterscheidungen ausweichen und wieder eine einheitliche Terminologie für segmentäre Gesellschaften finden. Law oder custom konnten es nicht mehr sein. Also ein neues Wort. Es wurde in den vierziger Jahren gefunden, von einem englischen Ethnologen, Meyer Fortes, bei der Beschreibung der Tallensi in Ghana. Ihre Ordnung sei nicht law, auch nicht custom, sondern jural, sagte er. Dieses Wort liegt etwa in der Mitte zwischen law und custom. Ein terminologischer Formelkompromiß, der sich zunächst durchsetzte, bis die nichtjuristische Schule der Rechtsanthropologen das ganze noch klarer formulierte. Zunächst Paul Bohannan in seiner Beschreibung der Ordnung bei den Tiv in Nigeria, zuletzt Simon Roberts mit seinem Buch „Order and Dispute". Der Titel ist schon das Programm. Er will damit sagen, daß es auch in frühen Gesellschaften Ordnung gibt und Konflikte. Insofern gäbe es Übereinstimmungen mit unserem Recht. Aber ihre Ordnung und die Mechanismen zur Lösung von Konflikten seien doch ganz anders als unser Rechtssystem mit Gesetzgebung und Justiz. Also order and dispute, nicht law.

40. Eigene Lösung: evolutionistische Rechtstheorie

Die Lösung der nichtjuristischen Schule ist durchaus plausibel. In der Tat hat die Ordnung früher Gesellschaften einen ganz anderen Charakter als unser Recht. Aber auch mit dem, was bei uns Sitte ist, kann man sie nicht gleichsetzen. Also meidet man beide Begriffe, beschreibt die Unterschiede und verwendet andere Bezeichnungen. Insoweit ist alles in Ordnung.

Es ist aber, in den Worten von Gustav Radbruch, eine systematische Lösung. Und das ist ihre Schwäche. Denn man kann das ganze auch historisch sehen. Und dann erweist es sich als systematisches Scheinproblem. Wenn man es historisch sieht, dann muß man eben sagen, daß Recht im Laufe der Entwicklung seinen Charakter verändert. In vorstaatlichen Gesellschaften hat es nur Ordnungs- und Gerechtigkeitsfunktion. Mit der Entstehung des Staates erhält es auch Herrschaftsfunktion, später schließlich noch die Herrschaftskontrollfunktion. Am Anfang steht es in einer Einheit mit Religion, Moral und Sitte. Am Ende sind es vier verschiedene Lebensbereiche, die nur noch teilweise miteinander verbunden sind. Man kann also die Ordnung in frühen Gesellschaften ohne weiteres als Recht bezeichnen. Es ist nur ein anderes als unser heutiges. Es ist vorstaatliches Recht. Unser Recht ist staatlich. Es gib also auch Recht ohne Staat. Aber es hat einen anderen Charakter als das staatliche.

Literatur

32. *Platon*, Gesetze 757a (6. Buch, 5. Kapitel); *Aristoteles*, Nikomachische Ethik 1130b 30ff. (5. Buch, 3. Kapitel); *Kant*, Metaphysik der Sitten, Einleitung in die Rechtslehre § B. – **33.** Thomasius und Kant: *Welzel*, Naturrecht und materiale Gerechtigkeit (2. Aufl. 1962) 164ff.; Recht und Moral: *Radbruch*, Rechtsphilosophie (8. Aufl. 1973) 127ff.; *Henkel*, Einführung in die Rechtsphilosophie (2. Aufl. 1977) 88ff.; Recht und Sitte: *Radbruch*, S. 138ff. (das Zitat: S. 139), *Henkel*, S. 52ff. – **35.** *R. Voigt* (Hg.), Verrechtlichung 1980. – **39.** Frühformen 52ff. mit weiteren Nachweisen.

4. Kapitel

PROTOSTAATEN

Allgemeine Literatur: *Service*, Ursprünge des Staates und der Zivilisation 1977; *Claessen/Skalnik*, The Early State 1978; *Claessen/van de Velde*, Early State Dynamics 1987; *Eisenstadt/Abitbol/Chazan*, The Early State in African Perspective 1988; *Herzog*, Staaten der Frühzeit 2. Aufl. 1997; *Breuer*, Der archaische Staat, 1990.

41. Entstehung von Herrschaft

Wie entstehen aus segmentären Gesellschaften kephale, aus egalitären Gesellschaften solche, in denen es Ungleichheit gibt, Herrscher und Beherrschte? Wie entsteht aus einer anarchischen Ordnung die organisierte Macht, Herrschaft, Staat? Das ist eines der spannendsten Kapitel in der Geschichte der Menschen, und es hat auch schon viele Antworten gegeben auf diese Frage. Generationen von Philosophen, Historikern und Anthropologen haben sich mit ihr beschäftigt. Die vielen Antworten, die sie gegeben haben, bedeuten wohl auch heute noch einen Teil der Lösung dieses Problems. Es gibt eben viele Möglichkeiten. Eine einheitliche Antwort ist nicht möglich. Die erste stammt von Heraklit, die erstaunlichste von Ibn Chaldun. Für Heraklit war der Krieg der Vater jeder Entwicklung. Ibn Chaldun aus Tunis hat in der zweiten Hälfte des 14. Jahrhunderts eine Einführung in die Geschichte geschrieben und vor sechshundert Jahren schon formuliert, was heute als eine der wenigen gesicherten Erkenntnisse der Ethnologie über die Entstehung von Herrschaft angesehen werden kann, daß nämlich der Staat entsteht aus der Unterwerfung friedlicher Ackerbauern durch kriegerische Hirtenvölker. Rousseau nahm an, es sei ein Vertrag gewesen von friedlichen Menschen. Für Hobbes war der Staat die einzige Möglichkeit, von Anfang an den Krieg aller gegen alle zu verhindern. Für Hegel war es das Ergebnis der Entwicklung einer objektiven Idee. Und Morgan und Engels haben ihn, ähnlich wie Hobbes, erklärt aus der Notwendigkeit eines schützenden Daches für die Gesamtgesellschaft, deren einzelne Segmente durch das entstehende Privateigentum der Männer zerschlagen wurden und deshalb für die Menschen nicht mehr der Schutz waren den sie bisher gegeben hatten. Soweit die Geschichte der Theorien zu diesem Problem.

Schwellenzeit für die Entstehung des Staates sind das dritte und zweite Jahrtausend v. Chr. Die ersten Staaten sind im 3. Jahrtausend in Mesopotamien, Ägypten und China entstanden. Im 2. Jahrtausend kommen Indien dazu, Griechenland und Kreta, Mexiko und Peru.

Im Süden Mesopotamiens entwickeln sich um 3000 v. Chr. die ersten sumerischen Städte und etwa zur gleichen Zeit in Ägypten zwei Königreiche, ein nördliches und ein südliches, nur mit Dörfern und den beiden Residenzen, ohne städtische Kultur. Im Nordwesten Chinas entsteht am Ende des Jahrtausends ein archaisches Königtum mit drei nebeneinander existierenden Dynastien. Um 2000 v. Chr. ist im Industal eine staatliche Organisation entstanden. Etwas später werden die mykenischen und minoischen Paläste auf dem Peleponnes und in Kreta gebaut. In Peru existiert etwa zur selben Zeit ein archaischer Staat, über dreitausend Jahre vor den Inka, und ebenso in der Tiefebene Mexikos, einige Jahrhunderte vor den Mayas in Yukatan und über tausend Jahre vor den Azteken im Hochland.

Nicht nur Philosophen, Archäologen und Historiker haben sich mit der Entstehung des Staates beschäftigt, auch Ethnologen. Ihre Beobachtungen haben oft den Vorteil, daß sie den Vorgang im einzelnen etwas genauer beschreiben können, zum Beispiel für einige Königreiche in Afrika, die sich unabhängig von europäischem Einfluß gebildet haben, in Melanesien und Polynesien oder – für den Wechsel von segmentärer zu kephaler Struktur und wieder zurück – bei den berühmten Kachin im Hochland von Burma.

Die Morgan-Engelsche Theorie zur Entstehung des Staates enthält eine allgemeine Beobachtung, die auch heute noch richtig ist. Es ist die Beschreibung des äußeren Vorgangs: Kephalität entsteht durch Zerstörung der mittleren Instanzen, durch Zerstörung der Segmente. Stattdessen wird auf der unteren Ebene eine Vielzahl von Individuen aus der segmentären Bindung freigesetzt und es entsteht über ihnen als einheitliches Dach eine herrschaftliche Zentralinstanz, deren Ziel es immer sein muß, die Segmente völlig zu beseitigen und die Individuen zu individualisieren, zu atomisieren. Der Staat. Die agnatische Verwandtschaftsstruktur wird dadurch allmählich beseitigt. Es entsteht wieder, wie schon vorher in Jägergesellschaften, ein kognatisches Verwandtschaftssystem.

Jägergesellschaften:	kognatisch	Altsteinzeit
segmentäre Gesellchaften:	agnatisch (matrilinear und patrilinear)	Jungsteinzeit
kephale Gesellschaften:	kognatisch	um 3000 v. Chr.

Das ist das äußere Bild, das immer dasselbe ist. Man sieht es in den Rekonstruktionen der Historiker wie bei der Auswertung ethnologischen Materials. Aber wenn man versucht, die inneren Ursachen dieser Entwicklung zu erkennen, dann beginnt das große Rätselraten.

Jedenfalls war es nicht das Privateigentum. Insofern haben Morgan und Engels geirrt. In der Tempel- und Domänenwirtschaft, die in Mesopotamien und Ägypten am Anfang der Entstehung des Staates steht und die sich dann über die minoische und mykenische Kultur nach Westen fortgesetzt hat, spielte es keine Rolle. Das Land, das Vieh und die Produkte sind im Eigentum von Tempeln, Pharaonen, Gaufürsten, Palästen. Man nennt so etwas „asiatische Produktionsweise". Karl August Wittfogel hat für sie seine „hydraulische Theorie" aufgestellt, nach der es die Notwendigkeit eines zentralen Bewässerungssystems gewesen sei, die den Staat hervorgebracht habe, weil er allein die Lenkungs- und Leitungsaufgaben erfüllen konnte. So einleuchtend das auf den ersten Blick zu sein scheint, es erklärt letztlich gar nichts. Sicherlich sind es kephale Instanzen gewesen, die in vielen dieser Gesellschaften die zentrale Bewässerung organisiert haben. Aber sie müssen nicht zu diesem Zweck geschaffen worden sein, sondern werden das in Angriff genommen haben, nachdem sie aus Gründen, die wir erst noch angeben müssen, als kephale Instanzen entstanden waren.

Ohne Erklärungswert ist es auch, wenn Gordon Childe, ebenfalls für diese Gesellschaften in Mesopotamien und Ägypten, die „urbane Revolution" beschreibt, die die neolithische ablöst. Wesentliches Moment des Urbanismus sei die Entwicklung einer intensiven Nahrungsmittelproduktion gewesen, die nicht nur den Bedarf einer dichten Bevölkerung deckte, sondern auch noch einen Überschuß ergab, ein „konzentriertes soziales Surplus" zur Aufrechterhaltung der Herrschaft einer Elite-Hierarchie und eines repressiven Staates. Auch das erklärt allenfalls die Möglichkeit der Existenz von Herrschaft, nicht die Ursachen ihrer Entstehung. Verlassen wir also die Archäologie und wenden uns den Ethnologen zu.

Ihre sicherste Theorie ist die der Eroberung, die Theorie Ibn Chalduns. Kriegerische Hirtenvölker unterwerfen friedliche Ackerbauern. Es gibt viele Beispiele, die meisten in Ostafrika. Immer sind es hamitische Viehzüchter gewesen, die Bantu-Ackerbauern unterworfen haben. Das läßt sich rekonstruieren aus der Schichtung dieser Gesellschaften, ihrer ethnographischen Sprachverteilung und aus ihren Legenden. Ein gutes Beispiel ist das Königreich Ankole in Uganda, dessen Entstehung Kalervo Oberg beschrieben hat. Die Bahima wanderten in das Gebiet der Bairu, unterwarfen sie, lebten zwar weiter von ihrem eigenen Vieh, erhielten aber auch Tributleistungen, Hirse, Bier und Arbeitskraft. Das veränderte die ursprünglich egalitäre Ordnung der Bahima. Die ständige Unterwerfung der Bairu forderte von ihnen verstärkte Zusammenarbeit und die Einrichtung einer obersten Führungsinstanz. Es entwickelte sich eine hierarchische Ordnung mit einem König an der Spitze, der zu seinem

Schutz eine Truppe von mehreren hundert speziell ausgebildeten Kriegern an seiner Seite hatte und gemeinsam mit den Häuptlingen die Rechtsprechung übernahm. Ähnlich, wenn auch sehr viel komplizierter, ist es bei den Nupe in Westafrika gewesen, über die Nadel eine klassische Monographie geschrieben hat. Von den erobernden Fulani war der eine Teil, die Hirten, sehr friedlich, der andere, die Ackerbauern, bestand aus fanatischen Moslems mit starker Tendenz zu aggressiven heiligen Kriegen. Außerdem gab es hier im westlichen Sudan schon starke europäische Einflüsse. Man handelte mit Gold und Sklaven und hatte europäische Waffen. Deswegen ist die Eroberungstheorie allein in diesem Fall nicht ausreichend, um die Entstehung dieses Schwarzen Byzanz, wie Nadel es genannt hat, zu erklären. Aber die Eroberungstheorie hat auch allgemeine Schwächen, selbst im Fall des viel günstigeren Beispiels von Ankole. Der Krieg allein muß nicht unbedingt die Ursache der Entstehung von Herrschaft sein. Wohl aber kann eine entstehende Herrschaftsinstanz den Krieg provozieren und damit ihren militärischen Status verbessern. Daß Krieg in funktionierenden segmentären Gesellschaften durchaus nicht die Entstehung von Herrschaft zur Folge haben muß, zeigen die Nuer im Sudan mit ihren ständigen Eroberungszügen gegen die Dinka. Ihre egalitäre Struktur blieb davon unberührt.

Man unterscheidet im übrigen bei diesen Überlegungen zwischen exogenen und endogenen Ursachen. Für die Bairu ist der Eroberungskrieg der Bahima ohne Zweifel eine exogene Ursache gewesen, die die Herrschaft von außen in ihre Gesellschaft hineingetragen hat, für die Bahima eher eine endogene, die in inneren Bedingungen ihrer eigenen Gesellschaft zu suchen ist. Solange man nicht konkrete Gründe benennen kann, hat die Unterscheidung ohnehin wenig Sinn. Das zeigt das Beispiel der Aschanti, das häufig für die endogene Theorie genannt wird. Sie waren, als sie am Ende des 19. Jahrhunderts von Engländern unterworfen wurden, eine militärische Konföderation von etwa zwanzig halbautonomen Stämmen, die unter einem gemeinsamen „König", dem Asante Hene in Kumasi, an der Goldküste lebten. Der Asante Hene hatte nicht nur den militärischen Oberbefehl, sondern auch zivile Herrschaftsfunktionen, z.B. die Rechtsprechung für Kapitaldelikte. Die Konföderation unter Führung des Stammes von Kumasi war zustandegekommen im 18. Jahrhundert, im Kampf gegen Nachbarstämme, von denen sie angegriffen und mit Tributforderungen bedroht wurden. Anders als in den Königreichen Ankole oder Nupe gibt es bei ihnen keine soziale Schichtung von Eroberern und Eroberten. Ihre segmentäre Struktur ist noch ziemlich stark, steht etwa im Gleichgewicht zur kephalen. Sicher kann man ausschließen, daß die Entstehung der Herrschaft bei ihnen endogene Ursachen gehabt hat, gerichtet war auf ökonomische Vorteile oder Ausbeutung. Es war keine ökonomische, sondern, wie man heute zu sagen pflegt, eine „politische" Herrschaft. Diese „politische" Theorie der Entstehung von Herrschaft wird in der zeitgenössischen Ethnologie weitgehend vertreten, von Sigrist und Clastres etwa, zuletzt von Service. Sie wird weitgehend richtig sein, soweit man ihre Aussage in dem Sinn versteht, daß in all diesen Fällen ökonomische Ursachen auszuschließen sind. Im übrigen ist sie aber ähnlich nichtssagend wie die endogene Theorie vom „demographischen Druck". Diese Theorie stützt sich auf die Beobachtung, daß segmentäre Gesellschaften meistens kleiner sind als kephale. Mit dem Wachstum der Bevölkerung entstehe die Notwendigkeit von Steuerungsmechanismen, gleichzeitig entstehe dann die Möglichkeit der Abschöpfung von Surplus. Auch diese Theorie ist letztlich nur eine Beschreibung, keine Erklärung. Zunächst zeigt ein Blick auf die stark herrschaftlich organisierte Gesellschaft der 12 000 Trobriander im Vergleich mit den 300 000 Nuer und ihrer völlig intakten egalitären Ordnung, daß sie auch nur einen beschränkten Beschreibungswert hat. Die Ibo in Westafrika waren eine segmentäre Gesellschaft von mehreren Millionen Menschen. Und im übrigen muß man einwenden, daß Kephalität mit ihren Steuerungsmöglichkeiten die ökonomische Struktur stark verbessern und eine verbesserte Ökonomie auch zu demographischem Wachstum führen, daß, mit anderen Worten, das Verhältnis von Ursache und Wirkung gerade umgekehrt sein kann. Wie man wohl allgemein sagen muß, daß Veränderungen der ökonomischen Verteilung nie die Ursache, sondern häufig nur Folge der Entstehung von Herrschaft sind. Man kann eine begrenzte Zahl von Erscheinungen benennen, die oft oder regelmäßig mit der Entstehung von Herrschaft verbunden sind, endogene wie demographischer Druck und exogene wie Krieg, aber wir sehen noch nicht hinter diese Erscheinungen. Sicherlich gibt es nicht nur eine Ursache. Aber diejenige, die besonders in der klassischen marxistischen Literatur immer wieder benannt worden ist, wird es wohl nicht sein. Die ökonomische Theorie läßt sich nirgendwo bestätigen. Für die Ethnologen scheint die Angelegenheit damit erledigt zu sein, daß sie die aufkommende Herrschaft als politische bezeichnen, womit man letztlich auf anthropologische, in der Natur des Menschen liegende Gründe zurückgreift, die es nicht sein können, weil gerade für Jägergesellschaften und segmentäre Gesellschaften das Gegenteil festgestellt worden ist. Man muß also weitersuchen.

Eine mögliche Ursache ist bisher kaum in Betracht gezogen. Die sexistische. Besonders die Vertreter der social anthropology sind durch die segmentären Gesellschaften gegangen und haben das hohe Lied ihrer Egalität gesungen, sicherlich auch zu Recht – soweit sie die Situation der Männer beschrieben haben. Die Freiheit der Männer ist bei ihnen in der

Tat sehr groß. Aber ebenso groß ist oft die Unfreiheit der Frauen. Mit zunehmender Unterdrückung der Frau beobachtet man ein aggressiveres Verhalten der Männer zueinander. Die Gewalt nimmt zu. Wenn es auch kein ökonomisches Ziel für das Streben nach Machtpositionen gibt, weil die egalitären Mechanismen insoweit funktionieren, so gibt es doch ein sexistisches, die Häufung des Besitzes an Frauen. Außerdem haben Macht und Herrschaft infizierende Eigenschaften. Wenn es in einer Gesellschaft erst einmal institutionalisierte Macht gibt, breitet sie sich leicht in andere Bereiche aus. Und diese Herrschaft gibt es eben auch in den egalitären segmentären Gesellschaften in der Form der institutionalisierten Macht des Mannes über die Frau. Warum sollte sie sich von dort nicht auch in den Bereich der Männer ausdehnen, zu Macht von Männern über Männer werden? Konkurrenten sind sie insoweit immer gewesen. Als ökonomische Konkurrenten haben sie sich in frühen Gesellschaften nie verstanden. Herrschaft ist sicher nicht dadurch entstanden, daß eine Zirkulation von ökonomischen Gütern verfälscht wurde. Aber wahrscheinlich ist sie in höherem Maße, als wir es heute ahnen, ausgebreitet worden durch die Verfälschung der in segmentären Gesellschaften von Meillassoux beschriebenen Zirkulation der Frauen und Heiratsgüter. In ersten Ansätzen läßt sich das in „melanesischen big man systems" verfolgen.

Eines der besten Felder für die Beobachtung der Entstehung von Herrschaft sind Melanesien und Polynesien, weil dort auf den vielen Inseln mit ähnlicher gesellschaftlicher Grundstruktur verschiedene Stufen der Entwicklung anzutreffen sind, die man in eine Reihe bringen kann, an deren Ende erbliche Königreiche stehen wie in Tonga oder Hawaii. Am Anfang steht der melanesische big man. Er lebt in der traditionellen egalitären Verwandtschaftsstruktur, die er radikalisiert, indem er zunächst selbst anfängt, hart zu arbeiten, von früh bis spät seine Felder zu bestellen. Er erhöht seine Produktivität durch Polygamie und verschafft sich durch vorsichtige Verteilung seiner eigenen Ressourcen innerhalb seiner Verwandtschaft langsam eine Gefolgschaft, deren Produktion seinen Ehrgeiz unterstützt. Er feuert sie an. Schließlich überschreitet er diesen engen Kreis und veranstaltet große Feste, „baut sich seinen Namen", wie die Melanesier sagen. Mit dem big man überschreitet die egalitäre Gesellschaft die Grenzen ihrer autonomen Einheiten, stellt größere Felder von Beziehungen her und einen höheren Grad der Zusammenarbeit. Diese Selbstausbeutung des melanesischen big man ist eine Art ursprünglicher und unterentwickelter Ökonomie des Respekts. Was hier damit beginnt, daß er seine Produktion zugunsten anderer verteilt, endet dann nach einer langen Entwicklung damit, daß die Leute ihre Produktion zugunsten des Häuptlings abliefern, der allerdings davon auch wieder den größten und wichtigsten Teil zurückgibt. Der Rest, der bei ihm bleibt, ist nicht so wichtig. Wichtig ist die Macht, die er durch die Rückverteilung erwirbt. Schon beim Aufbau der Macht des melanesischen big man spielt in diesem Zyklus der Redistribution des Heiratsguts eine nicht unwesentliche Rolle. Er selbst zahlt für die Frauen, die seine Söhne heiraten, den üblichen Brautpreis. Wegen seines inzwischen gewachsenen Prestiges kann er nach einiger Zeit aber für seine Töchter einen höheren verlangen. Hier beginnt eine Verfälschung der Zirkulation, die zur Entstehung von Herrschaft führt, als Verfälschung der Zirkulation von Frauen und Heiratsgütern. Im übrigen macht man eine Beobachtung, die sich verallgemeinern läßt. Herrschaft entsteht in den meisten Fällen als Radikalisierung der segmentären Verwandtschaftsstruktur.

42. Eigentum am Land

Die Entwicklung staatlicher Herrschaft ist untrennbar verbunden mit der des Eigentums am Land. Der Radikalisierung der Verwandtschaftsstruktur entspricht die Radikalisierung der Eigentumsstruktur. Die horizontalen agnatischen Mehrfachberechtigungen vertikalisieren sich dabei allmählich und konzentrieren sich auf einige wenige oder einen einzigen. Das hat zur Folge, daß sich aus dem Obereigentum am Land regelmäßig eine Abgabenpflicht derjenigen ergibt, denen es zur Nutzung zugewiesen bleibt. Auch dies in Radikalisierung von Verwandtschaftsstruktur, denn schon vorher hatten lineage-Älteste einen Anspruch auf Anteile an den Erträgen.

In frühen Phasen solcher Protostaaten kann das Eigentum der lineages durchaus noch unverändert erhalten bleiben. Das ist etwa der Fall bei den Aschanti und Kuba/Buschong. In Klassengesellschaften geht es dann regelmäßig über auf einige wenige aristokratische Familien – so auf Mangareve und Tahiti – oder auf den König allein, wie auf Hawaii und Tonga. Ein gutes Beispiel für neue vertikale Mehrfachberechtigungen sind die Barotse/Lozi und – eine bemerkenswerte Ausnahme unter den Klassengesellschaften – die Azteken. Bei ihnen war das Landeigentum der alten segmentären Verwandtschaftsgruppen, der calpulli, wohl unverändert erhalten geblieben, obwohl die herrschaftliche Struktur außerordentlich weit entwickelt war.

43. Prozeß der Entsegmentarisierung und die Entstehung staatlicher Gerichte

Insgesamt läßt sich die Entwicklung von Protostaaten als Prozeß der Entsegmentarisierung begreifen. Er findet nicht nur beim Eigentum statt. Seine Durchsetzung ist besonders wichtig bei den Mechanismen der Konfliktregelung. Deren Elemente waren in segmentären Gesellschaften die Verhandlung und Schlichtung, an deren Ende der Konsens stand oder die Selbsthilfe. Nun entstehen staatliche Gerichte, die nicht mehr im Konsens schlichten, sondern autoritär entscheiden. Zunächst beseitigt die Zentralinstanz oft nur die private Verfolgung von Tötungen. Aber schon dadurch wird ein entscheidender Teil der alten Autonomie der lineages zerstört. Wenn dann auch noch das Landeigentum als weitere Grundlage ihrer Existenz beseitigt ist, dann steht am Ende dieses Prozesses die Vernichtung der gesamten agnatischen Verwandtschaftsstruktur. Ihre Solidarität war ein Hindernis für den direkten Zugriff des Staates auf das Individuum, das nun als Rechtssubjekt erst entsteht. Die wieder begründete kognatische Verwandtschaft gibt der Zentralinstanz die Möglichkeit, ihre Herrschaft unmittelbar auszuüben, ohne das Hindernis dieser mittleren Instanzen, direkt gegen jeden einzelnen. Das ist es, was schon Henry Maine beschrieben hat als die Entwicklung von der Verwandtschafts- oder Stammesorganisation zu territorialer oder politischer Organisation.

44. Entstehung von Strafrecht

Durch die Tätigkeit staatlicher Gerichte verändert sich das Recht. Das deliktische Privatstrafrecht der segmentären Ordnung verwandelt sich dort in reines Strafrecht, wo die Gerichte staatliche Todes- oder Verstümmelungsstrafen aussprechen. Das gibt es bei Tötungsdelikten, Zauberei, schweren Tabubrüchen und Beleidigungen des Häuptlings oder Königs. Nun ist das Allgemeine verletzt, nicht mehr der Verletzte. Dabei ist staatliches Strafrecht am Beginn seiner Entstehung häufig außerordentlich hart und grausam. Zum Beispiel bei den Azteken und in Dahomey. Warum, weiß man nicht genau. Teilweise bleibt auch vor den Gerichten der segmentäre privatstrafrechtliche Charakter erhalten, nämlich dann, wenn sie zugunsten des Verletzten oder seiner Verwandtschaft zu Bußzahlungen verurteilen. Dann ist beides verletzt, das allgemeine und das individuelle Recht des Betroffenen. Von den Bußleistungen geht allerdings oft ein nicht unbeträchtlicher Teil an die Zentralinstanz als Träger der Gerichtsbarkeit. So ist es bei den Azande und den Kuba/Buschong.

45. Altes und neues Recht

Wenn die Gerichte nur einen Teil der Konfliktregelung an sich ziehen, bleiben daneben für den Rest die Mechanismen der segmentären Ordnung bestehen. Dann wird also weiter zwischen Verwandtschaftsgruppen über Ausgleich verhandelt und gibt es auch noch Selbsthilfe. Man findet das bei den Aschanti, Banyoro, Kuba/Buschong, Lozi und Merina. In solchen Fällen kommt es auch vor, daß terminologisch ausdrücklich unterschieden wird zwischen alter und neuer Ordnung. Bei den Aschanti heißt das Recht der segmentären Ordnung efiesem, abgeleitet von fie, das Haus. Das staatliche Strafrecht des Königs und der Stammeshäuptlinge wird oman akyiwadie genannt, wörtlich: was der Stamm haßt. Die Entwicklung für das Recht ist abgeschlossen, wenn die segmentäre Ordnung in ihm völlig verdrängt ist, wie bei den Azteken. Dort waren Verhandlungen zur Beilegung von Streitigkeiten im eigenen Haus bei Todesstrafe verboten. Dort war der König übrigens auch der oberste Priester. Das führte zu einer noch engeren Verbindung von Recht und Religion, die für Protostaaten nicht untypisch ist, wenn die Zentralinstanz in erster Linie religiös legitimiert wird.

46. Entstehung von staatlichem Privatrecht

Staatliches Privatrecht entsteht später als das Strafrecht. Der Vertrag spielt selten eine größere Rolle, weil man meistens in Hauswirtschaft lebt, mit wenig Tauschwirtschaft. Dort, wo es schon das Darlehen gibt, das wohl im Gegensatz zum Barkauf regelmäßig der erste Vertrag mit zeitlicher Distanzwirkung ist, dort also, wie bei den Aschanti an der Goldküste, entsteht der Vertrag aus dem Delikt, und zwar aus dem Delikt der Beleidigung des Häuptlings. Der Kläger spricht sie aus unter der Bedingung, daß er seinen Anspruch zu Unrecht geltend macht.

Literatur

41. *Heraklit* bei *Diels*, Die Fragmente der Vorsokratiker 1. Bd. (3. Aufl. 1912) 88 (Fragment Nr. 53); *Ibn Khaldun*, The Mugaddimah (1375) engl. 1958; *Rousseau*, Über den Ursprung der Ungleichheit unter den Menschen (1755); *Hobbes*, Leviathan (1651); *Hegel*, Die Phänomenologie des Geistes (1807); *Morgan*, Ancient Society 1877; *Engels*, Über den Ursprung der Familie, des Privateigentums und des Staates 1884; *Wittfogel*, Die orientalische Despotie (1957); *Childe*, Man makes himself 3. Aufl. 1956; *Oberg*, The Kingdom of Ankole in Uganda, in: *Fortes/Evans-Pritchard*, African Political Systems (1940) 121 ff; *Nadel*, A Black Byzantium 1942; *Sigrist*, Regulierte Anarchie 1967; *Clastres*, Staatsfeinde 1976; *Service*, Ursprünge des Staates und der Zivilisation 1977 (S. 196 ff. zu Melanesien und Polynesien); zum demographischen Druck: *Eder*, Seminar: Die Entstehung von Klassengesellschaften (1973) 17 f.; vgl. noch ders. Die Entstehung staatlich organisierter Gesellschaften 1976 (Lernprozeß). – **42.** *Wesel*, ZVerglRWiss. 81 (1982) 25 ff.; *Kohler*, Das Recht der Azteken 1892; *Argyle*, The Fon of Dahomey 1966; *Evans-Pritchard*, The Azande 1971; *Vansina*, A Traditional Legal System: The Kuba, in: *Cohen*, Man in Adaptation (2. Aufl. 1973) 135 ff. – **43.** *Maine*, Ancient Law (1861) 5. Kapitel. – **44.** *Rattray*, Ashanti Law and Constitution 1929: *Beattie*, The Nyoro State 1971 (Banyoro); *Vansina* (Rdz. 42) – **45.** *Gluckman*, The judicial process among the Barotse 1965 (Lozi); *Bloch*, Placing the Dead 1971 (Merina). Efiesem und oman akyiwadie: *Rattray*, Ashanti Law and Constitution (1929) 285 ff.; *Busia*, The position of the chief in the modern political system of Ashanti (1951) 65 ff.; *Hoebel*, The Law of Primitive Man (1954) 216 ff., 231 ff. und *Fortes*, Kinship and the Social Order (1969) 155 ff. – **46.** *Busia*, (Rdz. 44) 75 ff., *Hoebel* (Rdz. 45) 230 f., vgl. noch *A. S. Diamond*, Primitive Law (2. Aufl. 1971) 392 f. Darlehen aus Delikt: *Rattray* (Rdz. 44) 315; *Hoebel*, (Rdz. 44) 230 f.

5. Kapitel

VOM STATUS ZUM VERTRAG

47. Henry Sumner Maine und sein Ancient Law

Der englische Jurist und Rechtshistoriker Henry Maine ist es gewesen, der in seinem Buch Ancient Law 1861 gesagt hat, eine der wichtigen Linien der Rechtsentwicklung laufe vom Status zum Vertrag. Solche Verallgemeinerungen waren seine Stärke und Schwäche. Sie hatten den Vorteil, sehr einprägsam zu sein und die großen Strukturen des Rechts der Gegenwart deutlich werden zu lassen, erwiesen sich zum Teil aber als übertrieben oder falsch. Insgesamt drei solcher Entwicklungslinien hatte er in seinem Buch gezeichnet. Zwei erwiesen sich als unzutreffend. Die dritte gilt unter Ethnologen noch heute als grundlegend für das Verständnis früher Gesellschaften. Die dritte ist jener berühmte Satz über die Entwicklung vom Status zum Vertrag.

Im ersten Kapitel beschreibt er, wie das Recht am Anfang seiner Geschichte allein auf die persönliche Entscheidung eines Patriarchen oder Königs gestellt war. Dann sei dies vom Gewohnheitsrecht abgelöst worden, dem dann das Gesetz gefolgt ist, nämlich in den großen Kodifikationen der Antike. Diese Linie – von der Gerichtsentscheidung über das Gewohnheitsrecht zum Gesetz – war falsch gezogen. Wie wir heute wissen, nachdem wir genauere Kenntnisse über frühe Gesellschaften gewonnen haben.

Im fünften Kapitel behandelt er die allgemeine Entwicklung im frühen und antiken Recht. Urzelle der Gesellschaft sei die patriarchalische Familie gewesen. Auch das ist unzutreffend. Denn in Jägergesellschaften gibt es weitgehend eine Gleichstellung von Frauen und Männern. Das Übergewicht des Mannes entstand erst mit der Seßhaftigkeit bei Patrilokalität. Aber dann sagt er etwas, das bis heute für unsere Sicht der Entwicklung von großer Bedeutung ist. Sie würde nämlich verlaufen von der persönlichen Ordnung der Verwandtschafts- oder Stammesorganisation zur territorialen und politischen Organisation des Staates. Im Vordergrund der Ordnung früher Gesellschaften stünde nicht die Einheit des Gebiets, sondern die der Verwandtschaft. Wenn diese sich auflöst, tritt an ihre Stelle der Staat, der sich nicht mehr personal, sondern territorial begreift. Am Anfang stehe eine aggregation of families. Sie werde abgelöst durch die collection of individuals. Sechzehn Jahre vor Morgans Ancient Society, und ohne dessen sehr viel besseres Material, war das ohne Zweifel eine erstaunliche Beobachtung.

Am Ende des fünften Kapitels zieht er daraus die Schlußfolgerung. Der letzte Satz (übers. v. Verf.):

> „Wenn wir also das Wort Status, in Übereinstimmung mit seinem Gebrauch bei den besten Autoren, in dem Sinne verstehen, daß damit nur diese persönlichen Umstände gemeint sind, und es vermeiden, die Bezeichnung für solche Situationen zu gebrauchen, die das unmittelbare oder mittelbare Ergebnis von Vereinbarungen sind, dann können wir sagen, daß die Bewegung derjenigen Gesellschaften, die sich weiterentwickelt haben, bisher eine Bewegung vom Status zum Vertrag gewesen ist (that the movement of the progressive societies has hitherto been a movement from Status to Contract)".

Am Anfang leben die Menschen im Status. Wie wir gesehen haben: in der Solidarität der Verwandtschaft, die ihnen den Zugang zu den Produktionsmitteln eröffnet. Jeder erhält seinen Platz in der Gesellschaft durch Geburt, sagt Maine. Am Ende der Entwicklung erreicht er das durch eigene Leistung, indem er nun in eigener freier Entscheidung Verträge schließt, von der Arbeit und dem Wohnen bis zu den unendlich vielen Verträgen des täglichen Lebens über den Kauf von Lebensmitteln und Kleidung bis zur Zeitung und dem Transport durch Omnibus oder Eisenbahn. In archaischen Gesellschaften leben die Menschen in enggefügten Verwandtschaftsgruppen. In deren Hauswirtschaft ergibt sich für sie naturwüchsig Wohnung und Arbeit, Nahrung und Kleidung. Allmählich zerfielen diese Gruppen und entwickelte sich der Staat. Privateigentum trat an die Stelle von Gemeinschaftseigentum, eigene Leistung an die Stelle der Geburt, der Vertrag an die des Status. Das ist für Henry Maine der Weg in die Freiheit, die nun die Unterwerfung unter die patriarchalische Gewalt des Hausvaters ablöst. Ein Prozeß zu immer höherer Zivilisation, der in Gang gesetzt worden ist durch die Römer. Das römische Recht zeige das Zerbröckeln eines archaischen Systems und den Aufbau eines neuen durch Verwendung von Teilen des alten Materials. Wir werden das noch sehen.

48. Rechtspolitischer Hintergrund

Es sind Vorstellungen von der Entwicklung der Idee der Freiheit, wie sie auch bei Hegel erscheinen. Der Vertrag als Ausdruck der Freiheit einer bürgerlichen Gesellschaft. Insofern spielt Maine in England die gleiche Rolle wie Savigny in Deutschland. Dieser kämpfte mit seiner historischen Schule (Rdz. 281) gegen das – staatliche – Naturrecht. Maine stand mit seiner historical jurisprudence gegen die Austinians. Das war die Schule John Austins, für den Recht in erster Linie ein Befehl des Staates war. Es ging um die Vertragsfreiheit und die Möglichkeit, sie durch staatliche Gesetze einzuschränken, zugunsten der sozialen Gerechtigkeit.

Wenn man die Entwicklung nun so sah, wie Maine es tat, dann war die Vertragsfreiheit der Höhepunkt einer jahrtausendelangen Entwicklung zu immer mehr Freiheit und Zivilisation. Da durfte der Staat nicht eingreifen. Und insofern war diese Theorie das typische Produkt eines rücksichtslosen Manchester-Liberalismus.

49. Die tatsächliche Entwicklung

Trotzdem. Die Beobachtung war richtig. Am Anfang der Rechtsentwicklung stehen Statusbeziehungen. Heute sind es im wesentlichen Vertragsbeziehungen. Die Entwicklung des Vertrages beginnt mit der griechisch-römischen Antike, wie Maine es gesagt hat. Erscheinungen der Frühgeschichte und in Mesopotamien oder Ägypten sind Vorformen, die keine große Bedeutung haben. Allerdings ist es auch wieder nicht so, wie er meinte, daß schon der Vertrag des römischen Rechts auf den Willen gestellt war. Auch das werden wir noch sehen. Für Savigny und Maine war der Wille der eigentliche Ausdruck von Freiheit. Er prägte den Vertrag, als Übereinstimmung der vertragschließenden Parteien. Dieses Willensdogma war den Römern noch fremd. So scharf haben sie das nicht gesehen. Zwar haben sie den Konsens als Grundlage des Vertrages erkannt, die Einigung. Im Gegensatz zu den Griechen. Aber bei Streitigkeiten über Verträge haben sie nicht gefragt, was denn die logischen Folgen des Willens der Parteien seien. Wie man es heute weitgehend tut. Sondern sie haben mehr darauf gesehen, was sich nach Treu und Glauben aus einem solchen Vertragsverhältnis ergibt. Insofern war es doch noch nicht der Beginn der großen Freiheit. Wie auch immer. Maine hat seine Entdeckung auf der Grundlage von sehr wenig Material gemacht, sechzehn Jahre vor Morgans Ancient Society, die erst den eigentlichen Beweis lieferte. Und er hat damit einen großen Weitblick gezeigt.

Literatur

47. *Maine*, Ancient Law (1861) 1. und 5. Kap.; *Vinogradoff*, The Teaching of Sir Henry Maine, Law Quarterly Review 20 (1904) 119ff. – **48.** *Roach*, Liberalism and the Victorian Intelligentsia, The Cambridge Historical Journal 13 (1957) 58ff.; *Stein*, Legal Evolution (1980) 86ff. – **49.** *Pound*, Interpretation of Legal History (1923) 53ff.; *Redfield*, Maine's Ancient Law in the Light of Primitive Societies, The Western Political Quarterly 3 (1950) 574ff.

Zweiter Teil
Rechtsgeschichte der Antike

6. KAPITEL

MESOPOTAMIEN

Allgemeine Literatur: *v. Soden*, Einführung in die Altorientalistik (1985), zum Recht S. 125 ff.; *Haase*, Einführung in das Studium keilschriftlicher Rechtsquellen 1965; *Haase*, Die keilschriftlichen Rechtssammlungen in deutscher Fassung 2. Aufl. 1979; *Korošec*, Keilschriftrecht, in: *Spuler* (Hg.), Handbuch der Orientalistik 1. Abt. Ergbd. III (1964) S. 49–219.

50. Überblick über die drei Jahrtausende des Keilschriftrechts

Das Land zwischen den beiden Flüssen, so nannten es die Griechen. Mesopotamia, zwischen Euphrat und Tigris. Als Herodot um die Mitte des 5. Jahrhunderts v. Chr. in die damalige persische Provinzhauptstadt Babylon kam, ahnte er nicht, daß er auf einem Boden stand, der eine Jahrtausende alte Geschichte hinter sich hatte. Ihre Entdeckung ist erst das Ergebnis von Ausgrabungen moderner Archäologen in den letzten hundert Jahren. Hier in Mesopotamien begegnet uns zum erstenmal ein Recht, das auch schriftlich überliefert ist. Das erste historische Recht. Es ist erhalten auf Tausenden von Tontafeln in der sogenannten Keilschrift, die 1802 von dem Lehrer Georg Friedrich Grotefend entziffert wurde. Man nennt es Keilschriftrecht. Es ist die Geschichte „eines Komplexes von Rechten verschiedener Völker zu verschiedenen Zeiten“ (Paul Koschaker), in einem riesigen Gebiet vom Persischen Golf bis nach Nordsyrien und Kleinasien. Sie beginnt mit den Sumerern im 3. Jahrtausend v. Chr., im Süden Mesopotamiens. Dann verlagert sich ihr Schwergewicht langsam nach Norden, zunächst im 2. Jahrtausend nach Babylon zu den semitischen Akkadern und schließlich am Ende dieses Jahrtausends bis zum Ende des 7. Jahrhunderts v. Chr. weiter nach Assur und Ninive zu den Assyrern. Nach der Zerstörung Ninives im Jahre 612 v. Chr. entstand das Perserreich, das durch seine Eroberungszüge in den Westen dann den Anschluß an die europäische Geschichte hergestellt hat, nämlich in den Kriegen mit den Griechen im 5. Jahrhundert v. Chr., nach dem Aufstand der griechischen Ionier an der Küste Kleinasiens.

I. Sumerisches Recht

51. Sumerische Städte

Im Süden Mesopotamiens entstehen um die Wende vom vierten zum dritten Jahrtausend sumerische Städte mit ziemlich weit entwickelter Arbeitsteilung in Landwirtschaft, Handwerk und Verwaltung. Das war der entscheidende Unterschied zu Ägypten, dieser städtische Charakter. Dort

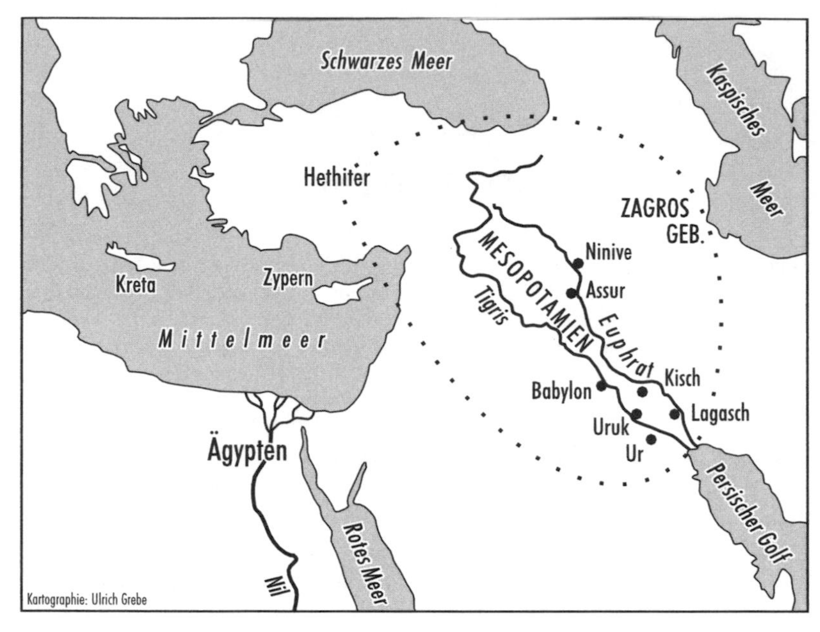

Abbildung 5: Das Gebiet des Keilschriftrechts

SUMER	3. Jt. v. Chr.	Erfindung der Schrift	um 3000
(Süden)		frühdynastische Zeit	2800–2340
	mittelsumerische Zeit 2340–2160		
	Ur III		2111–2003
BABYLON	2. Jt. v. Chr.	altbabylonische Zeit	1950–1530
	mittelbabylonische Zeit		1530–1157
ASSYRER	2. Hälfte 2. Jt. bis Ende 7. Jh. v. Chr.		1234–612
(Norden)			
NEUBABYLONISCHES			
CHALDÄERREICH (Nebukadnezar			626–539

spielten Städte kaum eine Rolle. Zunächst hatte Uruk die Vorherrschaft, dann Kisch, und schließlich auch andere Städte, vor allem Ur und Lagasch. In der frühdynastischen Zeit, bis 2340 v. Chr., bleiben diese Stadtstaaten im Prinzip unabhängig, mit erblichen Stadtfürsten (ensi), jede für sich, allerdings unter der Vorherrschaft eines anderen, der sich lugal nennt, was man mit König übersetzen kann. Er war der Stadtfürst derjenigen Stadt, die gerade die Vorherrschaft hatte, eine Vorherrschaft, die aber nicht bedeutete, daß er die häufigen kriegerischen Auseinandersetzungen der anderen Städte untereinander immer verhindern konnte.

Der Stadtfürst ist oberster Priester. Er steht damit auch an der Spitze der Tempelwirtschaft, hat die militärische Leitung und ist oberster Richter und Gesetzgeber. Sein Titel, ensi, bedeutet soviel wie Vertreter Gottes, nämlich des städtischen Hauptgottes. Im Laufe des dritten Jahrtausends scheinen Staatsverwaltung und Tempelverwaltung allerdings auseinandergetreten zu sein, zumal die Staatsverwaltung immer mehr auf den König, lugal, überging, der ja nicht Tempelherr in den einzelnen Städten war. Neben dem ensi stand seit alten Zeiten der Rat der Stadtältesten, die städtische Volksversammlung, ukkin, vielleicht ein Überbleibsel aus der vorstaatlichen Zeit, ohne daß man genau weiß, welche Kompetenzen dieser Rat hatte. Das Erstarken der Zentralherrschaft des lugal findet statt in mittelsumerischer Zeit, im Großreich von Akkad (2340–2160 v. Chr.) und in den einhundert Jahren der dritten Dynastie von Ur (2111–2003 v. Chr.). Zuletzt waren die Stadtfürsten Beamte des Königs geworden, vollkommen von ihm abhängig, wurden von ihm eingesetzt und wieder abgesetzt.

52. Tempelwirtschaft

Parallel dazu fand noch ein anderer Konzentrationsprozeß statt, in der Wirtschaft. Zu Beginn des dritten Jahrtausends gab es ein Nebeneinander von alter Hauswirtschaft und neuer Tempelwirtschaft. Die Hauswirtschaft beruhte auf partrilinearen Verwandtschaftsgruppen und ihrem Eigentum am Land, das jedoch immer mehr auf den Tempel überging, der sich langsam zu einem Großbetrieb entwickelte, in dem ein großer Teil der Stadtbevölkerung beschäftigt war. Am Ende dieses sumerischen Jahrtausends gehörte ihm das ganze Land, gab es keine privaten Felder mehr. Der größte Teil der Bevölkerung stand in seinen Diensten. Die Ausweitung der Tempelwirtschaft war möglich geworden durch die Erfindung der Schrift. Sie war eine der größten Leistungen der Sumerer. Die Keilschrift, mit kleinen Keilen auf Tontafeln gedrückt, war von ihnen um 3000 v. Chr. für Aufzeichnungen der Wirtschaftsverwaltung im Tempel erfunden worden, für Eingangs-, Ausgangs- und Vorratslisten, mit denen man eine Buchführung ermöglichte über das, was die einzelnen Landwirte und Handwerker des Tempels dort ablieferten und dafür erhielten, an Getreide und Brot, Fleisch und Fisch, Bier, Lederwaren und so weiter. Der Tempel hatte die Funktion einer Tauschzentrale für die Verteilung von Gütern in einer arbeitsteiligen Gesellschaft. Das Geld, das dann später diese Funktion übernommen hat, gab es noch nicht. Die Schrift ersetzte das Geld, genauer gesagt: eine ziemlich ausgedehnte Bürokratie von Schreibern.

53. Juristische Urkunden

In dieser Schrift hat man auch Urkunden über Verträge gefunden, ebenfalls auf kleinen Tontafeln. Sie sind für uns heute die wichtigste Quelle unserer Kenntnis des sumerischen Rechts. Es scheint, daß schon in frühester Zeit Verträge zwischen Privatleuten im Tempel beurkundet werden mußten. Das deutet auf eine Art Genehmigungsfunktion der Priester, mindestens auf eine Kontrollfunktion. Diese schreibkundigen Männer, die die Beurkundungen vornahmen, waren auch als Richter tätig, einzeln oder in einem Kollegialgericht. In der Tempelverwaltung gab es dafür eigene Spezialisten. Sie wurden diku genannt und waren wohl die ersten spezialisierten Juristen in der Geschichte. Ob es gegen ihre Entscheidung noch eine Berufung zum ensi gab, weiß man nicht. Letztlich war er der oberste Richter und wird die wichtigsten Sachen selbst entschieden haben. Die Gerichtsverhandlungen waren wohl öffentlich, denn oft wird das „Tor" als Ort des Gerichts genannt, also ein Platz am Stadttor, wie im antiken hebräischen Recht (Rdz. 95).

Die juristischen Urkunden betreffen im wesentlichen private Angelegenheiten, handeln von Eheschließung und Scheidung, Enterbung, Adoption und Freilassung von Sklaven oder enthalten Verträge, also Kauf und Tausch, Darlehen und Schenkung. Es gibt fast keine Urkunden über Strafverfahren. Das erklärt sich wohl daraus, daß das Verfahren hier grundsätzlich mündlich durchgeführt wurde. Über Delikte und Strafen sind wir also im wesentlichen nur durch die wenigen Gesetze informiert, die aus den letzten Jahrhunderten der sumerischen Zeit überliefert sind.

54. Gesetze

Bis 1947 meinte man noch, das älteste der uns bekannten Gesetze der Welt sei der Codex Hammurabi, der in den letzten Regierungsjahren dieses babylonischen Königs (1793–1750 v. Chr.) entstanden ist. Aber 1948 wurde dann der Codex Urnammu entdeckt, ein Gesetz des sumerischen Königs Urnammu aus der dritten Dynastie von Ur, der um 2100 regiert hat. Nun ist dies das älteste uns im Wortlaut bekannte Gesetz. Über ein noch älteres haben wir nur mittelbar Kenntnis. In einer Inschrift aus dem Ende der frühdynastischen Zeit berichtet Urukagina von Lagasch um 2360 v. Chr. sehr allgemein über soziale Reformen, die er vorher erlassen hatte. Schließlich sind wir über sumerisches Recht informiert durch das Gesetz des Königs Lipitischtar von Isin, der in der sogenannten Zwischenzeit lebte, nach der dritten Dynastie von Ur, im Übergang von der sumerischen zur babylonischen Herrschaft, um 1930 v. Chr.

55. Die Prologe zu den Gesetzen und die Vorstellung von Gerechtigkeit

Wie später im Codex Hammurabi erscheint schon in den Prologen zu diesen Gesetzen das politische Ziel: Gerechtigkeit, nisisa, und zwar als soziale Gerechtigkeit im Sinne einer patriarchalischen Fürsorge für die Armen und Schwachen. So heißt es im Prolog zum Codex Urnammu:

> „... Das Waisenkind habe ich nicht dem Reichen ausgeliefert, den Mann mit einem Schekel habe ich nicht dem Mann mit einer Mine ausgeliefert, den Mann mit einem Lamm habe ich nicht dem Mann mit einem Ochsen ausgeliefert ... Haß und Gerechtigkeit und Rufe nach Gerechtigkeit brachte ich zum Verschwinden. Ich habe Gerechtigkeit durchgesetzt im Land Sumer."

Gab es also die moralisch-politische Vorstellung von Gerechtigkeit, so fehlte in Mesopotamien offensichtlich noch der abstrakte juristische Begriff des Rechts, also dessen, was wir das objektive Recht nennen, im Sinne der

Gesamtheit aller rechtlichen Vorschriften. Das sumerische Wort di und das akkadisch-babylonische dinu bezeichnen den einzelnen Streitfall, die Rechtssache, den einzelnen Prozeß und das Urteil. Am Anfang der Prologe des Codex Urnammu und des Codex Lipitschtar erscheinen die obersten Götter, denn es gibt kein Recht, das von der Religion getrennt ist, wenn Gesetzgebung und Gerichtsbarkeit in der Hand von Priestern liegen.

56. Gesetz des Urikagina von Lagasch um 2360 v. Chr.

Drei Tonkegel und eine Steinplatte hat man gefunden, auf denen der Stadtfürst von Lagasch darüber berichtet, wie er die alte Ordnung wiederherstellte, nachdem sein Vorgänger mit dem Tempelvermögen Mißbrauch getrieben und sich auch auf Kosten der Bevölkerung bereichert hatte. Das ganze wird von ihm als Vereinbarung bezeichnet, die er mit dem Stadtgott von Lagasch getroffen hat. Der Bericht Urukaginas enthält allerdings nicht den Wortlaut der einzelnen Bestimmungen. Eine als ungerecht bezeichnete Steuerkontrolle wurde abgeschafft, ebenso die von seinem Vorgänger eingeführten Gebühren für Ehescheidung oder Parfümerzeugung. Die hohen Gebühren der Priester für Beerdigungen hat er herabgesetzt und Schulden erlassen. Schon hier erscheint der Gedanke, er habe die Armen und Schwachen geschützt, wie in den Prologen der späteren Gesetze. Er rühmt sich, er habe Witwen und Waisen davor bewahrt, daß ihnen Haus und Garten, Brunnen und Esel von den Reichen weggenommen werden.

57. Codex Urnammu um 2100 v. Chr.

Es ist nicht nur das älteste Gesetz der Weltgeschichte, das uns im Wortlaut überliefert ist. Urnammu von Lagasch ist auch der erste Fürst, von dem wir wissen, daß er sich selbst als Gesetzgeber bezeichnet hat. Hier einige der erhaltenen Bestimmungen:

> § 1 Wenn ein Mann einen Mord begeht, muß dieser Mann getötet werden.
>
> § 2 Wenn ein Mann einen Raub begeht, wird er getötet werden.
>
> § 5 Wenn ein Unfreier eine freie Frau heiratet, muß dieser Unfreie einen seiner Söhne seinem Herrn dienen lassen. Der Sohn, welcher bestimmt wurde, seinem Herrn zu dienen, wird die bewegliche Habe innerhalb der Mauern seines Vaterhauses zur Hälfte (teilen?). Die freien Kinder darf der Herr nicht ohne Zustimmung des Stadtfürsten in ihrem Status mindern.
>
> § 6 Wenn sich jemand von seiner Hauptfrau scheidet, zahlt er ihr eine Mine Silber.
>
> § 10 Wenn jemand einen anderen Mann des ... beschuldigt und er ihn zum Flußordal gebracht hat und wenn das Flußordal ihn als unschuldig erwiesen hat, so muß der Mann, der ihn zum Ordal gebracht hat, ihm drei Schekel Silber zahlen.

§ 12 Wenn der zukünftige Schwiegersohn in das Haus seines zukünftigen Schwiegervaters gegangen ist, sein Schwiegervater aber später seine Tochter einem anderen Mann gegeben hat, zahlt der Schwiegervater ihm die Brautgaben, die er gebracht hat, doppelt (?) zurück.

58. Eigentum am Land und vorstaatliche Verwandtschaftsgruppen

Eigentum am Land gehört entweder größeren Verwandtschaftsgruppen oder dem Tempel, später auch zum Palast des Königs. Die Verwandtschaftsgruppen werden noch aus vorstaatlicher Zeit stammen. Wahrscheinlich sind sie einlinig gewesen, patrilinear. Auch die in § 12 Codex Urnammu genannten Brautpreise gehören in diese frühe Zeit. Es gibt Ältere, die bei Landverkäufen an Tempel oder König zusätzlich zum Kaufpreis noch eine besondere Gabe erhalten. In spätsumerischer Zeit haben sich die Verwandtschaftsgruppen wohl weitgehend aufgelöst. Anders ist die Existenz von Armen und Schwachen nicht zu erklären, die in den Prologen der Gesetze erwähnt werden. Eine Auflösung, die man wohl damit erklären muß, daß ihnen durch die Landverkäufe an den Tempel die Existenzgrundlage entzogen worden war.

59. Privateigentum, Erbrecht

Unabhängig vom Eigentum am Land gab es – anders als später bei den Römern und heute bei uns, aber ähnlich wie in der DDR, deren Volkseigentum dem des Tempels ähnlich war – Eigentum an Häusern. Eigentümer eines Hauses konnte auch ein einzelner sein. Das weiß man aus vielen Verträgen, die dazu überliefert sind, über Heirat, Scheidung, Erbschaft und Kauf. Ebenso gab es Privateigentum an Sklaven und Vieh.

Das Erbrecht stand nur den Söhnen zu. In verschiedenen Städten war das im einzelnen unterschiedlich geregelt. In Lagasch zum Beispiel erbten alle Söhne zu gleichen Teilen, in Nippur nur der älteste. Schon hier zeigt sich die Tendenz, daß Frauen rechtlich schlechter gestellt sind.

60. Eherecht, Stellung von Frauen

Allerdings waren sie wohl für private Geschäfte allgemein rechts- und geschäftsfähig. Aber auch in der Ehe, nicht nur im Erbrecht, zeigt sich sehr deutlich ihre Schlechterstellung. Sie konnten gegen ihren Willen vom Vater verheiratet werden. Dementsprechend ging die Scheidung auch nur von ihrem Mann aus. Das ist regelmäßig ein Indiz für die Beurteilung der Stellung von Frauen, ob sie sich selbständig von ihren Männern trennen können. Auch in den Vorschriften über Ehebruch waren die Frauen von Sumer deutlich benachteiligt. Ehebruch war es immer nur, wenn sie es taten. Nur eine Ehefrau konnte ihn begehen. Für den des Ehemannes gab es keine Sanktion. Ehebruch wurde verstanden als Verletzung von Rechten des Ehemannes. Dafür erhielt er Bußleistungen vom Ehebrecher. Wie in vorstaatlichen Gesellschaften.

61. Brautpreise

Sie werden in § 12 des Codex Urnammu genannt (Rdz. 57), sollen doppelt zurückgezahlt werden, wenn der Vater seine Tochter danach einem anderen Mann gibt. Eine Strafvorschrift für diese Art von Vertragsbruch.

Sonst findet man kaum etwas. Das wichtigste ist, daß man überhaupt sieht, es hat solche Zahlungen auch in Sumer gegeben. Womit allerdings noch nicht gesagt ist, daß es Brautpreisleistungen gewesen sind, wie man sie in vorstaatlichen Gesellschaften findet. Die Frage kann für das sumerische Recht nicht direkt entschieden werden. Aber indirekt. Denn im babylonischen Recht gibt es sie auch. Zwar rätselt man in der neueren Literatur noch immer darüber. Aber die Frage ist eindeutig im Sinne des vorstaatlichen Charakters dieser Leistungen zu entscheiden. Für das babylonische Recht kann man das beweisen (Rdz. 72). Also wird es auch in Sumer so gewesen sein. Denn dort gibt es ja sogar noch Land im Eigentum solcher vorstaatlichen Verwandtschaftsgruppen.

62. Sklaverei

Ursprung von Sklaverei ist wohl der Krieg. Es gibt ihn schon in segmentären Gesellschaften. Auch dort werden Gefangene gemacht, allerdings in die Verwandtschaftsstruktur der Sieger eingegliedert. Ob man das Adoption nennen will, ist eine Frage der Definition. Oft haben sie einen minderen Status. Man kann ihnen Befehle für die Arbeit geben. In solchen Fällen kann man von Sklaverei sprechen, deren nächste Stufe dann erreicht ist, wenn man diese Menschen auch verkaufen kann. So ist es in vielen Protostaaten und in der gesamten Antike. Trotzdem ist auch die antike Sklaverei keine einheitliche Erscheinung. Grob gesprochen kann man unterscheiden zwischen der Haussklaverei und derjenigen bei Plantagenwirtschaft. Mit vielen Übergängen. Haussklaven leben im Haus ihres Eigentümers. In der Plantagenwirtschaft sind Sklaven kaserniert, meistens nach Geschlechtern getrennt. Auf dem Weg von der Haussklaverei zur Plantagenwirtschaft verschlechtert sich ihre rechtliche Situation kontinuierlich. Am Anfang haben sie den Stand von Halbfreien. Sie können nicht nur untereinander heiraten, sondern auch Freie. Oft sind sie geschäfts- und rechtsfähig und können in Prozessen auftreten. In der Plantagenwirtschaft der Römer waren sie seit dem 2. Jahrhundert v. Chr. völlig rechtsunfähig, lebten sie juristisch wie Tiere, den Sachen gleichgestellt.

Es hat viele Versuche gegeben, Sklaverei zu definieren. Ein schwieriges Unterfangen. Zweck von Sklaverei ist es, sich die Arbeit anderer anzueignen. Aber das gibt es auch sonst, zum Beispiel bei privaten Dienstverträgen. Also liegt es nahe, die Kündbarkeit zum Kriterium zu machen. Dann aber wären auch mittelalterliche Hörige als Sklaven zu bezeichnen oder andere, die Zwangsarbeit leisten müssen. Man denke nur an die vielen Formen, die es davon im Dritten Reich gegeben hat. Also lassen wir es hier bei der Andeutung des Problems. Entscheidend bei seriösen Definitionsversuchen ist jedenfalls der mindere Rechtsstatus desjenigen, dessen Arbeit ein anderer sich aneignet. Er allein reicht jedoch nicht aus, wie man am Beispiel von Hörigkeit und Zwangsarbeit sehen kann. Auch die Möglichkeit des Verkaufs ist kein allgemein gültiges Kriterium, denn in der frühen Antike konnten Väter ihre Kinder verkaufen, die zwar „gewaltunterworfen“ waren, aber keine Sklaven. Denn mit dem Tode ihres Vaters wurden sie an sich voll rechtsfähige freie Bürger.

Im sumerischen Recht erscheinen Sklaven von Anfang an. Schon im Codex Urnammu werden sie genannt. Aber sie werden als Menschen angesehen, nicht als Sachen. Sie können heiraten. Ein Sklave kann zum Beispiel eine freie Frau heiraten (§ 5 Codex Urnammu). Das wäre in Rom undenkbar. Ihre Kinder sind frei, bis auf einen Sohn, der für den Eigentümer seines Vaters arbeiten muß. Sklaven können Privateigentum besitzen und Rechtsgeschäfte abschließen. Aber man kann sie züchtigen und wohl auch töten. Weibliche Sklaven wurden schon in Sumer nach Belieben verheiratet und wieder getrennt.

63. Verträge

Es gab Verträge. Aber wegen der überwiegenden Bedeutung von Hauswirtschaft und Tempel- und Palastwirtschaft spielten sie kaum eine Rolle. Da darf man sich durch die ziemlich große Zahl der ausgegrabenen Privaturkunden nicht täuschen lassen. Für das tägliche Leben der Menschen waren sie nicht im entferntesten so wichtig wie später in Griechenland oder Rom oder etwa bei uns. Selbst in neusumerischen Urkunden überwiegen personenrechtliche Vorgänge wie Eheschließung oder Scheidung, Enterbung, Adoption und Freilassung. Erst in zweiter Linie findet man Kauf und Tausch, Darlehen und Schenkung. Auch die Bürgschaft ist bekannt. Die Verkaufsurkunden sind unpersönlich formuliert, aus der Sicht des Erwerbers abgefaßt und betreffen Barkaufgeschäfte. Teilweise werden sie als „Band“ oder „Verpflichtung“ bezeichnet, obwohl außer der Gewährleistungspflicht bei Sachmängeln sonst keine weiteren Verpflichtungen für die Zeit nach Abschluß des Vertrages bestehen.

64. Privatstrafrecht und Strafrecht

Rechtsverletzungen sind in vorstaatlichen Ordnungen grundsätzlich Verletzungen von individuellen Rechten der Betroffenen, gleichgültig ob Tötung, Körperverletzung, Diebstahl oder Sachbeschädigung. Sie werden regelmäßig mit Bußleistungen ausgeglichen, die über die numerische Höhe des Schadens hinausgehen und die doppelte Funktion haben, zum einen dem Geschädigten den Schaden zu ersetzen und ihm zum anderen Genugtuung zu verschaffen. Bußen treten an die Stelle von Rache und haben Friedensfunktion. Privatrecht und Strafrecht gehen ungetrennt ineinander über. Man nennt das Privatstrafrecht (Rdz. 15, 29).

Strafrecht entsteht regelmäßig erst mit der Entstehung des Staates, der das Allgemeine vertritt und „das Eine“ ist. Das Privatstrafrecht teilt sich dann allmählich in ein deliktisches Privatrecht, das nur noch den Ersatz des materiellen Schadens zum Ziel hat, Wertersatz für den Geschädigten, und in das staatliche Strafrecht, das auf Bestrafung des Täters gerichtet ist als Verwirklichung eines staatlichen Strafanspruchs. Es entsteht das privatrechtliche Delikt mit der Folge von Schadensersatz und das öffentliche

Verbrechen mit der Folge von Strafe. Im Prinzip können sie gleichzeitig eingreifen. Ein Dieb heute hat dem Bestohlenen privatrechtlich Schadensersatz zu leisten und wird außerdem wegen Diebstahls bestraft. Das eine gehört vor das Zivilgericht, das andere vor ein Strafgericht. Das Privatrecht dient dabei als Ausgleich für die Verletzung individueller Rechte und das Strafrecht als Ahndung für die Verletzung der allgemeinen Ordnung.

In Sumer sind Privatrecht und Strafrecht noch nicht vollständig auseinandergetreten. Es gibt noch Privatstrafe mit Bußen, die den numerischen Schaden übersteigen, also kein Schadensersatz sind. Zum Beispiel für Körperverletzungen, mit festen Sätzen in Schekel Silber. Daneben steht, als reines staatliches Strafrecht, die Todesstrafe für Mord, Raub, und schwere Fälle von Vergewaltigung. Sie wird vollzogen von einem Henker der Stadt. Das Urteil fällt der ensi oder, wie in dem einzigen uns etwas genauer bekannten sumerischen Mordprozeß in Nippur um das Jahr 1850 v. Chr., die Versammlung der Stadtältesten, ukkin, an die der König von Isin den Prozeß überwiesen hatte (Rdz. 65). Ob die Entwicklung des Strafverfahrens aber hier ihren Ursprung hat, in einer Art Volksgerichtsbarkeit, wie Korošec meint, und sich daneben erst später die Kompetenz des Königsgerichts entwickelte, das erscheint doch sehr fraglich. Denn regelmäßig ist es der Staat, die Zentralinstanz, die zuerst Blutrache und Ausgleichsverhandlungen zwischen den alten Verwandtschaftsgruppen zurückdrängt und die Ordnung in die eigenen Hände nimmt. Aber es gibt ein anderes Überbleibsel aus der alten Zeit bei den Sumerern. Das Ordal. Gottesurteile bei ungeklärten Beweissituationen entwickeln sich typischerweise in vorstaatlichen Gesellschaften. In Sumer und später in Babylon erscheint es als Wasserordal. Je nachdem, ob der Beschuldigte im Fluß untergeht oder oben bleibt, gilt er als schuldig oder unschuldig. Vielleicht hat dabei auch eine Rolle gespielt, daß man im alten Mesopotamien nur selten schwimmen konnte.

65. Ein Mordprozeß in Nippur: Der Fall der schweigenden Frau

Um 1850 v. Chr. fand in Nippur ein Mordprozeß statt, der älteste uns bekannte in der Rechtsgeschichte. Er ist auf zwei Tontafeln in sumerischer Sprache überliefert.

> Angeklagt waren drei Männer und eine Frau. Ein Barbier, ein Gärtner und ein Dritter ohne Berufsangabe hatten einen Tempelbeamten ermordet. Danach verständigten sie seine Frau, die dann mitangeklagt wurde, weil sie vom Verbrechen erfahren und geschwiegen hatte. Warum sie niemanden verständigte, ist unklar. Es könnte Unstimmigkeiten zwischen beiden gegeben haben, denn im Dokument heißt es, ihr Mann hätte sie nicht „versorgt". Allerdings ist die Deutung des Textes hier unsicher. Als das ganze bekannt wurde, verwies der Stadtfürst von Isin den Fall zur Verhandlung an die Stadtältestenversammlung von Nippur. Die drei Männer wurden zum Tode verurteilt, die Frau freigesprochen. Der Keilschrifttext:

„Der Barbier Nana-sig, der Sohn Lu-Sins, Ku-Enlil, der Sohn Ku-Nannas, und der Gärtner Enlil-ennam, der Sklave Adda-kallas, töteten den Nischakku-Beamten Lu-Inanna, den Sohn Lugal-apindus. Nachdem Lu-Inanna, der Sohn Lugal-apindus, den Tod gefunden hatte, teilten sie der Frau Lu-Inannas, Nin-dada, der Tochter Lu-Ninurtas, mit, daß ihr Mann Lu-Inanna getötet worden sei. Nin-dada, die Tochter Lu-Ninurtas, machte den Mund nicht auf, (ihre) Lippen blieben versiegelt. Der Fall wurde (sodann) vor den König (der Stadt) Isin gebracht, (und) der König Ur-Ninurta befahl, den Fall der Versammlung von Nippur vorzulegen. Ur-gula, der Sohn Lugal-..s, Dudu, der Vogelfänger, Ali-ellati, der Freigelassene, Buzu, der Sohn Lu-sins, Eluthi, der Sohn..-Eas, Schesch-Kalla, der Lastträger (?), Lugal-Kan, der Gärtner, Lugal-azida, der Sohn Sin-anduls (und) Schesch-kalla, der Sohn Schara..s, traten hin (vor die Versammlung) und sagten: ‚Die, welche einen Menschen getötet haben, sind des Lebens nicht (wert). Diese drei Männer und die Frau sollen vor dem Stuhl des Nischakku-Beamten, Lu-Inanna, des Sohnes Lugal-apindus, getötet werden.'
Sch..-lilum, der..-beamte von Ninurta, (und) Ubar-Sin, der Gärtner, traten (sodann) vor die Versammlung hin und sagten:
‚Zugegeben, daß der Mann Nin-dadas, der Tochter Lu-Ninurtas, getötet worden ist, (aber) was hat (?) die Frau getan (?), daß sie getötet werden soll?'
Die (Mitglieder der) Versammlung von Nippur sagten (sodann) zu ihnen:
‚Eine Frau, die ihr Mann nicht versorgt (?) hat – angenommen, sie kannte die Feinde ihres Mannes und hat nach dem Tod ihres Mannes gehört, daß ihr Mann getötet worden ist – warum sollte sie nicht schweigen (?). Ist sie (?) es, die ihren Mann getötet hat? Die Bestrafung derjenigen (?), welche (den Mann) getötet haben, sollte genügen.'
In Einklang mit der Entscheidung (?) der Versammlung von Nippur wurden Nanna-sig, der Sohn Lu-Sins, der Barbier Ku-Enlil, der Sohn Ku-Nannas, der Gärtner Enlil-ennam, der Sklave Adda-kallas, dem Henker überantwortet, um getötet zu werden.
(Das ist) ein Fall, den die Versammlung von Nippur behandelt hat."

Der Freispruch vom Vorwurf der Beteiligung am Mord ist für uns selbstverständlich. Damals war er es wohl nicht. Denn es sind zwei Kopien des Protokolls der Verhandlung gefunden worden, was darauf hindeutet, daß man im Prozeß neue Wege gegangen ist und ihn als einen Präzedenzfall angesehen hat, nach dem man sich auch in Zukunft richten müsse. Möglicherweise gab es eine Regel, daß Mitwisserschaft als Tatbeteiligung gilt, und sie wurde nun auf die Zeit vor der Tat eingeschränkt.

66. Prozeßrecht

Nicht nur Strafprozesse wurden vor staatlichen Gerichten geführt. Auch der Zivilprozeß ist voll entwickelt. Gerichtsherr ist der Stadtfürst. Er entscheidet entweder selbst oder überträgt die Gerichtsbarkeit an Beamte, manchmal auch – wie im Fall der schweigenden Frau – an die Gemeinde. In Lagasch erscheint in den Gerichtsurkunden bis um das Jahr 2000 v. Chr. allein der Name des Stadtfürsten. Danach tauchen Namen von Richtern auf, neben ihm oder allein, als Einzelrichter oder Kollegium.

Der Prozeß wird durch den Kläger eingeleitet, der seine Klage „zu Händen des Stadtfürsten" einlegt oder sie dem Beklagten auch selbst übergibt. Die Regel scheint gewesen zu sein, daß der Beklagte vom Gericht geladen wird. Im Gegensatz etwa zum alten römischen Recht, das nur die private Ladung kannte. Das entspricht der dominierenden Rolle der Zentralinstanz in Mesopotamien. Während der Staat in Rom eher dezentralisiert war. Es gibt sogar eine Art Untersuchungsrichter (maschkim), der vom Stadtfürsten geschickt wird, um an Ort und Stelle zu ermitteln. Und auch bei der Vollstreckung eines Urteils in Zivilsachen wird das Personal des Stadtfürsten mitgewirkt haben. In Rom, knapp zweitausend Jahre später, war das wieder allein Sache des Klägers.

67. Allgemeiner Charakter des Rechts

Insgesamt erscheint das sumerische als Prototyp eines archaischen Rechts in den ersten Phasen seines Übergangs zur Staatlichkeit. Die Einheit von Religion und Recht ist kaum aufzulösen. Es gibt kein Privateigentum am Land, wenig Verträge und das Delikt im ersten Übergang vom privaten Ausgleich zur staatlichen Strafe. Es gibt staatliche Gerichte und staatliche Gesetze. Aber überall spürt man noch die alte segmentäre Ordnung. In den alten Verwandtschaftsgruppen mit ihrem Landeigentum, das sich nur allmählich auflöste. In ihrem alten Brautpreissystem und den privaten Bußen. Und auch im Mordprozeß von Nippur scheint sie wohl noch durch. Denn man darf annehmen, daß der Ältestenrat, an den der Stadtfürst von Isin den Fall verwiesen hat, in diese segmentäre Zeit zurückreicht.

II. Babylonisches Recht

68. Geschichte und Wirtschaft

Nicht ganz so altertümlich, ein wenig moderner erscheint in seiner ersten Hälfte das zweite Jahrtausend. Die Vorherrschaft in Mesopotamien verlagerte sich weiter nach Norden, in die Mitte des Landes, zu den semitischen Akkadern in Babylon. Vierhundert Jahre existiert hier das Reich der ersten Dynastie, vom Süden Sumers bis in den Norden Assyriens. Es ist die sogenannte altbabylonische Zeit. Ihr berühmtester König ist Hammurabi gewesen, der von 1793 bis 1750 v. Chr. regierte. Es gab zwar immer noch eine ausgedehnte Palastwirtschaft, aber neben ihr auch eine rege Privatwirtschaft. Man findet privates Eigentum am Ackerland, ein sehr viel weiter ausgebildetes Vertragswesen, private Handelsunternehmen, die zum Teil als Gesellschaften organisiert waren, nicht nur Sklavenarbeit für Private, sondern auch die Nutzung der Arbeitskraft von freien Bürgern durch private Dienstverträge und in den Städten sogar die Wohnungsmiete. Zahllose private Urkunden aus dieser Zeit sind ausgegraben worden, kaum noch Verwaltungsurkunden. Im Vergleich mit der sumerischen Zeit hat sich das Verhältnis umgekehrt.

Die erste Dynastie von Babylon wird im 16. Jahrhundert v. Chr. durch die Kassiten abgelöst. Sie waren ein Volk aus dem Zagros-Gebirge im Nordosten Mesopotamiens und haben als schmale Oberschicht nicht nur die Herrschaft der Babylonier übernommen, sondern auch deren Sprache und Kultur. Deshalb wurden sie wohl nicht als Fremde empfunden. Das babylonische Reich bestand ungefähr in seinem alten Umfang weiter, noch einmal etwa vierhundert Jahre, die sogenannte mittelbabylonische Zeit. Nun bestimmt wieder der Palast des Königs allein die Wirtschaft des Landes. Es ist eine zentralisierte Palastwirtschaft mit einem ausgedehnten bürokratischen Verwaltungsapparat. Wie die alte sumerische Tempelwirtschaft hat sie die Wirkung einer Pumpe, die die Produktion ansaugt und wieder ausstößt, allerdings mit einer nicht unwesentlichen Abschöpfung für den Palast und seine Verwaltung. Letztlich war es eine Klasse von Beamten und Offizieren, die davon profitierte, und eine von Bauern und Handwerkern, die dadurch ausgebeutet wurde. Privates Eigentum am Land gab es nicht mehr, dementsprechend auch keine Urkunden über Landverkäufe. Verträge spielten keine Rolle mehr. Statt dessen findet man wieder zahlreiche Verwaltungsurkunden. Die Rechtsquellen für diese Zeit sind allerdings eher dürftig.

69. Codex Hammurabi

Ganz anders die altbabylonische Zeit mit ihrem Nebeneinander von Palast- und Privatwirtschaft. Neben Tausenden von Privaturkunden gibt es ein monumentales Zeugnis mesopotamischer Gesetzgebung, den Codex Hammurabi. Im Winter 1901/1902 haben französische Archäologen eine zweieinhalb Meter hohe Steinplatte ausgegraben, eine Dioritstele, die in ihrem oberen Teil das Bild des Königs zeigt, wie er in betender Haltung vor dem Stadtgott Marduk steht. Es ist das Original des Gesetzes, das er am Ende seiner Regierungszeit erlassen hat. Das genaue Jahr kennt man nicht. Es wird also einige Jahre vor 1750 v. Chr. gewesen sein. Heute steht es im Louvre in Paris, das ausführlichste Gesetz, das uns aus Mesopotamien überliefert ist. In 280 Paragraphen regelt es am Anfang erst einige Straftaten, wie die falsche Anschuldigung oder den Diebstahl, danach Rechtsverhältnisse am Ackerland und an Häusern, das Recht der Händler, Ehe und Erbschaft, besonders ausführlich auch für bestimmte Priesterinnen, Adoption und Ammenverhältnis, Körperverletzungen, Verträge über Dienste und Miete in der Landwirtschaft, die Höhe von Preisen und Löhnen und schließlich noch einiges aus dem Sklavenkauf. Das ist zwar außerordentlich viel, aber keinesfalls das ganze babylonische Recht der damaligen Zeit, wie man aus den Urkunden sehen kann. Zum Beispiel fehlt fast das ganze Kaufrecht. Anscheinend hat Hammurabi nur das in das Gesetz aufgenommen, was er ändern oder neu regeln wollte. Vielleicht auch das, was er für den rechtsuchenden Bürger als besonders wichtig ansah. Denn im Vorwort des Gesetzes wird nicht nur die soziale Gerechtigkeit als Ziel genannt, wie im Codex Urnammu, sondern auch, daß dem einfachen Mann die Möglichkeit gegeben werden soll, sich an dieser Tafel über die Rechtslage zu informieren, wenn er in einen Prozeß verwickelt werden sollte. Wobei man sich allerdings fragt, wie viele einfache Leute denn damals lesen und schreiben konnten.

Manches Rätsel um dieses Gesetz ist noch nicht gelöst. Wie ist es zum Beispiel zu erklären, daß es in den Prozeßurkunden der folgenden Zeit nie genannt wird, obwohl uns Tausende überliefert sind? Hat es also nie richtig gegolten? Das wird man nicht annehmen können. Wahrscheinlich ruhte auch zu jener Zeit die Legitimation eines Urteils in erster Linie auf der Autorität des Königs und seiner Richter und nicht, wie heute, auf der – angeblich – logischen Ableitung aus dem Wortlaut eines Gesetzes. Deshalb erübrigte es sich dann auch, dieses Gesetz zu zitieren. Man weiß auch nicht genau, was Hammurabi mit ihm eigentlich wollte. War es wirklich der Schutz der wirtschaftlich Schwachen, wie er im Epilog immer wieder betont? Manches deutet darauf hin. Zum Beispiel die Festsetzung von Löhnen und Preisen. Schließlich ist bis heute nicht geklärt, wie die Dreiteilung jener Klassengesellschaft genau ausgesehen hat. Das Gesetz bezieht sich ständig darauf. Awilum, muschkenum und wardum werden genannt. Sicher weiß man nur, daß wardum ein Sklave ist. Der awilum wird fast immer genannt, in allen Vorschriften. Er wird also der normale Bürger sein. Mit Abstufungen, die ebenfalls nicht ganz klar sind (§§ 202, 203 Codex Hammurabi). Wahrscheinlich war der muschkenum ein Höriger des Palastes, also etwa in der Mitte zwischen awilum und wardum.

Wie die sumerischen Gesetzgeber schreibt auch Hammurabi einen Prolog. Er ist nur sehr viel länger als bei ihnen. Der Anfang:

> „Als Anu, der Erhabene, der König der Annunaki, und Enlil, der Herr der Himmel und Erde, er der die Geschichte des Landes bestimmt, dem Gott Marduk, dem erstgeborenen Sohn der Ea, die Herrschaft über die gesamte Menschheit übertrugen, ihn über die

> Igigi erhoben, Babylon bei seinem erhabenen Namen nannten, es übermächtig werden ließen innerhalb des Weltkreises, ihm Marduk in ihm ewiges Königtum, dessen Grundfesten dauerhaft sind wie die von Himmel und Erde, gründeten – damals haben mich, Hammurabi, den gehorsamen Fürsten, ergeben den Göttern, damit ich das Recht im Lande erstrahlen lasse, die Bösen und Ruchlosen vernichte, den Schwachen vom Starken nicht entrechten lasse, damit ich wie Samas über den Schwarzköpfigen erscheine und das Land erleuchte, damals haben Anu und Enlil zum Wohlergehen der Menschen meinen Namen ausgesprochen.
> Hammurabi bin ich, der Hirte, der Auserwählte Enlils, der Fülle und Überfluß aufgehäuft hat, der alles Mögliche tat für Nippur, ‚das Band von Himmel und Erde', der ehrfürchtige Pfleger des Tempels von Ekur ..."

Dem Eigenlob folgen dann noch etwa zwanzig ähnliche Varianten. Schließlich das Ende des Prologs und der Anfang des Gesetzes:

> „Als Marduk mich beauftragte, das Volk gerecht zu regieren, dem Land eine Leitung zu geben, habe ich in die Äußerungen des Landes Rechtsordnung und Gerechtigkeit eingeführt, habe ich den Bewohnern Wohlfahrt geschaffen. Damals habe ich verfügt:
>
> § 1 Wenn ein awilum einen anderen awilum bezichtigt und Verdacht der Tötung eines Menschen auf ihn geworfen hat, und es ihm aber nicht beweist, wird der, welcher ihn bezichtigt hat, getötet werden.
>
> § 2 Wenn ein awilum den Verdacht der Zauberei auf einen anderen awilum geworfen hat und es ihm aber nicht beweist, geht der, auf den der Verdacht der Zauberei geworfen ist, zum Gott des Flusses und er taucht in den Flußgott ein; wenn dann der Flußgott ihn ergreift, nimmt der, welcher ihn bezichtigt hat, sein Haus. Wenn diesen awilum aber der Flußgott von dem Verdacht reinigt und er heil bleibt, wird der, welcher auf ihn den Verdacht der Zauberei geworfen hat, getötet werden. Derjenige, der in den Flußgott hinabgetaucht ist, nimmt das Haus desjenigen, der ihn bezichtigt hat, an sich.
>
> § 3 Wenn ein awilum vor Gericht zum Zeugnis der Unwahrheit vorgetreten ist und die Worte, die er gesagt hat, nicht bewiesen hat –: wenn diese Sache, in der er aussagt, ein Prozeß über Leben und Tod ist, wird jener awilum getötet werden.
>
> § 4 Wenn er hingegen zum Zeugnis in einer Rechtssache über Gerste oder Geld vorgetreten ist, trägt er in voller Höhe die jeweilige Strafe jener Rechtssache."

Insgesamt macht das Recht dieser Zeit einen moderneren Eindruck als das sumerische. Zum Beispiel findet man im Codex Hammurabi beim Kauf jetzt Regeln für den Fall, daß die Kaufsache nicht dem Verkäufer gehörte und vom Käufer dem wirklichen Eigentümer zurückgegeben werden mußte. Einen gutgläubigen Erwerb gab es nicht. Für Sklaven galt § 279:

> „Wenn ein awilum einen Sklaven oder eine Sklavin gekauft hat und er bekommt Einsprüche, wird der Verkäufer den Einsprüchen antworten."

Mit anderen Worten: Der Verkäufer hat im Prozeß mit dem Eigentümer eine Art Garantiefunktion und muß notfalls dem Käufer den Preis zurückzahlen. Im römischen Recht, wo sich das gleiche findet, nennt man das Eviktionshaftung (Rdz. 148). Solche Regeln zeigen, daß es einen entwickelten Markt gibt, auf dem solche Fehler vorkommen können, die in einer engen Gemeinschaft unmöglich wären.

Einen Schutz für sozial Schwache bedeutet wahrscheinlich die Vorschrift über die Wohnungsmiete in § E nach § 65 (Zählung nach Driver-Miles):

> „Wenn ein awilum ein Haus einem awilum zur Miete gegeben hat und der Mieter das ganze Silber seiner Miete für das Jahr dem Herrn des Hauses im voraus gegeben hat und wenn der Herr des Hauses den Mieter vor Ablauf dieser Zeit auffordert, aus dem Haus auszuziehen, wird der Herr des Hauses das Silber verlieren, das ihm der Mieter gegeben hat, weil er ihn vor Ablauf der Zeit aus seinem Haus hat ausziehen lassen."

70. Eigentum, Erbrecht

Es gibt jetzt auch Privateigentum am Land. Die Entwicklung ist also so verlaufen, daß das Verwandtschaftseigentum der agnatischen Gruppen in sumerischer Zeit allmählich auf den Tempel übergegangen ist und nun daraus teilweise das Privateigentum einzelner entstand, durch Weiterverkauf. Daneben besteht weiter das Privateigentum an Häusern und beweglichen Sachen, mit zum Teil verschiedenen Formen der Übereignung (Rdz. 74, 75).

Im Erbrecht zeigt sich aber, daß die babylonische Gesellschaft doch noch nicht so beweglich war, wie man nach solchen Veränderungen gegenüber der sumerischen Vergangenheit meinen könnte. Die Hausgemeinschaft war noch sehr fest und das Familienvermögen kollektiv gebunden, nicht individualistisch frei. Wie im sumerischen Recht gab es auch bei den Babyloniern kein Testament. Das ist immer ganz entscheidend für die Beurteilung der Mobilität einer Gesellschaft. Das Testament bedeutet, es gibt eine Möglichkeit, nach individuellen Vorstellungen von der verwandtschaftsgebundenen normalen – wir sagen heute: gesetzlichen –

Erbfolge abzuweichen. Nur in beschränktem Umfang hat man dafür in Babylon andere Wege gefunden, etwa durch Schenkungen, Adoptionen auf den Todesfall oder die in § 168 des Codex Hammurabi vorgesehene Enterbung eines Sohnes, der sich schwerer Verfehlungen schuldig gemacht hatte.

Erben konnten grundsätzlich nur Söhne, und zwar alle gemeinsam. Töchter erhielten die Erbschaft nur, wenn Söhne nicht vorhanden waren. Im übrigen galt ihre Mitgift als vorweggenommene Erbschaft. Wenn sie keine Mitgift erhalten hatten, dann konnten sie von ihren Brüdern einen gewissen Ausgleich verlangen. Aber Erben wurden sie nicht. Die Ehefrau erhielt vom Erbe ihres Mannes den Anteil eines Sohnes, wenn sie nicht anders versorgt war.

71. Eherecht, Stellung von Frauen

Schwierig zu beantworten ist die Frage, ob die Situation der Frauen sich gegenüber der sumerischen Zeit verschlechtert hat. In der Literatur gibt es dazu verschiedene Meinungen. Einige nehmen es an, zum Beispiel Paul Koschaker und Victor Korošec. Die meisten nicht. Sie sind auch heute noch der Meinung Josef Kohlers, die Frauen in Babylon seien voll rechts- und geschäftsfähig gewesen. Koschaker meint, das sei nur ausnahmsweise der Fall gewesen, bei geschiedenen Frauen, Witwen oder Priesterinnen. Im Eherecht scheint sich kaum etwas geändert zu haben. Nur der Mann hat das Recht, sich jederzeit von seiner Frau zu trennen. Allerdings gibt es für sie nun die Möglichkeit, an die Gerichts- und Verwaltungsbehörde ihres Stadtbezirks einen Antrag auf Scheidung zu stellen, dem entsprochen wurde, wenn sich herausstellte, daß sich ihr Mann lieblos verhalten hatte. Im Fall des Ehebruchs hat sich die Situation für sie verschlechtert. Wie früher treffen Sanktionen nur die Ehefrau, nicht den Ehemann. Aber sie haben sich verschärft. Im babylonischen Recht gibt es dafür nun die Todesstrafe.

72. Brautpreise

Auch darüber besteht Uneinigkeit in der Literatur. Es geht um das terhatum. Die einen meinen, es sei eine Kaufehe gewesen, Brautpreis im Rahmen einer Kaufehe: Zahlungen des Schwiegersohnes an den Brautvater. Dabei sei die Frau sozusagen in das Eigentum ihres Ehemannes übergegangen. Nicht so die anderen. Sie meinen, es habe sich dabei nur um eine Art Verlobungsgeschenk gehandelt, ohne Eigentumsübergang der Frau. Wenn nicht alles täuscht, haben weder die einen noch die anderen Recht. Die Lösung gibt § 163 des Codex Hammurabi:

> „Stirbt die Frau kinderlos, so hat der Schwiegervater dem Manne den Brautpreis zurückzugeben und dieser dem Schwiegervater die Mitgift."

Es ist genauso wie in segmentären Gesellschaften. Brautpreise sind auch dort nicht Preise für den Kauf der Frau, sondern Ausgleich von der Verwandtschaft des Mannes an die der Frau dafür, daß ihre Kinder künftig zur Verwandtschaft des Mannes gehören (Rdz. 26). Wenn eine Frau ihren Mann verläßt, ohne daß sie Kinder geboren hat, muß der Brautpreis zurückerstattet werden. Die Übereinstimmung mit § 163 liegt auf der Hand. Das terhatum ist ein Brautpreis, aber nicht für die Frau, sondern für die Kinder. Es hat seinen Ursprung offensichtlich in vorstaatlichen agnatischen Verwandtschaftsordnungen.

Die Mitgift daneben, šeriktum, ist schon die Form der neuen Zeit. Mitgift ist die Aussteuer einer Frau, die sie erhält, wenn sie heiratet. Meistens geht sie über in das Eigentum des Mannes. Sie ist ihr vorweggenommener Erbteil. Noch heute wird ihre Ausstattung auf die spätere Erbschaft angerechnet. Die Mitgift ist, wie das individuelle Erbrecht, immer ein typisches Institut von Gesellschaften mit Privateigentum. Der Brautpreis gehört zu Gesellschaften mit Verwandtschaftseigentum. Im babylonischen Mesopotamien haben wir ein Recht vor uns, das mit dem Nebeneinander der beiden ein Produkt des Übergangs ist. Das eine ist noch da. Das andere hat sich schon entwickelt.

73. Sklaverei

Das Sklavenrecht ist im Codex Hammurabi ausführlich geregelt. Im Vergleich zum sumerischen Recht hat sich nichts Grundsätzliches geändert. Der Sklave kann verkauft und verpfändet werden. Seine Verletzung führt zu Bußzahlungen, die der Eigentümer erhält. Wer einen Sklaven verkauft, haftet einen Monat für Epilepsie und ohne zeitliche Begrenzung für Eviktion.

74. Urkunden, Verträge

In den Urkunden spielen vermögensrechtliche Verträge eine viel größere Rolle als in sumerischer Zeit. Da ist Ausdruck einer stärker entwickelten Privatwirtschaft. Es gab ein ausgebildetes Vertragssystem mit festen Geschäftsformularen für Kauf und Tausch, Pacht und Miete, Darlehen, Bürgschaft und Pfand. Der Kauf war Barkauf. Es gab aber auch den Distanzkauf, mit Vorleistung von Verkäufer oder Käufer, bei dem dann die noch ausstehende Leistung als Darlehen konstruiert wurde. Zum Beispiel erklärte der Verkäufer in der Urkunde, er habe das Geld vom Käufer als Darlehen erhalten und werde dafür zu einem bestimmten Termin die Ware liefern. Eigentum an der Kaufsache erwarb man durch Zahlung des Kaufpreises. Eine Übergabe war dafür nicht notwendig. In Kaufverträgen finden sich oft Gewährleistungs- und Eviktionsklauseln für den Fall, daß die Sache einen Mangel hatte oder nicht dem Verkäufer gehörte. Im allgemeinen Vertragsrecht gab es dafür nämlich keine automatisch eingreifenden Vorschriften, mit Ausnahme des § 279 Codex Hammurabi für Rechtsmängel beim Sklavenkauf. Miete von Wohnhäusern und Pacht von Ackerland liefen regelmäßig über ein Jahr. In Darlehensurkunden findet sich manchmal sogar die Wendung, daß der Schuldner an den Überbringer zahlen soll. Dadurch wurden Forderungsabtretungen möglich gemacht. Für die Bürgschaft gibt es Formeln, die schon aus sumerischer Zeit stammen: „Der Bürge hat vom Gläubiger wegen des Schuldners die geöffnete Hand genommen." Das Pfand wird meistens an Sklaven oder Grundstücken bestellt. Es ist ein Verfallpfand. Wenn der Schuldner nicht rechtzeitig zahlt, wird es Eigentum des Gläubigers. So ist es immer am Anfang der Entwicklung. Es ist für den Verpfänder ungünstiger als das sogenannte Verkaufspfand. Verkaufspfand heißt, der Gläubiger muß es verkaufen und den Mehrerlös an den Verpfänder zurückgeben. Das ist erst von den Römern entwickelt worden, nachdem auch sie sehr lange mit dem Verfallpfand gelebt hatten.

75. Einzelne Urkunden

Zur Verdeutlichung nun einige wenige der unzähligen Urkunden, die man gefunden hat. Sie stammen alle aus altbabylonischer Zeit, sind unter Hammurabi, kurz davor oder danach geschrieben worden. Als erste ein Hauskauf:

> *HG III 285:* 1 1/2 Sar 5 Gin Hausgrundstück, Speicher ... zu 20 Ellen Breite (?), neben dem Hause des Šamuh-Sin und neben dem Hause des Abu-wakar, dessen eine Vorderseite Tarîbatum, die Tochter des Idin-Šamaš, dessen andere Vorderseite Ramajatum, die Tochter des Izi-ašar (?), ist, hat von Ramajatum, der Tochter des Izi-asar, Taributum, die Šamašpriesterin, gekauft. Als vollen Preis dafür hat sie 5 Schekel Silber dargewogen. Den Bukannum hat sie weitergegeben. Die Verhandlung darüber ist beendet. Für alle Zeit soll keiner gegen den andern Einspruch erheben. Bei Šamaš, Aja, Marduk und Hammurabi schworen sie ... es folgen die Namen von zehn männlichen Zeugen ...
> Den 13. Tebet, Jahr des Thrones des Nannar.

Das Eigentum an Grundstücken und Sklaven wird mit einem Stab übertragen, der bukannum genannt wird. Die ständige Formel: „Den bukannum hat er weitergegeben". Sie ist uralt, verschwindet allerdings in den letzten Regierungsjahren Hammurabis. Die Erwähnung der Kaufpreiszahlung hat eine doppelte Funktion. Zum einen beweist sie, daß die Käuferin ihre Pflicht erfüllt hat, und zum anderen, daß sie Eigentümerin geworden ist. Denn auch das war zum Erwerb noch notwendig. Ebenfalls sehr alt ist die Klausel „Für alle Zeit soll keiner gegen den anderen Einspruch erheben". Sie geht zurück in Zeiten des Verwandtschaftseigentums, als die anderen Berechtigten den Verkauf wieder rückgängig machen konnten. Das sollte dadurch ausgeschlossen werden. Mit dem Ausschluß von Eviktionshaftung hat das nichts zu tun. Die griff sowieso nicht automatisch ein, mußte vielmehr extra vereinbart werden, was auch bei Hauskäufen manchmal vorkommt.

Häuser werden nicht nur verkauft, sondern auch vermietet. Meistens für ein Jahr:

> *HG III 496:* Das Haus des Maškum hat von Maškum, dem Eigentümer des Hauses, Ahilûmur (?) gegen Miete auf 1 Jahr gemietet. Als Miete für 1 Jahr wird er 1 Schekel Silber darwägen. Am 5. Tammuz ist er eingetreten.

Die beiden nächsten Urkunden sind Beispiele für Kauf und Tausch mit zeitlicher Distanz der Erfüllungshandlungen. Im ersten geht es um den Tausch von Gerste gegen Datteln, mit Vorleistung der Gerste. Im anderen verkauft der Palast eine Mine Wolle auf Kredit an zwei Wollhändler. Beide Verträge werden als Darlehen formuliert. Wenn der Verkäufer vorleistet, wird die Hingabe der Kaufsache als Darlehen bezeichnet:

> *HG VI 1546:* 2 1/5 Kur Gerste, Kaufpreis für 7 3/5 Kur Datteln, hat von Itti-Sinbalâtum Silli-Adad und Ahum-waker entliehen. Zur Zeit der Dattelernte wird er die Datteln darmessen. Vor Sin; vor Marduk. Den 1. Tebet, Jahr ‚König Samsuiluna hat im großen Gebirge des Amurriterlandes‘ (Siegel:) Silli-Adad, Sohn des Sin-nâsir, Diener des Adad.
>
> *HG VI 1547:* 1 Mine Wolle, Empfangsgut des Palastes, unterstehend dem Schreiber Utul-Ištar, haben von dem Richter Uta-šu-mundib, Sohn des Ilušu-ibni, dem Obmann der Kaufleute, Samaš-bâni und Ibkatum, die Söhne des Tarîbum, entliehen. Am Tage da der Steuereintreiber aufruft, werden sie 1/2 Schekel Silber darwägen.
> Vor Anum-pîša, Sohn des Sin-idinnam; vor... Sohn des Sin-idinnam; vor Šumum-libši, Sohn des Lipit-Adad; vor Awîl-Sin, dem Schreiber.
> Den 21. Ulûl.
> Jahr ‚König Ammiditana stellte gewaltige Schutzgottheiten für Innana-ningal-huškia her.‘
> Siegel des Šumum-libši; Siegel des Ibkatum; Siegel des Šamaš-bâni.

Zum Schluß noch ein Fall der sogenannten Dienstmiete. In unserer Terminologie sind es Dienstverträge. Sie wurden als Unterfall der Miete beweglicher Sachen angesehen, die terminologisch von der Haus- oder Grundstücksmiete unterschieden wurde. Meistens gingen sie über ein Jahr oder für die Erntezeit:

> *HG VI 1675:* Den Hubbudum, Sohn des Adakkum, hat von Bûdija, seinem Bruder, Baila, Sohn des Jašbi-el, auf 1 Jahr gemietet. Als Lohn für 1 Jahr wird Baila 4 Schekel Silber dem Bûdija darwägen ... (.große Lücke ...) Den (..) Adar, Jahr ‚Sin-muballit baute die Mauer von Ereš.‘

Ihren Ursprung hatte diese Dienstmiete in der Verdingung von Sklaven und Kindern durch ihre Eigentümer oder Eltern. Später konnte man sich auch selbst verdingen oder einen anderen freien Bürger. Das Einverständnis des anderen war natürlich notwendig.

76. Privatstrafrecht und Strafrecht

Das babylonische Strafrecht ist sehr viel härter als das sumerische. Bei Körperverletzungen gibt es die Talion, das Prinzip Auge um Auge, Zahn um Zahn, wo im sumerischen Recht noch Bußen ausreichten. Die Wiedervergeltung wurde von Staats wegen durch Gerichte angeordnet und von königlichem Personal vollstreckt (§§ 196–200 Codex Hammurabi). Auch sonst sind Verstümmelungsstrafen und Prügel häufig und die Todesstrafe – durch Erhängen, Ertränken, Verbrennen oder Pfählen – erscheint sehr viel öfter als bei den Sumerern. Das babylonische Strafrecht macht insgesamt einen blutrünstigen Eindruck. Die Sumerer sind nicht zimperlich gewesen. Aber die Steigerung in Babylon ist unverkennbar. Noch schlimmer ist es dann später bei den Assyrern. Über die Gründe kann man nur spekulieren. Wir wissen ja auch nicht, warum das Strafrecht im europäischen Mittelalter so grausam gewesen ist (Rdz. 236). In Europa findet man allerdings bei zunehmender Stärkung der Zentralgewalt eine stetige Abnahme von Grausamkeiten. In Mesopotamien scheint es umgekehrt gewesen zu sein. Niemand hat das bisher plausibel erklärt.

Das Privatstrafrecht existiert daneben nur noch in Restbeständen und tritt in seiner Bedeutung weit zurück. Gegenüber dem sumerischen Recht eine eindeutige Akzentverschiebung zugunsten des Staates. Diebstahl führt nur noch in einfachen Fällen zu Bußleistungen an den Bestohlenen. Meistens ist die staatliche Todesstrafe vorgesehen (§§ 6, 7, 9, 10 Codex Hammurabi). Ebenso ist es mit Körperverletzungen. Neben der staatlichen Talion gibt es Bußleistungen nur noch ausnahmsweise, zum Beispiel bei Verletzung eines Palasthörigen oder von Söhnen, Töchtern oder Sklaven eines anderen (§§ 201, 207–214).

77. Prozeßrecht

Oberster Richter ist der König. Er kann die Verfahren an verschiedene Beamte delegieren, auch an den Ältestenrat einer Stadt, wie in Sumer. Im Verfahren vor dem Königsgericht hat der Prozeß staatlichen Charakter. Der Beklagte wurde durch Gerichtsbeamte geladen oder vorgeführt. Das Urteil wurde sofort rechtswirksam, mit staatlicher Vollstreckung. Anders war es bei den unteren Instanzen. Dort hatte der Prozeß mehr schiedsgerichtlichen Charakter. Die Ladung des Beklagten erfolgte privat, durch den Kläger. Am Ende stand eine Entscheidung, die eher ein richterlicher Streitbeendigungsvorschlag war als ein bindendes Urteil. Diesem Vorschlag folgten dann eidliche Erklärungen der Parteien. Dabei scheint ihr Spielraum allerdings nicht sehr groß gewesen zu sein, denn die Entscheidung der Richter hatte durchaus auch befehlenden Charakter.

III. Assyrer

78. Überblick

Neben der babylonischen Kassitendynastie entwickelte sich im Norden Mesopotamiens eine zweite Großmacht, die schließlich an ihre Stelle trat. Assyrien. Es war sehr stark von kriegerischen Eroberungen bestimmt, in seiner Wirtschaft weitgehend vom Staat beeinflußt und im Recht ohne große Unterschiede zum babylonischen. Keilschriftfunde für die frühe und später Zeit sind spärlich, aber reichlich für die mittlere Periode. Außer einer großen Zahl von Urkunden findet sich hier eine ausführliche Rechtssammlung, die sogenannten „assyrischen Gesetze“. Sie sind aber wohl keine staatliche, sondern eine private Zusammenstellung von Vorschriften aus verschiedenen Zeiten, etwa zwischen 1450 und 1250 v. Chr. An ihrem Anfang steht eine Tafel mit 59 Paragraphen über Rechtsangelegenheiten von Frauen. Deren Stellung war bei den Assyrern noch schlechter als in Babylon. Im Schuldrecht hat man den Eindruck, daß es etwas weiter entwickelt ist als das babylonische. Assyrische Kaufleute gründeten sogar Niederlassungen in mehreren kleinasiatischen Städten. Dort hat man Rechts- und Wirtschaftsurkunden und Geschäftsbriefe gefunden. So gab es zum Beispiel die Möglichkeit, Forderungen abzutreten. Dafür wurde in den Schuldurkunden statt des Namens des Gläubigers vorsorglich der eines noch nicht genauer benannten „Geschäftsfreundes“ eingesetzt, dem der Gläubiger dann durch Übergabe der Urkunde die Forderung gegen seinen Schuldner übertragen konnte. Geschah das entgeltlich, was ja wohl die Regel war, dann haftete er auch für dessen Zahlungsfähigkeit. Grundlegende Unterschiede aber zum babylonischen Recht finden sich bei den Assyrern kaum. Etwas mehr Beweglichkeit im Vertragsrecht, weitere Verschlechterung der Situation von Frauen, fast die gleichen Regeln im Eigentums- und Erbrecht, weitere Verhärtung im Strafrecht.

Literatur

50. u. 51. *Nissen*, Grundzüge einer Geschichte der Frühzeit des Vorderen Orients 1983; *Edzard/Bottéro*, Fischer Weltgeschichte 2 (1965) Kapitel 2–5. – **52.** *Deimel*, Sumerische Tempelwirtschaft 1931; *Hruschka*, Zur Verwaltung der Handwerker in der frühdynastischen Zeit, in: *Klengel*, Gesellschaft und Kultur im Alten Vorderasien (1982) 99ff. – **53.** *Falkenstein*, Die neusumerischen Gerichtsurkunden 3 Bde 1956/57; *Korošec*, Keilschriftrecht, in: *Spuler*, Hdb. d. Orientalistik 1. Abt. Ergbd. III (1964) 64f., 70ff; *Haase*, Einführung in das Studium keilschriftlicher Rechtsquellen (1965) 11ff. – **54.** *Klima/Petschow/Cardascia/Korošec*, Gesetze, in: Reallexikon der Assyriologie 3 (1966) 246ff; deutscher Text bei: *Haase*, Die keilschriftlichen Rechtssammlungen in deutscher Fassung (1979) 2f., 6ff. – **55.** *Klima/Petschow/Cardascia/Korosec*, 243ff.; *v. Soden*, Einführung ind die Altorientalistik (1985) 125f. – **56.** *Haase*, Die keilschriftlichen Rechtssammlungen in deutscher Fassung (1979) 2f.; *Klima*, Urukagina, der große Reformer in der mesopotamischen Frühgeschichte, in: Das Altertum III.2 (1957) 67ff. – **57.** *Haase*, (Rdz. 54) 6ff. – **58.** *Korošec*, (Rdz. 53) 61f., 65f. – **59.** *Korošec*, 71f., *Haase*, Einf. (Rdz. 53) 79ff. – **60.** *Korošec*, 71; *Haase*, Einf. (Rdz. 53) 69. – **62.** Allgemein: Encyclopaedia Britannica, Macropaedia 16 (15. Aufl. 1983) 853ff.; Segmentäre Gesellschaften: Frühformen 229, 283; Sumer: *Haase*, Einf. (Rdz. 53) 49ff. – **63.** *Korošec*, 70ff. – **64.** *Haase*, Einf. (Rdz. 53) 111ff.; *Korošec*, 72f., 205; *Driver/Miles*, The Babylonian Laws Bd. 1 (1952) 63. – **65.** *Kramer*, Geschichte beginnt mit Sumer (1959) 54f. – **66.** *Haase*, Einf. (Rdz. 53) 119ff. – **68.** vergl. Rdz. 50 – **69.** *Kohler/Peiser*, Hammurabis Gesetz Bd. 1, 1904; *Driver/Miles*, The Babylonian Laws 2 Bde, 1952/55; *Haase*, (Rdz. 56) 29ff. – **70.** *Kohler/Peiser*, Hammurabis Gesetz Bd. 1 (1904) 110; *Kohler/Ungnad*, Hammurabis Gesetz Bd. 3 (1909) 231ff., Bd. 4 (1910) 87f.; *Korošec*, 111ff., 120; *Haase*, Einf. (Rdz. 53) 73ff. – **71.** *Kohler/Ungnad*, Hammurabis Gesetz Bd. 3 (1909) 224ff.; *Koschaker*, Ehe, in: *Eberts*, Reallexikon der Vorgeschichte Bd. 3 (1925) 27f.; *Korošec*, 105f. – **72.** *Korošec*, 106ff. – **74.** *Schorr*, Altbabylonische Rechtsurkunden 1913; *Kohler/Ungnad/Koschaker*, Hammurabis Gesetz Bd. 3–6, 1909/1923; *Korošec*, 118ff.; *Haase*, Einf. (Rdz. 53) 86ff. – **75.** Vgl. zu Rdz. 74; HG = *Kohler/Ungnad/Koschaker*, Hammurabis Gesetz. – **77.** *Korošec*, 132ff.; *Haase*, Einf. (Rdz. 53) 124ff. – **78.** *Korošec*, 144ff.; *Driver/Miles*, The Assyrian Laws 1935 (Ndr. 1975).

7. Kapitel

ÄGYPTEN

Allgemeine Literatur: *Seidl*, Einführung in die ägyptische Rechtsgeschichte bis zum Ende des Neuen Reiches 2. Aufl. 1951; *Seidl*, Altägyptisches Recht, in: Spuler, Handbuch der Orientalistik 1. Abt. Ergbd. III (1964) 1ff.; *Seidl*, Ägyptische Rechtsgeschichte der Saiten- und Perserzeit 2. Aufl. 1968; *Goedicke*, Die privaten Rechtsinschriften aus dem Alten Reich (1970) 190ff.; *Helck*, Zur Verwaltung des Mittleren und Neuen Reichs 1958; *Lurje*, Studien zum altägyptischen Recht 1971. Außerdem viele z.T. ausführliche Artikel im Lexikon der Ägyptologie, hg. v. *Helck/Otto*, 6 Bde. 1975/1986.

79. Geschichte und Wirtschaft

In Ägypten sieht alles anders aus. Zwar ist dort etwa um die gleiche Zeit wie in Mesopotamien eine staatliche Ordnung entstanden, mit ähnlicher wirtschaftlicher Struktur und der dazugehörigen Schrift. Aber viel stärker zentralistisch. Außerdem war Ägypten von Anfang an weniger städtisch orientiert, stärker ländlich. Und über sein Recht sind wir bei weitem nicht so gut informiert wie über das Mesopotamiens.

Im 4. Jahrtausend beginnt man, durch systematische Nutzung der Überschwemmungen des Nils die Erträge der Landwirtschaft zu steigern. Das ist verbunden mit sozialer Differenzierung in den Dorfgemeinden und Herausbildung größerer politischer Einheiten. Am Ende dieses Jahrtausends stehen die beiden Königreiche: Oberägypten im Süden und Unterägypten im Nildelta. Um 3000 v. Chr. ging von Oberägypten die Einigung des Reiches aus, die dann mit wenigen Unterbrechungen bis in die griechische und römische Zeit bestehen blieb, wobei das Zentrum des Reiches dann teilweise auch im Norden des Landes lag, mit der Hauptstadt Memphis bei Kairo, im Süden: Theben bei Luxor.

Im Hinblick auf die politische Stabilität, die von sogenannten Zwischenzeiten unterbrochen wird, unterscheidet man das Alte Reich (2600–2100 v. Chr.), das Mittlere Reich (2000–1800 v. Chr.), das Neue Reich (1500–1100 v. Chr.) und die sogenannte Spätzeit (bis zur Eroberung durch Alexander den Großen 332 v. Chr.). Im Alten Reich entstehen die großen Pyramiden. Im Neuen Reich findet sich einerseits die größte territoriale Ausdehnung, im Süden bis weit in den heutigen Sudan und nach Nordosten bis Syrien und Mesopotamien, andererseits ereignet sich hier die sogenannte Katastrophe der Amarna-Zeit mit der Kulturrevolution des Echnaton. Im Alten Reich werden die Dorfgemeinschaften aufgelöst und entstehen königliche Domänen, in die die Bauern umgesiedelt werden. Eine ausgedehnte Domänenwirtschaft, die durchaus Ähnlichkeit hat mit der Tempelwirtschaft der Sumerer zur gleichen Zeit. Allerdings bestehen daneben auch große Domänen der Tempel und es entstehen allmählich mehr oder weniger private Domänen von Gaufürsten und anderen Beamten, die von ihnen auf ihre Söhne vererbt werden und von den Pharaonen nur schwer wieder unter direkte königliche Verfügung gestellt werden können.

80. Ägyptische Gesetze?

Im Grab eines Wesirs der 18. Dynastie hat man ein großes Bild gefunden, das ihn bei einer Gerichtsverhandlung zeigt. Der Wesir war der höchste Beamte des Reiches und nach dem Pharao auch der höchste Richter. Es ist das Grab des Rechmiré, der in der ersten Hälfte des 15. Jahrhunderts gelebt hat. In der Halle seines Palastes sitzt er, umgeben von Beamten und Würdenträgern. Dazwischen zwei Leute vor seinem Richterstuhl, die von Gerichtsdienern mit Knüppeln herangeschleppt werden. Offenbar die Verhandlung in einer Strafsache, die älteste Abbildung dieser Art in der Geschichte des Rechts. Neben dem Bild findet sich die berühmte „Dienstanweisung des Wesirs“, ein ziemlich langer Text mit 27 Paragraphen. In ihr beschreibt der Pharao den Aufgabenbereich seines höchsten Beamten und gibt ihm Anweisungen für seine Amtsführung. Das beginnt so:

> § 1 Bei jeder Amtshandlung in seiner Halle soll er auf einem Stuhl mit Lehne sitzen, eine Rohrmatte auf dem Boden, einen Umhang umgelegt, auf einem Kissen sitzend und ein Kissen unter den Füßen, eine Decke über den Knien, den Amtsstab in der Hand und die vierzig Rollen (?) vor sich ausgebreitet.

Tatsächlich sind auf dem Bild vierzig schmale Gegenstände zu sehen, ausgebreitet zwischen dem Wesir und den Leuten, die da herangezerrt werden.

Das Bild ist deswegen so wichtig, weil es zusammen mit der Dienstanweisung als einziger Beweis dafür gilt, daß es im alten Ägypten Gesetze gegeben haben soll. Im Gegensatz zu Mesopotamien, wo ja viele direkt überliefert sind. In den vierzig Rollen sollen nämlich die Gesetze aufgezeichnet gewesen sein, nach denen der Wesir zu urteilen hatte. Meinte man bisher. Aber ist es wirklich ein Beweis? Unsicher ist schon die Übersetzung des Wortes, das Rolle bedeuten soll. Der amerikanische Archäologe Davies, der das Grab als letzter ausführlich beschrieben hat, ist der Meinung, es seien nicht vierzig Lederrollen, sondern Lederpeitschen, die da auf den Matten liegen. Als Ausdruck von Staatsgewalt, wie die vierzig Beamten in den vier Reihen rechts und links vom Mittelgang. Es scheint tatsächlich viel eher wahrscheinlich, daß die vierzig Gegenstände da vorn etwas mit den vierzig Beamten zu tun haben, die drumherum sitzen, und mit den vierzig Regierungsbezirken, die sie wohl repräsentieren. Natürlich konnten die Ägypter, wie viele andere Völker auch, ohne geschriebenes Recht leben. Und ein mächtiger Mann wie der Wesir konnte natürlich auch Recht sprechen, ohne daß es schriftliche Gesetze gab. Wir wissen es also nicht. Merkwürdig genug wäre es schon, daß man in der Fülle von Texten, die überliefert sind, nicht ein einziges von ihnen gefunden hat, wenn sie eine so große Rolle gespielt haben sollen.

81. Eigentum am Land und vorstaatliche Verwandtschaftsgruppen

Auch sonst ist vieles umstritten in der ägyptischen Rechtsgeschichte. So die Frage, ob es überhaupt Individualeigentum am Land gegeben hat oder ob das Ganze im Eigentum des Pharao war. Man wird sie wohl in der Weise beantworten müssen, daß die Vorstellung eines Obereigentums des Pharao nie ganz verschwunden ist. Am stärksten war sie in der Frühzeit des Alten Reiches und hat sich dann allmählich gewandelt zu mehr oder weniger festen Berechtigungen einzelner, über die sie dann auch im wesentlichen frei verfügen konnten. Wobei diese einzelnen zunächst höhere und mittlere Priester/Beamte gewesen sein werden, die ihre Amtsberechtigungen zunehmend als eine Art Privateigentum angesehen haben, das sie auf ihre Kinder vererben wollten. Solches Land konnte von ihnen auch verpachtet werden, womit sich die weitere Frage stellt nach dem Nebeneinander von Eigentum und Besitz, die sicherlich nicht in unserem heutigen aus dem römischen Recht stammenden Sinne zu beantworten ist. Eher wird es sich um Mehrfachberechtigungen gehandelt haben, ähnlich wie beim Landeigentum in vorstaatlichen Gesellschaften.

Allerdings ist nie die Rede von Verwandtschaftseigentum. Und es gibt auch sonst keine Spuren für die Existenz vorstaatlicher agnatischer Gruppen. Mit anderen Worten: Auch hier zeigt sich, daß der staatliche Charakter in Ägypten sehr viel stärker war als in Mesopotanien. Zentralistischer, intensiver, die vorstaatliche Struktur vollständig beseitigt, die Menschen individualisiert.

82. Privateigentum, Erbrecht

Dementsprechend gab es Privateigentum, auch an Häusern, das hier unabhängig vom Eigentum am Land existieren konnte, wie in Mesopotamien. Die Übertragung von Eigentum erfolgte entweder durch „Geben für Entgelt" oder durch „Geben durch Hausurkunde". Beide Geschäfte schlossen sich gegenseitig nicht aus. Das „Geben für Entgelt" war der Kauf oder Tausch. Dabei ist nicht ganz sicher, ob das Eigentum an der Kaufsache schon allein mit der Zahlung des Kaufpreises überging oder ob sie auch noch übergeben werden mußte. Jedenfalls ging das Eigentum erst über, wenn der Kaufpreis bezahlt war. Kaufverträge wurden oft zusätzlich durch sogenannte Hausurkunden bekräftigt. Das war sozusagen eine doppelte Sicherung für den Käufer. Einmal wurde er Eigentümer durch die Zahlung des Kaufpreises. Und zum zweiten durch die Hausurkunde. Eine solche war immer notwendig, wenn Eigentum unentgeltlich übertragen werden sollte, also durch Schenkung. Die Ägypter zählten dazu auch die Vererbung, für die die Hausurkunde die Rolle eines Testaments spielte. Daneben gab es die gesetzliche Erbfolge, ohne Hausurkunde. Sie scheint aber seltener gewesen zu sein. Auch das ist ganz anders als in Mesopotamien, wo es das Testament überhaupt nicht gab. Es zeigt den stärker individualistischen Charakter der ägyptischen Gesellschaft, den geringen Grad an verwandtschaftlich kollektiver Bindung. Hatte der Erblasser kein Testament gemacht, dann erbte der älteste Sohn, der damit für seine Mutter und seine Geschwister zu sorgen hatte.

Im übrigen darf man aus der Bezeichnung als Hausurkunde nicht den Schluß ziehen, sie sei zur Übertragung des Eigentums an Häusern oder Grundstücken unbedingt notwendig gewesen. Regelmäßig wird man sie wohl dafür verwendet haben. In der frühesten Zeit scheint für den Erwerb von Grundstücken eine sogenannte Königsurkunde notwendig gewesen zu sein. Seit der 4. Dynastie ist davon nicht mehr die Rede.

83. Die Hausurkunde des Tentj

Eines der wenigen privaten juristischen Dokumente aus der ganz alten Zeit ist die Hausurkunde des Tentj. Sie stammt aus der 6. Dynastie, ist um 2200 v. Chr. entstanden. Man hat sie in Gizeh gefunden, in der Nähe der großen Pyramiden.

Es ist eine Inschrift auf Stein, gefunden in einem Grab, die Wiedergabe einer Urkunde, die auf dem schon damals in Ägypten üblichen Schreibmaterial verfaßt war, nämlich auf Papyrus, einem Material, das bei weitem nicht so haltbar ist wie die mesopotamischen Tontafeln. Das ist einer der Gründe für den großen Mangel an Zeugnissen. „Hausurkunde" ist die Übersetzung eines entsprechenden ägyptischen Wortes. Es bedeutet „das, was im Haus ist". Solche Urkunden wurden vor dem Wesir errichtet, der dabei eine ähnliche Kontrollfunktion gehabt haben wird wie die diku-Priester der sumerischen Tempel. Der Text:

> „[Der *mhnk Srf-*]*k3* er spricht: (Ich) liefere dieses Haus für Entgelt an den Schreiber *Tntj,* der (mir) *10 š*^{C}*t* dafür gibt und die vereinbart sind für den Dienstvertrag vor der Verwaltungsbehörde von *3htj-Hwfw* und zahlreichen Zeugen des *Tntj.*
>
> (Anmerkung:) 1 Stück Vierfadenstoff *3 š*^{C}*t*
> 1 Bett, Sykomoren- oder *nbs*-Holz *4 š*^{C}*t*
> 1 Gewand *3 š*^{C}
> (Anmerkung:) Gemauert bis zum obersten Rand.
>
> Der Schreiber *Tntj*, er spricht: So wahr der König lebt, ich werde geben was recht ist und du sollst zufrieden sein darüber. Wenn alles zu diesem Hause gehörige entstanden ist, zahle (ich) dir diesen Preis als Gegenleistung.
>
> (Zeugen:) Nekropolenarbeiter *Mhw*, Totenpriester *1jnj*, Totenpriester *S3b*, Totenpriester *Nj-*^{C}*nh-Hr.*"

Auch hier gibt es Schwierigkeiten mit der Übersetzung. Es ist noch nicht einmal sicher, ob es sich um den Bau eines Hauses handelt oder nur den eines Grabes. Die notwendige Gegenleistung ist genannt, aber noch nicht erbracht. Es ist also schon ein Vertrag mit Distanzwirkung. Die Gegenleistung besteht aus zehn Gewichtseinheiten eines nicht näher bestimmbaren Metalls, die aber nur zur Berechnung des Gegenwertes dienen. In einer Ergänzung, die man mit „Anmerkung" übersetzt, wird das dann im einzelnen aufgeschlüsselt. Der Schreiber Tentj soll also leisten: Stoff, ein Bett und ein Gewand.

84. Totenstiftungen

Eine große Rolle im Bereich von Eigentum und Erbrecht spielten sogenannte Totenstiftungen. Fast alle aus dem Alten Reich überlieferten privaten Rechtsinschriften gehören hierher. Der Glaube an das Weiterleben nach dem Tode spielte in Ägypten eine alles beherrschende Rolle. Also wurden große Teile des Vermögens festgelegt für den Unterhalt des eigenen Grabes und die Bezahlung von privaten Totenpriestern, für die das dann auch eine Art Versorgungsfunktion hatte.

85. Eherecht, Stellung von Frauen

Die Ägypterinnen gingen einen aufrechten Gang. Juristisch hatten sie im wesentlichen die gleichen Rechte wie die Männer, waren rechts- und geschäftsfähig. Man sieht Frauen Verträge abschließen, Prozesse führen und als Zeuginnen bei der Errichtung von Urkunden. Herrschaftspositionen besetzten nur Männer. Wenn man von wenigen Frauen absieht, die auf dem Thron der Pharaonen gesessen haben. Von einer gesellschaftlichen Gleichstellung konnte man nicht reden. Aber im übrigen haben die ägyptischen Frauen mehr Rechte gehabt als in allen Ländern der Antike. Warum? Das weiß man nicht. Vielleicht hängt es damit zusammen, daß die vorstaatlichen Verwandtschaftsgruppen so früh beseitigt worden sind und Brautpreisleistungen deshalb nicht mehr üblich waren. Zwar sind Brautpreisleistungen in ihrer Funktion nur ein Ausgleich zwischen Verwandtschaftsgruppen, der nichts mit dem „Kauf von Frauen" zu tun hat. Aber daß sich dabei Sachwertvorstellungen auch im Hinblick auf die Frau entwickelt haben, das war wohl nicht zu vermeiden und führte zu starken Benachteiligungen. Die gab es hier nicht.

Auch im Eherecht zeigt sich die starke Stellung der Ägypterinnen. Eine große Rolle in der Überlieferung spielen private Eheverträge. Es sind Papyrusfunde, die bis in die 22. Dynastie zurückgehen (um 900 v. Chr.) und dann in immer größerer Zahl gefunden worden sind. Das ist auch die Zeit, für die zum erstenmal die Möglichkeit einer Scheidung nachgewiesen ist, um die es regelmäßig auch in diesen Eheverträgen geht. Sie werden abgeschlossen zwischen dem künftigen Ehemann und seinem Schwiegervater, seit dem 7. Jahrh. v. Chr. auch mit seiner künftigen Frau, und regeln ihre Versorgung nach der Scheidung. Zu diesem Zweck verspricht der Mann ihr eine meist fiktive Frauengabe. Erst bei der Ehescheidung wird sie wirklich geleistet, oft verbunden mit einer Art Zugewinnausgleich. Das Ganze wird verstärkt durch eine Sicherungsübereignung des gesamten Vermögens des Mannes an die Frau, wodurch ihm oft eine Scheidung praktisch unmöglich geworden sein wird. Im übrigen, immer ein sicheres Indiz für die bessere Situation von Frauen, in Ägypten können sie auch selbst die Scheidung erklären, wie der Mann, im Gegensatz zu Mesopotamien.

86. Sklaverei

Während in Mesopotamien sich Sklaven schon für die sumerische Zeit nachweisen lassen, tauchen sie in Ägypten erst sehr spät auf, nämlich erst ab der Mitte des 2. Jahrtausends v. Chr. im Neuen Reich. Vielleicht hat es im Alten Reich Sklaven auf den königlichen Domänen gegeben, aber sicher nicht im Privateigentum, denn sie wären sonst in den Inventaren von Privaten erwähnt, die uns überliefert sind. Im Neuen Reich gab es dann eine größere Zahl von Urkunden über ihre private Vermietung.

87. Verträge

Auch das Vertragsrecht der alten Ägypter ist nicht so gut erkennbar wie das mesopotamische. Das liegt zum einen daran, daß das Material ihrer Urkunden nicht so haltbar war. Tontafeln halten sich besser als Papyrus. Zum anderen war es aber wohl auch nicht so weit entwickelt. In einer ländlichen Wirtschaft, die weitgehend und sehr lange von Domänen bestimmt war, gab es weniger privaten Handel als in den Städten Mesopotamiens. Und Handel ist immer die wichtigste Grundlage von Verträgen. Man findet Kauf und Tausch, das Darlehen und die Pacht. Das Darlehen gibt es im mesopotamischen Keilschriftrecht seit frühesten Zeiten. Für Ägypten dagegen finden sich bis zur Zeit der Ramessiden im Neuen Reich keinerlei Spuren. Erst ab 1300 v. Chr. ist es nachweisbar. Der Zinssatz ist, wie immer in archaischen Rechten, sehr hoch. Regelmäßig beträgt er 100 % im Jahr. Oft werden Verträge in der Form von Scheinprozessen vor Behörden geschlossen, die den Vertrag beurkunden und die Urkunde versiegeln und registrieren.

Erwin Seidl hat das „Prinzip der notwendigen Gegenleistung" entdeckt. Danach ist ein Rechtserwerb nur gültig, wenn dafür ein richtiger Gegenwert in das Vermögen des anderen gekommen ist. Sicher kommt die Verpflichtung aus einem Vertrag nicht bloß durch die Einigung der Parteien zustande. Wie später in Rom, im „Konsensualvertrag". Auch nicht durch die Beurkundung. Vielleicht durch den Eid und schon dann, wenn eine der Parteien ihre Leistung erbracht hat. Hier liegt übrigens ein weiteres Problem für die Erklärung der Hausurkunde des Tentj.

88. Privatstrafrecht und Strafrecht

Mit den Delikten ist es wie in Mesopotamien. Es gibt das für frühe Staatlichkeit typische Nebeneinander von Privatstrafrecht und staatlichem Strafrecht. Diebstahl von Privateigentum führte nur zu Bußleistungen, in Höhe des doppelten oder dreifachen Wertes der gestohlenen Sache. Wahrscheinlich war es bei Körperverletzungen ähnlich. Wenn es aber um den Diebstahl von Tempeleigentum ging oder gar um den Grabraub im Tal der Könige, dann griff das staatliche Strafrecht ein, mit Verstümmelungs- oder Todesstrafen. Wir wissen einiges über zwei große Prozesse im 12. Jahrhundert v. Chr., über den Grabräuberprozeß und über den um die Haremsverschwörung unter Ramses III. Beide endeten wohl mit Todesstrafen. Aber sonst ist wenig bekannt. Es gab Gefängnisse für Untersuchungsgefangene. Und neben Verstümmelungs- und Todesstrafen findet sich die Prügelstrafe, die wohl sehr häufig gewesen ist. Verglichen mit dem babylonischen und assyrischen Strafrecht erscheint das ägyptische milde. Aber es war sehr viel strenger als das sumerische.

89. Prozeßrecht

Wie in Mesopotamien gibt es ein voll entwickeltes staatliches Recht, also nicht nur Strafverfahren, sondern auch Zivilprozesse. Der Pharao ist höchster Richter, entscheidet aber nur in Strafverfahren mit Todesstrafe. Sonst führen seine Beamten die Prozesse. Selten sind sie dabei nur auf Rechtsprechung spezialisiert, sondern haben daneben noch andere Aufgaben. So der höchste Staatsbeamte, der Wesir. Er delegiert ebenfalls nach unten weiter, entscheidet selbst nur in wichtigeren Fällen. Die Einzelheiten des Aufbaus der Gerichte in Ägypten sind schlecht bekannt. Bei wichtigen Urkunden weiß man noch nicht einmal, welches Gericht entschieden hat. Nach einem Bericht des griechischen Sophisten Aelian soll es nur Priester als Richter gegeben haben. Aber es sieht so aus, als ob der Einfluß der Priesterschaft auf die Gerichte nicht größer gewesen sei als der von anderen ähnlichen Berufen. Sie gehörten zur Oberschicht und wurden deshalb an der Rechtsprechung beteiligt, wie andere auch.

Der Zivilprozeß wurde durch eine schriftliche Klage eingeleitet, die beim Gericht eingereicht wurde. Das war eine schwer zu überwindende Schranke für die ärmeren Schichten. Die schriftliche Klage mußte vom Beklagten zunächst schriftlich beantwortet werden. Erst dann kam es zur mündlichen Verhandlung. Auch das Urteil erging schriftlich und hatte eine Begründung. Der Prozeß war also stark formalisiert. Deshalb wurden auch Ladung und Vollstreckung von staatlichem Personal durchgeführt, die Vollstreckung erst nach Errichtung einer zusätzlichen Anerkennungsurkunde. In der späteren Zeit scheint das Verfahren sogar überwiegend schriftlich gewesen zu sein, also viel stärker formalisiert als in Mesopotamien. Es gibt eine Nachricht des griechischen Historikers Diodor, daß die Parteien nur mit Schriftsätzen gestritten und die Gerichte dann schriftlich entschieden hätten. Für seine Zeit, im ersten Jahrhundert v. Chr., könnte das zutreffend gewesen sein.

90. Allgemeiner Charakter des Rechts

Insgesamt macht das ägyptische einen stärker individualistischen Eindruck als das Keilschriftrecht in Mesopotamien. Man denke nur an die Testierfreiheit. Auch die Stellung der Frauen war besser. Die alten agnatischen Verwandtschaftsgruppen waren eben früher zerstört als dort, die zentralstaatliche Organisation sehr viel intensiver. Auf der anderen Seite entsprach dem aber nicht gleichzeitig auch eine allgemein liberalere Struktur des Rechts. Im Gegenteil. Verträge spielten kaum eine Rolle und die Einheit von Recht, Religion und Moral war völlig kompakt. Der Zentralbegriff war maat, Recht und Gerechtigkeit seine Bedeutung, religiös verstanden, als Göttin personifiziert. Eine Frau, die eine Feder auf dem Kopf trägt. Tochter des Re, des Ur-, All- und Schöpfergottes der Ägypter. Maat ist die Ordnung, Weltprinzip. Der Pharao allein kennt ihre Forderungen. Er gibt die maat weiter. Die Barmherzigkeit gehört ebenso dazu wie die Forderung nach Gleichbehandlung im Sinne von Unparteilichkeit. Auf dem Bild im Grab des Wesirs Rechmiré (Rdz. 80) steht es geschrieben, im Text über seiner ausradierten Figur:

> „Er teilt die maat aus ohne Parteilichkeit und sorgt dafür, daß die streitenden Parteien zufrieden sind, indem er in gleicher Weise urteilt über Arme und Reiche, so daß niemand weinen muß, der sich an ihn gewandt hat."

Für die ägyptische Gerichtsbarkeit eine Forderung, die nicht ohne Grund immer wieder erhoben wurde. Denn Ägypten war eine Klassengesellschaft mit schroffen Hierarchien. Das Prinzip der Gleichheit war hier von vornherein zum Scheitern verurteilt. Hinzu kam, daß Richterbesprechungen wohl an der Tagesordnung waren, mindestens in den unteren Instanzen. Das zeigt eine andere Inschrift, im Grab eines Richters von Siut: „Ich habe über die Streitenden unparteiisch gerichtet, denn ich war reich."

Literatur

79. *Fischer Weltgeschichte*, Die altorientalischen Reiche I–III 1965/67; *Helck*, Geschichte des alten Ägypten 1968 – **80.** *Davies*, The Tomb of Rekh-Mi-Ré at Thebes Bd. 1 (1930) 30ff., 88ff., Bd. 2 (1943) pl. 24, 25; *Seidl*, Einführung in die ägyptische Rechtsgeschichte bis zum Ende des Neuen Reiches (2. Aufl. 1951) 19; *Seidl*, Altägyptisches Recht, in: *Spuler*, (Hg.) Handbuch der Orientalistik 1. Abt. Ergbd. III (1964) 1; *Helck*, zur Verwaltung des Mittleren und Neuen Reiches (1989) 30; *Lurje*, Studien zum altägyptischen Recht (1971) 126; *Theodorides*, La formation du droit dans l'Egypte pharaonique, in: Theodorides/Zaccaguini/Cardascia/Archi/Yaron, La Formazione del diritto nel Vicino Oriente Antico (1988) 13–33 – **81.** *Goedicke*, Die privaten Rechtsinschriften aus dem Alten Reich (1970) 199ff.; *Helck*, Geschichte (Rdz. 79) 86; *Mrsich*, Besitz und Eigentum, in: Lexikon der Ägyptologie Bd. 1 (1975) 732ff. – **82.** *Seidl*, Einf. (Rdz. 80) 47, 57f. – **83.** *Goedicke*, (Rdz. 81) 149ff. – **84.** *Goedicke*, (Rdz. 81) 205ff. – **85.** *Seidl*, Einf. (Rdz. 80) 43, 55.ff.; *Lüddeckens*, Ägyptische Eheverträge 1961; *Pestman*, Marriage and Matrimonial Property in Ancient Egypt 1961. – **86.** *Seidl*, Einf. (Rdz. 80) 49ff. – **87.** *Seidl*, Einf. (Rdz. 80) 47 – **88.** Strafrecht: Seidl Altägypt. Recht (Rdz. 80) 97ff.; Diebstahl: *Lurje*, (Rdz. 80) 154ff.; Grabräuberprozeß und Haremsverschwörung: *Seidl*, Einf. (Rdz. 80) 64 Nr. 64 und 65. – **89.** *Seidl*, Einf.

(Rdz. 80) 32 ff.; *Lurje*, (Rdz. 80) 22 f. – **90.** *Helck*, Maat, in: Lexikon der Ägyptologie Bd. 3 (1980) 1110 ff., *Assmann*, Maat. Gerechtigkeit und Unsterblichkeit im Alten Ägypten 1990; Text im Grab des Rechmiré: *Davies*, (Rdz. 80) Bd. 1 S. 31; Richterbestechungen: *Lurje*, (Rdz. 80) 72 ff., dort auch S. 77 das Zitat aus dem Grab des Nomarchen von Siut.

8. Kapitel

HEBRÄISCHES RECHT

Allgemeine Literatur: *Boecker*, Recht und Gesetz im Alten Testament und im Alten Orient 2. Aufl. 1984; *Falk*, Hebrew Law in Biblical Times 1964; *Horst*, Gottes Recht 1961; *Niehr*, Rechtsprechung in Israel – Untersuchungen zur Geschichte der Gerichtsorganisation im Alten Testament 1987; *Crüsemann*, „Die Tora". Theologie und Sozialgeschichte des alttestamentlichen Gesetzes 1992.

91. Geschichte und Wirtschaft

Seit der Mitte des zweiten Jahrtausends v. Chr. sind die Juden als Nomadenstämme aus der arabischen Halbinsel in Palästina eingewandert und seßhaft geworden, ein Bauernvolk, das zum Teil in neuen Dörfern der Bergtäler siedelte und zum Teil die kanaanitische Urbevölkerung aus einigen ihrer Städte verdrängte. Sie blieben zunächst eine akephale segmentäre Stammesgesellschaft, aus der nach einigen Jahrhunderten eine Monarchie entstand, oder besser: zwei Königreiche entstanden, nämlich Israel im Norden und Juda im Süden, die bald danach unter König David (1006-966 v. Chr.) vereinigt wurden, mit Jerusalem als Hauptstadt, ein Reich, das sehr schnell wieder in seine beiden Teile zerfiel. Israel existierte bis zu seiner Niederlage gegen die Perser 722 v. Chr. und das Reich Juda bis 587 v. Chr., als Jerusalem von den Babyloniern zerstört und ein großer Teil der Bevölkerung nach Mesopotamien deportiert wurde („babylonische Gefangenschaft"). In der zweiten Hälfte des 6. Jahrhunderts v. Chr. wird das ganze Land eine persische Provinz und die Deportierten konnten wieder zurückkehren. Die Herrschaft geht 332 v. Chr. über auf Alexander den Großen und seine Nachfolger, die Ptolomäer und Seleukiden. Die Wirtschaft ist immer noch überwiegend agrarisch, auch in den Städten, deren Bild nicht durch ihre Handwerker und Händler bestimmt ist. Gegen die seleukidische Herrschaft richtet sich der Makkabäer-Aufstand der Juden von 168 v. Chr., der ihnen eine gewisse politische Unabhängigkeit – mit eigenen Königen – brachte. Dann wird Palästina im ersten Jahrhundert v. Chr. als „Judäa" römische Provinz. Gegen die Herrschaft der Römer versuchen die Juden zwei große Aufstände, die 70 n. Chr. und 133 n. Chr. niedergeworfen werden. Inzwischen war ihre Zahl in der Diaspora immer größer geworden und die jüdische Geschichte, die immer auf Palästina konzentriert war, löste sich geographisch auf. Rechtshistorisch bedeutete dies die Ablösung des alten hebräischen Rechts durch den Talmud, das Recht der Diaspora, der auf dem alten Recht aufbaut und bis heute das jüdische Recht geblieben ist.

92. Quellen und Probleme

Das hebräische Recht der biblischen Zeit ist nicht gut bekannt. Wichtigste Quelle ist das Alte Testament, an sich eine vorzügliche Grundlage, denn Recht und Religion sind nirgendwo in der Antike so eng miteinander verbunden gewesen wie bei den Juden. Aber in den Texten des Alten Testaments kommen viele Einzelheiten zu kurz, die den Rechtshistoriker interessieren. Das ist auch nicht weiter verwunderlich, denn Ziel der Berichte war es nicht, eine vollständige Übersicht über das Recht zu geben, sondern den Bund Gottes mit dem erwählten Volk der Juden zu beschreiben. Das Recht in seinen Verästelungen läßt sich daraus oft nur mühsam oder gar nicht erschließen. Anders als in Mesopotamien, wo Tausende von Urkunden Auskunft über die juristische Technik geben, ergänzen für das hebräische Recht nur wenige die Überlieferung der Bibel. Es kommen noch andere Schwierigkeiten dazu.

Das Alte Testament besteht aus Texten, die in einem Zeitraum von eintausend Jahren entstanden sind, von der Zeit des Moses um 1500 v. Chr. bis zur letzten Redaktion im 6. Jahrhundert. Oft läßt sich nicht sicher bestimmen, aus welcher Zeit einzelne Rechtsinstitute stammen, die dort beschrieben werden. Das Recht der vorstaatlichen Institutionen reichte zum Teil weit in die Königszeit hinein, aber die Wandlungen danach können doch erheblich gewesen sein. So wissen wir nicht, ob alle im Alten Testament beschriebenen Regeln in der Rechtswirklichkeit tatsächlich gegolten haben. Schließlich kommen die bisherigen Rekonstruktionsversuche zum größten Teil aus der – jüdischen oder christlichen – Bibelexegese, die in erster Linie nicht rechtshistorisch interessiert war, sondern der Bestätigung theologischer Lehrmeinungen diente. So erklärt sich, daß es bis heute keine einzige umfassende Darstellung des alten hebräischen Rechts gibt, die rechtshistorischen Ansprüchen gerecht wird. Erst in letzter Zeit sind jüngere Theologen im deutschen Sprachbereich – angeregt durch Vorarbeiten von Albrecht Alt, Friedrich Horst und Reuven Yaron – dazu übergegangen, das ungeheure Material des Alten Testaments für eine moderne Sozial- und Rechtsgeschichte auszuwerten.

Die Meinungen über das Verhältnis des hebräischen Rechts zu anderen Rechten des Alten Orients, besonders zum babylonischen Keilschriftrecht, waren in letzter Zeit einem starken Wandel unterworfen. Während man früher davon ausging, das Recht des erwählten Volkes sei einzigartig gewesen und unabhängig von jedem anderen Einfluß, weil es den Juden direkt von Gott gegeben worden ist, waren Historiker seit dem Anfang dieses Jahrhunderts eher der Meinung, es sei geprägt durch die Herkunft aus dem babylonischen Recht, dessen wichtigste Kodifikation, der Codex Hammurabi, damals gerade entdeckt worden war. Es gibt viele Übereinstimmungen und der Codex Hammurabi ist älter, entstand über dreihundert Jahre vor der Zeit, in der Moses am Berg Sinai die Gesetzestafeln von Gott empfangen haben soll. Also lag es nahe anzunehmen, das hebräische Recht sei durch das babylonische beeinflußt worden. Heute erklärt man die Übereinstimmungen besser damit, daß beide demselben altorientalischen Kulturkreis angehören, ohne daß das eine vom anderen beeinflußt worden ist, zumal es auch erhebliche Unterschiede gibt.

93. Gesetzessammlungen des Alten Testaments

Fundament des hebräischen Rechts sind die Gesetze, die Moses – als Führer des jüdischen Volkes auf der Wanderung von Ägypten nach Palästina – von Gott im Sinaigebirge erhalten hat. Sie finden sich im Alten Testament in unterschiedlichen Fassungen aus verschiedenen Zeiten. Für die Juden waren sie von Gott gegebenes Recht. Der Rechtshistoriker sieht in ihnen Gewohnheitsrecht, das sich allerdings von anderen Ordnungen durch eine erstaunliche Einheit von Recht und Religion unterscheidet, die man sonst nicht findet, auch nicht im mesopotamischen und altägyptischen Recht.

Die älteste Schicht reicht wohl zurück in das zweite Jahrtausend v. Chr. Dazu gehört der Dekalog – die Zehn Gebote – und das Bundesbuch, das so genannt wird, weil es die Gesetze enthält, die den Bund Gottes mit dem Volk der Juden begründet haben. Beide finden sich im Exodus, dem 2. Buch Mose, und zwar der Dekalog in Exodus 20.2–17 und das Bundesbuch in Exodus 20.22–23.33. Das Bundesbuch regelt – neben anderem – vier Hauptbereiche: Sklavenrecht, Körperverletzungen, Sachbeschädigungen, todeswürdige Verbrechen.

Zur jüngeren Schicht gehören das Heiligkeitsgesetz und das deuteronomische Gesetz, die beide ausführlicher sind als das Bundesbuch, was sich ganz einfach daraus erklärt, daß spätere Bearbeiter die alte Fassung ergänzt haben. Das Heiligkeitsgesetz wird so genannt, weil in ihm auch beschrieben wird, wie Gott den Juden durch Moses sagen läßt, sie würden das heilige Volk werden. Diese Sammlung umfaßt mehr als die Hälfte des 3. Buchs Mose (Leviticus 17 bis 26) und stammt aus der Zeit nach dem Ende der beiden Königreiche, also aus dem 6. Jahrhundert v. Chr., denn in ihm fehlen die Vorschriften über die Stellung des Königs, die im deuteronomischen Gesetz enthalten sind. Diese Gesetzessammlung findet sich im 12. bis 26. Kapitel des 5. Buchs Mose, das Deuteronomium genannt wird, das „zweite Gesetz“, weil man schon in frühchristlicher Zeit der Meinung war, die ersten vier Bücher seien ein älterer Teil, dem das 5. Buch als zweiter und jüngerer folgt, und in dem ja auch der Dekalog noch einmal wiederholt wird. Also:

Dekalog	Exodus 20.2–17 (2. Buch Mose) und Deuteronomium 5.6–21 (5. Buch Mose)
Bundesbuch	Exodus 20.22–23.33
Heiligkeitsgesetz	Leviticus 17–26 (3. Buch Mose)
Deuteronomisches Gesetz	Deuteronomium 12–26

94. Segmentäre und kephale Ordnung

Das Alte Testament zeigt für die Zeit vor der Monarchie das typische Bild einer segmentären Gesellschaft, in der Verwandtschaftsordnung und politische Ordnung identisch sind. Es gibt weder eine Zentralinstanz noch Gerichte. Das Volk der Juden bestand aus mehreren Stämmen mit patrilinearen lineages (mišpāhā), deren Untereinheit die Großfamilie war (bajit, „das Haus"). Sie umfaßte drei bis vier Generationen. Jede Großfamilie hatte einen Ältesten, den Großvater oder Urgroßvater, dessen Autorität sehr groß gewesen zu sein scheint. Die lineages wurden nicht von einem, sondern von mehreren Ältesten vertreten. Wahrscheinlich sind es die der einzelnen Großfamilien gewesen. In der Literatur zum Alten Testament wird ihre Stellung als die eines pater familias bezeichnet, also mit dem römischen Familienoberhaupt verglichen (Rdz. 143). Im Alten Testament gibt es Hinweise darauf, daß er wie der römische die Entscheidung über Leben und Tod – ius vitae necisque – der Angehörigen seines Hauses treffen konnte. Das ist für segmentäre Gesellschaften zwar ungewöhnlich, aber nicht unmöglich. Vielleicht ist es im vorstaatlichen Rom ähnlich gewesen. Jedenfalls hat sich auch dort das Hausgericht des pater familias bis in die Kaiserzeit erhalten.

Konflikte innerhalb einer lineage werden durch die Ältesten gelöst worden sein, Konflikte zwischen verschiedenen lineages in Verhandlungen von Sprechern beider Seiten. Wie überall in segmentären Gesellschaften stand dabei die Schlichtung im Vordergrund. Das zeigen die Berichte des Alten Testaments über Versöhnung zwischen Täter und Opfer. Daneben gab es Selbsthilfe und Blutrache.

Die Monarchie der Juden ist im Kampf mit dem Küstenvolk der Philister entstanden. Vielleicht ist diese militärische Vergangenheit einer der Gründe dafür, daß die jüdischen Könige nicht wie in Mesopotamien und Ägypten als göttliche Herrscher aufgetreten sind, die zugleich oberste Priester waren. Sie galten zwar als von Gott erwählt, hatten aber in erster Linie militärische und politische, nicht religiöse Aufgaben. Dafür wird entscheidend gewesen sein, daß die jüdische Religion schon voll ausgebildet war, als die Monarchie entstand. Deren eher weltlicher Charakter in einer Gesellschaft, die stark religiös geprägt war, ist Ausdruck dessen, daß sie verhältnismäßig schwach geblieben ist und deshalb auch die alten segmentären Institutionen nicht beseitigen konnte, anders als in Mesopotamien und Ägypten, wo die lineages bald verschwunden waren.

Über die staatsrechtlichen Einzelheiten der jüdischen Monarchie gibt das Alte Testament wenig Informationen. Der König hatte den militärischen Oberbefehl. Der Hof und die Armee wurden durch Naturalabgaben unterhalten, später auch durch Steuern in Silber und Gold. Daneben existierten königliche Domänen, über deren Größe nichts bekannt ist. Zur königlichen Verwaltung gehörte auch die Organisation des religiösen

Kultus. Die Priester sind wohl vom König ernannt und entlassen worden. Daneben blieb die örtliche Selbstverwaltung bestehen und der König beriet sich in wichtigen Angelegenheiten mit „Ältesten". Es ist allerdings unklar, ob sie Sprecher von lineages, Ortsälteste oder einfach nur Männer waren, die sich der König selbst ausgewählt hatte.

Nach dem Ende der Monarchie war das Land sehr lange eine Provinz der persischen Satrapie Transeuphrat, erhielt aber eine gewisse Selbständigkeit und wurde eine Theokratie, an deren Spitze Hohepriester und ein Ältestenrat (Hoher Rat, Synhedrion) standen. Nach dem Aufstand gegen die Seleukiden hatten die Juden sogar wieder eigene Könige, deren Macht aber noch geringer gewesen zu sein scheint als in der alten Monarchie.

95. Gerichte

Mit der politischen Ordnung wandelte sich im Lauf der Jahrhunderte auch die Gerichtsorganisation. Die Konfliktlösungsmechanismen der segmentären Gesellschaft blieben zwar im Prinzip erhalten, änderten aber mit der Seßhaftigkeit ihren Charakter, waren jetzt nicht mehr rein verwandtschaftlich organisiert, sondern örtlich. Aus der Versammlung der lineage-Ältesten entsteht die hebräische Rechtsgemeinde, die als urdemokratische Institution im Alten Orient ohne Parallele ist. Innerhalb eines Ortes waren alle männlichen Vollbürger berechtigt, an der Verhandlung und Entscheidung teilzunehmen. Man entschied „am Tor", dem einzigen Platz der engen Ortschaften, wo man sich treffen konnte wie im alten Sumer (vgl. Rdz. 53). Die Zusammensetzung des Gerichts war mehr oder weniger zufällig, abhängig von der Bedeutung der Sache und der Person der Beteiligten. Das Urteil ist im Prinzip nicht eine hoheitliche Entscheidung gewesen, sondern gemeinschaftliche Schlichtung, neben der die Blutrache bis in die Königszeit weiter existierte. Ähnlich gemeinschaftlichen Charakter wie das Verfahren hatte die Vollstreckung von Todesurteilen, die regelmäßig durch Steinigung vollzogen wurde, an der sich ebenfalls alle männlichen Bürger beteiligen konnten.

Die Gerichtsbarkeit der Könige hat diese Rechtsgemeinde später nicht verdrängt. Sie ist nur in zwei Sonderfällen neben sie getreten. Zum einen hatte der König im Krieg als Oberbefehlshaber die Gerichtsbarkeit über das Militär. Zum anderen entwickelte sich – wie später in Rom – aus seinem Hausgericht ein Hofgericht über die königliche Familie und die Beamten seiner Verwaltung. Umstritten ist, ob er daneben noch die Ortsgerichtsbarkeit über Jerusalem und Samaria hatte, die man als Städte des Königs ansah, weil Jerusalem von David erobert worden war und Samaria von Omri gegründet. Aber auch hier wird es wohl nur die Rechtsgemeinde der Bürger gewesen sein, die über Streitigkeiten entschieden hat.

Als nach der Monarchie und dem Ende des Exils in Babylon sich die jüdische Theokratie entwickelte, wurde auch die Rechtsprechung weitgehend von Priestern übernommen und in Jerusalem sogar ein Obergericht unter dem Vorsitz des Hohepriesters errichtet. In hellenistischer Zeit sind sie allerdings wieder daraus verdrängt worden. Die Gerichtsbarkeit des Hohenpriesters ging über auf den Hohen Rat (synhedrion), neben dem ein Großer Gerichtshof mit 71 Mitgliedern existierte und in jeder Stadt ein Gerichtshof von 25 Mitgliedern. In römischer Zeit hatte der Statthalter die oberste Gerichtsgewalt, ohne daß die jüdischen Institutionen beseitigt wurden.

96. Eigentum, Erbrecht

„Mein ist das Land, denn ihr seid als Fremde bei mir und ohne eigenes Recht", sagt Gott zu den Juden (Leviticus 25.23). Nach der Landnahme durch die eingewanderten Stämme ist zwar bäuerliches Privateigentum entstanden, aber es war in vielfältiger Weise sozialen Beschränkungen unterworfen, die man in dieser Intensität in anderen antiken Rechten nicht findet. Zum Teil sind es Nachwirkungen der segmentären Ordnung, als das Land zunächst noch Verwandtschaftseigentum der lineages war.

Eigentum an Grundstücken konnte durch Kauf übertragen werden. Die Übertragung wurde – wie im mesopotamischen, ägyptischen und griechischen Recht – wirksam mit der Zahlung des Kaufpreises, wenn der Vertrag öffentlich vor Zeugen „am Tor" geschlossen worden war. Nach der Königszeit wurde diese Öffentlichkeit ersetzt durch sogenannte Doppelurkunden, in denen eine Abschrift des Vertrages offen lesbar und der Vertrag selbst versiegelt war. Das Eigentum an beweglichen Sachen, an Sklaven und Vieh, ging ebenfalls über mit der Zahlung des Kaufpreises. Es gab keine Unterscheidung von Eigentum und Besitz wie später im römischen Recht. Auch insofern steht das hebräische Recht in einer Reihe mit dem mesopotamischen, ägyptischen und griechischen.

Die Sozialbindung des Eigentums konkretisierte sich in Rückkaufrechten, Sabbat- und Jubeljahr. Hatte jemand sein Land aus Not verkauft und kam er später wieder zu Geld, konnte er es zurückkaufen. Bei städtischen Grundstücken war dieses Recht auf ein Jahr befristet. Auch die Verwandten hatten das Recht und die Pflicht zum Rückkauf. Dadurch sollte bäuerliches Eigentum gegen die Entstehung von Großgrundbesitz geschützt werden. Im Sabbatjahr, alle sieben Jahre, mußten die Felder brach liegen. Auch diese Regel hatte in erster Linie soziale Gründe (Rdz. 102), obwohl nicht sicher ist, ob sie tatsächlich Bedeutung hatte oder nur eine soziale Utopie gewesen ist.

Das Erbrecht bestand – wie in allen Gesellschaften mit dichter Verwandtschaftsstruktur – aus festen Regeln für die Erbfolge, von denen man nicht abweichen konnte. Es gab kein Testament. Die Erben eines Mannes sind seine Söhne. Das war die wichtigste Regel des hebräischen Erbrechts. Der älteste Sohn erhielt einen doppelten Anteil, weil er seine Mutter versorgen mußte, denn als Erstgeborener trat er nach dem Tode seines Vaters an dessen Stelle als Familienoberhaupt, und Witwen hatten – wie meistens in patriarchalischen Gesellschaften – kein Erbrecht. Im übrigen galt Numeri (4. Buch Mose) 27.8.–11:

> „Wenn ein Mann stirbt und keinen Sohn hat, so sollt ihr sein Erbe auf seine Tochter übergehen lassen. Wenn er auch keine Tochter hat, sollt ihr sein Erbe seinen Brüdern übergeben. Wenn er keine Brüder hat, sollt ihr sein Erbe den Brüdern seines Vaters übergeben. Wenn sein Vater keine Brüder hat, sollt ihr es seinem nächsten Verwandten in seiner Sippe geben, damit er es in Besitz nimmt."

97. Recht der Personen, Eherecht, Stellung von Frauen

Im Alten Testament finden sich nur wenige und ungenaue Hinweise auf Regeln für Rechts- und Geschäftsfähigkeit. Sicher ist nur, daß der Mann als Familienoberhaupt rechts- und geschäftsfähig war. Möglicherweise werden es auch seine Söhne geworden sein, wenn sie in das Alter der Pubertät kamen, das man bei Knaben mit 13 Jahren berechnete. Frauen blieben ihr ganzes Leben unter der Vormundschaft von Männern, zunächst ihres Vaters, dann ihres Ehemannes und schließlich als Witwe unter der ihres ältesten Sohnes.

Auch über den Vorgang der Eheschließung gibt es kaum Vorschriften. Juristisch entscheidend war die Zahlung eines Brautpreises und die Einwilligung des Vaters der Braut, der damit seine Rechte an ihren Ehemann abtrat. Die Eheschließung war also ein Rechtsgeschäft zwischen Männern, die Zustimmung der Frau nicht erforderlich. Entsprechend schlecht war die Stellung von Frauen im Hinblick auf Ehebruch und Scheidung. Ehebruch war die Verletzung von Rechten des Ehemannes durch den Ehebrecher. Die Untreue des Ehemannes war juristisch unerheblich. Er hatte das Recht, mehrere Frauen zu heiraten (Polygynie), nicht umgekehrt. Die Scheidung war jederzeit möglich durch einseitige Erklärung des Mannes, die später durch einen schriftlichen Scheidebrief ergänzt werden mußte, damit die geschiedene Frau nicht in Gefahr kam, wegen Ehebruchs bestraft zu werden, wenn sie wieder heiraten wollte. Sie selbst konnte die Scheidung nicht erklären.

98. Brautpreise

Wie in Sumer und Babylon (Rdz. 61, 72) findet sich auch im Alten Testament die Zahlung von Brautpreisen. Der Brautpreis – mohar – wird vom Schwiegersohn an den Vater der Braut gezahlt. Übliche Summe waren wohl 50 Schekel Silber, das sind etwa 500 Gramm. Ebenso wie in Babylon ist es nicht der Preis für eine „Kaufehe", sondern Relikt aus der Zeit der segmentären Stammesgesellschaft, der normale Ausgleich für die Verwandtschaft der Frau (Rdz. 26). Daß es daneben wie in Babylon eine Mitgift – Aussteuer, die vom Vater der Braut an den Ehemann gezahlt wird – gegeben hat, läßt sich für Israel nicht nachweisen.

99. Sklaverei

Wie überall in der Antike gab es auch im alten Israel Sklaven, eine Haussklaverei, die selbst im Vergleich mit dem sumerischen und babylonischen Recht als sehr milde erscheint. Im Gegensatz zum Codex Hammurabi (§§ 15 bis 20) fehlen im hebräischen Recht zum Beispiel die harten Sanktionen für Fluchthilfe. Im mesopotamischen Sklavenrecht überwiegt die Zahl der Vorschriften zum Schutz des Eigentümers. Im hebräischen Recht überwiegt der Schutz von Sklaven. Sie gehören zur Familie ihres Herrn und, wenn sie denselben Glauben haben, zur kultisch-religiösen Gemeinschaft der Juden. Seit der Königszeit gilt auch für sie die allgemeine Sabbatruhe.

In den Gesetzessammlungen des Alten Testaments findet sich nur eine Vorschrift über Schadensersatz zugunsten des Eigentümers, nämlich im Bundesbuch bei der Haftung für Tierschäden (Exodus 21.32). Wird ein Sklave von einem Tier getötet, sind 30 Schekel Silber zu zahlen, was wohl dem durchschnittlichen Preis entsprach, und das Tier soll gesteinigt werden. Wahrscheinlich wurde die Verletzung und Tötung von Sklaven sonst wie die von Freien behandelt. Hatte nämlich ein Eigentümer seinen Sklaven getötet, war Blutrache durch die Verwandten möglich, wenn es nicht eine Körperverletzung mit Todesfolge war, die erst später eintrat. Wenn ein Eigentümer seinen Sklaven schwer verletzt hatte, mußte er ihn freilassen (Exodus 21.26–27). Das ist in der ganzen Antike ohne Vorbild.

Eine häufige Ursache von Sklaverei war die Schuldknechtschaft. Schuldsklaven mußten nach sechs Jahren freigelassen werden. Es ist allerdings sehr fraglich, ob diese Vorschrift (Exodus 21.2) immer eingehalten wurde (Rdz. 102).

100. Verträge

Die Juden waren ein Bauernvolk, das zum größten Teil in tauschloser Eigenwirtschaft lebte. In der Königszeit entstand zwar eine gesellschaftliche Differenzierung in Reiche und Arme und der Handel belebte sich. Trotzdem überwog die Landwirtschaft bei weitem. Also haben sich im hebräischen Recht nur wenige Regeln für Verträge entwickelt. Anders als in Mesopotamien fehlen im Alten Testament zum Beispiel Vorschriften für die Pacht. Sie erscheint erst im Talmud des 2. Jahrhunderts n. Chr. Auch die Miete und der Werkvertrag werden vorher nicht erwähnt.

Der Kauf ist formloses Bargeschäft. Regeln für Rechts- und Sachmängelhaftung finden sich im Alten Testament nicht. Neben dem Kauf war das Darlehen wohl das am meisten verbreitete Geschäft. Es konnte durch Pfandrechte und Bürgschaften gesichert werden. Ähnlich wie im babylonischen Recht legte der Bürge bei Abschluß des Vertrages seine Hand in die des Gläubigers. Wurde das Darlehen nicht zurückgezahlt, haftete der Schuldner mit seiner Person und kam in die Schuldknechtschaft, während der Bürge nur mit seinem Vermögen einstehen mußte. Das Pfand war Verfallpfand, wie in allen antiken Rechten vor der Einführung des Verkaufspfands durch die Römer (Rdz. 74, 141). Es war Besitzpfand, mußte also dem Gläubiger übergeben werden, nicht nur bewegliche Sachen und Land, auch die Kinder des Schuldners, die dem Gläubiger als Sklaven übereignet wurden.

Gerade beim Darlehen zeigen sich aber auch sehr deutlich religiöse und soziale Besonderheiten des hebräischen Rechts. Es galt ein allgemeines Zinsverbot, das es sonst in der Antike nicht gab, und alle sieben Jahre wurden die Schulden erlassen. Die bekannteste Vorschrift für das Zinsverbot findet sich schon im Bundesbuch (Exodus 22.24):

> „Wenn du Geld verleihst an einen aus meinem Volk, an einen Armen neben dir, so sollst du an ihm nicht wie ein Wucherer handeln. Du sollst keinerlei Zinsen von ihm nehmen."

Bei Darlehen an Fremde, zum Beispiel die Kanaanäer, waren Zinsen nicht verboten, aber auch unter Juden scheint das Verbot öfter mißachtet worden zu sein, besonders in der Königszeit. Es wurde ergänzt durch einen totalen Schuldenerlaß im Sabbatjahr, eine radikale Vorschrift, die jünger zu sein scheint, auf den Erfahrungen der Königszeit beruht, denn sie findet sich erst im deuteronomischen Gesetz (Deuteronomium 15.1.–3):

> „Alle sieben Jahre sollst du ein Erlaßjahr halten. So aber soll es zugehen mit dem Erlaßjahr: Wenn einer seinem Nächsten etwas geborgt hat, der soll es ihm erlassen und soll es nicht eintreiben von seinem Nächsten oder von seinem Bruder. Denn man hat ein Erlaßjahr ausgerufen dem Herrn. Von einem Ausländer darfst du es eintreiben, aber dem, der dein Bruder ist, sollst du es erlassen."

Noch mehr als das Zinsverbot zielt dieser regelmäßige Schuldenerlaß auf die Erhaltung egalitärer Besitzverhältnisse einer kleinbäuerlichen Gesellschaft, die nach göttlichem Gebot in brüderlicher Gleichheit leben wollte.

Trotzdem gab es Lohnarbeit, Dienstverträge für landwirtschaftliche Arbeiter, Erntehelfer und Hirten, die in Naturalien oder Geld entlohnt wurden. Die juristischen Einzelheiten sind nicht bekannt. Etwas besser sind wir informiert über Verwahrung und Leihe, für die das Bundesbuch (Exodus 22.6–14) eine Differenzierung der Haftung nach unterschiedlichen Verantwortlichkeiten vorsieht. Bei der – uneigennützigen – Verwahrung haftet man nicht für Diebstahl von Geld oder Sachen, die im Haus aufbewahrt wurden, wohl aber von Vieh, auf das man besonders achten sollte. Starb das Vieh oder wurde es verletzt, entfiel eine Schadensersatzpflicht. Insofern traf den Verwahrer keine Sorgfaltspflicht, wohl aber den, der sich die Tiere im eigenen Interesse geliehen hatte.

101. Privatstrafrecht und Strafrecht

Auch im hebräischen Recht findet man jenes für das frühe antike Recht typische Nebeneinander von Privatstrafrecht und Strafrecht (Rdz. 64), außerdem schon den bloßen Schadensersatz im Sinne eines rein privatrechtlichen Delikts.

Privatstrafrecht mit Bußen ist die Folge von Diebstahl, der im hebräischen Recht erstaunlich milde behandelt wird, wenn man es mit dem babylonischen vergleicht. Meistens ist das Doppelte des Werts der gestohlenen Sache zu ersetzen, bei Vieh zum Teil das Vier- bis Fünffache. Verschuldeter Tierschaden und Weidefrevel führen ebenfalls zu Bußzahlungen, während normaler Tierschaden – durch den „stößigen" Ochsen – nur Schadensersatz zur Folge hat, ebenso wie die einfache Körperverletzung.

In der uns fremden Systematik altorientalischer Gesetze aufgebaut – chiliastisch, in der Form eines x – sind die Vorschriften des Bundesbuches über Tötung und Körperverletzung (Exodus 21.12.–32). Zentrale Vorschrift ist das Talionsprinzip der §§ 23 bis 25, dessen Verwandtschaft mit dem Codex Hammurabi (Rdz. 76) offensichtlich ist:

> „Entsteht ein dauernder Schaden, so sollst du geben Leben um Leben, Auge um Auge, Zahn um Zahn, Hand um Hand, Fuß um Fuß, Brandmal um Brandmal, Beule um Beule, Wunde um Wunde."

Das Strafrecht hat sich schon vor der Königszeit entwickelt, als Strafgewalt der hebräischen Rechtsgemeinde. Schon nach dem Bundesbuch, das in die vorstaatliche Zeit zurückreicht, gab es mehrere todeswürdige Verbrechen. Dazu gehören Totschlag, unrechtmäßige Versklavung, Hexerei, Sodomie und Gotteslästerung. In den späteren Gesetzessammlungen werden Inzest und Homosexualität genannt, Ehebruch und Widerspenstigkeit von Söhnen gegenüber Eltern.

102. Sabbatjahr und Jubeljahr, allgemeiner Charakter des Rechts

Zu den typischen Eigenheiten des antiken hebräischen Rechts gehören Sabbatjahr und Jubeljahr. Alle sieben Jahre durfte das Land nicht bearbeitet und mußten die Früchte den Armen überlassen werden, auch von Weinbergen und Ölgärten (Exodus 23.10f.). Alle sieben Jahre mußte man die Schulden erlassen und die Schuldsklaven freigeben. Und nach sieben Sabbatjahren, also alle fünfzig Jahre, folgte das Jubeljahr. Noch einmal die Anordnung von Schuldenerlaß und Sklavenbefreiung und außerdem das Gebot, daß alle Grundstücksverkäufe rückgängig zu machen sind und das Land wieder an seine alten Eigentümer zurückfällt.

Auch wenn nicht sicher ist, ob das alles tatsächlich immer durchgeführt wurde, Sabbatjahr und Jubeljahr bleiben kennzeichnend für das soziale Grundmuster des hebräischen Rechts und seine enge Verbindung mit der Religion. Es ist das Grundmuster einer kleinbäuerlichen Gesellschaft, in der sich die egalitären Strukturen der alten segmentären Ordnung in erstaunlicher Weise erhalten haben. Das zeigt sich zum einen darin, daß die Monarchie des alten Israel im Vergleich mit anderen Ländern des Alten Orients ziemlich schwach geblieben ist, und zum anderen in manchen Besonderheiten wie Rückkaufrechte für Land, Schutzvorschriften für Sklaven, Zinsverbot und milde Behandlung des Diebstahls, die das hebräische Recht als Sonderfall erscheinen lassen, auch wenn es vieles gemeinsam hat mit den anderen altorientalischen Rechten. Mit seinem Zinsverbot hat es über das kanonische Recht großen Einfluß gehabt auf das Zivilrecht des Mittelalters und auf die Entstehung eines modernen Handels- und Gesellschaftsrechts (Rdz. 231, 233, 256, 284).

103. Talmud

Der Talmud ist die umfangreiche Sammlung und Weiterentwicklung der Vorschriften für das religiöse, gesellschaftliche und wirtschaftliche Leben der Juden in der Zeit nach der Bibel. Es besteht aus zwei Teilen, aus Mischna und Gemara. Die Mischna ist der Kern und die Grundlage. Das hebräische Wort bedeutet „Wiederholung". Mischna ist also die gewohnheitsrechtlich erweiterte Wiederholung der alten Gesetze. Ihre Aufzeichnung war um 200 n. Chr. abgeschlossen. In den Akademien Palästinas und Babylons wurde sie dann dreihundert Jahre lang erklärt und kommentiert. Das ist die Gemara. In den Handschriften wurde sie als Randglosse um den Text der Mischna herumgeschrieben. Um 500 n. Chr. war sie fertig.

Das hebräische Recht als Teil dieser jüdischen Enzyklopädie änderte seinen Charakter, weil sich das Leben der Juden nach der Vertreibung veränderte. Es war nicht mehr das Recht eines Bauernvolkes, sondern das von Handwerkern und Händlern. Aber es ist sich auch treu geblieben, immer ein Recht gewesen, das nicht auf der Staatlichkeit ihrer Gesellschaft gründete.

Literatur

91. *S. Herrmann*, Geschichte der Juden in alttestamentlicher Zeit 1973; *Donner*, Geschichte des Volkes Israel und seiner Nachbarn 2 Bde 1984/86 – **92.** *Yaron*, The Evolution of Biblical Law, in: Theodorides u. a. (Herausgeber), La Formazione del diritto nel Vicino Oriente Antico (1988) 77–108; Überblick über neuere Forschung und Literatur: *Otto*, Biblische Rechtsgeschichte, in: Theologische Revue 91 (1995) 283–292 – **93.** *Boecker*, Recht und Gesetz im Alten Testament und im Alten Orient (2. Auflage 1984) 116–165; zum Bundesbuch: *Otto*, Wandel der Rechtsbegründungen in der Gesellschaftsgeschichte des antiken Israel 1988 – **94.** *Neu*, „Israel" vor der Entstehung des Königtums, in: Biblische Zeitschrift Neue Folge 30 (1986) 204–221; *Rüterswörden*, Die Beamten der israelitischen Königszeit 1985 – **95.** *L. Köhler*, Die hebräische Rechtsgemeinde, in: ders. Der hebräische Mensch (1953) 143–171; *Nier*, Rechtsprechung in Israel 1987 – **96.** *Horst*, Das Eigentum nach dem Alten Testament, in: ders. Gottes Recht (1961) 203–211; *Stadler*, Privateigentum in Israel und im Alten Orient, Diss. Mainz 1975, dort S. 92–120 auch zum Erbrecht – **97.** *Boecker*, (Rdz. 93) 93–102 – **98.** *Stadler*, (Rdz. 96) 54–67 – **99.** *Stadler*, (Rdz. 96) 202–213, 266–268; *Boecker*, (Rdz. 93) 136–140 –

100. *Falk*, Hebrew Law in Biblical Times (1964) 92–110 – **101.** *Horst*, Der Diebstahl im Alten Testament, in: ders., Gottes Recht (1961) 167–175; *Jackson*, Theft in Early Jewish Law 1972; *Otto*, Körperverletzungen in den Keilschriftrechten und im Alten Testament 1991; *Phillips*, Ancient Israel's Criminal Law 1970 – **103.** *Herzog*, The Main Institutions of Jewish Law, 2 Bde, 2. Auflage 1965, 1967.

9. Kapitel

GRIECHENLAND

Allgemeine Literatur: *Lipsius*, Das Attische Recht und Rechtsverfahren, 3 Bände 1905/ 1915 (Ndr. 1984); *Jones*, The Law and Legal Theory of the Greeks 1956; *Wolff*, Griechisches Recht, in: Lexikon der Alten Welt (1965) 2516ff.; *Harrison*, The Law of Athens, 2 Bände 1968/71; *MacDowell*, The Law in Classical Athens 1978; *Hansen*, Die Athenische Demokratie im Zeitalter des Demosthenes 1995; *Wolff*, Juristische Gräzistik – Aufgaben, Probleme, Möglichkeiten, in: Symposium 1971 (1975) 1 ff.

104. Geschichte und Wirtschaft

Als in Mesopotamien und Ägypten die Entwicklung von Staat und Recht nahezu abgeschlossen war, um 2000 v. Chr., sind die ersten Griechen in jenes Land eingewandert, das dann ihren Namen erhielt. Stämme, die schon kephal organisiert waren. Ihre Spuren in den mykenischen Palästen zeigen eine kriegerische Gesellschaft. Um die Mitte des zweiten Jahrtausends haben sie das minoische Kreta erobert, das damals noch zum mesopotamisch-ägyptischen Kulturkreis gehörte und einen völlig anderen Eindruck macht, friedlich und heiter. Aber schon um 1200 v. Chr. sind diese mykenischen Griechen mit ihren Palästen wieder verschwunden, absorbiert von einer zweiten Wanderungsbewegung, die man die dorische nennt. Über die nächsten vierhundert Jahre weiß man sehr wenig. Die sogenannten dunklen Jahrhunderte. Städte, aus deren Resten man etwas erfahren könnte, gab es noch nicht. Die Zahl der Bevölkerung scheint stark zurückgegangen zu sein, obwohl sich in dieser Zeit das griechische Volk zu einer gewissen Einheit entwickelt hat. Sie lebten von der Landwirtschaft, mit vielen kleinen Fürsten und einem ziemlich mächtigen Adel.

Im 8. Jahrhundert verändert sich dann plötzlich das Bild. Die Stadt ist entstanden und die griechische Schrift. Die Fürsten sind beseitigt und in den Städten hat der Adel die Macht übernommen. Geld wird geprägt. Wie in Mesopotamien entsteht eine Vielzahl selbständiger Stadtstaaten, aber anders als dort kein übergreifendes Machtzentrum. In den nächsten Jahrhunderten wird auch der Einfluß des Adels allmählich zurückgedrängt, in sozialen Auseinandersetzungen und Krisen, die er nicht mehr richtig im Griff hatte. Der Stadtstaat wird zur Polis mit jeweils mehr oder weniger demokratischer Verfassung, am radikalsten in Athen im 5. und 4. Jahrhundert, der sogenannten klassischen Zeit. Wo die Ursachen für diese erstaunliche Entwicklung liegen, weiß man nicht genau. Im übrigen gibt es viel Krieg. Nachdem sie einmal gemeinsam den Angriff der Perser abgewehrt hatten, im 5. Jahrhundert v. Chr., fallen sie wieder gemeinsam übereinander her, bis zum erstenmal in der zweiten Hälfte des 4. Jahrhunderts eine gewisse politische Einheit entsteht, mit den Eroberungen der nordgriechischen Mazedonierkönige, Philipps und Alexanders des Großen. Aber auch sie zerfällt bald wieder, bis das Land dann im 2. Jahrhundert v. Chr. von den Römern erobert wird.

Die Wirtschaft hatte am Anfang – im 2. Jahrtausend – große Ähnlichkeit mit der von Mesopotamien und Ägypten. Es war eine zentralistische Palastwirtschaft, sowohl im minoischen Kreta, als auch im mykenischen Griechenland. Das ändert sich in den dunklen Jahrhunderten. Allmählich entsteht das, was man heute antike Wirtschaft nennt, in Griechenland und fast zur gleichen Zeit in Rom. Zwar überwiegt im großen und ganzen immer noch die Landwirtschaft, die – im Gegensatz zum Mittelalter – auch aus der Stadt heraus betrieben wird. Aber das Handwerk spielt nun eine größere Rolle und Handel und Fabrikation und Bergbau. Auch die Sklaverei wird allmählich immer wichtiger. Wie man das Ganze ökonomisch auf den Begriff bringen soll, daran rätselt man bis heute herum.

Es gibt mehrere Theorien. Im 19. Jahrhundert sind es die von Wirtschaftshistorikern, die verschiedene Wirtschaftsstufen unterscheiden. Für Karl Rodbertus und Karl Bücher sind es zwei. Danach unterscheidet sich die antike Wirtschaft grundsätzlich von der modernen, besonders der kapitalistischen. Die moderne Wirtschaft sei entstanden aus der Stadtwirtschaft des Mittelalters. Demgegenüber steht die geschlossene Hauswirtschaft der Antike, in der sich der einzelne Haushalt weitgehend selbst versorgt habe, landwirtschaftlich orientiert, ohne übergreifende Handelsbeziehungen. Das Stichwort ist also Hauswirtschaft oder Oikenwirtschaft, von griechisch oikos, das Haus. Anders unterscheidet Karl Marx, nämlich drei Stufen. Antike, mittelalterliche und moderne Wirtschaft. Und zwar als Sklavenhaltergesellschaft, Feudalismus und Kapitalismus. Für ihn ist die Sklaverei das entscheidende Kriterium der antiken Wirtschaft.

Gegen solche Vorstellungen völlig verschiedener Wirtschaftsstufen wandten sich dann die Althistoriker. Theodor Mommsen, Eduard Meyer und Michail Rostovtzeff. Für sie war die antike Wirtschaft der modernen sehr ähnlich, ein antiker Kapitalismus, in dem das Geld schon die entscheidende Rolle spielt und hier wie dort Industrie vorhanden ist, Welthandel und Kampf um Märkte.

Heute betont man wieder mehr die Unterschiede, im Anschluß an Max Weber, für den sie darin liegen, daß die antike Wirtschaft in die politischen Institutionen eingebunden ist, während in der Neuzeit die politischen Institutionen von der Wirtschaft bestimmt werden. Es beginne in der mittelalterlichen Stadt. In ihr hat der Handwerker seine politischen

Rechte als Bürger, weil er einer Zunft angehört, also eine bestimmte Arbeit verrichtet. Die mittelalterliche Stadt ist von der Ökonomie her bestimmt. Anders die griechische. Die antike Stadt ist nicht eine Gemeinde von Produzenten, sondern von Kriegern. Ein Handwerker ist in ihr nicht Bürger, weil er Handwerker ist, sondern weil er als der Sohn eines Bürgers geboren wurde. Das ist Max Webers „Theorie von der Integration der Wirtschaft in die Politik" für die Antike. Erst in der Neuzeit habe sich diese „integrierte" Wirtschaft verselbständigt, sei autonom geworden. Mit Einschränkungen und Ergänzungen ist diese Theorie nach dem letzten Krieg von vielen Althistorikern übernommen worden, von Moses Finley, Austin und Vidal-Naquet, und sogar von dem italienischen Marxisten Francesco de Martino. Auch in der marxistischen Literatur der letzten Zeit ist man nämlich zu dem Ergebnis gekommen, daß Karl Marx die Bedeutung der Sklaverei für die antike Wirtschaft überschätzt habe. Nur für die römische Wirtschaft der Zeit vom 3. Jahrhundert vor Christus bis zum 3. Jahrhundert nach Christus habe er im wesentlichen Recht gehabt, meint de Martino.

Mit der Theorie der Integration der Wirtschaft in die Politik ist natürlich noch lange nicht alles erklärt. Ganz abgesehen davon, daß sie nicht allgemein akzeptiert ist. Auch wenn sie richtig ist, was man wohl annehmen kann, wird man für verschiedene Zeitabschnitte genauer unterscheiden müssen. Am Anfang sehen wir die minoische und mykenische Palastwirtschaft, danach die Hauswirtschaft der ersten Jahrhunderte des ersten Jahrtausends. Die sich allerdings von der in vorstaatlichen Gesellschaften dadurch unterscheidet, daß es bald Privateigentum am Land gibt. Die dann entstehende Geldwirtschaft unterscheidet sich vom Kapitalismus auch ganz entscheidend dadurch, daß sie nicht mit dem Einsatz von Maschinen verbunden ist, die in der antiken Ökonomie nur eine untergeordnete Rolle spielen. Es gab keinen technischen Fortschritt. In der römischen Zeit kommt dann die Sklavenwirtschaft, die schließlich in der Spätantike abgelöst wird durch die Bildung großer herrschaftlicher Domänen, die sich fast selbst versorgen. Eine Form des Übergangs ins Mittelalter. Aber das Bild ist heute noch unvollständig. In der Forschung der nächsten Zeit wird es vielleicht deutlicher werden.

105. Quellen und Probleme

Im Gegensatz zu Mesopotamien und Ägypten und auch im Gegensatz zu den Römern gibt es in Griechenland kein einheitliches Recht, sondern nur eine größere Zahl verschiedener Rechtsordnungen der einzelnen Stadtstaaten. Mit anderen Worten, es gibt nur Partikularrechte. Sie haben aber typische Gemeinsamkeiten, die es dann doch rechtfertigen, vom griechischen Recht als einer Einheit zu sprechen. Die Überlieferung ist schlecht. Ein deutlicheres Bild gibt es nur für zwei Stadtrechte, nämlich von Athen im 5. und 4. Jahrhundert v. Chr. und vom Recht der Stadt

Gortyn, im Süden Kretas, das uns ziemlich vollständig auf einer Inschrift des 5. Jahrhunderts v. Chr. überliefert ist. Athen kennt man am besten. Deshalb wird im folgenden sein Recht beschrieben, das Recht der Athener, wie es sich für die klassische Zeit – von Perikles bis Demosthenes – rekonstruieren läßt. Als repräsentatives Beispiel, von dem die anderen aber in Einzelheiten zum Teil erheblich abweichen.

Wichtigste Quelle dafür sind etwa einhundert Gerichtsreden, von Lysias, Isokrates, Isaios, Aischines, Demosthenes und anderen. Man muß sie sehr vorsichtig auswerten, denn sie sind parteilich geschrieben, aus der Sicht von Kläger und Beklagtem, Ankläger oder Angeklagtem. Auch wissen wir nur selten, wie vom Gericht entschieden wurde. Außerdem gibt es noch andere literarische Quellen, Tragödien und Komödien, Platon und Aristoteles. Schließlich Inschriften, mit Urkunden und Gesetzen. Was fehlt, sind Schriften von Juristen. Denn es gab in Griechenland keine Juristen, anders als in Rom, aus Gründen, die noch zu beschreiben sind (Rdz. 109, 125). Deswegen kennen wir das griechische Recht auch nicht so gut wie das römische.

106. Athen

Irgendwann in den dunklen Jahrhunderten hat sich die Halbinsel Attika zu einer politischen Einheit zusammengeschlossen, ein für griechische Verhältnisse ungewöhnlich großes Gebiet von 2 500 Quadratkilometern, so groß wie das Saarland. Die anderen Städte hatten ihre Selbständigkeit aufgegeben und man nannte sich nach dem Hauptort, Athen. Allerdings nicht mit territorialer Bezeichnung. Man nannte sich „die Athener". Denn die griechische Polis war in erster Linie eine Gemeinschaft von Bürgern, die sich nicht territorial verstand, wie ein moderner Staat, sondern personalistisch. Ein Überbleibsel aus der alten segmentären Ordnung von Stämmen (Phylen) und Verwandtschaftsgruppen (Phratrien).

Wie überall in Griechenland gab es zunächst eine Herrschaft des Adels, der alten Geschlechter. Und wie überall gab es soziale Spannungen, die wohl mit der Entstehung der Geldwirtschaft im 7. Jahrhundert zu tun hatten. Die erste Krise soll von Drakon gelöst worden sein, mit seinen Gesetzen um 620 v. Chr. Es ist aber nicht sicher, ob es ihn wirklich gegeben hat. Jedenfalls spitzte sich die Situation bald wieder zu. Solon wurde als Schiedsrichter eingesetzt, um zwischen Adel und Volk zu vermitteln. Seine Gesetze von 594/93 waren eine politische Reform, die den Machtzerfall des Adels einleitete. Dieser Machtzerfall setzte sich in den nächsten einhundertfünfzig Jahren kontinuierlich fort. Nach dem erfolgreichen Krieg gegen die Perser, den die Athener organisiert hatten, entstand dann zur Zeit des Perikles eine radikale Demokratie, wie sie es in der Weltgeschichte später nicht mehr gegeben hat. Wenn man die völlige Rechtlosigkeit der Frauen und die große Zahl von Sklaven beiseite läßt. Das war im Jahre 462 v. Chr. Damit beginnt die klassische Zeit. Sie endet einhundertvierzig Jahre später, 322, mit dem Einzug einer mazedonischen Besatzung, im gleichen Jahr, in dem sich Demosthenes das Leben genommen hat, der Kopf der antimazedonischen Partei, der als der letzte große Verteidiger der Polis und ihrer demokratischen Freiheit gilt. In diesen einhundertvierzig Jahren haben die Athener die meisten ihrer kulturellen Leistungen vollbracht. In dieser Zeit schrieb Sophokles und Euripides, Aristophanes, Thukydides, Platon und Aristoteles. Damals ist die Akropolis in ihrer klassischen Form entstanden, mit Parthenon und Propyläen und mit den Plastiken des Phidias und Praxitiles. In dieser Zeit haben die Athener zwar den peleponnesischen Krieg gegen die Spartaner verloren. Und danach wurde die demokratische Verfassung für kurze Zeit durch eine Oligarchenherrschaft von Spartas Gnaden abgelöst, dann wieder fortgesetzt.

107. Gesetze des Drakon und Solon

Um 600 v. Chr. finden wir auch anderswo in Griechenland schriftliche Gesetze, für die einzelne Gesetzgeber genannt werden, die in den politischen Konflikten zwischen Adel und Bürgerschaft als Vermittler aufgetreten sind (Aisymnetes, diallaktetes). In Sparta war es Lykurg. Für Mytilene auf Lesbos wird Pittakos genannt. Und in Athen waren es Drakon und Solon. Auch das Stadtrecht von Gortyn aus der Mitte des 5. Jahrhunderts gehört wohl noch dazu. Diese Gesetzgebungen werden nicht nur die Aufgabe gehabt haben, neue Regelungen einzuführen. Wahrscheinlich sollten sie in erster Linie der Rechtssicherheit dienen. Die Macht des Adels sollte zurückgedrängt werden, dessen Rechtsprechung man als willkürlich empfand, zumal er wohl wie die römischen Patrizier die Regeln geheim hielt, nach denen er in seinen Gerichten entschied. Die schriftliche Fixierung des bisher ungeschriebenen Gewohnheitsrechts hatte also die gleiche Funktion wie das römische Zwölftafelgesetz: Veröffentlichung von Recht.

Über Drakons Gesetze weiß man wenig sicheres. Von Strafen wird berichtet, die hart gewesen sein sollen, drakonisch eben. Meistens die Todesstrafe, auch für einfache Vergehen wie Faulheit oder Felddiebstahl. Drakon soll gesagt haben, seiner Meinung nach sei das die richtige Strafe dafür. Bei den schweren Verbrechen sei ihm dann keine härtere mehr eingefallen. Deshalb müsse alles gleich bestraft werden, schreibt Plutarch (Solon 17.4). Eine der Bestimmungen ist auf einer Inschrift überliefert, die man 1843 in Athen gefunden hat. Es geht um das Verfahren und die Bestrafung der Tötung. Anklagen müssen nahe Verwandte, die genau bezeichnet werden. Sind sie sich alle einig, soll der Täter bei unvorsätzlicher Tötung ohne Strafe bleiben (aidesis, Verzeihung). Sonst muß er in die Verbannung. Bei vorsätzlichem Handeln konnte er auch mit dem Tod bestraft werden. Wenn er während des Verfahrens getötet wird, obwohl er Märkte und andere Stellen meidet, die er als Angeklagter nicht betreten darf, dann ist das ein Mord, der genauso bestraft wird, wie wenn man irgendeinen anderen Athener getötet hat. In der Überschrift heißt es, die Beamten des Jahres 409 v. Chr. seien vom Rat und der Volksversammlung der Athener beauftragt worden, dieses Gesetz des Drakon über Tötungen zu veröffentlichen. Das war immerhin zweihundert Jahre später. Die Athener sind damals zwar der Meinung gewesen, daß dieses Gesetz von ihm erlassen worden sei. Aber heute gibt es einige Historiker, die daran zweifeln, ob es wirklich von ihm stammt.

Im „Staat der Athener" gibt Aristoteles einen ausführlichen Bericht über die Gesetzgebung des Solon. Ihr Kernstück beschreibt er in § 9:

> Das wichtigste für das Volk scheinen folgende drei Regelungen zu sein: Erstens und von allergrößter Bedeutung das Verbot von Darlehen mit Verpfändung der Person des Schuldners. Zweitens die Möglichkeit für jedermann, Anklage wegen Verbrechen zu erheben. Und drittens das, von dem man sagt, es habe die Macht des Volkes am meisten gestärkt, nämlich das Recht der Appellation an die Volksversammlung.

Die Appellation an die Volksversammlung war möglich gegen Entscheidungen von Oberbeamten, die damals als Richter in solchen Fällen entschieden, die nicht so wichtig waren, daß sie vor dem Areopag kamen. Der urteilte zur Hauptsache in Mordprozessen. Die Oberbeamten – Archonten – kamen damals nur aus den Reihen des Adels. Dessen Macht wurde dadurch also entscheidend gebrochen. Übrigens auch durch die zweite Regelung. Denn auch die Möglichkeit der Anklage lag bis dahin in der Hand der alten Geschlechter. Solon hat also einen Ausgleich versucht, sagt es selbst in einem seiner vielen Gedichte, zitiert von Aristoteles in § 12:

> Rechte verlieh ich dem Volke genau in dem richtigen Maße, nahm ihm an Ansehen nichts, reichte zuviel ihm nicht dar. Auch den Großen des Landes, die Macht und Reichtum besaßen schrieb ich ein neues Gesetz: keinen Besitz ohne Recht. Mit dem festesten Schild beschützte ich beide Parteien. Keinem ließ ich im Kampf die Oberhand gegen das Recht.

Im übrigen hat er noch manches im Familien- und Erbrecht geändert, den Verkauf der eigenen Kinder verboten und die Adoption eingeführt, um die Erbschaft für Außenstehende zu ermöglichen. Mit einer grundlegenden Währungsreform und der Verbesserung der Maße und Gewichte hat er einen großen wirtschaftlichen Aufschwung eingeleitet. Ohne Zweifel eine umfangreiche Gesetzgebung. Aber nicht so umfassend, wie man später meinte. Im vierten Jahrhundert ist es immer Solon gewesen, der genannt wird, wenn vom Recht in Athen die Rede war. Deshalb kann man heute nicht leicht herausfinden, was denn wirklich von ihm stammt.

108. Die Verfassung von Athen in klassischer Zeit

Ihren großen Sieg über die Perser feierten die Athener 480 v. Chr. Die Seeschlacht bei Salamis. Die Flotte hatte den Krieg entschieden. Der attische Seebund entstand. Und der Mann, der daran entscheidenden Anteil hatte, Themistokles, war damit auch Wegbereiter der radikalen Demokratie. Denn die Flotte rekrutierte sich aus der großen Zahl der Armen. Der Adel stützte sich auf das Militär, das zu Lande kämpfte. Einige Zeit danach setzte Themistokles durch, daß die Archonten nicht mehr durch Wahl bestimmt wurden, sondern durch das Losverfahren. Eine weitere Schwächung des Adels. Und dann kam 462 v. Chr. der Durchbruch, nach dem Scheitern einer militärischen Operation auf dem Land. Ephialtes und Perikles standen nun an der Spitze der demokratischen Bewegung, die dem Areopag, dem Machtzentrum des Adels, die politischen Rechte nahm und sie auf die Volksversammlung übertrug. Seitdem war der Areopag nur noch ein einfaches Gericht in Blutsachen, mit einem großen Namen.

Aristoteles hat in seiner „Politik" die Kriterien genannt, an denen man eine radikaldemokratische Verfassung erkennen könne. Entscheidend sei das Verfahren bei der Besetzung wichtiger politischer Posten. In der älteren Form der Demokratie wurden bestimmte Bewerber vom Volk gewählt. In der radikalen Demokratie werden unbestimmte Personen durch das Los bestimmt und dürfen das Amt auch nur einmal besetzen. Losverfahren und Rotationsprinzip, das ist es, womit man die Entstehung von Machtpositionen verhindern kann. Aristoteles, Politik, 6. Buch (1317a 40 – 1317b 29):

> Grundlage der demokratischen Staatsform ist die Freiheit. Man pflegt nämlich zu behaupten, daß die Menschen nur in dieser Staatsform an der Freiheit teilhaben und man sagt, jede Demokratie würde danach streben. Und zur Freiheit gehört erstens, daß man abwechselnd regiert und regiert wird ... Zweitens gehört dazu, daß man leben kann, wie man will. Sie sagen, dies eben sei die Leistung der Demokratie. Nicht zu leben, wie man wolle, sei charakteristisch für Sklaven. Das ist also die zweite Eigenschaft der Demokratie. Von da her kommt denn, daß man sich nicht regieren läßt, am besten von überhaupt niemandem, oder dann doch nur abwechslungsweise. Auch dies trägt also zur Freiheit im Sinne der Gleichheit bei.
>
> Da nun dies vorausgesetzt wird und dies die Regierungsform ist, so ergibt sich das Folgende als demokratisch: alle Ämter werden von

> allen besetzt, alle herrschen über jeden und jeder abwechslungsweise über alle. Ferner werden die Ämter durchs Los besetzt, entweder alle oder doch jene, die nicht der Erfahrung und Kenntnisse bedürfen. Von der Vermögenseinschätzung hängen die Ämter entweder überhaupt nicht oder nur zu einem minimalen Grade ab. Keiner kann ein Amt zweimal bekleiden, oder es darf nur wenige Male in wenigen Fällen geschehen, abgesehen von den Kriegsämtern. Die Ämter sind alle kurzfristig, oder doch alle, bei denen es möglich ist. Richter sind alle, jeder kann es werden und sie richten über alles oder doch über das meiste, Größte und Bedeutendste, wie über Rechenschaftssachen, Verfassungsfragen und private Streitigkeiten. Die Volksversammlung entscheidet über alles, die Behörden dagegen über nichts oder nur ganz weniges.

In Einzelheiten gibt es Unterschiede. Die Verfassungsstruktur der zweiten Hälfte des 5. Jahrhunderts ist etwas radikaler als die des 4. Jahrhunderts. Nach der Katastrophe des peloponnesischen Krieges ging man über zu einer etwas gemäßigteren Form. Sie allein wird hier beschrieben. Das Zeitalter des Demosthenes.

Verfassungsorgane waren die Volksversammlung (ekklesia), der Rat der Fünfhundert (boulé), die Archonten, die gesetzgebende Versammlung (nomothetai) und die Gerichte (dikasteria).

Die Volksversammlung tagte am Pnyx, einem Hügel westlich der Akropolis. Alle erwachsenen Männer mit Bürgerrecht sollten teilnehmen. Man traf sich dreißig- bis vierzigmal im Jahr, regelmäßig etwa 6000, ein Viertel bis ein Drittel der männlichen Bürger Athens, die dafür Diätenzahlungen erhielten, erst eine Obole, schließlich drei, was etwa einem halben Tageslohn entsprach und angemessen war, weil die Sitzungen normalerweise nur einen halben Tag dauerten. Im 5. Jahrhundert hatte die Volksversammlung auch alle Gesetze beschlossen, eine Kompetenz, die in der Neuordnung der Zeit um 400 v. Chr. auf die Nomotheten übergegangen war. Man unterschied nun zwischen Gesetzen (nomoi) und Beschlüssen (psephismata). Für Gesetze waren die Nomotheten zuständig. Die Volksversammlung beschloß nur noch über wichtige Einzelmaßnahmen. Sie war nun eher eine Art oberstes Exekutivorgan, das über Außenpolitik und Krieg und Frieden bestimmte, Bündnisse, Bürgerrechtsverleihungen und wichtige Verwaltungsakte beschloß und außerdem die wenigen Beamten wählte, die nicht durch das Los bestimmt wurden: Generäle, Admiräle und die obersten Finanzbeamten. Unter einem Feldherrn kämpfen, der ausgelost worden war, das wollten die Athener dann doch nicht.

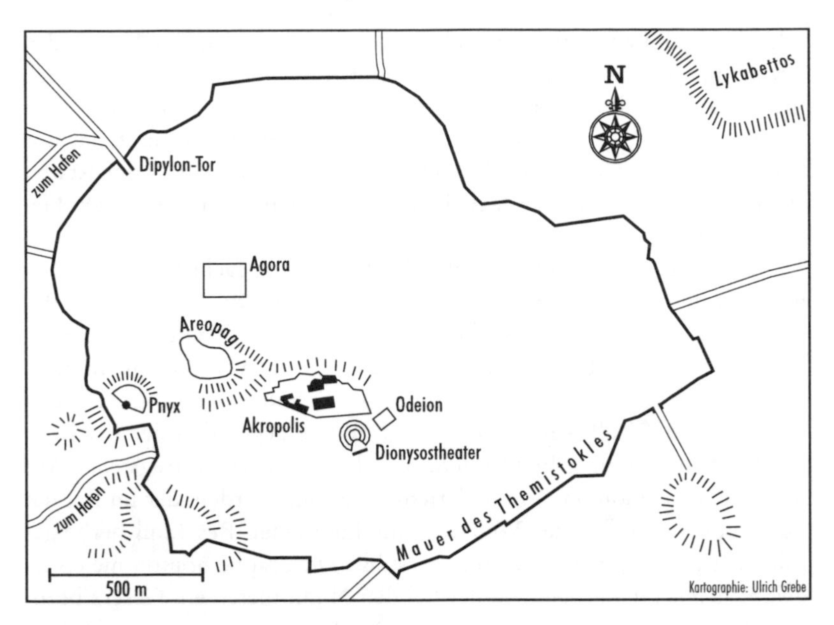

Abbildung 6: Athen in klassischer Zeit

Wichtigstes Regierungsorgan neben der Volksversammlung war der Rat der Fünfhundert, der eigentliche Nachfolger des alten Aeropag, dessen Regierungsaufgaben er übernommen hatte, während die Rechtsprechung weitgehend auf die anderen Gerichte übergegangen war. Je fünfzig Bürger aus den zehn Verwaltungsbezirken (Phylen) wurden jährlich durch das Los bestimmt. Fast täglich trat er zusammen, im Bouleuterion auf der Westseite der Agora, und war zuständig für die wichtigsten Geschäfte der laufenden Verwaltung, überwachte sämtliche Beamten, auch die Finanzen, und bereitete die Sitzungen der Volksversammlung vor, die nur beschließen durfte, wenn die Sache im Rat der Fünfhundert vorbehandelt war.

Auch die Archonten wurden im Losverfahren benannt. Die neun obersten Beamten. Früher hatten sie sehr große Macht. Jetzt war ihre wichtigste Aufgabe, die Sitzungen der Gerichte vorzubereiten, einzuberufen und zu leiten. Daneben hatten sie das Recht, in ihrem Verwaltungsbereich für geringere Vergehen selbständig eine Geldbuße (epibolé) zu verhängen, bis zu fünfzig Drachmen. Das war keine geringe Summe, nicht zu vergleichen mit den Strafzetteln unserer Polizei im Straßenverkehr.

Gesetzgebende und rechtsprechende Gewalt waren in gewisser Weise eine Einheit. Gesetze wurden erlassen in einer Versammlung von 500 oder – je nach Bedeutung der Sache – von 1 000 Nomotheten. Sie wurden jeweils aus derselben Zahl von 6 000 Geschworenen ausgelost, die jährlich für die Bildung der Gerichte vorgesehen waren. Dafür mußte man über dreißig Jahre alt sein, wurde in seinem Verwaltungsbezirk durch das Los bestimmt, legte dann einen Richtereid ab und erhielt ein Namenstäfelchen, mit dem man an den täglichen Auslosungen für die einzelnen Gerichte teilnahm.

Ein wichtiger Mechanismus zur Kontrolle von Macht war im 5. Jahrhundert der Ostrakismus, das Scherbengericht. Mit ihm konnte das männliche Volk darüber beschließen, ob ein Politiker das Land für zehn Jahre verlassen mußte. Im 4. Jahrhundert wurde das Verfahren nicht mehr angewendet. An seine Stelle traten zwei andere, eins gegen den Mißbrauch der Volksversammlung, das andere gegen den der gesetzgebenden Versammlung. Es waren Strafverfahren gegen Antragsteller. Mit der graphé paranomon konnte derjenige verfolgt werden, der im Rat der Fünfhundert oder in der Volksversammlung einen Beschluß herbeigeführt hatte, der gegen ein Gesetz verstößt. Die graphé nomon me epitedeion theinei ging gegen den, der bei den Nomotheten ein Gesetz beantragt hatte, das „unzweckmäßig" war. Darüber wurde vor einem Strafgericht verhandelt. Gerichte hatten also das letzte Wort über Beschlüsse der Volksversammlung und die Gesetze der Nomotheten. Denn ähnlich wie bei Entscheidungen unseres Bundesverfassungsgerichts hatte eine Verurteilung die Folge, daß der entsprechende Beschluß der Volksversammlung oder das Gesetz unwirksam war.

Alles in allem also eine erstaunliche Verfassung, überhaupt nicht vergleichbar mit der von Rom, wo trotz demokratischer Formen letztlich doch immer der Adel herrschte. Die Athener hatten eine Demokratie, die dem Willen der – männlichen – Mehrheit viel größeres Gewicht gab als unser Grundgesetz. Wir haben nur eine mittelbare Beteiligung der Bürger an der Staatsgewalt, durch Wahlen. Das hat die Entstehung von Herrschaftseliten zur Folge, die in Einzelfällen – im Parlament, in der Regierung oder einem Gericht – durchaus gegen den Willen der Mehrheit entscheiden können. In Athen war so etwas nicht möglich. Auch im Gericht saßen normalerweise fünfhundert durch das Los bestimmte Bürger, die völlig dem Durchschnitt entsprachen. Aber, wie bemerkt, zwei Drittel der Menschen waren ausgeschlossen. Die Frauen und die Sklaven. Ob man heute im Rückblick die athenische Verfassung als radikale Demokratie ansehen würde, wenn es umgekehrt gewesen wäre? Also zum Beispiel die Frauen mit den Rechten der Männer und diese so rechtlos, wie die Frauen es damals waren?

109. Prozeßrecht

Athen war eine Stadt von Richtern. Fast immer tagten irgendwo riesige Gerichtshöfe, im Odeion, in der Heliaia, im Metiokeion oder in der Stoa

Poikile. Im Strafverfahren waren es normalerweise 500 Richter, bei Privatstreitigkeiten 200 bis 400. Kein anderes Volk wird dafür jemals wieder soviel Zeit geopfert haben. Die 6000 Geschworenen erschienen morgens auf der Agora und wurden von den Archonten auf die einzelnen Gerichte verteilt. Durch das Los. Dafür gab es raffinierte Richterlosmaschinen (kleroteria), in die die Namenstäfelchen (pinakia) der Richter eingesteckt wurden. Diejenigen, die ausgelost waren, erhielten für diesen Tag Diäten.

Im Strafverfahren konnte jedermann anklagen, beim zuständigen Archonten, mußte aber tausend Drachmen Strafe zahlen, wenn er für seine Anklage weniger als ein Fünftel der Stimmen erhielt. In privatrechtlichen Streitigkeiten hatte der Kläger den Beklagten zum Kollegium der Vierzig (hoi tetterakonta) zu laden, das in Vierergruppen tagte. Eine Gruppe für jeden der zehn Verwaltungsbezirke (Phylen). Bei einem Streitwert unter zehn Drachmen entschieden sie selbst. Sonst verwiesen sie erst einmal an einen öffentlichen Schiedsrichter (diaitetes). Gegen sein Urteil war Berufung möglich zum Gericht, das vom Kollegium der Vierzig einberufen wurde. Klagen mit einem Streitwert unter 1000 Drachmen kamen vor ein Gericht von 200 Richtern. Lag der Streitwert darüber, dann waren es 400.

Eine Anklage im Strafrecht wurde graphé genannt (Schrift, Anklageschrift). In Einzelfällen gab es besondere Verfahren, z. B. die Probolé, bei der zuerst die Volksversammlung die Anklage vorzuberaten hatte, und die Eisangelia, die für den Ankläger gefahrlos war, er also nicht die tausend Drachmen zahlen mußte, wenn er weniger als ein Fünftel der Stimmen erhielt. Die Klage im Privatrecht hieß dike (Recht, Rechtssache). Ankläger und Angeklagter, Kläger und Beklagter hatten für ihre Argumentation feste Zeiten zur Verfügung, in wiederholter Rede und Gegenrede, die mit einer Wasseruhr gemessen wurden. Gesetzliche Bestimmungen, auf die man sich berief, mußte man selbst vortragen. Wer dabei falsch zitierte, machte sich strafbar. Man mußte selbst auftreten und reden, konnte sich nicht durch einen Anwalt vertreten lassen. Allerdings war es möglich, daß man sich seinen Vortrag von einem anderen schreiben ließ und ihn dann entweder vorlas oder – wohl meistens – auswendig lernte. So sind die Reden von Lysias und Isokrates, von Isaios und Aischines und Demosthenes entstanden. Beweismittel, Urkunden und Zeugenaussagen und die Aussagen gefolterter Sklaven, wurden vorgelesen, innerhalb der zur Verfügung stehenden Zeit. Waren die Vorträge fertig, wurde vom Gericht nicht mehr beraten. Es wurde gleich abgestimmt. Dafür hatten die Richter vorher zwei Stimmsteine erhalten (psephoi). Im 4. Jahrhundert waren es kleine Bronzescheiben, eine durchbohrte für die Verurteilung, eine massive für die Abweisung von Anklage oder Klage. Im Gericht standen zwei Amphoren, eine aus Kupfer, eine aus Holz. Die kupferne war für die Abstimmung, die hölzerne für den Stein, den man dabei nicht gebraucht hatte. Die Parteien sahen zu. Die Richter nahmen die Steine so in die Hand, daß man nicht erkennen konnte, wie der einzelne abstimmte, und warfen den gültigen in die kupferne Amphore, den anderen in die hölzerne. Alles anschaulich beschrieben von Aristoteles am Ende seiner Schrift über den „Staat der Athener“, § 68:

> Wenn alle ihre Stimme abgegeben haben, nehmen Gerichtsdiener die Kupferamphore mit den gültigen Stimmen und leeren sie auf einem Rechentisch, der so viele vertiefte Löcher hat, wie es Stimmsteine gibt. Dies, damit sie leichter gezählt werden und die Parteien die durchbohrten und die vollen besser unterscheiden können. Einige der Richter, die vorher ausgelost worden waren, zählen sie nun auf dem Rechentisch aus, getrennt nach durchbohrten und vollen, und dann verkündet der Ausrufer des Gerichts die Zahl der Stimmen für Ankläger und Angeklagten. Wer am meisten hat, der hat gewonnen. Bei Stimmengleichheit gewinnt der Angeklagte.

Bei prozessualen Einwänden gab es ein zusätzliches Verfahren, diamartyria oder paragraphé. In der diamartyria ging es um Zeugenaussagen, die einem Beamten möglich machen sollten zu erkennen, ob er für dieses Verfahren zuständig war oder nicht. Der eine oder andere griff einen Zeugen an, er habe eine falsche Aussage gemacht. Die zweite Möglichkeit war, nicht ein Verfahren gegen einen Zeugen, sondern gegen den Kläger oder Ankläger einzuleiten mit der Begründung, er habe in einer Weise geklagt oder angeklagt, die vom Recht nicht zugelassen ist. Paragraphé heißt Gegenschrift, Gegenklage. Die Rollen wurden vertauscht, der Ankläger zum Angeklagten, der Kläger zum Beklagten und der ursprüngliche Prozeß solange ausgesetzt, bis über die Paragraphé entschieden war.

Die Vollstreckung von Strafen war Sache des Beamtenkollegiums der Elfmänner (hoi endeka). Sie waren auch für das Untersuchungsgefängnis zuständig. Für die Todesstrafe gab es einen Scharfrichter (demios), der unter ihrer Aufsicht stand. Privatrechtliche Urteile wurden im Wege der alten Selbsthilfe vollstreckt. Dabei war nur der Zugriff auf das Vermögen des Schuldners erlaubt (Realexekution), nicht der auf seine Person (Personalexekution). Widerstand gegen diese berechtigte Selbsthilfe führte zu einer – zweiten – deliktischen Klage auf das Doppelte, zur dike exoules.

110. Strafrecht

Zu Solons Zeiten gab es wenig Strafrecht und es war milde. Er hatte alle Gesetze des Drakon aufgehoben und nur dessen Regelung von Mord und Totschlag bestehen gelassen (Rdz. 107). Auf Solon geht wohl die Anklage wegen Verfassungsumsturz zurück (katalysis ton demon), das Verbot der Rückkehr zur Tyrannis. Sie war mit der Atimie bedroht, der Rechtloserklärung, die den Verurteilten zum outlaw machte und ihn ins Exil zwang. Sonst gibt es überwiegend nur Geldstrafen.

Im 4. Jahrhundert ändert sich das Bild. Das Strafrecht hat sich ausgedehnt und ist härter geworden. Sehr viel häufiger als bei Solon gibt es die Todesstrafe, zum Beispiel auch für Kuppelei, die bei Solon mit Geldstrafe geahndet wurde. Und die alten Straftatbestände werden ausgeweitet, zum Beispiel die Gotteslästerung (asebeia). Früher ging es nur um die Störung religiöser Feste. Dann wurden andere Handlungen bestraft, also etwa der Hermenfrevel von 415 v. Chr. Aber immer waren es nur Störungen und Tätlichkeiten. Schließlich, seit einem Gesetz von 430 v. Chr. wurde allgemein die Gottlosigkeit verfolgt, die sich nun überall breit machte. Nun ging es um Worte und Gedanken. Die Sophisten Anaxagoras und Protagoras wurden verurteilt und 399 v. Chr. Sokrates. Die beiden anderen wurden in die Verbannung geschickt. Das Todesurteil gegen Sokrates war mit seiner Strafe untypisch für ein Asebieverfahren (Rdz. 111).

Das politische Strafrecht weitet sich aus. Zum Verfassungsumsturz ist der Landesverrat dazugekommen (prodosis) und der Volksbetrug (apaté ton demon). Unter Volksbetrug verstand man Versprechungen vor der Volksversammlung, die dann nicht eingehalten wurden. Bekanntester Fall ist der des Miltiades, der sich für sein Unternehmen gegen Paros mit einer Flotte ausrüsten ließ, scheiterte und den versprochenen Gewinn nicht brachte. Zu 50 Talenten wurde er verurteilt, was eine riesige Summe war. Die Tatbestände waren unbestimmt, ebenso die Strafen. Es ging um Verbannung oder Tod, oder eben um 50 Talente. Auch die graphé paranomon gehört hierher und die graphé nomon me epitedeion theinei (Rdz. 108).

Im kriminellen Bereich war die gefährliche Körperverletzung dazugekommen (trauma ek pronoias), die mit Verbannung und Vermögenskonfiskation bestraft werden konnte, und Hybris und Kakosis. Kakosis war die grobe Verletzung von Fürsorgepflichten gegenüber Angehörigen. Bei der Hybris ging es einerseits um die Verletzung von Personen in überheblicher und beleidigender Absicht, aber in erster Linie um öffentliche Ordnung. Heute würde man das vielleicht als Rowdytum bezeichnen. Das Gesetz stammt aus der zweiten Hälfte des 5. Jahrhunderts. Es war sogar die Todesstrafe möglich. Geldstrafen gingen in voller Höhe an den Staat, nicht an die, die belästigt worden waren. Das zweigt sehr deutlich den öffentlichen Charakter dieses Delikts. Die Belästigten konnten daneben natürlich noch privatrechtlich klagen. Ein Beispiel aus der Rede des Demosthenes gegen Konon (54.8–9):

> Als wir ankamen, griff einer von ihnen, den ich nicht kannte, den Phanostratos an und hielt ihn zurück, während Konon, sein Sohn und der Sohn des Andromenes auf mich losgingen. Erst zogen sie mich aus, stellten mir ein Bein, brachten mich zu Fall und rissen mich in den Dreck, sprangen auf mir herum, ließen an mir ihre Hy-

> bris aus und richteten mich so zu, daß meine Lippen aufgeschlagen waren und ich meine Augen nicht mehr öffnen konnte. So ließen sie mich zurück. Ich konnte weder aufstehen noch einen Laut von mir geben. Als ich da so lag, hörte ich, wie sie einen Haufen fürchterlicher Sachen redeten. Das meiste war ordinär und vieles kann man hier gar nicht wiedergeben. Aber ich will euch das erzählen, was Konons Hybris zeigt und daß das alles sein Werk war: Er krähte wie ein Hahn, der einen Kampf gewonnen hat, und die anderen sagten ihm, er solle sich doch mit seinen Ellenbogen in die Rippen schlagen, wie mit Flügeln.

Der Überfall hatte auf offenem Markt stattgefunden, abends, und mit dem Gekrähe des Konon war das ein typischer Fall von Hybris. Trotzdem ging die Klage nur um Körperverletzung (dike aikias), vielleicht weil das Krähen nicht bewiesen werden konnte.

Das Sexualstrafrecht war wenig ausgebildet. Es gab die Anklage wegen Kuppelei (graphé proagogeias) und wegen Ehebruchs (graphé moicheias). Kuppelei war auch die unentgeltliche Vermittlung junger Männer an männliche Liebhaber, während die Homosexualität als solche nicht strafbar gewesen ist. Vergewaltigung und Ehebruch gehörten an sich ins Privatrecht, nicht in das Strafrecht. Sie waren private Verletzungen von privaten Rechten desjenigen Mannes, zu dem die Frau gehörte, also ihres Vater, Vormunds oder Ehemannes. Bei Ehebruch war allerdings auch eine öffentliche Anklage möglich, die jedermann erheben konnte. Der Strafrahmen dafür ist nicht genau bekannt.

Auch der Diebstahl (klopé) wurde nicht strafrechtlich verfolgt. Nur bei Tempelraub (hierosylia) oder Entwendung anderer öffentlicher Sachen gab es ein Strafverfahren. Technisch gesprochen: Es hat keine graphé klopes gegeben, wie man in der rechtshistorischen Forschung bis vor kurzem annahm. Es gab nur eine dike klopes. Diebstahl war die private Verletzung von privatem Eigentum und gehörte in das Privatstrafrecht.

III. Der Prozeß gegen Sokrates

Am Ende des peleponnesischen Krieges, nach der Niederlage gegen Sparta, wurde in Athen die religiöse und politische Ordnung von den Sophisten in Frage gestellt, von Protagoras sogar die Existenz der Götter überhaupt. Sokrates hatte so etwas nie gesagt, wurde aber von vielen zu dieser Gruppe gezählt, obwohl er eher ihr Gegner war, ein Konservativer. Allerdings wollte er eine neue Moral begründen, auf rationalen Wegen, und kam dadurch ebenfalls in Konflikt mit der traditionalen Haltung der Athener. Heute ist daraus seit langem europäisches Denken geworden. Damals war es ein Bruch, den viele als bedrohlich empfanden. Er war eine auffallende Erscheinung, stadtbekannt, der die Jüngeren faszinierte. Deshalb entsprach es dem Gefühl einer großen Menge, als Meletos – ein junger, unbekannter und unerfahrener Ankläger – gegen ihn den Vorwurf erhob, er würde die Jugend verderben. Es war dieselbe Anklage wie gegen Protagoras, eine Anklage wegen Gotteslästerung, Asebie (Rdz. 110).

An einem Vormittag im April des Jahres 399 v. Chr. tagte das Gericht von 500 Männern, wahrscheinlich in der Heliaia, dem allgemeinen Gerichtsgebäude am südlichen Rand der Agora. Neben dem Archonten in der Mitte des offenen Raumes saßen Meletos, zwei andere Ankläger und Sokrates als Angeklagter, siebzig Jahre alt. Seine Verteidigungsrede ist wiedergegeben in Platons „Apologie". So ähnlich wird es gewesen sein. Daraus ein Disput mit Meletos (Apologie 24c 9 bis 25c 4):

> „Komm her, Meletos. Ich habe eine Frage. Das ist dir doch sehr wichtig, daß die Jugend gut erzogen wird?"
> „Ja"
> „Dann erzähl doch den Richtern mal, wer sie denn gut erzieht. Den Verderber hast du ja nun gefunden. Das bin ich. Aber wer macht es denn besser?"
> Meletos schweigt.
> „Siehst du, Meletos, du schweigst und weißt es nicht. Ist das nicht eine Schande und Beweis genug für das, was ich sage, daß du dich darum nie gekümmert hast? Sag doch, mein Freund, wer macht die Jugend besser?"
> „Die Gesetze"
> „Danach hab ich nicht gefragt. Welcher Mensch, der natürlich auch die Gesetze kennt?"
> „Diese hier, Sokrates, die Richter."
> „Willst du sagen, Meletos, sie sind fähig, die Jugend zu erziehen und besser zu machen?"
> „Ja, sicher."
> „Alle? Oder nur einige von ihnen? Und andere nicht?"
> „Alle."
> „Großartig. Eine gute Nachricht. Da sind also eine Menge Leute, die die Jugend besser machen. Und was meinst du über die Zuhörer da? Machen die sie auch besser?"
> „Auch die".
> „Und die im Rat der Fünfhundert?"
> „Ja, die verbessern die Jugend auch."
> „Aber die Mitglieder der Volksversammlung, die verderben sie? Oder verbessern sie die Jugend auch?"
> „Sie verbessern sie."
> „Also alle Athener machen die Jugend gut und edel. Nur ich nicht. Ich allein verderbe die Jugend. Das meinst du?"

> „Ja, das genau meine ich."
> „Ein großes Unglück, in das du mich verdammst. Aber noch eine Frage. Wie ist es denn mit Pferden? Ist es da auch so, daß alle sie besser machen und nur einer sie verdirbt? Oder ist es nicht genau umgekehrt? Einer kann gut mit ihnen umgehen, oder jedenfalls nur wenige, die guten Reiter, während die meisten die Pferde verderben, wenn sie mit ihnen umgehen? Ist es nicht so bei allen Tieren, Meletos? Egal, was du nun dazu sagst. Die Jugend wäre schon sehr glücklich, wenn es wirklich nur einer wäre, der sie verdirbt, und alle anderen könnten gut mit ihnen umgehen. Mit dem, was du sagst, Meletos, zeigst du, daß du dich nie mit dem Problem beschäftigt hast. Deine Gleichgültigkeit beweist, daß du keine Ahnung hast von dem, dessen du mich hier anklagst."

So war seine ganze Verteidigung, sinngemäß: Ich weiß, die Stimmung ist gegen mich. Das sind alles Vorurteile, die man nur widerlegen kann, wenn die Leute wirklich nachdenken würden. Der Vorwurf, ich würde die Jugend verderben, ist einfach lächerlich. Wer so etwas sagt, müßte sich erst einmal gründlich mit Fragen der Erziehung beschäftigen. Der Ankläger redet Blödsinn, die hier im Gericht sind auch nicht besser und ebenso ist es mit dem Vorwurf der Gotteslästerung. Schon dadurch, daß ich mich vor eurem Richterspruch nicht fürchte, zeige ich, daß ich ein frommer Mann bin. Denn der Fromme hat Angst vor der Macht der Götter, nicht vor Menschen. Mit meiner Verurteilung würdet ihr ein schweres Unrecht begehen. Deshalb warne ich euch. Euretwegen, nicht meinetwegen.

Mit dieser Verteidigung hatte er sich über die Richter gestellt. Es war eine Verteidigung, wie man sie in Athen wohl noch nie gehört hatte. Entsprechend war das Ergebnis der Abstimmung. 280 Richter stimmten für eine Verurteilung, 220 dagegen. Nachdem über den Schuldspruch entschieden war, mußte noch über die Höhe der Strafe abgestimmt werden. Wieder sprachen Ankläger und Angeklagter. Meletos beantragte die Todesstrafe. Das ging sehr weit, und es war durchaus nicht sicher, wie die 500 Richter darauf reagieren würden, nachdem sie nur mit knapper Mehrheit den Schuldspruch entschieden hatten. Hätte Sokrates, der auch wieder einen Antrag stellen mußte, auf Verbannung plädiert, würde er mit großer Wahrscheinlichkeit die meisten Stimmen auf seiner Seite gehabt haben. Es würde dasselbe gewesen sein wie bei Protagoras, der sehr viel weiter gegangen war als er. Aber Sokrates war kein Taktiker. Was sagte er? Platon berichtet in der „Apologie" (36b 2 bis 37a 1):

> „Zuerkennen also will der Mann mir den Tod. Nun ja. Was soll ich dagegen denn beantragen, Bürger von Athen? Doch gewiß, was ich verdiene ... Was ist also einem unvermögenden Wohltäter ange-

> messen, welcher der freien Muße bedarf, um euch zu ermahnen? Es gibt nichts, was so angemessen ist, als daß ein solcher Mann im Prytaneion gespeist werde ... Das beantrage ich für mich, Speisung im Prytaneion."

Das Prytaneion war das Amtsgebäude der Archonten. Dort zu essen, war eine Ehre, die man zum Beispiel den Siegern bei den Olympischen Spielen erwies. Sokrates meinte, für ihn sei das wichtiger als für sie, denn er sei arm. Nach dieser Provokation redeten seine Schüler auf ihn ein, die um ihn herumstanden. Er solle um Gottes willen eine hohe Geldstrafe beantragen. Also sagte er zum Schluß (Apologie 38b 6 bis 38b 9):

> „Platon aber hier und Kriton und Kritobulos und Apollodoros reden mir zu, mir dreißig Minen zuzuerkennen, und sie wollen Bürgschaft leisten. Soviel also beantrage ich, und diese werden auch für dieses Geld zuverlässige Bürgen sein."

Bei dieser zweiten Abstimmung sind dann noch achtzig von den Richtern, die vorher für Freispruch gestimmt hatten, auf die Seite des Meletos gewechselt. Niemand wird das wundern. Sokrates wurde zum Tode verurteilt. Er kam ins Gefängnis der Stadt, ins Desmoterion, das wahrscheinlich auch in der Nähe des Marktplatzes lag. An sich hätte das Urteil am nächsten Tag vollstreckt werden müssen, denn es gab keine Möglichkeit der Berufung. Das Volk hatte gesprochen. Aber das heilige Schiff hatte gerade den Hafen verlassen, seine jährliche Fahrt nach Delos mit Weihgeschenken für den Apollon. In dieser Zeit durften Todesurteile nicht vollstreckt, der Boden der Stadt nicht mit dem Blut der Getöteten verunreinigt werden. Seine Schüler waren täglich bei ihm und auch die berühmte Xanthippe, seine Frau, die möglicherweise gar nicht so böse war, wie manche berichtet haben. Man diskutiert über die Flucht. Er weigert sich. Nach einem Monat kam das Schiff zurück, der Wärter brachte den Giftbecher, den Sokrates trinkt, ruhig und freundlich, umgeben von seiner Familie und den Schülern. Er geht noch einige Schritte, dann werden ihm die Beine schwer, er legt sich hin und spricht seine letzten Worte (Platon, Phaidon 118a 7f.):

> „Kriton, wir schulden dem Asklepios noch einen Hahn. Vergeßt das Opfer nicht!"

Asklepios war der Gott der Gesundheit und der Ärzte. Und was dieser letzte Satz bedeuten soll, darüber rätseln die Gelehrten seit zweitausend Jahren. Vielleicht meinte er auch das ironisch. Der Giftbecher als Medizin, die von der Krankheit des Lebens erlöst. Dafür sollte dem Gott der Gesundheit gedankt werden.

112. Privatstrafrecht

Wie in allen antiken Rechten war sein Bereich noch ziemlich groß. Der Diebstahl gehörte dazu, die Sachbeschädigung, Gewaltakte jeder Art, nicht nur die Vergewaltigung, sondern auch der Raub, und schließlich Körperverletzung und üble Nachrede. Auch der Ehebruch wurde wohl sehr oft durch private Bußzahlungen an den Ehemann ausgeglichen.

Beim Ehebruch gibt es aber schon Übergänge in das öffentliche Strafrecht. Man kann gegen den Ehebrecher privatrechtlich vorgehen und mit einer strafrechtlichen graphé moicheias. Die Athener wußten das schon genau zu unterscheiden. Ähnlich ist es beim Diebstahl und bei Gewaltakten, nur daß hier das öffentliche Strafrecht in die an sich privatrechtliche dike klopés oder dike biaion eingeflochten war. Beim Diebstahl gab es zunächst für den Eigentümer eine Buße in Höhe des doppelten Wertes der gestohlenen Sache. Privatstrafrecht. Daneben konnte das Gericht anordnen, daß der Dieb für das Publikum zur Schau gestellt werden soll, angeschlossen in ein Fußeisen, auf einem Platz oder einer Straße, für fünf Tage und Nächte. Strafrecht. Auch der Diebstahl gehört also im Grunde schon in beide Bereiche. Etwas anders wieder war es bei Gewaltakten. Nach der dike biaion war nicht nur eine private Buße an den Verletzten zu zahlen, sondern auch eine Geldstrafe an den Staat, in gleicher Höhe. Bei Vergewaltigung waren es jeweils 100 Drachmen.

Für Sachbeschädigungen gab es die dike blabes. Bei Vorsatz ging sie auf den doppelten Wert, sonst auf den einfachen. Der Tatbestand der Klage ist im Lauf der Zeit sehr ausgeweitet worden und wurde im 4. Jahrhundert für alle möglichen anderen Vermögensschädigungen verwendet. Auch im Vertragsrecht spielte sie eine wichtige Rolle (Rdz. 117).

113. Eigentum und Besitz

Privateigentum an Land und beweglichen Sachen war voll ausgebildet. Es gibt einige Hinweise darauf, daß in vorklassischer Zeit Landeigentum in einer Art verwandtschaftlicher Bindung stand und nur in besonderen Notsituationen veräußert werden konnte. Davon ist in klassischer Zeit aber keine Rede mehr. Es wurde auch sonst kaum zwischen Eigentum an Land und anderen Sachen unterschieden. Nur bei der Übereignung gab es Unterschiede.

Es gab keinen technischen juristischen Begriff. In vielerlei Weise konnte man sprachlich ausdrücken, daß eine Sache jemanden gehört. Aber solche Ausdrücke waren auch wieder mehrdeutig, wie etwa das Wort kyrios, das Eigentümer bedeutet, aber auch den Vormund. Aus der heutigen Sicht einer hochentwickelten juristischen Begrifflichkeit ist das griechische Eigentum wie eine Sphinx hinter einer Milchglasscheibe. Erst recht gibt es keinen Begriff vom Besitz, also der bloß tatsächlichen Innehabung. Obwohl natürlich auch die Athener sich bewußt waren, daß derjenige, der eine Sache in der Hand hat, nicht auch ihr Eigentümer sein muß. In einer kleinen Schrift über Verträge hat Theophrast, ein Schüler des Aristoteles, beschrieben, wie Eigentum übergeht (Fragment 97 § 4 und 7):

> Der Kaufvertrag ist im Hinblick auf den Eigentumserwerb an der Kaufsache wirksam, wenn der Preis gezahlt ist und (für Grundstücke) die anderen gesetzlichen Voraussetzungen erfüllt sind ... Soll also der Verkäufer Eigentümer der Kaufsache bleiben, bis er den Kaufpreis erhält? So bestimmen es die meisten in ihren Gesetzen.

Wobei er mit der Frage im zweiten Teil ganz offensichtlich davon ausgeht, daß die Sache dem Käufer schon übergeben, aber eben der Kaufpreis noch nicht bezahlt ist. Also hat der Käufer sie – in unserer Terminologie – schon im Besitz. Aber er ist noch nicht Eigentümer. Eine begriffliche Unterscheidung, die die Athener noch nicht gemacht haben. Bei Theophrast war nur entscheidend, daß er noch nicht Eigentümer war. Ob er stattdessen aber etwas anderes hatte, nämlich Besitz, diese Frage interessierte ihn nicht.

Eine der wenigen sicheren Regeln des attischen Eigentumsrechts ist jene, die Theophrast für den Erwerb gibt, der also erst eintritt, wenn der Käufer die Sache bezahlt hat, aber auch schon dann, wenn sie ihm noch nicht übergeben wurde, der Verkäufer sie noch in der Hand hat. Ist der Kaufpreis bezahlt, wird der Käufer Eigentümer. Übergabe ist nicht erforderlich. Das gilt für Grundstücke wie für bewegliche Sachen. Bei Grundstücken kamen allerdings die ebenfalls von Theophrast genannten anderen gesetzlichen Voraussetzungen dazu. Für Grundstücke gab es in allen griechischen Rechten sogenannte Publizitätserfordernisse. Man sollte in der Polis wissen, wem was gehört und wer wem veräußert. In Athen war es die öffentliche Bekanntmachung mit einem schriftlichen Aushang, sechzig Tage vor dem Geschäft, den man beim Archonten beantragen mußte, und die Zahlung einer Grunderwerbssteuer von einem Prozent des Kaufpreises.

Der Schutz des Eigentums lief über deliktische Rechtsbehelfe. Mit anderen Worten: Es gab keine dinglichen Klagen wie bei uns oder im römischen Recht. Auch hier also eine gewisse „Unterentwicklung" der Dogmatik. Die Griechen kannten keine dingliche Herausgabeklage des Eigentümers, keine rei vindicatio wie die Römer (Rdz. 137), keinen Anspruch wie aus § 985 BGB. Bei beweglichen Sachen war die Vorenthaltung der Sache eine deliktische Schädigung des Eigentümers. Es gab dafür die dike blabes, die unserem § 823 BGB entspricht. Bei Grundstücken war es etwas komplizierter. Hier griff die Vorstellung von der Schädigung nicht. Das Grundstück war ja da, wo es hingehörte, konnte nicht wegbewegt werden, und beschädigt wurde es auch nicht, wenn sich ein anderer dort aufhielt. Man hatte die Vorstellung der unberechtigten Fernhaltung des Eigentümers, der an sich im Wege der berechtigten Selbsthilfe sich wieder auf das Grundstück begeben durfte. Aber vorher mußte er sein Eigentum beweisen. Auch das geschah mit deliktischen Klagen. Nämlich entweder mit der dike enoikion auf Zahlung eines Mietzinses, wenn jemand auf fremdem Grundstück nur wohnte, oder mit der dike karpou, auf Zahlung des Wertes der Ernte, wenn er ein landwirtschaftliches Grundstück auch bewirtschaftete. Mit der Verurteilung war auch das Eigentum des Klägers festgestellt. Er konnte sich auf das Grundstück begeben und den anderen vertreiben. Wenn der sich dagegen wehrte, hatte der Eigentümer eine zweite deliktische Klage, nämlich die dike exoules, die immer gegeben war bei Widerstand gegen berechtigte Selbsthilfe.

Es gab keinen gutgläubigen Erwerb und keine Ersitzung. Allerdings verjährten deliktische Klagen in fünf Jahren. Und insofern war es möglich, daß jemand nach Ablauf dieser Zeit faktisch Eigentümer werden konnte.

Die Sozialbindung des Eigentums war verhältnismäßig groß, jedenfalls größer als in Rom. Dem Grundstückseigentümer war es bei Strafe verboten, die auf seinem Land gepflanzten Olivenbäume abzuholzen. Nur zwei pro Jahr waren erlaubt. Man mußte auf seinem Grundstück die Jagd anderer dulden. Es gab ein – durch Solon – genau geregeltes Zwischenraumrecht. Olivenbäume durften nicht näher als neun Fuß von der Grenze stehen, andere Bäume fünf Fuß, ein Brunnen sechs Fuß und so weiter. Der Nachbar durfte den Brunnen – mit täglich begrenzten Mengen – benutzen, wenn auf seinem eigenen Grundstück kein Wasser war und bis zu einer Entfernung von ungefähr siebenhundert Metern keine öffentliche Wasserstelle (vier Stadien).

114. Erbrecht

Auch im Erbrecht zeigt sich die starke Sozialbindung des Eigentums. Die Athener hatten nur ein gesetzliches Erbrecht. Durch letztwillige Verfügungen konnte es nicht abgeändert werden. Es gab kein Testament. Nur Söhne konnten erben. War kein Sohn da, aber eine Tochter, dann wurde sie epikleros, ein Wort, das schwer zu übersetzen ist. Sie wurde nicht Erbin, erhielt aber die Erbschaft, ohne darüber verfügen zu können, als eine Art menschliche Durchlaufstation, bis sie einen Sohn gebar, der dann Erbe wurde. Mit vielen komplizierten Regeln über Heiratsrechte von Männern aus der Verwandtschaft für diesen Fall. War auch keine Tochter da, erbte die nächste männliche Verwandtschaft. Die einzige Möglichkeit einer letztwilligen Verfügung war, einen männlichen Erben zu adoptieren, wenn man keine Söhne hatte. Das konnte man schon mit Wirkung zu Lebzeiten oder – und hier gab es insofern ein Testament – von Todes wegen. War eine Tochter da, mußte er sie heiraten oder sie mit der Hälfte der Erbschaft einem anderen zur Frau geben.

115. Recht der Personen, Ehe und Familie

Rechtsfähig – vermögensfähig – waren alle athenischen Bürger, Männer wie Frauen. Aber geschäftsfähig waren nur die Männer. Wenn sie achtzehn Jahre alt geworden waren. Eine Frau blieb ihr Leben lang geschäftsunfähig. Zuerst war ihr Vater der Vormund (kyrios), nach der Heirat ihr Mann, und nach dessen Tod meistens einer ihrer Söhne, den sie dann immerhin noch selbst benennen konnte. Nur Geschäfte des täglichen Lebens durfte sie allein abschließen, bis zum Wert von einem Medimnos Gerste. Das ist ungefähr ein Zentner.

Nicht voll rechtsfähig waren Metöken, die in Athen wohnenden Fremden. Eigentum an Grundstücken konnten sie dort nicht erwerben, es sei denn, das Recht dazu (enktesis) war ihnen von der Volksversammlung ausdrücklich verliehen worden. Ebenso wie sie auf diesem Wege auch das volle Bürgerrecht erwerben konnten, das man normalerweise nur durch Geburt erhielt, nach einem – immer noch etwas unerklärlichen – Gesetz aus der Mitte des 5. Jahrhunderts auch nur dann, wenn nicht nur der Vater, sondern auch die Mutter athenische Bürger waren.

Eine Frau konnte nicht selbst die Ehe schließen. Die Eheschließung (engye) war ein formaler Akt zwischen ihrem Mann und ihrem Vater, auch ohne oder gegen ihren Willen. Ihre Mitgift wurde sein Eigentum. Nur er, nicht sie, konnte durch eine einfache Erklärung die Scheidung vollziehen. Sie mußte dafür zum Archonten gehen und schriftlich Gründe nennen. Er konnte ohne juristische Folgen die Ehe brechen. Sie nicht. Er konnte sich ganz offiziell noch eine Nebenfrau (pallaké) ins Haus holen und mit ihr Kinder zeugen. Die berühmte Xanthippe zum Beispiel war wohl nur die pallaké des Sokrates. Seine Ehefrau (gyné) ist wahrscheinlich Myrto gewesen.

Nach der Scheidung hatte der Vater der Frau als ihr neuerlicher kyrios gegen ihren Mann die dike proikos auf Rückgewähr der Mitgift. Bis zur Rückzahlung mußte der Mann Unterhaltszahlungen leisten, in Höhe von 18 % des Wertes der Mitgift. Dafür gab es eine besondere dike sitou, die „Brotklage".

Das griechische Wort für Familie ist oikos. Es bedeutet Haus und bezeichnet die Gemeinschaft von Mann und Frau in rechtmäßiger Ehe (gamos) mit ihren Kindern und Verwandten, die mit ihnen zusammenwohnen. Es ist nicht nur eine familienrechtliche, sondern auch eine wirtschaftliche und religiöse Einheit, eigentlich sogar – in unserer Terminologie – eine staatsrechtliche. Denn der oikos ist ein entscheidender Baustein der griechischen Polis. Ihre ganze politische und religiöse Ordnung ruht auf seiner Grundlage. Nur die Zugehörigkeit zu einem oikos vermittelt die Zugehörigkeit zu religiösen und politischen Zwischeneinheiten, zu Phratrien und Phylen (Rdz. 106) und damit zum Bürgerrecht. Verweigert zum Beispiel der Mann als kyrios des oikos einem neugeborenen Kind die

Aufnahme in die Familie, indem er nicht am zehnten Tag nach seiner Geburt die feierliche Namensgebung vollzieht (dekate), vor den Verwandten mit Opfer und Anerkennung der rechtmäßigen Kindschaft, dann erwirbt es auch nicht das Bürgerrecht. Und wenn er später einen Sohn aus dem oikos verstößt (apokeryxis), dann kann auch das entscheidende Folgen in diese Richtung haben. Die Einzelheiten sind in der Forschung umstritten. Ebenso wie die Frage, ob und wie das Kind einer pallaké (nothos) das Bürgerrecht erhält. Gleichgültig, wie man sich da entscheidet. Jedenfalls haben die Athener immer in dem klaren Bewußtsein gelebt, daß es einen engen Zusammenhang gibt zwischen – wie wir heute sagen – Familienrecht und Staatsverfassung. Oder wie sie es formulierten: zwischen oikos und polis.

116. Sklaven

Es gab ungefähr 80 000 bis 100 000 Sklaven in Attika, etwa ein Drittel der Gesamtbevölkerung. Die meisten arbeiteten in den Silberbergwerken von Laurion, im Süden Athens, in der Mitte des 4. Jahrhunderts etwa 30 000. Die Sklaverei spielte also eine nicht unwichtige Rolle. Aber ihre juristische Ausformung bleibt teilweise unklar. Wie so manches im griechischen Recht.

Sklaven waren Eigentum, konnten verkauft, vermietet oder verpfändet werden. Wie an anderen Kaufsachen ging das Eigentum mit der Bezahlung des Preises über. In Vermögensaufstellungen erscheinen sie gleichrangig neben beweglichen Sachen und Grundstücken. Vor Gericht konnten sie nicht auftreten. Fügten sie jemand anders einen Schaden zu, mußte der – mit der dike blabes – gegen ihren Eigentümer klagen. Wahrscheinlich war es ebenso bei vertraglichen Schulden. Und wahrscheinlich konnten sie ein gewisses eigenes Vermögen haben, wenn ihr Eigentümer damit einverstanden war.

Anders als in Rom erscheinen sie aber nicht nur als Sachen, sondern in mancher Beziehung doch auch noch als Personen. Ihre Tötung führte zwar wie in Rom zu einer Schadensersatzklage des Eigentümers, zur dike blabes. Aber daneben konnte der Täter auch noch wegen phonos – Tötung – vor dem Strafgericht angeklagt werden. Sogar hybris war ihnen gegenüber möglich. Ihr Eigentümer hatte zwar ein Züchtigungsrecht, aber er durfte sie nicht töten. Ohne daß man weiß, welche Sanktion hinter diesem Verbot stand. Wurden sie von ihm grausam behandelt, konnten sie zum Tempel des Theseus oder zum Altar der Eumeniden fliehen und erreichen, daß ihr Eigentümer sie an einen anderen verkaufen mußte.

Freilassungen waren möglich. Eine bestimmte Form gab es dafür nicht. Sie erhielten dadurch eine Stellung, die der von Metöken ähnlich war, also von Fremden, die in Athen lebten. Auch ihre Kinder, die später geboren wurden.

117. Verträge

In der klassischen Zeit hatten die Griechen eine entwickelte Geldwirtschaft mit einer beträchtlichen Zahl zum Teil sehr kompliziert formulierter Verträge. Es gab Darlehen und Kauf, Bürgschaft und Pfand, Miete und Pacht. Aber sie hatten kein eigenes juristisches Instrumentarium für ihr Vertragsrecht. Alle Prozesse um Streitigkeiten aus Verträgen liefen über Klagen aus Delikt, meistens über die dike blabes, die eigentlich eine Klage wegen Sachbeschädigung war. Mit anderen Worten, es war so, wie wenn wir heute unser ganzes Vertragsrecht über § 823 Abs. 1 BGB abwickeln würden.

Das ist das Ergebnis von Forschungen des Rechtshistorikers Hans Julius Wolff, die heute weitgehend anerkannt sind. Früher meinte man, die Griechen seien gerade im Vertragsrecht den Römern weit voraus gewesen. Sie hätten die frei erklärte Willensübereinstimmung – den Konsens – ganz allgemein zur Grundlage ihres Vertragsrechts gemacht, während die Römer nur für einige wenige Verträge – die Konsensualverträge – so weit gegangen sind (Rdz. 146). Nun stellen wir im Gegenteil fest, daß die Griechen, im Gegensatz zu den Römern, nie eine klare juristische Vorstellung von vertraglichen Verpflichtungen entwickelt haben.

Wenn jemand zum Beispiel einem anderen ein Darlehen gegeben hatte und dieser es dann nicht zurückzahlte, dann gab man dem Gläubiger gegen den Schuldner die dike blabes. Das kann man nun so erklären wie Hans Julius Wolff, der meint, die Athener hätten die Vorstellung gehabt, die Schädigung liege in einem Verstoß gegen die bei der Übergabe des Geldes vereinbarte Zweckabrede. Danach sollte der Schuldner es einige Zeit behalten und dann wieder zurückgeben („Theorie von der Zweckverfügung"). Vielleicht haben sie auch nur gemeint, das Geld gehöre dem Gläubiger und das Zurückhalten sei eine unberechtigte Verletzung seines Eigentums. Oder, drittens, sie haben sich überhaupt keine klaren Gedanken dabei gemacht. Was bei den Hundertschaften von Richtern auch nicht unmöglich ist.

Sicher gab es einige, die darüber nachdachten. Einer von ihnen war Aristoteles. In seiner Nikomachischen Ethik unterscheidet er zwischen freiwilligen und unfreiwilligen Verpflichtungen (synallagmata hekousia kai akousia, NE 1131a). Aber daß dies eine klare Unterscheidung von Vertrag und Delikt sei, wird man kaum annehmen können. Außerdem ist es wohl nur seine eigene. Und so bleibt als Ergebnis der einfache Befund, daß die Griechen den Vertrag als juristisches Gebilde vom Delikt noch nicht unterschieden haben. So ist es immer in unterentwickelten Rechten. Überall ist der Vertrag juristisch aus dem Delikt entstanden. Die Griechen sind da keine Ausnahme.

118. Kauf

Wie unvollkommen ihre Vorstellungen vom Vertrag gewesen sind, zeigt sich besonders beim Kauf (oné). Er hatte keine verpflichtende Wirkung. Es gab keinen Anspruch des Käufers auf Lieferung der Sache und auch keinen des Verkäufers auf Zahlung des Kaufpreises. Die Griechen sind nie hinausgekommen über primitive Vorstellungen vom Barkauf, bei dem die Leistungen sofort und gleichzeitig erbracht werden. Wollten sie den Kaufpreis kreditieren, also eine klagbare Zahlungsverpflichtung des Käufers begründen, dann mußten sie zu Konstruktionen greifen, mit denen sich schon eintausendvierhundert Jahre vorher die Babylonier beholfen hatten (Rdz. 74). Sie behalfen sich mit der Fiktion, der Verkäufer habe den Kaufpreis vom Käufer erhalten und ihm das Geld anschließend gleich wieder als Darlehen zurückgegeben. Aus dem semitischen Recht hatten sie ein indirektes Mittel übernommen, um in anderen Fällen einen gewissen Druck auf den anderen auszuüben, die versprochene Leistung zu erbringen. Die Arrha (griech. arrabon). Der Käufer gab dem Verkäufer bei Abschluß des Vertrages einen Ring oder eine Anzahlung in Geld. Wenn er dann später nicht zahlte, konnte der Verkäufer nicht nur die Kaufsache behalten, sondern auch die Arrha. Leistete der Verkäufer nicht, obwohl ihm die volle Zahlung des Kaufpreises angeboten worden war, hatte der Käufer gegen ihn einen deliktischen Anspruch auf das Doppelte dessen, was die Arrha wert war. Hierfür gab es wohl eine besondere Klage, auf Grund eines speziellen Gesetzes, nicht die dike blabes, die man hier an sich erwarten könnte.

Die Vorstellung vom Barkauf hatte noch andere Folgen. Zum Beispiel beim Eigentumserwerb. Mit der Zahlung des Preises wurde der Käufer Eigentümer der Sache (Rdz. 113). Das war unabhängig von der Übergabe, also unabhängig davon, ob sie noch beim Verkäufer oder ihm schon übergeben war. Dieses Prinzip ging sogar so weit, daß auch ein Dritter Eigentum erwerben konnte, nämlich dann, wenn die Sache mit seinem Geld bezahlt worden war. Genauer: Wenn der Käufer die Sache nicht mit eigenem Geld bezahlte, sondern mit fremden, das er sich von einem anderen geliehen hatte, dann erwarb der Darlehensgeber eine Art Eigentum an der gekauften Sache, das solange bestehen blieb, bis das Darlehen zurückgezahlt wurde.

Verkaufte jemand eine fremde Sache, wurde der Käufer nicht Eigentümer. Denn es gab keinen gutgläubigen Erwerb. Der Eigentümer konnte sie vom Käufer herausverlangen. Also mußte der sich an seinen Verkäufer halten. Wir sprechen hier heute von Rechtsmängelhaftung. Der Verkäufer mußte den Käufer bei der Verteidigung unterstützen, notfalls den Prozeß als Beklagter selbst führen. Weigerte er sich, oder verlor er den Prozeß, dann konnte der Käufer den Preis zurückverlangen, mit einer deliktischen Klage (dike bebaioseos). Es ist mehr oder weniger dasselbe wie die Eviktionshaftung im römischen Recht (Rdz. 148). Das Delikt des Verkäufers sah man darin, daß er unberechtigt Geld genommen hatte. Unberechtigt insofern, als er keine entsprechende Gegenleistung erbringen konnte.

Was war, wenn die Sache zwar dem Käufer gehörte, aber nicht in Ordnung war? In unserer Terminologie: Was war mit der Sachmängelhaftung? Wahrscheinlich gab es nur einen Rechtsbehelf beim Kauf von Sklaven, wenn sie – bestimmte? – Krankheiten hatten, die man nicht erkennen konnte. Der Käufer mußte sie innerhalb eines Monats nach dem Erwerb wieder auf den Markt bringen und dies den fünf Marktbeamten (agoranomoi) erklären, in Gegenwart des Verkäufers. Man nannte das anagogé, zurückbringen. Danach konnte er auf Rückzahlung des Kaufpreises klagen. Auch dies war eine deliktische Klage (wohl: dike andropodou), für die es ein besonderes Gesetz gab. Vielleicht gab es das gleiche Verfahren auch für den Kauf von Zugvieh. Darauf deutet eine Bemerkung des Aristoteles im „Staat der Athener" (§ 52.2). Außerdem gab es ein Gesetz, das bewußte Täuschungen beim Kauf von Waren auf dem Markt verbot, während die normale Sachmängelhaftung ja auch eingreift, wenn der Verkäufer den Fehler gar nicht kennt. Weitere Rechte hatte der Käufer nicht. Die allgemeine Haftung für Mängel der Kaufsache ohne Täuschung oder Verschulden – bei uns heute: Wandlung oder Minderung – ist eine Erfindung der Römer (Rdz. 149).

119. Der Prozeß um den Betrug des Athenogenes

Ein typisches Beispiel für die wenigen uns überlieferten zivilrechtlichen Fälle ist der Prozeß des Epikrates gegen Athenogenes. Typisch auch deswegen, weil wir nicht wissen, wie das Gericht entschieden hat. Der Fall ist überliefert in einer Rede des Hypereides. Er spielt um das Jahr 330 v. Chr. in Athen. Beklagter war Athenogenes. Hypereides hat die Rede für Epikrates geschrieben:

> Der hatte sich in einen jungen Mann verliebt, einen Sklaven des Athenogenes. Wollte ihn unbedingt kaufen und ließ sich deshalb die Bedingungen diktieren. Athenogenes hatte drei Buden auf dem Markt, verkaufte dort Salben und parfümierte Öle. Eine davon wurde von Midas betrieben, ebenfalls Sklave des Athenogenes, mit seinen beiden Söhnen, von denen einer derjenige war, in den Epikrates sich verliebt hatte. Er mußte alle drei kaufen und das Geschäft dazu. Der Preis war sehr hoch. 40 Minen, das sind 4000 Drachmen. Der normale Preis für einen Sklaven lag zwischen 150 und 300 Drachmen. In der versiegelten Urkunde mit den einzelnen Vertragsbedingungen (synthekai) war außerdem vereinbart, daß Epikrates das Geschäft mit allen Aktiven und Passiven übernimmt. Es waren einige Gläubiger des Midas genannt und ergänzt, daß Epikrates auch diejenigen Schulden übernäme, die Midas möglicherweise noch bei anderen haben könnte. Athenogenes hatte ihm gesagt, die Warenvorräte im Laden seien mehr als genug, um die Außenstände auszugleichen. In den nächsten drei Monaten ent-

deckte Epikrates, daß es insgesamt fünf Talente waren. Eine ungeheure Summe. 30000 Drachmen. Nach unserem Geld mindestens zwei Millionen Mark. Athenogenes hatte ihn reingelegt. Er war ruiniert. Und klagte auf Rückgängigmachung des Kaufvertrages.

Es muß die dike blabes gewesen sein. Ihre Erfolgsaussichten waren an sich nicht gut. Strafbar war der Betrug sowieso nicht. Aber es gab auch kein allgemeines zivilrechtliches Gesetz, das bei Täuschung die Ungültigkeit von Verträgen anordnete. Hypereides führt zwar vier andere gesetzliche Bestimmungen an. Aber sie regelten spezielle Tatbestände, die hier nicht gegeben waren. Zum Beispiel die Täuschung bei Kleingeschäften auf dem Markt. Hier war aber nicht eine einzelne Ware gekauft, sondern das ganze Geschäft, mit dem Geschäftsführer und seinen Söhnen. Allenfalls eine Analogie war möglich, und so war es von Hypereides auch gemeint. Er wußte, daß seine Argumentation nicht zwingend war und setzte deshalb auch noch eine Stufe tiefer an. Beim Sklavenkauf. Hier gab es Regeln für alte Schulden von Sklaven. Es haftete nämlich der jeweilige spätere Eigentümer immer auch für denjenigen Schaden, den der gekaufte Sklave früher einem anderen zugefügt hatte. Wenn man einen solchen Sklaven gekauft hatte und wegen solcher alten Schulden in Anspruch genommen wurde, konnte man den Kauf rückgängig machen. Das war genauso wie bei einer unerkannten Krankheit. Der Sklave war genauso wertlos. Aber das ganze galt nur für deliktische Schädigungen. Es galt nicht für vertragliche Schulden, die ein Sklave im Auftrag und für Rechnung seines Eigentümers gemacht hatte. Dafür haftete dieser allein. Spätere nicht. Es sei denn, der spätere Eigentümer hatte im Kaufvertrag ausdrücklich die Übernahme zugesagt. Wie Epikrates. Aber dann war es kein verdeckter Mangel mehr, wie bei unbekannten Deliktschulden. So daß die Regel eben doch nicht paßte. Allenfalls war wieder eine Analogie möglich. Weil Epikrates nicht gewußt hat, daß es so viele Schulden waren. Insofern waren sie ja verdeckt. Aber wir wissen es nicht. Möglich ist es durchaus, daß die Mehrheit der Richter gegen Athenogenes gestimmt hat.

120. Misthosis

Die misthosis ist ein Vertragstyp, der sich auch bei den Römern findet. In ihm sind Vereinbarungen zusammengefaßt, die wir heute als Miete und Pacht, Dienstvertrag und Werkvertrag streng unterscheiden. Nicht so die Griechen und Römer. Für sie war das alles ein und dasselbe. Wobei die Römer eine räumliche Vorstellung hatten. Sie sprechen von locatio-conductio (Rdz. 152). Locare ist das Hinstellen. Ich stelle etwas hin, das ein anderer mitnimmt (conducere), um es später wiederzubringen, also eine Sache, die vermietet, verpachtet oder bearbeitet werden soll. Beim Dienstvertrag stellt man sich selbst hin. Die Vorstellung der Griechen ist zeitlich. Misthos bedeutet den Lohn, das Entgelt für eine zeitlich begrenzte Überlassung, im Gegensatz zum Kauf, der den endgültigen Übergang der Sache zur Folge hat.

Im Grundsätzlichen, in den juristischen Wirkungen dieses Vertrages unterscheiden sich Griechen und Römer noch stärker. Auch die misthosis begründet letztlich keine klagbaren Verpflichtungen. Es gibt keine Vertragsklagen wie die römische actio locati und actio conducti. Nehmen wir nur das Beispiel der Pacht. Es gibt zwar eine dike karpou auf den Pachtzins. Aber sie hat nichts mit dem Vertrag zu tun. Sie steht dem Eigentümer gegen jeden zu, der das Grundstück nutzt. Egal ob mit oder ohne Vertrag. Also auch gegen den nichtberechtigten Besitzer, wie wir ihn heute nennen. Es ist eine deliktische Klage aus dem Eigentum. Der Vertrag hat nur zwei Funktionen. Zum einen, daß der Verpächter während der Vertragszeit nicht auf Herausgabe klagen kann. Denn in dieser Zeit entzieht ihm der Pächter das Grundstück nicht unrechtmäßig. Also gibt es keine dike blabes. Wobei die Griechen wohl die Vorstellung hatten, der Pächter sei fast wie ein Eigentümer, er habe – in unserer Terminologie – ein dingliches Recht. So daß Hans Julius Wolff sogar von einer Übertragung des Eigentums auf Zeit spricht. Das ist das eine: Und die andere Wirkung des Vertrages besteht darin, daß mit ihm bei der Pacht die Höhe der Vergütung für die dike karpou genau bestimmt, konkretisiert wird, ohne daß wir wissen, wie sie berechnet wurde, wenn es einen Vertrag nicht gab.

121. Darlehen

Beim Darlehen ist die altertümliche deliktische Vorstellung besonders deutlich. Sie erklärt sich ganz einfach daraus, daß die Griechen bis in die hellenistische Zeit meinten, der Darlehensschuldner würde fremdes Geld zurückhalten, nämlich das des Gläubigers. Noch heute findet man das im normalen Sprachgebrauch. Er gibt mir mein Geld nicht zurück, sagt man. In den attischen Reden ist das gang und gäbe. Erst die Römer haben die klare juristische Trennung vollzogen. Mit der Auszahlung des Darlehens erwirbt für sie der Schuldner dinglich das Eigentum am Geld und wird gleichzeitig schuldrechtlich zur Rückzahlung verpflichtet. So weit waren die Griechen noch nicht. Eine vertragliche Verpflichtung aus dem Darlehen gibt es für sie nicht. Der Gläubiger klagt mit der dike blabes. Was die bemerkenswerte Folge hat, daß sie im Ergebnis flexibler sind. Denn bei der dike blabes konnten Zinsen – als zusätzlicher Schaden – ohne weiteres mit einberechnet werden, auch wenn sie nur formlos vereinbart waren. Das war bei der actio certae creditae pecuniae der Römer nicht möglich. Dort mußten Zinsen in einem zusätzlichen Vertrag förmlich versprochen werden. Mit der Stipulation (Rdz. 146). Im übrigen war der normale Zinssatz gleich, hier wie dort ein Prozent im Monat, zwölf Prozent jährlich.

122. Bürgschaft

Im Gegensatz zum Darlehen gibt es für die Bürgschaft eine eigene Klage, die dike engyes. Was auf den ersten Blick verblüffend ist. Denn der

Darlehensschuldner ist doch in erster Linie verpflichtet. Er haftet mit einer allgemeinen deliktischen Klage. Der Bürge, der nur unterstützend dazukommt, mit einer besonderen Klage, die den Namen des Bürgschaftsvertrages hat (engye). Die Erklärung hat Hans Julius Wolff gefunden, im Anschluß an Überlegungen von Franz Beyerle für das mittelalterliche deutsche Recht.

Auch die dike engyes war nicht eine Klage, die sich aus einem bloßen Vertrag ergibt. Auch hier haftet der Bürge, weil er vorher etwas bekommen hat. Nämlich den Schuldner. Jedenfalls ist das die Erklärung für die frühe Zeit, in der sich diese Klage entwickelt hat. Sie ist sehr alt.

Die Lösung ergibt sich über das griechische Wort. Es ist engye, bezeichnet nicht nur die Bürgschaft, sondern auch die Eheschließung, den formalen Akt, mit dem ein Vater seine Tochter einem Mann in die Ehe gibt (Rdz. 115). Engyãn heißt in die Ehe geben. Und es bedeutet gleichzeitig, als Gläubiger mit einem Bürgen einen Bürgschaftsvertrag abschließen. Nicht umgekehrt. Also nicht vom Bürgen aus gesehen. Warum das gleiche Wort für Eheschließung und Bürgschaft? Das war die Frage, die Hans Julius Wolff stellte. Die Antwort fand er bei Franz Beyerle. Der hatte schon 1927 herausgefunden, daß im alten deutschen Recht die Begründung eines Bürgschaftsvertrages ursprünglich in der Übergabe des Schuldners an den Bürgen bestand. Der Gläubiger übergab den Schuldner an den Bürgen, sozusagen zu treuen Händen. Ähnlich wie ein Vater seine Tochter ihrem Mann anvertraut. Bei der Bürgschaft natürlich mit einem anderen Zweck. Der Bürge sollte dafür sorgen, daß der Schuldner bei Fälligkeit zur Verfügung des Gläubigers steht und zahlt. Andernfalls haftete er selbst. Aus der Übergabe des Schuldners. Mit der dike engyes. Das ist so ähnlich, wie wenn ein Eigentümer etwa gegen einen Entleiher mit der dike blabes vorgeht, wenn der ihm eine Sache nicht zurückgibt. Also letztlich auch eine deliktische Klage. Die hier nur einen eigenen Namen brauchte, weil nicht das Eigentum des Gläubigers geschädigt wurde, sondern ein Recht an der Person des Schuldners, das es in alten Zeiten gab, bis Solon die Schuldknechtschaft abgeschafft hat.

123. Pfandrecht und Hypothek

Wie überall wurden auch in Griechenland Forderungen nicht nur über Personen gesichert, sondern auch über Sachen. Das einfachste war das Faustpfand an beweglichen Sachen (enechyron). Es wurde mit der Abrede gegeben, daß der Gläubiger es verkaufen und den Erlös behalten könne, wenn der Schuldner bei Fälligkeit nicht zahlt. Dann gab es im wesentlichen noch zwei besitzlose Pfandrechte, häufig an Grundstücken. Am häufigsten war wohl der „Verkauf auf Lösung“ (prasis epi lysei). Der Schuldner verkaufte dem Gläubiger sein Grundstück mit der Abrede, daß die Rückzahlung des Geldes als Rückkauf des Grundstücks gilt (Lösung). Bis zur Fälligkeit blieb er weiter dort, obwohl das Eigentum auf den

Gläubiger übergegangen war. Dessen Recht wurde durch Grenzsteine (horoi) bekannt gemacht, auf denen geschrieben stand, wem das Land zur Sicherung verkauft worden war. Man hat viele davon in Attika gefunden. Das andere besitzlose Pfand war die Hypothek (hypotheke). Wörtlich: Was unter der Schuld liegt, das Unterpfand. Wahrscheinlich hatte sie sich zuerst beim Seedarlehen entwickelt. Schiff und Ladung blieben zunächst im Eigentum des Schuldners, verfielen aber dem Gläubiger, wenn das Geld nicht rechtzeitig gezahlt wurde. Von vornherein bestand ein dingliches Recht des Gläubigers, das er auch dann durchsetzen konnte, wenn inzwischen ein Dritter die Sache erworben hatte.

124. Naturrecht und Rechtsphilosophie

In einem Bereich des Rechts waren die Griechen weiter als alle anderen, besonders die Athener. Da hat sie bis heute niemand übertroffen. In der Rechtsphilosophie. Die Griechen sind die ersten gewesen, die experimentierend nachgedacht haben über Staatsverfassung und Recht.

Es begann mit den Sophisten, wie man sie nannte. In der Krise des peloponnesischen Krieges treten am Ende des 5. Jahrhunderts in Athen Männer auf, die nicht nur den Glauben an die alten Götter verloren haben, sondern die ganze Ordnung in Frage stellen. Die „griechische Aufklärung" (Hegel). Von den Göttern weiß ich nichts, sagte Protagoras. Niemand kann beweisen, daß es sie gibt. Denn sie sind nicht zu sehen. Aber man kann auch nicht sagen, daß es sie nicht gibt. Also ist der Mensch das Maß aller Dinge, „der seienden, wie sie sind, und der nichtseienden, wie sie nicht sind". Damit handelte er sich ein Asebieverfahren ein und die Verbannung.

Mit dem Glauben an die Götter schwindet die Legitimation überkommenen Rechts. „Das Recht dient nur dem Vorteil der Mächtigen", soll Thrasymachos gesagt haben. „Die Natur hat uns zu Brüdern, Freunden und Mitbürgern gemacht, nicht das Gesetz": Hippias in einer Rede vor Philosophen in Athen. Hier erscheint zum erstenmal der Gegensatz, der bis heute geblieben ist. Der Gegensatz von Natur und Gesetz, von physis und nomos. Von Natur sind wir alle gleich. Nur das Gesetz macht die Unterschiede. „Das Gesetz ist der Tyrann der Menschen". Auch diesen Satz soll er dort gesagt haben, wie Platon berichtet, der – „natürlich" – ganz anderer Meinung war. Und schließlich kam Alkidamas mit der Schlußfolgerung, die die antike Gesellschaft am radikalsten in Frage stellte. Er soll gesagt haben, Gott habe alle Menschen frei geschaffen. Die Natur habe niemanden zum Sklaven gemacht. Nur das Gesetz.

Es war die Geburtsstunde des europäischen Naturrechts. Naturrecht ist Nachdenken über Recht, manchmal nur Philosophie. Manchmal, wie im 17. und 18. Jahrhundert in Mitteleuropa, wenn dieses Nachdenken unmittelbar auf die Gestaltung und Anwendung von Recht einwirkt, dann ist es Recht (Rdz. 249). Naturrecht ist zunächst die Behauptung, daß etwas Recht sein muß oder nicht Recht sein kann, weil es der Natur des Menschen entspricht oder weil es ihr widerspricht. Und weil die Menschen entweder für oder gegen eine Regelung sind, gibt es auch zwei Arten von Naturrecht. Wie man bei Ernst Bloch lernen kann, im schönsten Buch darüber: „Naturrecht und menschliche Würde", 1961. Es gibt forderndes Naturrecht und bewahrendes.

Es beginnt mit dem fordernden. Die Sophisten fordern Veränderung, sind der Widerspruch gegen Herrschaft und Sklaverei. Also brauchte man dringend eine Gegenargumentation. Die kam mit Platon und Aristoteles. Sehr elitär und konservativ bei Platon, liberaler bei Aristoteles. Auch sie argumentieren mit der Natur des Menschen. Drehen also den Sophisten das Argument im Mund herum. Zum Beispiel deren Kritik am Staat und seinen Gesetzen, die der Natur des Menschen widersprächen. Anthropos physei politikon zoon esti, schreibt Aristoteles in seiner „Politik" (1253 a 2). Der berühmte Satz. Fast immer wird er falsch verstanden. Zoon politikon heißt nicht politisches Wesen. Politikos ist abgeleitet von polis, der Stadtstaat mit seinen Gesetzen. Also richtig übersetzt: Der Mensch ist von Natur ein staatliches Wesen. Deshalb gehören Staat und Recht zu seiner Natur. Es gibt keinen Widerspruch zwischen ihr und dem Recht. Auch die Sklaverei ließ sich so begründen. Aus der Natur des Menschen. Ein langer Abschnitt ist das in seiner „Politik" (1254a 9 bis 1255 b 39), viele Seiten, vielleicht weil er doch ein schlechtes Gewissen hatte. Herrschen und Beherrschtwerden, schreibt er, gehören zur Natur des Menschen. Es gibt immer Starke und Schwache. Schon mit der Geburt zeigt sich, wohin die Reise geht. Deshalb herrschen auch die Männer über die Frauen. Natürliche Ungleichheit. Manche Menschen sind klein und gedrungen und stark und damit geeignet für körperliche Arbeit. Wenn sie dann noch „an der Vernunft nur soweit teilhaben", um gerade die Befehle anderer verstehen zu können, dann sind sie die geborenen Sklaven. Physei douloi, Sklaven von Natur. Die anderen sind groß und schlank und klug. Unbrauchbar für schwere Arbeit, aber perfekt im Befehlen. Freie von Natur. Das ist typisch bewahrendes Naturrecht. Man kann es auch legitimierendes nennen.

Niemand hat wieder so vorzüglich über Gerechtigkeit geschrieben. Und sich gleich so geschickt aus der Affäre gezogen. Was ist Gerechtigkeit, fragen Platon und Aristoteles auf dem Höhepunkt der radikalen Demokratie in Athen. Und sie geben die bis heute gültige Antwort. Gerechtigkeit ist Gleichheit. Wie kann man aber dann erklären, daß es tatsächlich doch so große Unterschiede gibt, zum Beispiel zwischen Arm und Reich? Die Antwort ist perfekt ausgearbeitet von Aristoteles im fünften Buch seiner Nikomachischen Ethik, bis heute ein Standardwerk der Rechtsphilosophie. Es ist die Unterscheidung von austeilender und ausgleichender Gerechtigkeit, in den Kapiteln 5–7. Seit dem Mittelalter spricht man auch von iustitia distributiva und commutativa. Im Anschluß an Platon (Nomoi 757) unterscheidet er zwei Arten von Gleichheit: eine numerische – oder arithmetische – und eine proportionale – oder geometrische – und dementsprechend zwei Arten von Gerechtigkeit, nämlich die ausgleichende und austeilende. Er behandelt zuerst die austeilende Gerechtigkeit, der proportionalen Gleichheit. Sie heißt bei ihm dianemetikon dikaion. Das Wort ist abgeleitet von dianemein, auf deutsch: verteilen. Er sieht sie wohl als die wichtigste Form der Gerechtigkeit an, wie sich aus der Reihenfolge ergibt und aus der Bewertung bei Platon, auf den er zurückgreift. Sie regelt die Verteilung der Güter und die Besetzung von öffentlichen Ämtern, überhaupt allem, was in einer Polis verteilt wird, auch von Ehre. Die Schwierigkeit bestehe hier darin, für die Proportionen einen angemessenen Maßstab zu finden. Die Vertreter des demokratischen Prinzips meinen, der einzig richtige Maßstab sei die Freiheit: Jeder, der frei sei, also das Bürgerrecht habe und nicht Sklave sei, müsse einen gleichen Anteil erhalten. Die Oligarchen wollen nach erworbenem Reichtum oder nach dem Adel der Geburt entscheiden, die Aristokraten nach der areté, was soviel bedeutet wie persönliches Verdienst, Leistung. Nur wer was leistet, kann sich was leisten. Danach behandelt er die ausgleichende Gerechtigkeit. Er nennt sie diorthotikon dikaion abgeleitet von diorthoein, auf deutsch: gerade machen, wiedergutmachen, ausgleichen. Sie betrifft die Verpflichtungen der Bürger untereinander, die Obligationen (synallagmata), also ganz grob gesprochen: das Schuldrecht. Aristoteles unterscheidet, wie wir heute letztlich auch, zwischen freiwilligen Verpflichtungen (die Verträge) und unfreiwilligen (Delikt). Anschließend, im 8. Kapitel behandelt er dann noch ausführlich das Geld als den Mittler und Maßstab der ausgleichenden Gerechtigkeit.

Terminologie und Zuordnung der verschiedenen Bereiche des Rechts stammen von ihm, der Grundgedanke von Platon, der ausdrücklich sagt, die wahre Gerechtigkeit sei nicht die numerische Gleichheit, die sehr leicht herzustellen sei, sondern die proportionale. Diese nämlich sei nicht so leicht zu erkennen, weil ein anerkannter Maßstab fehle, und letztlich nur von den Göttern festzustellen (Nomoi 757).

Aristoteles ist es auch gewesen, der als erster über Billigkeit (epieikes, epieikeia) geschrieben hat, also über strenges und billiges Recht oder, wie man später lateinisch sagte, ius strictum und ius aequum. Die aequitas der Römer. Es sind Probleme, mit denen wir uns heute noch herumschlagen. Nikomachische Ethik, 5. Buch, 14. Kapitel:

> Es ist jetzt zu sprechen über Billigkeit und Billiges, also darüber, wie sich die Billigkeit zur Gerechtigkeit und das Billige zum Recht

verhält. Wenn man genau hinsieht, erscheint beides weder einfach identisch noch verschiedenartig. Wir rühmen das Billige und den billig Denkenden, wie wir jemanden wegen anderer guter Eigenschaften rühmen, und gebrauchen den Ausdruck anstelle des Wortes „gut“, wenn wir klarmachen wollen, daß das Billigere das Bessere ist. Wenn man aber der Logik folgt, erscheint es merkwürdig, daß das Billige neben dem Recht etwas Rühmliches sein soll. Denn entweder ist das Recht dann nicht gut oder das Billige ist kein Recht, wenn es etwas anderes ist. Oder aber, wenn sie beide gut sind, dann ist es dasselbe, sind sie identisch. Das ist ungefähr die Problematik der Billigkeit. In Wirklichkeit steckt in allem etwas Richtiges und widerspricht sich nicht. Indem das Billige besser ist als eine bestimmte Art von Recht, ist es selbst Recht. Und wenn es besser ist als Recht, muß es ja nicht einer anderen Gattung angehören. Recht und Billiges sind nämlich dasselbe. Beide sind gut. Aber das Billige ist stärker, besser, steht im Rang höher. Das Problem entsteht dadurch, daß das Billige zwar Recht ist, aber nicht Gesetzesrecht, sondern die Verbesserung von Gesetzesrecht. Das hat seinen Grund darin, daß jedes Gesetz allgemein abgefaßt ist, es aber für einige Einzelfälle nicht möglich ist, in richtiger Weise allgemein zu sprechen. In den Fällen, in denen es notwendig ist, allgemein zu sprechen, ohne daß es für alle richtig ist, da gibt das Gesetz die allgemeine Regel, ohne zu übersehen, daß es Fehler gibt. Und das ist richtig so. Der Fehler liegt nicht im Gesetz oder beim Gesetzgeber, sondern in der Natur der Sache. Gesetze sind nämlich gerade ausgerichtet. Wenn nun ein Gesetz eine allgemeine Bestimmung trifft und ein Fall vorkommt, der ungewöhnlich ist, dann ist es richtig, dort, wo der Gesetzgeber etwas ausgelassen hat, indem er ohne Ausnahmemöglichkeit allgemein spricht und damit einen Fehler macht, das Unterlassene richtigzustellen, zu verbessern, was auch der Gesetzgeber geregelt hätte, wenn er zur Stelle wäre und es sähe. Deshalb ist das Billige durchaus Recht und besser als eine bestimmte Art von Recht, nicht besser als das allgemeine Recht, aber besser als das wegen seiner Allgemeinheit teilweise fehlerhafte Recht. Und das ist die Natur der Billigkeit, nämlich eine Berichtigung des Gesetzes dort, wo es wegen seines allgemeinen Charakters etwas ausgelassen hat. Das ist der Grund dafür, daß das Gesetz nicht alles regelt, weil das Gesetz nicht jeden Einzelfall regeln kann, so daß ein Sondergesetz notwendig wäre. Denn für das Unbestimmte braucht man einen unbestimmten Maßstab, wie beim lesbischen Hausbau ein Maßstab aus Blei, eine Bleischnur, verwendet wird. Sie paßt sich der äußeren Gestalt des Steins an und bleibt

> nicht starr, so wie sich ein Sondergesetz den Tatsachen anpaßt. Es ist nun klar, was das Billige ist, und warum es Recht ist und welcher Art von Recht es überlegen ist. Und es wird daraus auch deutlich, wer ein billig Denkender ist. Nämlich derjenige denkt billig, der sein Recht nicht akribisch genau verfolgt und es dadurch schlechter macht, sondern wer nachgiebig ist, auch wenn er das Gesetz auf seiner Seite hat. Und seine Haltung heißt Billigkeit. Sie ist eine Form der Gerechtigkeit und nicht etwas anderes.

Aristoteles unterscheidet hier terminologisch zwischen Recht und Billigkeit, dikaion und epieikes. Sagt zwar ausdrücklich, das Billige sei eine Art des Rechts, und teilweise dem gesetzlichen Recht überlegen. Aber er kennt noch nicht unseren Kunstgriff, diese beiden Arten einfach durch adjektivische Form zu unterscheiden. Also strenges und billiges Recht. Auch die Römer waren noch nicht ganz so weit. Sie kannten zwar schon das ius strictum, drückten sich aber beim billigen Recht auch noch etwas anders aus.

125. Allgemeiner Charakter des Rechts

In klassischer Zeit war mit der Entmachtung des alten Priesteradels die Einheit von Recht und Religion aufgelöst. Gesetze werden entweder Solon zugeschrieben, der nicht im Auftrag von Göttern handelte, oder die Volksversammlung selbst hatte sie beschlossen, später die Nomotheten. Die Verweltlichung der Gerichte tat ein übriges, und die freie Beweiswürdigung. So hatte auch der Eid, den man bei den Göttern leistete, an Bedeutung verloren. Anders ist es mit der Einheit von Recht und Moral. Sie ist noch weitgehend erhalten. Was sich schon darin zeigt, daß es ein abstraktes Wort für Recht eigentlich gar nicht gibt. Dikaion jedenfalls ist es nicht. Das bedeutet Gerechtigkeit. Wenn man vom Recht spricht, sagt man die Gesetze, hoi nomoi. Dementsprechend findet Rechtsphilosophie statt im Rahmen der Moralphilosophie, wie im fünften Buch der Nikomachischen Ethik des Aristoteles.

Das Recht, das sind die Gesetze. Sie sind es, die die größte Rolle spielen in der Argumentation der attischen Redner. Auch im Eid der Richter. Alljährlich schwören sie beim Beginn ihrer Tätigkeit, daß sie ihre Stimme abgeben werden gemäß den Gesetzen des Volkes von Athen. Die Argumentation der Redner ist streng legalistisch. Die Billigkeit, die von Aristoteles so hoch bewertet wird, erscheint bei ihnen nie. Erst die römischen Juristen sind da flexibel geworden. Womit natürlich nicht gesagt ist, daß Billigkeitserwägungen keine Rolle spielten, wenn die Richter zur Abstimmung gingen. Wer weiß, wie sie entschieden haben im Prozeß des Epikrates gegen Athenogenes? Was aber bleibt: Die Griechen sind die Erfinder der Legalität

Die legalistische Argumentation ist rational. Das ist neu, anders als in

Mesopotamien und Ägypten. In Mesopotamien gab es zwar Gesetze. Aber im Urteil werden sie nie genannt. Auch in Ägypten wird es letztlich nicht anders gewesen sein, zumal die Frage der Gesetze dort noch weniger geklärt werden konnte. Die Götter hatten eben noch ein Wort mitzureden, der Stadtfürst in ihrer Vertretung oder der Pharao. Die Rationalität der Griechen erscheint also auch in ihrem Recht. Aber sie ist von der Präzision der Römer noch ein gutes Stück entfernt. Was ganz einfach damit zusammenhängt, daß hier Gerichte mit vielen hundert Männern entschieden haben. Da mußte man anders argumentieren als vor dem einen Mann in Rom. Also gibt es hier auch keine Rechtswissenschaft. Sie hätte keinen Adressaten gehabt. Also gab es keine Unterscheidung zwischen dinglichen und obligatorischen Rechten und keine zwischen Delikt und Vertrag. Die zivilrechtliche Dogmatik war unterentwickelt. Aber was tat's? Denn der soziale Gehalt des Rechts war ziemlich hoch, jedenfalls besser als in Rom. Eine Beobachtung, die man häufig macht. Je weiter sich die juristische Dogmatik entwickelt, desto schlechter steht es um soziale Gerechtigkeit. In Athen verhinderte dies auch seine erstaunlich demokratische Verfassung. Juristen und Rechtswissenschaft hatten hier keinen Platz. Stattdessen gab es die Rhetorik, die dann im 3. Jahrhundert v. Chr. mit Hermagoras von Temnos sogar noch eine etwas unbeholfene Argumentationstheorie entwickelt hat, die sogenannte Statuslehre. Der rein technische Vergleich mit Rom ist also eher negativ. Auf der anderen Seite haben die Griechen etwas gehabt, was die Römer nicht geleistet haben. Eine hoch entwickelte Rechtsphilosophie. Nimmt man dann noch hinzu, daß ihr Strafrecht mit seinen vielen Geldstrafen verhältnismäßig milde war, wenn man zum Vergleich mal wieder nach Mesopotamien und Ägypten blickt, dann ist die Bilanz eigentlich gar nicht so schlecht. Sofern man, wie gesagt, bereit ist, vom Problem der Sklaven und Frauen abzusehen.

Literatur

104. *Schuller*, Griechische Geschichte 2. Aufl. 1982, ein vorzüglicher Überblick mit ausführlichem Literaturbericht. Zur Wirtschaft: dort S. 85 ff., vgl. noch *Max Weber*, Wirtschaft und Gesellschaft (4. Aufl. 1956) 2. Teil, 8. Kap. § 5 und *de Martino*, Wirtschaftsgeschichte des alten Rom (1985) 33. Kap.; *Kloft*, Die Wirtschaft der griechisch-römischen Welt 1992 – **105.** *Wolff*, Symposium 1971 (1975) 1 ff. – **107.** *Ruschenbusch*, Historia 9 (1960) 129 ff.; *Stroud*, Drakon's Law on Homicide 1968; *Gagarin*, Drakon and Early Athenian Homicide Law 1981; *Heitsch*, Aidesis im attischen Strafrecht 1974; *Ruschenbusch*, Solonos Nomoi 1966; *MacDowell*, The Law in Classical Athens (1978) 41 ff. – **108.** *Hansen*, Die Athenische Demokratie im Zeitalter des Demosthenes 1995; *Wolff*, „Normenkontrolle" und Gesetzesbegriff in der attischen Demokratie 1970. – **109.** *Hansen*, (Rdz. 108) 184–232; *Harrison*, The Law of Athens 2 (1971); *MacDowell*, (Rdz. 107) 53 ff., 203 ff., 254 ff.; *Dow*, Aristotle, the Kleroteria and the Courts, in: Harvard Studies in Classical Philologies 1 (1939) 198ff; *Kroll*, Athenian Bronze Allotment Plates 1972; *Wolff*, Die attische Paragraphe 1966. – **110.** *Ruschenbusch*, Untersuchungen zur Geschichte des athenischen Strafrechts 1968; ders. Hybreos Graphé SZ 82 (1965) 302 ff.; *MacDowell*, (Rdz. 107) 123ff., 175ff., 194ff.; *David Cohen*, Theft in Athenian Law 1983. – **111.** *Platon*, Eutyphron, Apologie, Phaidon; *Ritter*, Sokrates (1931) 16ff., 74ff.; *Erasmus*, Richterzahl und Stimmenverhältnis im Sokrateseprozeß, in: Gymnasium 71 (1964) 40–42; *I.F. Stone*, The Trial of Socrates 1988; *C. Meier*, Ein Anschlag der Demokratie auf die Philosophie? Verurteilung und Tod des Sokrates, in: *V. Schulz*, Große Prozesse (1990) 21–31. – **112.** *Cohen*, (Rdz. 110); *Mac Dowell*, 123ff., 149ff.; *Mummenthey*, Zur Geschichte des Begriffs Blábe im attischen Recht, Diss. Freiburg 1971. – **113.** *Harrison*, The Law of Athens 1 (1968) 200ff.; *Kaser*, Der altgriechische Eigentumsschutz SZ 64 (1944) 134ff.; *Kränzlein*, Eigentum und Besitz im griechischen Recht 1963: Wolff, Rez. Kränzlein SZ 81 (1964) 333ff. – **114.** *Harrison*, (Rdz. 113) 122ff., 305ff. – **115.** *Harrison*, (Rdz. 113) 1ff.; *Stelzer*, Untersuchungen zur enktesis im attischen Recht, Diss. München 1971; *Wolff*, Eherecht und Familienverfassung in Athen, in: ders. Beiträge zur Rechtsgeschichte Altgriechenlands (1961) 155ff. – **116.** *Harrison*, (Rdz. 113) 163ff.; *Brockmeyer*, Antike Sklaverei (1979) 105ff. – **117.** *Wolff*, Die Grundlagen des griechischen Vertragsrechts SZ 74 (1957) 26ff.; *Behrend*, Attische Pachturkunden (1970) 16ff.; *Wolff*, Zum Problem der dogmatischen Erfassung des altgriechischen Rechts, Symposium 1979 (1983) 9ff. – **118.** *Pringsheim*, The Greek Law of Sale (1950); *Pringsheim*, Der Kauf mit fremdem Geld 1916. – **119.** *Blaß*, Die attische Beredsamkeit II 1 (2. Aufl. 1898) 81ff.; *Lipsius*, Das Attische Recht und Rechtsverfahren II 2 (1912) 685, III (1915) 794ff.; *Pringsheim*, The Greek Law of Sale (1950) 454ff.; *Kußmaul*, Synthekai, Diss. Basel 1969, 15ff., 56, 62f.; *Meyer-Laurin*, Die Haftung für den noxa non solutus beim Sklavenkauf nach griechischem Recht, Symposium 1974 (1979) 263ff. – **120.** *Wolff*, Zur Rechtsnatur der Misthosis, in: ders. Beiträge zur Rechtsgeschichte Altgriechenlands (1961) 129ff.; *Behrend*, Attische Pachturkunden 1970. – **121.** *Wolff*, SZ 74 (1957) 49f., 65. – **122.** *Partsch*, Griechisches Bürgschaftsrecht 1909; *Wolff*, Eherecht und Familienverfassung in Athen, in: ders. Beiträge zur Rechtsgeschichte Altgriechenlands (1961) 170ff.; *Beyerle*, Der Ursprung der Bürgschaft SZ Germ. Abt. 47 (1927) 567ff. – **123.** *Harrison*, (Rdz. 113) 253ff. – **124.** *Rode*, Geschichte der europäischen Rechtsphilosophie (1974) 13ff. – **125.** *Meyer-Laurin*, Gesetz und Billigkeit im attischen Prozeß 1965; *Wolff*, Vorgeschichte und Entstehung des Rechtsbegriffs im frühen Griechentum, in: Fikentscher/Franke/Köhler (Hg), Entstehung und Wandel rechtlicher Traditionen (1980) 557ff; *Martin*, Antike Rhetorik (1974) 15ff.; *Fuhrmann*, Die antike Rhetorik 1984, 81ff., 99ff.

10. Kapitel

RÖMISCHES RECHT

Allgemeine Literatur: *Dulckeit/Schwarz/Waldstein*, Römische Rechtsgeschichte 9. Aufl. 1995; *Kunkel*, Römische Rechtsgeschichte 12. Aufl. 1990; *Wieacker*, Römische Rechtsgeschichte 1. Abschnitt 1988; *Bretone*, Geschichte des römischen Rechts 1992; *Mommsen*, Römisches Staatsrecht 3 Bände 1871/88 (Ndr. 1955/63); *Kunkel*, Staatsordnung und Staatspraxis der römischen Republik 2. Abschnitt, Die Magistratur 1995; *Bleicken*, Die Verfassung der römischen Republik, 7. Aufl. 1995; *Bleicken*, Verfassungs- und Sozialgeschichte des römischen Kaiserreiches, Band 1, 3. Aufl. 1989, Band 2, 2. Aufl. 1981; *Mommsen*, Römisches Strafrecht 1899 (Ndr. 1990); *Honsell/Mayer-Maly/Selb*, Römisches Recht 1987; *Kaser*, Das römische Privatrecht 2 Bände 2. Aufl. 1971/75 (Handbuch); *Kaser*, Römisches Privatrecht 16. Aufl. 1992 (Lehrbuch); *Kaser/Hackl*, Das römische Zivilprozeßrecht 2. Aufl. 1996; *Heumann/Seckel*, Hand-Lexikon zu den Quellen des römischen Rechts 9. Aufl. 1907 (Ndr. 1971)

126. Überblick über die römische Geschichte

Die Wanderungsbewegungen nach Italien beginnen später als die griechischen, erst um 1000 v. Chr. Zu den vielen von Norden einwandernden Stämmen gehören auch die Latiner, die sich im Gebiet des Tiber niederlassen, als südliche Nachbarn der Etrusker, von denen sie längere Zeit abhängig sind. Die Stadt Rom entsteht etwas später als Athen, ein- bis zweihundert Jahre danach, wahrscheinlich erst im 7. Jahrhundert v. Chr., unter dem Einfluß der Etrusker, die aus mehreren Dörfern eine Stadt gründeten, indem sie eine Mauer herumzogen oder durch die Anlage eines Zentrums der Bürgerschaft mit dem Forum. Ungefähr zweihundert Jahre regierten dort etruskische Fürsten, sogenannte Könige (reges). Als die Herrschaft der Etrusker in Italien allgemein am Ende war, organisierte der römische Adel eine Revolte gegen sie. Um 500 v. Chr. war das. Rom ist damals schon eine ziemlich große Stadt gewesen, nicht so groß wie Athen, aber mit 50000 Einwohnern größer als die meisten anderen damals in der antiken Welt. Der mächtige Adel errichtete nun seine eigene Republik.

Die Herrschaft der Römer dehnte sich schnell aus. Im 4. und 3. Jahrhundert unterwarfen sie sich ganz Italien, dann immer mehr Länder um das Mittelmeer. Schließlich hatten sie am Ende des 1. Jahrhunderts v. Chr. ein Weltreich errichtet, von Kleinasien bis nach Spanien, Frankreich und Deutschland. Rom war damals eine Stadt von einer Million Einwohnern. Das Instrumentarium einer Adelsrepublik reichte nicht mehr aus. Folgerichtig endet das letzte Jahrhundert der Republik mit seinen innenpoliti-

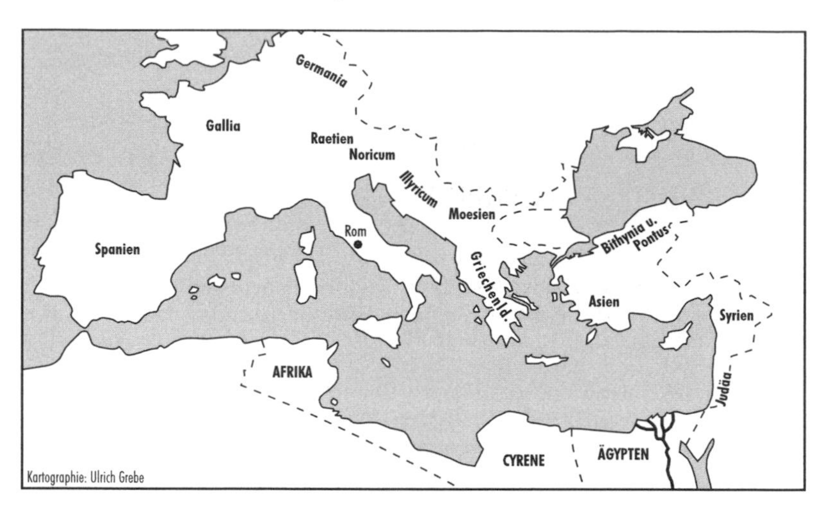

Abbildung 7: Das Weltreich des Augustus

schen sozialen Auseinandersetzungen im Prinzipat des Augustus, 27 v. Chr., dem Beginn der Kaiserzeit. Äußerlich bleiben die alten, sogenannten republikanischen Institutionen zunächst noch bestehen. Erst um 300. n. Chr. beginnt mit Diocletian der spätantike Zwangsstaat, der Dominat. Das Reich wird geteilt, in eine westliche lateinische Hälfte und in eine östliche, griechisch sprechende. Das weströmische Reich endet 476 n. Chr. mit der Absetzung des Kaisers Romulus Augustulus durch Odoaker, als Ergebnis der Völkerwanderung der Germanen. Das oströmische, byzantinische Reich besteht noch eintausend Jahre länger, bis zum Ende des Mittelalters. Es fällt erst 1453 n. Chr., mit der Eroberung Konstantinopels durch die osmanischen Türken.

127. Wirtschaftsentwicklung

Die wirtschaftliche Entwicklung ist am Anfang ähnlich wie in Griechenland. Durch die bald einsetzende Geldwirtschaft verändert sich die Hauswirtschaft. Privateigentum an Grund und Boden entsteht, über den sehr früh frei verfügt werden kann. Dadurch entwickelt sich die Großlandwirtschaft des Adels, seit dem 3. Jahrhundert als Monokultur mit Weinbau oder Olivenölproduktion, riesige Plantagen auf der Grundlage von Sklavenarbeit, die mit den kriegerischen Eroberungen seit den punischen Kriegen sehr stark zunimmt. Am Ende des 3. Jahrhunderts sind von der halben Million Einwohner Roms schon die Hälfte Sklaven. Der Warenverkehr nimmt zu. Die Großlandwirtschaft des Adels ist den kleinen Bauern überlegen und bringt sie in die Verschuldung. Der Zins ist sehr hoch, wie immer in den Anfängen der Geldwirtschaft. Er liegt zunächst bei 20%. Am Ende der Republik beträgt er ein Prozent pro Monat (centesimae usurae), also wie in Athen 12% jährlich. Auch die römische Geschichte ist die Geschichte von Ständekämpfen, wie man sich immer vornehm ausdrückt. Aber im Gegensatz zu Athen behält der Adel die Lage im Griff. Die Ständekämpfe nutzen der Plebs wenig, haben letztlich nur die Entstehung eines neuen Adels zur Folge, der sich dann als Nobilität die Macht mit den alten Patriziern teilt. Rom bleibt bis zum Ende der Republik eine agrarisch strukturierte Herrschaft von Reichen. Auch die gracchische Revolution – 133–123 v.Chr. – ändert daran nichts. Sie war gerichtet gegen die Konzentration in der Landwirtschaft und ist gescheitert. Danach machen sich wieder stark reaktionäre Tendenzen breit, die für die Armen nur dadurch gemildert werden, daß in Rom ein ungeheurer Reichtum entsteht, der zum Teil auch ihnen zugute kommt. Dieser Reichtum entsteht durch die direkte Ausbeutung der Provinzen. Mit anderen Worten: Auch die römischen Proletarier leben auf Kosten der Provinzialen. Die Parallele zu heute liegt auf der Hand, nur daß die Ausbeutung der Dritten Welt nicht mehr direkt stattfindet, durch erzwungene Abgaben, sondern indirekt, über das zu hohe Preisniveau von Industrieprodukten. Die Zahl der Almosenempfänger bei Getreideverteilungen steigt in Rom am Ende der Republik auf etwa 300000. Caesar hat sie allerdings durch Kolonisation und ähnliche Maßnahmen wieder halbiert.

Eine der Ursachen der großen Wirtschaftskrise der Kaiserzeit im 3. Jahrhundert n.Chr. entsteht wohl schon im 1. Jahrhundert n.Chr. Die Krise war in erster Linie eine Agrarkrise, weil die Landwirtschaft weitgehend von Sklavenarbeit abhängig war. Seit Augustus stockte der Nachschub. Augustus hatte dem Reich zwar Frieden gebracht (pax Augusta), aber das hatte auch den Nachteil, daß die vielen billigen Kriegsgefangenen fehlten, die den Raubbau der Plantagenwirtschaft ermöglichten. Zunächst läuft allerdings alles weiter wie in der Republik. Die Provinzialen und Sklaven arbeiten für die großstädtische Bevölkerung. Zu Beginn der Kaiserzeit gibt es hier wieder 200000 bis 250000 Getreideempfänger. Im übrigen erhielt die städtische Plebs Arbeit durch das Bauprogramm der Kaiser. Diese Bautätigkeit, auch in den anderen italienischen Städten, scheint übrigens ein weiterer Grund für die kommende Krise gewesen zu sein. Man hat zuviel verbraucht. Der Luxus im 1. und 2. Jahrhundert n.Chr. war sehr groß. Und in dieser Zeit verbessert sich allmählich die Stellung der Provinzen. Die Statthalter bekommen nun ordentliche Gehälter und dürfen nicht mehr wild drauflos plündern. Ihre Gebiete werden von Objekten der Ausbeutung umgeformt zu Reichsteilen. Der Lebensstandard steigt, auch durch den Handel, der über ein großes Reichsgebiet läuft, mit einem guten Straßennetz, ohne Zollschranken. Im

3. Jahrhundert n. Chr. kommt das römische Reich endgültig in eine langanhaltende Wirtschaftskrise, zu deren Ursachen sicherlich auch die Schwierigkeiten an den Grenzen gehörten, Angriffe von Nachbarn, die zum Teil mit hohen Geldzahlungen abgewendet wurden, zum Beispiel an die Perser. Und es gehörte dazu die übermäßige Ausbreitung der Staatsverwaltung, die zuviel Geld kostete. Insgesamt wurde zuviel ausgegeben, ohne daß dies durch eine entsprechende Warenmenge gedeckt war, mit der Folge einer ständigen Inflation. Das Sozialprodukt ging zurück und der Steuerdruck des Staates nahm zu. Das Land wurde zum großen Teil nicht mehr bebaut, weil es keine Sklaven mehr gab und es sich wegen der Steuer auch nicht mehr lohnte. Es gab Versorgungsschwierigkeiten. Deshalb griff der Staat zu dirigistischen Maßnahmen. Große Domänen wurden an kapitalkräftige Pächter vergeben, die mit Parzellenbauern arbeiteten. Diese Parzellenpächter waren mit dem Land zwangsverbunden, zuerst faktisch, dann rechtlich. Der spätrömische Kolonat entstand, eine Art Hörigkeit. Die sogenannten originarii dürfen vom Eigentümer zwar nicht vertrieben werden. Das ist der Unterschied zum Sklaven. Aber sie selbst dürfen sich auch nicht vom Boden entfernen. Für Prozesse über die Pacht sind sie prozeßfähig, und sie können auch heiraten. Aber es gibt ein Züchtigungsrecht des Eigentümers. Und er kann sie zurückholen, wenn sie entflohen sind, notfalls mit Prozeß.

Auf ihrem Höhepunkt war die antike Ökonomie eine Küstenwirtschaft, die den Handel über die Häfen betrieb, verbunden mit Resten der alten Hauswirtschaft. Jetzt entwickelt sie sich immer mehr zu einer Binnenlandwirtschaft mit großen Domänen, die wieder abgeschlossen leben. Der Stadtstaat ist beseitigt. Seine Grundlage war immer eine politisch-militärische. Der Dominat hat ein zentrales Söldnerheer. Die zentralistische Verwaltung übernimmt auch die unteren Ebenen. In den Städten werden Zwangszünfte eingesetzt, gegen Fluchtbewegungen vor dem Steuerdruck. Der Staat übernimmt wichtige Manufakturen, zum Beispiel von Waffen. Insgesamt ein staatlicher Dirigismus, der das Wirtschaftsleben eher gelähmt zu haben scheint, verbunden mit der Entstehung neuer Privilegien für die sich schnell abschließende Klasse der höheren Beamten.

128. Vorbemerkungen zur Geschichte, Struktur und Bedeutung des römischen Rechts

Die uns bekannte Geschichte des antiken römischen Rechts umfaßt eintausend Jahre, vom Zwölftafelgesetz bis zu Justinians Kodifikation. Am Anfang und am Ende steht also jeweils ein bedeutendes Gesetz. Aber das täuscht. Anders als das griechische Recht ist das römische nämlich kein Gesetzesrecht, sondern Juristenrecht. In seiner klassischen Form ist es entwickelt in der Rechtsprechung der Prätoren und in den Schriften der Juristen. Deswegen sind in der folgenden Übersicht auch einige dieser Juristen genannt, neben einigen wichtigen historischen und rechtshistorischen Daten:

753 v. Chr.	Gründung Roms, legendäres Datum,
510	Sturz des Tarquinius Superbus, Republik
451	*Zwölftafelgesetz*
340–338	Latinerkrieg
286 (?)	lex Aquilia
264–241	1. punischer Krieg
218–201	2. punischer Krieg
150–146	3. punischer Krieg und Zerstörung Karthagos
133–123	gracchische Revolution
89	Bürgerrecht für ganz Italien
48–44	Caesars Diktatur
27 v.–14 n. Chr.	Prinzipat des Augustus
10 n. Chr.	Labeo gestorben
14–68	julisch-claudische Kaiser (Tiberius bis Nero)
62–96	flavische Kaiser (Vespasian, Titus, Domitian)
96–192	Nerva und die Adoptivkaiser (Trajan bis Commodus)
130	Ediktsredaktion durch Julian unter Hadrian
nach 178	Gaius gestorben
193–235	severische Kaiser (Septimius Severus bis Severus Alexander)
212	Papinian gestorben
212	constitutio Antoniniana
223	Ulpian gestorben
235–284	Reichskrise, Soldatenkaiser
284–305	Diocletian
426	Zitiergesetze des Theodosius II.
438	codex Theodosianus
528–534	*Justinians Kodifikation*

Diese tausend Jahre werden von den Rechtshistorikern unterteilt in drei Abschnitte, nämlich die republikanische, klassische und nachklassische Zeit. Mit der klassischen Zeit bezeichnet man den Höhepunkt der Entwicklung des römischen Reiches, die in der republikanischen Zeit vorbereitet worden ist. Die nachklassische Zeit beginnt mit der Wirtschaftskrise des 3. Jahrhunderts n. Chr., in der die dogmatische Präzision des klassischen Rechts abgelöst wird durch das Vulgarrecht. Also:

1. *republikanische Zeit:* Von der Gründung der Republik bis zu Augustus, also 5. bis 1. Jahrhundert v. Chr.
2. *klassische Zeit:* Von Augustus bis zu den Severern, also im wesentlichen die ersten beiden Jahrhunderte n. Chr.

3. nachklassische Zeit:	Von den Severern bis zu Justinian, also die nächsten drei Jahrhunderte (3. bis 6. Jahrhundert n. Chr.)

Klassisches Recht, das ist das Zivilrecht der klassischen Zeit. Verfassung und Strafe waren weniger verrechtlicht. Die Verfassung spielte vor Gerichten ohnehin keine Rolle, anders als im demokratischen Athen. Das regelte man unter sich. Auch Strafrecht fand für römische Juristen nur am Rande statt. Römisches Recht war das Recht der vornehmen Leute. Klassisch heißt zwar vorbildlich. Und so wird das römische Recht seit dem Ende des 18. Jahrhunderts genannt. Aber klassisches Recht war auch Klassenrecht, das Recht der Besitzenden untereinander, also Zivilrecht. Mit den anderen machte man kurzen Prozeß, außerhalb des Rechts.

Im Zivilrecht haben die Römer das Weltmuster eines Rechts geschaffen, das gegründet ist auf das Privateigentum und den freien Willen. In dieser Form hat es sich im Spätmittelalter über ganz Europa verbreitet, nachdem die Gesetzbücher der justinianischen Kodifikation im 11. Jahrhundert nach Oberitalien gekommen waren. So ist es auch zur Grundlage unseres Rechts geworden, nicht nur unseres Zivilrechts, sondern es hat mit seiner abstrakten Begrifflichkeit auch unser Strafrecht und Verwaltungsrecht geprägt, ja sogar unser Verfassungsrecht. Die Begrifflichkeit der römischen Juristen unterscheidet sich zwar in gewisser Weise von unserer. Bei ihnen überwiegt die intuitive Anschauung, die fast bildhaft und plastisch ist und nicht systematisch argumentiert und mit Definitionen, wie es sich bei uns durchgesetzt hat, im 18. und 19. Jahrhundert. Aber bei ihnen wie bei uns sind es einige wenige entscheidende Elemente, die die Struktur des ganzen prägen. Im wesentlichen sind es fünf: Rechtssubjekt, Familie, Eigentum, Vertrag, Delikt.

Das soll kurz an unserem eigenen Recht geklärt werden. Seit dem 19. Jahrhundert leben wir im Zivilrecht mit dem sogenannten Pandektensystem (Rdz. 281), das auch in den fünf Büchern des Bürgerlichen Gesetzbuches übernommen worden ist: Allgemeiner Teil, Schuldrecht, Sachenrecht, Familienrecht, Erbrecht. Vertrag und Delikt sind die entscheidenden Elemente des Schuldrechts. Das Sachenrecht ist das Recht des Eigentums, mit einigen Abspaltungen. Das Familienrecht regelt die Verhältnisse des ältesten Elements im Zivilrecht, eben der Familie. Das Erbrecht besteht aus Kombinationen der Elemente Familie und Eigentum. Und der Allgemeine Teil enthält Regeln über das Rechtssubjekt und – sehr allgemein – den Vertrag.

Das antike römische Zivilrecht war noch nicht so klar gegliedert. Die römischen Juristen ordneten ihren Stoff mehr nach prozessualen Leitgedanken, folgten in der Darstellung des Zivilrechts meistens der eher zufälligen Ordnung des prätorischen Edikts (Rdz. 135), nach der noch die Digesten Justinians gegliedert sind. Erst Gaius, im 2. Jahrhundert n. Chr. ist da einen eigenen Weg gegangen, systematischer, in seinem kleinen Lehrbuch der „Institutionen". Die fünf Elemente sind jedenfalls immer deutlich erkennbar. Auch in der folgenden Darstellung sind sie zur Grundlage gemacht, weitgehend in der historischen Reihenfolge ihrer Entstehung.

129. Quellen

Unsere Kenntnis des römischen Rechts ist unvergleichlich besser als die des griechischen. Das verdanken wir im wesentlichen den Schriften der klassischen Juristen. Sie sind zu einem großen Teil erhalten in der Kodifikation des oströmischen Kaisers Justinian (Rdz. 157). Seit dem 16. Jahrhundert wird sie Corpus Iuris Civilis genannt. Es bestand zunächst aus drei Teilen: Institutionen, Digesten, Codex. Ein vierter Teil kam später dazu, die Novellen.

Die Institutionen sind ein Anfängerlehrbuch, nach dem Vorbild einer kleinen Schrift des klassischen Juristen Gaius, die den gleichen Titel hatte. Aus ihr sind ganze Abschnitte wörtlich übernommen. Sie sind eingeteilt in Bücher, Titel und Paragraphen. Die Abkürzung für Institutionen ist „I". „I.2.1.40" bedeutet also: im zweiten Buch der Institutionen, darin im ersten Titel den § 40.

Die Digesten sind der wichtigste Teil des Corpus Iuris. Sie sind in 50 Bücher eingeteilt. Jedes Buch enthält – mit Ausnahme der Bücher 30 bis 32 – mehrere Titel, die jeweils ein bestimmtes Thema behandeln. So hat der Titel D.41.1 im 41. Buch der erste Titel, die Überschrift „De adquirendo rerum dominio". Er behandelt den Eigentumserwerb. In jedem Titel sind Fragmente aus den Werken der alten Juristen gesammelt. Solch ein Fragment wird auch „lex" genannt. Die längeren sind wieder in Paragraphen unterteilt. Nach einer alten Tradition wird der erste als principium bezeichnet (pr.). Paul. D.41.1.31 pr. ist also im 41. Buch der Digesten, im ersten Titel und dessen 31. lex der erste Paragraph. Der Text stammt vom klassischen Juristen Paulus. D.41.1.31.1 ist erst der zweite Paragraph dieses Fragments.

Der Codex, der dritte Teil des Corpus Iuris, enthält in zwölf Büchern Entscheidungen der römischen Kaiser, sogenannte Konstitutionen. Von Hadrian bis zu Justinian. Alex.C.6.30.2 ist im 6. Buch, darin im 30. Titel die zweite Konstitution, eine Entscheidung des Kaisers Alexander Severus.

Die Novellen enthalten noch einige spätere Entscheidungen Justinians und seiner Nachfolger, insgesamt 168. Sie stehen in zeitlicher Reihenfolge, ohne Einteilung in Bücher. Da sie fast alle von Justinian stammen, ist die Angabe des Kaisers meistens überflüssig. Die größeren sind in Kapitel unterteilt. Zitierweise: „Nov. 99.4".

Außerhalb des Corpus Iuris gibt es nur wenige Juristenschriften, von denen die meisten aus nachklassischer Zeit stammen. Nur ein einziges Buch eines klassischen Juristen kennen wir im Original, die Institutionen des Gaius, in einer Handschrift, die man im 19. Jahrhundert entdeckt hat (Rdz. 155).

130. Literatur

Die Literatur zum griechischen Recht füllt ein mittleres Regal, die zum römischen ganze Bibliotheken. Früher gaben die Lehrbücher meistens getrennte Darstellungen entweder der allgemeinen Rechtsgeschichte („Römische Rechtsgeschichte") oder der Dogmatik („Römisches Privatrecht"). So ist es noch heute in den Lehrbüchern zur Rechtsgeschichte von Dulckeit/Schwarz/Waldstein, Kunkel und Söllner einerseits und in den Büchern von Kaser zum Privatrecht andererseits. Seit einigen Jahren gibt es Lehrbücher, die beide Gebiete beschreiben, zuerst die Geschichte, dann das Privatrecht (Härtel/Polay; Hausmaninger/Selb; Honsell/Mayer-Maly/Selb; Liebs). In der hier folgenden Darstellung wird das wichtigste aus beiden Bereichen ineinander verschachtelt.

Ein unentbehrliches Nachschlagewerk ist das zweibändige Handbuch zum Privatrecht von Kaser, zum normalen Durchlesen allerdings kaum geeignet. Dafür gibt es jetzt das ausführliche Lehrbuch von Honsell, Mayer-Maly und Selb, die Neubearbeitung des alten Jörs/Kunkel, nicht nur zum Privatrecht, sondern auch zur Rechtsgeschichte. Wichtige Hilfsmittel sind das Wörterbuch von Berger, mit kurzen Erläuterungen zu einzelnen Stichworten, und das Handlexikon von Heumann/Seckel, ein Spezialwörterbuch zum Latein der Rechtsquellen.

131. Zwölftafelgesetz

Am Anfang der Digesten findet man eine kleine Schrift eines Juristen der klassischen Zeit über die Geschichte des römischen Rechts bis ins 2. Jahrhundert n. Chr. Das enchiridium (Handbuch) des Pomponius. Dort schreibt er:

> *Pomp.D.1.2.2.3–4*: Exactis deinde regibus lege tribunicia omnes leges hae exoleverunt iterumque coepit populus Romanus incerto magis iure et consuetudine aliqua uti quam per latam legem, idque prope viginti annis passus est. Postea ne diutius hoc fieret, placuit publica auctoritate decem constitui viros, per quos peterentur leges a Graecis civitatibus et civitas fundaretur legibus: quas in tabulas eboreas perscriptas pro rostris composuerunt, ut possint leges apertius percipi: datumque est eis ius eo anno in civitate summum, uti leges et corrigerent, si opus esset, et interpretarentur neque provocatio ab eis sicut a reliquis magistratibus fieret. qui ipsi animadverterunt aliquid deesse istis primis legibus ideoque sequenti anno alias duas ad easdem tabulas adiecerunt: et ita ex accedenti appellatae sunt leges duodecim tabularum.

Deutsch: Nach der Vertreibung der Könige wurden deren Gesetze durch ein tribunizisches Gesetz alle wieder beseitigt, und das römische Volk begann von neuem, nach unsicherem Recht und Brauch zu leben und nicht nach klarem Gesetz. Das dauerte ungefähr zwanzig Jahre. Um das zu ändern, wurden dann zehn Männer mit umfassender Regierungsgewalt eingesetzt, die die Gesetze aus den griechischen Städten übernehmen und Rom wieder auf eine gesetzliche Grundlage stellen sollten. Die Gesetze wurden auf Tafeln aus Elfenbein geschrieben und vor der Rednertribüne auf dem Marktplatz aufgestellt, damit sie öffentlich eingesehen werden konnten. Den zehn Männern wurde in jenem Jahr die höchste Gewalt in der Stadt übertragen, damit sie die Gesetze, wenn nötig, verändern oder anders auslegen konnten, und gegen ihre Handlungen konnte auch nicht wie bei den übrigen Amtsträgern Einspruch zur Volksversammlung eingelegt werden. Als sie sahen, daß den ersten Gesetzen noch einiges fehlte, haben sie im folgenden Jahr noch zwei Tafeln ergänzt. Nach der Gesamtzahl wurden sie dann Zwölftafelgesetze genannt.

Die Zwölftafelgesetzgebung erklärt sich aus den Spannungen zwischen Arm und Reich am Beginn der Republik. Wie die solonischen Gesetze hat sie den Zweck, die Plebejer vor der Willkür der Patrizier zu schützen, die mit dem Priesterkollegium der Pontifices die Rechtsprechung in der Hand hatten und die Regeln geheim hielten. Es war Veröffentlichung von Recht zum Zweck der Herstellung von Rechtssicherheit. Nach der – wohl etwa zutreffenden – Datierung der römischen Historiker sind sie um 450 v. Chr. entstanden.

In der Meinung der Römer hatten sie immer den gleichen hohen Rang wie die Gesetze Solons für die Athener. Man kannte sie auswendig. Die Kinder lernten sie im Unterricht. Ihrer tatsächlichen Bedeutung entsprach das später nicht mehr. Bedenkt man aber ihre allgemeine Wertschätzung, dann war es keine Übertreibung, wenn Livius noch zur Zeit des Augustus in seiner römischen Geschichte über sie schreibt, in dem inzwischen entstandenen ungeheuren Berg übereinander gehäufter Gesetze seien sie immer noch die eigentliche Quelle des ganzen öffentlichen und Privatrechts (fons omnis publici privatique iuris, Liv. 3.34.6, vgl. Rdz. 133).

Sie sind uns nicht direkt überliefert. Wir kennen nur Bruchstücke aus Zitaten in der historischen und juristischen Literatur. Daraus hat man eine Rekonstruktion hergestellt, die sehr unsicher ist. Die ersten Worte – in einer späteren sprachlichen Fassung – sind aber wohl ziemlich sicher. Es beginnt mit dem Prozeß, genauer: mit der Klageerhebung.

XII tab.1.1–3: Si in ius vocat ito. Ni it entestamino. Igitur em capito. Si calvitur pedemve struit manum endo iacito. Si morbus aevitasve vitium escit qui in ius vocabit iumentum dato. Si nolet arceram ne sternito.

Deutsch: Wenn er vor Gericht ruft, soll er gehen. Wenn er nicht kommt, muß er Zeugen hinzuziehen. Dann soll er ihn greifen. Wenn er Ausflüchte macht, soll er ihn förmlich in seine Gewalt nehmen. Wenn er alt oder krank ist, soll ihm ein Wagen gestellt werden. Wenn er nicht will, braucht er ihn nicht mit Streu oder Decken zu versehen.

Prozeß und Vollstreckung bilden den Anfang. Regeln über das Verfassungsrecht gibt es nicht, anders als in den griechischen Kodifikationen. Vielleicht hängt das zusammen mit der stärkeren Stellung des römischen Adels. Vertragsrecht ist zwar vorhanden, am Anfang der Tafel 6, mit Vorschriften über die alten Formalgeschäfte, also nexum und mancipatio. Aber das ist auch schon fast alles. Was zeigt, daß damals der Warenverkehr kaum ausgebildet war. Hier eine Übersicht über den Inhalt aller Tafeln:

Tafel	1–3	Prozeß, Vollstreckung
	4–5	Familien- und Erbrecht
	6–7	Vertragsrecht, Ersitzung, Nachbarrecht
	8	Privatdelikte
	9	Strafverfahren und Strafrecht
	10	Begräbnisvorschriften und ähnliches „Polizeirecht“
	11–12	Nachtrag, z. B. Delikte von Gewaltunterworfenen

In der dritten Tafel finden sich die Vorschriften über die Vollstreckung am Ende eines Zivilprozesses. Die ersten vier Paragraphen:

XII tab.3.1–4: Aeris confessi rebusque iure iudicatis XXX dies iusti sunto. Post deinde manus iniectio esto. In ius ducito. Ni iudicatum facit aut quis endo eo in iure vindicit, secum ducito, vincito aut nervo aut compedibus XV pondo, ne minore, aut si volet maiore vincito. Si volet, suo vivito. Ni suo vivit, qui eum vinctum habebit, libras farris endo dies dato. si volet, plus dato.

Deutsch: Derjenige, der eine Geldschuld anerkannt hat oder verurteilt worden ist, hat bis zur Vollstreckung dreißig Tage Zeit. Danach soll man ihn förmlich greifen. Er soll ihn vor den Prätor führen. Wenn er die Schuld nicht zahlt oder sich niemand für ihn verbürgt, soll er ihn mit sich nehmen, fesseln mit einem Riemen oder mit

> Fußfesseln von fünfzehn Pfund, jedenfalls nicht weniger. Wenn er will, können sie schwerer sein. Wenn er will, kann er von seiner eigenen Nahrung leben. Wenn er nicht von seiner eigenen Nahrung lebt, soll derjenige, der ihn gefesselt hält, ihm täglich ein Pfund Speltbrot geben. Wenn er will, soll er ihm mehr geben.

Wie schon in der ersten Tafel, bei der Klageerhebung, ist auch hier für die frühe Rechtssprache typisch, daß man immer erraten muß, wer jeweils als handelndes Subjekt gemeint ist. Der Schuldner wurde von seinem Gläubiger gefangen gehalten. Im Privatgefängnis, das man als reicher Römer hatte, auch zur Bestrafung von Sklaven. Wie es weiterging, dafür fehlt der Wortlaut des Gesetzes. Es gibt aber einen genauen Bericht von Gellius, in seinen Noctes Atticae:

> *XVV tab.3.5* (Gell.20.1.46, 47): Erat autem ius interea paciscendi ac nisi pacti forent, habebantur in vinculis dies sexaginta. Inter eos dies trinis nundinis continuis ad praetorem in comitium producebantur, quantaeque pecuniae iudicati essent, praedicabatur. Tertiis autem nundinis capite poenas dabant, aut trans Tiberim peregre venum ibant.
>
> *Deutsch:* Inzwischen hatte man das Recht, sich zu einigen. Und wenn sie sich nicht geeinigt hatten, wurden sie sechzig Tage in Fesseln gehalten. In dieser Zeit wurden sie an drei aufeinander folgenden Markttagen (also alle acht Tage) vor den Praetor geführt und dort wurde öffentlich verkündet, wie hoch die Summe ist, zu der sie verurteilt waren. Am dritten Markttag mußten sie dann mit dem Tode büßen oder sie wurden über den Tiber in die Sklaverei verkauft.

Es ist also noch die gleiche Situation der Schuldknechtschaft, die Solon fünfzig Jahre vorher in Athen schon abgeschafft hatte. Die römische Terminologie ist bis heute dabei geblieben. Die Verpflichtung eines Schuldners gegenüber einem Gläubiger heißt obligatio. Diese Obligation ist die Bindung des Schuldners an die Person des Gläubigers. Von ligare, obligare. Das bedeutet binden, festbinden. Nämlich in diesen Fesseln, die Gellius beschreibt. Tatsächlich ist die Schuldknechtschaft auch bei den Römern irgendwann am Ende der Republik abgeschafft worden oder einfach außer Gebrauch gekommen. Fast fünfhundert Jahre nach Solon. Was den sehr viel härteren und unsozialeren Charakter des römischen Rechts deutlich zeigt. Auch der letzte uns bekannte Satz der dritten Tafel ist nicht gerade ermunternd:

XII tab. 3.6: Tertiis nundinis partis secanto. Si plus minusve secuerunt se fraude esto.

Deutsch: Am dritten Markttag (etwa nach einem Monat) sollen sie ihn in Stücke schneiden. Wenn sie zu viel oder zu wenig schneiden, soll das der Schaden der Gläubiger sein.

Es handelt sich um das Vollstreckungsverfahren gegen einen Schuldner, der mehrere Gläubiger hat, die ihn nicht verkaufen, sondern töten wollen. Viel ist darüber geschrieben worden. Lange wollte man nicht glauben, daß das römische Recht so grausam gewesen sei, bis in die helle Zeit der Republik. Aber heute ist man überwiegend der Meinung, daß auch dieser Bericht – bei Gellius 20.1.52 – glaubwürdig ist.

Es gab allerdings auch bescheidene Ansätze zu sozialen Verbesserungen in den Zwölftafeln. Zum Beispiel:

XII tab. 4.2.: si pater filium ter venum duit filius a patre liber esto.

Deutsch: Wenn ein Vater seinen Sohn dreimal verkauft hat, soll der Sohn vom Vater frei sein.

Verschuldete Bauern konnten ihre Söhne anderen gegen Bezahlung zur Arbeit überlassen. Da es Dienstverträge damals noch nicht gab, geschah dies mit der Manzipation (Rdz. 137), als Verkauf mit Übertragung von Rechten, der dann nach einiger Zeit wieder rückgängig gemacht wurde. Nach den Zwölftafeln durften sie dies nun nur noch zweimal. Beim dritten Mal war der Sohn automatisch von der Verfügungsgewalt seines Vaters befreit. Später benutzte man diesen Zwölftafelsatz für Scheingeschäfte, um genau diesen Erfolg zu erreichen, nämlich die Emanzipation von Kindern aus der väterlichen Gewalt (Rdz. 143).

132. Verfassungsrecht

Senatus populusque Romanus, der Senat und das römische Volk. So hieß es in offiziellen Dokumenten der republikanischen Zeit, wenn vom römischen Staat die Rede war. Die Reihenfolge bezeichnet die Machtverteilung. Der populus war die Volksversammlung. Sie beschloß die Gesetze, über Krieg und Frieden und wählte die Beamten. Aber der Senat war das eigentliche Machtzentrum. Als dritte Staatsgewalt gab es die Magistratur, die oberen Beamten (magistratus), Konsuln, Prätoren, Ädilen und Quästoren. Daneben standen Sonderorgane der Plebs, das concilium plebis und das Amt der Volkstribunen.

Äußerlich findet man Ähnlichkeiten mit Athen. Aber der Schein trügt. Rom war keine Demokratie. Dreierlei macht den Unterschied. Erstens die machtvolle Existenz des Senats hier, während dort der Areopag als Staatsorgan beseitigt war. Zweitens ein elitäres Abstimmungsverfahren in der römischen Volksversammlung, während in Athen jeder Mann mit

Bürgerrecht eine Stimme hatte. Und drittens der Umstand, daß die Beamten hier gewählt, dort aber durch das Los bestimmt wurden.

Der Senat tagte in der Curia am Forum. Er bestand aus ehemaligen Oberbeamten. Zunächst hatte er dreihundert Mitglieder, später sechshundert, weil sich die Zahl der Beamten im Lauf der Zeit ständig vergrößerte. Eigentlich hatte er gar keine Kompetenzen. Seine ungeheure Macht erklärt sich einfach daraus, daß seine Mitglieder die einflußreichsten Vertreter der Oberklasse waren, vereinigt zu einer Körperschaft, die im jährlichen Wechsel der Beamten der „ruhende Pol des römischen Staatslebens" (Wolfgang Kunkel) gewesen ist. Seine Beschlüsse waren an sich unverbindliche Empfehlungen an die Magistratur. Senatus consultum heißt wörtlich Ratschlag des Senats. Aber kein Beamter konnte es wagen, dagegen zu handeln. Auch das berühmte senatus consultum ultimum hatte keinen anderen Rechtscharakter, der Senatsbeschluß, mit dem in Notzeiten den Konsuln diktatorische Befugnisse übertragen wurden, die Verfügung über den Notstand.

Die Zusammensetzung des Senats ergab sich aus dem Abstimmungsverfahren in der Volksversammlung, der Zenturiatcomitien, wo man Gesetze beschloß und die Beamten wählte, die dann später seine Mitglieder wurden. Die Volksversammlung verstand sich zwar als populus Romanus. Aber es war nicht das römische Volk, das da abstimmte. Es war das Abstimmungsorgan seiner Oberklasse. Zwar versammelten sich alle wehrfähigen römischen Bürger auf dem Marsfeld, in sogenannten Zentu-

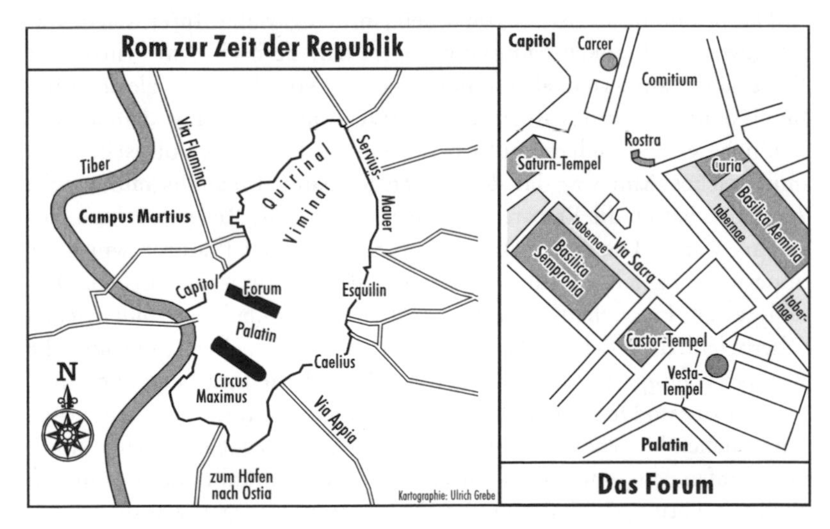

Abbildung 8: Rom

rien, Hundertschaften, die einmal militärische Einheiten gewesen waren. Sie stimmten auch alle ab. Aber nur innerhalb der Zenturien. Die Entscheidung kam erst danach, in einer Abstimmung, bei der jede Zenturie eine Stimme hatte. Es gab 193. Sie waren verteilt auf sieben Vermögens- und Steuerklassen, unabhängig von der Zahl der Bürger. Es erinnert ein wenig an das preußische Dreiklassenwahlrecht, war aber viel krasser. Denn die beiden ersten Klassen hatten schon die Mehrheit, also alle diejenigen, die – im 2. Jahrhundert v. Chr. – ein Vermögen von mindestens 100 000 Sesterzen hatten. Das war ein Bruchteil der Gesamtbevölkerung. Vielleicht noch nicht einmal fünf Prozent. Sie verteilten sich auf 98 der 193 Zenturien, hatten also immer die Mehrheit. Das garantierte die Wahl ihrer eigenen Leute und damit auch die entsprechende Zusammensetzung des Senats, für den noch eine zweite Sicherung eingebaut war. Die Zensur. Alle fünf Jahre wurden zwei Zensoren gewählt, jeweils für 18 Monate, die die Zuweisung der Bürger zu den Vermögensklassen vornahmen und über die endgültige Aufnahme in den Senat beschlossen (lectio senatus). Meistens waren es ehemalige Konsuln, zuverlässige Leute, bei deren Wahl man natürlich besonders aufpaßte.

Die Zenturialkomitien waren die wichtigste Volksversammlung. Daneben gab es noch drei andere, nämlich außer dem concilium plebis noch die Kuriatkomitien, die im wesentlichen religiöse Funktionen hatten, und die Tributkomitien, die nach Wohnbezirken (tribus) gegliedert waren. Sie wählten die unteren Beamten und beschlossen über Gesetze, die nicht von größerer Bedeutung waren. Auch hier hatte die Oberklasse zunächst die Mehrheit.

Die Beamten (magistratus) wurden jährlich gewählt. Ihrer Macht waren gewisse Schranken dadurch gezogen, daß sie nach dem Prinzip der Kollegialität amtierten, also mindestens zwei von ihnen die gleichen Befugnisse und auch das Recht der Interzession hatten, mit dem sie alle Maßnahmen des anderen aufheben konnten. Höchstes politisches und militärisches Amt war das der beiden Konsuln. Ebenfalls militärische Aufgaben hatten die Prätoren, die aber auch für die Rechtsprechung zuständig waren. Die Amtsbefugnis von Konsuln und Prätoren wurde als imperium bezeichnet. Ein Schlüsselbegriff des römischen Lebens: Befehlsgewalt, Herrschaft. Es bedeutete dreierlei, nämlich den militärischen Oberbefehl, die Koerzitionsgewalt (coercitio) und die Verfügung über die Rechtsprechung (iurisdictio). Auch das Recht hatte hier, beim imperium, seinen Platz im Denken der Römer. Die coercitio war die Befugnis, gegen bürgerlichen Ungehorsam mit Strafen aller Art vorzugehen, nicht nur mit Geldstrafen, die – anders als in Athen – unbeschränkt waren, sondern auch mit Tötung, Verhaftung und Einsperrung. Dagegen war die provocatio ad populum möglich, eine Art Grundrecht des römischen Bürgers, mit dem er sich gegen Leib- und Lebensstrafen an die Zenturialkomitien wenden konnte (lex Valeria de provocatione, 300 v. Chr.).

Im Rang unter Konsuln und Prätoren standen die Ädilen und Quästoren. Die Ädilen hatten die cura urbis, waren zuständig für die Ordnung auf Straßen und Märkten, weshalb sie auch die Marktgerichtsbarkeit ausübten, überwachten Bäder und Bordelle, Begräbnisse und die Wasserversorgung. Die Quästoren verwalteten die Staatskasse (aerarium populi Romani). Anders als in Athen waren die Ämter alle unbesoldet. Und es gab feste Regeln für die Karriere, Regeln für das Mindestalter, die Reihenfolge und die zeitlichen Intervalle. Der sogenannte cursus honorum. Man mußte mindestens 31 Jahre alt sein, wenn man Quästor werden wollte. Die nächsthöheren Stufen durfte man erst nach einer Pause von jeweils 2 Jahren erreichen. Da auch das Volkstribunat dazugerechnet wurde, ergab sich für das Konsulat ein Mindestalter von 43 Jahren.

Die Volkstribunen gehörten zu den Sonderorganen der Plebs, die aus dem Ständekampf hervorgegangen waren, wie das concilium plebis. An sich standen sie neben Senat, Komitien und Magistratur. Aber schon im 3. Jahrhundert waren sie weitgehend integriert, wie zum Beispiel im cursus honorum. Das concilium plebis war die Versammlung der Plebs, ohne die Patrizier, später aber eine normale Volksversammlung, die sich von den anderen nur dadurch unterschied, daß es hier keine Mehrheit für die Oberklasse gab. Seit einer lex Hortensia von 286 v. Chr. konnte sie allgemein gültige Gesetze beschließen. Das einzig wirklich wichtige Gesetz im Zivilrecht, die lex Aquilia über Sachbeschädigungen (Rdz. 136), war zum Beispiel solch ein Plebiszit. Geleitet und einberufen wurde das concilium plebis von den Volkstribunen. Deren wichtigste Befugnis war das Recht der Interzession gegen die Amtshandlungen aller anderen Beamten. Ein gewisser Ausgleich gegen die Herrschaft der Oberklasse, der aber bald zu einem großen Teil dadurch neutralisiert wurde, daß die in solche Ämter einrückenden Plebejer sich mit dem Senat arrangierten, indem man sie dort aufnahm und als neuen Adel (nobilitas) integrierte. Insofern blieb die römische Republik immer eine Timokratie, eine Herrschaft der Reichen.

Aus dem Bürgerkrieg entstand 27 v. Chr. die Monarchie des Augustus, außerordentlich vorsichtig und kunstvoll konstruiert, um dem Schicksal Caesars zu entgehen, der sich offen zum König (rex) ausrufen lassen wollte. Äußerlich ist diese Monarchie kaum erkennbar. Sie erscheint in der Gestalt der „wiederhergestellten" Republik, deren Institutionen – Volksversammlung, Senat, Magistratur – Augustus bestehen läßt und für sich selbst nur zwei der herkömmlichen Befugnisse beansprucht, das imperium proconsulare und die tribunicia potestas. Mit dem imperium proconsulare hatte er den Oberbefehl über das Heer und die Herrschaft über die

Provinzen an den Grenzen des Reiches. Die tribunizische Gewalt gab ihm die dazugehörende Unverletzlichkeit der Person und das Vetorecht. Er regiert als „erster Bürger", wie er es selbst formuliert, in seinem politischen Testament, das man auf einer Inschrift in Ankara gefunden und deshalb als monumentum Ancyranum bezeichnet hat. Er war der erste Bürger, princeps, spricht auch davon, was principatu meo alles passiert ist, in seinem Prinzipat. So nennt man das heute noch. Monumentum Ancyranum § 34:

> Auctoritate omnibus praestiti, potestatis autem nihil amplius habui quam ceteri, qui mihi quoque in magistratu conlegae fuerunt ... also : An Autorität habe ich alle übertroffen, aber an Kompetenzen nicht mehr gehabt als alle anderen, die im Amt meine Kollegen waren.

Auctoritas ist, wie imperium, ein zweiter Schlüsselbegriff des Römischen, mit Autorität nur sehr unzureichend übersetzt. Und, wie er selbst schreibt, ein Schlüsselbegriff für die Herrschaft des Augustus, der wohl einer der geschicktesten Politiker der Weltgeschichte gewesen ist.

Unter seinen Nachfolgern werden die republikanischen Institutionen allmählich abgewertet, wächst die Macht des Prinzeps, wie auch sie sich nennen. Langsam schaffen sie sich einen eigenen Apparat, die kaiserliche Verwaltung. Schwächstes Glied in der kunstvollen Ordnung des Prinzipats ist die Regelung der Nachfolge. Man löst das Problem von Fall zu Fall. Zum Beispiel privatrechtlich, über das Erbrecht, indem man seinem Nachfolger das eigene Privatvermögen überließ, den fiscus Caesaris, der schnell die Rolle der alten republikanischen Staatskasse übernommen hatte, des aerarium populi Romani. Als Teil des fiscus Caesaris galt die reiche Provinz Ägypten, deren Besitz eine außerordentlich wichtige Machtposition bedeutete. Teils löste man das Problem auch durch Wahl im Senat, später durch Ausrufung im Heer. Die wachsende Macht der Kaiser führt zu einer besseren Verwaltung der Provinzen, deren Bewohner schließlich 212 n. Chr. alle das römische Bürgerrecht erhalten, in der constitutio Antoniniana des Caracalla. Und sie führt in den zweiten Abschnitt der römischen Kaiserzeit, den Dominat, den man heute so nennt, weil die Kaiser sich nun mit „Domine" anreden ließen, seit Domitian um 300 n. Chr. Das ist der spätantike Zwangsstaat mit einer ausgebreiteten Bürokratie. Die alten republikanischen Institutionen sind völlig verschwunden. Der Kaiser genießt göttliche Verehrung. Es gibt ein strenges Hofzeremoniell.

133. Strafrecht

Das Bild der Entwicklung des römischen Strafrechts und Strafverfahrens war fünfzig Jahre lang bestimmt durch das Standardwerk Theodor Mommsens von 1899. Durch die Forschungen von Josef Bleicken und

Wolfgang Kunkel ist man nun zu anderen Ergebnissen gekommen, nachdem man erkannt hatte, daß die provocatio ad populum nur gegen die Todesstrafe in der coercitio der Oberbeamten gerichtet war (Rdz. 132), nicht gegen Urteile anderer Gerichte, und daß in der frühen Zeit der Zwölftafeln Strafverfahren vor den Zenturiatkomitien durchaus nicht die Regel gewesen sind, sondern nur in politischen Fällen.

So nimmt man heute allgemein an, auch noch zu Beginn der republikanischen Zeit sei die Verfolgung von Tötungen nur teilweise Angelegenheit öffentlicher Gerichte gewesen. Im wesentlichen habe es sich um die private Verfolgung durch die Verwandtschaft des Getöteten gehandelt, denen der Mörder (parricidas) zur privaten Rache überlassen wurde, wenn ein Gericht der quaestores parricidii festgestellt hatte, daß er der Täter war. Sie konnten ihn töten oder in die Sklaverei verkaufen. Aber nur, wenn er die Tat vorsätzlich begangen hatte. Das ist der Sinn jenes berühmten Satzes, der in die Königszeit vor den Zwölftafeln zurückreicht: Si qui hominem liberum dolo sciens morti duit, parricidas esto. „Nur wer einen freien Mann vorsätzlich getötet hat, ist ein Mörder" (Festus Seite 221 der Ausgabe von Lindsay). Bei Fahrlässigkeit mußte er ihnen einen Schafbock überlassen, als Sündenbock, an dem sie ihre Rache auslassen konnten: Si telum manu fugit magis quam iecit, aries subicitur. „Wenn die Waffe der Hand mehr entflohen ist als geworfen wurde, soll ein Bock untergeschoben werden." Auch dieser Satz, der für die Zwölftafeln überliefert ist (XII tab.8.24), wird aus der Königszeit stammen.

Ein wichtiger Teil des späteren öffentlichen Strafrechts war also zur Zwölftafelzeit noch private Angelegenheit der verletzten Verwandtschaft. Nur in ganz wenigen Fällen gab es öffentliche Strafverfahren mit öffentlicher Vollstreckung, bei Verletzung allgemeiner Interessen, möglicherweise nur bei Hochverrat (perduellio). Auch in Rom also gab es noch deutliche Spuren der alten vorstaatlichen Ordnung, in der Delikte als Verletzung von privaten Rechten dem Privatstrafrecht unterliegen. Noch in klassischer Zeit gab es privatrechtliche Regeln für den Diebstahl.

Im 3. Jahrhundert v. Chr., zweihundert Jahre nach den Zwölftafeln, beginnt die eigentliche Kriminaljustiz. Rom war eine Großstadt geworden, mit einigen hunderttausend Einwohnern, einem großstädtischen Proletariat und einer großen Zahl von Sklaven. Nun gab es Kriminalität in unserem Sinne. Das alte zivilrechtliche Instrumentarium reichte nicht mehr aus. Jetzt erst vollzieht man den entscheidenden Schritt zur Ausgliederung des Strafrechts aus dem Zivilrecht, mit der Einrichtung des Amtes der tresviri capitales, die mit harter Polizeijustiz Diebe, Giftmischer und Brandstifter verfolgen, regelmäßig mit der Todesstrafe. Sie griffen auch schon ein, wenn jemand in verbrecherischer Absicht mit Waffen oder Gift angetroffen wurde (sicarii et venefici). Außerdem hatten sie die Aufsicht über das Gefängnis, den Carcer Mamertinus am Fuße des Capitols. Er soll schon von König Tullius eingerichtet worden sein und wurde deshalb auch Tullianum genannt. Er war, in unserer Sprache, ein Untersuchungsgefängnis. Eine Strafhaft in unserem Sinn gab es hier in Rom so wenig wie sonst in der Antike. Die Einweisung in das Gefängnis gehörte in den Bereich der magistratischen coercitio.

Während die Tätigkeit der tresviri capitales eher eine Beamtenjustiz war, entstehen im 2. Jahrhundert v. Chr. größere Gerichtshöfe, mit Geschworenen, wie in Athen. Aber es gibt erhebliche Unterschiede. Nur Angehörige des senatorischen Adels konnten hier Richter werden, nicht wie dort jedermann. Später sind es auch die Angehörigen der ersten Vermögensklasse, die Reichen, die sogenannten Ritter (equites). Deswegen sind diese Gerichte kleiner und tagen zunächst nur von Fall zu Fall. Erst in der Verfassungsreform des Sulla um 80 v. Chr. wird die Entwicklung abgeschlossen. Jetzt entstehen mehrere ständige Schwurgerichte (quaestiones), die von den Römern auch als iudicia publica bezeichnet werden, öffentliche Gerichte. Von den Gerichten über private Streitigkeiten – iudicia privata – unterscheiden sie sich nämlich nicht nur dadurch, daß sie das öffentliche Interesse wahrnehmen. Öffentlich sind sie auch deswegen, weil jedermann anklagen kann (quivis ex populo). Wie in Athen. Und so unterscheidet man ius publicum und ius privatum, öffentliches Recht und Privatrecht. Ius publicum , öffentliches Recht, ist für die Römer dasjenige, das im Gegensatz zum ius privatum nicht durch private Vereinbarung entsteht oder abgeändert werden kann. Dazu gehörten auch Teile des – heute sagt man: zwingenden – Privatrechts und natürlich das Strafrecht, das jetzt zum erstenmal ausdrücklich aus dem Privatrecht ausgegliedert wird, ähnlich wie in Athen mit der Unterscheidung von graphé und dike, aber terminologisch klarer.

Diese iudicia publica werden jeweils für bestimmte Arten von Verbrechen eingesetzt. Auch die dazugehörigen materiellen Strafgesetze werden meistens jetzt erst erlassen. Es gibt nun nicht nur einen Gerichtshof für Erpressung in den Provinzen (quaestio repetundarum), der schon etwas älter ist, sondern auch einen für Veruntreuung von Staatseigentum (quaestio peculatus), Wahlbestechung (quaestio ambitus), Hochverrat (quaestio maiestatis), Mord und Gefährdung der öffentlichen Sicherheit (quaestio de sicariis et veneficis), Fälschung von Testamenten und Münzen (quaestio de falsis) und für schwere Übergriffe auf die Person, ähnlich der attischen hybris, was die Römer iniuria nannten (quaestio de iniuris). Unter Augustus kamen noch zwei andere dazu. Eine für öffentliche gewaltsame Zusammenrottung, die als Gewalt (vis) bezeichnet wurde (quaestio de vi) und einer für Ehebruch (quaestio de adulteriis).

Die Gerichtshöfe waren nicht so groß wie in Athen, hatten höchstens 75 Geschworene, meistens weniger. Deswegen hatten Ankläger und Angeklagter das Recht, jeweils eine bestimmte Zahl der ausgelosten Richter abzulehnen. Weil die Zahlen kleiner waren als in Athen, brauchte man für die Auslosung keine Maschinen, sondern mischte die Lostäfelchen und zog sie mit der Hand. Der Angeklagte brauchte sich nicht selbst zu verteidigen, wie in Athen, sondern konnte mehrere Verteidiger für sich sprechen lassen. Auch hatte er mehr Redezeit als der Ankläger. Man gab ihm mit der Wasseruhr, wie in Athen, aber nicht die gleiche Zeit, sondern – die Hälfte mehr. Die Richter hörten schweigend zu und stimmten schließlich ab, ohne Aussprache. Ein Freispruch konnte Folgen für den Ankläger haben. Zwar gab es nicht die hohen Geldstrafen wie in Athen, aber immerhin ein Verfahren wegen vorsätzlicher falscher Anschuldigung (calumnia), vor dem gleichen Gericht. Es konnte ihm die bürgerlichen Ehrenrechte bei den Wahlen kosten und ihm damit auch die Möglichkeit nehmen, noch einmal gegen jemanden die öffentliche Anklage zu erheben. Hatte er Erfolg, winkte ihm hohe Belohnung. Wurde der Angeklagte zum Tode verurteilt, erhielt er sogar einen Teil seines Vermögens.

In der Kaiserzeit ändert sich das Ganze. Dieses etwas schwerfällige System der Quästionenverfahren und das daneben immer noch weiter geführte der tresviri capitales – gegen Angehörige der Unterklassen und gegen Sklaven – gehen beide allmählich in einen kaiserlichen Beamtenprozeß über. Dieser Prozeß wurde vor zwei kaiserlichen Beamten geführt, entweder vor dem praefectus urbi oder vor dem praefectus vigilum. Der praefectus urbi war der Polizeipräsident der Stadt und damit nun auch Vorsitzender eines Kriminalgerichts, das die wichtigsten Prozesse übernahm. Der praefectus vigilum war der Kommandeur der 7000 Feuerwehrleute, hatte als solcher auch polizeiliche Befugnisse und war zuständig für Prozesse gegen Brandstifter und Einbrecher, Diebe und Räuber. Schwer zu sagen, ob das insgesamt eine Verbesserung war. Wohl kaum, wenn man die Liberalität für wichtig hält. Eher schon im Hinblick auf Schnelligkeit und Einheitlichkeit der Strafen.

Die Strafen wurden härter. Nicht mehr nur Geldstrafe, Tod oder Verbannung, wie in der Republik, sondern auch Prügelstrafe oder Zwangsarbeit waren nun möglich. Gefängnis als Strafe war an sich unzulässig, kam aber tatsächlich wohl öfter vor, was von den spätklassischen Juristen beanstandet wird (Ulp.D.48.19.8.9). Das Strafrecht ist jetzt nämlich auch als wissenschaftliche Disziplin entstanden. Seit der Übernahme der Strafrechtspflege durch kaiserliche Richterbeamte wird es auch in den Schriften der spätklassischen Juristen behandelt, also seit dem Ende des 2. Jahrhunderts n. Chr. Sie beschäftigen sich damit bei weitem nicht so intensiv wie mit dem Zivilrecht. Aber immerhin besteht das ganze 48. Buch der Digesten aus Fragmenten dieser Literatur. So entstand eine gewisse Regelmäßigkeit in der Auslegung der Gesetze, mit einigen Anklängen an rechtsstaatliche Prinzipien. Nur ein Beispiel dazu, aus einer Schrift des Spätklassikers Ulpian. Er berichtet von einem Bescheid des Kaisers Trajan:

> *Ulp.D.48.19.5 pr.:* Sed nec de suspicionibus debere aliquem damnari divus Trajanus Adsidio Severo rescripsit: satius enim esse impunitum relinqui facinus nocentis quam innocentem damnari.
>
> *Deutsch:* Aber auch auf bloßen Verdacht hin dürfe niemand verurteilt werden, hat der selige Trajan dem Adsidius Severus in einem Reskript beschieden. Denn es sei besser, daß die Tat eines Schuldigen unbestraft bliebe, als wenn ein Unschuldiger verurteilt würde.

Man hört schon den Grundsatz in dubio pro reo, im Zweifel für den Angeklagten. Ein Grundsatz, der auch bei uns nur als allgemeines Prinzip gilt, nicht in den Strafgesetzen kodifiziert ist, sondern nur in der europäischen Menschenrechtskonvention (Art. 6 Abs. 2). Noch manches andere dieser Art kann man dort in den Digesten finden. Als sie sich im Spätmittelalter in Europa ausbreiteten, da sind aus solchen Bruchstücken ihres 48. Buches die ersten Anfänge neuzeitlicher Strafrechtswissenschaft entstanden.

134. Der Prozeß gegen Jesus

Zwei antike Todesurteile – um nicht zu sagen: Justizmorde – sind es gewesen, die großen Einfluß gehabt haben auf das europäische Denken und die europäische Geschichte. Der Prozeß gegen Sokrates und der gegen Jesus. Der eine ist nach griechischem Recht entschieden worden, der andere – letztlich – nach römischem. Während wir über den einen sehr gut informiert sind, weil Platon als Augenzeuge ausführlich berichtet (Rdz. 111), ist beim anderen das meiste unklar und ungewiß. Die Überlieferung hat viele Lücken. Die älteste Nachricht – das Markusevangelium – stammt aus einer Zeit, in der der Prozeß schon fast zwei Menschenalter zurücklag. Der Prozeß fand wahrscheinlich 30 n. Chr. statt, das Markusevangelium wurde etwa 70 n. Chr. geschrieben. Zusammen mit den drei anderen ist es unsere wichtigste Quelle:

Matthäus	26.47 – 27.56
Markus	14.43 – 15.41
Lukas	22.47 – 23.49
Johannes	18.1 – 19.37

Jesus war zum Passahfest nach Jerusalem gekommen, das beim ersten Vollmond im Frühling gefeiert wird. Es war ein Freitag. Er hatte Zulauf, der immer größer wurde und die Geistlichkeit beunruhigte. Am Abend ließen sie ihn verhaften. Er wurde zum Synhedrion gebracht, dem obersten jüdischen Gerichtshof, der – sehr ungewöhnlich – in dieser Nacht verhandelte. Am nächsten Morgen führte man ihn zum römischen Statthalter, Pontius Pilatus, der aus seiner Residenz in Caesarea ebenfalls zum

Passahfest nach Jerusalem gekommen war, weil man an diesen Tagen immer Unruhen befürchtete.

Schon für diesen ersten Abschnitt bleiben Fragen offen. Zunächst, weniger wichtig, weiß man nicht sicher, wer die Bewaffneten waren, die Jesus verhaftet haben. Wahrscheinlich sind es römische Soldaten gewesen, die auf Veranlassung des Synhedrions handelten. Vielleicht waren es aber auch Ordnungskräfte der Gemeinde. Zweitens ist unklar, ob das Synhedrion ein eigenes Urteil gefällt oder nur beschlossen hat, Jesus beim Statthalter zur Anklage zu bringen. Drittens, wenn es ein Todesurteil war, weiß man nicht genau, wegen welchen Verbrechens er verurteilt worden ist, und viertens ist auch nicht ganz sicher, ob ein solches Urteil vom römischen Statthalter bestätigt werden mußte.

Theodor Mommsen meinte, die Juden hätten eine eigene Kapitalgerichtsbarkeit gehabt, für die Urteile aber die Bestätigung der Römer gebraucht. Zur Zeit der römischen Republik war die Gerichtsbarkeit über die Einwohner von Provinzen tatsächlich noch weitgehend in der Hand eigener Ortsgerichte. Allmählich sind die Statthalter aber dazu übergegangen, wichtige Zivil- und Strafprozesse selbst zu entscheiden. Judäa war eine ziemlich neue und sehr unruhige Provinz am Rande des römischen Weltreichs. Ihr Statthalter wurde als militärischer Befehlshaber vom Kaiser selbst eingesetzt, anders als in den alten und ruhigen Provinzen in der Mitte, für die der römische Senat das Recht der Ernennung hatte. Deshalb werden in Judäa Prozesse mit Todesstrafen vom Statthalter allein geführt und entschieden worden sein, nicht vom Synhedrion.

Dafür spricht auch die Art und Weise der Vollstreckung. Wenn das Synhedrion ein eigenes Urteil gefällt hätte, würde es Jesus wohl wegen Gotteslästerung verurteilt haben. Denn während der nächtlichen Verhandlung hatte er gesagt, er sei der Sohn Gottes, bald würden sie ihn neben ihm sitzen und mit den Wolken kommen sehen. Markus 14.63 f.:

> „Da zerriß der Hohepriester seine Kleider und sagte: Was brauchen wir noch Zeugen? Ihr habt die Gotteslästerung gehört. Was ist eure Meinung? Sie aber urteilten alle, daß er den Tod verdient hätte."

Die Todesstrafe für Gotteslästerung wurde nun aber nach hebräischem Recht durch Steinigung vollstreckt. Jesus wurde gekreuzigt. Das ist eine Vollstreckungsart, die aus dem römischen Recht kommt. Römische Bürger wurden gewöhnlich mit dem Beil enthauptet, Sklaven und Nichtrömer an das Kreuz geschlagen. Da die Hinrichtung römisch war, wird auch die Strafe römisch gewesen sein, ausgesprochen in einem selbständigen Gerichtsverfahren vor dem Statthalter nach römischem Recht, nicht nur als Bestätigung eines jüdischen Urteils. Zum Verfahren heißt es im Markusevangelium (15.1–5):

> „Und gleich am Morgen hielten die Hohenpriester eine Beratung ab zusammen mit den Ältesten und Schriftgelehrten und dem ganzen Hohen Rat, und sie fesselten Jesus, führten ihn ab und übergaben ihn Pilatus. Und Pilatus fragte ihn: Bist du der König der Juden? Er aber antwortete ihm: Du sagst es. Und die Hohenpriester beschuldigten ihn schwer. Pilatus aber fragte ihn noch einmal: Antwortest du nichts? Jesus aber antwortete nichts mehr, so daß Pilatus sich wunderte."

Etwa fünfzig Jahre nach dem Markusevangelium, um 115 n. Chr., schreibt der römische Historiker Tacitus in seinen „Annalen" über die Christenverfolgungen, erwähnt dabei auch mit einem Satz den Prozeß gegen Jesus und bestätigt mehr oder weniger ausdrücklich die Meinung, es sei ein eigenes Urteil des Statthalters gewesen:

> *Tac, Ann. 15.44.3:* Auctor nominis eius Christus Tiberio imperitante per procuratorem Pontium Pilatum supplicio adfestus erat.
>
> *Deutsch:* Dieser Name (: der Christen) geht zurück auf Christus, der unter der Regierung des Kaisers Tiberius vom Statthalter Pontius Pilatus zum Tode verurteilt worden war.

Im Lukasevangelium wird von einem Zwischenspiel berichtet (23.6–12). Danach hat der Statthalter den Verhafteten zu Herodes Antipas geschickt, einem der Söhne des großen Herodes, römischem Vasallenkönig für Galiläa und Peraia, der aus seiner Hauptstadt ebenfalls zum Fest nach Jerusalem gekommen war. Er ist der für Jesus zuständige Landesherr gewesen, hat ihn aber ohne Entscheidung – „von Pontius zu Pilatus" – wieder zurückgeschickt.

Unklar sind schließlich die juristischen Grundlagen des Todesurteils, das der Statthalter dann – wohl zögernd – erlassen hat. Zunächst weiß man nicht, um welche Verfahrensart es sich gehandelt hat. Und wenn es eine normale Strafgerichtsbarkeit war, ist weiter fraglich, ob dafür die Vorschriften des römischen Strafrechts galten. Schließlich, wenn das der Fall war, was man wohl annehmen muß, welchen Straftatbestand Jesus erfüllt hatte.

Das Verfahren vor dem Statthalter kann eine coercitio gewesen sein oder eine cognitio. Coercitio ist die Polizeigewalt der römischen Beamten zur Aufrechterhaltung von Sicherheit und Ordnung. Sie setzte Ungehorsam voraus und wurde ausgeübt im Wege der Verhaftung, durch Geldstrafen, Vermögenskonfiskation, Ausweisung oder sogar durch Tötung, die allerdings bei römischen Bürgern nur vollzogen werden durfte, wenn die Zenturialkomitien zugestimmt hatten, sofern der Betroffene sich an sie wendete (provocatio ad populum, Rdz. 132). Die cognitio war das

Strafverfahren. Die coercitio setzte einen noch gegenwärtigen Ungehorsam voraus, die cognitio ein schon begangenes Verbrechen. Das einzige, das damals in Frage kam, war das crimen laesae maiestatis. In den Digesten heißt es dazu:

> *Ulp.D.48.4.1.1:* Maiestatis autem crimen illud est, quod adversus populum Romanum vel adversus securitatem eius committitur. quo tenetur is, cuius opera dolo malo consilium initum erit, quo obsides iniussu principis interciderent: quo armati homines cum telis lapidibusque in urbe sint conveniantve adversus rem publicam, locave occupentur vel templa, quove coetus conventusve fiat hominesve ad seditionem convocentur ...
>
> *Deutsch:* Das Majestätsverbrechen ist jenes, das gegen das römische Volk oder seine Sicherheit begangen wird. Danach wird bestraft, wer sich vorsätzlich an Plänen beteiligt, die auf die Tötung von Geiseln gegen den Willen des Kaisers zielen, oder wonach Bewaffnete mit Wurfgeschossen oder Steinen in der Stadt sind oder dort zusammenkommen, um die Ordnung zu bedrohen, oder Plätze oder Tempel besetzen oder Zusammenkünfte oder Versammlungen stattfinden und Menschen zum Aufruhr zusammengerufen werden ...

Jesus hatte in seinen Predigten die Autorität der Priester in Frage gestellt, wurde als Messias angesehen und der Zulauf war groß. Das konnte, wenn man wollte, als Aufforderung zum Aufruhr, jedenfalls als Bedrohung der Sicherheit angesehen werden. Als der Statthalter ihm die entscheidende Frage stellte, ob er der König der Juden sei, antwortete Jesus mit ja: „Du sagst es." Das konnte Pilatus als Geständnis des Majestätsverbrechens verstehen und als ausreichende Grundlage für einen Schuldspruch ohne weitere Verhandlung, denn auch im römischen Strafverfahren galt wie im Zivilprozeß der Grundsatz confessus pro iudicato habetur: Wer gesteht, wird wie ein Verurteilter behandelt. Die Verhandlung wird also eine cognitio gewesen sein, die mit einem normalen Todesurteil endete, nicht eine coercitio, in der es Geständnisse nicht gab.

Seit dem zweiten Weltkrieg, nach Auschwitz und Holocaust, wird eine Diskussion über die Rolle der jüdischen Behörden bei diesem Prozeß geführt, denn nach den vier Evangelien sind sie die treibende Kraft der Verurteilung gewesen. Dieser Vorwurf gegen die Juden war schon im Mittelalter einer der Vorwände für Ausschreitungen gegen sie und führte nach dem Holocaust dazu, daß man den Kirchen zur Last legte, sie seien mitverantwortlich für den Antisemitismus, und daß man sich in der Forschung auf den Weg machte, den Vorwurf gegen die Juden zu entkräften und zu beweisen, wie geringfügig die Möglichkeiten und die tatsächlichen Maßnahmen der jüdischen Behörden in Richtung auf das Todesurteil gegen Jesus waren. Auch diese Frage der Verantwortung – Juden oder Römer? – ist bis heute nicht endgültig entschieden. Letztlich, darüber ist man sich weitgehend einig, trifft sie den römischen Statthalter.

135. Zivilprozeß

Der Zivilprozeß bestimmt die Struktur des römischen Privatrechts in ganz entscheidender Weise. Zum einen dadurch, daß hier im Gegensatz zu Athen nicht große Gerichtshöfe zu entscheiden hatten, vor denen eine genaue Argumentation nicht möglich war, sondern der einzelne Prätor oder Richter. Ihm gegenüber mußte man sehr viel präziser sein. Die Römer waren eben nicht demokratisch organisiert, sondern herrschaftlich orientiert. Und sie waren weniger sozial als die Griechen. Das zeigt sich auch in dieser Gerichtsverfassung. Sie hatte jene höhere Genauigkeit zur Folge, jene juristische Präzision, die das römische Recht vor dem griechischen auszeichnet. Das ist das eine. Zum anderen bestimmte sie auch noch die Art und Weise dieser Präzision, den gesamten Charakter ihrer zivilrechtlichen Dogmatik, die sich insofern von unserer grundlegend unterscheidet.

Grundlage dieser Dogmatik war nämlich die actio. Die Klage. Ihr Aufbau, ihr genauer Wortlaut – den die römischen Juristen bis ins einzelne mit minutiösen Formulierungen festgelegt hatten – und dessen Auslegung sind Kern und Angelpunkt jeder juristischen Argumentation und Entscheidung, ähnlich wie für uns der Text eines Gesetzes. Die römischen Juristen denken vom Prozeß her, von der Klageformel. Wir umkreisen das Gesetz und denken nicht an den Prozeß, wenn wir eine materielle Rechtsfrage entscheiden. Das römische Zivilrecht ist aktionenrechtlich, es ist ein System von Klagen und Einreden. Unseres ist materiellrechtlich, ein System von schuldrechtlichen Ansprüchen, dinglichen und anderen Rechten und ihrer Grundlagen, also von Willenserklärungen, Rechtsgeschäften und Rechtsverhältnissen. Das römische Privatrecht bildet eine Einheit von Prozeßrecht und materiellem Recht. Bei uns ist beides getrennt, grob gesprochen in BGB und ZPO, die unverbunden nebeneinander stehen. Die Einheit von Prozeß und materiellem Recht ist das Kennzeichen jedes frühen Rechts. Weil es am Anfang immer nur wenige Klagemöglichkeiten gibt und man zuerst an sie denkt, wenn ein Konflikt gelöst werden soll. Auch die Griechen haben in dieser Weise aktionenrechtlich gedacht, indem sie die dike enoikiou von der dike karpou unterschieden und die dike blabes von der dike bebaioseos. Aber das römische Aktionenrecht ist unvergleichlich präziser gewesen. Nicht nur, weil dort die Gerichte so groß waren und hier die Richter so allein. Es kam noch eine andere Eigenart der römischen Gerichtsverfassung hinzu. Das war die Zweiteilung des Verfahrens.

Der römische Zivilprozeß ist zweigeteilt. Es gibt einen Abschnitt vor dem Prätor und einen vor dem Richter. Die Römer sagen in iure und in iudicio. Vor dem Prätor findet die Klageerhebung statt. Der Richter führt die Verhandlung und spricht das Urteil. Diese Zweiteilung ist uralt. Sie stammt aus der Zeit vor den Zwölftafeln und ist erst in der Kaiserzeit allmählich durch ein einstufiges Beamtenverfahren abgelöst worden, durch den Kognitionsprozeß. Das hat die in Jahrhunderten gewachsene Dogmatik der römischen actio jedoch nicht mehr verändert. Erst im 19. Jahrhundert haben Savigny und Windscheid das materiellrechtliche System eingeführt, hat Bernhard Windscheid den Anspruch erfunden und an die Stelle der actio gesetzt.

Die actio spielt nämlich auch gerade in der Zweiteilung des Verfahrens eine entscheidende Rolle. Sie ist das Verbindungsstück der beiden Abschnitte. Erster Abschnitt ist die litis contestatio, die Klageerhebung, die Einleitung des Prozesses vor dem Prätor auf dem Forum. Seine Gerichtsstätte wird ius genannt. Deshalb heißt dieser Abschnitt in iure. Er saß dort auf einer fahrbaren sella curulis, auf dem comitium, dem südlichen Teil des Forums. Kläger und Beklagter erscheinen und schildern ihm den Sachverhalt, den er nicht weiter nachprüft. Aufgrund ihres Vortrages entscheidet er nur, mit welcher actio geklagt werden muß, diktiert sie ihnen zum Mitschreiben und verweist sie an einen Richter, der am Anfang dieser actio genannt wird. Denn diese actio ist das Prozeßprogramm, nach dem er zu entscheiden hat. Der Richter wird entweder durch Einigung der Parteien oder durch das Los bestimmt. Das Losverfahren (sortitio) gründet sich auf die Richterliste, das album iudicum selectorum. Dabei haben Kläger und Beklagter ein zahlenmäßig begrenztes Recht zur Ablehnung (reiectio), wie im Strafprozeß. Die Richterliste hatte am Ende der Republik drei bis viertausend Namen. Ihre Zusammensetzung war ein lange umstrittenes Politikum, denn am Anfang bestand sie nur aus Mitgliedern des alten Adels. Später kamen dann auch die sogenannten Ritter dazu, die Angehörigen der ersten Vermögensklasse, eher reiche Geschäftsleute waren.

Beim Richter findet der zweite Teil des Prozesses statt. Das Verfahren wird hier in iudicio oder apud iudicem genannt. Er hat nun zu entscheiden, der unus iudex. Die Parteien erscheinen mit der actio bei ihm. Auch mit ihm wird regelmäßig auf dem comitium verhandelt, unter freiem Himmel. Er prüft den Sachverhalt, erhebt die Beweise und spricht dann sein Urteil (sententia), ohne Begründung und ohne Berufungsmöglichkeit. Dieser Teil des Verfahrens ist also im Grunde eine Beweisinstanz. Die wesentlichen Rechtsfragen hat der Prätor vorher entschieden, im ersten Teil, indem er sich für eine bestimmte actio entschieden hat. Allerdings bleibt auch oft für den iudex noch viel Raum für die Entscheidung von Rechtsfragen, sei es bei der Interpretation des Wortlauts der actio oder bei der Beurteilung von Vorfragen. Aber grob gesprochen läßt sich sagen, der Prätor entscheidet im wesentlichen über Rechtsfragen, der iudex über Beweisfragen.

Die einzelnen Aktionen und Einreden sind in Mustern vorformuliert im Edikt des Prätors (edictum praetoris). Es ist an seinem Gerichtsplatz aufgestellt, wird auch album (weiß) genannt, weil es aus geweißten Holztafeln besteht. Meistens übernahm man den Text vom Vorgänger.

Schließlich ist es in der Kaiserzeit unter Hadrian im Jahre 130 v. Chr. von dem Juristen Julian endgültig redigiert und nicht mehr verändert worden (edictum perpetuum). Die Rechtsfortbildung, die in der Einführung neuer Aktionen bestand, ging damit über auf die kaiserliche Kanzlei für Rechtsangelegenheiten (a libellis).

Am Beginn der Republik, zur Zeit der Zwölftafeln, sah der Zivilprozeß noch etwas anders aus, besonders das Verfahren vor dem Prätor. Damals konnten die Parteien ihm nicht einfach formlos den Sachverhalt vortragen und bekamen dann von ihm gesagt, mit welcher actio der Prozeß zu führen sei. Das mußten sie selbst entscheiden. Sie mußten auch selbst in seiner Gegenwart die komplizierten Formeln sprechen, in einer formalisierten Wechselrede. Das war das Legisaktionenverfahren. Es war für normale Leute zu kompliziert, unsozial. Dazu Gaius in seinen Institutionen, unserer einzigen Quelle über den alten Zivilprozeß:

> *Gai.4.30:* Sed istae omnes legis actiones paulatim in odium venerunt namque ex nimia subtilitate veterum, qui tunc iura condiderunt, eo res perducta est, ut vel qui minimum errasset, litem perderet; itaque per legem Aebutiam et duas Iulias sublatae sunt istae legis actiones, effectumque est, ut per concepta verba id est per formulas, litigaremus.
>
> *Deutsch:* Aber alle diese Legisaktionen kamen allmählich in Verruf. Denn durch die übermäßige Spitzfindigkeit der alten Juristen, die damals das Recht formulierten, kam es so weit, daß derjenige den ganzen Prozeß verlor, der sich auch nur im geringsten geirrt hatte. Deshalb sind durch die lex Aebutia und die beiden julischen Gesetze alle diese Legisaktionen beseitigt worden, so daß wir heute nur noch mit schriftlich vorformulierten Worten, also mit Formeln, den Prozeß führen.

Das Spruchformelverfahren der Legisaktionen wurde abgelöst durch die Schriftformel des Formularverfahrens, zunächst teilweise, durch die lex Aebutia in der ersten Hälfte des 2. Jahrhunderts v. Chr., dann endgültig durch Augustus 17 v. Chr. (lex Julia iudiciorum privatorum).

Für jeden Rechtsstreit war also entscheidend, welche actio erteilt und welche exceptio – Einrede – eingefügt wurde und wie der Wortlaut von actio und exceptio zu verstehen war. Deshalb haben die römischen Juristen eine detaillierte Anatomie der actio und ihrer Bestandteile entwickelt. Auch hierfür ist Gaius der beste Informant (Gai. 4.32–137). Die wichtigsten Teile der actio waren demonstratio, intentio, condemnatio. Demonstratio heißt auf deutsch etwa „Bezeichnung". Sie war am Anfang derjenige Teil der Formel, in dem der Sachverhalt beschrieben wurde. Die intentio, deutsch etwa „Antrag", enthält das Klagebegehren, den Klageantrag. Condemnatio, „Verurteilung", ist die Anweisung des Prätors an den Richter, die Verurteilung auszusprechen oder die Klage abzuweisen. Im folgenden als Beispiel die Klage des Verkäufers, die actio venditi. Sie entspricht unserem Anspruch aus §433 Abs. 2 BGB. Die darin enthaltenen Namen finden sich in allen Musterformeln. Es sind Blankettbezeichnungen. Der Kläger heißt immer Aulus Agerius, der Beklagte Numerius Negidius. Aulus heißt der Reiche und Agerius kommt von agere, klagen. Numerius kommt von numerare, zahlen, und Negidius von negare, leugnen. Ähnlich gewollt spaßige Phantasienamen finden sich auch heute noch in juristischen Aufgaben. Im konkreten Fall wurden dann die richtigen Namen des Richters, Klägers und Beklagten und die genaue Bezeichnung der Kaufsache eingesetzt. Das Beispiel:

> *Actio venditi:* Titius iudex esto. Quod Aulus Agerius Numerio Negidio hominem Stichum vendidit, qua de re agitur (demonstratio), quidquid ob eam rem Numerium Negidium Aulo Agerio dare facere oportet ex fide bona (intentio), eius, iudex, Numerium Negidium Aulo Agerio condemnato, si non paret absolvito (condemnatio).
>
> *Deutsch:* Klage des Verkäufers: Titius soll Richter sein. Was das betrifft, daß Aulus Agerius dem Numerius Negidius den Sklaven Stichus verkauft hat, um den sie sich streiten (Demonstratio), und was deswegen Numerius Negidius dem Aulus Agerius nach Treu und Glauben zu leisten hat (Intentio), dazu, Richter, verurteile den Numerius Negidius zugunsten des Aulus Agerius, und wenn es sich nicht erweist, dann weise die Klage ab (Condemnatio).

Die Rechtsentwicklung lief über die Weiterentwicklung solcher Klagen. Zum Beispiel bei der Haftung für Geschäftsabschlüsse durch Sklaven. Wenn ein Sklave etwas gekauft hatte, konnte man gegen seinen Eigentümer klagen. Das setzte allerdings voraus, daß sein Eigentümer ihm ein peculium überlassen hatte, ein Sondervermögen zur freien Verfügung. Die Klage hieß actio de peculio. Sie hatte die Ergänzung vel de in rem verso, weil der Eigentümer auch haftete, wenn zwar das peculium nicht mehr vorhanden, aber aus ihm etwas in das allgemeine Vermögen des Eigentümers verschoben worden war (in rem domini vertere). Diese Klage ist nun im Grunde nichts anderes als eine Klage des Verkäufers, eine actio venditi. Aber mit drei Veränderungen. Das erste ist die Subjektumstellung. In der demonstratio wird der Sklave genannt, aber in der condemnatio sein Eigentümer als Beklagter. Sklaven tragen als Blankett immer den Namen Stichus oder Pamphilus. Diese Subjektumstellung ist der entscheidende Hebel. Das zweite ist eine Fiktion. In der intentio wird die Rechtsfähigkeit des Sklaven fingiert. Und das dritte ist die Haftungsbeschränkung am Ende der condemnatio, die Beschränkung der Haftung des Eigentümers auf die Höhe des peculiums, also jenes Sondervermögens, das juristisch gesehen auch ihm gehört, das er aber faktisch dem Sklaven zur freien Verfügung überlassen hat. Eine Art Taschengeld, das tatsächlich aber oft sehr hoch gewesen ist, wenn dem Sklaven zum Beispiel erlaubt war, ein eigenes Erwerbsgeschäft zu betreiben, einen Laden, eine Bank oder ein anderes Handelsgeschäft.

So sah die Klage aus:

> *Actio de peculio vel de in rem verso:* Titius iudex esto. Quod Aulus Agerius Pamphilo, qui in Numerii Negidii potestate est, mensam argenteam vendidit, qua de re agitur (demonstratio), quidquid ob eam rem Pamphilum, si liber esset ex iure Quiritium, Aulo Agerio dare facere oporteret ex fide bona (intentio), eius, iudex, Numerium Negidium Aulo Agerio dumtaxat de peculio et si quid dolo malo Numerii Negidii factum est, quominus peculii esset, vel si quid in rem Numerii Negidii inde versum est, condemnato, si non partet absolvito (condemnatio).

> *Deutsch:* (Klage wegen Geschäften von Gewaltunterworfenen): Titius soll Richter sein. Was das betrifft, daß Aulus Agerius dem Pamphilus, der in der Gewalt des Numerius Negidius steht, einen silbernen Tisch verkauft hat, um den sie sich streiten (Demonstratio), und was deswegen Pamphilus dem Aulus Agerius nach Treu und Glauben leisten müßte, wenn er nach quiritischem Recht ein freier Bürger wäre (Intentio), dazu, Richter, verurteile den Numerius Negidius zugunsten des Aulus Agerius, allerdings nur in Höhe des Pekuliums, aber wenn Numerius Negidius arglistig bewirkt hat, daß es nicht mehr im Pekulium vorhanden oder wenn es von dort in das unbeschränkte Vermögen des Numerius Negidius gelangt ist, dann verurteile ihn in voller Höhe, und wenn es sich nicht erweist, dann weise die Klage ab (Condemnatio).

Das ist typisch aktionenrechtlich. Das Problem der Haftung für Geschäfte von Sklaven wird gelöst über die Mechanik der actio, mit Umstellungen, Fiktionen und Ergänzungen.

Da der Prozeß die Grundlage des Zivilrechts ist, hat das Urteil auch eine andere dogmatische Bedeutung als bei uns. Ich meine das Problem der Rechtskraft, das bei uns zu § 322 ZPO diskutiert wird. Bei uns sind materielles Recht und Prozeßrecht streng getrennt. Also verändert ein Urteil die materielle Rechtslage nicht. Man nennt das die prozessuale Wirkung der Rechtskraft, die prozessuale Theorie. Sie ist heute herrschende Meinung. Wenn ich gegen meinen Schuldner klage, den Anspruch aber nicht beweisen kann, muß die Klage abgewiesen werden. Ist das Urteil rechtskräftig, was ist dann mit meiner Forderung gegen den Schuldner? Die prozessuale Theorie sagt, daß die Forderung materiellrechtlich bestehen bleibt. Das Urteil verändert die materielle Rechtslage nicht. Es hat nur prozessuale Folgen. Ich kann nicht noch einmal klagen. Anders das römische Recht. Hier ist die actio die Grundlage des materiellen Rechts. Also hat die Abweisung der Klage auch materiellrechtliche Folgen. Noch einmal Gaius:

> *Gai.3.180:* Tollitur adhuc obligatio litis contestatione, si modo legitimo iudicio fuerit actum. nam tunc obligatio quidem principalis dissolvitur, incipit autem teneri reus litis contestatione, sed si condemnatus sit, sublata litis contestatione incipit ex causa iudicati teneri. et hoc est, quod apud veteres scriptum est ante litem contestatam dare debitorem oportere, post litem contestatam condemnari oportere, post condemnationem iudicatum facere oportere.
>
> *Deutsch:* Letzter Grund für das Erlöschen einer Obligation ist die Klageerhebung sofern in einem gesetzlichen Verfahren geklagt worden ist. Denn dann wird die Hauptobligation aufgelöst und der Beklagte beginnt, aus der litis contestatio zu schulden. Und das ist die Bedeutung dessen, was die alten Juristen meinen, wenn sie schreiben, daß der Schuldner vor der Klageerhebung ein dare schuldet, nach der Klageerhebung verpflichtet sei, sich verurteilen zu lassen und nach dem Urteil verpflichtet sei, die Leistung zu erbringen, zu der er verurteilt worden ist.

Mit anderen Worten: Wenn er nicht verurteilt worden ist, schuldet er auch nichts mehr. Nach römischem Recht ist die Forderung mit dem abweisenden Urteil erloschen.

Nach dem Urteil kommt die Vollstreckung. Sie lag im Formularprozeß allein beim Gläubiger. Wie in Athen. Es gab keine staatlichen Vollstreckungsorgane. Das Urteil erlaubte die Selbsthilfe. Das war alles. Dabei richtete sich der Zugriff des Gläubigers am Anfang noch voll auf die Person des Schuldners. Wie für die Zwölftafelzeit geschildert (XII tab. 3.5 + 6, Rdz. 131). Man nennt das Personalexekution. Diese Schuldknechtschaft wird in Rom erst ziemlich spät abgeschafft. Wann, wissen wir nicht. Sie wurde abgelöst durch die Realexekution. Die Vollstreckung richtete sich jetzt nur noch gegen das Vermögen des Schuldners, allerdings gegen das ganze. Es gab grundsätzlich keine Einzelvollstreckung, Spezialexekution, wie bei uns. Nur die Generalexekution. Das heißt, jede Vollstreckung führt zum Konkurs. Concursus creditorum ist das Zusammenlaufen aller Gläubiger, die sich melden müssen, wenn auch nur einer vollstreckt, weil sie sonst ihr Geld verlieren würden. Sie werden in das Vermögen des Schuldners eingewiesen, mit der missio in bona durch den Prätor, nach einer erneuten Klage (actio iudicati), mit der die Rechtmäßigkeit des Titels geprüft wird. Dann folgt eine Versammlung der Gläubiger beim Prätor, die einen Konkursverwalter wählt (magister bonorum). Der verkauft das Vermögen des Schuldners (venditio bonorum), regelmäßig in einer Versteigerung an denjenigen Käufer (bonorum emptor), der die höchste Quote an die Gläubiger zu zahlen bereit ist. Hinter dieser Entwicklung von der Personalexekution zur Realexekution steht neben sozialen Notwendigkeiten auch die Durchsetzung des Wertgedankens im Zivilrecht, der hier allmählich an die Stelle der Rache getreten ist. In der Kaiserzeit gibt es dazu sogar schon einige Fälle, in denen an die Stelle der Generalexekution die Einzelvollstreckung tritt. Der Zugriff auf das Vermögen wurde in drei Fällen nur in Höhe der Verurteilung gestattet, nämlich bei Vollstreckungen gegen Angehörige des senatorischen Adels, gegen unmündige Erben und bei einer besonderen Vereinbarung zwischen Schuldner und Gläubiger.

Das Formularverfahren mit seiner Zweiteilung und dieser privaten Vollstreckung verschwindet später in der Kaiserzeit. An seine Stelle tritt der sogenannte Kognitionsprozeß, ein Prozeß, der von Beamten geführt wird. Ähnlich wie im Strafverfahren der späteren Kaiserzeit. Er ist eingegliedert in die kaiserliche Verwaltung. Der Kläger braucht nur eine Klageschrift einzureichen (libellus). Dann kommt die amtliche Ladung. Verhandelt wird in geschlossenen Räumen, nicht mehr unter freiem Himmel. Die Urteile ergehen im Namen des Kaisers, also mit der Möglichkeit der Berufung an höhere Instanzen. Und auch die Vollstreckung erfolgt durch die Verwaltung. Das Kognitionsverfahren hat also stärkere Ähnlichkeit mit unserem heutigen Zivilprozeß. Es wird hier nicht genauer beschrieben, weil es die Struktur des römischen Zivilrechts nicht mehr geprägt hat.

136. Deliktsrecht

Auch im römischen Recht ist das Delikt das erste Rechtsinstitut gewesen, das juristische Formen angenommen hat. Es geht zurück auf die üblichen Konflikte in vorstaatlichen Gesellschaften. Hier nimmt das staatliche Recht seinen Ausgang, zunächst immer in ungetrennter Einheit von Privatrecht und Strafrecht, als Privatstrafrecht. In Rom findet es sich genauso wie in Mesopotamien oder Ägypten, im hebräischen Recht oder in Griechenland. Selbst bei der Verfolgung von Tötungen hat es sich hier noch zu einem Teil erhalten (Rdz. 133).

Typisches Kennzeichen von Privatstrafrecht sind Bußen, die höher sind als der Schaden. Oft gibt es feste Sätze. In den Zwölftafeln finden sie sich bei Körperverletzungen (os fractum) und tätlicher Beleidigung (iniuria), für das Abholzen fremder Bäume und wahrscheinlich auch für andere Sachbeschädigungen. Der Diebstahl führt zu proportionalen Bußen, zum Doppelten, Dreifachen oder Vierfachen des Werts der gestohlenen Sache, je nachdem, wie er begangen oder entdeckt wurde. So ist es noch tausend Jahre später in der Kodifikation Justinians. Schwere Körperverletzungen hatten in der Zwölftafelzeit die Talion zur Folge:

> *XII tab.8.2:* Si membrum rupsit, ni cum eo pacit, talio esto.
>
> *Deutsch:* Wenn er ihm ein Glied gebrochen hat und sich nicht mit ihm (auf eine Bußzahlung) einigt, soll die Talion stattfinden.

Dem Verletzten wird vom Gericht gestattet, den Beklagten genauso zu verstümmeln, wie der es mit ihm gemacht hatte. Es sei denn, man einigt sich auf eine Bußzahlung. Das wird als pacisci bezeichnet. Dieses Wort ist abgeleitet von pax, Frieden. Die Einigung heißt pactum, ein Begriff, der der frühen Bedeutung unseres Vertrages entspricht, in dem auch einmal die Vorstellung des Friedensschlusses enthalten war, mit dem man sich verträgt.

Das römische Privatstrafrecht verändert sich am Ende des 3. Jahrhunderts v. Chr. Zum einen entsteht die Polizeijustiz der tresviri capitales. Damit treten Strafrecht und Privatrecht ziemlich weit auseinander. Zum anderen wird das dadurch verstärkt, daß man innerhalb des Zivilrechts zur gleichen Zeit den Strafcharakter bei Sachbeschädigungen weitgehend abbaut, indem man vom System der Bußzahlungen übergeht zum Prinzip des Schadensersatzes. Es gibt hier nun nicht mehr höhere Zahlungen, die das Rachebedürfnis des Geschädigten befriedigen sollen, sondern nur noch Wertersatz, der den Vermögensschaden ausgleicht. Das geschieht mit der lex Aquilia. Nach der antiken Überlieferung soll das Gesetz im Jahre 286 v. Chr. erlassen worden sein.

Wahrscheinlich ist es aber erst später gewesen, um 200 v. Chr., als am Ende des zweiten punischen Krieges die römische Wirtschaft durch die Verwüstungen in Italien schwer getroffen war. Das führte zu einer spürbaren Geldentwertung. Durch die Inflation werden die festen Bußsätze der Zwölftafeln wirkungslos geworden sein und deswegen wird man das neue Gesetz erlassen haben, das mit seiner Orientierung am Sachwert die notwendige Flexibilität hatte. Die lex Aquilia über Sachbeschädigungen war Wendepunkt und Kernstück des römischen Deliktrechts, unmittelbar die Vorstufe unseres § 823 BGB. Wichtig sind das erste und das dritte Kapitel:

> *Gai.D.9.2.2 pr.:* Lege Aquilia capite primo cavetur, „ut qui servum servamve alienum alienamve quadrupedemve pecudem iniuria occiderit, quanti id in eo anno plurimi fuit, tantum aes dare domino damnas esto."
>
> *Deutsch:* In der lex Aquilia ist im ersten Kapitel bestimmt: „Wer einen fremden Sklaven oder eine fremde Sklavin oder vierfüßiges Herdenvieh unrechtmäßig tötet, hat dem Eigentümer den Höchstwert des letzten Jahres zu zahlen."
>
> *Ulp.D.9.2.27.5:* Tertio autem capite ait eadem lex Aquilia, „ceterarum rerum praeter hominem et pecudem occisos si quis alteri damnum faxit, quod usserit fregerit ruperit iniuria, quanti ea res erit in diebus trigintia proximis, tantum aes domino dare damnas esto."
>
> *Deutsch:* Im dritten Kapitel derselben lex Aquilia heißt es: „Wer außer der Tötung von Sklaven und Vieh einem anderen Schaden an seinen Sachen zugefügt hat, indem er unrechtmäßig gebrannt, gebrochen oder gerissen hat, hat dem Eigentümer so viel Geld zu zahlen, wie der Schaden ausmacht, der sich in den nächsten dreißig Tagen daraus ergibt."

Im ersten Kapitel ging es also um die Tötung von Sklaven und Vieh. Mit geringen Resten des alten Privatstrafrechts, indem nicht nur der Wert bei der Tötung zu ersetzen war, sondern der Höchstwert des letzten Jahres. Das dritte Kapitel regelt andere Sachbeschädigungen. Es ist der Wert zu ersetzen und der Folgeschaden im nächsten Monat. Das ist reiner Schadensersatz, ohne Bußcharakter.

Zunächst führte jede objektiv rechtswidrige Sachbeschädigung zum Schadensersatz. Das ergibt sich aus dem Wort iniuria im ersten und dritten Kapitel. Es bedeutet rechtswidrig. Bald hat man aber den Anwendungsbereich des Gesetzes auf schuldhafte – vorsätzliche oder fahrlässige – Handlungen eingeschränkt, indem man die Schuld etwas mühsam in das Wort iniuria hineininterpretierte:

> *Ulp.D.9.2.5.1:* Iniuriam autem hic accipere nos oportet non quemadmodum circa iniuriarum actionem contumeliam quandam, sed quod non iure factum est, hoc est contra ius, id est si culpa quis occiderit.

Deutsch: Unter iniuria im Sinne der lex Aquilia haben wir nicht eine Schmähung im Sinne der actio iniuriarum wegen Beleidigung zu verstehen, sondern was nicht rechtmäßig geschehen ist, also gegen das Recht, das heißt, wenn jemand schuldhaft getötet hat.

Im übrigen wurde der Anwendungsbereich des Gesetzes aber ständig ausgeweitet. Zunächst, indem man die drei konkreten Fälle des dritten Kapitels zu einem abstrakten Tatbestand erweiterte, der jede Sachbeschädigung erfaßte:

Ulp.D.9.2.27.13 + 15: Inquit lex „ruperit". rupisse verbum fere omnes veteres sic intellexerunt: „corruperit" ... Cum eo plane, qui vinum spurcavit vel effudit vel acetum fecit vel alio modo vitiavit, agi posse Aquilia Celsus ait, quia etiam effusum et acetum factum corrupti appelatione continentur.

Deutsch: Das Gesetz sagt „gebrochen hat". Diesen Ausdruck „gebrochen haben" haben fast alle alten republikanischen Juristen so verstanden und interpretiert: „verdorben hat" ... Und dementsprechend sagt Celsus, daß auch gegen denjenigen nach der lex Aquilia geklagt werden kann, der fremden Wein verunreinigt, ausgegossen hat oder zu Essig werden ließ oder ihn in anderer Weise verdorben hat, weil auch das Ausgießen oder Versauern in der Bezeichnung des „Verderbens" mit enthalten sind.

Hier half also die äußerliche Ähnlichkeit zweier Worte mit verschiedener Bedeutung. Rumpere, das Wort im Gesetz, hieß nur Brechen. Aber corrumpere war allgemein jedes Verderben, jede Verschlechterung.

Danach ging man dazu über, daß auch mittelbare Schädigungen zum Schadensersatz verpflichteten, nicht mehr nur diejenigen mit unmittelbarer körperlicher Einwirkung auf die Sache. So hatte man das Gesetz lange verstanden. Notwendig war an sich ein direkter Eingriff (damnum corpore corpori datum). Als man sich später entschloß, Schadensersatz auch bei anderen Einwirkungen zu geben, löste man das Problem aktionenrechtlich. Denn die alte Auslegung der Worte hatte sich zu sehr verfestigt. In der actio wurden in solchen Fällen nicht die Worte des Gesetzes gebraucht, sondern man schilderte in der demonstratio den Sachverhalt (factum) und gab in der intentio die Rechtsfolge des Gesetzes. Das nannte man eine actio in factum. Sie wurde vom Prätor in solchen Fällen in Analogie zur eigentlichen actio legis Aquiliae gegeben:

Ulp.D.9.2.7.6.: Celsus autem multum interesse dicit, occiderit an mortis causam praestiterit, ut qui mortis causam praestitit, non Aquilia, sed in factum actione teneatur. unde adfert eum qui venenum pro medicamento dedit et ait causam mortis praestitisse, quemadmodum eum qui furenti gladium porrexit, nam nec hunc lege Aquilia teneri, sed in factum.

Deutsch: Celsus sagt, es sei ein großer Unterschied, ob jemand getötet hat oder nur den Tod verursacht, denn wer nur die Todesursache gesetzt hat, der hafte nicht direkt aus der lex Aquilia, sondern nur mit einer actio in factum. Und er bringt als Beispiel denjenigen, der Gift statt eines Medikaments gegeben hat und sagt, er habe nur die Todesursache gesetzt, genauso wie der, der einem Rasenden das Schwert entgegengestreckt hat, denn auch der haftet nicht aus der lex Aquilia, sondern mit einer actio in factum.

Wenn nämlich Gift gegeben wurde, hat der getötete Sklave es regelmäßig selbst eingenommen, der andere es seinem Körper nicht unmittelbar zugefügt. Also eine actio in factum. Auch Unterlassungshandlungen konnten so mit einbezogen werden, das Verhungernlassen von fremden Sklaven oder Vieh zum Beispiel. Das Gesetz ist von Fall zu Fall sogar auf die Verletzung von freien Personen angewendet worden. Das hat wohl mit Kindern angefangen:

Ulp.D.9.2.5.3: Si magister in disciplina vulneraverit servum vel occiderit, an Aquilia teneatur, quasi damnum iniuria dederit? et Julianus scribit Aquilia teneri eum, qui eluscaverat discipulum in disciplina. multo magis igitur in occiso idem erit dicendum. Proponitur autem apud eum species talis: sutor, inquit, puero discenti ingenuo filio familias parum bene facienti quod demonstraverit forma calcei cervicem percussit, ut oculus puero perfunderetur. dicit igitur Julianus iniuriarum quidem actionem non competere, quia non faciendae iniuriae causa percusserit, sed monendi et docendi causa; an ex locato, dubitat, quia levis dumtaxat castigatio concessa est docenti. sed lege Aquilia posse agi non dubito.

Deutsch: Wenn ein Lehrer einen Sklaven im Unterricht verletzt oder tötet, haftet er dann aus der lex Aquilia, weil er einen Schaden rechtswidrig herbeigeführt hat? Und Julian schreibt, es müsse aus der lex Aquilia haften, wer einem Schüler im Unterricht ein Auge ausgeschlagen hat. Umso mehr muß man das gleiche sagen, wenn einer getötet worden ist. Bei ihm findet sich folgender Fall: Ein Schuster, berichtet er, hatte als Lehrjungen einen frei geborenen Sohn eines Römers, der das, was er ihm gezeigt hatte, nicht gut genug machte. Daraufhin hat er ihm mit dem Leisten in den Nacken geschlagen, so daß dem Jungen ein Auge zerstört wurde. Also, hat Julian gesagt, die actio iniuriarum kann er nicht geltendmachen, weil er nicht in beleidigender Weise geschlagen hat, sondern nur um

> ihn zu ermahnen und zu belehren. Und er zweifelt, ob die actio locati (aus dem Lehrvertrag) gegeben sei, weil eine leichte Züchtigung dem Lehrherrn erlaubt sei. Aber ich zweifle nicht daran, daß in diesem Fall aus der lex Aquilia geklagt werden könne.

Das Problem für Julian und Ulpian lag hier nicht mehr darin, ob das Gesetz auch bei der Verletzung von freigeborenen Römern angewendet werden könne. Das war wohl schon früher entschieden worden. Es ging in diesem Fall um die Rechtswidrigkeit. Denn der Lehrherr hatte an sich ein Züchtigungsrecht, durch das sie ausgeschlossen wurde. Aber hier hatte er es überschritten. Deshalb war die Verletzung rechtswidrig und mußte Ersatz für die Heilungskosten gezahlt werden, mit einer actio in factum. Die wurde dann auch noch in weiteren Fällen gegeben, in denen jemand anderes als der Eigentümer klagte. Nach dem Wortlaut der lex Aquilia wäre er allein ersatzberechtigt gewesen. Man gab die Klage aber auch dem Nießbraucher und anderen dinglich Berechtigten. Damit war sogar schon das „Sonstige Recht" des § 823 Abs. 1 BGB vorbereitet worden.

137. Eigentum

Die Römer sind die ersten gewesen, die das Eigentum juristisch auf den Begriff gebracht haben. Sie waren es, die zuerst dafür ein juristisches Instrumentarium entwickelten, speziell für den Schutz von Eigentum. Bei ihnen ist das entstanden, was wir heute Eigentum nennen, nämlich die Zuordnung einer Sache einzig und allein zu einer Person in der Weise, daß ausschließlich sie darüber völlig frei verfügen kann, unter Lebenden und von Todes wegen. Eine Zuordnung, die sich auch heute noch in fünf Mechanismen konkretisiert. Sie waren bei ihnen schon in gleicher Weise entwickelt: Schutz gegen Entziehung, Schutz gegen Beschädigung, Schutz gegen andere Einwirkungen, Veräußerungsbefugnis, Testierfreiheit (§§ 985, 823, 1004, 929, 2064 ff. BGB). Sie haben damit auch den Begriff des dinglichen Rechts erfunden, also eines Rechts, mit dem sich der Berechtigte gegenüber jedermann durchsetzen kann. Aktionenrechtlich wie sie dachten, sagten sie nicht dingliches Recht, sondern dingliche Klage (actio in rem). Die haben sie abgegrenzt von anderen, die nur gegenüber bestimmten Personen gegeben sind (actio in personam). Wir sprechen heute von obligatorischen Rechten oder Forderungen. Dinglich und obligatorisch, das ist das Begriffspaar heute.

Prototyp der actio in rem ist die Klage zum Schutz gegen Entziehung des Eigentums. Die Klage auf Herausgabe der Sache. Sie ist, für die Römer wie für uns (§ 985 BGB), die Klage des nichtbesitzenden Eigentümers gegen den besitzenden Nichteigentümer. Kürzer: die Klage des Eigentümers gegen den Besitzer. Diese Unterscheidung zwischen Eigentum und Besitz war nämlich für die Erfindung dinglicher Rechte begrifflich notwendig. Also die Unterscheidung zwischen Eigentum als der juristischen

Zuordnung einer Sache zu einer Person (dominium, proprietas) und dem Besitz als der bloß tatsächlichen Innehabung (possessio). Um die volle Härte des Eigentums juristisch auf den Begriff zu bringen, mußten sie den Besitz dazu erfinden. Auch das ist eine eigenständige Leistung der Römer. Jetzt gab es einen, der allein berechtigt war. Der Eigentümer.

Und es gab einen anderen, der zwar auch mit der Sache verbunden war, sie in den Händen hatte, aber keinerlei Rechte an ihr haben sollte. Der Besitzer. Es war, wie man leicht erkennen kann, nicht nur eine technische Leistung. Sie beruht auf sozialen Verhältnissen, besser gesagt: auf einer unsozialen Konstellation, die auch für die Antike durchaus nicht selbstverständlich war.

Prototyp der actio in rem ist also die Klage auf Herausgabe der Sache. Unser § 985 BGB. Bei den Römern die rei vindicatio:

> Titius iudex esto. Si paret fundum, quo de agitur, ex iure Quiritium Auli Agerii esse, neque ea res arbitratu tuo restituetur, quanti ea res erit, tantam pecuniam iudex Numerium Negidium Aulo Agerio condemnato, si non paret, absolvito.
>
> *Deutsch:* Titius soll Richter sein. Wenn sich erweist, daß das Grundstück, um das die Parteien sich streiten, nach quiritischem Recht im Eigentum des Aulus Agerius steht und die Sache nach deinem Vorschlag nicht dem Aulus Agerius zurückgegeben worden ist, dann, Richter, verurteile den Numerius Negidius zugunsten des Aulus Agerius zur Zahlung derjenigen Geldsumme, die dem Wert der Sache entspricht, und wenn es sich nicht erweist, dann weise die Klage ab.

Das besondere an dieser Klage ist ihre Kürze. Es wird einzig und allein auf das Eigentum des Klägers abgestellt. Kann er es beweisen, dann hat er gewonnen. Der Beklagte wird zu einer hohen Geldzahlung verurteilt, es sei denn, er gibt die Sache vorher heraus. Dazu hat ihn der Richter vor der Verurteilung aufgefordert (arbitrium de restituendo).

Die Kürze der rei vindicatio ist das Ergebnis der Unterscheidung von Eigentum und Besitz. Das führte zum Entweder-Oder. Im alten Legisaktionenverfahren war das noch anders, deutlich erkennbar an der Gestalt der legis actio sacramento in rem. Sie ist die Vorgängerin der rei vindicatio gewesen. Ihren Wortlaut findet man in den Institutionen des Gaius. Kläger und Beklagte haben die gleiche Stellung. Beide mußten behaupten, Eigentümer zu sein:

> *Gai.4.16:* Si in rem agebatur, mobilia quidem et moventia, quae modo in ius adferri adduciue possent, in iure vindicabantur ad hunc modum: qui vindicabat, festucam tenebat; deinde ipsam rem adpre-

hendebat, velut hominem, et ita dicebat: HUNC EGO HOMINEM EX IURE QUIRITIUM MEUM ESSE AIO SECUNDUM SUAM CAUSAM; SICUT DIXI, ECCE TIBI, VINDICTAM INPOSUI, et simul homini festucam inponebat, cum uterque vindicasset, praetor dicebat: MITTITE AMBO HOMINEM, illi mittebant, qui prior vindicaverat, ita alterum interrogabat: POSTULO, ANNE DICAS, QUA EX CAUSA VINDICAVERIS? Ille respondebat: IUS FECI, SICUT VINDICTAM INPOSUI. deinde qui prior vindicaverat, dicebat: QUANDO TU INIURIA VINDICAVISTI, D AERIS SACRAMENTO TE PROVOCO, adversarius quoque dicebat similiter: ET EGO TE.

Deutsch: Wenn auf die Herausgabe von beweglichen Sachen geklagt wird, die zum Gerichtsort gebracht, getragen oder geführt werden können, dann wird der Prozeß in folgender Weise eingeleitet: Der Kläger hält eine festuca und berührt damit die Sache, zum Beispiel einen Sklaven, und sagt folgendes: ICH BEHAUPTE, DAß DIESER SKLAVE NACH QUIRITISCHEM RECHT MEIN EIGENTUM IST. UND DEMENTSPRECHEND, WIE ICH GESAGT HABE, LEGE ICH IHM DIE VINDICTA AUF, WIE DU ES SIEHST. Und zugleich legte er einen Stab auf den Sklaven. Der Beklagte sagt und tut dasselbe, und nachdem sie beide in dieser Weise vindiziert haben, sagt der Prätor: LAßT BEIDE DEN SKLAVEN LOS, und sie lassen ihn los. Derjenige, der zuerst vindiziert hat, fragt den anderen: SAGE MIR, AUS WELCHEM GRUNDE DU VINDIZIERT HAST? Und der andere antwortet: ICH HABE ES ZU RECHT GETAN, WIE ICH DIE VINDICTA AUFGELEGT HABE. Darauf sagt derjenige, der zuerst vindiziert hatte: WEIL DU ZU UNRECHT VINDIZIERT HAST, FORDERE ICH DICH ZU EINEM SAKRAMENTUM VON 500 AS. Und der Beklagte sagte dasselbe: UND ICH DICH AUCH.

Das Sakramentum war ein sehr hoher Einsatz, den beide hinterlegten. Wer den Prozeß gewann, erhielt ihn wieder zurück. Der andere verlor ihn mit dem Prozeß. Entscheidend ist die gleichgeordnete Stellung der beiden in den Spruchformeln der Klageerhebung. Sie ist Ausdruck anderer Vorstellungen über die Zuordnung von Sachen. Danach war es grundsätzlich noch möglich, daß beide in etwa gleicher Weise berechtigt gewesen sind. Vorstellungen von Mehrfachberechtigungen, wie man sie für das Verwandtschaftseigentum in frühen Gesellschaften regelmäßig findet (Rdz. 25). In der rechtshistorischen Literatur nennt man es die Relativität des Eigentums. Sie sei dann später abgelöst worden durch das abstrakte

Eigentum. Wobei man sich darüber streiten kann, ob das ganze ein rein geistiger Prozeß gewesen sei, wie es Franz Wieacker meint, oder eben Ausdruck sozialer Veränderungen.

Nicht nur die rei vindicatio und die Unterscheidung von Eigentum und Besitz sind Ausdruck dieses abstrakten Individualismus. Es gibt viel Intoleranz gegen nachbarliche Rücksichten, bei weitem nicht so viel nachbarrechtliche Einschränkungen des Eigentums wie in Athen und, ebenfalls ganz anders als dort, die volle Testierfreiheit. Das Testament ist schon in den Zwölftafeln voll entwickelt:

> *XII tab.5.3:* Uti legassit super pecunia tutelave suae rei ita ius esto.
>
> *Deutsch:* Was jemand letztwillig angeordnet hat über sein Vermögen und die Vormundschaft, das soll rechtens sein.

Wobei man eine Einschränkung machen muß. Pecunia ist nur das bewegliche Vermögen. Grund und Boden gehören nicht dazu, standen damals noch in verwandtschaftlicher Bindung. Privateigentum hat sich auch in Rom zunächst nur an beweglichen Sachen entwickelt.

Das zeigt sich auch in der Formel des ältesten Übereignungsgeschäfts. Es geht, wie die Formel der legis actio sacramento in rem, davon aus, daß man die Sache mit der Hand ergreift. Das ist bei Grundstücken nicht möglich, nur bei beweglichen Sachen. Dieses Geschäft ist die mancipatio. Später war sie auch der notwendige Formalakt für die Übereignung von Grundstücken, noch in klassischer Zeit. Erst Justinian hat sie abgeschafft. Deshalb ist wieder Gaius mit seinen Institutionen dafür die wichtigste Quelle:

> *Gai.1.118a:* Est autem mancipatio, ut supra quoque diximus, imaginaria quaedam venditio: quod et ipsum ius proprium civium Romanorum est; eaque res ita agitur: adhibitis non minus quam quinque testibus civibus Romanis puberibus et praeterea alio eiusdem condicionis, qui libram aeneam teneat, qui appellatur libripens, is qui mancipio accipit, rem tenens ita dicit: HUNC EGO HOMINEM EX IURE QUIRITIUM MEUM ESSE AIO ISQUE MIHI EMPTUS ESTO HOC AERE AENEAQUE LIBRA. deinde aere percutit libram idque aes dat ei, a quo mancipio accipit, quasi pretii loco.
>
> *Deutsch:* Die Manzipation ist, wie wir schon oben gesagt haben, eine Art Scheinkauf. Es ist ein typisches Recht nur für römische Bürger. Sie vollzieht sich in folgender Weise: Es sind mindestens fünf volljährige römische Bürger als Zeugen anwesend und außerdem noch einer, der die kupferne Waage hält und Lipripens (Wägemei-

> ster) genannt wird. Derjenige, der die Sache erwirbt, ergreift sie mit der Hand und spricht: DIESER MANN IST NACH QUIRITISCHEM RECHT MEIN EIGENTUM UND ER SOLL VON MIR GEKAUFT SEIN MIT DIESEM KUPFER UND DIESER KUPFERNEN WAAGE. Danach klopft er mit dem Kupferstück an die Waage und gibt es dem, von dem er die Sache erwirbt, sozusagen anstelle des Kaufpreises.

Die mancipatio war in frühen Zeiten der Barkauf mit Übereignung. Erst später, als Kaufvertrag und Übereignung zeitlich auseinandertreten konnten, wurde sie zum formalen Übereignungsgeschäft, dem der formlose Kaufvertrag voranging. Als solches war sie notwendig bei sogenannten res mancipi. Das waren die wichtigen Gegenstände der bäuerlichen Wirtschaft, also italienische Grundstücke, Sklaven, Vieh, Ackergerät. Gegensatz dazu waren res nec mancipi, alle anderen Sachen.

An res nec mancipi erwarb man Eigentum mit dem formlosen Übereignungsgeschäft der traditio. Traditio heißt Übergabe. Insofern entspricht es der Übereignung unseres § 929 BGB, die ebenfalls als formloses Geschäft neben dem Formalakt der Eintragung ins Grundbuch steht, der bei uns für Grundstücke notwendig ist (§§ 873, 925 BGB). Es gibt allerdings einen wesentlichen Unterschied. Unsere Übereignung nach § 929 BGB ist abstrakt. Ihre Wirksamkeit ist unabhängig von der Wirksamkeit des zugrunde liegenden obligatorischen Geschäfts. Ist es zum Beispiel ein Kauf, dann ist die Übereignung nach § 929 auch dann wirksam, wenn der Kaufvertrag aus irgendwelchen Gründen unwirksam sein sollte. Der Käufer wird mit der Übergabe Eigentümer, obwohl der Kaufvertrag unwirksam ist (Rdz. 282). Im römischen Recht war das nur dann der Fall, wenn eine res mancipi mit der mancipatio übereignet wurde. Die mancipatio als Formalgeschäft trug ihren Rechtsgrund sozusagen in sich selbst. Der Ausgleich erfolgte dann wie bei uns nach Bereicherungsrecht. Anders die formlose traditio. Sie war kausal. Die Übergabe allein reichte nicht aus. Der Käufer erwarb das Eigentum an der Kaufsache nur, wenn auch der Kaufvertrag wirksam war:

> *Paul.D.41.1.31 pr.:* Numquam nuda traditio transfert dominium, sed ita, si venditio aut aliaqua iusta causa praecesserit, propter quam traditio sequeretur.

> *Deutsch:* Niemals überträgt die bloße Übergabe das Eigentum, sondern nur dann, wenn ein Kauf oder irgendeine andere iusta causa vorangegangen ist, deretwegen die Übergabe erfolgte.

Erforderlich neben der traditio war also auch noch eine iusta causa, ein Grund für die Übereignung. Ein Problem übrigens, das in der rechtshistorischen Forschung jahrzehntelang diskutiert worden ist, weil es auch noch andere juristische Texte in den Quellen gibt, die etwas anderes zu sagen scheinen. Heute ist man ohne Ausnahme der Meinung, die römische traditio sei kausal gewesen. Anders ausgedrückt: eine iusta causa traditionis war nach römischem Recht notwendig.

Das ergibt sich übrigens auch daraus, daß es bei der Ersitzung (usucapio) ebenso gewesen ist. Sie war neben mancipatio und traditio die dritte Möglichkeit, über ein Rechtsgeschäft Eigentum zu erwerben. Im wesentlichen ging es um zwei Fälle. Zum einen war sie der Ausgleich dafür, daß es im römischen Recht einen gutgläubigen Erwerb nicht gab. Übergab der Verkäufer dem Käufer eine fremde Sache, wurde der zunächst nicht Eigentümer:

> *Ulp.D.50.17.54:* Nemo plus iuris ad alium transferre potest, quam ipse haberet.
>
> *Deutsch:* Niemand kann mehr Recht auf einen anderen übertragen, als er selbst hat.

Zum anderen griff die Ersitzung auch ein, wenn eine res mancipi nicht mit mancipatio, sondern nur mit traditio übergeben worden war. In beiden Fällen handelte es sich also um eine an sich fehlgeschlagene traditio. Aber man konnte nach Ablauf eines Jahres, bei Grundstücken nach zwei Jahren, Eigentümer werden, wenn man ununterbrochen Besitz gehabt hatte und gutgläubig gewesen war. Außerdem mußte immer eine iusta causa zugrunde liegen, ein gültiges Erwerbsgeschäft wie Kauf oder Schenkung. Später sagte man dazu auch Titel. Das sind die fünf Voraussetzungen der usucapio, nach einem mittelalterlichen Hexameter:

> rés habilís, titulús, fidés, posséssio, témpus.

Also erstens eine ersitzungsfähige und das heißt: nicht gestohlene Sache, zweitens eine iusta causa, drittens guter Glaube, viertens Besitz und fünftens Zeitablauf. Dieser Zeitablauf war ja verhältnismäßig kurz. Insofern hatte die Ersitzung im römischen Recht letztlich die gleiche Funktion wie bei uns der gutgläubige Erwerb nach § 932. Diejenigen Juristen, die im 19. Jahrhundert noch in der Tradition des römischen Rechts aufgewachsen waren, bezeichneten den § 932 deshalb auch als usucapio sine tempore, Ersitzung ohne Zeit. Wenn also die usucapio letztlich nichts anderes war als die Heilung einer fehlgeschlagenen traditio, und wenn für sie nach römischem Recht eine iusta causa notwendig war, sie also kausal gewesen ist, dann wird es auch bei der traditio nicht anders gewesen sein.

Diese Kausalität der Übereignung war dann Jahrhunderte lang römisches Recht. Sie überstand die Rezeption im Spätmittelalter und war gemeines Recht der Neuzeit, bis Friedrich Carl von Savigny im 19. Jahrhundert den abstrakten dinglichen Vertrag erfunden hat, der dann im § 929 BGB übernommen wurde. Das war eine der typischen dogmatischen Überspitzungen dieser Zeit. Savigny hat das Abstraktionsprinzip herausgelesen im wesentlichen aus der Handschenkung und aus einer Äußerung des Gaius, die in die Digesten aufgenommen ist (Gai. D.41.1.9.3) und in den Institutionen Justinians wiederholt wird (I.2.1.40). Den Text des Gaius hat er dabei falsch verstanden (Rdz. 282).

138. Besitz

Fragen des Besitzrechts spielen heute keine große Rolle. Im römischen Recht war das anders. Zum einen, weil der Besitz eine der Voraussetzungen für die Ersitzung gewesen ist, die für die Römer sehr viel wichtiger war als für uns. Zum anderen weil er im Prozeß um die Herausgabe der Sache eine sehr viel größere Bedeutung hatte. Bei der rei vindicatio mußte der Kläger sein Eigentum beweisen. In komplizierten Fällen war das oft nicht leicht. Mißlang der Beweis, wurde die Klage abgewiesen. Günstiger war also die Situation des Beklagten, der den Besitz hatte. In solchen Fällen wurden oft Prozesse vorher um die Frage geführt, wer denn eigentlich der richtige Besitzer und damit auch in der günstigen Position des Beklagten bei der rei vindicatio sei.

Römischer Besitz war – im Gegensatz zu unserem – immer Eigenbesitz (§ 872 BGB). Die Römer kannten keinen Fremdbesitz, also auch keinen mittelbaren. Mit anderen Worten: Mieter, Pächter und andere hatten keinen Besitzschutz. Man war nur Besitzer, wenn man eine Sache in der tatsächlichen Gewalt (corpus) und auch den Willen hatte, sie wie ein Eigentümer als eigene zu haben (animus). Deshalb spielte im römischen Recht auch der Besitzwille eine deutlichere Rolle als bei uns:

> *Paul.D.41.2.3.1:* Et apiscimur possessionem corpore et animo, neque per se animo aut per se corpore. quod autem diximus et corpore et animo adquirere nos debere possessionem, non utique ita accipiendum est, ut qui fundum possidere velit, omnes glebas circumambulet: sed sufficit quamlibet partem eius fundi introire, dum mente et cogitatione hac sit, uti totum fundum usque ad terminum velit possidere.

> *Deutsch:* Und wir erwerben Besitz corpore et animo, nicht allein animo oder allein corpore. Wenn wir aber gesagt haben, wir müßten Besitz corpore et animo erwerben, dann ist das nicht so zu verstehen, daß derjenige, der den Besitz an einem Grundstück erwerben will, alle Erdschollen umwandern muß, sondern es genügt, wenn er irgendeinen Teil des Grundstücks betritt und den Willen hat, das ganze Grundstück bis zur Grenze zu besitzen.

Dabei hat man zwei Arten von Besitz zu unterscheiden, die römische Juristen terminologisch nie klar auseinandergehalten haben, obwohl sie mehr oder weniger bewußt immer an die beiden Hauptfälle dachten. Sie entsprechen den schon beschriebenen Funktionen des Besitzes, einmal bei der Ersitzung und zum anderen bei Prozessen um die Wiedereinräumung von Besitz, im Besitzschutz der sogenannten Interdikte.

Der Besitzschutz beginnt schon sehr früh. Seine Funktion ist es, die Selbsthilfe weiter zurückzudrängen. Unabhängig von der Frage des Eigentums wurde der Besitzer in seiner tatsächlichen Innehabung geschützt, wenn ein anderer ihm den Besitz entzogen hatte. Er konnte auf Wiedereinräumung des Besitzes klagen, mit einem Interdikt. Das interdictum ist eine besondere Klageart. Es begann damit, daß der Prätor auf Antrag des Klägers ein Verbot für beide Parteien erließ, eigenmächtig zu besitzen. Dieses Verbot (interdictum) wird ergänzt durch Bußgeldverpflichtungen beider Parteien für den Fall, daß sie dagegen verstoßen. Dann erst begann der eigentliche Prozeß, nämlich mit einer normalen Klage auf Zahlung aus diesem Versprechen. Im Ergebnis läuft das Ganze hinaus auf unseren Anspruch aus Besitzentziehung nach § 861 BGB. Es gab verschiedene Interdikte, je nachdem ob es sich um Grundstücke oder bewegliche Sachen handelte und in welcher Form der Besitz entzogen worden war. Meistens werden sie nach den ersten Worten bezeichnet, mit denen der Prätor sein Verbot begann. Es gab also ein interdictum uti possidetis für den Schutz von Grundstücken, historisch das älteste, ein interdictum utrubi bei beweglichen Sachen oder ein interdictum unde vi für den Schutz von Grundstücken gegen gewaltsame Besitzentziehung. Daneben aber auch noch eine Unzahl anderer für den Schutz von Positionen, die wir heute gar nicht mehr als Besitz ansehen.

Die beiden Arten des Besitzes im römischen Recht nennt man heute Interdiktenbesitz und Ersitzungsbesitz. Für sie gelten zum Teil unterschiedliche Regeln. Erst in letzter Zeit ist das weitgehend geklärt worden. Die terminologische Unklarheit der Römer hatte schon seit dem Mittelalter zu vielen Mißverständnissen geführt, die durch die klassische Monographie Friedrich Carl von Savignys über „Das Recht des Besitzes" von 1803 nicht ganz beseitigt waren.

Ersitzungsbesitz ist also Besitz im Sinne seiner Funktion als Mittel für die Eigentumsübertragung. Man nennt das heute Transportfunktion. Er ist insofern natürlich nicht nur Grundlage des Erwerbs mit der usucapio, sondern auch durch die traditio. Julian, ein Jurist der hochklassischen Zeit, hat ihn einmal possessio civilis genannt, was heute zum Teil als technische Bezeichnung dafür gebraucht wird. Erforderlich ist Eigenbesitz und iusta causa. Eigenbesitz im Sinne unseres § 872 BGB und iusta causa als Erwerbsgrund für das Eigentum, also Kauf, Schenkung usw. War keine iusta causa vorhanden, sprechen die römischen Juristen von possessio naturalis, mit der man nicht ersitzen könne. Man hätte ja auch dogmatisch trennen und sagen können, es sei zwar Besitz vorhanden, aber wegen Fehlens einer iusta causa sei die usucapio nicht möglich. Das haben die römischen Juristen jedoch nicht getan.

Interdiktenbesitz ist Besitz im Sinne seiner Funktion für den Besitzschutz. Wir sprechen heute von der Schutzfunktion, neben der es dann noch seine Vermutungsfunktion gibt. Diese Vermutungsfunktion, daß nämlich zugunsten des Besitzers einer Sache vermutet wird, er sei auch ihr Eigentümer (§ 1006 BGB), hat der Interdiktenbesitz im römischen Recht ebenfalls. Er hat sie nicht ausdrücklich, aber tatsächlich dadurch, daß über seine Funktion zur Erhaltung der Beklagtenrolle bei der rei vindicatio beim späteren Kläger die Beweislast hängenbleibt. Für den Interdiktenbesitz war eine iusta causa nicht notwendig. Auch wenn sie fehlt, sprechen die römischen Juristen von possessio, nicht von possessio naturalis. Erforderlich ist allein der Eigenbesitz, mit vier Ausnahmen. Also insgesamt fünf Fälle:

1. Eigenbesitz

und außerdem noch die vier anerkannten Fälle von Fremdbesitz:

2. Prekarist,
3. Pfandgläubiger,
4. Sequester,
5. Erbpächter (emphyteuta).

Das precarium ist die unentgeltliche und jederzeit widerrufliche Überlassung einer Sache. In Rom spielte es eine große Rolle. Mit ihm begründeten Patrizier Klientelverhältnisse, indem sie ihren Leuten landwirtschaftliche Grundstücke zur Nutzung überließen. Sequester ist ein Vertrauensmann, dem während eines Prozesses die streitige Sache in Verwahrung gegeben wurde. Und die emphyteusis ist ein Pachtverhältnis, das für sehr lange Zeit abgeschlossen wird und auf die Erben übergeht.

In klassischer Zeit gibt es eine hochentwickelte Kasuistik zur Frage von Erwerb und Verlust des Besitzes. Meistens geht es um das Problem der tatsächlichen Sachherrschaft (§ 854 Abs. 1 BGB). Die römischen Juristen nennen sie corpus. Ihre Anforderungen waren höher als unsere heutigen. Sie fordern mehr unmittelbare Einwirkungsmöglichkeit als wir. Anders gesagt: Unser Besitzbegriff ist stärker vergeistigt. Ein Beispiel:

> *Paul.D.41.2.1.21:* Si iusserim venditorem procuratori rem tradere, cum ea in praesentia sit, videri mihi traditam Priscus ait, indemque esse, si nummos debitorem iusserim alii dare. non est enim corpore et tactu necesse adprehendere possessionem, sed etiam oculis et af-

fectu, argumento esse eas res, quae propter magnitudinem ponderis moveri non possunt, ut columnas, nam pro traditis eas haberi, si in re praesenti consenserint: et vina tradita videri, cum claves cellae vinariae emptori traditae fuerint.

Deutsch: Wenn ich den Verkäufer aufgefordert habe, die Sache meinem Vermögensverwalter zu übergeben, und wenn das in Gegenwart der Sache geschieht, dann, sagt Priscus (Neratius Priscus, unter Trajan und Hadrian) ist sie mir übergeben, ebenso, wenn ich meinen Schuldner angewiesen habe, die Geldstücke einem anderen zu geben. Es ist nämlich nicht notwendig, den Besitz unmittelbar körperlich und durch Berührung zu ergreifen. Er kann auch mit den Augen und mit dem Willen erworben werden und als Argument dafür werden diejenigen Sachen angeführt, die wegen ihres großen Gewichts nicht bewegt werden können, wie zum Beispiel Säulen. Sie werden nämlich als übergeben angesehen, wenn die Parteien sich in Gegenwart der Sache geeinigt haben. Auch Wein gilt als übergeben (sagt Priscus), wenn die Schlüssel zum Weinkeller dem Käufer übergeben worden sind.

Ein Fragment des spätklassischen Juristen Paulus. Er behandelt vier Fälle. Der Erwerber bekommt die Sache nie in die Hand. Stattdessen wird sie in seiner Gegenwart einem anderen gegeben, worum er gebeten hat. So ist es in den ersten beiden Fällen, in denen der Vermögensverwalter des Empfängers oder ein anderer das Geld erhält. Oder sie wird gar nicht bewegt, sondern man geht hin und einigt sich daneben. Wie im dritten Fall, bei den Säulen. Oder man gibt ihm die Schlüssel zum Keller. Womit der Besitz am Wein erworben wird, wenn – im Text des Paulus steht eigentlich nichts. Aber aus dem Zusammenhang der drei anderen Fälle ergibt sich: wenn man davor steht. Die räumliche Nähe ist immer notwendig. Aus einer anderen Stelle wird das von Papinian für denselben Fall ausdrücklich bestätigt (D.18.1.74). Alle vier Fälle haben also gemeinsam, daß die Sache vom Erwerber nicht berührt wird, aber in seiner Nähe gelassen wird, so daß er sie berühren könnte, wenn er eine etwas längere Hand hätte. Damit ist für die römischen Juristen der Besitz übergegangen. Die Übergabe ist erfolgt. Die Römer nennen es longa manu traditio (Jav.D.46.3.79), Übergabe mit langer Hand. Das entspricht unserem § 854 Abs. 2 BGB. Der wird heute noch so genannt, lateinisch, geht aber viel weiter, indem er eine Einigung über den Besitzwechsel genügen läßt, wenn der Erwerber die Möglichkeit hat, die Sache woanders zu ergreifen. Das könnte kilometerweit weg sein. Und bei den Schlüsseln würden wir heute sogar annehmen, daß der Besitz schon nach § 854 Abs. 1 übergeht, sofern es alle sind und niemand anders mehr welche hat. Auf die Nähe der

Räume kommt es für uns auch dabei nicht an. Die römische possessio ist also fester, enger, konkreter als unser Besitz.

139. ius civile und ius honorarium, ius civile und ius gentium

Die Rechtsfortbildung ging bei den Römern zum Teil so vor sich, wie überall, nämlich durch neue Gesetze oder neue Auslegung alter Vorschriften durch Juristen und Richter. Zum Teil war es anders. Das kam durch die besondere Stellung des Prätors im Zivilprozeß.

Die ersten beiden Jahrhunderte nach der Kodifikation der Zwölftafeln waren ruhig im Zivilrecht. Es änderte sich wenig, weder im Bußensystem des Deliktsrechts noch im Vertragsrecht mit seinen wenigen formalen Instrumenten, von denen die mancipatio neben dem nexum und der stipulatio (Rdz. 146) das wichtigste war. Bewegung entstand erst im 3. Jahrhundert v. Chr. Rom wurde größer, nicht nur der Sklavenhandel weitete sich aus, auch der andere Warenverkehr. Es gab ein wichtiges neues Gesetz im Deliktsrecht, die lex Aquilia (Rdz. 136). Es gab erste Ansätze zu einer etwas freieren Auslegung der alten Vorschriften. Und es begann die Rechtsfortbildung durch die Prätoren. Für die nächsten zweihundert Jahre, bis zum Ende der Republik, blieb sie der entscheidende Hebel für die großen Veränderungen im Zivilrecht. Als Beispiel nehmen wir folgenden

> *Fall:* Käufer K hatte vom Eigentümer E einen Sklaven gekauft. Wie es damals auf dem Markt schon oft geschah, wurde er nicht mit der mancipatio übereignet, sondern nur mit der traditio übergeben. Kurz danach läuft er weg, wird vom Nachbarn N aufgegriffen und nicht herausgegeben. Wie kommt K an den Sklaven?

Der Sklave war res mancipi. Nach dem alten strengen Recht der Zwölftafelzeit und der frühen Republik konnte an solchen Gegenständen der bäuerlichen Wirtschaft Eigentum nur durch den Formalakt der mancipatio (Rdz. 137) erworben werden, ein etwas umständliches Geschäft für den groß gewordenen Markt, denn man brauchte fünf Zeugen, einen Wägemeister, die kupferne Waage, das Kupferstück und mußte als Käufer die Worte sprechen, während der Verkäufer schwieg. Das unterblieb immer häufiger. Dann wurde der Käufer zwar nicht Eigentümer, aber er hatte Ersitzungsbesitz, der nach einem Jahr zum gleichen Erfolg führte, durch Ersitzung. Aber was war in der Zwischenzeit, wie hier? Im letzten Jahrhundert der Republik empfand man es als unerträglich, daß der Käufer hier keinen Schutz hatte. Die Prätoren haben das ausgeglichen, mit einer neuen Klage. Sie gaben dem Ersitzungsbesitzer bei Vorenthaltung des Besitzes eine Klage gegen den Dritten, die sogenannte actio Publiciana. Sie war der rei vindicatio nachgebildet. Sozusagen eine Analogie zur rei vindicatio. Diese neue Klage war letztlich nichts anderes, als das großzügige Hinwegsehen über die Nichteinhaltung von Formvorschriften, wenn es sich um einen solchen Fall handelte wie hier. Aber auch derjenige, der eine fremde Sache gekauft hatte und im Begriff war, sie zu ersitzen, konnte sich damit gegen Entziehung durch Dritte schützen. Natürlich nicht gegen den wahren Eigentümer.

Die actio Publiciana war so konstruiert, daß in einer demonstratio der Sachverhalt geschildert und dann mit einer Fiktion die intentio der normalen rei vindicatio aufgenommen wurde. Die Fiktion bestand darin, daß man einfach annahm, die Ersitzungszeit sei schon abgelaufen. Dann würde der Käufer ja Eigentümer geworden sein. Im übrigen waren beide Klagen identisch:

> *Rei vindicatio:* Titius iudex esto. Si paret hominem Stichum, quo de agitur, ex iure Quiritium Auli Agerii esse; neque ea res arbitratu tuo Aulo Agerio restituetur, quanti ea res erit, tantam pecuniam, iudex, Numerium Negidium Aulo Agerio condemnato, si non paret, absolvito.
>
> *Deutsch:* Titius soll Richter sein. Wenn sich erweist, daß der Sklave Stichus, um den geklagt wird, nach quiritischem Recht dem Aulus Agerius gehört, und er nicht nach Aufforderung des Richters dem Aulus Agerius herausgegeben wird, dann soll der Richter den Numerius Negidius zugunsten des Aulus Agerius zur Zahlung derjenigen Summe verurteilen, die dem Wert der Sache entspricht. Wenn es sich nicht erweist, soll er die Klage abweisen.
>
> *Actio Publiciana:* Titius iudex esto. Si quem hominem Stichum Aulus Agerius bona fide emit et is ei traditus est, anno possedisset, tum si eum hominem quo de agitur, eius ex iure Quiritium esse oporteret, si is homo Aulo Agerio non restituetur, quanti ea res erit, tantam pecuniam, iudex, Numerium Negidium Aulo Agerio condemnato, si non paret, absolvito.
>
> *Deutsch:* Titius soll Richter sein. Wenn der Sklave Stichus, um den geklagt wird, den der Aulus Agerius gekauft hat und der ihm übergeben worden ist, nach quiritischem Recht dem Aulus Agerius gehören würde, wenn er ihn ein Jahr besessen hätte, und er nicht nach Aufforderung des Richters dem Aulus Agerius herausgegeben wird, dann soll der Richter usw.

In dem Fall von K und N kann der Käufer also vom Nachbarn den Sklaven mit der actio Publiciana herausverlangen. Auch noch in einer anderen Beziehung konnte ihm geholfen werden, wenn nämlich der Verkäufer E vor Jahresfrist auf die Idee kommen sollte, den Sklaven mit der rei vindicatio herauszuverlangen, nachdem ihn K von N endlich wiedererlangt hat. E ist ja noch Eigentümer. K wurde dann vom Prätor mit einer Einrede geschützt. Es ist die exceptio rei venditae et traditae. Auf deutsch: die

Einrede, die Sache sei verkauft und übergeben worden. Sie würde auf Antrag des K vom Prätor in die rei vindicatio des E eingefügt, und zwar zwischen die Worte „Auli Agerii esse" und „neque ea res". Sie hat folgenden Wortlaut: si non Aulus Agerius hominem Stichum, quo de agitur, Numerio Negidio vendidit et tradidit, auf deutsch: wenn Aulus Agerius diesen Sklaven, um den geklagt wird, nicht dem Numerius Negidius verkauft und übergeben hat.

Der K wird also vom Prätor praktisch wie ein Eigentümer behandelt. Die Römer haben das mit den Worten umschrieben, er sei Eigentümer nach prätorischem Recht. Der E sei Eigentümer nach ius civile. Formal wird das alte ius civile mit seiner mancipatio nicht angetastet. Aber daneben entwickelt sich ein neues Recht, das sie ius honorarium nennen, Honorarrecht. Von honos, das Amt. Es ist das Amtsrecht der Prätoren. Papinian beschreibt das mit folgenden Worten:

> *Pap.D.1.1.7.1:* Ius praetorium est, quod praetores introduxerunt adiuvandi vel supplendi vel corrigendi iuris civilis gratia propter utilitatem publicam. quoa et honorarium dicitur ad honorem praetorum sic nominatum.
>
> *Deutsch:* Prätorisches Recht ist dasjenige, das die Prätoren eingeführt haben, um das ius civile zu unterstützen, zu ergänzen oder zu korrigieren aus Gründen des öffentlichen Wohls. Es wird auch ius honorarium genannt nach dem Amt der Prätoren.

Dieses Nebeneinander von altem und neuem Recht geht durch das ganze römische Zivilrecht. Es bestimmt sogar die Struktur der Juristenschriften. Denn beide werden getrennt dargestellt. In den libri ad Sabinum beschreiben die römischen Juristen das alte Zivilrecht, nämlich in großen Kommentaren zu einer kurzen Darstellung des ius civile durch Massurius Sabinus, der zur Zeit des Augustus lebte. Das Honorarrecht wird dargestellt in Kommentaren zum Edikt des Prätors, den libri ad edictum. Manchmal verschieben sich die Materien. Eine der großen Leistungen in der Rechtsfortbildung der Prätoren war die Erfindung des Kaufs als Konsensualvertrag, emptio-venditio. Der gegenseitige Vertrag, der durch bloße Einigung der Parteien zustandekommt (Rdz. 146, 148). Auch das war Honorarrecht gegen den Formalismus des alten ius civile, ganz am Anfang der Rechtsprechung durch die Prätoren, im 3. oder 2. Jahrhundert v. Chr., lange vor der actio Publiciana. Später hatte man das vergessen. Die emptio-venditio zählte zum ius civile und wurde behandelt in den libri ad Sabinum.

Neben dieser Unterscheidung von ius civile und ius honorarium steht eine andere, die das ius civile dem ius gentium gegenüberstellt. Ulpian macht daraus sogar eine Dreiteilung:

> *Ulp.D.1.1.1.2:* ... privatum ius tripertitum est: collectum etenim ex naturalibus praeceptis aut gentium aut civilibus.
>
> *Deutsch:* Das Privatrecht besteht aus drei Teilen, nämlich aus dem Naturrecht, ius gentium und ius civile.

Zum Naturrecht zählt er die Ehe, weil die Verbindung von Mann und Frau und die Erziehung der Kinder eine allgemeine Erscheinung der Natur sei, die sich nicht nur bei allen Menschen findet, sondern auch im Tierreich. Als ius gentium haben römische Juristen dasjenige Recht bezeichnet, das allen Menschen gemeinsam ist, sich bei allen gentes findet, bei allen Völkern. Dazu gehörten Sklaverei und Freilassung, Kauf und Miete oder der Gemeingebrauch des Meeres und der Meeresufer. Die Bedeutung von Recht, das zwischen den Völkern gilt, also Völkerrecht – wie später bei Hugo Grotius (Rdz. 249) – hatte ius gentium selten. Normalerweise war es das Recht, das bei allen Völkern gleich war, nicht Völkerrecht.

140. ius und leges

Als die Rechtsprechung der Prätoren im Prinzipat zum Erliegen kam, war die Rechtsfortbildung nicht beendet. Sie ging nur über auf eine neue Instanz, auf den Kaiser, genauer: seine Kanzlei a libellis. Bei neuen Problemen richtete man eine Anfrage an ihn, in einer Anfrageschrift, libellus. Die Entscheidung kam als Antwortschreiben, kurz daruntergesetzt und am Palast ausgehängt. Sie hieß rescriptum. Diese Reskripte wurden bald als leges bezeichnet, Gesetze. Sie wurden später gesammelt, zunächst privat, dann amtlich, zuletzt im Codex Justinians. Nun gab es eine neue Zweiteilung. Auf der einen Seite stand das alte Recht aus ius civile und ius honorarium. Man nannte es ius. Und auf der anderen Seite stand das neue Recht, die leges. Das war die nächste Zweiteilung des römischen Rechts in der späteren Kaiserzeit, von ius und leges, in Justinians Kodifikation säuberlich getrennt in Digesten und Codex, Juristenrecht und Kaiserrecht.

141. Dienstbarkeiten und Pfandrechte

Neben Besitz und Eigentum gibt es im römischen Sachenrecht noch Dienstbarkeiten und Pfandrechte. Beide sind mit dem Eigentum eng verbunden und über ihre Rechtsnatur gibt es heute mancherlei Theorien. Die Römer haben sich darüber kaum Gedanken gemacht. Grob gesprochen kann man sagen, beide seien besondere Arten des Miteigentums. Jedenfalls waren Dienstbarkeiten (servitutes) an Grundstücken res mancipi. Sie wurden mit der mancipatio übertragen, wie das Eigentum, und mit einer vindicatio geschützt.

Die Härte des römischen Eigentums hatte zur Folge, daß man in Rom nur durch besondere – und besonders vergütete – Vereinbarung von Grunddienstbarkeiten erreichen konnte, was sich in Griechenland aus nachbarrechtlichen Vorschriften umsonst ergab. Am wichtigsten waren die landwirtschaftlichen (servitutes praediorum rusticorum), also das Recht, über das Grundstück des Nachbarn zu gehen (iter), zu fahren (via), das Vieh zu treiben (actus) oder dort Wasser zu schöpfen oder durchzuleiten (aquae ductus). Als persönliche Dienstbarkeit gab es den Nießbrauch (ususfructus). Es ist das dingliche Recht, ein Grundstück oder eine bewegliche Sache zu gebrauchen und die Früchte zu ziehen. In Rom hatte er eine sehr viel größere Bedeutung als bei uns. Oft wurde er als Vermächtnis gegeben. Deshalb erlischt er auch noch heute mit dem Tod des Berechtigten (§ 1061 BGB).

Pfandgeschäfte sind das Faustpfand (pignus), das besitzlose Pfand (hypotheca) und die Sicherungsübereignung (fiducia cum creditore), jeweils an Grundstücken oder beweglichen Sachen. Auch sie wurden als dingliche Rechte verstanden. Der Pfandgläubiger konnte also mit einer dinglichen Klage wie ein Eigentümer von jedem Besitzer die Herausgabe der Sache verlangen. Bei der fiducia war es die rei vindicatio, bei den beiden anderen Pfandrechten eine ihr nachgebildete actio Serviana. Das Faustpfand wurde allerdings in erster Linie als schuldrechtlicher Sicherungsvertrag zwischen Verpfänder und Pfandgläubiger angesehen. In der rein sachenrechtlichen Regelung des BGB ist dieser Vertrag – zu Unrecht – völlig unter den Tisch gefallen. War die Schuld bezahlt, ergab sich aus ihm für den Verpfänder eine Klage auf Rückgabe der Sache (actio pigneraticia, actio fiduciae. War die Sache nach Pfandreife vom Gläubiger verkauft worden, konnte der Verpfänder mit der gleichen actio auf Herausgabe des Überschusses klagen.

Pignus und hypotheca entstanden durch formlosen Vertrag, die fiducia durch Übereignung. Pignus und hypotheca waren akzessorisch, wie unser Pfand (§§ 1204, 1252 BGB), das heißt abhängig von der Existenz der Forderung, die sie sichern sollen. Sie entstehen nur, wenn die Forderung existiert, und gehen unter, wenn die Forderung erlischt. Für die Entstehung eines Pfandrechts war also dreierlei erforderlich. Eigentum des Verpfänders, Pfandabrede, Existenz der Forderung. Beim pignus kam noch die Übergabe der Sache dazu.

Historische Leistung der Römer war die Erfindung des Verkaufspfands. In anderen antiken Rechten gab es nur das Verfallpfand. Auch in Griechenland war es noch so (Rdz. 123). Der Verfall ist für den Schuldner ungünstig, weil das Pfand meistens wertvoller ist als die gesicherte Forderung. Schon in republikanischer Zeit konnte man in Rom vereinbaren, daß der Gläubiger das Pfand – meistens in einer Versteigerung – zu verkaufen und den Überschuß an den Verpfänder zu erstatten habe (pactum de vendendo). Später wurde angenommen, diese Vereinbarung sei stillschweigend in jeder Pfandabrede enthalten. Daneben gab es noch die Verfallsvereinbarung (lex comissoria). Sie mußte aber ausdrücklich vereinbart werden und wurde schließlich 326 n. Chr. von Kaiser Konstantin verboten.

142. Erbrecht

Im Gegensatz zu allen anderen antiken Rechten war das römische schon in der frühen Zeit der Zwölftafeln gekennzeichnet durch den absoluten Vorrang des Testaments vor der gesetzlichen Erbfolge. Hier zeigt sich besonders kraß der auf den freien Willen des einzelnen gestellte Individualismus dieser Rechtsordnung. Die testamentarische Erbfolge war die Regel, die gesetzliche selten. Im Testament war der Erblasser bis zum Ende der republikanischen Zeit völlig frei. Er konnte beliebig von der gesetzlichen Erbfolge abweichen, andere als Erben einsetzen und Vermächtnisse anordnen. Erst in der Kaiserzeit entwickelte man mit der querela inofficiosi testamenti ein Noterbrecht, das denen, die im Testament übergangen waren, wenigstens ein Viertel ihres gesetzlichen Erbes sicherte. Das war der quarta Falcidia nachgebildet, die sich aus der lex Falcidia von 40 v. Chr. ergab, bei übermäßiger Belastung der Erben mit Vermächtnissen. Das scheint seit dem 3. Jahrhundert v. Chr. das dringlichste Problem des römischen Erbrechts gewesen zu sein.

Mit einem Vermächtnis (legatum) konnten Erben verpflichtet werden, einzelne Vermögensgegenstände – Geld, Grundstücke, Sklaven – an einen anderen zu leisten. Die Regel war sogar, daß dies vom Erblasser im Testament mit dinglicher Wirkung angeordnet wurde. Der Bedachte konnte dann gegen den Erben mit der rei vindicatio vorgehen. Das war das sogenannte Vindikationslegat, im Gegensatz zum Damnationslegat, das nur einen schuldrechtlichen Anspruch begründete. Mit verschiedenen Gesetzen hat man versucht, den Umfang von Vermächtnissen zu beschränken. Erst am Ende der Republik fand man eine befriedigende Lösung. Nach der lex Falcidia mußte den Erben mindestens ein Viertel der Erbschaft bleiben. Waren die Vermächtnisse insgesamt höher, wurden sie anteilig gekürzt.

In der gesetzlichen Erbfolge standen an erster Stelle die sui heredes, die Kinder oder Enkel des Erblassers. Waren keine sui heredes vorhanden, erbte der nächste agnatische Verwandte (Rdz. 143). Hier findet sich im alten ius civile noch ein Rest der vorstaatlichen patrilinearen Verwandtschaftsordnung der Römer. Auch Frauen konnten die Erbschaft erwerben, anders als im griechischen Recht, in dem ihre Stellung insgesamt schlechter gewesen ist. Ihr Erbrecht wurde nur durch ein Gesetz von 169 n. Chr. eingeschränkt, durch die lex Voconia, die bestimmte, daß die ganz Reichen, die Angehörigen der ersten Zensusklasse, sie in einem Testament nicht mehr als Erbinnen einsetzen konnten.

Die Regeln des ius civile zur Erbfolge wurden später in der Rechtsprechung der Prätoren teilweise geändert. Sie beriefen die näheren Blutsverwandten als Erben, vor den entfernteren Agnaten. In dieser Unterscheidung, von agnati und cognati erscheint der Gegensatz der beiden Verwandtschaftsarten wohl zum erstenmal klar formuliert in ein und derselben Rechtsordnung (Rdz. 143).

Wer der jeweils nächste Erbe war, oder die jeweils nächsten, das bestimmte sich in der gesetzlichen Erbfolge nach dem sogenannten Gradsystem, nach der Zahl der zwischen dem Erblasser und dem Erben liegenden Geburten (quot generationes, tot gradus). Es unterscheidet sich grundsätzlich von unserem deutschen Parantelsystem (Rdz. 226).

Das Erbrecht spielte in der juristischen Praxis und Literatur eine außerordentlich große Rolle. Kein Wunder, wenn man bedenkt, daß römisches Recht im wesentlichen das Recht der reichen Leute war. In den Digesten sind es elf von fünfzig Büchern, vom 28. bis zum 38. Buch, im Umfang mehr als ein Viertel des Ganzen. Es geht um Inhalt und Auslegung von Testamenten, ihre Wirksamkeit oder Unwirksamkeit, um Art und Weise und den Zeitpunkt des Erwerbs der Erbschaft, den Schutz des Erbrechts, das Verhältnis der Miterben untereinander und um die Haftung für die Nachlaßverbindlichkeiten. Allein sieben Bücher behandeln die Vermächtnisse, nämlich das 30. bis 36. Buch der Digesten, meistens gemeinsam mit dem Fideikommiß. Das ist dem Vermächtnis sehr ähnlich, hatte sich am Beginn der Kaiserzeit entwickelt, konnte formlos angeordnet werden, auch außerhalb des Testaments. Beide wurden dann immer mehr angeglichen. Daneben stand die donatio mortis causa, die Schenkung von Todes wegen, eine Schenkung, die man bei aktueller Lebensgefahr machte und zurückfordern konnte, wenn man die Gefahr überstanden hatte. Mit verschiedenen Möglichkeiten der juristischen Konstruktion.

143. Recht der Personen, Ehe und Familie

Von den fünf Elementen des Zivilrechts – Rechtssubjekt, Familie, Eigentum, Vertrag und Delikt – ist das erste im römischen Recht fast am prägnantesten ausgebildet. Rechtssubjektivität – oder Rechtsfähigkeit – ist die Fähigkeit, Träger von Rechten und Pflichten zu sein. Das heißt gleichzeitig auch, vor Gericht zu klagen oder verklagt zu werden, was wir heute Prozeßfähigkeit nennen. Diese Fähigkeit hatte nur einer. Der paterfamilias, der Vater als Familienoberhaupt. Seine Kinder hatten keine Rechte, kein Eigentum, keine Forderungen gegen andere. Sie konnten nicht klagen oder verklagt werden. Wenn sie etwas erworben hatten, ging es in sein Vermögen. Das war die römische patria potestas, die väterliche Gewalt. Anders als in Griechenland endete sie nicht mit dem achtzehnten Lebensjahr der Söhne, sondern erst mit seinem Tod. Wurde er sehr alt, konnten sie die höchsten Ämter haben, als Konsuln oder Prätoren. Aber rechtsfähig waren sie nicht. Rechtsfähig war nur der Vater. Man nannte das sui iuris. Eigenen Rechts. Alle anderen waren alieni iuris, abhängig von fremdem Recht. Also Kinder, Enkel, Sklaven. In der republikanischen Zeit oft auch noch seine Frau. Erst mit seinem Tod wurden seine Kinder sui iuris, Töchter und Söhne. Rom hatte zur Zeit des Augustus ungefähr eine Million Einwohner. Davon werden nicht mehr als einhunderttausend Rechtssubjekte gewesen sein. Eine halbe Million waren Sklaven, der Rest Hauskinder. Jeder zehnte etwa sui iuris, die anderen alieni iuris. Nirgendwo war die Rechtsfähigkeit so deutlich ausgeprägt wie hier, der Gegensatz so klar benannt und erkennbar.

Später, in der Kaiserzeit bis zu Justinian, wird die starke väterliche Gewalt – die patria potestas – allmählich gemindert. Im Prinzip besteht sie auch noch nach der Volljährigkeit, spielt aber immer weniger eine so übermächtige Rolle wie früher, auch im Vermögensrecht. In republikanischer Zeit hatten Hauskinder ebensowenig ein eigenes Vermögen wie Sklaven. Beide waren nicht rechtsfähig. Auch Kinder hatten, wenn sie volljährig waren, bis zum Tode ihres Vaters nur ein peculium, ein ihnen von ihm zur tatsächlichen Nutzung überlassenes Sondervermögen. Aus Rechtsgeschäften, die sie abschlossen, mußte man gegen ihren Vater klagen, mit der actio de peculio und der entsprechenden Subjektumstellung (Rdz. 135). Umgekehrt gehörte alles, was sie erworben hatten zu seinem Vermögen, auch Forderungen aus Rechtsgeschäften, so daß er selbst klagen konnte. Später ging man immer mehr dazu über, das peculium als ihr eigenes Vermögen anzusehen, so daß sie auch selbst in der Lage waren, zu klagen und verklagt zu werden.

In der republikanischen Zeit heiratete man noch oft in einer alten Eheform, der manus-Ehe. Wie in Griechenland wurde die Frau von ihrem Vater mit einem Formalakt (confarreatio, coemptio) in die Gewalt ihres Mannes gegeben. Dieses Verfügungsrecht über ihre Person hieß manus. Die Frau, sagte man, sei filiae loco. Wie eine Tochter. Wenn ihr Schwiegervater noch lebte, war natürlich er der Gewalthaber. Später wurde eine formlose Eheschließung üblich. Auch dann konnte der Mann die manus an seiner Frau erwerben, durch Ersitzung (usus). Wie bei beweglichen Sachen war die Zeit dafür ein Jahr. Aber die Frauen unterbrachen sie oft, indem sie drei Nächte bei ihren Eltern schliefen (trinoctium usurpandi gratia).

Es gab eine Möglichkeit, bei Lebzeiten des Vaters rechtsfähig zu werden. Man nannte das emancipatio, die Entlassung von Hauskindern aus der väterlichen Gewalt. Das ist die ursprüngliche Bedeutung des heute weitverbreiteten Wortes Emanzipation. Ein sehr umständliches Rechtsgeschäft, in vielen Akten mit mehreren Personen. Es beruhte auf der spitzfindigen Anwendung jener Vorschrift in den Zwölftafeln, die den dreimaligen Verkauf des Sohnes verbot und daran diese erwünschte Folge knüpfte (XIItab.4.2. Rdz. 131). Also wurde er dreimal mit der mancipatio an einen Dritten übertragen, der bei diesem Scheingeschäft als Treuhänder mitwirken und den Erwerb zweimal wieder rückgängig machen mußte. Die mancipatio jedesmal mit fünf Zeugen und einem Wägemeister. Beim dritten Mal war die väterliche Gewalt erloschen. Die Rückgängigmachung lief dabei nicht über eine mancipatio. Denn die übertrug nur Eigentum, wie an einen Sklaven. Das paßte nicht für Vater und Sohn.

Also mußte der Treuhänder den Sohn jedesmal freilassen, wie einen Sklaven, und zwar mit einer alten Form der Freilassung, der manumissio vindicta (Rdz. 144). Die war noch umständlicher als die mancipatio. Dann lebte die väterliche Gewalt jeweils wieder auf, nur nicht beim letzten Mal, denn da war sie vorher mit der dritten Manzipation erloschen, wie es im Zwölftafelsatz stand. Nun war der Sohn sui iuris. Die Emanzipation von Töchtern und Enkeln war etwas einfacher. Es genügte die Manzipation an den Treuhänder, eine Manzipation zurück und eine manumissio vindicta durch den Vater oder Großvater.

Die Rechtsunfähigkeit von Kindern – und Sklaven – stand ihrer Geschäftsfähigkeit nicht entgegen. Insofern wurden sie als vernünftige Menschen akzeptiert. Sie konnten also Verträge schließen, und zwar weitgehend mit Wirkung für ihren Gewalthaber (Rdz. 145). Geschäftsfähigkeit ist die Fähigkeit, Verträge abzuschließen und andere Rechtsgeschäfte vorzunehmen. Es war also umgekehrt wie mit unseren juristischen Personen, Aktiengesellschaften oder GmbH's. Die sind zwar rechtsfähig, aber nicht geschäftsfähig. Sie können nicht selbständig handeln, brauchen dafür geschäftsfähige menschliche Vertreter. Hauskinder und Sklaven in Rom dagegen waren geschäftsfähig, aber nicht rechtsfähig.

Die Regeln für die Geschäftsfähigkeit waren so ähnlich wie bei uns. Kinder bis zu sechs Jahren waren geschäftsunfähig. Mit 25 Jahren wurde man voll geschäftsfähig. Dazwischen gab es zwei Stufen der beschränkten Geschäftsfähigkeit. Die erste von sieben bis vierzehn, bei Mädchen bis zum zwölften Lebensjahr. Diese Kinder, die sogenannten impuberes, „Unmündige", waren beschränkt geschäftsfähig wie bei uns nach § 107 BGB. Ohne Zustimmung ihres Vaters oder Vormunds konnten sie nur solche Geschäfte wirksam vornehmen, die für sie vorteilhaft waren. Zum Beispiel konnten sie eine Schenkung annehmen oder sich etwas versprechen lassen. Die zweite Stufe ging von 15 bis 25 Jahren, bei Mädchen von 13 bis 25. Das waren die minores viginti quinque annorum, die Minderjährigen. Ihre Geschäfte waren an sich wirksam. Aber nach einer lex Plaetoria von 200 v. Chr. wurden sie gegen Übervorteilung geschützt. Verträge, die sie abgeschlossen hatten, konnten wieder rückgängig gemacht werden, wenn man ihre Unerfahrenheit ausgenutzt hatte. Dafür gab es entweder eine Schadensersatzklage oder eine Wiedereinsetzung in den vorigen Stand durch den Prätor (restitutio in integrum) oder eine Einrede gegen die Klage des anderen (exceptio legis Plaetoriae). Also:

1–6	infantes	wie § 104 Ziff. 1 BGB
7–14	impuberes	wie § 107 BGB
15–24	minores	geschützt gegen Übervorteilung
ab 25	volljährig	wie § 2 BGB

Die Volljährigkeitsgrenze des römischen Rechts blieb bis 1875. Dann wurde sie durch ein Reichsgesetz auf das 21. Lebensjahr heruntergesetzt. Einhundert Jahre später, 1974, ging man auf 18 Jahre.

Die Situation von Frauen war besser als im griechischen Recht. Zwar war ihre Geschäftsfähigkeit an sich wie in Griechenland durch einen Frauenvormund (tutor mulieris) beschränkt. Selbst für volljährige Frauen mußte er immer bestellt werden und bei allen wichtigen Geschäften seine Zustimmung geben. Aber spätestens am Beginn der Kaiserzeit war das in Rom eine Formalität geworden. Die Frau konnte seine Zustimmung sogar vor dem Prätor erzwingen (Gai.3.190). Ganz deutlich ist die bessere Stellung der Römerinnen bei der Scheidung. Die manus-Ehe konnte nur der Mann auflösen, nicht seine Frau, die ja in seiner manus stand und nichts gegen seinen Willen tun konnte. Aber in der formlos geschlossenen, die seit dem Ende der Republik die Regel geworden war, konnte die Scheidung – formlos – von beiden erklärt werden, von Männern wie von Frauen.

Ehe und Familie waren insgesamt weniger verrechtlicht als heute. Römisches Familienrecht besteht im wesentlichen aus Regeln über die Mitgift (dos), ist Dotalrecht. Das macht den größten Teil der wenigen Titel in den Digesten aus. Die dos wird dem Ehemann vom Vater seiner Frau gegeben, von ihren Verwandten oder von ihr selbst und wird sein Eigentum. Funktional gesehen ist sie ein vorweggenommenes Erbteil. Denn beim Tode ihres Vaters muß sie sich die dos auf ihren Anteil anrechnen lassen (collatio dotis, vgl. § 2050 BGB). Nach der Scheidung kann sie zurückgefordert werden, mit der actio rei uxoriae, ebenso nach dem Tod des Ehemannes, manchmal auch bei ihrem. Er kann Abzugsrechte geltend machen für jedes aus der Ehe stammende Kind und wenn sie Ehebruch begangen hat. Neben dem Dotalrecht war von einiger Bedeutung nur noch ein merkwürdiges Verbot von Schenkungen unter Ehegatten, das zu erklären ist durch seine Entstehung in früher Zeit, als Mann und Frau wegen ihrer Herkunft aus verschiedenen gentes nicht über das jeweilige Verwandtschaftseigentum zugunsten der anderen gens entscheiden können sollten. Ein ganzer Titel der Digesten ist dem gewidmet (D.24.1.). Es wurde auch von Justinian beibehalten und kam mit den Digesten im gemeinen Recht bis nach Deutschland. Ein erstaunliches Beispiel für die Kraft von Traditionen, hinter denen nichts steht als die Tradition selbst.

Diese gentes, das waren einlinige patrilineare Verwandtschaftsgruppen aus vorstaatlicher Zeit (Rdz. 19, 20). Ihre Mitglieder hießen agnati, im Gegensatz zu den cognati. Agnati waren also alle in der männlichen Linie Verwandten. Zu den cognati gehörten auch die Verwandten der Mutter, also die des Vaters und der Mutter, also alle Blutsverwandten. Unser heutiges zweiliniges System.

Die alte Gentilordnung hatte noch in der Zeit der frühen Republik erhebliche Bedeutung, zum Beispiel im Erbrecht (Rdz. 142). Später blieb nur noch der gemeinsame Name, nomen gentilicum, der dann durch einen Familiennamen ergänzt wurde, cognomen. So hatten die meisten Römer drei Namen. Zum Beispiel Gaius Julius Caesar. Gaius ist der Vorname, praenomen. Julius ist der Name der gens Julia und Caesar der Familienname.

144. Sklaven

Wie überall in der Antike gab es in Rom am Anfang die übliche Haussklaverei, die keine größere wirtschaftliche Bedeutung hatte. Erst im 2. und 1. Jahrhundert v. Chr. strömten die großen Sklavenmassen nach Italien, als Folge der kriegerischen Eroberungen. Genauere Zahlen kann man nicht mehr feststellen. Es gibt verschiedene Schätzungen. Etwa die Hälfte der städtischen Bevölkerung Roms wird im 1. Jahrhundert v. Chr. aus Sklaven bestanden haben. Große Massen wurden in der Landwirtschaft eingesetzt, auf Plantagen mit Monokultur, kaserniert, nach Geschlechtern getrennt, rücksichtslos ausgebeutet. Die Situation derjenigen, die in der Stadt lebten, war wohl günstiger. Aber auch hier gab es große Unterschiede. Wie schlecht die Lebensbedingungen waren, kann man an den Sklavenaufständen sehen, die schon im 2. Jahrhundert v. Chr. beginnen und mit dem von Spartacus geführten zwischen 73 und 71 v. Chr. ihren Höhepunkt erreicht haben. 120 000 sollen sich ihm angeschlossen haben.

Man sah das Problem. Die Kaiser haben einiges gemildert, letztlich aber wenig geändert. Es wurde manches darüber geschrieben, mit vielen Skrupeln und wenig Folgen. Sogar in der juristischen Literatur finden sich Bedenklichkeiten. Zum Beispiel bei Florentinus, einem Juristen am Ende des 2. Jahrhunderts n. Chr.:

> *Flor. D. 1.5.4.1:* Servitus est constitutio iuris gentium, qua quis dominio alieno contra naturam subicitur.
>
> *Deutsch:* Die Sklaverei ist ein Rechtsinstitut, das sich bei allen Völkern findet, mit dem jemand gegen die menschliche Natur dem Eigentum eines anderen unterworfen wird.

So steht es am Anfang der Digesten. Danach kommt hartes Sklavenrecht, es durchzieht die ganzen fünfzig Bücher und variiert auf vielfältige Weise mit hoher juristischer Präzision ein anderes Thema. Denn die Römer sind es gewesen, die mit unerbittlicher Konsequenz die Sklaverei zu einem Gegenstand des Sachenrechts gemacht und sie damit auf den juristischen Begriff gebracht haben. Der Sklave ist eine Sache, die im Eigentum eines anderen steht, wie alle anderen Sachen auch. Zur Zeit der Zwölftafeln war man noch nicht ganz so weit. Bei leichteren Körperverletzungen gab es noch abgestufte Bußen für Freie und Sklaven, wurden Sklaven immerhin noch als halbe Menschen angesehen, ähnlich wie im mesopotamischen oder im griechischen Recht:

> *XIItab 8.3:* manu fustive si os fregit libero CCC, si servo CL poenam subito.
>
> *Deutsch:* Wer mit der Hand oder mit dem Stock einem Freien einen Knochen gebrochen hat, soll eine Buße von dreihundert As zahlen, bei einem Sklaven einhundertfünfzig As.

Aber schon im 3. Jahrhundert v. Chr. werden bei der Neuregelung der Sachbeschädigung in der lex Aquilia Sklaven und Vieh als identisch behandelt (Rdz. 136). In der Sprache des Gaius, im Kommentar zu diesem Gesetz, hört sich das so an:

> *Gai.D.9.2.2.2:* Ut igitur apparet, servis nostris exaequat quadrupedes, quae pecudum numero sunt et gregatim habentur, veluti oves, caprae, boves, equi, muli, asini.
>
> *Deutsch:* Wie man sieht, stellt das Gesetz unseren Sklaven dasjenige vierfüßige Vieh gleich, das zahm ist und in Herden gehalten wird, wie zum Beispiel Schafe, Ziegen, Rinder, Pferde, Maultiere und Esel.

Kein schlechtes Beispiel für Ideologie im Recht. Denn das Vieh wurde eben nicht ihren Sklaven gleichgestellt, sondern ihre Sklaven dem Vieh. Sie waren res mancipi und ihre Kinder Sachfrüchte, die dem Eigentümer der Mutter zufallen oder demjenigen, der einen Nießbrauch (ususfructus) an ihr hat.

Es gab allerdings Unterschiede zu anderen Sachen. Sklaven kann man freilassen. Dafür entwickelte sich im Lauf der Zeit eine Vielzahl von Rechtsgeschäften. Im alten ius civile waren es drei. Die Freilassung (manumissio) konnte entweder in einem Scheinprozeß vor dem Prätor erfolgen, durch Eintragung in die Zensusliste der Bürger oder im Testament: manumissio vindicta, manumissio censu und manumissio testamento. Vom Prätor wurde dann noch anerkannt eine Freilassung vor Zeugen oder durch einen Brief: manumissio inter amicos, manumissio per epistulam. Zur Kaiserzeit kam die Freilassung in der Kirche dazu (manumissio in ecclesia). Mit der Freilassung wurde man frei (liber), aber mit einer Freiheit minderen Ranges. Es gab noch gewisse Bindungen an den Freilasser (Patronus). Man war nicht freigeboren (ingenuus), sondern nur freigelassen (libertus oder libertinus). Das war die Dreiteilung der Menschen im römischen Recht:

> *Marcian.D:1.5.5pr.:* Et servorum quidem una est condicio, liberorum autem hominum quidam ingenui sunt quidam libertini.

Deutsch: Und bei den Sklaven gibt es nur eine einzige rechtliche Situation, bei den Freien sind aber einige freigeboren und andere nur freigelassen.

Als Freigelassener hatte man noch Pflichten. Der Patron hatte Anspruch auf Dienste (operae), die ökonomisch durchaus bedeutsam waren, und das gesetzliche Erbrecht, wenn der libertus ohne eigene Kinder starb.

145. Haftung für Gewaltunterworfene, Stellvertretung

Es gab keine Stellvertretung im römischen Recht. Ebensowenig wie es die Möglichkeit einer Forderungsabtretung gab. Rechtsgeschäfte oder Forderungen waren noch so stark mit der Person desjenigen verbunden, der das Rechtsgeschäft abgeschlossen oder Inhaber einer Forderung war, daß man sich einfache Verschiebungen nicht vorstellen konnte. Auf der anderen Seite brauchte man solche Mechanismen, denn das Geschäftsleben war ziemlich weit entwickelt. Also behalf man sich mit Umwegen.

Meistens war es sehr einfach. Denn alle Erwerbsgeschäfte von Sklaven und Hauskindern entfalteten ihre Wirkung nur zugunsten des zuständigen Rechtssubjekts, des Eigentümers oder Vaters. Auch ihre Verpflichtungsgeschäfte, ihre geschäftlichen Schulden trafen ihn, und zwar entweder in Höhe des Pekuliums oder, wenn sie in seinem Auftrag gehandelt hatten, in voller Höhe. Das peculium war jenes schon beschriebene Sondervermögen von Sklaven und Hauskindern, das ihnen zu freien Verfügung überlassen war, aber letztlich zum Vermögen des Gewalthabers gehörte und seine Haftung nach außen begründete (Rdz. 135). Insofern war wegen der vielen Sklaven und Hauskinder in Rom das Bedürfnis für ein allgemeines Rechtsinstitut der Stellvertretung mit gewaltfreien Beauftragten gar nicht so groß. In zwei speziellen Fällen gab es das sogar, nämlich bei Angestellten in kaufmännischen Firmen und für Kapitäne von Handelsschiffen. Für ihre Geschäfte haftete der Firmeninhaber oder Reeder auch dann, wenn sie freie Bürger waren, sui iuris. Die Haftung war ursprünglich nur für Sklaven und Hauskinder vorgesehen, dann auf Freigelassene ausgedehnt worden und später sogar auf ingenui.

Die Klage gegen den Firmeninhaber hieß actio institoria, abgeleitet von institor, der Angestellte. Klage gegen den Reeder war die actio exercitoria, von exercere, eine Reederei betreiben. Alle Klagen hatten die für die actio de peculio und de in rem verso beschriebene Subjektumstellung (Rdz. 135). Deshalb wurden sie von den mittelalterlichen Juristen actiones adiecticiae qualitatis genannt, weil eben in der condemnatio die Person eines Dritten hinzugefügt wurde (adicere), des Vaters, des Kindes, des Eigentümers des Sklaven, des Firmeninhabers oder Reeders, gegen den geklagt wurde. Also fünf actiones adiecticiae qualitatis:

actio de peculio	Pekuliarklage
actio de in rem verso	Versionsklage

actio quod iussu	Weisungsklage
actio institoria	Handelsgeschäft
actio exercitoria	Reederei

Der institor mußte als leitender Angestellter in einem Laden (taberna) oder in einem anderen Gewerbebetrieb (negotiatio) im Rahmen seiner „Einsetzung“ (praepositio) gehandelt haben. Durch analoge Anwendung dieser Klage auf ähnliche Fälle hat Papinian in spätklassischer Zeit fast ein allgemeines Prinzip der Stellvertretung entwickelt. Zum Beispiel gab er die actio institoria auch, wenn ein Vermögensverwalter (procurator) im Auftrag seines Geschäftsherrn ein Darlehen aufgenommen oder eine Sache gekauft oder verkauft hatte (Pap.D.14.3.19pr., Ulp.D.19.1.13.25). Ein „Ruhmesblatt Papinians“, wie es Ernst Rabel genannt hat. Mit diesen adjektizischen Klagen und Papinians Ausweitungen hat man sich bis zum 19. Jahrhundert beholfen. Erst dann ist unsere Dogmatik der Stellvertretung entstanden, mit ihren klaren Unterscheidungen von Stellvertretung, Vollmacht und Auftrag.

Auch bei Delikten von Sklaven und Hauskindern haftete der Gewalthaber. Er haftete in voller Höhe, mit sogenannten Noxalklagen (actiones noxales), die die Besonderheit hatten, daß er sich von der Haftung befreien konnte, indem er den Sklaven oder das Hauskind an den Geschädigten übereignete (noxae deditio). Deshalb galt der Grundsatz noxa caput sequitur. Die Haftung folgt dem Kopf des Schädigers. Wurde ein Sklave nach dem Delikt verkauft und übereignet, dann haftete der neue Eigentümer, nicht mehr der alte. Ebenso war es beim Tierschaden. Der Eigentümer eines Tieres war mit der actio de pauperie verpflichtet, den Schaden zu ersetzen, den es angerichtet hatte. Er konnte aber dem Geschädigten auch das Tier ausliefern.

146. Entwicklung des Vertragsrechts

Der voll entwickelte Vertrag ist Ausdruck einer Warenwirtschaft mit einer größeren Zahl freier und gleicher Personen, die ihre wirtschaftliche Existenz, oft auch das tägliche Leben, im wesentlichen über Verträge organisieren. Er kommt dadurch zustande, daß sich der freie Wille zweier Vertragspartner zu einer Übereinstimmung verdichtet, zu einer Einigung, die man gleichzeitig mit rechtlich bindender Wirkung ausstattet. Am Anfang seiner Entwicklung in Rom spielt allerdings weder der Wille noch die Willensübereinstimmung eine große Rolle. Anders als in Griechenland ist der frühe römische Vertrag ein Formalgeschäft. Seine Wirksamkeit hängt davon ab, daß bestimmte Formen eingehalten werden. Der Wille der Parteien ist zwar letztlich die Grundlage des Ganzen, wird als solche aber weder erkannt noch anerkannt.

Die drei ältesten Verträge in Rom sind mancipatio, nexum und stipulatio. Diese drei sind nicht nur Formalgeschäfte. Sie haben noch etwas anderes gemeinsam. Sie sind der Form nach einseitige Geschäfte. Nur einer der beiden Vertragspartner sagt etwas, tut etwas. Der andere ist zwar anwesend, tut aber nichts und schweigt, sagt allenfalls nur ein einziges Wort, während der andere den Vertrag formuliert. Der andere, der aktive, ist immer derjenige, der etwas erwirbt, das Eigentum oder eine Forderung.

Warum das römische Recht am Anfang so formalistisch war, im Gegensatz zum griechischen, darüber kann man nur Vermutungen anstellen. Vielleicht waren es religiös-magische Vorstellungen. Vielleicht meinte man, daß nur die Einhaltung bestimmter Formeln zu wirksamer Bindung mit göttlichen Sanktionen führte. Jedenfalls war dieser Formalismus der Frühzeit noch lange bestimmend und wohl auch einer der Gründe für die stärkere Prägnanz des römischen Rechts.

Die mancipatio war Barkaufgeschäft (Rdz. 137). Das Geld wurde zugewogen und die Ware vom Erwerber in Besitz genommen, vor Zeugen, in Gegenwart des Veräußerers, der das alles nur hinzunehmen hatte, nichts zu sagen, nichts zu tun. Dadurch ging das Eigentum über. Dieser Barkauf hatte keine „Distanzwirkung", erzeugte keine zeitlich aufgeschobenen oder weiterwirkenden Verpflichtungen. Als typisches Bargeschäft enthält es „keinerlei über den Akt selbst hinaus in die Zukunft weisendes Element promissorischen Charakters" (Max Weber). Zwar gibt es die Rechtsmängelhaftung, wenn dem Käufer eine fremde Sache übergeben worden war und er sie an den wirklichen Eigentümer herauszugeben hatte. Dann haftete der Verkäufer dem Käufer aus der Manzipation mit der actio auctoritatis auf das Doppelte des Kaufpreises. Aber das ist eher eine deliktische als vertragliche Frage gewesen. Später diente die Manzipation ohnehin nur noch als dingliches Übereignungsgeschäft, nachdem sich der Kauf als Konsensualvertrag entwickelt hatte.

Das nexum war ein Darlehensgeschäft. Seine Einzelheiten verschwinden im Nebel des 4. Jahrhunderts v. Chr., in dem es abgeschafft wurde, im Verlauf der Ständekämpfe, weil die Gefahren des Mißbrauchs der Befugnisse des Gläubigers zu groß waren. Es war ein Formalakt, der der mancipatio wohl sehr ähnlich war. Gegen Zuwägung des Darlehens begab sich der Schuldner in die Schuldknechtschaft des Gläubigers, aus der er erst wieder durch die Rückzahlung des Geldes befreit wurde. Diese Rückzahlung mußte in einem Formalakt vor sich gehen, der von gleicher Struktur war wie das nexum, nur mit umgekehrter Zielrichtung (actus contrarius). Rechtstechnischer Ersatz war dann:

Die Stipulation. Ein abstraktes Schuldversprechen in Frage und Antwort zwischen Gläubiger und Schuldner. Sie war auch später noch von großer Bedeutung. Der Gläubiger formulierte die Frage mit dem Inhalt des Versprechens. Der Schuldner antwortete zustimmend mit einem einzigen Wort, indem er die Formulierung des Gläubigers wiederholte:

Gai.3.92: Verbis obligatio fit ex interrogatione et responsione, velut dari spondes? spondeo. dabis? dabo. promittis? promitto. fidepromittis? fidepromitto. fideiubes? fideiubeo. facies? faciam.

Deutsch: Der Verbalvertrag (der Stipulation) kommt zustande durch Frage und Antwort, wie zum Beispiel: Gelobst du? Ich gelobe. Wirst du geben? Ich werde geben. Versprichst du? Ich verspreche. Verbürgst du dich? Ich verbürge mich. Wirst du die Leistung erbringen? Ich werde die Leistung erbringen.

In einer vollständigen Stipulation fragte der Gläubiger zum Beispiel: Versprichst du, mir einhunderttausend Sesterzen zu zahlen? Und der Schuldner antwortete: Ich verspreche es. Lateinisch: Promittisne mihi centum dare? Promitto. Entscheidend war, daß die Antwort mit dem gleichen Wort gegeben wurde. Nicht nur Geldschulden konnten so vereinbart werden. Jedes Leistungsversprechen war möglich. Historischer Ausgangspunkt war allerdings das Darlehen.

Auch im römischen Recht sind also die ersten Verträge mit zeitlicher Distanzwirkung Darlehensgeschäfte gewesen. Aber ihre technische Ausgestaltung in der Klage läßt nicht mehr erkennen, was man sonst immer beobachten kann, daß nämlich der Vertrag aus dem Delikt entstanden ist. Das wird zwar auch für das römische Recht angenommen. Und es wird wohl auch richtig sein. Aber es läßt sich höchstens indirekt nachweisen. Etwa mit dem Ausdruck aes alienum, fremdes Geld, der für Darlehensschulden verwendet wurde. Die Nichtrückzahlung des Darlehens konnte also als Diebstahl angesehen worden sein. Eine andere Spur ist das Wort contrahere. In der juristischen Literatur bedeutet es nicht nur das Zustandekommen einer Verpflichtung aus Vertrag – contractus, sondern auch aus Delikt (delictum contrahere).

Nexum und stipulatio sind Verträge mit einseitiger Verpflichtung. Prototyp des Vertrages heute ist dagegen der Kauf mit seinen gegenseitigen Verpflichtungen, und zwar mit zeitlicher Distanz zwischen Vertragsschluß und Leistung, wie beim Darlehen, aber gegenseitig, also die Verpflichtung zur Lieferung der Kaufsache auf der einen und die zur Zahlung des Preises auf der anderen Seite, beide verbunden in einem einzigen Geschäft. Dieser Vertrag ist auch in Rom erst spät entstanden, am Ende des 2. Jahrhunderts v. Chr. oder zu Beginn des 1. Jahrhunderts. Vorher mußte man sich mit zwei unverbunden nebeneinander laufenden Stipulationen behelfen, wenn man einen Distanzkauf abschließen wollte. Oder mit einer Manzipation für die Übereignung der Sache und einer Stipulation für die Kreditierung des Kaufpreises. Der einheitliche Vertrag, gegründet auf die bloße Willensübereinstimmung von Käufer und Verkäufer, ohne Formalakt, entwickelt sich in der Rechtsprechung der Prätoren.

So wie das Prätorische Eigentum mit der actio Publiciana entstanden ist, nämlich als Rechtsprechung gegen die Formvorschriften des alten ius civile (Rdz. 139). So auch hier, etwas früher. Der Prätor erkannte an, daß Verpflichtungen auch ohne formale Stipulation entstanden seien, durch bloßen Konsens. Wahrscheinlich geschah dies zuerst in der Rechtsprechung des praetor peregrinus, des Fremdenprätors, der zuständig war für Rechtsstreitigkeiten unter Fremden oder zwischen Fremden und Römern. Es war eine Zeit, in der nach dem Ende des punischen Krieges die Warenwirtschaft in Rom stark zugenommen hatte und die Einhaltung der alten Formen bei der großen Zahl der abzuwickelnden Geschäfte allmählich unzumutbar erschien. Nun machte der Prätor formlose Absprachen klagbar mit der actio empti für den Käufer und mit der actio venditi für den Verkäufer. Das wird in mehreren Stufen vor sich gegangen sein. Wie in Griechenland konnte man zunächst wohl nur klagen bei Vorleistung des einen oder anderen. Wobei am Anfang die – bereicherungsrechtliche – Rückforderung der Vorleistung stand und erst später die Klage auf positive Leistung gegeben wurde:

1. Stufe: Barkauf mit mancipatio oder traditio
2. Stufe: Rückforderung der Vorleistung
3. Stufe: Klage auf Leistung bei Vorleistung
4. Stufe: Klage auf Leistung bei bloßer Einigung

Mit der vierten Stufe war der Konsensualvertrag entstanden. Die Prätoren schrieben sogar eine Begründung für seine Wirksamkeit in die Formal der actio:

> *Actio venditi:* Titius iudex esto. Quod Aulus Agerius Numerio Negidio hominem Stichum vendidit, qua de re agitur (demonstratio), quidquid ob eam rem Numerium Negidium Aulo Agerio dare facere oportet ex fide bona (intentio), eius, iudex, Numerium Negidium Aulo Agerio condemnato, si non paret absolvito (condemnatio).
>
> *Klage des Verkäufers:* Titius soll Richter sein. Was das betrifft, daß Aulus Agerius dem Numerius Negidius den Sklaven Stichus verkauft hat, um den sie sich streiten (Demonstratio), und was deswegen Numerius Negidius dem Aulus Agerius nach Treu und Glauben zu leisten hat (Intentio), dazu, Richter, verurteile den Numerius Negidius zugunsten des Aulus Agerius, und wenn es sich nicht erweist, dann weise die Klage ab (Condemnatio).

Ex fide bona. Nach Treu und Glauben. Die Billigkeit ersetzte den Formalismus der frühen Zeit. Nun war nicht mehr nur die Einhaltung bestimmter Formen der Grund für die Entstehung von Verpflichtungen, sondern die Billigkeit. Aus dieser ergab sich, daß man auch formlos getroffene Vereinbarungen einhalten mußte. Man glaubt, das sei aus dem griechischen Recht übernommen. Dort spielte aber die Billigkeit keine große Rolle, nur in der Rechtsphilosophie des Aristoteles (Rdz. 124). Unmöglich ist es nicht, daß er Anhänger sogar unter den römischen Prätoren gehabt hat. Aber warum sollen sie nicht von selber drauf gekommen sein?

147. System des Schuldrechts

Es kamen andere Konsensualverträge dazu, nämlich der Auftrag, der Gesellschaftsvertrag und die locatio-conductio, die wie die griechische misthosis (Rdz. 120) eine Reihe von Vereinbarungen unter einem einheitlichen Begriff zusammenfaßte, die wir heute als Miete und Pacht, Dienstvertrag und Werkvertrag unterscheiden. Daneben stand die alte stipulatio, als Formalvertrag, und noch ein Darlehensvertrag, der nur in schriftlicher Form geschlossen werden konnte, die expensilatio. Schließlich gab es in klassischer Zeit noch das formlose Darlehen (mutuum), das mit der Auszahlung der Darlehenssumme an den Schuldner zustandekam, außerdem die Leihe (commodatum), die Verwahrung (depositum) und das Pfand (pignus), das die Römer in erster Linie als Sicherungsvertrag zwischen Verpfänder und Pfandnehmer verstanden und erst später auch als dingliches Recht. Aus alldem machte Gaius in der Mitte des 2. Jahrhunderts n. Chr. ein System.

Das System gehörte an sich nicht zum Handwerkszeug römischer Juristen. Es ist typisch für die Arbeitsweise der deutschen Rechtswissenschaft seit dem Naturrecht des 17. und 18. Jahrhunderts. Die Römer dachten nicht systematisch, sondern kasuistisch. Sie dachten von Fall zu Fall, von casus zu casus. Wenn sie einen neuen Fall zu lösen hatten, suchten sie einen ähnlichen, der schon vorher entschieden war. Und lösten den neuen in Anlehnung an den alten. Im angelsächsischen Recht macht man es heute noch so. Dort nennt man es case law. Trotzdem hat es hier und da auch schon im römischen Recht systematische Ansätze gegeben. Zum Beispiel bei Gaius (Rdz. 155). Sein besonderes Interesse war die juristische Lehre. Seine Institutionen waren ein Lehrbuch für Anfänger. Er war mehr Didaktiker als Praktiker. Deshalb interessiert er sich mehr für das System als andere römische Juristen.

Von ihm stammt eine systematische Aufteilung des Schuldrechts, die noch heute gültig ist:

> *Gai. 3.88:* Nunc transeamus ad obligationes, quarum summa divisio in duas species diducitur: omnis enim obligatio vel ex contractu nascitur vel ex delicto.
>
> *Deutsch*: Nun gehen wir über zu den Obligationen. Sie sind zweigeteilt: Jede Obligation entsteht nämlich entweder aus Vertrag oder aus Delikt.

Das Wort obligatio entspricht unserem Begriff der Schuldverpflichtung, dem schuldrechtlichen Anspruch. Manche reden heute noch vom Obligationenrecht, wenn sie das Schuldrecht meinen.

> *I.3.13 pr.:* Nunc transeamus ad obligationes. Obligatio est iuris vinculum, quo necessitate adstringimur alicuius solvendae rei secundum nostrae civitatis iura.
>
> *Deutsch:* Nun gehen wir über zu den Obligationen. Die Obligation ist eine Fessel des Rechts, die uns nach dem Recht unseres Staates zwingt, etwas zu leisten.

So steht es in den Institutionen Justinians, der hier vom Text des Gaius weitgehend abgewichen ist, den er sonst oft in langen Passagen abgeschrieben hat. Die Römer haben bei der Schuldverpflichtung immer die Vorstellung der Bindung des Schuldners an die Person des Gläubigers gehabt. Ligare heißt binden, festbinden. Und die Fessel, von der Justinian spricht, geht zurück bis in die Zeit der Schuldknechtschaft, als man im Privatgefängnis des Gläubigers tatsächlich noch in Fesseln gelegt werden konnte.

Die oberste Einteilung des Schuldrechts ist für Gaius also die in Verträge und Delikte. So sehen wir es noch heute. Das Schuldrecht umfaßt damit zwei der fünf Elemente des Zivilrechts (Rdz. 128). Während das Deliktsrecht sich für Gaius schlecht weiter systematisieren läßt, ist ihm das beim Vertragsrecht ohne weiteres möglich. Er unterteilt nach den Voraussetzungen für das Zustandekommen eines Vertrages:

> *Gai.3.89:* Et prius videamus de his, quae ex contractu nascuntur, harum autem quattuor genera sunt: aut enim re contrahitur obligatio aut verbis aut litteris aut consensu.
>
> *Deutsch:* Und zuerst behandeln wir diejenigen, die aus Vertrag entstehen. Es gibt vier Unterarten: Eine Vertragsobligation entsteht entweder durch Übergabe einer Sache oder durch Worte oder durch Schrift oder aufgrund bloßer Willensübereinstimmung.

Also: Realvertrag, Verbalvertrag, Litteralvertrag, Konsensualvertrag. Danach behandelt er sie in dieser Reihenfolge, nämlich vier Realverträge, zwei Verbalverträge, den Litteralvertrag und die vier Konsensualverträge. Es kommt dabei nicht so ganz klar zum Ausdruck, daß der Konsens natürlich immer gegeben sein muß. Ein Realvertrag, wie zum Beispiel das einfache Handdarlehen, kommt aber eben erst zustande, wenn auch noch die Sache (res) übergeben worden ist, die Darlehenssumme. Beim Verbalvertrag der Stipulation müssen bestimmte Worte (verba) gesprochen worden sein und beim Litteralvertrag muß noch eine bestimmte Schriftform (litterae) eingehalten werden. Daß die Vertragsparteien sich geeinigt haben, ist immer selbstverständliche Voraussetzung. Das Bemerkenswerte ist nur, daß die Römer eben die ersten waren, für die das in vier Fällen allein schon ausreichend gewesen ist: emptio-venditio, locatio-conductio, societas und Mandat. Hier ist das vollständige System:

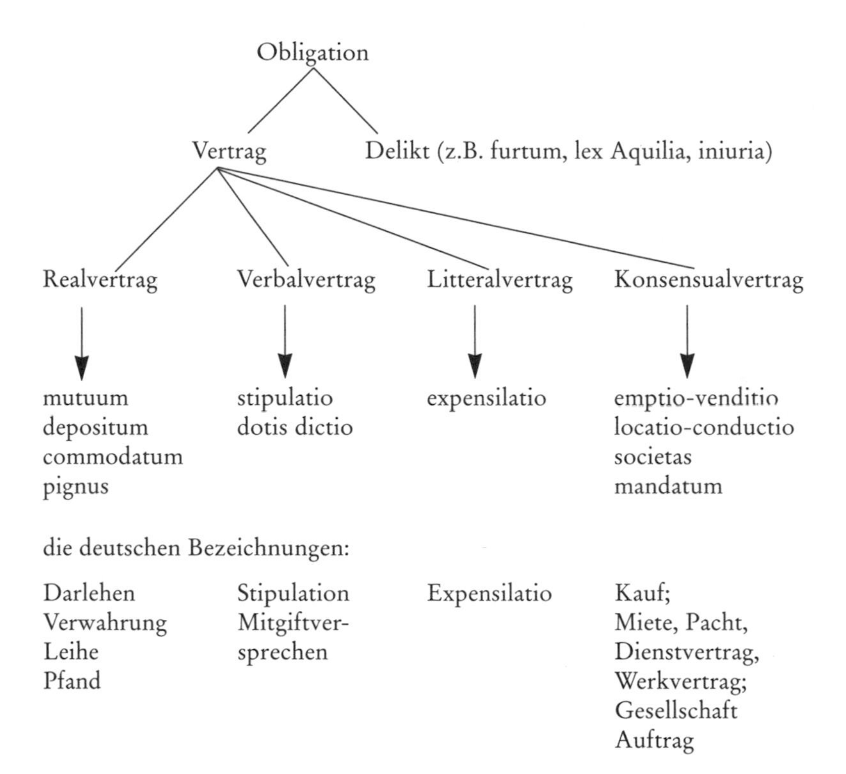

148. Kauf, Rechtsmängelhaftung

Im römischen Kaufrecht gibt es wie heute drei Hauptprobleme: Rechtsmängelhaftung, Sachmängelhaftung, Gefahrübergang. Sie waren jeweils etwas anders geregelt als bei uns. Völlig gleich war nur die Verpflichtung des Käufers zur Kaufpreiszahlung. Sie findet sich als Inhalt der actio venditi, der Klage des Verkäufers gegen den Käufer, beschrieben von Ulpian:

> *Ulp. D.19.1.13.20:* Veniunt autem in hoc iudicium infra scripta. in primis pretium, quanti res venit. item usurae pretii post diem traditionis: nam cum re emptor fruatur, aequissimum est eum usuras pretii pendere.
>
> *Deutsch:* Zum Inhalt dieser Klage gehört das Folgende: Zunächst der Preis, zu dem die Sache verkauft worden ist. Dann die Zinsen

ab dem Zeitpunkt der Übergabe. Denn wenn der Käufer die Nutzungen der Sache hat dann ist es nur gerecht, wenn er auch Zinsen für den Kaufpreis zahlt.

Auch heute hat der Käufer nach § 452 BGB ab Übergabe der Sache den Kaufpreis zu verzinsen. Ganz anders ist es dagegen mit der Verpflichtung des Verkäufers zur Lieferung der Sache. Heute hat er nach § 433 I 1 BGB dem Käufer die Sache zu übergeben und ihm das Eigentum zu verschaffen. Er muß Besitz und Eigentum übertragen. Im römischen Recht war es nur der Besitz. Es gab keine Pflicht zur Übertragung des Eigentums:

> *Ulp.D.18.1.25.1:* Qui vendidit necesse non habet fundum emptoris facere, ut cogitur qui fundum stipulanti spopondit.
>
> *Deutsch:* Wer ein Grundstück verkauft hat, muß dem Käufer nicht das Eigentum verschaffen wie derjenige, der ein Grundstück in einer Stipulation versprochen hat.

War eine fremde Sache verkauft worden, dann passierte erst einmal gar nichts. Der Käufer hatte sie ja im Besitz. Eigentümer war er zwar nicht geworden. Denn es gab keinen gutgläubigen Erwerb. Aber er konnte sie benutzen. Außerdem konnte er sie ersitzen, nach einem oder zwei Jahren, und auf diese Weise Eigentum erwerben. Nur wenn vor Ablauf dieser Frist der bisherige Eigentümer sie entdeckte und herausverlangte, dann griff die Rechtsmängelhaftung des Verkäufers ein. Das war in Rom genauso wie in anderen antiken Rechten, wie im babylonischen, griechischen oder alten deutschen Recht (Rdz. 69, 118, 228), die sogenannte Eviktionshaftung. Sie hat ihren Namen von evincere. Das bedeutet das Vorgehen des wirklichen Eigentümers der Sache gegen den Käufer mit der rei vindicatio:

> *Ulp.D.19.1.11.2:* Et in primis ipsam rem praestare venditorem oportet, id est tradere: quae res, si quidem dominus fuit venditor, facit et emptorem dominum, si non fuit, tantum evictionis nomine venditorem obligat, si modo pretium est numeratum aut eo nomine satisfactum.
>
> *Deutsch:* Und in erster Linie muß der Verkäufer die Sache selbst leisten, das heißt übergeben. Das macht den Käufer zum Eigentümer, wenn der Verkäufer Eigentümer war. Wenn er es nicht gewesen ist, verpflichtet es den Verkäufer nur zur Haftung bei Eviktion, sofern der Kaufpreis bezahlt oder dafür Sicherheit geleistet worden ist.

In der frühen Zeit funktionierte das nur über die Manzipation, die in solchen Fällen die actio auctoritatis zur Folge hatte (Rdz. 146). Bei res nec mancipi wurde es dann üblich, daß der Verkäufer dem Käufer mit einer

Stipulation versprach, er werde ihm das Doppelte des Kaufpreises zahlen, wenn ihm die Sache evinziert werden sollte (stipulatio duplae). Später konnte man auch ohne besondere Stipulation bei Eviktion auf Schadensersatz klagen, und zwar mit der actio empti. Das wurde möglich, als man den in ihr enthaltenen Verweis auf die Billigkeit – ex fide bona (Rdz. 146) – nicht mehr nur als Geltungsgrund verstand, der dem formlos geschlossenen Kaufvertrag die Wirksamkeit gab, sondern auch als Grundsatz für Umfang und Inhalt der Leistungspflicht. So, wie heute der § 242 BGB formuliert ist. Mit der actio empti konnte man allerdings im Gegensatz zum duplum der actio auctoritatis und der Stipulationen nur auf das Einfache des Werts der Sache klagen, seit Julian im 2. Jahrhundert n. Chr. auf das volle einfache Interesse des Schuldners:

> *Jul.D.21.2.8:* Venditor hominis emptori praestare debet, quanti eius interest hominem venditoris fuisse. quare sive partus ancillae sive hereditas, quam servus iussu emptoris adierit, evicta fuerit, agi ex empto potest: et sicut obligatus est venditor, ut praestet licere habere hominem quem vendidit, ita ea quoque quae per eum adquiri potuerunt praestare debet emptori, ut habeat.
>
> *Deutsch:* Der Verkäufer eines Sklaven muß dem Käufer Ersatz leisten in Höhe seines Interesses daran, daß der Sklave dem Verkäufer gehörte. Wenn also das Kind einer Sklavin oder eine Erbschaft, die der Sklave auf Geheiß des Käufers angetreten hat, evinziert worden sind, kann mit der actio empti geklagt werden. So wie der Verkäufer verpflichtet ist, dafür zu sorgen, daß der Käufer im Besitz des Sklaven bleibt, den er verkauft hat, ist er auch verpflichtet, dafür zu sorgen, daß der Käufer das hat, was er durch diesen Sklaven erwerben kann.

In dieser Form galt die Eviktionshaftung bei uns bis zum Inkrafttreten des BGB, in dem sogar noch heute gewisse Reste dieser alten Regelung im § 440 II zu finden sind, obwohl § 433 I 1 die Rechtsverschaffungspflicht eingeführt hat.

149. Kauf, Sachmängelhaftung

Die Sachmängelhaftung hat sich in Rom sehr langsam entwickelt. Sie ist die Haftung des Verkäufers dafür, daß die Sache in Ordnung ist, keine Fehler hat. In der Frühzeit gab es nur wenige Ansätze, etwa in der actio de modo agri, wenn ein verkauftes Grundstück nicht die zugesagte Größe hatte. Diese Klage ergab sich, wie die actio auctoritatis, aus der Manzipation. Daneben waren besondere Stipulationen üblich, wie bei der Rechtsmängelhaftung. Mit ihnen wurden Eigenschaften der Kaufsache zugesichert und die Zahlung des duplum, wenn sie fehlen sollten. Im übrigen wurde für Sachmängel nicht gehaftet. War die Sache nicht in Ordnung, hatte der Käufer eben Pech gehabt. Im alten deutschen Recht sagte man: Augen auf, Kauf ist Kauf. Auch im griechischen Recht war es nicht anders. Wie dort wurde aber in Rom für Käufe von Sklaven und Vieh auf dem Markt eine Sonderregelung eingeführt, wahrscheinlich sogar nach griechischem Vorbild (Rdz. 118). Das war der Ursprung unserer heute in §§ 459 ff. BGB geregelten Sachmängelhaftung.

Sie entstand in der Marktgerichtsbarkeit der Ädilen, in republikanischer Zeit. War eine Sache fehlerhaft, gaben sie Klagen auf Rückgängigmachung des Kaufs – wir sagen heute Wandlung, actio redhibitoria – oder Minderung des Kaufpreises: actio quanti minoris, innerhalb eines halben oder eines ganzen Jahres. Aber nur beim Kauf von Sklaven oder Vieh. Das Edikt über den Viehkauf, das sogenannte Jumentenedikt:

> *Ulp.D.21.1.38 pr:* Aediles aiunt: „Qui iumenta vendunt, palam recte dicunto, quid in quoque eorum morbi vitiique sit, utique optime ornata vendendi causa fuerint, ita emptoribus tradentur, si quid ita factum non erit, de ornamentis restituendis iumentisve ornamentorum nomine redhibendis in diebus sexaginta, morbi autem vitiive causa inemptis faciendis in sex mensibus, vel quo minoris cum venirent fuerint, in anno iudicium dabimus. si iumenta paria simul venierint et alterum in ea causa fuerit, ut redhiberi debeat, iudicium dabimus, quo utrumque redhibeatur".

> *Deutsch:* Die Ädilen sagen: „Wer Vieh verkauft, soll öffentlich wahre Auskunft darüber geben, welche Krankheit und Fehler es hat, und soll es so den Käufern übergeben, wie es zum Zwecke des Verkaufs in der besten Weise hergerichtet und aufgeputzt war. Wenn das nicht geschieht, werden wir innerhalb von 60 Tagen eine Klage auf Wiederherstellung des Aufputzes oder Wandlung des Viehs erheben, wegen Krankheit oder Fehler eine Klage auf Rückgängigmachung des Kaufs in sechs Monaten oder innerhalb eines Jahres eine Minderungsklage. Wenn zwei zusammengehörige Tiere gleichzeitig verkauft worden sind, und eines von ihnen in dem Zustand ist, daß es zurückgenommen werden muß, dann werden wir die Klage darauf geben, daß die Wandlung für beide stattfindet."

Ganz allgemein konnte man daneben bei Arglist des Verkäufers auf Schadensersatz klagen, mit der actio empti und ihrer Klausel ex fide bona, auch beim Kauf anderer Sachen. Das war wohl erst in klassischer Zeit. Und schließlich hat Justinian diese Sachmängelhaftung, also die des Sklaven- und Jumentenedikts, auf den Kauf aller Sachen ausgedehnt (Ulp.D.21.2.1 pr., von Justinian verändert, „interpoliert", vgl. Rdz. 157). Damit war unser heutiges System der Sachmängelhaftung entstanden, nämlich die beiden Fälle des § 463 BGB, zugesicherte Eigenschaften und Arglist, und Haftung ohne Verschulden des Verkäufers bei Fehlern nach § 459 BGB.

150. Kauf, Gefahrübergang

Wir sprechen heute von „Gefahr" wie die Römer von periculum. Es ist eine wörtliche Übersetzung. Damit ist die Preis- oder Gegenleistungsgefahr gemeint, die allein problematisch ist. Es geht um die Frage, wer den Kaufpreis verliert, wenn die Sache nach Abschluß des Kaufvertrages zufällig untergeht. Muß der Käufer zahlen? Trägt er also die Gefahr? Oder muß er nicht zahlen? Und trägt damit der Verkäufer die Gefahr, der nun den Kaufpreis nicht erhält? Bei den Römern galt der Satz periculum est emptoris. Der Käufer trägt die Gefahr. Er muß den Kaufpreis zahlen, auch wenn er die Sache gar nicht erhalten hat. Anders das BGB. Nach § 446 trägt der Verkäufer die Gefahr, bis zur Übergabe der Sache. Mit der Übergabe geht die Gefahr auf die Käufer über. Welche Lösung ist „richtig"? Die des BGB. Wenn der eine nicht leisten kann, braucht der andere auch nicht zu leisten. So schon die Regelung des § 323 BGB, den § 446 nur geringfügig verändert. Stirbt also einTier zwischen Kaufabschluß und Übergabe, dann braucht bei uns der Käufer nicht zu zahlen. Wohl aber in Rom:

> *Paul.D.18.6.8 pr:* Necessario sciendum est, quando perfecta sit emptio: tunc enim sciemus, cuius periculum sit: nam perfecta emptione periculum ad emptorem respiciet, et si id quod venierit appareat quid quale quantum sit, sit et pretium, et pure venit, perfecta est emptio.
>
> *Deutsch:* Es ist notwendig zu wissen, wann der Kauf perfect ist. Dann wissen wir nämlich, wer die Gefahr trägt. Denn nach der Perfektion des Kaufs trägt der Käufer die Gefahr. Und wenn klar ist, von welcher Art und wieviel verkauft worden ist, und auch der Preis feststeht und ohne Bedingungen verkauft wird, dann ist der Kauf perfekt.

Diese Regelung ist nur historisch zu verstehen. Sie ist uralt, stammt aus der Zeit des Barkaufs. Beim Barkauf geht das Eigentum auf den Käufer über. Läßt er die Sache dann beim Verkäufer ist es selbstverständlich, daß er die Gefahr trägt. Später, als der Distanzkauf üblich wurde, war diese Regel funktional falsch. Sie blieb aber bestehen, weil sie der alten Tradition entsprach. Ein weiteres Beispiel für die erstaunliche Kraft von Traditionen im Recht. Mit der Rezeption kam sie nach Deutschland, wurde sogar in Kodifikationen des 18. und 19. Jahrhunderts bestätigt, vom Bayerischen Codex Maximilianeus Bavaricus Civilis, dem Württembergischen Landrecht und dem Sächsischen BGB. Sie findet sich noch im

Schweizer Obligationenrecht, im französischen Code Civil und im italienischen Codice Civile. Nur das Preußische Allgemeine Landrecht und das österreichische ABGB hatten sich anders entschieden. Schließlich auch das BGB in § 446. Dazu heißt es in den Motiven, Band 2, Seite 206:

> Die Erklärung und Begründung der Gefahrverteilung im römischen Recht „hat den Juristen bis auf den heutigen Tag viel zu schaffen gemacht; selbst an Zweifeln, ob der Satz wirklich gelte, und an Versuchen, ihn zu beseitigen, hat es nicht gefehlt. Es widerstrebt in der Tat der Natur der vertragsmäßigen gegenseitigen Verbindlichkeiten, daß ungeachtet des Wegfalls der einen die andere ohne Gegenleistung fortbestehen soll. Nur dringende Gründe der Zweckmäßigkeit, Billigkeit und Praktikabilität können die Aufnahme des theoretisch kaum zu erklärenden, mit sonstigen Rechtsprinzipien und dem Wesen der in Betracht kommenden Verträge in Widerspruch stehenden und in einem großen Teil Deutschlands durch die Gesetzgebung reproblierten Satzes in das bürgerliche Gesetzbuch rechtfertigen. Solche Gründe liegen nicht vor."

Die unsinnige Regelung des römischen Rechts wurde ein wenig gemildert durch die sogenannte custodia-Haftung. Auch sie stammt aus der Zeit des Barkaufs. Wer eine fremde Sache im eigenen Interesse bei sich hat, muß sie bewachen (custodire), zum Beispiel auch vor Dieben schützen. Wenn eine Sache nach dem Abschluß des Kaufvertrages und vor Übergabe an den Käufer gestohlen wurde, haftete der Verkäufer. Der Käufer brauchte in diesem Fall nicht zu zahlen. Wie nach § 446 BGB. Die Nachwirkungen des alten Barkaufsprinzips waren also erstaunlich. Nicht nur in Gestalt des Satzes periculum est emptoris und der custodia-Haftung. Zum Beispiel kannten die Römer keinen Gattungskauf. Man konnte nicht abstrakt eine bestimmte Zahl oder Menge nur der Art nach bestimmter Sachen kaufen. Es war also nicht möglich, eine gewisse Menge Leinentuch zu kaufen, das der Verkäufer nicht vorrätig hatte. Es gab nur den Spezieskauf, bei dem die individuelle Sache genau bestimmt war. Gattungsschulden konnten nur über eine Stipulation vereinbart werden.

151. Irrtum

Die römischen Juristen haben wohl beim Kauf zum erstenmal allgemeine Regeln darüber entwickelt, was aus einem Vertrag werden soll, wenn sich jemand bei den Verhandlungen geirrt hat. Wahrscheinlich war das in klassischer Zeit. Der Kauf ist der Prototyp des Konsensualvertrages und die Willensübereinstimmung als Grundlage des ganzen war hier so deutlich herausgearbeitet, daß es nahe lag, daraus Schlußfolgerungen für die Frage des Irrtums zu ziehen. Bei Formgeschäften wie der Stipulation oder dem Testament war man da zunächst eher zögerlich. Eines der wichtigsten Fragmente zu diesem Problem ist:

Ulp.D.18.1.9: In venditionibus et emptionibus consensum debere intercedere palam est: ceterum sive in ipsa emptione dissentient sive in pretio sive in quo alio, emptio imperfecta est. si igitur ego me fundum emere putarem Cornelianum, tu mihi te vendere Sempronianum putasti, quia in corpore dissensimus, emptio nulla est. idem est, si ego me Stichum, tu Pamphilum absentem vendere putasti: nam cum in corpore dissentiatur, apparet nullam esse emptionem. § 1 Plane si in nomine dissentiamus, verum de corpore constet, nulla dubitatio est, quin valeat emptio et venditio: nihil enim facit error nominis, cum de corpore constat. § 2 Inde quaeritur, si in ipso corpore non erratur, sed in substantia error sit, ut puta si acetum pro vino veneat, aes pro auro vel plumbum pro argento vel quid aliud argento simile, an emptio et venditio sit. Marcellus scripsit libro sexto digestorum emptionem esse et venditionem, quia in corpus consensum est, etsi in materia sit erratum. ego in vino quidem consentio, quia eadem prope ousia est, si modo vinum acuit. ceterum si vinum non acuit, sed ab initio acetum fuit, ut embamma, aliud pro alio venisse videtur. in ceteris autem nullam esse venditionem puto, quotiens in materia erratur.

Deutsch: Beim Kauf ist ganz offensichtlich, daß ein Konsens vorliegen muß. Wenn die Parteien sich also über den Kauf selbst nicht einig sind oder über den Preis oder etwas anderes, dann ist der Kauf nicht zustandegekommen. Wenn ich also glaubte, das cornelianische Grundstück zu kaufen, und du meintest, du würdest mir das sempronianische verkaufen, dann ist der Kauf unwirksam, weil wir uns über den Gegenstand des Vertrages nicht geeinigt haben. Ebenso ist es, wenn ich geglaubt habe, ich würde den Sklaven Stichus kaufen, und du meintest, den abwesenden Pamphilus zu verkaufen. Denn weil eine Einigung über den Gegenstand fehlt, ergibt sich, daß der Kauf nichtig ist. § 1 Wenn wir uns allerdings nur im Namen irren, aber der Gegenstand feststeht, dann besteht kein Zweifel daran, daß der Kaufvertrag wirksam ist. Denn der Irrtum über den Namen schadet nicht, sofern man sich nur über den Gegenstand einig ist. § 2 Deshalb fragt sich, ob der Kauf wirksam ist, wenn man sich nicht über den Gegenstand selbst, sondern über seine Substanz geirrt hat, wie zum Beispiel, wenn Essig als Wein verkauft wird oder Kupfer als Gold oder Blei oder irgendetwas Silbriges als Silber. Marcellus hat im sechsten Buch seiner Digesten geschrieben, auch wenn man sich über die Substanz geirrt hat, sei der Kaufvertrag wirksam zustandegekommen, weil man sich über den Gegenstand selbst einig war. Beim Wein stimme ich dem auch zu, weil es sich ja fast um den gleichen Stoff handelt, sofern der Wein nur sauer geworden ist. Aber wenn der Wein nicht sauer geworden ist, sondern es von Anfang an Essig war, zum Beispiel embamma (Essigtunke), dann muß man annehmen, daß es etwas anderes war als das, was verkauft worden ist. Aber auch in den übrigen Fällen glaube ich nicht, daß der Kauf wirksam ist, wenn man sich über die Substanz geirrt hat.

Unter Rechtshistorikern ist man sich nicht darüber einig, wie man diesen Text verstehen soll. Manche meinen, Marcellus und Ulpian hätten es für die Beurteilung von Irrtümern nur darauf abgestellt, ob der Gegenstand der Leistung hinreichend identifiziert worden sei. Also ähnlich wie bei Paul.D.18.6.8 pr. (Rdz. 150), der für den Gefahrübergang sagt, der Kaufvertrag müsse perfekt sein, und das sei dann der Fall, wenn feststehe, was verkauft worden ist (quid quale quantum sit: was, von welcher Art, wieviel). Andere verstehen den Hinweis auf den Konsens am Anfang des Fragments als den entscheidenden Gedanken. Was wohl richtig sein wird. Wie man am häufigen Gebrauch des Wortes dissentire sieht. Das Gegenteil von Konsens ist nämlich der Dissens, das Fehlen einer Einigung. Dissentire heißt, verschiedener Meinung sein, sich nicht einigen. Im römischen Recht führt also der Irrtum zum Dissens. Aber nur in Fällen, in denen er von den Juristen anerkannt wird. Auch das haben sie von Fall zu Fall entschieden. In Fällen des Irrtums über die stoffliche Beschaffenheit haben sie sich dabei wohl auch am Gedanken der Sachidentität orientiert. So daß die beiden Meinungen in der rechtshistorischen Literatur sich gegenseitig gar nicht ausschließen müssen.

Der Irrtum führt im römischen Recht also zum Dissens und damit automatisch zur Unwirksamkeit des Vertrages, weil man Rechtsgeschäfte noch nicht als Willenserklärungen angesehen hat, wie wir es heute tun. Für die Römer war in erster Linie der innere Wille entscheidend, nicht die äußere Erklärung. Die Willenserklärung ist eine Erfindung der Neuzeit. Sie ist ein Tatbestand, der zum Schutz von Vertragspartnern aus zwei Teilen besteht, einem inneren subjektiven Teil – der Wille – und einem äußeren objektiven Teil der Erklärung, also das, was man sagt oder schreibt und worauf sich der andere erst einmal verlassen können soll. Sie entwickelt sich im 18. und 19. Jahrhundert, als die Zahl der Geschäftsabschlüsse größer wurde, der Verkehr schneller und die Vertragspartner nicht mehr so gut beurteilen konnten, was sie vom anderen zu halten haben, und deswegen vor Mißverständnissen geschützt werden mußten, im Interesse der Beschleunigung dieses Geschäftsverkehrs auf einem sich entwickelnden Markt der bürgerlichen Gesellschaft (Rdz. 282). Heute bleibt eine Willenserklärung erst einmal wirksam, bis sie wegen eines Irrtums durch Anfechtung nach §§ 119, 142 BGB beseitigt wird. Das hat dann – dies ist der Verkehrsschutz – zur Folge, daß dem anderen der sogenannte Vertrauensschaden zu ersetzen ist, § 122 BGB. Wartet man mit der Anfechtung zu lang, wird nicht rechtzeitig angefochten, § 121 BGB, bleibt sie für immer wirksam. Anders im römischen Recht. Hat sich einer der beiden geirrt, ist ein Vertrag von vornherein wegen Dissenses unwirksam. Eine Anfechtung war nicht notwendig. Es gab keinen Verkehrsschutz. Er war noch nicht notwendig in einer Gesellschaft, in der Verträge nicht so massenhaft abgeschlossen wurden wir heute.

152. Locatio-conductio

Locare heißt hinstellen und conducere bedeutet mitnehmen. Das war für die Römer die gemeinsame Vorstellung in verschiedenen Fällen. Bei Miete und Pacht stellt der Vermieter oder Verpächter eine Sache hin. Der andere nimmt sie mit, um sie zu gebrauchen. Beim Werkvertrag stellt jemand eine Sache hin, den wir heute den Besteller nennen. Der Werkunternehmer nimmt sie mit, um sie zu bearbeiten oder zu verarbeiten. Beim Dienstvertrag stellt sich der Arbeitnehmer selbst hin. Der Arbeitgeber nimmt ihn mit, um ihn zu beschäftigen. So wechselt auch derjenige, der zahlt. Bei Miete, Pacht und Dienstvertrag ist es der conductor. Beim Werkvertrag ist es der locator.

Miete und Pacht spielen in Rom eine große Rolle. In der Stadt war es die Miete. Es gab große Mietskasernen mit mehreren Stockwerken, sogenannte insulae, Inseln. Es waren abgeschlossene Wohnblocks, von vier Straßen umgeben, die einem Vermieter gehörten. Auf dem Lande war es die Pacht, die später in den Kolonat überging (Rdz. 127). Mieter und Pächter hatten keinen Besitz (Rdz. 138). Weil die Römer – aus unsozialen Gründen – nur den Eigenbesitz anerkannten. Also hatten Mieter und Pächter auch keinen Besitzschutz. Sie konnten jederzeit vertrieben werden und konnten dann nur Schadensersatzansprüche aus Vertrag geltend machen, mit der actio conducti. Wichtig wurde das, wenn der Vermieter oder Verpächter das Grundstück verkaufte. Der neue Eigentümer konnte Mieter oder Pächter ohne weiteres entfernen. Sie hatten dann nur Ansprüche gegen den alten. Im 19. Jahrhundert umschrieb man das mit dem nicht ganz korrekten Schlagwort „Kauf bricht Miete". Erst im BGB wurde das geändert (§ 571).

153. Digestenexegese: Gai. D.19.2.6

Digestenexegese ist die Bezeichnung für Übungen im römischen Recht, die sich damit beschäftigen, einzelne Fragmente der Digesten zu erklären. Das Wort Exegese kommt aus dem Griechischen und bedeutet Erklärung, Auslegung, Interpretation. Das folgende Fragment stammt von Gaius, einem Juristen aus der Mitte des 2. Jahrhunderts n. Chr. (Rdz. 155). Es geht um Miete, Pacht oder Werkvertrag mit einer beweglichen Sache. Man kann annehmen, es sei ein Mietvertrag gewesen:

Gai.D.19.2.6: Is qui rem conduxerit, non cogitur restituere id, quod rei nomine furti actione consecutus est.

Deutsch: Wer eine Sache gemietet hat, ist nicht gezwungen, dasjenige, was er für die Sache mit der Diebstahlsklage erhalten hat, herauszugeben.

Zum Sachverhalt sagt Gaius – in einem Nebensatz – ausdrücklich nur, daß jemand eine Sache gemietet hat. Weiteres muß man dem Teil des Fragments entnehmen, der die Entscheidung wiedergibt: Der Mieter hat von einem Dieb für die Sache etwas mit der actio furti, der Klage wegen Diebstahls, erhalten. Also ist ihm die Sache gestohlen worden, und er hat gegen den Dieb geklagt. Aus diesem Satz, er könne zur Herausgabe nicht gezwungen werden, ergibt sich außerdem, daß ein anderer es verlangt. Das kann nur der Vermieter sein. Dieser ist also der Kläger. Von Gaius wird also folgender Sachverhalt behandelt: Der Beklagte hat eine Sache vom Kläger gemietet. Die Sache ist ihm gestohlen worden. Er hat gegen den Dieb geklagt. Der Dieb ist verurteilt worden und hat die Klagesumme an den Mieter gezahlt. Der Vermieter verlangt vom Mieter die Herausgabe des Erlangten.

Die Entscheidung, die Gaius gibt, hat den scheinbar erstaunlichen Inhalt: Der Mieter kann das Erlangte behalten, der Vermieter die Herausgabe nicht verlangen. Des Rätsels Lösung: Der Mieter haftet im römischen Recht – nicht mehr bei uns – auch ohne Verschulden für Schadensersatz, wenn die Sache gestohlen wird. Es ist die alte custodia-Haftung, die uns schon bei der Gefahrtragung für Kaufsachen begegnet ist (Rdz. 150). Der Mieter muß die Sache bewachen. Wenn sie abhanden kommt, hat er den einfachen Sachwert zu ersetzen. Den muß er dem Vermieter zahlen. Was er dagegen mit der Diebstahlsklage vom Dieb bekommt, ist mehr. Regelmäßig das Doppelte. Denn diese Klage hat Bußcharakter. Da der Mieter das Risiko des Diebstahls trägt, darf er auch die aus ihm stammenden Vorteile behalten.

Das ist typisch für den Stil römischer Juristen. Meistens ist er von einer lapidaren Kürze. Sachverhalt und Entscheidung sind kunstvoll ineinander verflochten. Voraussetzungen, die für den damaligen sachverständigen Leser selbstverständlich waren, werden weggelassen. Begründungen geben sie selten. Ein juristischer Text von heute, mit dem gleichen Inhalt, würde zehnmal länger sein. Wie man hier sieht.

154. Actio certae creditae pecuniae, condictio, Bereicherungsrecht

Ähnlich wie bei der locatio-conductio ist es mit der actio certae creditae pecuniae. Wenn man diesen Ausdruck wörtlich übersetzt, ist es die Klage auf eine bestimmte Summe geschuldeten Geldes. Oft wird sie auch condictio genannt. Sie greift in mehreren Fällen ein, die damals als einheitlich empfunden wurden, die wir aber heute begrifflich unterscheiden.

Sie sind zusammengefaßt in einer Formel, die uns Cicero nennt, in einer Rede, die er für den Schauspieler Roscius gehalten hat. Gegen ihn wurde mit dieser actio geklagt. Cicero sagt, es gäbe nur drei Möglichkeiten, eine solche Schuld zu begründen. Keine sei hier gegeben.

> *Cic.Rosc.com.§ 14:* haec pecunia necesse est aut data aut expensa lata aut stipulata sit.

> *Deutsch:* Dieses Geld muß entweder gezahlt, im Kassenbuch eingetragen oder mit einer Stipulation versprochen worden sein.

Warum gibt es für diese verschiedenen Fälle dieselbe Klage? Was haben sie gemeinsam?

Bei der Zahlung von Geld (pecunia data) handelt es sich um zwei Fälle. Es ist entweder als formloses Darlehen gegeben worden oder der Schuldner hat es, wie wir heute sagen, ohne rechtlichen Grund erhalten. Es sind also die beiden Fälle formloses Darlehen und ungerechtfertigte Bereicherung.

Die zweite von Cicero genannte Möglichkeit ist der schon kurz erwähnte Litteralvertrag (Rdz. 147). Es ist ein Darlehen mit Schriftform. Ähnlich ist es mit der Stipulation über Geldforderungen. Auch hier handelte es sich in der Frühzeit regelmäßig um Versprechen zur Rückzahlung von Darlehen.

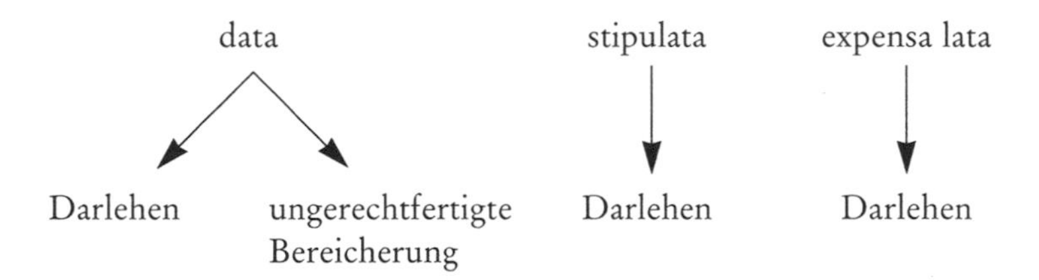

Es ging also um zwei Grundfälle. Darlehen und ungerechtfertigte Bereicherung. Für uns sind das heute zwei völlig verschiedene Tatbestände. In der frühen Zeit des römischen Rechts sah man das anders. In beiden Fällen hatte man die Vorstellung, der Schuldner habe fremdes Geld, das ihm nicht gehört und das er dem Gläubiger herausgeben muß. Beim Darlehen sagte man das später noch in der Umgangssprache. Darlehensschulden wurden aes alienum genannt, fremdes Geld. Aber auch bei der ungerechtfertigten Bereicherung sah man es so, zum Beispiel bei der Rückforderung von Geld, das man einem anderen in der irrigen Meinung gezahlt hatte, man würde es ihm schulden. Die Nichtschuld, lateinisch indebitum. Wie beim Darlehen hatte man hier die Vorstellung, der Schuldner habe fremdes Geld in Händen.

Die actio certae creditae pecuniae war also ursprünglich eine Parallele zur rei vindicatio. Was die rei vindicatio für normale Sachen gewesen ist, das war die actio certae creditae pecuniae für das Geld. Man verlangte mit ihr sein Geld heraus. Wie man mit der rei vindicatio seine Sache herausverlangte. Sie war die Geldklage, so wie die rei vindicatio die Sachenklage war. Sie ist auch ähnlich kurz formuliert:

> *Actio certae creditae pecuniae:* Titius iudex esto. Si paret Numerium Negidium Aulo Agerio sesterium decem milia dare oportere, iudex Numerium Negidium Aulo Agerio sesterium decem milia condemnato, si non paret, absolvito.
>
> *Deutsch:* Titius soll Richter sein. Wenn sich erweist, daß Numerius Negidius dem Aulus Agerius zehntausend Sesterzen schuldet, dann, Richter, verurteile den Numerius Negidius zugunsten des Aulus Agerius zur Zahlung von zehntausend Sesterzen, und wenn es sich nicht erweist, dann weise die Klage ab.

Wenn es sich um Fälle der ungerechtfertigten Bereicherung handelte, gebrauchten die römischen Juristen regelmäßig einen anderen Namen. Obwohl es sich um dieselbe Klage handelte. Man nannte sie condictio. Inzwischen hatte man nämlich erkannt, daß es sich bei Darlehen, Stipulation und Litteralvertrag um wirksame Verträge handelte, bei der ungerechtfertigten Bereicherung nicht. Deshalb unterschied man in der Terminologie.

Später kam noch etwas anderes dazu. Später gab es Darlehen nicht nur in Geld, sondern auch in anderen vertretbaren Sachen, zum Beispiel ein Getreidedarlehen. Bei der ungerechtfertigten Bereicherung kam so die Rückforderung von irrtümlich geleisteten Sachen dazu. Dafür entwickelte man eine der actio certae creditae pecuniae ähnliche Klageform und nannte sie condictio triticiaria, weil die Musterformel auf Weizen (triticum) abstellte.

Der Name condictio stammt aus dem Legisaktionenverfahren. Die actio certae creditae pecuniae geht nämlich zurück auf eine legis actio per condictionem. Das war ein Verfahren, dessen Besonderheit darin lag, daß der Richter erst einen Monat nach der Verhandlung vor dem Prätor eingesetzt wurde. In diesem Monat konnte man sich also noch außerhalb des Verfahrens einigen, was eine Erleichterung bedeutete gegenüber den anderen Klagearten:

> *Gai.4.17f.:* Per condictionem ita agebatur: AIO TE MIHI SESTERTIORUM X MILIA DARE OPORTERE. ID POSTULO AIAS AN NEGES. Adversarius dicebat non oportere. Actor dicebat: QUANDO TU NEGAS, IN DIEM TRICENSIMUM TIBI IUDICIS CAPIENDI CAUSA CONDICO. 18: Condicere autem

denuntiare est prisca lingua. Itaque haec quidem actio proprie condictio vocabatur, nam actor adversario denuntiabat, ut ad iudicem capiendum di XXX adesset.

Deutsch: Mit der legisactio per condictionem wurde in folgender Weise geklagt: Ich behaupte, daß du mir zehntausend Sesterzen schuldest. Ich fordere von dir, daß du das zugibst oder abstreitest. Der Gegner sagte, daß er nicht schulde. Der Kläger sagte: Da du leugnest, sage ich dir den dreissigsten Tag an, um einen Richter einzusetzen. Condicere bedeutet in der alten Sprache „ansagen". Und deshalb wird diese Klage speziell auch Kondiktion genannt, denn der Kläger sagte dem Beklagten an, daß er in dreißig Tagen anwesend sein müsse, um den Richter einzusetzen.

Noch heute sprechen wir im Bereicherungsrecht von Kondiktionen. In § 812 I 1 BGB unterscheidet man Leistungskondiktion und Eingriffskondiktion:

„Wer durch die Leistung eines anderen oder in sonstiger Weise auf dessen Kosten etwas ohne rechtlichen Grund erlangt, ist ihm zur Herausgabe verpflichtet."

Die Leistungskondiktion – „durch die Leistung eines anderen" – regelt die Rückabwicklung fehlgeschlagener Verträge, wie der Rücktritt nach § 346 BGB. Sie gehört zum Vertragsrecht. Ist zum Beispiel ein Kaufvertrag unwirksam, aber der Preis schon bezahlt, dann kann das Geld mit der Leistungskondiktion zurückgefordert werden. Die Eingriffskondiktion – „oder in sonstiger Weise auf dessen Kosten" – dagegen gehört zum Deliktsrecht, wie § 823 BGB, ist allgemeiner Güterschutz. Sie gibt einen Ausgleich für Eingriffe in fremde Rechte und unterscheidet sich von der unerlaubten Handlung des § 823 BGB nur durch zwei Besonderheiten. Zum einem wird auch für schuldlose Eingriffe gehaftet. Zum anderen ist deshalb die Haftung aber auf solche Vorteile begrenzt, die sich aus dem Eingriff noch im Vermögen des Schädigers befinden. Schadensersatz ist nicht zu leisten. Es handelt sich immer um den Gebrauch oder Verbrauch fremder Sachen oder Rechte. Wenn man also schuldlos fremdes Baumaterial verbraucht, muß man dem Eigentümer den Wert ersetzen, nicht den entgangenen Gewinn. Das ist der Inhalt des § 812 I 1 BGB, dessen Wortlaut deshalb so problematisch ist, weil er in einem einzigen Satz zwei völlig verschiedene Fälle regelt. Der eine gehört zum Vertragsrecht, der andere in das Deliktsrecht.

Das römische Recht kennt nur die Leistungskondiktion. Sein Bereicherungsrecht gehört also nur zum Vertragsrecht. Das hatten die römischen Juristen schon klar erkannt:

Jul.D.12.6.33: Si in area tua aedificassem et tu aedes possideres, condictio locum non habebit, quia nullum negotium inter nos contraheretur.

Deutsch: Wenn ich auf deinem Grundstück gebaut habe und du jetzt das Haus besitzt, dann ist eine Bereicherungsklage nicht gegeben, weil zwischen uns kein Rechtsgeschäft stattgefunden hat.

Hauptfall im römischen Recht war wie bei uns die Rückforderung der Zahlung einer Nichtschuld, die condictio indebiti. Daneben gab es noch die condictio ob rem und die condictio ob turpem vel iniustam causam. Beide gehören eng zusammen. Es ging um die Rückforderung von einseitigen Vorleistungen, außerhalb von gegenseitigen Verträgen, und zwar von Vorleistungen, die erbracht wurden im Hinblick auf eine Gegenleistung, auf die man keinen Anspruch hat. Zum Beispiel konnte sich niemand verpflichten, einen Sklaven freizulassen. Das galt als höchstpersönlicher Akt, etwa wie heute die Eheschließung. Wollte man jemanden dazu veranlassen, konnte man ihm nur eine Vorleistung erbringen. Unterblieb dann die Freilassung, hatte man eine Klage auf Rückzahlung der Vorleistung. Das war die condictio ob rem oder ob rem datorum. Im justinianischen Recht hatte sie noch zwei andere Namen, nämlich condictio ob causam datorum oder causa data causa non secuta. Heute ist sie in § 812 I 2 als 2.Fall geregelt. Handelte der Empfänger in diesen Fällen rechtswidrig oder sittenwidrig, dann konnte man eine solche einseitige datio auch zurückfordern, wenn die „Gegenleistung" erbracht worden war. Zum Beispiel wenn man Geld dafür gegeben hatte, daß jemand eine strafbare Handlung unterläßt. Das war die condictio ob turpem vel iniustam causam, die Kondiktion wegen Gesetzes- oder Sittenverstoßes, unser § 817 Satz 1 BGB. Und wie in § 817 Satz 2 BGB war die Rückforderung ausgeschlossen, „wenn dem Leistenden gleichfalls ein solcher Verstoß zur Last fällt". Die Römer sagten in pari causa turpitudinis melior est causa possidentis: Bei gleicher Situation der Sittenwidrigkeit ist die Lage desjenigen die bessere, der die Sache hat.

Unsere Leistungskondiktionen sind also im römischen Recht weitgehend vorgeformt. Nur die heute sogenannte condictio ob causam finitam gab es damals – mindestens in dieser Terminologie – noch nicht, der 1. Fall des § 812 I 2 BGB, „wenn der rechtliche Grund später wegfällt." Es gab sie ganz einfach deswegen noch nicht, weil das römische Recht nur eine aufschiebende Bedingung kannte, nicht die auflösende. Und der Eintritt der auflösenden Bedingung ist der Hauptfall dieses Anspruchs. Die auflösende Bedingung wurde erst im Naturrecht des 17. Jahrhunderts erfunden, danach dann auch diese entsprechende condictio.

Noch etwas anderes fehlte im römischen Bereicherungsrecht. Es gab keinen „Wegfall der Bereicherung“, der heute nach § 818 III BGB als Charakteristikum des Anspruchs gilt. Ist der Empfänger nicht mehr bereichert, kann man nichts mehr von ihm herausverlangen. Zum Beispiel, wenn er das Geld für nutzlose Ausgaben verwendet hat, die er sonst nicht gemacht hätte. Im römischen Recht gab es nur einige wenige Spezialfälle, etwa bei der nichtigen Ehegattenschenkung (Rdz. 143, Ulp.D.24.1.5.18) und bei Leistungen an Minderjährige ohne Einwilligung ihres Vormunds (Gai. 2.84). Erst der französische humanistische Jurist Duarenus hat daraus im 16. Jahrhundert ein allgemeines Prinzip entwickelt. Langsam hat es sich durchgesetzt, bei uns im Pandektenrecht des 19. Jahrhunderts, nachdem Christian Friedrich von Glück es in seinem einflußreichen Kommentar zu den Digesten übernommen hatte.

Auch für die Eingriffskondiktion gab es einige Ansätze im römischen Recht. Es gab die condictio furtiva, eine Bereicherungsklage gegen den Dieb auf den Sachwert, neben der actio furti, die Bußcharakter hatte. Diese Klage wurde aber ausdrücklich immer als die einzige condictio bezeichnet, bei der keine datio als Leistung zugrundeliegt. Sie muß sehr alt gewesen sein. Ein weiterer Hebel war die Verarbeitung. In vielen Fällen konnte man damit Eigentum erwerben, auf Kosten des bisherigen Eigentümers. In den Institutionen Justinians wird in so einem Fall dem alten Eigentümer eine condictio gegen denjenigen gegeben, der sein Material verarbeitet hatte (Inst.2.1.26). Im klassischen Recht gab es dafür eine actio in factum (Paul.D.6.1.23.5) oder eine rei vindicatio utilis (Ulp.D.6.1.5.3), also eine Klage, die analog zur normalen rei vindicatio formuliert war. Die condictio bei Justinian läßt sich leicht erklären. Das Material war nämlich gestohlen. Also handelte es sich eigentlich um eine condictio furtiva. Sie ist aber nicht ausdrücklich als solche bezeichnet. Und daraus ergab sich seit dem Mittelalter eine Tradition, daß bei Verarbeitung allgemein eine condictio gegeben wird. Wie heute bei uns nach §§ 950, 951 BGB.

Von großer Bedeutung war in diesem Zusammenhang ein im Grunde nichtssagender Satz des Pomponius aus der Mitte des 2. Jahrhunderts n. Chr. (vgl. D.50.17.206):

> *Pomp.D.12.6.14:* Nam hoc natura aequum est, neminem cum alterius detrimento fieri locupletiorem.
>
> *Deutsch:* Denn es entspricht der natürlichen Billigkeit, daß niemand sich mit dem Schaden eines anderen bereichern darf.

Aus ihm ergab sich, so meinte man im 19. Jahrhundert, ein allgemeines Prinzip für das gesamte Bereicherungsrecht, in das man nun auch solche Fälle der Eingriffskondiktion mit einbezog. Man erkannte schon, daß sie sich von den anderen der Leistungskondiktion unterschieden, konnte es aber nicht auf den richtigen dogmatischen Begriff bringen. Deshalb unterschied Bernhard Windscheid in seinem Standardwerk des Pandektenrechts (Rdz. 281) zwischen Entreicherung mit Willen (Leistungskondiktion) und ohne Willen (Eingriffskondiktion). Und unter dem Eindruck des von Pomponius formulierten angeblichen allgemeinen Prinzips machte man aus den beiden Fällen dann im BGB die generalklauselartige Einheit des § 812 I 1. Erst Walter Wilburg, Ernst von Caemmerer und Hans-Wilhelm Kötter haben mit ihren Untersuchungen den Unterschied der beiden herausgearbeitet und ihre Dogmatik formuliert. 1963 wurde das vom Bundesgerichtshof übernommen (BGHZ 40.272, Elektroherdefall) und ist heute fast allgemein akzeptiert, als sogenannte Trennungstheorie, gegen die frühere Einheitstheorie.

155. Rechtswissenschaft

Die ersten Philosophen sind Griechen gewesen. Die Römer haben den Juristen erfunden. Schon früh gab es bei ihnen Männer, deren gesellschaftliche und politische Macht auch darauf beruhte, daß sie besondere juristische Kenntnisse hatten. Sie gehörten zum patrizischen Adel – patricii – und gaben ihre Kenntnisse an Jüngere weiter, so wie man in Rom immer Leute um sich versammelt hat, wenn man Macht und Ansehen gewinnen wollte. Später, am Ende der Republik, sind die Ritter – equites – zum beherrschenden Element im Recht geworden, reiche und eher unpolitische Bürger, die im wesentlichen wirtschaftliche Interessen hatten und zwischen dem politischen Senat und dem von ihm beherrschten Volk standen.

So entstand der Beruf des Juristen. In der Republik hieß dies nicht, daß die Rechtswissenschaft auch ihre ökonomische Existenz sicherte. Das kam erst in der Kaiserzeit. Es bedeutet nur die Spezialisierung in einer dauernden Beschäftigung. Damit wurde man zum iuris consultus, zum Juristen. Seine wichtigste Aufgabe war es, Rechtsgutachten zu schreiben, die im Prozeß vorgelegt wurden. Sie waren Berater von Prätoren und Richtern, entwarfen Verträge, schrieben Bücher und gaben Unterricht. Sie sind es gewesen, die dem römischen Recht seine feste Form gegeben haben.

Man kennt ihre Namen seit etwa 300 v. Chr. und weiß sonst wenig über sie. Unsere Kenntnisse werden besser für die Kaiserzeit, weil hier die Bücher entstanden sind, die Justinian für seine Digesten verwendet hat (Rdz. 157). Wir kennen ihre Schriften ziemlich genau, ihre Methode, ihre Argumentation und aus Nebenbemerkungen dort oder aus Inschriften auch einiges über ihren Lebenslauf. Im 3. Jahrhundert n. Chr. ist alles vorbei. Mit dem Prinzipat endet auch die lange Reihe der großen Namen von Juristen. Im Dominat tritt an ihre Stelle das Militär.

Also unterscheidet man drei Epochen der römischen Rechtswissenschaft, die republikanische, klassiche und nachklassische. Die klassische Zeit beginnt mit Augustus (27 v. Chr. bis 18 n. Chr.) und endet mit den severischen Kaisern in der ersten Hälfte des 3. Jahrhunderts n. Chr. Klassisch heißt vorbildlich und war seit dem Humanismus die Bezeichnung für die antike Literatur. Seit dem Ende des 18. Jahrhunderts verwendete man es auch für andere Kulturbereiche, für das Recht seit Gustav Hugos „Lehrbuch und Chrestomathie des classischen Pandectenrechts zu exegetischen Vorlesungen" von 1790. Heute ist man sich einig, daß die entscheidenden Leistungen der römischen Rechtswissenschaft schon in der republikanischen Zeit liegen. Hier entwickelte sich die lapidare Kürze ihres Stils (Rdz. 153). Hier entstand das Instrumentarium einiger weniger juristischer Grundbegriffe, die klar und einfach gegliedert waren: die actio, das Rechtssubjekt, das Eigentum, der Vertrag, das Delikt, die obligatio. Hier wurde – in der Rechtsprechung der Prätoren – die ritualisierte Verhaltensethik des alten Rechts überwunden durch die materiale Gesinnungsethik der bona fides. Das, was hier entwickelt wurde, hat die klassische Jurisprudenz der Kaiserzeit dann nur noch in eine literarische Form gebracht. Die wichtigsten und die meisten Schriften römischer Juristen stammen aus dieser Zeit. Deshalb hat Franz Wieacker zu Recht die republikanische Rechtswissenschaft als vorliterarische Klassik bezeichnet und die des Prinzipats als literarische.

Fast noch wichtiger als dieser Unterschied ist etwas anderes. In der klassischen Zeit werden die Juristen zunehmend in den Verwaltungsapparat der Kaiser eingebunden. Dementsprechend gibt es eine Dreiteilung in die frühklassische, hochklassische und spätklassische Zeit.

Die frühklassische Zeit ist das 1. Jahrhundert n. Chr., von Augustus bis zum Ende der Herrschaft der flavischen Kaiser mit Domitian. Sie ist gekennzeichnet durch eine verhältnismäßig lockere Verbindung der Juristen mit der kaiserlichen Verwaltung. Wichtigstes Instrument der Verknüpfung war das ius respondendi ex auctoritate principis, das Recht im Namen und mit der auctoritas des Kaisers Rechtsgutachten abzugeben. Augustus hat es erfunden. Seine praktische Wirkung wird darin bestanden haben, daß diejenigen, denen dieses Recht nicht erteilt wurde, mehr oder weniger von der Gutachtertätigkeit ausgeschlossen waren. Augustus war ein Meister der Politik und konnte auf diese Weise sogar die Rechtsprechung in seinem Sinne steuern.

In diese Zeit fällt die Entstehung der beiden „Rechtsschulen" der Sabinianer und Prokulianer. Es waren typisch antike Gefolgschaften, keine offiziellen Institutionen und es gab auch keine theoretischen oder politischen Gegensätze. Zwar wird in der rechtshistorischen Literatur noch manchmal von einem Schulengegensatz gesprochen. Meinungsverschiedenheiten gab es aber nur in juristischen Einzelfragen, zum Beispiel bei der Verarbeitung (Gai.D.41.1.7.7). Die wichtigsten Namen der frühklassischen Zeit:

M. Antistius *Labeo*
C. Ateius *Capito*
Masurius *Sabinus*
Proculus

Die hochklassische Zeit ist das 2. Jahrhundert n. Chr., von Kaiser Nerva bis zu Commodus. Die Verbindung mit der kaiserlichen Verwaltung ist eng. Die Juristen sind jetzt kaiserliche Beamte. Julian zum Beispiel, einer der bedeutendsten dieser Zeit, war Leiter der Kriegskasse und Statthalter von Untergermanien, Nordspanien und Afrika. Die wichtigsten Namen dieser Zeit:

L. *Javolenus* Priscus
L. *Neratius* Priscus
P. Juventius *Celsus*
P. Salvius *Julianus*
Sex. Caecilius *Africanus*
Sex. *Pomponius*
Gaius

Über das Leben des Gaius sind wir am schlechtesten informiert, kennen noch nicht einmal seinen vollständigen Namen. Aber er ist der einzige römische Jurist, von dem ein Buch – fast vollständig – im Original erhalten blieb, außerhalb der Überlieferung der Digesten, nach deren Kodifikation die einzelnen Werke der klassischen Juristen aus dem Rechtsunterricht und der Gerichtspraxis des byzantinischen Reiches verschwunden sind. Die Institutionen des Gaius aber, ein beliebtes Anfängerlehrbuch, das auch den Institutionen Justinians als Vorbild und Grundlage diente, wurde wohl weiter benutzt. 1816 jedenfalls sind sie vom Althistoriker Niebuhr in einer Handschrift der Stiftsbibliothek von Verona wieder entdeckt worden.

Die spätklassische Zeit reicht vom Anfang bis zum Ende der Herrschaft der severischen Kaiser, also von Septimius Severus bis Alexander Severus (193–235 n. Chr.). Die Einbindung in die kaiserliche Verwaltung ist noch enger geworden. Die drei bedeutendsten Juristen dieser Zeit sind sogar Praetorianerpräfekten gewesen, sie kommandierten die Leibgarde und standen an der Spitze der kaiserlichen Gerichtsbarkeit:

Aemilius *Papinianus*
Julius *Paulus*
Domitius *Ulpianus*
Herennius *Modestinus*

Es ist die Zeit der großen Kompendienwerke, in denen sie die Arbeiten der klassischen Rechtswissenschaft zusammenfassen. Papinian galt lange als der größte Jurist aller Zeiten, nicht nur wegen seiner juristischen Qualitäten (vgl. Rdz. 145), sondern auch deshalb, weil er den juristischen Märtyrertod gestorben ist. Er wurde von Kaiser Caracalla hingerichtet, weil er sich geweigert haben soll, eine Rechtfertigung dafür zu geben, daß der seinen Bruder und Mitregenten Geta umgebracht hatte. So ist er wohl auch der einzige Jurist in der Geschichte, dem ein ganzes Trauerspiel gewidmet ist: Andreas Gryphius, „Grossmüttiger Rechts-Gelehrter, oder sterbender Aemilius Paulus Papinianus", uraufgeführt in Breslau 1660.

Friedrich Carl von Savigny hat einmal gesagt, die römischen Juristen seien „fungible Personen" gewesen. Das Wort fungibel kommt aus dem römischen Recht. Res fungibiles sind vertretbare Sachen, also solche, die nach Maß, Zahl oder Gewicht gehandelt werden. In der Tat sind individuelle Besonderheiten in den Schriften der römischen Juristen kaum zu finden. Auch jemand, der viel Erfahrung hat, wird schwer unterscheiden können, ob es sich um einen Text von Sabinus, Julian oder Ulpian handelt. Für einen von ihnen gilt das allerdings nur sehr eingeschränkt. Celsus. Publius Iuventius Celsus. Er lebte um die Mitte des 2. Jahrhunderts und ist der Mann der markigen Sprüche. Das ius est ars aequi et boni am Anfang der Digesten stammt von ihm (Rdz. 34, Ulp.D.1.1.1 pr.,) und mancher andere Satz, der sich über die Jahrhunderte erhalten hat. Die bekanntesten:

> *Cels.D.1.3.17:* Scire leges non hoc est verba aerum tenere, sed vim ac potestatem.
>
> *Deutsch:* Gesetze verstehen bedeutet nicht, daß man sich an ihre Worte klammert, sondern an ihre vis (Kraft, Lebendigkeit, Stärke) und potestas (Macht, Stärke) hält.
>
> *Cels.D.1.3.24:* Incivile est nisi tota lege perspecta una aliqua particula eius proposita iudicare vel respondere.
>
> *Deutsch:* Es ist eines Juristen unwürdig, ein Urteil abzugeben oder ein Gutachten zu erstatten, wenn er nicht das ganze Gesetz gelesen hat, sondern nur irgendeinen kleinen Teil.
>
> *Cels.D.50.17.185:* Impossibilium nulla obligatio est.
>
> *Deutsch:* Zu einer unmöglichen Leistung kann sich niemand verpflichten (§ 306 BGB).

156. Nachklassische Zeit, Vulgarrecht

In den dreihundert Jahren vom Ende der severischen Kaiser bis zur Kodifikation Justinians erlosch die juristische Produktivität in Rom. Der Einfluß auf die kaiserliche Verwaltung ging von der Jurisprudenz über auf das Militär. Nur noch die kaiserliche Kanzlei a libellis bleibt aktiv und entscheidet weiter über Anfragen in Rechtssachen, verdrängt damit aber auch gleichzeitig die freie Gutachtertätigkeit der Juristen. Bücher auf dem Niveau des klassischen Rechts werden nicht mehr geschrieben. Man produziert kleine Elementarwerke unter dem Namen der alten Autoritäten. So entstehen im 3. und 4. Jahrhundert die regulae Ulpiani, Pauli sententiae und die res cottidianae unter dem Namen des Gaius. Daneben werden noch die klassischen Werke benutzt. Aber für viele war die Stoffmasse zu groß und zu unübersichtlich und in den Provinzen fehlte es auch an Literatur. Man suchte nach Auswegen. Und erfindet schon im 4. Jahrhundert eine Literaturgattung, die zweihundert Jahre später mit Justinians Digesten ihren Höhepunkt erreicht. Die neue Literaturgattung, das sind Sammelwerke mit Zitaten aus den Schriften der klassischen Juristen, zum Beispiel die heute sogenannten Fragmenta Vaticana, ein größeres Buch, von dem uns nur sieben Kapitel erhalten sind, mit Fragmenten von Paulus, Ulpian und Papinian und einigen Kaiserkonstitutionen.

Schließlich, noch eine Erfindung dieser Zeit, die Zitiergesetze. Der Beginn dessen, was im mittelalterlichen Kirchenrecht und im Zivilrecht der Neuzeit als communis opinio bis heute den juristischen Markt beherrscht und jetzt hM genannt wird, herrschende Meinung. Die Institutionalisierung von Autoritäten und ihre Gewichtung. Am Anfang stehen zwei Gesetze des Kaisers Konstantin von 321 n. Chr., mit denen ein kurzer Kommentar zu den Schriften des Papinian als nicht authentisch bezeichnet und seine Heranziehung vor Gericht untersagt und außerdem die Echtheit aller Schriften bestätigt wird, die unter dem Namen des Paulus damals existierten, also auch der Paulussentenzen, die wir heute für nachklassisch halten. 426 n. Chr. wurde dann das berühmte Zitiergesetz des Kaisers Theodosius erlassen, mit seiner Abstimmungsordnung. Es durften nur noch die Schriften von Papinian, Paulus, Ulpian, Modestin und Gaius vor Gericht zitiert werden und die von solchen Juristen, die dort zu dem betreffenden Problem genannt wurden. Dann wurde gezählt und nach der Meinung der Mehrheit entschieden. Bei Stimmengleichheit gab den Ausschlag die des Papinian.

Vulgarrecht nennt man, was sich im weströmischen Reich in den Kaiserkonstitutionen seit Konstantin (306–337 n. Chr.) beobachten läßt. Die hochentwickelte Rechtstechnik der klassischen Zeit wird auch in der Kanzlei a libellis nicht mehr verstanden und deshalb vereinfacht. Das Niveau der Rechtswissenschaft muß ziemlich schnell abgesunken sein. Allenfalls die Institutionen des Gaius wurden noch im Zusammenhang gelesen, Unterscheidungen zwischen Kauf und Übereignung oder Eigentum und Besitz nicht mehr gemacht. Ernst Levy hat das in einer Reihe von Veröffentlichungen erforscht. Er nimmt an, daß solche Vereinfachungen auch in klassischer Zeit im Volk allgemein üblich waren. Wie heute noch. Deshalb nennt er es Vulgarrecht, Volksrecht. Die hoch entwickelte Rechtstechnik der klassischen Zeit sei auf einen kleinen Kreis von Juristen beschränkt geblieben. Das Volksrecht hat sie dann überlebt, als mit dem Niedergang der Wirtschaft seit dem 3. Jahrhundert der Handel und Warenverkehr zurückgingen und man entsprechende juristische Elite nicht mehr brauchte. Eine Minderung der materiellen Gerechtigkeit muß das durchaus nicht bedeutet haben.

157. Justinians Kodifikation

Im Osten des römischen Reiches sah es anders aus. Das oströmische Reich war stabiler als das weströmische, seine ökonomische Situation besser und die Schwierigkeiten mit den Grenzvölkern bei weitem nicht so groß wie mit den Germanen im Westen. Hier gab es starke Dynastien mit einer ausgedehnten und gut funktionierenden Verwaltung, für die der Nachwuchs in zwei staatlichen Rechtsschulen ausgebildet wurde, in Beirut und später in Konstantinopel. Hier, mitten im byzantinischen Reich, liegen also die ersten Vorgänger der späteren europäischen Juristenfakultäten. Hier wurde die Tradition des klassischen Rechts aufgenommen und weitergegeben, in den lateinischen Originalen, obwohl die offizielle Landessprache Griechisch war. Und hier las man nicht nur Gaius oder die Paulussentenzen. Alle Schriften der klassischen Juristen wurden studiert. In diesen Rechtsschulen wird auch die Idee der Kodifikation entstanden sein, die dann von Justinian aufgegriffen wurde.

Justinian war einer der bemerkenswertesten byzantinischen Monarchen, ehrgeizig, energisch, erfolgreich, fromm. Geboren als lateinisch sprechender Sohn eines Bauern in der alten römischen Provinz Illyrien, im Süden des ehemaligen Jugoslawien, ging er früh nach Konstantinopel, wo sein Onkel Justinus ein hoher Offizier war und dann 518 n. Chr. nach einigen Manipulationen zum Kaiser gewählt wurde. 527 ist Justinian sein Nachfolger geworden und 565 in hohem Alter gestorben. Sein Ziel war die Wiedererrichtung des ganzen alten Reiches, die Eroberung des Westens, auch und in erster Linie, um seine orthodox-katholischen Glaubensgenossen zu unterstützen, die in Italien und Nordafrika verfolgt wurden, von den Germanen, die eine andere Form des Christentums übernommen hatten, den Arianismus. Als er die Grenze gegen die Perser erfolgreich gesichert hatte, ist ihm das tatsächlich in langen Kriegen gelungen. Dieses Ziel erklärt auch seine Kodifikation. Mit ihr legitimierte er sich als rechtmäßiger Nachfolger der alten römischen Kaiser für ihr gesamtes Gebiet, also auch für Italien und Nordafrika. Mit ihr und mit dem Bau der Hagia Sophia in Konstantinopel hat er sich seinen Platz in der Weltgeschichte gesichert, trotz sozialer Mißstände und brutaler Verfolgung von Glaubensgegnern.

Gleich nach seinem Amtsantritt ging er ans Werk. 528 n. Chr. hat er eine Gesetzgebungskommission von zehn Mitgliedern ernannt, darunter je zwei Professoren der beiden Rechtsschulen und der Vorsitzende, Tribonian, sein Kanzler. In sechs Jahren waren sie fertig. Das Ergebnis waren Institutionen, Digesten und Codex (Rdz. 129). Zunächst arbeitete man am Codex. 529 n. Chr. wurde er fertig. Dann kamen die Digesten, für die man knapp vier Jahre brauchte, schließlich die Institutionen und vom Codex eine zweite Auflage:

528–529	Codex	(12 Bücher)	Sammlung des Kaiserrechts. Konstitutionen von Hadrian bis Justinian.
530–533	Digesten	(50 Bücher)	Sammlung des Juristenrechts. Exzerpte aus den Schriften der römischen Juristen vom letzten Jahrhundert der Republik bis zum dritten Jahrhundert n.Chr.
533	Institutionen	(4 Bücher)	Anfängerlehrbuch, aufgebaut auf den Institutionen des Gaius.
534	Codex repetitae praelectionis	(12 Bücher)	zweite Auflage des Codex.

Für die Digesten, berichtet Justinian selbst in seiner Einleitung (constitutio Tanta § 1), man habe zweitausend Bücher durchgearbeitet. Wie hat man das in dieser kurzen Zeit geschafft? Die Lösung fand Friedrich Bluhme, in einem genialen Aufsatz zu Beginn des 19. Jahrhunderts. Man hat in drei Kommissionen gearbeitet. Jede behandelte eine bestimmte Stoffmasse. Die erste Kommission befaßte sich mit dem alten ius civile, und zwar im wesentlichen über die großen Kommentare des Ulpian und Paulus, die libri ad Sabinum (Rdz. 139). Die zweite Kommission war für das Honorarrecht zuständig und exzerpierte die Kommentare von Ulpian und Paulus zum Edict, die libri ad edictum (Rdz. 139). Eine dritte Kommission nahm sich das vor, was daneben noch an wichtiger Literatur existierte, in erster Linie die Sammlung von Gutachten aus der Praxis der spätklassischen Juristen, die Responsa und Quaestiones des Papinian, Ulpian und Paulus. Weil hier Papinian die größte Rolle spielt, wird sie die Papiniansmasse genannt. Die beiden anderen nennt man Sabinus- und Ediktsmasse. Die Exzerpte wurden in der Reihenfolge der Kommissionen in jedem einzelnen Digestentitel hintereinander geordnet. Diese Regelmäßigkeit der Reihenfolge hatte Bluhme als erster gesehen und daraus seine Theorie entwickelt. Am Ende einiger Titel der Digesten findet sich dann noch ein Anhang mit Fragmenten von später gefundenen Ergänzungen, die Appendixmasse. Also gibt es vier Teile der Bluhmeschen Massentheorie:

> *Sabinusmasse*, im wesentlichen Ulpian und Paulus „ad Sabinum": das ius civile.
>
> *Ediktsmasse,* im wesentlichen Ulpian und Paulus „ad edictum": das Honorarrecht.
>
> *Papiniansmasse,* Responsa und Quaestiones des Papinian, Ulpian, Paulus u.a.
>
> *Appendixmasse* mit wohl später gefundenen Ergänzungen.

In der Einleitung zu den Digesten hat Justinian darauf hingewiesen, daß man sachliche Änderungen an den Texten der alten Juristen vorgenommen habe. Er hat ja zum Beispiel die Manzipation abgeschafft und manches andere geändert. Also mußte er auch den Wortlaut der Texte verändern:

> *Const. Tanta § 10:* ... multa et maxima sunt, quae propter utilitatem transformata sunt ...
>
> *Deutsch:* ... sehr viel ist aus Gründen der Zweckmäßigkeit geändert worden ...

Solche bewußten Änderungen im Text klassischer Juristen nennt man Interpolationen. Seit dem Ende des 19. Jahrhunderts hat man sich sehr intensiv damit beschäftigt, sie zu erforschen. Mit vielen Übertreibungen. Jede logische oder sprachliche Unebenheit führte zu der Vermutung, hier habe der böse Tribonian seine Hand im Spiel gehabt. Heute ist man vorsichtiger geworden. Auch klassische Juristen müssen nicht immer logisch und sprachlich einwandfrei geschrieben haben. Außerdem weiß man heute, daß ihre Texte schon vor Justinian in mehreren Stufen verändert worden sind.

Manchmal kann man allerdings ganz sicher sein, nämlich dann, wenn es Doppelüberlieferungen gibt. Nur ganz selten kommt es vor, daß der Text eines klassischen Juristen doppelt überliefert ist. Denn nach der Kodifikation der Digesten ließ Justinian alle anderen Schriften verbieten und vernichten. Trotzdem haben wir noch einige andere Handschriften, die auf die Zeit vor Justinian zurückgehen. Zum Beispiel die Fragmenta Vaticana (Rdz. 156). Dort und in den Digesten findet sich folgender Text von Ulpian:

Ulp.vat.44: Respondit Arelio Felici fructus ex fundo *per vindicationem* pure *relicto* post aditam hereditatem a legatario perceptos ad ipsum pertinere, colonum autem cum herede ex conducto habere actionem.

Deutsch: In einem Gutachten für Aurelius Felix hat er ausgeführt, die Früchte eines Grundstücks, das ohne Bedingung *mit Vindikationslegat* vermacht worden ist, stünden dem Vermächtnisnehmer zu, wenn sie von ihm gezogen worden sind, und der Pächter könne deswegen gegen den Erben aus dem Pachtvertrag klagen.

Ulp.D.30.120.2: Fructus ex fundo pure legato post aditam hereditatem a legatario perceptos ad ipsum pertinere, colonum autem cum herede ex conducto habere actionem.

Deutsch: Die Früchte eines Grundstücks, das ohne Bedingung vermacht worden ist, stehen dem Vermächtnisnehmer zu, wenn sie von ihm gezogen worden sind, und der Pächter kann deswegen gegen den Erben aus dem Pachtvertrag klagen.

Die Kommission hat den Anfang gekürzt, weil er überflüssig erschien. Das machten sie oft. Außerdem haben sie ein sachliches Detail geändert. Im Original bei Ulpian stand „per vindicationem relicto". Das Grundstück sei mit einem Vindikationslegat vermacht worden (Rdz. 142). Die Kommission machte daraus ein einfaches „legato", ein Vermächtnis ohne genauere Bezeichnung. Warum? Es läßt sich leicht erklären.

Ulpian schreibt über einen Fall, in dem jemand ein Grundstück verpachtet hatte und dann gestorben war. In seinem Testament hat er dieses Grundstück einem anderen als seinem Erben vermacht, und zwar mit Vindikationslegat. Dadurch wurde der Vermächtnisnehmer nach klassischem Recht mit dem Erbfall Eigentümer und war damit auch berechtigt, dort zu ernten, was der Pächter gesät und gepflanzt hatte, juristisch: die Früchte zu ziehen. Der Pächter konnte dagegen nichts tun. Er mußte sich an den Erben halten, mit dem der Pachtvertrag weiter bestand. Von ihm konnte er mit der actio conducti Schadensersatz verlangen, ähnlich wie im Fall des Verkaufs eines vermieteten oder verpachteten Grundstücks (Rdz. 152).

Justinian hatte mit seiner Kodifikation jenen alten Unterschied beseitigt zwischen einem Vindikationslegat, das dingliche Wirkung hatte, und einem Damnationslegat mit nur obligatorischer Wirkung. Es gab nur noch eine Art von Vermächtnis, das nun beide Wirkungen zugleich hatte.

Insofern änderte sich im Grunde nichts für den von Ulpian beschriebenen Fall. Es mußte nur „per vindicationem“ gestrichen werden. Denn diese Besonderheit gab es jetzt nicht mehr. Auch ohne die Doppelüberlieferung in den Fragmenta Vaticana hätte man diese Interpolation leicht erkennen können, weil man weiß, daß Justinian das Vermächtnisrecht geändert hat und das Fruchtziehungsrecht des Vermächtnisnehmers automatisch nur beim Vindikationslegat entstehen konnte.

Institutionen, Digesten und Codex waren als einheitliche Gesetzgebung geplant, hatten aber keinen gemeinsamen Namen. Nach dem Tod Justinians – frühestens unter Tiberius II (578–582 n.Chr.) – kamen die Novellen dazu, eine private Sammlung von 168 Kaiserkonstitutionen, meistens Entscheidungen Justinians. Seit der Gesamtausgabe des französischen humanistischen Juristen Dionysius Gothofredus von 1583 bezeichnet man die vier Teile zusammen als Corpus Iuris Civilis.

Literatur

SZ = Zeitschrift der Savigny-Stiftung für Rechtsgeschichte, Romanistische Abteilung

126. *Heuß*, Römische Geschichte 5. Aufl. 1983; *Christ*, Römische Geschichte 4. Aufl. 1990 – **127.** *de Martino*, Wirtschaftsgeschichte des alten Rom 1985; *Kloft*, Die Wirtschaft der griechisch-römischen Welt 1992; vgl. Rdz. 104. – **129.** *Corpus Iuris Civilis*, hg. v. Mommsen/Krüger/Schoell, 1. Band: Codex 13. Aufl. 1963, 3. Band: Novellen 13. Aufl. 1963; *Fontes Iuris Anteiustiniani*, hg. v. Roccobono u.a., 1. Band: Gesetze, 2. Aufl. 1941, 2. Band: Autoren, 2. Aufl. 1968, 3. Band: Rechtsgeschäfte, 2. Aufl. 1969; *Gaius*, Institutiones, hg. v. David, 2. Aufl. 1964. – **130.** Für das Zivilrecht: *Dulckeit/Schwarz/Waldstein*, Römische Rechtsgeschichte 9. Aufl. 1995; *Kunkel*, Römische Rechtsgeschichte, 12. Aufl. 1990; *Söllner*, Einführung in die römische Rechtsgeschichte, 4. Aufl. 1989; *Wieacker*, Römische Rechtsgeschichte 1. Abschnitt 1988; *Bretone*, Geschichte des römischen Rechts 1992; *Kaser*, Das römische Privatrecht, 2 Bände, 2. Aufl. 1971/75; *Kaser/Hackl*, Das römische Zivilprozeßrecht, 2. Aufl. 1996; *Kaser*, Römisches Privatrecht, 16. Aufl. 1992 (Kurzlehrbuch); *Härtel/Polay*, Römisches Recht und römische Rechtsgeschichte 1987; *Hausmaninger/Selb*, Römisches Privatrecht, 7. Aufl. 1994; *Honsell/Mayer-Maly/Selb*, Römisches Recht 1987; *Liebs*, Römisches Recht, 4. Aufl. 1993; *Berger*, Encyclopedic Dictionary of Roman Law 1953; *Heumann/Seckel*, Handlexikon zu den Quellen des römischen Rechts, 9. Aufl. 1907, Ndr. 1971. – **131.** *Wieacker*, Zwölftafelprobleme, Revue internationale des droits de l'antiquité, 3 (1956) 459 ff.; *Behrends*, Der Zwölftafelprozeß 1974; der Text der Rekonstruktion mit Nachweisen in: *Fontes Iuris Anteiustiniani* (Rdz. 129) 1. Band: 23 ff.; lateinisch-deutsch: *Düll*, Das Zwölftafelgesetz 6. Aufl. 1989; neueste Ausgabe mit gutem Kommentar: *Flach*, Die Gesetze der frühen römischen Republik (1994) 109–207. – **132.** *Dulckeit/Schwarz/Waldstein* (Rdz. 130) §§ 5–8, 15–18, 25–28, 35–36; *Kunkel*, Staatsordnung und Staatspraxis der römischen Republik 2. Abschnitt, Die Magistratur 1995. *Kunkel*, (Rdz. 130) §§ 1 III, 3 IV, 9 II. – **133.** *Mommsen*, Römisches Strafrecht 1899; *Bleicken*, Ursprung und Bedeutung der Provocation, SZ 76 (1959) 324 ff.; *Kunkel*, Untersuchungen zur Entwicklung des römischen Kriminalverfahrens in vorsullarischer Zeit 1962; *A.H.M.Jones*, The Criminal Courts of the Roman Republic and Principate 1972; zum Unterschied ius publicum und ius privatum: *Kaser* SZ 103 (1986) 1–103. – **134.** *Mommsen*, (Rdz. 133) 240 A. 2; *Blinzler*, Der Prozeß Jesu 4. Aufl. 1969: *Paulus/Cohen*, Einige Bemerkungen zum Prozeß Jesu bei den Synoptikern SZ 102 (1985) 445–452; *Kertelge*, (Hg.) Der Prozeß gegen Jesus 1988; *Otte*, Neues zum Prozeß gegen Jesus? in: Neue Juristische Wochenschrift 1992.1019–1026; *Stegemann*, Es herrschte Ruhe im Land. Roms kurzer Prozeß mit Jesus von Nazareth, in: U. Schulz (Hg.) Große Prozesse (1996) 41–54. – **135.** *Kaser/Hackl*, Das römische Zivilprozeßrecht, 2. Aufl. 1996; *Lenel*, Das Edictum Perpetuum, 3. Aufl. 1927; *Wieacker*, Der Prätor, in: ders. Vom Römischen Recht (2. Aufl. 1961) 83 ff. – **136.** *Levy*, Privatstrafe und Schadensersatz im klassischen römischen Recht 1915; *Hausmaninger*, Das Schadensersatzrecht der lex Aquilia, 4. Aufl. 1990. – **137.** *Wieacker*, Entwicklungsstufen des römischen Eigentums, in: ders. Vom römischen Recht (2. Aufl. 1961) 187 ff.; *Kaser*, Über „relatives" Eigentum im altrömischen Recht, SZ 102 (1985) 1 ff.; a. M. zum Eigentumsbegriff: *Honsell/Mayer-Maly/Selb* (Rdz. 130) § 57; *Hausmaninger*, Casebook zum römischen Sachenrecht, 7. Aufl. 1993; *Pringsheim*, Das römische Recht der großen Zeit, Süddeutsche Juristenzeitung 1948, S. 281 ff. – **138.** *Hausmaninger*, (Rdz. 137). – **139.** *Kaser*, Ius honorarium und ius civile, SZ 101 (1984) 1 ff. – **140.** *Liebs*, Juristen als Sekretäre des römischen Kaisers, SZ 100 (1983) 485 ff. – **141.** *Kaser*, Geteiltes Eigentum im älteren römischen Recht, Festschrift Koschaker 1 (1939) 445 ff.; *Kaser*, Studien zum römischen Pfandrecht 1982. – **142.** *Honsell/Mayer-Maly/Selb*(Rdz. 130) §§ 157–187. – **143.** *Knothe*, Die Geschäftsfähigkeit der Minderjährigen in geschichtlicher Entwicklung 1983; zur allmählichen Auflösung der patria potestas: *Kaser*, (Rdz. 130) 2. Bd. §§ 226, 229; *Bechmann*, Das römische Dotalrecht, 2 Bde 1863/67; *Misera*, Der Bereicherungsgedanke bei der Schenkung unter Ehegatten 1874; *Gardner*, Woman in Roman Law and Society 1986; zum Namensrecht: *Kunkel*, Herkunft und soziale Stellung der römischen Juristen (2. Aufl. 1967) 82–90. – **144.** *Brockmeyer*, Antike Sklaverei (1979) 148 ff.; *Rubinsohn*, Die großen Sklavenaufstände der Antike 1993; *Waldstein*, Operae Libertorum 1986; *Eck/Heinrichs*, Sklaven und Freigelassene der römischen Kaiserzeit, Textauswahl und Übersetzung 1993. – **145.** *Rabel*, Ein Ruhmesblatt Papinians, Festschrift Zitelmann (1913) 3 ff. – **146.** *Kunkel*, Fides als schöpferisches Element im römischen Schuldrecht, in: Festschr. Koschaker 2 (1939) 1 ff.; *Wieacker*, Zum Ursprung der bonae fidei iudicia SZ 80 (1963) 1 ff. – **147.** *Fuhrmann*, Das Systematische Lehrbuch (1960) 104 ff.; *Flume*, Die Bewertung der Institutionen des Gaius SZ 79 (1962) 1 ff.; *Mayer-Maly*, Divisio Obligationum, The Irish Jurist 2 (1967) 375 ff. – **148.** *Rabel*, Die Haftung des Verkäufers wegen Mangel im Rechte 1902. – **149.** *Haymann*, Die Haftung des Verkäufers für die Beschaffenheit der Kaufsache 1912; *Honsell*, Von den aedilizischen Rechtsbehelfen zum modernen Sachmängelrecht, in: Gedächtnisschrift für Wolfgang Kunkel (1984) 23 ff. – **150.** *Seckel/Levy*, Die Gefahrtragung beim Kauf im klassischen römischen Recht SZ 47 (1927) 117 ff. – **151.** Irrtum als Mangel der Identifizierung des Vertragsgegenstandes: *J.G.Wolf*, Error im römischen Vertragsrecht 1961; Irrtum als Fehlen von Konsens: *Mayer-Maly*, Bemerkungen zum Aspekt der Konsensstörung in der klassischen Irrtumslehre, Mélanges Philippe Meylan 1 (1963) 241 ff. – **152.** *Mayer-Maly*, Locatio-conductio 1956: *H. Kaufmann*, Die altrömische Miete 1964. – **153.** *U.W.*, Die Hausarbeit in der Digestenexegese (2. Aufl. 1973) 9 ff. – **154.** *F. Schwarz*, Die Grundlagen der condictio im klassischen römischen Recht 1952; *Flume*, Der Wegfall der Bereicherung in der Entwicklung vom römischen zum geltenden Recht, Festschrift Niedermeyer (1953) 103ff.; *Wilburg*, Die Lehre von der ungerechtfertigten Bereicherung 1934; *v. Caemmerer*, Bereicherung und unerlaubte Handlung, Festschrift Rabel 1 (1954) 333ff.; *Kötter*, Zur Rechtsnatur der Leistungskondiktion, Archiv für die civilistische Praxis 153 (1954) 193ff. – **155.** *F. Schulz*, Geschichte der römischen Rechtswissenschaft 1961; *Kunkel* (Rdz. 143); *Wieacker*, Über das Klassische in der römischen Jurisprudenz 1950. – **156.** *Levy*, Zum Wesen des weströmischen Vulgarrechts, Gesammelte Schriften 1 (1963) 184ff. – **157.** *Bluhme*, Die Ordnung der Fragmente in den Pandectentiteln. Ein Beitrag zur Entstehungsgeschichte der Pandekten, Zeitschrift für geschichtliche Rechtswissenschaft 4 (1818) 257ff.; *Wieacker*, Textstufen klassischer Juristen 1960.

11. Kapitel

JURISTISCHE PAPYROLOGIE

Allgemeine Literatur: *Rupprecht*, Kleine Einführung in die Papyruskunde 1994; *Taubenschlag*, The Law of Greco-Roman Egypt in the Light of the Papyri 2. Aufl. 1955; *Wolff*, Das Recht der griechischen Papyri Ägyptens, 2. Band: Organisation und Kontrolle des privaten Rechtsverkehrs 1978

158. Überblick

Neben dem römischen Recht gibt es im Altertum kein juristisches Gebiet, das uns so gut bekannt ist wie das der in Ägypten gefundenen Papyrusurkunden. Sie geben ein anschauliches Bild für die dreihundert Jahre Herrschaft der Ptolomäer, nach dem Tod Alexanders des Großen 323 v. Chr., der sich anschließenden römischen Zeit und bis in das 7. Jahrhundert n. Chr. Eintausend Jahre eines bemerkenswerten Nebeneinanders von ägyptischem, griechischem und römischem Recht. Für die Weltgeschichte war das nicht so wichtig. Aber in der rechtshistorischen Forschung spielt diese Zeit eine große Rolle. Denn nirgendwo kann man so genau in den juristischen Alltag hineinsehen wie im Spiegel der scheinbar unerschöpflichen Papyrustexte. Am Ende der römischen Zeit ist Ägypten ein Teil des byzantinischen Reichs. Insofern überschneidet sich die juristische Papyrologie mit der byzantinischen Rechtsgeschichte, die im nächsten Kapitel behandelt wird.

159. Papyrologie

1778 hat zum erstenmal ein italienischer Kaufmann von ägyptischen Bauern eine Papyrusrolle gekauft. Die Fellachen fanden solche Papyri, wenn sie antike Stadtruinen nach Düngererde durchsuchten. Bald kamen auf ähnlichem Weg viele Tausende von Texten in europäische Museen. Seit 1890 haben wissenschaftliche Expeditionen systematisch gegraben, mit großem Erfolg. Niemand kann heute sagen, wie viele Fundstücke es gibt. Mehrere Zehntausend sind inzwischen veröffentlicht. Auch literarische Texte hat man gefunden, die in den Handschriften des Mittelalters nicht überliefert sind. Die frühgriechische Lyrik von Sappho und Alkaios zum Beispiel kennen wir nur aus Papyrusfunden, und die „Verfassung von Athen“ des Aristoteles.

Der Papyrus war das Papier des Altertums, eines der wichtigsten Schreibmaterialien, hergestellt in Ägypten aus dem Mark der Papyruspflanze und von dort exportiert in andere Länder. Man schrieb darauf mit schwarzer Tinte aus Ruß oder mit roter aus Zinnober. In Ägypten hat es sich dort erhalten, wo der Boden trocken blieb, also südlich von Kairo, wo es selten regnet, am Wüstenrand. Die wichtigsten Fundorte sind die Oase Fayum, Oxyrhynchos und Antinoe in Mittelägypten und Theben im Süden.

So ist in den letzten einhundert Jahren eine neue Wissenschaft entstanden, die Papyrologie, die sich mit der Veröffentlichung und Auswertung dieser Texte beschäftigt, in besonderen Instituten, eigenen Zeitschriften und unzähligen Sammelausgaben. Die juristische Papyrologie teilt ihr Arbeitsgebiet in die beiden Bereiche der Ptolomäerzeit und die Zeit der römischen Herrschaft.

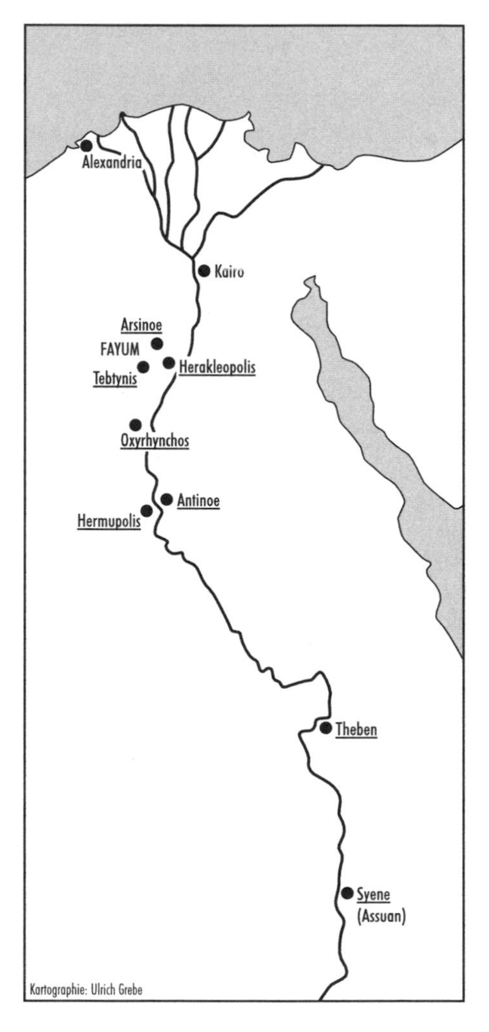

Abbildung 9: Die wichtigsten Fundorte der Papyri in Ägypten

I. Ptolomäisches Recht

Allgemeine Literatur: *Seidl*, Ptolomäische Rechtsgeschichte 2. Aufl. 1962; *Wolff*, Ptolomäisches Recht, in: Lexikon der Alten Welt im Artemisverlag (1965) 2530–2532

160. Geschichte und Verfassung

Als Alexander der Große 323 v. Chr. in Babylon starb und sein Riesenreich zerfiel, wurde einer der stabilsten Nachfolgestaaten der seines klugen Befehlshabers in Ägypten, Ptolomaios. Dessen Herrschaft reichte im Westen bis nach Libyen. Im Osten gehörten Syrien dazu, einige Küstengebiete in Kleinasien und die Insel Kos. Seine Nachfolger eroberten noch Kreta, Zypern und die Kykladen. Ihre Hauptstadt Alexandria wurde neben Athen das Zentrum der griechischen Kultur, eine Großstadt mit einem Völkergemisch aus Griechen, Ägyptern und Juden, eine Metropole des Handels und der Vergnügungen, mit der besten Bibliothek der Welt und dem berühmten Museum als wissenschaftlicher Akademie. Seit dem 2. Jahrhundert v. Chr. zerfiel ihre Macht allmählich und sie verloren fast alle Gebiete außerhalb Ägyptens, während im Inneren griechenfeindliche Unruhen der einheimischen ägyptischen Bevölkerung ausbrachen. In den Auseinandersetzungen mit den Römern ging das Ptolomäerreich dann endgültig unter. Das Ende waren jene melodramatischen zwanzig Jahre ihrer letzten Königin Kleopatra. Nach der Schlacht bei Actium, 30 v. Chr., wurde Ägypten römische Provinz.

Der Ptolomäerstaat unterschied sich von der Herrschaft der Pharaonen im wesentlichen dadurch, daß jetzt eine fremde Herrenschicht von Griechen die Macht übernommen hatte und sich zunächst streng gegen die Einheimischen abgrenzte, die sie allerdings seit langem immer als Freunde im Kampf gegen die Perser betrachtet hatten. An der Spitze stand der als Gott verehrte König, hinter ihm als mächtiger Kanzler einer Riesenverwaltung: der Dioiketes, der die Stellung des alten Wesirs eingenommen hatte. Es war eine Verwaltung mit dem Ziel, möglichst viel Erträge aus dem Land zu erwirtschaften, um sie außerhalb Ägyptens für den Ausbau der Machtposition in der griechischen Welt zu verwenden. Die alte Gliederung des Landes in Gaue blieb bestehen. An ihrer Spitze stand jeweils ein Strategos, ursprünglich nur als militärischer Befehlshaber, allmählich immer mehr als Leiter der gesamten Verwaltung. Nach dem von den Pharaonen übernommenen Modell hatten die Ptolomäer eine zentralistische und bürokratische Wirtschaftsverwaltung aufgebaut, die nicht nur den Ackerbau genau kontrollierte und lenkte, sondern auch die gesamte gewerbliche Wirtschaft, mit Konzessionen und Monopolen.

161. Gerichtswesen

Für Griechen und Römer gab es jeweils verschiedene Gerichte. Die für die einheimische Bevölkerung waren mit ägyptischen Priestern besetzt. Sie urteilten in ägyptischer Sprache nach ägyptischem Recht. Ihre griechische Bezeichnung: Laokriten, Volksrichter. Für Streitigkeiten unter Griechen waren griechische Gerichte zuständig, die Dikasterien, „Gerichte“, deren Richter wie in Griechenland durch das Los bestimmt wurden. Streitigkeiten zwischen Griechen und Ägyptern entschied ein „Gemeinschaftsgericht“, das Koinodikion. Daneben standen Sondergerichte des Königs, die Chrematisten. Sie waren zunächst wohl nur für das Königsrecht zuständig, also für solche Sachen, die weder nach griechischem noch nach ägyptischem Recht entschieden werden konnten, sondern wo der Streit über neues Recht der ptolomäischen Könige lief, Gesetze (Diagrammata, Prostagmata), die für beide Volksgruppen in gleicher Weise galten. Allmählich haben allerdings diese Königsgerichte die anderen vollständig verdrängt.

Die Strafgerichtsbarkeit lag in erster Linie bei den Oberbeamten, die auch den Befehl über die Polizei hatten, beim Dioiketes, den Strategen und ihren Vertretern. In besonders wichtigen Fällen hat der König auch manchmal selbst entschieden. Die anderen Gerichte – Laokriten, Dikasterien, Koinodikion und die Chrematisten – scheinen nur für das Zivilrecht zuständig gewesen zu sein.

162. Rechtspluralismus

Im Zivilrecht gab es also drei verschiedene Arten von Recht, die nebeneinander existierten, ägyptisches, griechisches und Königsrecht, mit mancherlei Berührung. Das Königsrecht hat das griechische zum Teil erst durch Diagrammata in Kraft gesetzt. Und natürlich ist die Gesetzgebung der Ptolomäer in ihrem Charakter eher griechisch gewesen. Auch ist das griechische Recht dort durch die sehr individualistische Tradition des Landes nicht unwesentlich beeinflußt worden. Beim Testament zum Beispiel oder im Umfang der Rechte von Frauen. Bei Verträgen konnte man nach Belieben ägyptische oder griechische Formen wählen. Aber letztlich haben alle drei Rechtskreise immer nur nebeneinander gestanden und sind nie zu einem einheitlichen „ptolomäischen Recht“ verschmolzen.

163. Allgemeiner Charakter des Rechts

Es gibt also eigentlich gar kein ptolomäisches Recht, sondern nur dieses Nebeneinander. In ihm hat sich das alte ägyptische am wenigsten verändert. Es blieb im wesentlichen so, wie es sich in den zweitausend Jahren vorher entwickelt hatte, statisch, individualistisch. Der Vertrag spielt noch immer keine große Rolle. Die Urkunden zum Kaufrecht etwa gehören überwiegend ins griechische Recht. Ob es Privateigentum an Grund und Boden gab, das ist für diese Zeit unter Rechtshistorikern genauso umstritten wie für das altägyptische Recht (Rdz. 81). Wahrscheinlich haben diejenigen Recht, die auch für die ptolomäische Zeit annehmen, im Prinzip habe das ganze Land dem König gehört. Das ist die Meinung von Ulrich Wilcken und Friedrich Preisigke, Johannes Herrmann, Vicenzo Arangio-Ruiz und Wolfgang Kunkel. Nur Erwin Seidl hält weiter und hartnäckig das Banner des Privateigentums, mit einer sehr fragwürdigen Deutung dessen, was „ge en aphesei" gewesen sei. Es war wohl doch nur Königsland, das Privaten zu Bewirtschaftung unter Vorbehalt „freigegeben" worden ist.

Das griechische hat sich am deutlichsten im Familien- und Erbrecht verändert. Im Gegensatz zu den äyptischen Frauen, die ganz selbständig handeln, erscheinen die griechischen in den Vertragsurkunden zwar immer noch mit einem männlichen Vormund (kyrios). Aber er hatte wohl kaum noch etwas zu sagen. Die für die Frauen ungünstigen Formen der Eheschließung (Rdz. 115) sind verschwunden. Sie sind nun schon fast gleichgestellt, können zum Beispiel die Scheidung selbst erklären. Im Erbrecht gibt es nicht mehr die starke Sozialbindung (Rdr. 114). Das griechische Recht der Ptolomäerzeit kennt schon ein richtiges Testament (diatheke).

Das Königsrecht ist in erster Linie mit Steuern und Abgaben beschäftigt. Aber auch der Prozeß wird geregelt, zum Beispiel die Personalexekution weitgehend verboten, natürlich nicht bei der Vollstreckung von Forderungen der Steuerpächter.

Schon das altägyptische Strafrecht war verhältnismäßig milde (Rdz. 88). Und das hat sich in ptolomäischer Zeit nicht geändert. Das Privatstrafrecht ist noch weit verbreitet, wie im altägyptischen und griechischen Recht. Steuerstraftaten wurden nach Königsrecht verfolgt, mit der Konfiskation des Vermögens oder von Vermögensteilen, manchmal sogar mit der Todesstrafe. Delikte gegen die wirtschaftlichen Interessen königlicher Domänen oder Monopole führten nur zu Geldstrafen, ebenso wie Majestätsdelikte.

II. Ägypten als römische Provinz

Allgemeine Literatur; *Seidl*, Rechtsgeschichte Ägyptens als römischer Provinz 1973

164. Geschichte und Verfassung

Seit 30 v. Chr. war Ägypten ein Teil des römischen Reiches, eine Provinz, allerdings von besonderem Charakter. In Rom war Augustus nur princeps, erster Bürger. In Ägypten war er König, Nachfolger von Pharaonen und Ptolomäern. Aber auch in Rom war diese reichste aller Provinzen ihm in gewisser Weise persönlich zugeordnet, galt sie fast als sein Privateigentum. Also wurde sie auch nicht von einem normalen Statthalter verwaltet, der regelmäßig zum senatorischen Adel gehörte, sondern von einem Sonderbeamten des Augustus, der aus der Ritterschaft kommen mußte und damit vom Senat unabhängig war. Er wurde praefectus Aegypti genannt.

Die etwas herunter gekommene, an sich aber vorzügliche Verwaltung der Ptolomäer ließ man bestehen. So gab es weiter die alten Gaue und an ihrer Spitze jeweils einen Strategos, der allerdings keinen militärischen Befehl mehr hatte. Ägypten lebte wieder unter einer starken Verwaltung, die bürokratisch war wie vorher, zentralistisch, gut gegliedert und mit einem weit verzweigten Netz von Registern und Kontrollen. Jetzt wurden noch mehr Abgaben aus dem Land herausgepreßt als unter den Ptolomäern. Ägypten versorgte die Millionenstadt Rom mit einem Drittel ihres ganzen Getreidebedarfs. Zunächst war es deshalb nicht ganz so drückend, weil es erst einmal einen wirtschaftlichen Aufschwung gab, nachdem die Verwaltung wieder wirksam arbeitete. Seit dem 2. Jahrhundert wurde es fast unerträglich.

Die Verwaltungssprache blieb weitgehend griechisch, zum Beispiel auch in jener bekannten Sammlung von Vorschriften für eine untere Dienststelle der Finanzverwaltung aus dem 2. Jahrhundert n. Chr., im Gnomon des Idios Logos, der auf einem Papyrus der Berliner Sammlung erhalten ist. Gnomon heißt soviel wie Ratgeber oder Richtschnur. Idios Logos ist die Bezeichnung der Dienststelle, wörtlich: Privatkonto, nämlich des Kaisers. Er zeigt zum einen manches über die Geltung des römischen Rechts in Ägypten, zum anderen macht er aber auch erschreckend deutlich, wie einseitig solche Behörden nur daran interessiert gewesen sind, möglichst viel Geld aus dem Land herauszuziehen.

212 n. Chr. wurden alle Bewohner auch dieser Provinz römische Staatsbürger, durch die constitutio Antoniniana des Caracalla. Es verbesserte ihre Situation nicht, schon gar nicht das gnadenlose System der Besteuerung. Mit der Teilung des Reiches durch Diocletian am Ende des 3. Jahrhunderts kam das Land zu Ostrom und ging damit ein in die byzantinische Geschichte, noch einmal dreihundertfünfzig Jahre, bis es 641 von den Arabern erobert wurde. Die alten Götter waren längst vergessen und das Christentum, das hier schon sehr früh sich intensiv entwickelt hatte, wurde abgelöst durch den Islam.

165. Gerichtswesen

Die Römer haben die alten Gerichte der Ptolomäer vollständig beseitigt. An ihre Stelle trat die alleinige und umfassende Gerichtsbarkeit des Statthalters selbst, und zwar in Zivil- und Strafsachen. Dabei gab es nicht die in Rom übliche Zweiteilung des Zivilprozesses in die beiden Abschnitte „in iure“ und „in iudicio“ (Rdz. 135). Es gab im Prinzip nur eine einheitliche Verhandlung vor dem praefectus Aegypti. Einmal im Jahr hielt er an drei Orten Gericht, Juni/Juli in Alexandria für das westliche Deltagebiet, im Januar in Pelusium für das östliche Delta und in Memphis von Ende Januar bis April für das ganze übrige Land. Allerdings hat er nur wenige Prozesse wirklich selbst entschieden. Die meisten gab er nach einer Vorprüfung an einen untergeordneten Beamten weiter, der dann als „iudex pedaneus“ das Urteil sprach, nachdem die Sache mit einer Prozeßanweisung an ihn abgegeben worden war, die der actio des römischen

Formularverfahrens nicht unähnlich gewesen ist. Routine- und Bagatellsachen wurden von vornherein nicht vor ihm verhandelt, sondern von seinen Beamten entschieden, auch in Strafsachen, in denen meistens der Strategos des betreffenden Gaus das Urteil sprach.

166. Reichsrecht und Volksrecht

Unter diesem Schlagwort, nach dem Titel eines Buches von Ludwig Mitteis, beschäftigen sich Rechtshistoriker mit dem Problem, in welchem Umfang sich das römische Recht in den Provinzen durchgesetzt hat, als Reichsrecht, und wieweit daneben einheimisches Volksrecht bestehen geblieben ist. Das Buch erschien 1891, zur Zeit der Entstehung der juristischen Papyrologie, deren erste große Entdeckung hier mit der Feststellung gemacht wurde, daß sich aus den ägyptischen Papyri genau das Gegenteil von dem ergab, was bisher allgemeine Überzeugung war. Griechisches und ägyptisches Recht hatten sich gegen das römische weitgehend behauptet. Sicherlich, wenn der praefectus Aegypti selbst entschied, wird er es nach den Regeln getan haben, die er aus Rom kannte. Aber schon seine Unterbeamten, die näher an den Menschen dran waren, werden öfter auf die örtlichen Besonderheiten Rücksicht genommen haben, zumal die Verwaltungssprache griechisch gewesen ist, wie die meisten Vertragsurkunden. Heiratsverträge von Ägyptern wurden ägyptisch geschrieben, nach den alten Regeln. Also wird man auch vor Gericht nach ihrem Recht verfahren sein. Umgekehrt läßt sich sogar feststellen, daß das römische Recht in Ägypten durch das griechische nicht unbeeinflußt geblieben ist.

Sogar für die Zeit nach der constitutio Antoniniana von 212 n. Chr. ändert sich nichts an diesem Befund. Nun hatten zwar alle Bewohner der Provinzen das römische Bürgerrecht, auch in Ägypten. Und deshalb durfte an sich nur noch römisches Recht gegolten haben. Aber die Praxis der juristischen Papyri blieb die gleiche wie vorher.

Nachdem man dieses Problem für Ägypten entdeckt hatte, untersuchte man auch andere Provinzen. Es gab zwar nicht so viel Material. Aber schon in den Konstitutionen der Kaiser im Codex Justinians konnte man feststellen, daß es überall ähnlich gewesen sein wird.

167. Allgemeiner Charakter des Rechts

Die Römer haben in Ägypten das meiste sehr bewußt nur vorsichtig verändert und vieles aus ptolomäischer Zeit bestehen gelassen, nicht nur in der Verwaltungsorganisation und im Zivilrecht, sondern auch im Strafrecht, zumal es hier beim Privatstrafrecht ohnehin große Ähnlichkeit gab zwischen ägyptischen, griechischen und römischen Regeln. Sie änderten das Gerichtswesen und – eine wichtige Neuerung – sie führten das Privateigentum an Grund und Boden ein. Wen wundert es? (Rdz. 137). Zweite Neuerung: die Einrichtung eines Grundbuchs, der bibliotheke enkteseon. Es war das erste und für lange Zeit auch das einzige in der Geschichte des Rechts. Erst in den Städten des Mittelalters hat es wieder ähnliches gegeben. Alle Urkunden über Grundstücke wurden an zentraler Stelle gesammelt. Eine Eintragung war aber nicht wie bei uns Voraussetzung für den Erwerb des Eigentums oder anderer Rechte. Es wurde nur registriert. Wahrscheinlich hatte das im wesentlichen Kontrollfunktion. Am Beginn des 4. Jahrhunderts n. Chr. ist es wieder verschwunden.

Im folgenden nun, statt vieler Einzelheiten, zwei Beispiele von griechisch geschriebenen Papyrusurkunden aus römischer Zeit:

168. Ein Haftbefehl, BGU 11.2015

Ein Papyrus aus der Sammlung der Berliner Griechischen Urkunden, 11. Band, Nr. 2015. Es ist ein kurzer Text aus dem 2. Jahrhundert n. Chr., etwa zur Zeit des Kaisers Hadrian, gefunden in Arsinoe. Wie so oft ist er nicht ganz erhalten:

> „An den Polizeikommissar des Dorfes Soknopaiou Nesos. (Schick herüber) Panephremmis und Jul(ios?), die beschuldigt werden von Tane ..., sofort."

Solche Haftbefehle sind verhältnismäßig oft gefunden worden. Sie sind immer gerichtet an den Polizeikommissar (archephodos) des betreffenden Dorfes, ausgestellt im Büro des Strategen im Hauptort des Gaues, hier in Arsinoe. Der Vorgang ist regelmäßig der, daß ein Geschädigter gegen einen Beschuldigten beim Strategen Anzeige erstattet, etwa wegen Diebstahls oder Körperverletzung. Der Beschuldigte wird dann vor den Strategen geladen. Wenn er nicht kommt, ergeht ein Haftbefehl. Den Inhalt der Anzeige kann man aus ihm nie erfahren. Die Anfangsbuchstaben des Namens der anzeigenden Person – Tane ... – ergeben hier, daß es eine Frau gewesen ist.

169. Ein Bankscheck, BGU 11.2122

Das antike Bankwesen hat sich in Griechenland entwickelt, nach der Erfindung des Münzgeldes. Seinen Höhepunkt erreichte es im griechisch-römischen Ägypten, mit einem Netz staatlicher und später auch privater Banken. Überweisungsaufträge und Schecks gehörten von vornherein dazu. Der folgende Scheck ist in Arsinoe gefunden.

Wahrscheinlich wurde er ausgestellt in Alexandria, im Sommer des Jahres 108 v. Chr., gerichtet an einen Privatbankier in Arsinoe, dessen Name auf dem Papier nicht erhalten ist. Denn auch hier ist der Text zum Teil zerstört. Soweit er sich rekonstruieren läßt, ist er, wie schon bei Rdz. 168, in Klammern ergänzt:

> „(Antenor, Sohn des ..., Bürger der Phyle ...) und des Demos Phaladelphos, einer der Hieroniken (und Steuerfreien), und .... (Sohn des Sara)pion, ebenfalls einer der Hieroniken (und Steuerfreien an ...), den Bankier mit freundlichen Grüßen. Zahle (am dreißigsten) August des kommenden (zwölften Jahres des) Kaisers (Trajan) an Appollonios, (den Sohn des ...,) ehemaligen Gymnasiarchen des Arsinoites, im Hinblick auf (das, was wir) ihm (schulden)

gemäß einem Vertrag über eine Geldsumme in Silber (... die fällig wird) am dreißigsten August des kommenden zwölften Jahres, nämlich Silberdrachmen zweitausendeinhundertsechzig (in Zahlen: Dr. 2160) unbeschadet dessen, was ich, der Antenor (dem Appollonios) sonst noch schulde in Höhe der Summe von restlichen Drachmen (... bis) zum heutigen Tag (aufgelaufener) Zinsen ... dem Komanos und (D)emetri(os) ... Silberdrachmen ... und der vom Monat Mechir an (aufgelaufenen Zinsen ?) ... Ptolomaios, für die er (dem Appollonios) bürgt (gemäß anderen, mit ihm abgeschlossenen) Verträgen. Im elften Jahr (des Kaisers Nerva) Traianus Augustus Germanicus Dacius (Monat, Tag)."

Der Scheck ist mit schrägen Linien kreuzweise durchgestrichen worden. Das bedeutet, er wurde dem Bankier vorgelegt, bezahlt und als erledigt bezeichnet. Da der Bankier die Echtheit einer solchen Zahlungsanweisung nicht ohne weiteres überprüfen konnte, nimmt Ulrich Wilcken an, der Aussteller des Schecks habe ihm das Original direkt zugeschickt und dem Berechtigten nur eine Abschrift mitgegeben. Unser Exemplar müßte dann die Abschrift sein.

Der Scheck ist juristisch eine Anweisung, römisch: delegatio. Mit der einen Auszahlung wurden zwei Verpflichtungen erfüllt, wenn Antenor bei dem Bankier ein Guthaben hatte.Einmal die Verpflichtung des Bankiers ihm gegenüber aus dem Konto und zum zweiten die des Antenor gegenüber Appollonios:

> *Ulp.D.46.3.64:* Cum iussu meo id, quod mihi debes, solvis creditori meo, et tu a me et ego a creditore meo liberor.
>
> *Deutsch*: Wenn du auf meine Anweisung das, was du mir schuldest, meinem Gläubiger zahlst, wirst du von deiner Schuld mir gegenüber befreit und ich von der gegenüber meinem Gläubiger.

Ebenso war es im griechischen Recht. Es hat sich bis heute nicht geändert. Was den Studenten immer noch manche Schwierigkeiten bereitet, mit Deckungsverhältnis (vom Bankier zu Antenor, § 787 BGB) und Valutaverhältnis (von Antenor zu Appollonius, § 788 BGB), das ist ein sehr altes Problem, seit zweieinhalbtausend Jahren.

Literatur

160. *Hölbl*, Geschichte des Ptolomäerreiches 1994 – **161.** *Seidl*, Ptolomäische Rechtsgeschichte (2. Aufl. 1962) § 7; *Wolff*, Das Justizwesen derPtolomäer 2. Aufl. 1970 – **162.** *Seidl*, (Rdz. 161) §§ 1–4 – **163.** Der Meinungsstand zum Landeigentum bei *Taubenschlag*, The Law of Greco-Roman Egypt in the Light of the Papyri (2. Aufl. 1955) 233 A.2, außerdem *Herrmann*, Chronique d'Egypte 30 (1955)

95 ff. und *Seidl*, (Rdz. 161) 110f. – **164.** *Stein*, Untersuchungen zur Geschichte und Verwaltung Ägyptens unter römischer Herrschaft 1915; *Bell*, Egypt from Alexander the Great to the Arab Conquest (1948) Kap. III + IV; der Gnomon des Idios Logos: Text mit Kommentar bei *Meyer*, Juristische Papyri (1920) 315 ff; ältere Lit. bei *Riccobono*, Il Gnomon dell'Idios Logos (1950) Seiten IX–XIX, neuere bei *Seidl*, Rechtsgeschichte Ägyptens als römische Provinz (1973) 13 A. 2 – **165.** *Mitteis/Wilcken*, Grundzüge und Chresthomatie der Papyruskunde Band III. 1 (1912) 24 ff. – **166.** *Kunkel*, Römische Rechtsgeschichte (10. Aufl. 1983) 75 ff., 185 f. – **167.** Landeigentum: *Mitteis/Wilcken*, (Rdz. 165) Band I. 1, Kap. VII; Grundbuch: *Wolff*, Das Recht der griechischen Papyri Ägyptens, 2. Band: Organisation und Kontrolle des privaten Rechtsverkehrs (1978) § 13 – **168.** Zu Haftbefehlen: *Taubenschlag*, Das Strafrecht im Rechte der Papyri (1916) 88 – **169.** *Wilcken*, Die Bremer Papyri (1936) 108; *Preisigke*, Girowesen im griechischen Ägypten (1910) 128 ff., 209 f.

12. Kapitel

BYZANTINISCHES RECHT

Die einzige und auch in den meisten Einzelheiten immer noch beste Gesamtdarstellung des byzantinischen Rechts ist: *Zachariae von Lingenthal*, Geschichte des Griechisch-Römischen Rechts 3. Aufl. 1892 (Ndr. 1955)

170. Geschichte und Verfassung

Das byzantinische Reich – mit der Hauptstadt Konstantinopel – entsteht nach der Teilung des römischen Reiches durch Diocletian am Ende des 3. Jahrhunderts. Es ist zunächst seine östliche Hälfte. Als Westrom 476 n. Chr. untergegangen war, hat es sich noch tausend Jahre lang als einziger legitimer Nachfolger der römischen Kaiser verstanden. Bis zu Justinian war die Amtssprache lateinisch, obwohl das Land im Kern griechisch gewesen ist, in gewisser Weise eher die Fortsetzung des Reichs Alexander des Großen. Fest verankert in der griechisch-römischen Antike und auf das engste verbunden mit dem griechisch-orthodoxen Christentum existierte es bis zum Ende des Mittelalters, dessen feudale Strukturen es schließlich übernahm, eine europäische Großmacht, Bollwerk des Abendlandes gegen Perser, Araber und Türken. Seine größte Ausdehnung hatte es unter Justinian im 6. Jahrhundert, mit fast dem gesamten Gebiet des alten römischen Reiches, bis auf Spanien, Frankreich und Germanien. Die Araber eroberten 641 Nordafrika und Ägypten, Syrien und Palästina. Damit zerbrach die alte Einheit des Mittelmeers. Das Reich Alexanders war aufgelöst, die Antike nun auch hier zu Ende. Seitdem bestand das byzantinische Reich im wesentlichen aus solchen Gebieten, die schon immer griechisch gewesen waren. Es wurde ein griechisches Kaiserreich mit einer mächtigen orthodoxen Kirche. Nicht mehr die städtischen Zentren bestimmten den Charakter des Staates, wie vorher noch Alexandria oder Antiochia, sondern das Land, in dem der Großgrundbesitz und die Leibeigenschaft zunächst an Bedeutung verloren und sich stattdessen die freie Dorfgemeinschaft ausbreitete.

Mit der Kaiserkrönung Karls des Großen durch den Papst in Rom entsteht im Jahre 800 das Problem der Konkurrenz römischer Kaiser im Westen. Nur zeitweise kann es durch Formelkompromisse der byzantinischen Diplomatie gelöst werden. Mit den mazedonischen Kaisern erlebt das Reich im Hochmittelalter des 10. und 11. Jahrhunderts eine Blütezeit. Es wird wieder städtischer, hat die größte Ausdehnung seit Justinian. Die Wirtschaft belebt sich. Der Großgrundbesitz nimmt zu und der Adel wird stärker. Es entsteht der – wissenschaftlich umstrittene – byzantinische Feudalismus. Dann kommt 1071 die Niederlage gegen die Türken bei Manzikert, die den Verlust Kleinasiens einleitet. Im gleichen Jahr wird Bari von den Normannen erobert. Das war das Ende der byzantinischen Herrschaft in Italien. 1203 fällt Konstantinopel in die Hände der Kreuzfahrer und Venezianer. Das Reich wird aufgeteilt. Allerdings bleibt ein kleiner byzantinischer Rest in der kleinasiatischen Provinz Nikaia. Erstaunlicherweise erholen sich die Byzantiner noch einmal von Niederlage und Teilung. Unter den Paläologen existiert bald wieder ein etwas größeres Reich, noch einmal zweihundert Jahre, zum Schluß stark dezimiert. Am 29. Mai 1453 ist es endgültig untergegangen, mit der Eroberung Konstantinopels durch die Türken.

Von Anfang an war es eine zentralistische Monarchie mit einer ausgedehnten Verwaltung, die zunächst vom Militär streng getrennt war. Im 8. Jahrhundert wurden beide zusammengelegt, in der sogenannten Themenverwaltung. Die neu eingeteilten Verwaltungsbezirke wurden jetzt thema genannt, das byzantinische Wort für Armeekorps. Unter der mazedonischen Dynastie wurden die wenigen noch vorhandenen Befugnisse eines bis dahin noch existierenden Senats abgeschafft. Schon lange vorher waren die parteiähnlichen Gebilde der „Grünen" und der „Blauen"

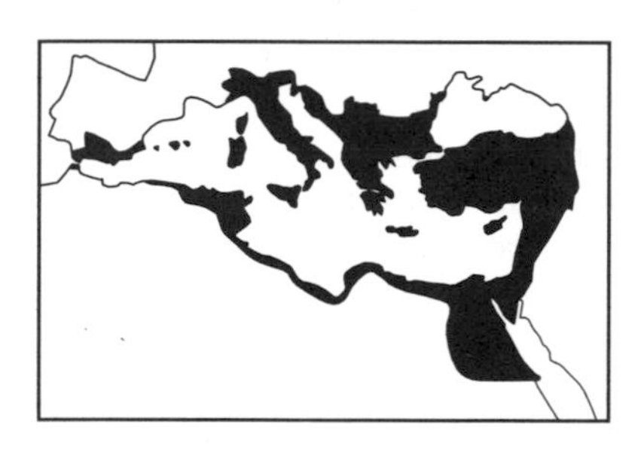

Justinian um 560

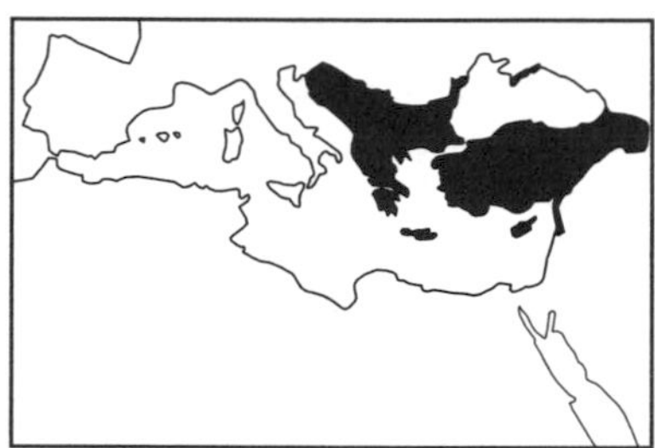

Mazedonische Dynastie um 1025

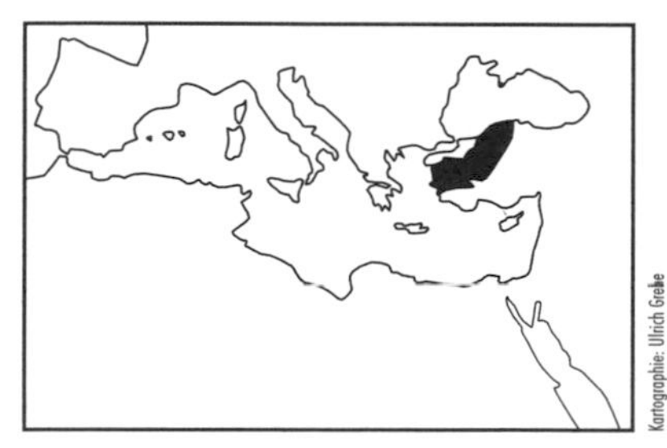

Nikaia um 1214

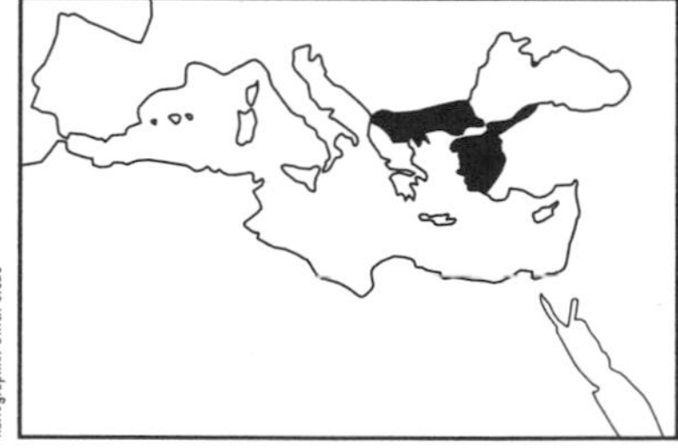

Palailogen um 1265

Abbildung 10: Das byzantinische Reich

verschwunden, die sich im Hippodrom der Hauptstadt trafen und in der Politik eine nicht unwichtige Rolle spielten. Aber bis zum Ende blieb die Kirche ein Machtfaktor neben dem Kaiser, in einem ähnlichen Dualismus wie von Papst und Kaiser im Westen, allerdings enger miteinander verbunden, zumal der Patriarch von Konstantinopel seine Residenz in der gleichen Stadt hatte wie die byzantinischen Herrscher.

171. Quellen

Justinian hatte Kommentare zu seiner Gesetzgebung verboten. Erlaubt war nur die wörtliche Übersetzung ins Griechische. Trotzdem gab es bald kommentierende Anmerkungen, Lehrbücher und Spezialliteratur zu einzelnen Gebieten. Knapp zweihundert Jahre später, 726 n. Chr., wurde unter den isaurischen Kaisern, den Bilderstürmern, eine Kurzfassung des justinianischen Riesenwerks als Gesetz erlassen, die Ekloge, mit wichtigen Änderungen im Familien- und Strafrecht. Seit dem 9. Jahrhundert, in der „mazedonischen Renaissance", belebt sich nicht nur die juristische Literatur, sondern auch die Gesetzgebung. Um 900 entstehen die Basiliken in 60 Büchern, die „Königsbücher", nach dem griechischen Wort für König, basileus, das inzwischen den lateinischen Titel des Caesar abgelöst hatte. Gegenüber der justinianischen Kodifikation, auf deren Grundlage sie entstanden, haben sie damals einen doppelten Vorteil gehabt. Zum einen waren sie griechisch geschrieben. Zum anderen hatten sie die in Institutionen, Digesten, Codex und Novellen zerstreuten Vorschriften jeweils in einem einzigen Titel zusammengefaßt. Bald gab es auch dazu kommentierende Anmerkungen, sogenannte Scholien.

Über die Rechtsprechung im byzantinischen Reich gibt es weniger Informationen. Am wichtigsten ist die Pira (peira), eine Sammlung von Fällen des 11. Jahrhunderts aus der Praxis des Eustathios Romaios, eines Richters am Obersten kaiserlichen Gericht, verfaßt von einem seiner Mitarbeiter. Das bekannteste Lehrbuch des byzantinischen Rechts entstand erst spät, unter den Paläologen, 1345, geschrieben von Harmenopoulos, einem Richter in Saloniki, in sechs Büchern und deshalb Hexabiblos genannt, sehr einfach und mit großem Erfolg bis in die Türkenzeit und bis in das moderne Griechenland, das erst 1941 ein neues Gesetzbuch erlassen hat.

172. Gerichtswesen

Die Gerichte waren hierarchisch geordnet, mit vielfältigen Berufungsmöglichkeiten. An ihrer Spitze stand der Kaiser als oberster Richter. Regelmäßig entschied ein kaiserlicher Gerichtshof, seit Justinian mit zwölf besoldeten Richtern besetzt. Den Vorsitz führte der Kaiser, als sein Vertreter der Stadtpräfekt von Konstantinopel, später der Kommandeur der Palastwache. Hier wie überall waren die Richter auch gleichzeitig Verwaltungsbeamte. Und hier wie überall waren sie bestechlich. Ein Problem, mit dem die Kaiser sich jahrhundertelang herumgeschlagen haben.

In Konstantinopel und in den Provinzen gab es Obergerichte und Untergerichte. Im Obergericht von Konstantinopel hatte der Stadtpräfekt ebenfalls den Vorsitz, „der ordentliche Richter der Reichshauptstadt" (Zachariae von Lingenthal). Seit dem 11. Jahrhundert scheint sich das geändert zu haben, obwohl er im 12. Jahrhundert noch als hoher Richter erwähnt wird. Daneben stand ein Obergericht des Quästors, der eine Art Justizminister des Reiches war, für besondere Zuständigkeiten. In den Provinzen waren es die Gerichte der Stadthalter, darunter städtische Gerichte für zivile Streitigkeiten bis zu einem bestimmten Streitwert. Ihre Richter, die defensores, wurden von den Einwohnern gewählt. Als die Themenverwaltung eingeführt wurde, änderte sich daran nichts. Die alte Verwaltung blieb insoweit bestehen. Es gab jetzt nur noch übergeordnete Instanzen der Armeekorps.

Daneben hatte die Kirche ihre eigenen Gerichte, in ähnlicher Hierarchie, an der Spitze mit dem Patriarchen von Konstantinopel. Zunächst waren sie nur für Streitigkeiten mit Geistlichen oder Mönchen zuständig, später auch in Ehesachen. Am Ende der Entwicklung waren staatliche und kirchliche Gerichte eng miteinander verflochten. Im Kaisergericht saßen Vertreter der Kirche, in der Synode des Patriarchen kaiserliche Beamte. Auch in anderen staatlichen Gerichten gab es schließlich kaum einen Richter, der nicht gleichzeitig kirchlicher Würdenträger war.

173. Strafrecht

Das Strafrecht hat sich gegenüber dem römisch-justinianischen Recht erstaunlich verändert, und zwar durch die Ekloge der isaurischen Kaiser von 726. Sie hat bis zum Ende des Reiches seinen völlig neuen Charakter geprägt, mit einem ausgebildeten System von verstümmelnden Körperstrafen, die der römischen Tradition fremd waren. Seitdem wurden in Byzanz Hände abgeschlagen, Zungen, Nasen und männliche Glieder abgeschnitten und die Augen geblendet und ausgestochen, zum Teil als sogenannte spiegelnde Strafen an denjenigen Körperteilen, die man mit dem Vergehen identifizierte, zum Beispiel die Zunge beim Meineid. Daneben findet sich wie bisher die Todesstrafe, Zwangsarbeit im Bergwerk, Verbannung und die Vermögensstrafe. Unter kirchlichem Einfluß wurde der Bereich der Sittlichkeitsdelikte endlos ausgeweitet. Nicht nur der Ehebruch war jetzt strafbar, sondern jeder außereheliche Verkehr. Es gab keinen straffreien Konkubinat mehr, der für die Antike so selbstverständlich war. Allerdings wurden die Strafen zum Teil auch gemildert. Für Ehebruch zum Beispiel. Im alten Rom war er kein Straftatbestand, erst seit der lex Julia de adulteriis des Augustus von 18 v. Chr. Die Folge war Verbannung oder hohe Vermögensstrafe. Mit Konstantin dem Großen kam das Christentum. In einem Gesetz von 326 n. Chr. ordnete er die Todesstrafe an. So war es noch bei Justinian (C.9.9.29.4). Erst die Ekloge reduzierte sie auf das Abschneiden der Nase, die übliche Strafe bei Sittlichkeitsvergehen.

Die Ekloge ist das erste Gesetz in der Geschichte des Strafrechts, das als Ziel die Generalprävention nennt. Es ging nun nicht mehr nur um Vergeltung, sondern auch um Abschreckung. Noch heute gilt das als eine der wichtigsten Funktionen unseres Strafrechts. Die Ekloge in der Einleitung:

> „... haben wir es für notwendig gehalten, ... die entsprechenden Strafen deutlicher und kürzer bekanntzumachen, damit man diese frommen Gesetze besser versteht und anwendet, die Vergehen ihre gerechte Vergeltung finden und diejenigen abgeschreckt und gebessert werden, die verbrecherische Neigungen haben."

Bemerkenswert zurückhaltend ist die Ekloge noch in der Frage der Abtreibung. Im römischen Recht war sie nur für einen Sonderfall strafbar, seit der spätklassischen Zeit, nämlich dann, wenn eine Ehefrau sich gegen den Willen ihres Mannes dazu entschieden hatte und ihn auf diese Weise um seine Nachkommenschaft brachte (Marcian.D.47.11.4). Die Ekloge ergänzte das mit der Variante, daß sie damit einen Ehebruch vertuschen wollte (Ekl.17.36). Die Strafe war die Verbannung. Erst die Basiliken führten die allgemeine Strafbarkeit ein, auch für unverheiratete Frauen und unabhängig von ihren Motiven.

Wie im griechischen Strafrecht und anders als in Rom spielt in Byzanz das Asyl eine große Rolle. Damals war es der Tempel. Hier ist es die Kirche. Für schwere Straftaten wie Mord oder Ehebruch war es nicht anerkannt, aber sonst wohl allgemein verbreitet. Die Kirche konnte eigene Bußen auferlegen und dann war die staatliche Gerichtsbarkeit ausgeschlossen.

174. Zivilrecht

Im Zivilrecht hat sich nicht so viel geändert. Im Prinzip blieb es immer bei der justinianischen Kodifikation, galt bis zum Ende des Mittelalters in Byzanz römisches Recht.

Wichtige Änderungen gab es im Personenrecht. Bei der väterlichen Gewalt setzte sich das griechische Recht durch. Schon die Ekloge geht davon aus, daß die patria potestas mit der Volljährigkeit erlischt. Und das Eherecht wird christlich. Für Justinian galt noch der Satz consensus facit nuptias, die Ehe wird durch formlose Einigung geschlossen (Ulp.D.50.17.30). In der Ekloge wird daraus ein schriftlicher Vertrag mit der Unterschrift von drei Zeugen und schließlich kommt um 900 ein Gesetz des Kaisers Leo, nach dem die Ehe nur noch in der Kirche und mit ihrem Segen geschlossen werden kann. Die Scheidung war schon von Justinian erschwert worden und nur aus bestimmten Gründen erlaubt, zum Beispiel beim – strafbaren – Ehebruch.

Im Vertragsrecht wurde die Formfreiheit des römischen Rechts allmählich ersetzt durch das griechische Urkundenwesen. Verträge waren seit einem Gesetz der Kaiserin Irene (797–802) grundsätzlich nur noch wirksam, wenn sie schriftlich abgefaßt und von fünf oder sieben Zeugen unterschrieben waren. Beim Eigentum änderte sich nichts. Die Leibeigenschaft der Bauern, der coloni adscripticii, hatte sich schon im spätantiken Rom entwickelt. Dieser Kolonat hat dann im Westen wie im Osten allmählich die freien Bauern verdrängt und leitete hier wie dort unmerklich über in das Mittelalter.

Literatur

170. *Ostrogorsky*, Geschichte des byzantinischen Staates 3. Aufl. 1963; *H.-G. Beck*, Das byzantinische Jahrtausend 1978; *Zakynthinos*, Byzantinische Geschichte 1979. – **171.** *Pieler*, Byzantinische Rechtsliteratur, in: *Hunger*, Die hochsprachliche profane Literatur der Byzantiner II (1978) 341–480. Die Ekloge ist jetzt neu herausgegeben und übersetzt: Ecloga, Das Gesetzbuch Leons III und Konstantinos' V, hg. v. *Burgmann*, 1983; die neue Ausgabe der Basiliken ist fast vollständig: *Scheltema/v.d. Waal/Holwerda*, Basilicorum libri LX Serie A (Text) bisher 7 Bde (Buch 1 bis 59), Serie B (Scholia) 9 Bde (Buch 1–30, 38–60) 1953/85; die Pira noch in der alten Ausgabe *Zepos/Zachariae v. Lingenthal*, Jus Graecoromanum IV (1931), Ndr. 1962) 5 f., zu ihr sehr anschaulich *Simon*, Rechtsfindung am byzantinischen Reichsgericht 1973; Harmenopoulos, Manuale legum sive Hexabiblos, hg. *v. Heimbach*, 1851, Ndr. 1969 (m. lat. Übers.). – **172.** *Zachariae v. Lingenthal*, Geschichte des griechisch-römischen Rechts (3. Aufl. 1892, Ndr. 1955) 353 ff. – **173.** *Zachariae v. Lingenthal*, (Rdz. 172) §§ 74–83; *Sinogowitz*, Studien zum Strafrecht der Ekloge 1956. – **174.** *Zachariae v. Lingenthal*, (Rdz. 172) ist immer noch die beste Darstellung.

Dritter Teil
Germanen und Mittelalter

13. Kapitel

GERMANEN

Allgemeine Literatur: *Brunner*, Deutsche Rechtsgeschichte 1. Bd. (2. Aufl. 1906, Ndr. 1961) 1. Buch, S. 33–267 (veraltet); *Kroeschell*, Germanisches Recht als Forschungsproblem, in: Festschrift Thieme (1986) 3–19; *Kroeschell*, Deutsche Rechtsgeschichte 1 (6. Aufl. 1983) 29–56

175. Geschichte und Wirtschaft

Als in Athen die klassische Zeit zu Ende ging und Rom die ersten Schritte machte, sein Herrschaftsgebiet über Latium hinaus zu erweitern, um 350 v. Chr., fuhr ein Grieche aus Marseille, Pytheas, mit dem Schiff nach England und an die deutsche Nordseeküste, vielleicht sogar bis Norwegen. Von ihm stammt die erste kurze Beschreibung der Germanen, in seinem Buch „Über den Ozean". Er nennt sie allerdings noch anders, nämlich Skythen, und erwähnt zum Beispiel die Teutonen in Schleswig-Holstein, die dann zweihundertfünfzig Jahre später mit den Kimbern nach Süden und Westen zogen, in das römische Reich einfielen, ziemlich viel Aufregung verursachten und schließlich von den Römern vernichtet wurden. Das war das erste Mal, daß man mit Germanen in engere Berührung kam. Erst nach den beiden Schlachten bei Aquae Sextiae und Vercellas, 102 und 101 v. Chr., erscheint ihr neuer Name, der bis heute geblieben ist, in der Weltgeschichte des stoischen Philosophen Poseidonios (Jakoby, Fragmente der griechischen Historiker, Nr. 87, Fragment Nr. 22):

> „Die Germanen essen zum Frühstück gebratene Fleischkeulen und trinken dazu Milch. Den Wein trinken sie, ohne ihn mit Wasser zu mischen."

Caesar hat sie in seinem Buch über den Gallischen Krieg deutlich von den Kelten unterschieden, die westlich des Rheins und südlich der Donau lebten. Die ausführlichste Beschreibung gab Tacitus in seiner „Germania", um 100 n. Chr. Inzwischen kannte man sie ja ziemlich genau, als Nachbarn, Handelspartner und Feinde. Westlich des Rheins und südlich der Donau hatten die Römer ihre Provinzen, unmittelbar neben dem germanischen Gebiet, zwanzig Jahre lang sogar mitten drin, zwischen Rhein und Elbe, bis sie durch die Schlacht im Teutoburger Wald gezwungen wurden, sich wieder zurückzuziehen.

Über ihre frühe Geschichte weiß man kaum etwas. Zur Römerzeit leben sie im Gebiet zwischen Rhein und Weichsel und in Skandinavien. In

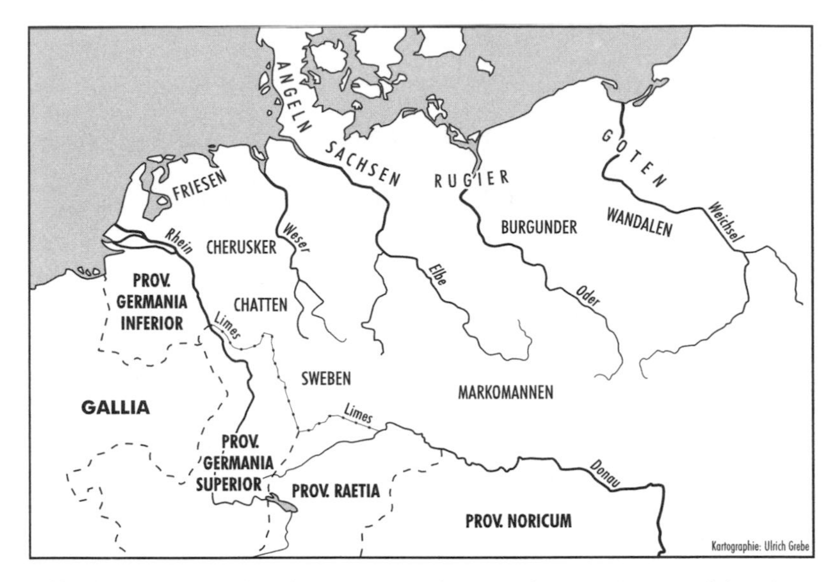

Abbildung 11: Das Gebiet der Germanen, die römischen Provinzen und der Limes um 100 n. Chr.

der frühen Kaiserzeit sichern die Römer ihre Provinzen durch den Bau des Limes, von Regensburg bis Koblenz. Dahinter lebt eine große Zahl verschiedener Stämme. Ab und zu machen sie Vorstöße nach Süden und Westen, bis im 4. Jahrhundert nach Christus mit der Völkerwanderung alles in eine Bewegung kommt, die nicht mehr aufzuhalten ist. Sie wurde ausgelöst durch den Einfall der Hunnen von Osten in das Gebiet der Goten. Das trieb dann auch Angeln und Sachsen, Franken und Alamannen, Burgunder, Langobarden und Wandalen durch ganz Europa, sogar bis Afrika, führte zum Untergang des weströmischen Reiches und endete im 6. Jahrhundert mit dem Ergebnis, daß die Ostgoten in Italien saßen, die Westgoten in Spanien, die Burgunder dazwischen in Südfrankreich, Angeln und Sachsen in England und die Wandalen in Nordafrika.

In Germanien lebten sie von der Landwirtschaft, in Dörfern, mit Viehzucht und Ackerbau. Es gab keine Städte, wenig Handwerk, keine Schrift, kein Geld. Also eine Hauswirtschaft wie in anderen Stammesgesellschaften auch. Mit ein wenig Fernhandel. Sie lieferten den Römern Sklaven und erhielten dafür Glas, Geschirr und Waffen.

176. Quellen und Probleme

Nirgendwo sind in der Rechtsgeschichte jemals soviel grundlegende Theorien über den Haufen geworfen worden wie für die alten Germanen durch die Forschung nach dem letzten Krieg, seit dem Beginn der sechziger Jahre. Man brauchte diese Vergangenheit nun nicht mehr als Heldenszenarium im Hintergrund, für nationalistische und rassistische Ausschweifungen. Die agnatische Sippe und die Markgenossenschaft, germanische Treue und Gefolgschaft, Friedlosigkeit und das „gute alte Recht", alles zentrale Begriffe der deutschen Rechtsgeschichte seit dem 19. Jahrhundert, sie waren nun nichts mehr wert, Makulatur, ebenso wie die entsprechenden Kapitel in den großen alten Lehrbüchern von Brunner-Schwerin, Conrad und Planitz-Eckhardt, die man bis heute noch nicht umgeschrieben hat. Die neuere Forschung ist längst darüber hinweggegangen, ohne allerdings andere gesicherte Erkenntnisse an die Stelle der alten Begriffe setzen zu können. Es ist noch alles im Fluß. Selbst die Einheit der Germanen als völkische Gruppe steht zur Diskussion und die Frage, ob es überhaupt jemals indogermanische Völker und Sprachen gegeben hat.

Der Erdrutsch hat stattgefunden. Man bewertet die Quellen heute anders als früher. Die Quellen, das sind zeitgenössische Berichte antiker Schriftsteller, zum Beispiel Tacitus, Rückschlüsse aus schriftlich überlieferten Stammesrechten der Spätantike und des frühen Mittelalters und, last not least, Ausgrabungen der Archäologen, die auch für die Rechtsgeschichte nicht ganz unwichtig sind. Die Germanen selber, damals, haben ja nichts geschrieben. Am wichtigsten ist die „Germania" des Tacitus.

177. Die Germania des Tacitus

Sie ist die ausführlichste Darstellung von Gesellschaft und Recht der germanischen Stämme, geschrieben in der Kaiserzeit, am Ende des ersten Jahrhunderts n. Chr. Als selbständiges Buch über ein fremdes Volk ist sie einzigartig in der antiken Literatur, ein Unikum. Man weiß also nicht, warum Tacitus sie geschrieben hat. War es eine zu lang geratene Abhandlung, die an sich ein Teil seiner römischen Geschichte sein sollte? Heute überwiegt wieder die „Sittenspiegeltheorie". Man meint, Tacitus habe den durch die Zivilisation verdorbenen Römern das Beispiel eines einfachen Volkes vor Augen führen wollen. Licht und Luft gibt Saft und Kraft. Womit sich durchaus Fragen für seine Glaubwürdigkeit ergeben. Er konnte nämlich hier und da übertrieben haben. Eine alte Diskussion. Heute neigen besonders Rechtshistoriker zu Zweifeln, obwohl manche Einzelheiten durch archäologische Untersuchungen bestätigt wurden, wie etwa die Vorliebe der Germanen seiner eigenen Zeit für die Silbermünzen der Republik. Anderes ist sicher falsch, zum Beispiel die Behauptung, die Kleidung der Frauen sei die gleiche gewesen wie die von Männern. Einiges wieder entspricht Stereotypen, die sich immer finden in Berichten antiker Schriftsteller über Barbarenvölker. Man muß also vorsichtig sein, kann aber im allgemeinen davon ausgehen, daß Tacitus gute und verläßliche Nachrichten gehabt hat über dieses Land, in dem er selbst nie gewesen ist.

178. Volksrechte, Stammesrechte

Im Lehrbuch von Brunner-Schwerin findet man in einem Satz alle auch heute noch gebräuchlichen Bezeichnungen (Deutsche Rechtsgeschichte, 1. Band, 3. Aufl. 1906, Ndr. 1961, S. 417):

> „Volksrechte, leges nennen wir die Aufzeichnungen der Stammesrechte. Im Gegensatz zu den für die Römer bestimmten Leges Romanae werden sie wohl auch Leges Barbarorum genannt."

Ein Gesetz für seine römischen Untertanen war zum Beispiel die lex Romana Visigothorum des Westgotenkönigs Alarich in Spanien und Südfrankreich von 506 n. Chr. Die Germanenrechte teilt man am besten in drei Gruppen:

1. Spätantike Gesetze der Völkerwanderungszeit, erlassen von germanischen Fürsten im Gebiet des römischen Reichs:

   Codex Euricianus, Westgoten in Spanien, Südfrankreich, entspricht der lex Visigothorum, König Eurich (466–484)
   Edictum Theodorici, Ostgoten in Italien, König Theoderich (493–526)
   Lex Burgundionum, Burgunder in Südfrankreich, unter König Gundobad (480–501)
   Lex Salica, Salische Franken in Belgien und Nordfrankreich, König Chlodwig, erlassen in seinen letzten Regierungsjahren (zwischen 507 und 511)
   Lex Ribuaria, ribuarische Franken im Kölner Gebiet, wohl aus der ersten Hälfte des 7. Jahrhunderts
   Edictum Rothari, Langobarden in Oberitalien, König Rothari, 643 n. Chr.

2. Frühmittelalterliche Aufzeichnungen, Herkunft ungeklärt, vielleicht Klosterprodukte, 8. Jahrhundert:

   Lex Alamannorum, Südbaden, Elsaß, Schweiz
   Lex Baiuvariorum, Bayern

3. Frühmittelalterliche Aufzeichnungen, veranlaßt durch Karl den Großen, um 800:

   Lex Saxonum, Sachsen
   Lex Thuringorum, Thüringen
   Lex Francorum Chamavorum, chamarische Franken am Unterrhein
   Lex Frisionum, Friesen

Als die erste Gruppe in der Spätantike aufgezeichnet wurde, in lateinischer Sprache, war die germanische Zeit für diese Stämme schon längst beendet. Sie lebten in fremdem Gebiet mit römischer Bevölkerung. Trotzdem hat man sie bis in die fünfziger Jahre als Zeugnisse germanischen Rechts angesehen, als Dokumente, aus denen Rückschlüsse möglich seien auf das Recht der alten Zeit. Zu einem großen Teil ist das nun fragwürdig geworden, und zwar durch die Forschungen Ernst Levys zum römischen Vulgarrecht (Rdz. 156). Es ist nämlich sehr wahrscheinlich und inzwischen teilweise bewiesen, daß die Stämme dieses römische Vulgarrecht ihrer Umgebung angenommen haben. Mit unterschiedlicher Intensität. Im Edictum Theodorici der Ostgoten in Italien finden sich stärkere Einflüsse des römischen Rechts als im Codex Euricianus der Westgoten in Spanien. Die wenigsten Veränderungen gibt es in der Lex Salica der Franken, die ja auch in ihrem eigenen Gebiet geblieben waren. Sie ist ohne Zweifel eine wichtige Quelle für das alte Recht (Rdz. 192). Aber selbst hier lassen sich – im Sklavenrecht – römische Einflüsse nachweisen.

179. Segmentäre oder kephale Ordnung?

Tacitus ist eindeutig. Er schreibt, es habe Könige gegeben und Heerführer:

> *Tac.Germ.7.1:* Reges ex nobilitate, duces ex virtute sumunt. nec regibus infinita aut libera potestas, et duces exemplo potius quam imperio, si prompti, si conspicui, si ante aciem agant, admiratione praesunt.
>
> *Deutsch:* Könige wählen sie nach dem Adel der Person, Heerführer nach ihrer Tapferkeit. Aber die Könige haben keine unbegrenzte Macht und auch die Heerführer stehen mehr durch ihr persönliches Beispiel an der Spitze als in Ausübung einer Befehlsgewalt, indem sie nämlich allgemein bewundert werden für ihre Entschlossenheit und Umsichtigkeit und dafür, wie sie in vorderster Front beim Kampf vorangehen.

Bei der Beschreibung der einzelnen Stämme sagt er aber auch, Könige fände man besonders bei den östlichen Germanen:

> Tac.Germ.44.1: Trans Lugios Gotones regnantur, paulo iam adductius quam ceterae Germanorum gentes, nondum tamen supra libertatem. protinus deinde ab Oceano Rugii et Lemonvii. omniumque harum gentium insigne rotunda scuta, breves gladii et erga reges obsequium.
>
> *Deutsch:* Nördlich der Lugier leben die Goten, und zwar unter der Herrschaft von Königen, die schon ein wenig straffer ist als bei anderen Stämmen der Germanen, aber ohne daß man sagen kann, ihre Freiheit sei beseitigt. Dann kommen unmittelbar daneben (westlich, U.W.) an der Ostsee die Rugier und Lemovier. Typisch für alle diese Stämme sind runde Schilde, kurze Schwerter und die Herrschaft von Königen.

Nimmt man diesen Bericht über die runden Schilde und kurzen Schwerter dazu und vergleicht das Ganze mit archäologischen Befunden, dann ergibt sich ein etwas kompliziertes Bild.

Um es vorweg zu sagen: Der Bericht über diese Schilde und Schwerter der Ostgermanen kann nicht stimmen. Es hat sie dort zwar gegeben, aber auch anderswo. Außerdem hatten sie auch eckige Schilde und lange Schwerter. Also muß man auch bei den Königen vorsichtig sein.

Hier allerdings bestätigen Archäologen die Informationen des Tacitus. Man hat wohl tatsächlich zwischen Ostgermanen und Westgermanen zu unterscheiden. Eine merkwürdig gegensätzliche Entwicklung läßt sich da beobachten. Im Westen, zwischen Rhein und Weser, findet man im ersten Jahrhundert vor Christus befestigte Siedlungen, in denen es Zentralgewalten mit weitreichenden Machtbefugnissen gegeben haben muß. Sie verschwinden dann und nichts deutet für das erste Jahrhundert nach Christus auf kephale Herrschaftsstrukturen. Ganz anders im Osten. Dort bestimmen vorher egalitäre Strukturen das Bild von Siedlungen und Gräbern. In manchen Gebieten scheint es in einzelnen Dörfern eine herausgehobene Verwandtschaftsgruppe gegeben zu haben. Aber sie reichte nie über das Gebiet eines Dorfes hinaus. Das ändert sich im ersten Jahrhundert nach Christus. Jetzt tauchen größere Gräber auf, außerhalb der Dorffriedhöfe, mitten im Bezirk mehrerer Dörfer, Gräber vom sogenannten Lübsow-Typ, benannt nach einem Dorf in Pommern. Sie sind weit verbreitet, aber nirgends häufig, und die Schlußfolgerung liegt auf der Hand. Wahrscheinlich hat sich bei den Ostgermanen in diesem Jahrhundert eine kephale Struktur entwickelt, mit Fürsten, deren Herrschaft über ein mehr oder weniger großes Stammesgebiet reicht. Es werden die reges sein, die Tacitus am Ende des Jahrhunderts erwähnt.

180. Stammesbildung und Verwandtschaft

Wie überall in frühen Gesellschaften, die Germanen leben in Stämmen. Es gibt einen gemeinsamen Namen und das gesellschaftliche Gleichgewicht wird hergestellt durch das Nebeneinander exogamer Gruppen und die Endogamie des Stammes (Rdz. 21). Bei Tacitus findet man etwa fünfundzwanzig Namen. Nimmt man andere Quellen dazu, kommt man ungefähr auf das Doppelte. Er nennt sie natio, populus, civitas oder gens, mit schwankendem Sprachgebrauch, der zeigt, daß auch er – wie wir heute – keine klaren Vorstellungen hatte. Es wird kleinere Stämme gegeben haben, mit einigen Hundert Menschen, und größere mit vielen Tausend.

Man traf sich auf Stammesversammlungen, zu bestimmten Zeiten an einem bestimmten Ort. Unklar, ob in allen Stämmen. Das germanische Wort für Zeit ist Ding, ähnlich dem lateinischen tempus. Im 14. und 15. Jahrhundert erscheint es häufig für Gerichtsversammlungen und auch in der frühen Zeit wird es eine vergleichbare Bedeutung gehabt haben. Tacitus berichtet von „principes“, die dort das Wort führen. Sie werden Sprecher von Verwandtschaftsgruppen gewesen sein oder von Dorfgemeinschaften (Germ. 11.1).

Hier liegt übrigens das Problem. Bis in die fünfziger Jahre war man der Meinung, Kernzelle der germanischen Gesellschaft sei eine patrilineare Verwandtschaftsgruppe gewesen, die agnatische Sippe. Eine Überzeugung, für die es nur ganz wenige Anhaltspunkte gab. Plausibel war allenfalls die Analogie zum griechischen genos oder zur lateinischen gens. Neuere Untersuchungen haben ergeben, daß das Ganze ein Hirngespinst war. Liest man Tacitus genauer und nimmt dazu dasjenige der Germanengesetze, das den urtümlichsten Eindruck macht, die lex Salica (Rdz. 192), dann ergibt sich aus den erbrechtlichen Regeln und aus denen über die Verteilung von Blutgeld, daß die Germanen nicht in patrilinearen Verwandtschaftsgruppen lebten, sondern in bilateralen.

Bilateral heißt zweilinig. Ein Kind ist also verwandt mit der Verwandtschaft von Vater und Mutter, aber nicht unendlich und oft eingeschränkt auf bestimmte Funktionen, zum Beispiel im Erbrecht. Es bedeutet nicht kognatische Verwandtschaft im Gegensatz zur agnatischen (Rdz. 18–20). Bilaterale Systeme finden sich öfter in vorstaatlichen Gesellschaften, die von Ethnologen beschrieben werden. Daraus ergeben sich ähnlich fest abgegrenzte Verwandtschaftsgruppen, die man dort beobachtet, wo die örtliche Einheit des Dorfes eine größere Bedeutung hat als die einlinige Verwandtschaft. Es sind exogame Gruppen, gleichgültig, ob man sie für die Germanen jetzt noch Sippe nennen will oder nicht.

Es ist eine lineage-Struktur, die denselben Charakter hat wie die Verwandtschaft in anderen segmentären Gesellschaften. Dafür findet sich nämlich ein eindeutiger Hinweis bei Tacitus:

> *Tac.Germ.18.2:* Dotem non uxor marito, sed uxori maritus offert. intersunt parentes et propinqui ac munera probant, munera non ad delicias muliebres quaesita nec quibus nova nupta comatur, sed boves et frenatum equum et scutum cum framea gladioque. in haec munera uxor accipitiur, atque in vicem ipsa armorum aliquid viro affert ...
>
> *Deutsch:* Die Mitgift gibt nicht die Frau dem Mann, sondern der Mann der Frau. Die Eltern und Verwandten sind dabei und prüfen das Geleistete, nicht Leistungen zur Freude oder als Schmuck für die Braut, sondern Rinder, ein Pferd mit Zaumzeug und ein Schild mit Spieß und Schwert. Solcher Art Leistungen erhält die Frau und umgekehrt schenkt sie dem Mann auch einige Waffen.

Was Tacitus als Mitgift bezeichnet, waren in Wirklichkeit die für segmentäre Gesellschaften mit lineage-Struktur typischen Brautpreisleistungen an die Verwandtschaftsgruppe der Frau, sicheres Indiz für Verwandtschaftseigentum an Land und Vieh, während die Mitgift, in umgekehrter

Richtung geleistet, als vorweggenommene Erbschaft der Frau kennzeichnend ist für Gesellschaften mit Privateigentum als Grundlage der wirtschaftlichen Ordnung.

Diese Verwandtschaftsgruppen bilden die Grundlage des Stammes, ebenso wie in anderen segmentären oder kephalen Gesellschaften, also unabhängig davon, ob es Stammeshäuptlinge gibt oder nicht. Solche Zentralinstanzen bedeuten ohnehin nur die Radikalisierung von Verwandtschaftsstrukturen, die dann noch lange erhalten bleiben. Dabei ist die der Germanen nicht nur lokal beeinflußt, sondern auch sozial gestuft. Es gab Sklaven. In vorstaatlichen Gesellschaften ist das keine Seltenheit. Meistens sind es Gefangene, die man auf Kriegszügen macht. Sie müssen für diejenigen arbeiten, denen sie gehören, sind aber stärker in die verwandtschaftliche Ordnung einbezogen als die völlig verdinglichten Sklaven des klassischen römischen Rechts (Rdz. 144). Es ist eine Art Haussklaverei, obwohl Tacitus ausdrücklich berichtet, sie würden bei den Germanen auf eigenen Höfen wohnen und mit einem eigenen Hausstand (Germ. 25.1).

181. Gerichte, Verfahren, Konfliktlösungsmechanismen

Man weiß darüber sehr wenig. Rückschlüsse aus den Germanengesetzen der Völkerwanderungszeit sind kaum möglich. Nur bei Tacitus findet sich ein ziemlich ausführlicher Bericht. Von Caesar wird er zwar teilweise bestätigt. Aber er ist wohl unvollständig, beschreibt wahrscheinlich nur kephale Stämme, nicht segmentäre, und auch nicht, wie weniger wichtige Streitigkeiten beigelegt wurden.

Tac.Germ.12.1: Licet apud concilium accusare quoque et discrimen capitis intendere. distinctio poenarum ex delicto: proditores et transfugas arboribus suspendunt, ignavos et inbelles et corpore infames caeno ac palude, iniecta insuper crate, mergunt. diversitas supplicii illuc respicit, tamquam scelera ostendi oporteat, dum puniuntur, flagitia abscondi. sed et levioribus delictis pro modo poena: equorum pecorumque numero convicti multantur. pars multae regi vel civitati, pars ipsi, qui vindicatur, vel propinquis eius exsolvitur. eliguntur in iisdem conciliis et principes, qui iura per pagos vicosque reddunt. centeni singulis ex plebe comites consilium simul et auctoritas adsunt.

Deutsch: Auch bei den Volksversammlungen kann man Anklage erheben und die Todesstrafe beantragen. Die Strafen sind unterschiedlich, je nach Delikt. Verräter und Überläufer hängen sie an den Bäumen auf. Feiglinge, Drückeberger und Sexualtäter werden im Moor versenkt, mit darüber geworfenem Flechtwerk aus Zweigen. Der Unterschied der Hinrichtung erklärt sich daraus, daß Bösartigkeit und Niedertracht öffentlich angeprangert werden sollen, man aber Schimpf und Schande verbergen will. Auch bei geringeren Vergehen machen sie Unterschiede. Die Schuldigen müssen entsprechende Bußen zahlen, mit Pferden und Rindern. Ein Teil davon geht an den König oder den Stamm, ein Teil an den Geschädigten oder seine Verwandtschaft. Auf diesen Volksversammlungen werden auch diejenigen Häuptlinge gewählt, die in den Dörfern und Bezirken Recht sprechen sollen. Jeweils hundert Männer aus dem Volk sind dabei, die mit ihnen beraten und entscheiden.

In diesen Volksversammlungen wurden wohl nur solche Rechtsbrüche verhandelt, die sich gegen die Allgemeinheit des Stammes richteten, sozusagen die Anfänge des öffentlichen Strafrechts. Jedenfalls zeigt der Bericht, daß die segmentäre Struktur auch in kephalen Stämmen noch ziemlich stark war. Der König konnte nicht selbst entscheiden, auch nicht die in der Volksversammlung gewählten Häuptlinge. Für ihre „Rechtsprechung" gibt es eine gewisse Bestätigung durch Caesar in seinem Bellum Gallicum:

> *Caes.Bell.Gall.6.23.5:* In pace nullus est communis magistratus, sed principes regionum atque pagorum inter suos ius dicunt controversiasque minuunt.
>
> *Deutsch:* Im Frieden gibt es auf Stammesebene keine Ämter, sondern die Häuptlinge der einzelnen Bezirke und Dörfer sprechen Recht unter ihren Leuten und schlichten die Streitigkeiten.

Daneben gab es ohne Zweifel private Rache, Blutrache und Fehde. Eine für segmentäre Gesellschaften typische Beschreibung dazu in der Germania:

> *Tac.Germ.21.1:* Suscipere tam inimicitias seu patros seu propinqui quam amicitias necesse est. nec implacabiles durant. Luitur enim etiam homicidium certo armentorum ac pecorum numero recipitque satisfactionem universa domus, utiliter in publicum, quia periculosiores sunt inimicitiae iuxta libertatem.
>
> *Deutsch:* Mit der Erbschaft übernehmen sie die Fehden ihres Vaters oder ihres Verwandten und die freundschaftlichen Bindungen der Verwandtschaftsgruppe zu anderen. Bei Fehden sind sie nicht unversöhnlich. Auch von Tötungen kann man sich lösen durch eine bestimmte Zahl von Waffen und Vieh. Diese Wiedergutmachung erhält die ganze Verwandtschaft. Das ist sehr sinnvoll für den öffentlichen Frieden, denn solche Fehden sind ziemlich gefährlich, wenn man bedenkt, daß sie sehr frei sind und keine straffe Organisation haben.

Man kann also davon ausgehen, daß bei weitem nicht alles gerichtsförmig entschieden wurde. Das zeigt auch schon das „controversias minuunt" bei Caesar, Verhandlungen zwischen Verwandtschaftsgruppen und Schlichtung wird es bei ihnen genauso gegeben haben wie in anderen Stammesgesellschaften.

182. Eigentum und Erbrecht

Es gab Individualeigentum und Verwandtschaftseigentum. Über das Individualeigentum gibt es zwar keine Nachrichten. Aber man darf annehmen, daß es bei den Germanen nicht anders war als in ähnlichen Stammesgesellschaften (Rdz. 25). Also Individualeigentum an beweglichen Sachen, an Kleidung und Waffen, Geräten und anderen Gegenständen des täglichen Lebens.

Unklar ist die Frage des Landeigentums. Es gibt drei Möglichkeiten. Entweder gehörte Grund und Boden der Verwandtschaftsgruppe, der Sippe. Oder das ganze Land gehörte zum Dorf, war gemeinsames Eigentum aller Dorfbewohner, die nach dieser Theorie Markgenossen genannt werden. Oder, letzte Möglichkeit, es gab Individualeigentum. Eine Meinung, die in der neueren Forschung wohl im Vordringen ist.

Die Theorie der Markgenossenschaft stützt sich auf Caesar und Tacitus, auf die lex Salica und Rückschlüsse aus Zuständen im Spätmittelalter, wo es so etwas tatsächlich gegeben hat, besonders am umliegenden Wald. Caesar im Bellum Gallicum:

> *Caes.Bell.Gall.6.22.2:* Neque quisquam agri modum certum aut fines habet proprios; sed magistratus ac principes in annos singulos gentibus cognationibusque hominum, quique una coierunt, quantum et quo loco visum est agri adtribuunt atque anno post alio transire cogunt.
>
> *Deutsch:* Niemand hat ein bestimmtes Stück Land oder eigene Grenzen, sondern jeweils für ein Jahr verteilen die Häuptlinge die einzelnen Felder, wo und wieviel ihnen richtig erscheint, an die Verwandtschaftsgruppen, die dafür zusammenkommen. Nach einem Jahr verlegen sie das Ganze in einen anderen Siedlungsort.

Sehr ähnlich, wenn auch mit einigen Abweichungen:

> *Tac.Germ.26.2:* Agri pro numero cultorum ab universis in vicem occupantur, quos mox inter se secundum dignationem partiuntur.
>
> *Deutsch:* Die Felder werden von allen Dorfbewohnern nach der Zahl der Arbeitskräfte in Besitz genommen und dann teilen sie das Land unter sich auf, je nach gesellschaftlicher Stellung.

Diese beiden Berichte stehen in einer gewissen Tradition antiker Vorstellungen von einem goldenen Zeitalter, wie man sie auch bei Ovid und Tibull findet, bei Lukrez und Horaz. Deshalb sind sie nicht unbedingt glaubwürdig. Die lex Salica (Titel 45, De migrantibus) ist wohl falsch verstanden worden und Rückschlüsse aus dem Spätmittelalter sind schon deshalb unzulässig, weil es bei den Germanen mehr Waldland gab als später. Erst als es knapp wurde, mußte man sich Gedanken machen über seine Aufteilung. Also wird diese Theorie heute zu Recht von niemandem mehr vertreten. Sie ist fast zweihundert Jahre alt geworden, wurde 1780 von Justus Möser begründet und 1854 von Georg Ludwig v. Maurer endgültig formuliert.

Sie wird im übrigen auch durch archäologische Grabungen widerlegt. Hier zeigen sich feste Abgrenzungen zwischen den Feldern. Aber ist das ein Beweis für Individualeigentum, wie man heute manchmal meint? Die Wahrheit liegt wohl in der Mitte. Also Verwandtschaftseigentum. Das läßt sich mit den Nachrichten bei Caesar und Tacitus vereinbaren, wenn man einige Übertreibungen und Widersprüche abbucht auf das Konto goldenes Zeitalter, auch mit den festen Grenzen zwischen den Feldern, und steht in Übereinstimmung mit den Verhältnissen in anderen Stammesgesellschaften (Rdz. 25).

Auch über dem Erbrecht der Germanen liegen die Nebel der Vergangenheit. Sicher ist nur, daß es ein Testament nicht gab (Tac.Germ.20.3). Das zeigt die Stärke verwandtschaftlicher Bindung. In erster Linie erbten die Kinder des Verstorbenen, vielleicht mit einem Vorrang seiner Söhne beim Land (lex Salica Tit. 59 § 1, De alodis). Alles andere ist unklar. Waren Kinder nicht vorhanden, erbten die nächsten Verwandten, Geschwister, Eltern, Verwandte väterlicherseits und mütterlicherseits. Aber in welcher Reihenfolge, das ist schwer zu rekonstruieren. Wahrscheinlich gab es Unterschiede bei den einzelnen Stämmen.

183. Delikte und Strafrecht

Private Delikte und öffentliches Strafrecht haben sich kaum auseinanderentwickelt, blieben fast unterschiedslos miteinander als Privatstrafrecht verbunden. Diebstahl und Ehebruch, Körperverletzung und Tötung waren Verletzungen von privaten Rechten des Geschädigten oder der Sippe des Getöteten, mit der Folge privater Rache oder, was wohl häufiger war, es wurden Bußen gezahlt.

Diebe oder Ehebrecher durften auf der Stelle getötet werden, wenn man sie auf frischer Tat entdeckte. Ehebruch war ein Delikt nur auf der Seite der Frau, nämlich Verletzung von Rechten ihres Mannes. Nicht umgekehrt. Er konnte ihr die Haare abschneiden, die Kleider vom Leib reißen und sie mit Schlägen aus dem Haus und durch das Dorf treiben (Tac.Germ.19.3).

Für Totschlag gab es feste Bußen in Vieh und Waffen, Wergeld. Nicht nur Tacitus sagt das (Germ.12.2, 21.1). Auch in den Stammesgesetzen findet man das noch (z.B. lex Salica 41). Es wird in der Verwandtschaft des

Getöteten verteilt. Die Sippe ist in solchen Fällen nicht nur Empfänger, sondern umgekehrt als Gesamtheit auch Schuldner solcher Leistungen, wenn einer von ihnen getötet hat. Wird die Verhandlung darüber vor einem Stammesfürsten oder Häuptling geführt, erhält er einen Anteil (Tac.Germ.12.2). Das ist oft so in frühen Gesellschaften, sei es bei Schlichtung oder wenn er als Schiedsrichter entscheidet oder als Richter.

Die Anfänge des öffentlichen Strafrechts nehmen bei den Germanen ihren Ausgang im Militärischen. Verräter und Überläufer nennt Tacitus, Feigheit und Drückebergerei (Germ.12.1, Rdz.181). Entweder wurden sie gleich auf dem Feldzug hingerichtet oder von der Volksversammlung verurteilt. Die Öffentlichkeit der Strafe wird deutlich in der Art ihrer Vollstreckung. Man hängt sie an die Bäume. Der Unterschied zum Privatstrafrecht wird damals schon klar gesehen worden sein. Dieses als Beeinträchtigung individueller Rechte. Jenes als Verletzung öffentlicher Interessen. Das Versenken im Moor, das Tacitus schildert, wird bestätigt durch Funde von Archäologen, eine größere Zahl Moorleichen aus germanischer Zeit, gefesselt oder mit durchbohrtem Körper, Strauchwerk über dem Körper. Wie Tacitus es berichtet.

184. Verträge

Es gab keine Verträge in unserem Sinn, in einer Hauswirtschaft ohne Geld, nur Reziprozität (Rdz. 13), auch Vereinbarungen über Brautpreise. Ursprünglich kannten sie noch nicht einmal den Kauf. Zur Römerzeit allerdings geht der Handel über die Grenzen. Sklaven aus Germanien gegen römische Waren. Die Geschäfte machten sie oft auf römischem Gebiet, mit Händlern. Die waren dort in Gasthöfen. Caupo heißt der Gastwirt. Daher unser Wort Kauf. Es stammt aus dieser Zeit, ist ein Lehnwort aus dem Lateinischen. Sie hatten wohl kein eigenes.

Literatur

175. *v. Uslar*, Die Germanen 1980; *B. Krüger* (Hg), Die Germanen Band I: Von den Anfängen bis zum 2. Jahrhundert unserer Zeitrechnung, 5. Aufl. 1988. – **176.** *Kroeschell*, Germanisches Recht als Forschungsproblem, Festschrift Thieme (1986) 3–19. – **177.** Die Germania am besten in den Ausgaben von *Much*, 3. Aufl. 1967 und *Perl*, 1990, beide mit ausführlichen Erklärungen, Perl auch mit einer deutschen Übersetzung; *Jankuhn*, Archäologische Bemerkungen zur Glaubwürdigkeit des Tacitus in der Germania, Nachrichten der Akademie der Wissenschaften in Göttingen, Philologisch-historische Klasse 1966, S. 411–426; *v. See*, Der Germane als Barbar, Jahrbuch für internationale Germanistik 13 (1981) 42–72. – **178.** *Schott*, Der Stand der Leges-Forschung, Frühmittelalterliche Studien 13 (1979) 29–55; *Kroeschell*, Deutsche Rechtsgeschichte 1 (6. Aufl. 1983) 30–42; *Nehlsen*, Sklavenrecht zwischen Antike und Mittelalter, Band 1, 1972. – **179.** *Hachmann*, Zur Gesellschaftsordnung der Germanen in der Zeit um Christi Geburt, Archaeologica Geographica 5 (1956) 7–24; *Steuer*, Frühgeschichtliche Sozialstrukturen in Mitteleuropa 1972. – **180.** *Wenskus*, Stammesbildung und Verfassung 1961; *Murray*, Germanic Kinship Structure 1983. – **181.** *Brunner*, Deutsche

Rechtsgeschichte 1 (1908) 195–210; *Conrad*, Deutsche Rechtsgeschichte 1 (1962) 27–30 (beide veraltet). – **182.** *Kroeschell*, Deutsche Rechtsgeschichte 2 (5. Aufl. 1983) 137–139; *Kroeschell*, Söhne und Töchter im germanischen Erbrecht, Studien zu den germanischen Volksrechten, Gedächtnisschrift für Wilhelm Ebel (1982) 87–116. – **183.** *Beyerle*, Das Entwicklungsproblem im germanischen Rechtsgang 1 (1915); *Jankuhn*, Moorleichen, Handwörterbuch zur Deutschen Rechtsgeschichte 3 (1984) 655–663. **184.** *Eggers*, Der römische Import im freien Germanien 1951.

14. KAPITEL

DAS FRANKENREICH

Allgemeine Literatur: *Brunner/Schwerin*, Deutsche Rechtsgeschichte 2 Bde., 2. Aufl. 1906, 1928 (Ndr. 1961, 1958); *Conrad*, Deutsche Rechtsgeschichte 1. Bd. (2. Aufl. 1962) 2. Teil, 2. bis 7. Abschnitt (S. 69–175); *Kroeschell*, Deutsche Rechtsgeschichte 1. Bd. (6. Aufl. 1983) 6. bis 10. Kapitel (S. 64–116); *Willoweit*, Deutsche Verfassungsgeschichte (1990) §§ 4, 5 (S. 17–31)

185. Periodisierungen

Im Frankenreich beginnt das Mittelalter. Aber wann genau, darüber gibt es keine Einigkeit. Denn die Nachwirkungen der Antike sind unter den Merowingern noch so stark, daß man sie leicht dort einordnen kann. Heute nennt man das römische Kontinuität, auch im Recht. Jede Periodisierung ist problematisch. Aber ohne sie kann man Geschichte nicht schreiben. Das Mittelalter – medium aevum – ist eine Erfindung humanistischer Historiker des 16. Jahrhunderts, die meinten, nun sei es vorüber und mit ihnen würde eine neue Zeit beginnen, die Neuzeit. Später unterschied man noch Früh-, Hoch- und Spätmittelalter als Beginn, Blüte und Zerfall einer Ordnung, die in erster Linie mit dem Lehnswesen identifiziert wurde. Zunehmend spricht man heute sogar von Feudalismus, obwohl das ein Begriff ist, der inzwischen von den Marxisten aufgegriffen worden war. Auch über die Einteilung dieser Zwischenzeiten gibt es viele verschiedene Meinungen und die Unterscheidung von Mittelalter und Neuzeit ist genauso problematisch. Viel wichtiger als die Entdeckung Amerikas oder der Beginn der Reformation, mit denen man diese Epochen bisher enden und beginnen läßt, war die Wende im 12. Jahrhundert, in dem die europäische Moderne beginnt (Rdz. 202), und die um 1800 mit dem Durchbruch zur bürgerlichen Gesellschaft. Da es aber nicht unbedingt zu den Aufgaben rechtshistorischer Lehrbücher gehört, die Epocheneinteilung der allgemeinen Geschichte zu ändern, wird das herkömmliche Schema hier beibehalten. Für Juristen mag folgende Skizze genügen.

186. Geschichte und Wirtschaft

Um die Mitte des 3. Jahrhunderts n.Chr. sickern allmählich Westgermanen über den Rhein in die römischen Provinzen, wohl aus verschiedenen Stämmen, für die ein neuer Name auftaucht: Franken. Sie siedeln im Gebiet vom westlichen Niederrhein bis nach Flandern, unter römischer Oberhoheit und zwischen den anderen Einwohnern der Provinzen, die sie bald in eine gewisse Abhängigkeit gebracht haben. Als das römische

Frankenreich	Merowinger	5.–8. Jh.	Frühmittelalter
	Karolinger	8.–9. Jh.	
Deutsches Reich	Sachsenkaiser	10. Jh.	
	Salische Kaiser	11. Jh.	
	Staufer	12.–13. Jh.	Hochmittelalter
	Wahlkönige	13.–14. Jh.	
	Luxemburger	14.–15. Jh.	Spätmittelalter
	Habsburger	seit 15. Jh.	

Westreich im 5. Jahrhundert durch den Ansturm der Völkerwanderung zusammenbricht, nutzen sie die Gunst der Stunde. Ihre Fürsten – römische Militärbefehlshaber – machen sich selbständig und erobern bis zum 6. Jahrhundert nicht nur ganz Gallien, sondern unterwerfen auch im Osten die Stämme der Alemannen und Bayern und gründen durch eigene Siedlung das neue Herzogtum der Ostfranken mit Sitz in Würzburg. Im Gegensatz zu allen anderen Neugründungen der Völkerwanderungszeit, der Ost- und Westgoten, Wandalen, Burgunder und Langobarden, überstand das Reich der Franken die Jahrhunderte, wahrscheinlich deshalb, weil sie dabei ihr eigenes Gebiet nicht verlassen und dort um Aachen und Brüssel immer noch eine feste Grundlage ihrer Macht behalten hatten. So entstand ein frühmittelalterliches Großreich als Vorstufe der französischen und deutschen Geschichte.

Die ersten Könige gehörten zur Dynastie der Merowinger, benannt nach einem nicht weiter bekannten Stammvater Merowech. Ihre Nachfolger wurden im 8. Jahrhundert die Karolinger, die man so bezeichnete, weil einer von ihnen der bedeutendste König der Franken gewesen ist, Karl der Große. Er dehnte das Reich weiter nach Osten aus und unterwarf in grausamen Kämpfen sogar die Sachsen, die damals der einzige Stamm waren, der noch ohne Fürsten lebte, nur mit einem starken Adel, dessen Macht aber begrenzt war durch die einflußreiche Stammesversammlung. Mit der Kaiserkrönung Karls des Großen durch den Papst am Weihnachtstag des Jahres 800 erreichte die enge Verbindung seiner Herrschaft mit der Kirche ihren Höhepunkt. Sie bedeutete gleichzeitig die weltpolitische Wende der Päpste vom Osten nach Westen, gegen das byzantinische Reich, neben dem das Frankenreich zwar ärmlich wirkte, aber eben doch die bedeutendste Macht im Westen geworden war.

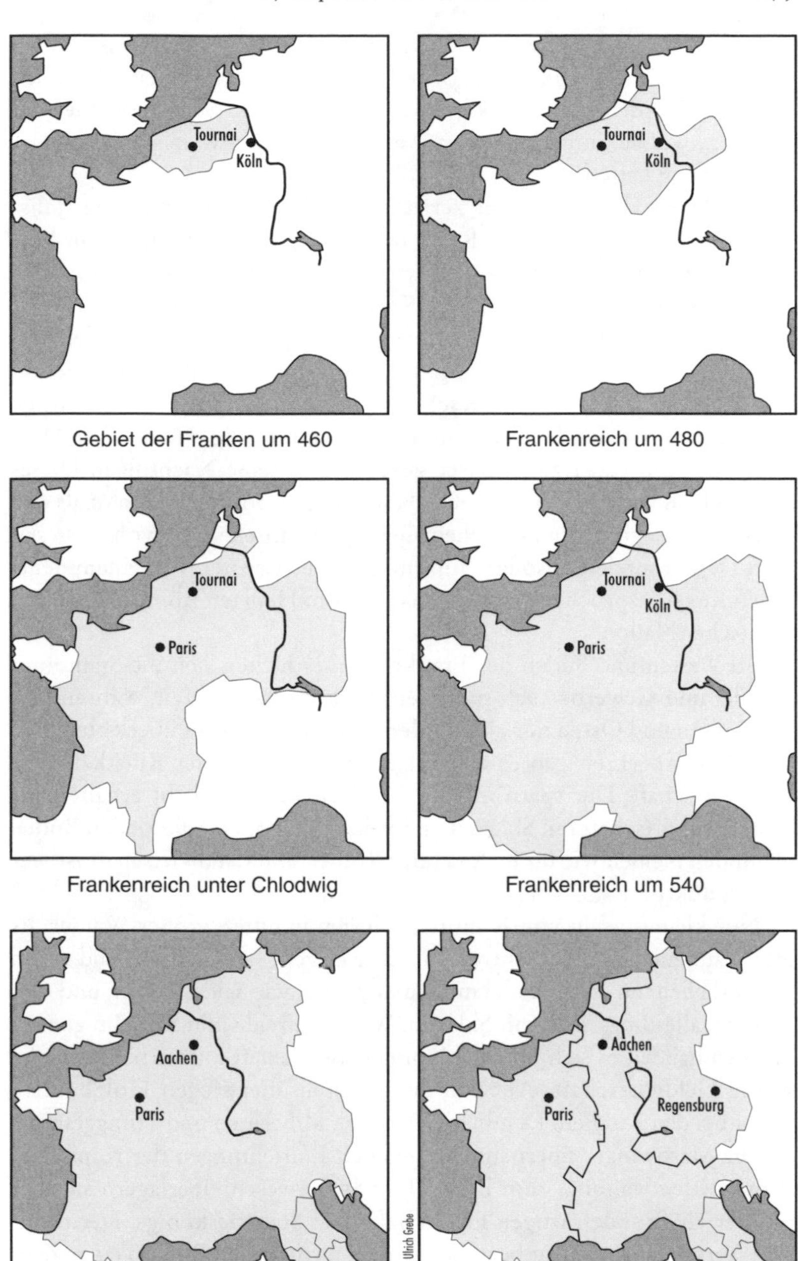

Abbildung 12: Das Frankenreich

Sein kultureller Schwerpunkt lag unter den Merowingern im Süden und in der Mitte Frankreichs. Unter den Karolingern erhielt allmählich auch der Norden eine gewisse Bedeutung, das alte Stammesgebiet der Franken, wo sie immerhin einen Anteil von etwa zwanzig Prozent der Bevölkerung hatten.

Die Macht der Karolinger zerfiel sehr schnell, innerhalb eines Jahrhunderts. Am Ende war das Reich dreigeteilt, 843, im Vertrag von Verdun, unter den Enkeln Karls des Großen. Im Westen entstand so Frankreich als selbständiges Gebiet. Die Kaiserwürde und damit auch die Verbindung nach Italien ging einige Zeit später vom Mittelreich auf den östlichen Teil über, wo sich die Karolinger noch bis 911 halten konnten und nun langsam unsere eigene Geschichte beginnt. Schließlich wählten die Fürsten hier 919 den Herzog von Sachsen zum König, Heinrich I. Auch er wurde vom Papst zum Kaiser gekrönt, wie seine Nachfolger. Dieses sächsische Kaiserreich erwies sich als sehr dauerhaft. Man kann es als den eigentliche Beginn der deutschen Geschichte ansehen, obwohl erst seit dem 15. Jahrhundert, also erst fünfhundert Jahre später, von einem deutschen Reich gesprochen wurde, genauer: vom Heiligen Römischen Reich Deutscher Nation.

Im Westen und Süden des Frankenreiches hielten sich die Städte mit Handel und Gewerbe auch nach dem Ende der Römerzeit, während sie im Norden und Osten nur als Residenz oder Bischofssitz überlebten. Seit der Merowingerzeit gab es eine allgemeine Tendenz der Rückkehr zur Landwirtschaft. Der spätrömische Großgrundbesitz bleibt erhalten, als Domänenwirtschaft mit Sklaven und halbfreien Bauern, die an den Boden gebunden bleiben wie im Kolonat der Römer. Die Landwirtschaft ist wenig produktiv.

Nur kleine Inseln von Kulturland liegen inmitten großer Wälder. Es gibt Kaufleute, die Handel treiben. Aber er geht stark zurück und ist im wesentlichen nur Fernhandel mit Luxusgütern wie Seide, Pelzen und Gewürzen, allerdings auch mit Sklaven, Wein, Getreide und Salz. Im ganzen gesehen handelt es sich um eine Domänenwirtschaft mit verhältnismäßig wenig Geldwirtschaft. Auch in den Städten überwiegen Holzbauten, selbst bei den Kirchen. Es gibt viel Mangel, Mißernten und Hungersnöte.

187. Die staatliche Ordnung

Die Merowinger übernehmen die alten Einrichtungen der römischen Provinzialverwaltung, zum Beispiel im Steuerwesen, überlagern sie aber mit der völlig andersartigen Herrschaft eines Stammeskönigs. Der römische Verwaltungsapparat beruhte auf dem territorialen Prinzip einer Zentralmacht. Die Franken haben das verbunden mit dem sehr persönlichen Regiment eines Königs, der sich rex Francorum nennt und nicht rex Franciae, also König der Franken heißt und nicht der Monarch eines Gebietes ist, das tatsächlich Francia genannt wurde, sondern eines Personenverbandes, wie in anderen Stammesgesellschaften auch. Im Prinzip war seine Macht unbeschränkt. Rechte der alten Volksversammlung gab es nicht mehr (Rdz. 193). Er wurde gewählt von der Versammlung der Adeligen, ernennt die Grafen und Bischöfe und die Stammesherzöge der Alemannen und Bayern und setzt sie auch wieder ab. Aber es ist doch eine sehr poröse Herrschaft gewesen. Man kann das oft beobachten. Es ist die Gebrechlichkeit von Herrschaft, die sich entfaltet auf den Trümmern eines auseinandergefallenen Riesenreiches, durchaus vital auf der einen Seite, aber eben sehr persönlich, mit wenig institutionalisierten Machtmitteln und nicht vergleichbar mit den kompakten und statischen Machtmechanismen der Römer. Eine Herrschaft, die immer wieder erneuert und gesichert werden mußte durch seinen persönlichen Einsatz. Ständig zieht der König über Land, um sich seiner Gefolgsleute zu versichern. Immer ist er unterwegs. Ein Wanderkönig, nicht nur im Inneren, sondern auch nach außen. Denn zu einem großen Teil beruht seine Macht darauf, daß er reich ist, viel Grundbesitz hat und Schenkungen machen kann. Daraus ergibt sich sein ständiger Landbedarf und der erklärt die vielen Eroberungszüge. Die Karolinger gehen dann zwar dazu über, das Land nicht mehr zu verschenken, sondern zu verleihen. Das Lehnswesen entsteht. Aber es hat auch den Nachteil, daß die beliehenen Herren ständig und nicht ohne Erfolg bemüht sind, aus dem Lehen eine Dauereinrichtung für sich zu machen, die sie wie eine Art Privateigentum auf ihre Kinder vererben können.

Als Karl der Große vom Papst zum Kaiser gekrönt wird, erhält er eine Doppelstellung, die typisch bleibt für seine Nachfolger, auch später im Deutschen Reich. Zum einen ist er König der Franken, gewählt von ihrem Adel. Zum anderen ist er römischer Kaiser, ernannt vom Papst in Rom.

Wichtigstes Element fränkischen Staatsrechts ist die Grafschaft. Sie ist wohl aus römischen Verwaltungsbezirken entstanden (civitas, pagus), mit einem Grafen an der Spitze (comes, fränkisch: grafio), der verantwortlich ist für die Einziehung von Steuern, die Gerichtsbarkeit und – der Ursprung seines Amtes – die Organisation des Militärs in seinem Gebiet. Er mobilisiert die Truppe, führt sie ins Feld und – für seine Machtstellung von großer Bedeutung – er kann auch vom Wehrdienst befreien. Wieviele es gab, und ob sie gleichmäßig und lückenlos über das Land verteilt waren, das weiß man nicht genau. Einige Hundert werden es gewesen sein, eingesetzt vom König, der dabei allerdings nicht völlig frei war, denn seit dem 7. Jahrhundert mußte er jemanden ernennen, der aus der betreffenden Grafschaft kam. Das sogenannte Indigenatsprinzip. Damit wurde das lokale Element stärker und es entstand in karolingischer Zeit die Erblichkeit dieses Amtes, das ständig an Macht zugenommen hat und schließlich mit großem Grundbesitz verbunden war. Der Zunahme von Macht auf der lokalen Ebene entspricht immer die Abnahme auf der zentralen. Mit anderen Worten: Die wachsende Stärke der Grafen schwächte die Monarchie.

Erfolgreichster König der Merowinger war Chlodwig. Sein spektakulärer Übertritt zum Christentum, 496, nach dem Sieg über die Alemannen, bestimmt nicht nur die Geschichte des fränkischen, sondern auch des deutschen Reichs im Mittelalter. Seitdem gab es hier diese enge Verbindung von Kirche und Staat, von imperium und sacerdotium. Seitdem gibt es auch Konflikte zwischen den beiden, Machtkämpfe mit wechselndem Ausgang. Wobei am Anfang das Übergewicht eindeutig bei den fränkischen Königen lag. Sie wurden zwar bei der Inthronisierung von den Bischöfen gesalbt, aber das war ein normaler Priesterdienst, der nichts mit dem zu tun hatte, was später die Päpste aus ihrer Funktion bei der Kaiserkrönung abgeleitet haben. Auch bei der ersten Kaiserkrönung – Karls des Großen – gab es da noch keine Zweifel. Aber die Kirche war ein Instrument der Macht, und wie eng die Verbindung gewesen ist, sieht man daran, daß die Eroberung neuer Gebiete immer verbunden war mit der Christianisierung. Das Beispiel der Sachsen ist das bekannteste.

Dem ambulanten Charakter dieses Wanderkönigtums entspricht die Existenz von Einrichtungen, die wie Korsettstangen eine gewisse Stabilität in das poröse und schwankende Gebilde bringen sollten. Es gibt feste Aufenthaltsorte, Pfalzen, abgeleitet vom Wort palatium, der Palast. Sie sind „Einrichtungen für den Aufenthaltsort des Königs und Ausrüstung für seine Reise“ (Wandelbert von Prüm, 9. Jh.). Und es gibt Königsboten, missi dominici. Seit Karl dem Großen hatten sie feste Inspektionsbereiche, in denen sie die Verwaltung und Rechtsprechung der Grafen und Bischöfe kontrollierten und ergänzten.

188. Die Kirche

Im Frankenreich war sie eine vom Papst unabhängige Landeskirche, die zunehmend in die staatliche Ordnung eingebunden wurde. Der Höhepunkt ist erreicht unter Karl dem Großen, der einerseits in seinen Kapitularien kirchliche Gesetze erlassen kann, andererseits aber auch seine Grafen anweist, der Kirche bei der Verfolgung ihrer Aufgaben den ganzen Apparat der weltlichen Zwangsgewalt zur Verfügung zu stellen. Am Ende des Frankenreichs zeigen sich Verselbständigungstendenzen. Der Staat hatte seine Schuldigkeit getan. Die Araber waren besiegt und die Sachsen unterworfen. Man mußte nur noch etwas mächtiger werden. Dann konnte der Konflikt beginnen.

Die Kirche ist territorial in Diözesen gegliedert, an deren Spitze Bischöfe stehen, die der König ernennt. Im Prinzip hat er auch die Gerichtsbarkeit über sie, in seinem Königsgericht, wie über die anderen Adligen auch, mit denen zusammen sie die Reichsversammlung bilden. Sie haben ihrerseits eine eigene Gerichtsbarkeit über die Priester und ihren Gerichten wird unter den Karolingern sogar die Verhandlung einzelner Delikte zugewiesen, über die vorher noch die Grafen zu urteilen hatten. Zum Beispiel Ehebruch und Inzest. Eine Gerichtsbarkeit in Ehesachen hatte die Kirche des Frankenreiches noch nicht.

189. Grundherrschaft und Immunität

Grundherrschaft, eines der zentralen Themen der Rechtsgeschichte des Mittelalters, ist ein moderner Begriff, mit dem man versucht, eine Erscheinung zu verstehen, für die sich in jener Zeit keine entsprechende Bezeichnung findet. Auch hier zeigt sich römische Kontinuität. Denn der landwirtschaftliche Großbetrieb, die Domäne (villa), die nach dem Prinzip einer geschlossenen Hauswirtschaft arbeitet, sie stammt aus römischer Zeit, in der schon alle entscheidenden Rechtsformen ausgebildet sind, Regeln für die Hörigkeit der Bauern und ihre Dienste, nämlich im Kolonat, der sich im 4. Jahrhundert n.Chr. aus der klassischen locatio-conductio (Rdz. 152) entwickelt hat. Im Mittelpunkt stand der Herrenhof, Fronhof, fränkisch: sala. Das Land, das der Eigentümer selbst bewirtschaftet, heißt Salland. Er bewirtschaftet es mit Sklaven und, das ist auf die Dauer billiger, mit zusätzlichen Diensten von Bauern, die rundherum ihre eigenen Hofstellen haben. Diese kleinen Höfe werden im späteren Mittelalter Hufe genannt. Die fränkische Bezeichnung ist ein Lehnwort aus dem Lateinischen: mansus, von manere, bleiben. Ursprünglich sind diese Bauern einmal freie Pächter gewesen, aber schon im spätrömischen Kolonat Hörige geworden, an die Scholle gebunden, die sie nicht verlassen durften. Das vererbte sich auf ihre Kinder, kein Vertrag, sondern ein personenrechtliches Herrschaftsverhältnis, das dem Bauern Hof und Schutz gewährte, dem Grundherrn Dienste und Abgaben.

Grundherr ist entweder der König selbst (Königsgut), die Kirche oder ein Adliger. Sie sind nicht nur Privateigentümer mit privaten Rechten und Pflichten gegenüber den Bauern. Sie haben auch hoheitliche Rechte über die Menschen auf ihrem Land. Es ist Herrschaft über Land und Leute. Privatrecht und Verfassungsrecht gehen ineinander über, wie so oft im Mittelalter. Zu dieser Herrschaft gehört nicht nur das Recht, öffentliche Abgaben zu erheben, sondern auch Polizeigewalt und Gerichtsbarkeit. So entstehen neben den Grafschaften und meistens innerhalb ihres Gebiets zusätzliche Herrschaftsgebilde, die die Macht des Königs weiter einschränken. Dabei ist er es selbst, der diesen Prozeß in Gang setzt. Er ist es, der solche Rechte an die Grundherren überträgt. Zur Grundherrschaft gehört nämlich die Immunität, die der König verleiht. Das ist noch so ein Begriff, der aus der römischen Antike stammt. Dort war immunitas allerdings nur die Freiheit von Steuern und anderen öffentlichen Pflichten, die einzelnen Gemeinden, Kirchen, sozialen Gruppen oder Domänen vom Kaiser gewährt wurde. Im fränkischen Recht kommt etwas anderes dazu.

Die Freiheit von der Gerichtsbarkeit der Grafen. Damit war dann gleichzeitig die eigene Gerichtsbarkeit der Grundherrn über seine Leute verbunden. Er übte sie aus durch einen privaten Beamten, den Vogt, auch er eine Institution, die man schon in der Antike findet. Die Domänen der späten Kaiserzeit hatten Bevollmächtigte, vocati oder advocati, die sie nach außen vertreten haben und im Inneren die Verwaltung führten. Der Vogt des Mittelalters geht nicht nur sprachlich direkt zurück auf diese vocati der römischen Domänen.

190. Anfänge des Lehnswesen

Neben der Grundherrschaft war das Lehnswesen eine der tragenden Säulen von Staat und Gesellschaft im Mittelalter. Seine Anfänge reichen zurück in die Merowingerzeit. Unter den Karolingern entwickelt es sich zu seiner endgültigen Form. Ökonomisch gesehen ist Grundherrschaft ein Instrument für die Organisation der Arbeit von Bauern, während das Lehnswesen dagegen die politische Aufgabe hat, die Existenz von Kriegern zu sichern. Denn so will es die Theorie, um nicht zu sagen: Ideologie der nächsten Jahrhunderte, daß· es drei Stände gibt, von denen der erste für alle zu beten hat, der zweite zu kämpfen und der dritte die beiden anderen ernähren muß. Priester, Krieger, Bauern. Das Prinzip ist das gleiche. Wie bei der Grundherrschaft geht es auch beim Lehen um Überlassung von Land gegen Dienste, nur daß der Bauer für seine Hofstelle auf dem Herrenland arbeitet, während der Vasall für das Lehen seinem Herrn in den Krieg folgt. Das eine hat landwirtschaftliche, das andere militärische Zwecke. Der Grundherr ist das Bindeglied, um in dem etwas vereinfachten Bild zu bleiben, zwischen oben und unten. Nach oben ist er Vasall des Königs, von dem er das Lehen empfangen hat, nach unten Grundherr der Bauern, an die er es – teilweise – weitergibt.

Das Lehnsverhältnis ist so etwas wie ein gegenseitiger Vertrag. Zum einen vertraut sich ein Mann einem Mächtigen an, begibt sich in seinen Schutz, wird sein Vasall in einem symbolischen Akt der Handreichung. Die Kommendation. Er legt seine gefalteten Hände in die des Herrn. Und leistet einen Treueid. Dafür erhält er ein Lehen, beneficium. Seit dem 10. Jahrhundert, nach dem Ende des Frankenreichs, heißt es auch feodum oder feudum. Land, von dem man als Grundherr leben kann, über die Arbeit der Bauern. Besser gesagt, auf ihrem Rücken. Vasallität gegen Lehen. Das ist der Inhalt des Lehnsverhältnisses. Natürlich hat es nicht nur militärischen Charakter, sondern ganz allgemein Klammerfunktion im Netzwerk der Herrschaft des Mittelalters.

191. Rechtspluralismus

Ein einheitliches Recht? Das kannte man nicht im Frankenreich. Denn es gab viele Stämme dort, nicht nur die Franken, die im übrigen noch geteilt waren in salische, ripuarische und chamavische mit zum Teil unterschiedlichem Recht. Da waren noch Alemannen und Bayern, Westgoten und Burgunder, Sachsen und Langobarden, und, last not least, war da schließlich auch noch die gallische Provinzialbevölkerung, die in den fünfhundert Jahren römischer Herrschaft schließlich auch dieses Recht übernommen hatte. Römisches Vulgarrecht. Jeder lebte nach seinem eigenen Recht, auch wenn man zusammen lebte. Ein Stamm, das war ein Personenverband, keine Gebietseinheit. Als solcher blieb er vom König respektiert. Also galt sein Recht für alle seine Angehörigen, egal wo sie waren. Das gab ein ziemliches Durcheinander, und Kirche und König sahen das gar nicht gern. Aber was sollte man machen? Vorsichtige Versuche, das zu ändern, sind letztlich gescheitert. So stark war man doch wieder nicht. Auch Karl der Große hat es nicht geschafft. Ein Zeitgenosse seines Sohnes, der Bischof von Lyon, Agobard, schrieb dazu am Anfang des 9. Jahrhunderts (Adversus legem Gundobadi, 4. Kapitel):

> Nam plerumque contigit, ut simul eant aut sedeant quinque homines et nullus eorum communem legem cum altero habeat.

> Denn es passiert oft, daß· fünf Leute zusammengehen oder sitzen und keiner von ihnen hat das gleiche Recht wie der andere.

Also brauchte man Regeln dafür, welches Recht gelten soll, wenn sie heirateten, einander beerbten, Verträge schlossen oder wenn der eine den anderen verletzt oder getötet hatte. Das „internationale Privat- und Strafrecht der fränkischen Zeit" (Heinrich Brunner). Und man mußte überhaupt erstmal wissen, wie das Recht des anderen aussah. Denn der konnte viel behaupten. Also wurden sie im Laufe der Zeit auch alle aufgezeichnet (Rdz. 178). Deliktische Ansprüche ergaben sich zum Beispiel aus dem Stammesrecht des Verletzten. Für die Übereignung von Grundstücken galten die Regeln im Stammesrecht des Veräußerers. Und bei Heiraten versuchte man zu kombinieren. Der Brautpreis war nach dem Recht der Frau zu leisten, im übrigen galten für die Verpflichtungen des Mannes seine eigenen Regeln.

In dieses Durcheinander haben die Könige dann ab und zu mit einzelnen Anordnungen neue Vorschriften eingebracht, die grundsätzlich für das ganze Reich Geltung hatten und manchmal sogar die einzelnen Stammesrechte abändern konnten. Was letztlich eine Machtfrage war. Die sogenannten Kapitularien. Unter dem Stichwort „Volksrecht und Königsrecht" gibt es dazu seit über hundert Jahren eine gelehrte Diskussion, in der man die Bedeutung des Königsrechts oft überschätzt hat. Von den vielen Rechten im Frankenreich wird im folgenden nur das wichtigste beschrieben, das fränkische und seine Ergänzung durch die Rechtsetzung der Könige.

192. Lex Salica

Das Stammesrecht der salischen Franken ist aufgezeichnet in der lex Salica. Von allen Germanenrechten gibt sie den Zustand der alten Ordnung am besten wieder, noch ziemlich wenig beeinflußt vom römischen Vulgarrecht. Sie ist überliefert in einer verwirrenden Fülle verschiedener Handschriften mit unterschiedlichem Umfang und Inhalt, was darauf hindeutet, daß sie ständig in Gebrauch war und – von wem auch immer – unaufhörlich geändert worden ist. Der ursprüngliche Text ist nicht erhalten. Man kann ihn allenfalls rekonstruieren, worauf schon viel Mühe verwendet wurde. Man benutzt sie am besten – mit Übersetzung – in der Ausgabe von K.A. Eckhardt, Lex Salica, 100-Titel-Text, 1953. Aus einer Gebietsangabe bei den Regeln über das Vorgehen des Eigentümers gegen den Käufer von gestohlenen Sklaven oder Vieh (Titel 47) weiß man ungefähr, wann sie entstanden ist. Es muß die Zeit gewesen sein, in der die Franken unter Chlodwig schon die Loire überschritten hatten, also nach 507 in seinen letzten Regierungsjahren, zustandegekommen im Zusammenwirken von König, Adel und Heeresversammlung (Rdz. 193).

Im Grunde ist sie ein einziger Bußgeldkatalog. Vorstaatliches Privatstrafrecht. Daneben gibt es noch einige wenige Bestimmungen zum Verfahren, über Familien- und Erbrecht, über ein Schuldversprechen und das Siedeln im Dorf. Typisches Recht einer Übergangsgesellschaft, in der das meiste aus der alten segmentären Ordnung stammt und man nur an einzelnen Stellen merkt, daß es auch noch Könige gibt. Also findet man dort auch kein öffentliches Strafrecht, obwohl es das in ersten Ansätzen schon gegeben hat, dafür aber Hexerei und Zauberei, Selbsthilfe und uralte Vorschriften über die Haftung der Verwandtschaft für Blutgeld. Auch vom Christentum ist nichts zu spüren, außer daß es schon Vorschriften gibt mit ziemlich hohen Bußen für die Zerstörung von Kirchen und die Tötung von Priestern.

Die lex Salica ist lateinisch geschrieben, wie die anderen Germanenrechte auch. Aber nur in ihr findet man eine große Zahl von wichtigen Ausdrücken des Stammesrechts in der Originalsprache. Sie sind zwar durch das viele Abschreiben im Laufe der Jahrhunderte ziemlich verstümmelt worden und wohl kaum noch identisch mit dem, was man damals wirklich gesagt hat. Aber immerhin. Man nennt sie die malbergischen Glossen, weil die fränkischen Wörter immer eingeleitet werden mit dem Ausdruck mallobergo, was etwa heißt „vor Gericht sagt man". Ein Beispiel, gleich am Anfang der lex Salica, Titel 2 § 1:

> Si quis porcellum lactantem de cranne furarerit et ei fuerit adprobatum, mallobergo chranne chalti rechalti, sunt dinarii CXX, qui faciunt solidos III culpabilis iudicetur.
>
> *Deutsch:* Wenn einer ein saugendes Ferkel aus dem Gehege stiehlt, vor Gericht sagt man chranne chalti rechalti, muß er 120 Kupfermünzen (denarii) zahlen oder drei Goldmünzen (solidi).

Alles deutet darauf hin, daß man diese Wörter vor Gericht auch gebrauchen mußte, denn ältere Rechte sind oft sehr formalistisch, vollziehen sich über symbolische Handlungen, bestimmte Gesten und den Gebrauch formelhafter Worte.

193. Rechtssetzung

„Dys recht satzte der keyser", steht als Überschrift auf einer spätmittelalterlichen Handschrift des Sachsenspiegels (Rdz. 220). Gemeint ist Karl der Große, dessen Ruhm, auch als Gesetzgeber, die Jahrhunderte überdauerte. Aber es war nicht so. Zwar hat er veranlaßt, daß die Stammesrechte der Sachsen, Thüringer und Friesen aufgeschrieben wurden. Aber so stark war er nun auch wieder nicht, daß er solche Gesetze erlassen konnte, wie man sich das später vorgestellt hat. Es war komplizierter.

Schon im Vorwort zur lex Salica heißt es, sie sei zustandegekommen durch eine Vereinbarung zwischen den Franken und ihrem Adel (pactus inter Francos adque eorum proceribus). Chlodwig hatte den Auftrag für die Aufzeichnung gegeben und dann ist sie von der Versammlung des Adels und des Heeres bestätigt worden. Noch in karolingischer Zeit war Volksrecht das Recht des Volkes, alt und ehrwürdig. Das konnte man nicht einfach ändern, schon gar nicht der König oder der Adel allein, allenfalls mit Zustimmung des Volkes. Die Volksversammlungen später sind jedoch eher eine Farce gewesen, ihre Zustimmung nebensächlich, beiläufige Akklamation der nur zu militärischen Zwecken stattfindenden Heerschau. Letztlich waren auch schon bei den Merowingern entscheidend der König und die Reichsversammlung der Adligen, die neue Vorschriften erlassen konnten, wenn etwas nicht unmittelbar im Regelungsbereich des alten Volksrechts lag. Ob sie sich durchsetzten, war angesichts der Porosität dieser Herrschaft eine politische Frage, eine Frage dessen, wie stark und interessiert und informiert diejenigen waren, die damit umgehen mußten, also Bischöfe, Grafen, Grundherren.

Die Initiative für die Rechtssetzung ging regelmäßig vom König aus, dessen Kanzlei einen Entwurf formulierte, der dann von der Reichsversammlung des Adels gebilligt werden mußte. Unter den Merowingern hieß eine solche Vorschrift edictum oder decretum, alles römische Bezeichnungen für Amtsakte der Beamten und Kaiser. Ob man diese Vorschriften heute Gesetz oder Verordnung nennt, Satzung, Verwaltungsakt oder Verwaltungsanordnung, das ist letztlich eine Frage des Geschmacks. Mit unseren modernen Vorstellungen, die hinter diesen Begriffen stehen, hatte das ohnehin nichts zu tun. Auch nicht bei den Kapitularien Karls des Großen.

194. Karolingische Kapitularien

Es hatte sich nichts geändert. Das Verfahren blieb unter den Karolingern dasselbe. Der König erließ eine Vorschrift, der Adel stimmte zu. Es gab nur sehr viel Vorschriften, mehr als vorher, sie hatten einen anderen Namen, Kapitularien, und die Versammlung des Reichstages hatte sich geändert. Es kamen die Bischöfe dazu. Unter den Merowingern hatten sie sich auf ihren Synoden meistens getrennt versammelt. Die Karolinger vereinigten Staat und Kirche zu unauflösbarer Einheit, eine Kombination, die auch die Durchsetzungskraft der Kapitularien erhöhte. Man nannte sie jetzt so, weil sie in mehrere Kapitel eingeteilt waren. Heute würde man Artikel sagen oder Paragraphen. Diese Bezeichnung findet sich zuerst im Kapitulare von Herstal, 779. Herstal war ein Stammsitz der Karolinger, bei Lüttich, nicht weit von Aachen. Es beginnt mit folgenden Worten:

> Anno feliciter undecimo regni domini nostri Karoli gloriosissimi regis in mense Martio factum capitulare, qualiter congregatis in unum sinodali concilio episcopis abbatibus virisque inlustribus comitibus, una cum piissimo domino nostro, secundum Dei voluntatem pro causis oportunis consenserunt decretum.
>
> Im glücklichen elften Jahr der Regierung unseres Herrn, des ruhmreichen Königs Karl, ist dieses Kapitulare im Monat März erlassen worden. Die mit unserem frommen Herrn gemeinsam auf dem Hoftag versammelten Bischöfe, Äbte und erlauchten Grafen haben nach göttlichem Willen und aus wohlerwogenen Gründen dem Dekret zugestimmt.

Es kommen beide Bezeichnungen vor, die neue und die alte, capitulare und decretum. Und schon dieses erste „Kapitulare" hat jenes typische Durcheinander von Vorschriften mit kirchlichem Inhalt und Anordnungen zum allgemeinen Recht, das sich dann immer wieder findet in den meisten Kapitularien dieser Zeit. Die Einheit von Kirche und Staat war auf ihrem Höhepunkt. Das entsprach der Auffassung dieses Königs von seinem Amt. Hier eine Auswahl aus den 23 Kapiteln, vom Anfang, der Mitte und dem Schluß, in deutscher Übersetzung:

> 1. Kapitel: Die Erzbischöfe sollen die Aufsicht über die Bischöfe haben, gemäß dem kirchlichen Recht, und wenn sie sehen, daß deren Amtsführung fehlerhaft ist, dann sollen die Bischöfe darauf eingehen und es verbessern und ändern.
>
> 2. Kapitel: Wo zur Zeit keine Bischöfe im Amt sind, sollen sie unverzüglich eingesetzt werden.
>
> 9. Kapitel: Die Richter in Grundherrschaften mit Immunität sollen Räuber an die Grafengerichte überstellen. Wenn das nicht geschieht, sollen sie Lehen und Amt verlieren und unser Vasall (der Grundherr) sein Lehen und die Gerichtsbarkeit. Wer kein Lehen hat, muß die Bannbuße zahlen.
>
> 20. Kapitel: Panzerhemden dürfen außerhalb unseres Königreichs nicht verkauft werden.

In unzähligen solcher „Maßnahmen der Gesetzgebung oder Verwaltung" (Ganshof) geht es um Sondergesetze für die unterworfenen Sachsen (capitulare de partibus Saxoniae, 785), die Verwaltung der Königsdomänen (capitulare de villis, vor 800), vorsichtige Änderungen des alten Volksrechts oder detaillierte Anweisungen für die Kontrolltätigkeit der königlichen Reisegesandten (capitulare missorum, 803), ein riesiges Konglomerat von Allgemeinem und Besonderem, weltlich und kirchlich, wichtig und unwichtig, in jedem Fall aber unübersichtlich, denn amtliche Sammlungen gab es nicht , nur private von Bischöfen und Äbten, und sogar eine gefälschte.

195. Gerichte

Vielfältig und uneinheitlich war auch die Gerichtsbarkeit im Frankenreich, nicht vertikal gegliedert, sondern eher horizontal, in einem mehr oder weniger übersichtlichen Nebeneinander von Gerichten der Grafen, Grundherren und des Königs, zum Teil mit unterschiedlicher Ausgestaltung in den verschiedenen Teilen des Reiches.

Wichtige Streitigkeiten wurden normalerweise vor dem Gericht des Grafen verhandelt. Im fränkischen Kernland war es das alte Volksgericht, das Ding. Der Graf hatte den Vorsitz und neben sich sieben Schöffen, die zunächst von Fall zu Fall bestimmt wurden (Rachinburgen) und seit Karl dem Großen auf Dauer ernannt waren (scabini). Sie fällten das Urteil, das vom Volk bestätigt werden mußte, dem „Umstand", der sein „Vollwort" gab.

Mit dieser normalen Gerichtsbarkeit konkurrierte das Gericht des Königs. Auf seinen vielen Reisen zog es mit ihm durch das Land, tagte in seiner Umgebung in den Pfalzen, meistens unter dem Vorsitz eines anderen. Manche hatten das Vorrecht, sich nur an dieses Gericht zu wenden. Vasallen des Königs zum Beispiel oder Klöster. Auch andere konnten sich manchmal dorthin wenden statt an das Grafengericht, dessen Urteile im übrigen von diesem Gerichtshof auch abgeändert werden konnten, ohne daß es einen festen Instanzenzug gab. Schließlich durfte über einige schwere Vergehen nur dort verhandelt werden.

In den Grafschaften waren Untergerichte zuständig für weniger wichtige Fälle (causae minores). Sie tagten unter dem Vorsitz von Unterbeamten (Zentenare, Vikare). Mit ihnen konkurrierte die Gerichtsbarkeit derjenigen Grundherren, die das Immunitätsrecht hatten (Rdz. 189), also auch der Kirchen und Klöster, unter dem Vorsitz von Vögten. Wichtige Streitigkeiten (causae maiores) mußten sie abgeben an das Gericht des Grafen oder Königs.

196. Verwandtschaft und Familie

Die Verwandtschaft war bilateral, nicht einlinig, patrilinear, wie man bisher meinte (Rdz. 180). Trotzdem spielte sie eine große Rolle im fränkischen Recht, besonders beim Wergeld. Wurde jemand getötet, erhielten seine Verwandten die Bußzahlung, für deren Verteilung es feste Regeln gab. Umgekehrt waren sie gemeinschaftlich zur Zahlung verpflichtet, wenn jemand von ihnen einen anderen getötet hatte, allein nicht zahlen konnte und in einem symbolischen Akt – chrenecruda, mit Eid, Erdwurf und Sprung über den Hofzaun (lex Salica Titel 58 § 1) – die Haftung auf sie übertrug. Um dem zu entgehen, konnte man sich von seiner Verwandtschaft lösen, ebenfalls mit einem symbolischen Akt, vor dem Ding, indem man es öffentlich erklärte, Erlenzweige über seinem Kopf zerbrach und sie in die vier Himmelsrichtungen warf.

Im Eherecht setzte sich allmählich christlicher Einfluß durch. Nach altem fränkischen Recht war die Eheschließung ein privater Akt zwischen dem Mann und dem Vater seiner Frau, die auch gegen ihren Willen verheiratet werden konnte und danach unter der Vormundschaft (munt) ihres Mannes stand. Nur er konnte die Scheidung erklären. Sie nicht. Als Ehebruch galt nur, wenn sie sich mit einem anderen einließ. Er konnte tun, was er wollte. Aber nach und nach ordneten karolingische Kapitularien an, daß bei der Eheschließung ihre Zustimmung und die kirchliche Weihe notwendig war, daß auch gegen ehebrecherische Verhältnisse des Mannes einzuschreiten sei und die Scheidung grundsätzlich nicht mehr möglich.

197. Sklaven

In der rechtshistorischen Literatur hat man bis vor kurzem den Ausdruck vermieden. Tauchte in den Quellen das Wort servus auf, übersetzte man es mit „Knecht“ oder „Unfreier“, weil man nicht wahrhaben wollte, daß die Sklaverei bei den Franken oder in anderen Volksrechten die gleiche war wie bei Griechen und Römern. Heute wissen wir, daß sie teilweise noch schlimmer gewesen ist und die Zahl der Sklaven in fränkischer Zeit nicht abgenommen, sondern erheblich zugenommen hat.

Auch im Frankenreich sind Sklaven völlig rechtlos gewesen, der unbeschränkten Sachherrschaft ihres Eigentümers unterworfen, mit schrecklichen Exzessen, die nach römischem Recht undenkbar gewesen wären, weil die Kaiser seit dem 2. Jh. n. Chr. das Tötungsrecht des Eigentümers zunehmend eingeschränkt hatten. Entsprechende Verbote gab es im fränkischen Recht nicht. Dafür ging aber auch die Haftung des Eigentümers sehr viel weiter. Hatte sein Sklave einen anderen getötet, mußte er ursprünglich das volle Wergeld zahlen. Erst später wurde das gemildert, unter dem Einfluß des römischen Rechts, in dem man sich durch Übereignung der Sklaven an die Geschädigten von weitergehenden Ansprüchen befreien konnte (Noxalhaftung, Rdz. 145). Die lex Salica steht da noch in der Mitte des Weges. Der Eigentümer muß das halbe Wergeld zahlen und den Sklaven übergeben (Titel 35 § 8). Erst mit einem Edikt des Merowingerkönigs Chilperich I. kam gegen Ende des 6. Jh.n.Chr. die volle Angleichung an das römische Recht.

Grundstückseigentum war verwandtschaftlich gebunden. Ohne besondere wirtschaftliche Not konnte es nicht veräußert werden. Ebenso war es im Erbrecht. Es gab kein Testament, sondern feste Regeln für ein Erbrecht der nächsten Verwandten, bei Grundstücken wohl nur der männlichen (lex Salica Titel 59, De alodis). Bald wurde es allerdings dadurch aufgebrochen, daß man einen Teil des Hausguts für sein Seelenheil der Kirche zuwenden sollte und konnte (Freiteil, Seelteil).

198. Eigentum und Erbrecht

Wenn Grundstücke übereignet wurden, geschah das in symbolischen Akten, mit förmlicher Einigung (sala) und entsprechender Besitzeinweisung (giwerida), bei der man dem Erwerber eine Erdscholle oder ein Rasenstück übergab und das Herdfeuer des Hauses löschte oder über den Zaun sprang. Das Verlassen des Grundstücks, die „Auflassung", wurde später zum einzigen Übertragungsakt und konnte auch anderswo vorgenommen werden. Man übergab einen Halm oder Stab (festuca) oder warf ihn dem Erwerber in den Schoß, vor Gericht oder Zeugen. Das lateinische Wort für giwerida war investitura, Einkleidung. Die gewere, wie es althochdeutsch hieß, wurde also bildlich gesehen. Wie wenn man einen Mantel anzieht. Es war ein konkretes Haben, kein abstraktes Recht. Bei beweglichen Sachen erwarb man es durch körperliche Übergabe.

Die Franken hatten das übliche Privatstrafrecht, mit Bußzahlungen, die ziemlich hoch waren. Beim Diebstahl sind es meistens feste Summen gewesen, die den Wert der gestohlenen Sache oft um das Dreißig- bis Vierzigfache überstiegen, während in anderen Volksrechten nur das Doppelte (Friesen), Dreifache (Burgunder) oder Neunfache (Alemannen) gefordert werden konnte. Für die Tötung eines freien Mannes gab es ein Wergeld von 200 Goldmünzen, Schillingen. Das entsprach etwa dem Wert von zweihundert Rindern. Die Buße für die Tötung einer gebärfähigen Frau war dreimal so hoch, 600 Schillinge. Das gleiche zahlte man bei Priestern oder Gefolgsleuten des Königs. Wurde ein römischer Bürger getötet, dann gab es nur die Hälfte, 100 Schillinge. Die gleiche Summe zahlte man für die Tötung eines hörigen Bauern, eines Halbfreien. Ein Drittel erhielt jeweils das Gericht, das heißt der Graf, der das meiste davon an den König weitergab, zwei Drittel der Geschädigte oder seine Familie.

199. Delikte und Strafrecht

Auch wenn in der lex Salica davon nicht die Rede ist, daneben gab es von Fall zu Fall durchaus schon staatliches Strafrecht, wurde ein Mörder zum Tode verurteilt, ein Dieb gehängt, ein Verräter enthauptet. Verstümmelnde Leibesstrafen, wie sie in anderen Volksrechten häufiger vorkommen, scheinen bei den Merowingern selten gewesen zu sein. Sklaven konnten kastriert werden, wenn sie einen Diebstahl begangen hatten. In karolingischen Kapitularien tauchen die Strafen dann auf. 779, im Kapitulare von Herstal, soll dem Meineidigen die Hand abgeschlagen werden und der Dieb beim ersten Mal ein Auge, beim zweiten die Nase und beim dritten Mal das Leben verlieren (Cap. 10, 23).

200. Verträge

Über fränkisches Vertragsrecht ist wenig bekannt. Das läßt sich leicht erklären. Man lebte in einer Agrarwirtschaft, die nicht vertraglich organisiert war, sondern entweder als Grundherrschaft betrieben wurde (Rdz. 189) oder als weitgehend tauschlose Eigenwirtschaft freier Bauern. Trotzdem gab es Kauf und Tausch, Darlehen, Leihe, Schenkung. Sie spielten nur keine große Rolle.

Wie die Verträge im einzelnen aussahen, das ist schwer zu sagen. Bisher war man in der rechtshistorischen Literatur der Meinung, sie hätten sich vom Bargeschäft der Frühzeit über den Realvertrag weiterentwickelt zu Arrhalgeschäften. Am Anfang sei also nur eine Leistung Zug um Zug möglich gewesen, später eine rechtliche Verpflichtung dann entstanden, wenn eine der Parteien ihre volle Leistung erbracht hatte, und schließlich der Vertrag sogar schon wirksam geworden, wenn nur eine Arrha, ein „Angeld" oder ein Ring, gegeben war (vgl. Rdz. 118). Aber das Ganze ist eine Rekonstruktion ohne ausreichende Grundlage. Die Arrha findet man nur im Recht der Westgoten in Spanien und Südfrankreich. Wahrscheinlich stammte sie dort aus dem römischen Vulgarrecht. Und der Realvertrag läßt sich überhaupt nicht nachweisen.

In der lex Salica gibt es klare Hinweise auf Regeln für die Rechtsmängelhaftung beim Kauf (Titel 47, De filtorto). Gestohlenes Gut konnte der Käufer nicht gutgläubig erwerben und deshalb war es dem bestohlenen Eigentümer möglich, einen Herausgabeprozeß gegen ihn in Gang zu setzen, in dem der Verkäufer zu Hilfe kommen, die „Gewährschaft" übernehmen mußte. Wenn er das nicht tat oder den Prozeß verlor, dann hatte der Käufer einen Anspruch auf Rückzahlung des Preises. Wahrscheinlich war er deliktischer Natur, wie so oft in wenig entwickelten Rechtsordnungen, im babylonischen Codex Hammurabi, in Athen und im frühen Rom (Rdz. 74, 118, 148). Über die Sachmängelhaftung haben wir keine ausreichenden Informationen.

Stattdessen weiß man einiges über ein abstraktes Schuldversprechen, das „Treugelöbnis", wie es in den Lehrbüchern genannt wird. In der lex Salica heißt es fides facta (Titel 50). Meistens brauchte man es wohl zur Bekräftigung von Darlehen, wahrscheinlich immer verbunden mit einem symbolischen Akt, mit der Übergabe einer festuca, die auch bei der Grundstücksübertragung eine Rolle spielt (Rdz. 198). Es wird im fränkischen Recht die gleiche Funktion gehabt haben wie die Stipulation im römischen (Rdz. 146). Die umständliche Ausgestaltung von Vorverfahren und Klage in der lex Salica zeigt aber, daß es ein vom römischen Recht unabhängiges altes Institut des Volksrechts gewesen ist. Es hatte deliktischen Charakter, mit zusätzlichen Bußen bei nicht rechtzeitiger Zahlung, ähnlich wie die Leihe (lex Salica, Titel 52). Ganz allgemein kann man zum fränkischen Vertragsrecht sagen, daß – wie etwa im griechischen Recht (Rdz. 117) – nicht unterschieden wurde zwischen vertraglichen und deliktischen Ansprüchen und die Verletzung von Verträgen in ähnlicher Weise privatstrafrechtliche Folgen hatte wie ein Delikt.

201. Allgemeiner Charakter des Rechts

Das Recht der salischen Franken steht im Übergang von der segmentären zur staatlichen Ordnung, von der Antike zum Mittelalter, vom alten Volksrecht zu römischen und christlichen Vorstellungen. Grundherrschaft und Lehnswesen haben sich ausgebildet und werden die nächsten Jahrhunderte prägen. Daneben steht noch voll in Blüte die alte Sklaverei. Das Privatstrafrecht mit seinen Bußen ist wesentlicher Inhalt der lex Salica. Daneben gibt es schon staatliches Strafrecht. Im Familienrecht macht sich zunehmend christlicher Einfluß bemerkbar, im Sklavenrecht römischer. Das Vertragsrecht ist wenig ausgebildet, hat noch deliktischen Charakter. Ähnlich ist es überall im Frankenreich. Ein Recht im Übergang.

Literatur

186. *R. Schneider*, Das Frankenreich 1982; *Hans K. Schulze*, Vom Reich der Franken zum Land der Deutschen 1987. – **187.** *Brunner/Schwerin*, Deutsche Rechtsgeschichte, 2. Bd. (2. Aufl. 1928, Ndr. 1958) 1. Teil (S. 1–434); *Kroeschell*, Deutsche Rechtsgeschichte 1 (6. Aufl. 1983) 85–96. – **188.** *Brunner/Schwerin*, (Rdz. 187) § 97. – **189.** *Brunner/Schwerin*, (Rdz. 187) §§ 94–96. – **190.** *Ganshof*, Was ist das Lehnswesen? 1961. – **191.** *Brunner*, Deutsche Rechtsgeschichte 1. Band (3. Aufl. 1906, Ndr. 1961) §§ 34, 35, 37; *Kroeschell*, (Rdz. 187) 149–151. – **192.** *Schmidt-Wiegand*, Lex Salica, in: Handwörterbuch zur deutschen Rechtsgeschichte 2 (1978) 1944–1962; *Kroeschell*, (Rdz. 187) 41 f. – **193. u. 194.** *Brunner/Schwerin*, (Rdz. 187) § 77; *Ganshof*, Was waren die Kapitularien? 1961. – **195.** *Brunner/Schwerin*, (Rdz. 187) §§ 78, 82, 83, 89. – **196.** *Murray*, Germanic kinship structure (1983) 115–219; *Brunner*, (Rdz. 191) §§ 29–32; *Conrad*, Deutsche Rechtsgeschichte I (2. Aufl. 1962) 153–157. – **197.** *Nehlsen*, Sklavenrecht zwischen Antike und Mittelalter (1972) 251–357. – **198.** *Ogris* und *H.J. Becker*, in den Artikeln über Auflassung, Besitzeinweisung, Festuca, Freiteil, Gewere und Investitur im Handwörterbuch (Rdz. 192) – **199.** *Brunner/Schwerin*, (Rdz. 187) §§ 125–147. – **200.** *Ogris*, *Hofmeister* und *Scherner*, in den Artikeln über Arrha, Realvertrag und Kauf im Handwörterbuch (Rdz. 192)

15. Kapitel

DAS MITTELALTERLICHE DEUTSCHE REICH

Allgemeine Literatur: *Kroeschell*, Deutsche Rechtsgeschichte 1. Bd. 10. Aufl. 1992, 2. Bd. 7. Aufl. 1989 (modernste Darstellung); *Mitteis/Lieberich*, Deutsche Rechtsgeschichte 18. Aufl. 1988 (traditionell, mit neuester Literatur); *Conrad*, Deutsche Rechtsgeschichte 1. Bd. 2. Aufl. 1962 (traditionell, Standardwerk); *Berman*, Recht und Revolution 1991 (mit stärkerer Betonung des kanonischen Rechts); *Sprandel*, Verfassung und Gesellschaft im Mittelalter 1975; *Hans K. Schulze*, Grundstrukturen der Verfassung im Mittelalter 2 Bde. 1985/86; *Willoweit*, Deutsche Verfassungsgeschichte 1990; *Eb. Schmidt*, Einführung in die Geschichte der deutschen Strafrechtspflege 3. Aufl. 1965; *Rüping*, Grundriß der Strafrechtsgeschichte 2. Aufl. 1991; *Sellert/Rüping*, Studium- und Quellenbuch zur Geschichte der deutschen Strafrechtspflege 1. Bd. 1989; *Handwörterbuch zur Deutschen Rechtsgeschichte*, hg. v. Erler/Kaufmann, bisher 4 Bde. 1971/1990

202. Geschichte und Wirtschaft

Mit der Teilung unter den Erben Karls des Großen entstand Deutschland als östliches Drittel des alten Frankenreichs, bei dem die Verbindung mit Italien blieb und die Kaiserwürde, die uns heute eher nichtssagend erscheint, aber für die Menschen damals von großer politischer Bedeutung war. Sie hatte weitreichende Folgen für die deutsche Geschichte bis heute. Nachfolger der Karolinger wurden andere Dynastien, die etwa alle hundert Jahre wechselten, also die Sachsenkaiser, Salier, Staufer, Luxemburger und schließlich, für fast vier Jahrhunderte, die Habsburger. Der Schwerpunkt der Herrschaft, der unter den Sachsenkaisern noch im Norden Deutschlands lag, verschob sich damit allmählich nach Süden und Südosten, obwohl man zur Krönung jedesmal wieder in den hohen Norden zog, nach Aachen, zum Grab Karls des Großen, den alle deutschen Könige und Kaiser als ihren Stammvater ansahen.

Das Reich blieb eine persönliche Verbindung zwischen dem König, den Fürsten und dem hohen Adel, war also kein territoriales Gebilde mit festen Grenzen, obwohl es eine gewisse Vorstellung von seinem Gebiet gab. Es veränderte sich im Laufe der Zeit nicht allzusehr. Oberitalien mit seinen reichen Städten gehörte dazu und im Westen lag es zum Teil noch weit im heutigen Frankreich. Die meisten Veränderungen gab es im Osten. Endete das Frankenreich noch an der Elbe, gehörten jetzt die Mark Brandenburg und Preußen dazu, Böhmen und Österreich, und zwar nach ihrer Christianisierung im 10. Jahrhundert, mit der auch die Polen, Ungarn und Russen in die europäische Politik kamen und Deutschland vom äußersten östlichen Rand in die Mitte Europas rückte.

Das Deutsche Reich begann mit den Sachsenkaisern, als Heinrich I. 919 gewählt wurde. Es existierte fast neunhundert Jahre, bis 1806, als die Habsburger das Ganze in den Wirren der napoleonischen Kriege für erledigt erklärten. Ob es nun sinnvoll ist, diese lange Zeit noch einmal zu unterteilen, nämlich in sechshundert Jahre Mittelalter, das man bis 1500 zählt, und in dreihundert Jahre danach, die man frühe Neuzeit nennt, das erscheint heute als sehr fraglich (Rdz. 185). Denn um 1500 hat sich im Grunde nichts geändert. Es blieb das alte Europa, das dann noch bis zur französischen Revolution überlebte, mit adligen Privilegien und städtischen Zünften, Lehnswesen und hörigen Bauern.

Die Zeit der Bedrohung Europas von außen war nun vorbei. Araber und Normannen sind schon im Frankenreich gestoppt worden und als Otto I., der zweite der Sachsenkaiser, die Ungarn auf dem Lechfeld schlug, 935, da war auch die letzte Gefahr beseitigt. Man wurde nun selbst wieder aktiv, drängte mit der Christianisierung nach Osten und mit den Kreuzzügen über das Mittelmeer. Erst am Ende des Mittelalters, nach dem Untergang des byzantinischen Reiches, kam eine neue Bedrohung, mit den Türken. Also lagen die Probleme im Inneren, in Rivalitäten zwischen Kaiser und Papst, der Territorialfürsten untereinander und zwischen ihnen und dem Kaiser, nicht zu vergessen die Städte, die im 12. Jahrhundert sehr zahlreich geworden und oft nicht nur mit den Territorialfürsten, sondern auch mit dem Kaiser im Konflikt waren.

Entscheidende Veränderungen ergaben sich in der Entwicklung der Wirtschaft, und das heißt erst einmal in der Landwirtschaft. Die „wirtschaftliche Revolution des zweiten Feudalzeitalters" (Marc Bloch). Im 11. Jahrhundert setzten sich neue Techniken und Anbaumethoden durch, die die Produktivität außerordentlich steigerten. Neue Pflüge, die Egge, neues Geschirrzeug für die Zugtiere, neue Wagen, Wassermühlen und die Dreifelderwirtschaft, mit der die Äcker nicht mehr so lange brach liegen mußten. Die Anbauflächen wuchsen schnell, bald gab es weniger Wald als heute, als Ergebnis der großen Rodungen. Gleichzeitig wurden neue Städte gegründet, im 11. und 12. Jahrhundert, und die Bevölkerung in Europa stieg explosionsartig, von 1150 bis 1250 um 40%, von fünfzig auf siebzig Millionen. Vorher waren es in hundert Jahren jeweils nur fünf bis zehn Prozent gewesen. Die Situation der Bauern besserte sich. Die großen Domänen wurden aufgelöst, indem die Grundherren ihre Eigenwirtschaft reduzierten und damit die Verpflichtung der Hörigen zur Fronarbeit. Die konnten jetzt allein ihr eigenes Land bearbeiten und waren nur noch zur Zahlung von Abgaben verpflichtet. So entstand das Dorf, neben und fast gleichzeitig mit der Stadt. In ihr belebte sich der Handel und dadurch wurde die Geldwirtschaft wieder über das ganze Land verbreitet. Auch der Fernhandel nahm zu, nicht zuletzt durch die

Kreuzzüge, die noch im 12. Jahrhundert begannen. Am Ende des Mittelalters war Deutschland eine durch und durch städtisch geprägte Welt, obwohl nur zwanzig Prozent der Menschen in den Städten lebten, die außerdem noch ziemlich klein waren, wenn man sie mit denen von heute vergleicht. Die größte in Deutschland war Köln. Um 1500 lebten dort 40 000 Einwohner. London hatte 30 000, Paris 100 000.

Heute ist man allgemein der Auffassung, in jener Zeit, im 12. Jahrhundert, habe die entscheidende Wende stattgefunden zwischen Antike und Neuzeit. Das 12. Jahrhundert als Achsenzeit, „Renaissance des 12. Jahrhunderts" (Charles H. Haskins 1927). Damals habe sich alles gewendet, ökonomisch, politisch und geistig, mit jenem ökonomischen Aufschwung und dem riesigen Wachstum der Bevölkerung, mit der Verselbständigung der Kirche in der „päpstlichen Revolution" (Harold J. Berman) von 1075, als der Papst sich im Investiturstreit vom Kaiser trennte und die Kirche zu einer eigenständigen hierarchischen Institution ausbaute, in der die moderne Staatlichkeit vorbereitet wurde, mit der Entstehung einer neuen Stadtkultur, die dann auch zum geistigen Mittelpunkt des Landes wurde, der bis dahin in den Klöstern gelegen hatte. Das Denken veränderte sich, wurde wieder rationaler, zum Teil unter dem Einfluß der Araber, von denen man nicht nur die Schriften des Aristoteles übernahm, sondern auch Astronomie – und Astrologie, Meteorologie und Mathematik. Beobachtung und Erfahrung traten an die Stelle der alten dogmatischen Traditionen. In jener Zeit entstanden in den Städten die ersten Universitäten, in Bologna als Zentrum der Rechtswissenschaft, in Salerno mit einer neuen Medizin und in Paris das Zentrum der Theologie. Durch die Entwicklung eines rationalen und ausbaufähigen Systems in der Verbindung von Kirchenrecht und römischem Recht wurde es das „juristische Jahrhundert" (Berman).

Der Aufstieg der Städte wurde beschleunigt durch die Krise der Landwirtschaft im 14. Jahrhundert. Es gab Erntekatastrophen und Hungersnöte. Die ländliche Bevölkerung wurde durch den Hunger und auch durch die Pest von 1348 sehr viel härter getroffen als die Menschen in der Stadt, wo man Vorratshaltung betrieb und Spitäler hatte. Die Getreidepreise fielen und die für städtische Produkte stiegen. Also flüchteten die Bauern in die Städte und der Wald breitete sich wieder aus, wo früher Dörfer waren. Die sogenannten Wüstungen. Die Städte dagegen wurden größer und reicher. Ihr Etat war manchmal höher als der von Landesfürsten. Um 1500 verfügte der Markgraf von Brandenburg jährlich über 33 000 Gulden. Beim Rat von Nürnberg waren es 51 000.

Die Landesfürsten waren übrigens der andere Gewinner dieser Zeit, aus zwei Gründen. Zum einen gab es in Deutschland organisch gewachsene und fest gefügte Stammesherzogtümer, deren Fürsten ohnehin sehr viel stärker waren als der Hochadel in England oder Frankreich, also die Bayern, Franken, Sachsen, Schwaben und Thüringer. Zum anderen waren die deutschen Könige ständig damit beschäftigt, nach Italien zu ziehen, um sich dort nach unendlichen Auseinandersetzungen mit dem Papst von ihm in Rom zum Kaiser krönen zu lassen. Jahrhundertelange Streitigkeiten. Am Ende des Mittelalters waren beide erschöpft und geschwächt, der Papst und der Kaiser, und Sieger sind die deutschen Fürsten gewesen und die Städte. Ihre Macht und Selbständigkeit ist dabei immer mehr gewachsen. Anders als in England und Frankreich konnte sich deshalb ein einheitlicher zentralistischer Staat in Deutschland und Italien nicht entwickeln, scheiterte die politische Einheit an diesen Kämpfen zwischen Kaiser und Papst.

Allmählich entwickelte sich in diesen deutschen Territorialstaaten eine ähnlich feste Herrschaftsordnung, wie sie in den Städten schon seit langem bestand. Dort ging es schneller, weil ihr Gebiet kleiner war, umschlossen von der Mauer und einheitlich verwaltet vom Rat mit seinem Stadtrecht und der Polizei. Auf dem Land dagegen gab es ein vielschichtiges Lehnswesen und ständige Fehden des Adels, die erst nach und nach von der Landfriedensbewegung zurückgedrängt wurden. Zwar einigte man sich am Ende des Mittelalters auf den großen Landfrieden von 1495, aber er war immer noch ein letztlich unerfülltes Programm, das nicht vollständig durchgesetzt werden konnte. Die endgültige Bildung souveräner Teilstaaten kam erst später, nämlich nach den Verwüstungen des dreißigjährigen Krieges im 17. Jahrhundert, dessen Ursachen aber ebenfalls noch weit zurückreichen in die Zeit des Mittelalters. Sie reichen zurück in jene Zeit, als die Päpste zusätzlich geschwächt waren durch das große Schisma, das von 1348 bis 1417 dauerte. Damals gab es zwei Päpste, einen in Rom und einen in Avignon. Dahinter standen Auseinandersetzungen in der Kirche über Verweltlichung und Verfall, die dann einmünden in die großen Konzile von Konstanz und Basel im 15. Jahrhundert, mit denen zwar die äußere Spaltung überwunden werden konnte, aber die innere Reform nicht gelang. Das führte dann im nächsten Jahrhundert zur Kirchenspaltung durch die Reformation, wieder einhundert Jahre später zum dreißigjährigen Krieg und zeigt, wie fragwürdig es ist, um 1500 eine Grenze zu ziehen und zu sagen, bis hierher reicht das Mittelalter, und was danach kommt, das ist die neue Zeit.

203. Feudalismus, Lehnswesen

Der Begriff Feudalismus geht zurück auf das lateinische Wort feudum, das Lehen, bedeutet also nichts anderes als das Lehnswesen, wurde in diesem Sinne auch zuerst von konservativer Seite gebraucht, in den politischen Auseinandersetzungen des 18. Jahrhunderts in Frankreich, zur Verteidigung der alten Ordnung (régime féodal), ist dort dann zum Kampfbegriff der Liberalen geworden und ging schließlich im 19. Jahrhundert auch über in die Geschichtstheorie von Karl Marx und Friedrich Engels, die damit das Mittelalter und seine Produktionsweise abgrenzten vom Altertum als Sklavenhaltergesellschaft und dem neuzeitlichen Kapitalismus. Deshalb werden nun heute die „wissenschaftlichen Erkenntnismöglichkeiten" dieses Begriffs oft bezweifelt. Eine endlose Diskussion.

Wenn man darunter ganz allgemein eine Ordnung versteht, in der Staat und Gesellschaft im wesentlichen auf persönlichen Verbindungen zwischen Lehnsherren und Vasallen beruhen, die regelmäßig mit der Leihe von Land gekoppelt sind und in vielfältiger Weise hierarchisch gestuft sein können, dann ist der Feudalismus durchaus ein sinnvoller Begriff, mit dem man nicht nur ähnliche Erscheinungen an anderen Orten und zu anderen Zeiten beschreiben kann, nämlich im China des 1. Jahrtausends v. Chr. und in Japan vom 14. bis zum 19. Jahrhundert, sondern auf diese Weise auch einiges erfährt über gemeinsame Entstehungsursachen. Es zeigt sich nämlich, daß diese Feudalsysteme immer nach dem Zerfall eines großen Reiches auftauchen, das eine starke zentralistische Herrschaftsordnung hatte, und zwar nicht sofort nach seinem ersten Zusammenbruch, sondern erst einige Jahrhunderte später, „nach dem letzten verzweifelten Versuch, es wieder zu beleben" (Rushton Coulborn).

Im alten Rom herrschte einer, der Kaiser in der Hauptstadt. Im Frankenreich und im Deutschen Reich sind es viele. Der König ist es nicht allein, auch nicht wenn er noch zum Kaiser gekrönt worden war. Der Geschmack von Herrschaft ist noch da aus alten Zeiten, sogar der gleiche Name, aber er schafft es nicht mehr richtig. Alle möglichen anderen sind in verschiedenen Konstellationen mitbeteiligt: Stammesherzöge und Grafen, die Städte, der Papst, Bischöfe und Erzbischöfe. Deshalb ist der König ständig unterwegs, um alte Loyalitäten zu bekräftigen und neue Allianzen aufzubauen und Flagge zu zeigen, daß er es eigentlich ist, auf den man hier zu hören hat. Ambulanz und Porosität von Herrschaft kennzeichnen diesen Feudalismus, in dem es keinen Territorialstaat gibt wie bei den Römern, sondern nur einen Personenverband mit vielfältigen und oft wechselnden Machtkonstellationen, die eine staatsrechtliche Beschreibung der Institutionen sehr schwierig machen.

Insofern ist es nicht anders als im Frankenreich. Aber nun entwickelt sich das ganze weiter zu einem komplizierten System vielfältiger Abstufungen und Verschränkungen, in dem „die Rechtstechnik des Mittelalters ihren Höhepunkt erreicht" (Heinrich Mitteis). Es war persönliches Recht des Adels und gleichzeitig allgemeines Verfassungsrecht, das seine Grundlage in der Heeresordnung hatte. In ihr waren nun an die Stelle des alten Volksheeres sehr viel kleinere Reitertruppen aus Berufssoldaten getreten, die technisch sorgfältig ausgerüstet waren, mit schwerem Sattel und Steigbügel, Kettenhemd und Helm, Schild und Lanze. Die Ritter. Entscheidend war die Erfindung des Steigbügels. Er gab festen Halt zum

Kämpfen, ist eine der Bedingungen dieser militärischen Veränderungen gewesen und damit auch aller politischen, rechtlichen und kulturellen.

Oberste Führungsschicht war der Hochadel, der die „hohe" Herrschaft hatte, also diejenige, die mit der Hochgerichtsbarkeit über schwere Kriminaldelikte verbunden gewesen ist. Er gab die vom König empfangenen Lehen in kleinen Portionen weiter an Vasallen in der Mitte, die sie ebenfalls wieder teilten und als Lehnsherren weiterreichten bis zu den Tausenden niederer Ritter am unteren Ende dieser Lehenspyramide, der „Heerschildordnung", wie sie am Anfang des Sachsenspiegels beschrieben wird (Landrecht, 1. Buch, 3. Kapitel, § 2; die schöffenbaren Leute sind Ritter, die als Schöffen im Grafengericht urteilen können):

> „Auf die gleiche Art sind die Heerschilde geordnet, von denen der König den ersten besitzt. Die Bischöfe, Äbte und Äbtissinnen haben den zweiten, die Laienfürsten den dritten, weil sie von den Bischöfen Lehen genommen haben. Die freien Herren haben den vierten, die schöffenbaren Leute und die Lehensmannen der freien Herren den fünften, ihre Lehensleute weiter den sechsten".

Allerdings täuscht dieses einfache Bild. In Wirklichkeit gab es ein verwickeltes Durcheinander, hatten viele Vasallen mehrere Lehen von verschiedenen Herren und befanden sich viele Herren durch mehrere Lehen gleichzeitig auf verschiedenen Stufen des Systems, wobei dann nach dem Prinzip der Niederstufung nur die unterste zählte. Durch solche Mehrfachvasallitäten konnten Gefolgschaftspflichten miteinander in Konflikt kommen und blockiert werden, und zwar auf lange Zeit, weil die Lehen erblich geworden waren. Auch sind in Deutschland die unteren Vasallen jeweils nur ihren nächsthöheren Herren verpflichtet gewesen, anders als in England und Frankreich, wo es für sie noch Treupflichten oder mindestens Neutralitätspflichten gegenüber dem König gab. Bei uns stärkte das die Macht der Landesfürsten.

204. Der König

Wie im Frankenreich steht an der Spitze ein König. Wie dort ist seine Macht im Prinzip unbeschränkt und gleichzeitig porös, weil er nur als Zentrale eines Personenverbandes regiert. Wie die Merowinger und Karolinger lebt er persönlich nach fränkischem Recht, auch wenn er ein Sachse oder ein Bayer ist, denn er begreift sich als einer von ihnen, der in ihrer Reihe steht und gekrönt wird in Aachen auf ihrem Thron. Wie sie war er fast immer unterwegs. Aber es hat sich auch manches geändert. Gab es damals ein dynastisches Erbrecht, wurde jetzt wieder gewählt. Das unterschied das Deutsche Reich auch immer von England und Frankreich. Und noch eins. Es gab keine Hauptstadt. Kein Aachen, wie bei den Karolingern, kein Paris oder London, wo ein Machtzentrum heranwachsen konnte. Durch die Wahl wurde die Stellung des Königs weiter geschwächt und die seiner Wähler gestärkt. Denn häufig wurden vorher Bedingungen ausgehandelt und es war klar, auf wessen Kosten das ging. Seine Wähler, das waren die Fürsten und Bischöfe, als Vertreter des Volkes. Im Laufe der Zeit entwickelten sich dafür genauere Regeln, die dann endgültig in der Goldenen Bulle von 1356 festgelegt wurden. Für viereinhalb Jahrhunderte blieb sie in Kraft, das Grundgesetz des Reiches, bis zu seinem Ende 1806. Seitdem wählten nur sogenannte Kurfürsten, nach dem Mehrheitsprinzip. Bis 1648 waren es sieben, die Erzbischöfe von Mainz, Köln und Trier, der Pfalzgraf bei Rhein in Heidelberg, der Herzog von Sachsen, der König von Böhmen und der Markgraf von Brandenburg.

Der König war oberster Lehnsherr, Heerführer und Richter. Ihm gehörte das Reichsgut – einiges Land im Südwesten – und er verfügte über die Regalien, iura regalia, die königlichen Rechte, also Münz-, Zoll- und Marktrecht, das Geleitrecht für die reisenden Kaufleute und das Schutzrecht für die Juden, über Bergbau- und Salzregal, alle verbunden mit einigen Einnahmen. Aber nach und nach ging das meiste davon auf die Landesfürsten über, auch die Gerichtshoheit. So war es letztlich und endlich ein Amt mit wenig institutionalisierter Macht, ganz und gar angewiesen auf Mut und Klugheit, List und Grausamkeit, Reichtum und Glück der Person.

205. Die Kaiserkrönung

Kaiser zu sein, galt den Menschen im Mittelalter mehr als ein König. Als mit Augustus in Rom die Monarchie begann, war es noch umgekehrt, hat er den Titel eines Königs – rex – meiden müssen, weil es zuviel gewesen wäre, weil es als Anspruch auf unumschränkte Herrschaft galt, der seinem Vorgänger Caesar zum Verhängnis geworden war. Also lebte er dem Schein nach als einfacher Mann, nannte sich Caesar Augustus und

Erster unter den Bürgern, princeps civitatis. Sein Familienname wurde zur Amtsbezeichnung und keiner seiner Nachfolger hat daran gedacht, es noch einmal als rex zu versuchen. Nur bei fremden Völkern nannte man die Fürsten so, auch bei Germanenstämmen wie den Franken, die Dynastien der Merowinger und Karolinger.

Inzwischen war das Wort Kaiser aber aufgewertet worden, gleichbedeutend mit römischer Oberhoheit über andere Völker. Man hörte den Klang von Weltherrschaft. Das war viel mehr als ein normaler König und seit 312 n.Chr., als Konstantin der Große sich taufen ließ, außerdem noch staatsrechtlich verbunden mit der Kirche von Rom. Kein Wunder, daß Karl, mächtiger und frommer König der Franken, auch römischer Kaiser werden wollte. Was ihm im Jahre 800 gelang. Und seine Nachfolger wollten dann auch, wegen des Prestiges nach innen und der Legitimation ihrer Ansprüche auf Italien. Da gab es zwar noch die Byzantiner, die nun wirklich in ununterbrochener Folge das Erbe römischer und christlicher Herrschaft verwalteten. Aber das Problem ließ sich lösen, denn auch früher war Rom schon geteilt in West und Ost. Man konnte nebeneinander existieren. Tat es auch mehr als sechshundert Jahre bis 1453, als die Byzantiner schließlich an das Ende ihres tausendjährigen Reiches kamen.

Die Kaiserkrönung Karls durch den Papst in Rom setzte den Maßstab für die Zukunft. Bis zum Ende des Mittelalters war selbstverständlich, daß es nicht anders ging. Erst seit 1508, als Maximilian I., ein Habsburger, sich im Dom von Trient eigenmächtig zum Kaiser ausrufen ließ, waren die Päpste überflüssig geworden. Dreihundert Jahre lang gehörte nun der Titel der römischen Kaiser automatisch zum Amt des deutschen Königs. Das alte Problem hatte sich von selbst erledigt, um das so viel gestritten worden war, jahrhundertelang. Hatte der Papst das Recht, dem gewählten deutschen König die Kaiserkrone zu verweigern? Hatte er vielleicht sogar schon vorher ein Bestätigungsrecht bei der Wahl zum König? Stand er im Rang über dem Kaiser? Oder umgekehrt? Oder waren beide gleichberechtigt? Eine endlose Diskussion mit vielen Koryphäen auf beiden Seiten, von Petrus Damiani und Marsilius von Padua bis zu Dante und Nikolaus von Kues. Letztlich entschieden immer die tatsächlichen Machtverhältnisse. Das Stichwort in der Bibel war „Herr, siehe, hier sind zwei Schwerter" (Lukas 22.38) und natürlich gab es zwei Theorien über diese beiden Schwerter, das geistliche und das weltliche. Wem hat Gott sie gegeben? Zuerst dem Papst, sagten die Päpstlichen, der dann das weltliche an den Kaiser weitergibt. Also ist er ihm übergeordnet. Nein, war die Antwort der Kaiserlichen, beiden zur gleichen Zeit, gleichberechtigt. Auch durch die deutschen Rechtsbücher ging der Streit um diese Zweischwertertheorie. Der süddeutsche Schwabenspiegel hielt zum Papst (Kapitel 1, §4), der norddeutsche Sachsenspiegel zum Kaiser (Landrecht, 1. Buch, 1. Kapitel).

206. Die Landesfürsten

Sie waren die Gewinner in diesem Kampf. So kam es, daß die Entwicklung zum modernen Flächenstaat in Deutschland auf der Ebene der Territorialstaaten stattfand und selbst die Einheit im Bismarckreich von 1871 noch bundesstaatlich organisiert war, wie heute in der Bundesrepublik.

Zunächst sah es ja so aus, als ob es in die gleiche Richtung gehen könnte wie in England und Frankreich. Die ursprünglich autonomen Stammesherzogtümer verwandelten sich nämlich erst einmal in abhängige Reichsfürstentümer. Seit dem 12. Jahrhundert erhielten ihre Herzöge die Herrschaft als Lehen vom König und wurden damit seine Vasallen. Das geschah zwar in einer besonderen Form, durch das Fahnlehen mit mehreren Fahnen, die sie an ihre Untervasallen weiterreichen sollten. Aber im Prinzip war ihre alte Unabhängigkeit beseitigt.

Dann, im 13. Jahrhundert, wurden die Weichen endgültig anders gestellt, im Statut zugunsten der Fürsten von 1231. Es war eine Art Waffenstillstand zwischen ihnen und dem Staufer Friedrich II., der in Sizilien lebte und den Frieden für seine Politik im Süden brauchte. Damals übertrug er ihnen auf dem Reichstag in Worms den größten Teil seiner Regalien (Rdz. 204), also Münze und Zoll, Markt und Geleit und das Recht, Burgen und Städte zu bauen. Auch die Hochgerichtsbarkeit wurde ihnen garantiert, frei von allen Vorbehalten. Vollständige Selbständigkeit haben sie dann schließlich in der frühen Neuzeit erreicht.

Auf dem gleichen Reichstag erkannte er in einer zweiten Urkunde an, sie hätten auch das Recht der Gesetzgebung. Das war durchaus nicht selbstverständlich. Noch galt das alte Gewohnheitsrecht, personales Stammesrecht, über das ein Fürst nicht verfügen konnte. Nun wurde es allmählich abgelöst durch ein territoriales Landrecht. Allerdings waren die Fürsten dabei nicht völlig frei. Ausgleich für diesen Machtzuwachs ist die Bedingung gewesen, die Landstände müßten mitwirken. Neue Gesetze sind möglich. Aber nur, wenn der Landesfürst sich mit dem Adel einigt.

In dieser Urkunde erscheint zum erstenmal der Ausdruck dominus terrae, Landesherr. In seinem Buch „Land und Herrschaft" hat Otto Brunner 1939 die Frage gestellt, was das heißt. Was bedeutet terra? War es schon das Territorium wie heute? Seine Antwort: Nein, das Land ist der Adel. Das Land sind die Landstände, ein Verband adliger Grundherren. Der Landesherr herrscht nicht allein. Noch immer gibt es autonome Teilverbände, allerdings auch zunehmende Tendenzen des entstehenden Territorialstaates, sie einzugrenzen und zum Beispiel ihr Fehderecht durch staatliches Strafrecht zu ersetzen. Das von den Landständen mit dem Fürsten beschlossene Landrecht hat durchaus noch personalen Charakter. Aber es gilt für alle Menschen, die dort wohnen, und ist insofern auch schon territorial.

Otto Brunners Buch richtete sich gegen eine an modernen Vorstellungen orientierte Sicht des mittelalterlichen Staates. Es war nicht eine Herrschaft, sagte er, die nur von oben nach unten wirkt, und er meint damit, daß der Staat damals ein Gebilde gewesen ist, in dem der politische Prozeß auch sehr stark vom Adel mitbestimmt wurde, unterhalb des Landesherren von unten nach oben. Ein Miteinander also von Land (Adel) und Herrschaft (Landesfürst). Das ist in der Rechtsgeschichte heute allgemein akzeptiert.

207. Fehde und Landfrieden

Dazu gehört auch eine andere Bewertung der Fehde. Fehde, das heißt Gewalt, Waffengang, Rache. Das war die Selbstverteidigung einzelner gegen wirkliches oder vermeintliches Unrecht in einer Zeit, in der der Staat nicht eine allumfassende Herrschaftsorganisation war, nicht Garant von Recht und Ordnung wie vorher in der Antike oder später in der Neuzeit. Fehde war also nicht Unrecht, war nicht Störung staatlicher Ordnung, auch nicht staatlich geduldete Selbsthilfe, sondern Ausdruck der Selbständigkeit von Teilverbänden im mittelalterlichen Staat, also Überrest vorstaatlichen Eigenrechts autonomer Teilgemeinschaften, besonders des Adels. Insofern gab es auch ein – modern gesprochen – Widerstandsrecht gegen den König oder den Landesherren, nämlich wenn er seine Pflichten aus dem Lehnsverhältnis gegenüber dem Vasallen verletzte.

Natürlich ist die Tendenz von oben immer gewesen, das ganze einzuschränken. Das war die Entwicklung zum modernen Staat der Neuzeit, die sich auf beiden Ebenen vollzog, nicht nur auf der des Reiches, sondern – sehr viel erfolgreicher – auch in seinen Territorien zugunsten der Landesfürsten. Wichtigstes Instrument in diesem Kampf gegen den Adel war die Friedensbewegung.

Sie begann in Südfrankreich im 10. Jahrhundert als Gottesfriedensbewegung. Kirchen und Priester, Frauen und Bauern sollten wenigstens an Sonn- und Feiertagen vor Gewalttaten geschützt werden. Deshalb veranlaßten die – adligen – Bischöfe und Äbte den weltlichen Adel, sich mit einem Eid zur Einhaltung dieses Gottesfriedens zu verpflichten. Es gab bewaffnete Aufgebote, die die Einhaltung garantierten, und die für den Bruch des Friedens angedrohten Strafen entwickelten sich – über Exkommunikation, Vermögenseinziehung und Todesstrafe - zum modernen staatlichen Strafrecht (Rdz. 236). Allmählich erweiterte sich das von einzelnen Tagen auf immer größere Zeiträume und vom Schutz bestimmter Personen zu dem des ganzen Landes. Aus dem Gottesfrieden wurde der Landfrieden, der dann auch im Deutschen Reich seit dem 11. Jahrhundert immer wieder zwischen König, Reichsfürsten und dem Adel vereinbart und beschworen wurde. Könige und Fürsten erklärten dabei ausdrücklich, die Bestrafung der Friedensbrecher sei nicht nur Aufgabe der Richter, sondern des ganzen Volkes, das diese Bewegung tatsächlich entscheidend mitgetragen hat. So kam es zur „Bildung einer neuen Rechtsgemeinschaft" (Karl Kroeschell), die im wesentlichen abgeschlossen war mit der Verkündung des Ewigen Landfriedens von 1495 durch Maximilian I.

208. Die Ministerialien

Lehnswesen und Landesfürsten hatten von Anfang an die Tendenz, die Macht der Kaiser zu mindern und die Einheit des Reiches zu zerstören. Schon die Karolinger sind daran gescheitert. Die Sachsenkaiser waren geschickter. Sie umgingen die Erblichkeit der Lehen dadurch, daß sie alle Grafenrechte den Bischöfen übertrugen. Diese „kaiserliche Reichskirche" ist dann allerdings in den Auseinandersetzungen mit dem Papst zusammengebrochen. Also gingen die salischen Kaiser einen anderen Weg, nämlich über eine breite Schicht von Verwaltungsbeamten, bei denen man aus einem anderen Grund meinte, Verselbständigungstendenzen vermeiden zu können. Die Ministerialen. In der rechtshistorischen Literatur wird ihre persönliche Stellung immer sehr undeutlich beschrieben. Man nennt sie Unfreie, Dienstmannen oder Hörige. Wahrscheinlich waren sie ganz einfach Sklaven (Rdz. 214), denn sie sind nicht wie Hörige an die Scholle gebunden, sondern konnten einzeln verschenkt oder verkauft werden. Schon früher, zum Beispiel im Langobardenrecht, unterschied man zwischen servi ministeriales, die höhere Dienste im Haus ihres Eigentümers verrichteten, und den einfachen Sklaven für die Landarbeit, servi rusticani.

Diese Ministerialen wurden seit dem 11. Jahrhundert in großer Zahl von Saliern und Staufern zur Verwaltung des Reiches eingesetzt, und zwar besonders im Reichsgut (Rdz. 204). Aber auch diese Politik ist gescheitert, ganz einfach deshalb, weil selbst diese Unterschicht den enormen Machtzuwachs nutzen konnte, ein eigenes „Dienstrecht" entwickelte, ihre Stellung allmählich ausbaute und erblich machte und schließlich sogar als niederer Adel frei wurde und in jene Lehenspyramide einzog (Rdz. 203), aus der man sie an sich heraushalten wollte.

209. Ein Rechtsspruch der Pfalzgrafen bei Rhein: die unerlaubte Ehe des Ministerialen

Unter dem Vorsitz zweier Brüder, die beide zugleich Pfalzgrafen bei Rhein waren und Herzöge von Bayern, tagte im November 1254 ein großes Gericht in der kleinen oberpfälzischen Stadt Nabburg und verhandelte über Streitfälle, die der Bischof von Bamberg vorgetragen hatte, zum Beispiel folgenden (aus dem Lateinischen übersetzt von Lothar Weinrich, Quellen zur Verfassungsgeschichte des römisch-deutschen Reiches im Spätmittelalter 1983, Nr. 6):

> „Wir Ludwig und Heinrich, von Gottes Gnaden Pfalzgrafen bei Rhein, Herzöge von Bayern, machen durch vorliegendes Schriftstück allen bekannt, daß unter unserem Vorsitz im Gericht in der Stadt Nabburg zusammen mit den Grafen, Freiherren und Dienst-

mannen des Reiches und des Herzogtums Bayern vom hochwürdigen Bischof von Bamberg in einem allgemeinen Weistumsspruch gefragt wurde: ... Wenn jemand von den Dienstmannen seiner Kirche ohne sein(: des Bischofs, U.W.) Einverständnis die Ehefrau aus einer fremden Hausgenossenschaft nimmt ohne geregelte Aufteilung der Kinder, was dann rechtens sei; und es erging das Weistum und wurde gebilligt: daß die Lehen, die dieser von ihm habe, rechtens erledigt sein müßten ... Zum Gedächtnis an diesen Vorgang haben wir vorliegendes Schriftstück mit der Bestätigung unseres Siegels versehen lassen. Geschehen im Jahre des Herrn 1254, im Monat November, in der 12. Indiktion."

Die Richter waren Vertreter des Reiches und des Herzogtums Bayerns. Also ist es ein Gericht des Reiches gewesen, verbunden mit dem eines Reichteils, und mit dem Vorsitz im Gericht des Reiches hatten die beiden Brüder eine Funktion des deutschen Königs übernommen, obwohl sie nur einfache Fürsten waren. Wieso das? Die Erklärung dafür findet sich einhundert Jahre später in der Goldenen Bulle von 1356 (Rdz. 204) deren 5. Kapitel „Vom Rechte des Pfalzgrafen und auch des Herzogs von Sachsen" handelt, die seitdem das Recht hatten, bei einer Vakanz auf dem Thron des Königs als Verwalter des Reiches die Rechtsprechung und dessen andere Funktionen vorübergehend zu übernehmen. Das war das sogenannte Reichsvikariat, das der Pfalzgraf im Süden ausübte und der Herzog von Sachsen im Norden. Damals, als die beiden Pfalzgrafen 1254 in Nabburg tagten, gab es gerade eine solche Vakanz, denn der letzte Stauferkaiser – Konrad IV. – war wenige Monate vorher gestorben. Zwar existierte ein Gegenkönig, einige Jahre vorher gewählt. Aber die Pfalzgrafen haben ihn nicht anerkannt und wahrscheinlich eigenmächtig dieses Amt der Reichsverweserschaft übernommen, das ihre Nachfolger später noch öfter ohne sicheres Recht beansprucht haben, bis es ihnen in der Goldenen Bulle endgültig bestätigt wurde.

Der Ministeriale, dessen Fall der Bischof von Bamberg vorgetragen hat, lebte zweihundert Jahre nach den ersten Amtsträgern dieser Art. Inzwischen waren sie keine Sklaven mehr, sondern Freie oder Halbfreie, Adlige mit einem erblichen Lehen, nicht nur in Diensten des Königs, sondern auch der Fürsten und – wie man hier sieht – der Kirche. Er hatte, was er nach dem Dienstrecht nicht durfte, ohne Erlaubnis seines Herrn geheiratet. Und es entstand ein zweites Problem, weil seine Frau die Leibeigene eines anderen war und er ein Leibeigener seiner Kirche. In solchen Fällen mußte vorher geklärt werden, wohin die Kinder gehören sollen, die aus dieser Ehe kommen würden. Zu ihrem oder seinem Herrn? Die hätten darüber vorher einen Vertrag schließen müssen, das Kindgedinge

(„geregelte Aufteilung der Kinder"). Auch das war unterblieben. Das eigentliche Problem aber ist der Pflichtverstoß des Ministerialen gewesen, seine Heirat ohne die Einwilligung des Bischofs als seines Dienstherrn. Früher hätte man einfach gesagt, die Ehe sei unwirksam. Seit dem 12. Jahrhundert war sie jedoch ein Sakrament geworden und unauflösbar, wenn die beiden – was man hier annehmen darf – vor einem Priester in der Kirche geheiratet hatten. Also blieb nur die Beendigung des Dienstverhältnisses, das zu jener Zeit auch ein Lehnsverhältnis war, ein Privileg, dessen Verlust schwerer wog als die damit gewonnene Freiheit.

210. Kirche und Staat

Ein Blick auf die Karte des alten Deutschen Reiches zeigt, wie viele und große geistliche Gebiete es damals gab, vom Erzbistum Bremen über die Bistümer Osnabrück, Münster und Paderborn bis zu den Erzbistümern Köln, Mainz und Trier, vom Erzbistum Magdeburg über die Bistümer Hildesheim und Halberstadt bis zur riesigen Abtei Fulda, und so weiter, bis in den Süden zum Bistum Trient. Ein Flickenteppich von weltlichen und geistlichen Landesherrschaften.

Das ist der Hintergrund des Streits um die Investitur, im 11. und 12. Jahrhundert sozusagen die lokalpolitische Parallele zum Kampf zwischen König und Papst um die Kaiserkrönung (Rdz. 205). Das Wort ist ein Begriff aus dem Lehnsrecht. Investitur ist die Einsetzung von Vasallen durch den Lehnsherrn. Auch bei der Einsetzung von Bischöfen durch den König wurde es gebraucht, weil sie in ihren Gebieten die Herrschaft normaler Landesfürsten ausübten. Aber auch die Übertragung priesterlicher Rechte und Pflichten war damit verbunden, und hier setzte die Kritik von Kirchenreformern ein. 1075 hat Papst Gregor VII. in ihrem Sinn den Kampf gegen den Kaiser begonnen, mit dem Verbot der Laieninvestitur und der Priesterehe. Kirchliche Ämter sollten nur noch vom Papst besetzt werden, nicht mehr von Laien, zu denen Kaiser und König gehörten. Nun aber entstand das umgekehrte Problem. Bischöfe hatten in ihren Bistümern nicht nur kirchliche Aufgaben, sondern eben auch staatliche Funktionen. Also bedeutete das Verbot der Laieninvestitur auch den Versuch, die Vorherrschaft der Kirche im Staat zu begründen, eine Vorherrschaft, die gesichert werden sollte durch das Verbot der Ehe von Priestern (Zölibat), weil dann keine erbrechtlichen Probleme mehr entstehen konnten mit den Kindern von Bischöfen, die Ansprüche anmeldeten auf die Nachfolge ihrer Väter, eine erbrechtliche Nachfolge, die immer bedeutet, daß sich solche Herrschaftspositionen verselbständigen und dem Einfluß der Kirche und des Papstes entzogen werden. Verbot der Priesterehe, das war – und ist in einem gewissen Sinn noch heute – Verselbständigung und Steigerung von Herrschaft der Kirche.

Dieser Investiturstreit ist berühmt geworden durch den Gang Heinrichs IV. nach Canossa – 1077 – und endete mit einem Kompromiß, 1122 im Wormser Konkordat, einem Vertrag zwischen Kaiser Heinrich V. und dem Papst. Die Bischöfe wurden seitdem vom Klerus und vom Volk gewählt, das Volk natürlich vertreten durch den Adel und die Patrizier der Bischofsstadt. Das war das Ende der Reichskirche. Aber vor der Einsetzung in das geistliche Amt durch den Papst, mit Bischofsring und Krummstab, kam die Investitur in das weltliche durch den König, der auf diese Weise ein entscheidendes Mitspracherecht behielt. Die Ehelosigkeit der Priester blieb unbestritten.

Im übrigen bot die Ordnung der Kirche durchaus kein einheitliches Bild. Nicht immer war es so, daß in einem Gebiet alle Kirchen dem Bischof unterstanden, der frei über die Einsetzung von Pfarrern entschied. Es gab viele sogenannte Eigenkirchen, die von ihren adligen Stiftern abhängig blieben. Deren Nachfolger hatten als Kirchenpatrone das Recht, dem Bischof Vorschläge zu machen für die Einsetzung der Pfarrer. Ähnlich war es mit den Klöstern. Ihre Äbte wurden zwar regelmäßig von den Mönchen gewählt. Aber auch hier gab es oft noch Hoheitsrechte von Stiftern, die als Vögte Obereigentümer des Gebietes blieben und die Gerichtsbarkeit behielten. Nur die sogenannten Reichsabteien, die vom König gegründet worden waren, hatten den Rang von Landesherrschaft und eine eigene Gerichtsbarkeit.

211. Städte

Die Germanen lebten in Dörfern, hatten keine Städte (Tac.Germ.16.1). Einige gab es am Rhein und in Süddeutschland, von den Römern gebaut, als Zentren ihrer Provinzialverwaltung, die gleichzeitig Handelsplätze wurden. Das waren die ersten Städte in Deutschland, Mainz, Köln und Trier zum Beispiel oder Augsburg und Regensburg. Im Frankenreich hatten sie stark an Bedeutung verloren. Manche wurden zwar Residenzen von Bischöfen, aber die allgemeine Entwicklung ging weg vom Handel, zurück zur Landwirtschaft. Als sich der Handel wieder belebte, entstanden neue Niederlassungen von Kaufleuten, als Siedlungen, die sich neben den Burgen des Königs bildeten oder bei bischöflichen Domburgen. Der eigentliche Aufschwung kam im 12. Jahrhundert. Nun wurden neue Städte planmäßig gegründet, so daß es am Ende des Mittelalters etwa dreitausend gab. Verglichen mit heute waren sie ziemlich klein. Die meisten hatten zwischen ein- und zweitausend Einwohner. Mit vierzigtausend war Köln die größte. Aber ihre Bedeutung war beträchtlich geworden.

Seit dem 12. Jahrhundert entwickelten sie sich nämlich zu einem neuen Teil der staatlichen Ordnung, als vierte Säule im Verfassungsbau des Mittelalters, neben dem König, den Landesfürsten und der Kirche. Vorher waren sie staatsrechtlich nicht vorhanden, unselbständig, immer unter der Herrschaft eines Stadtherrn, also des Königs, eines Bischofs oder Fürsten, die die Gerichtsbarkeit hatten und die Verwaltung bestimmten. Allmählich gelang es einigen, sich von dieser Herrschaft zu befreien, meistens mit

Gewalt, manchmal in regelrechter Feldschlacht zwischen den Bürgern und den Truppen des Stadtherrn. Träger dieser revolutionären Bewegung waren die Gilden der Kaufleute, die dann dort die Macht übernahmen, als Patrizier, in den Stadträten, die im 13. Jahrhundert entstanden. Die Handwerker waren zunächst ausgeschlossen und in einzelnen Fällen blieb die Herrschaft dieser Patrizier bis ins 19. Jahrhundert erhalten. Meistens aber erkämpften die Handwerker sich mit ihren Zünften einen entscheidenden Teil der politischen Macht im Rat der Stadt und manchmal sogar die ganze Herrschaft, weil sie ja auch die Masse der wehrfähigen Bürger stellten und die Städte erst am Ende des Mittelalters dazu übergingen, mit Söldnerheeren zu kämpfen. Diese Städte, die sich von ihrem Stadtherrn befreit hatten, wurden freie Reichsstädte, mit eigener Gerichtsbarkeit und einer ähnlich starken Stellung wie die Landesfürsten.

Daneben entstanden die neuen, mitten im Land, sozusagen auf dem Reißbrett entworfen. Sie wurden gegründet von mächtigen Landesfürsten, die ihnen Markt und Geleit garantieren konnten, gegen mäßige Abgaben, Freiburg und Lübeck zum Beispiel, in die Welt gesetzt vom Sachsenherzog Heinrich dem Löwen. Mit ihren ziemlich freiheitlichen Verfassungen standen sie etwa in der Mitte zwischen den alten, die noch völlig der Herrschaft eines Stadtherrn unterworfen waren, und den anderen, die sich davon befreit hatten. Immerhin unterstanden sie noch der Gerichtsbarkeit ihres Landesfürsten. Im Laufe der Zeit haben es aber auch einige von ihnen geschafft, diese Herrschaft abzuschütteln und freie Reichsstädte zu werden. Lübeck zum Beispiel. So gab es die verschiedensten Formen von Stadtverfassungen, einen ständigen Kampf um die Selbständigkeit, auch mit der Kirche, der am Ende des Mittelalters aber im großen und ganzen zugunsten der Städte entschieden worden war.

212. Dörfer

Wie und wann das Dorf entstanden ist, zum einen als Siedlungsform und zum anderen in der juristischen Gestalt einer Gemeinde, das ist umstritten in der rechtshistorischen Forschung. Sehr lange, seit dem 19. Jahrhundert, war man der Überzeugung, beides sei sehr alt und reiche zurück in die germanische Zeit. Verändert hätten sich nur, meinte man, die Eigentumsverhältnisse. Man umschrieb das mit den Begriffen Dorfgemeinschaft und Markgenossenschaft. Am Anfang habe der Dorfgemeinschaft das ganze Land gemeinsam gehört, auch die einzelnen Äcker. Darauf deuten tatsächlich einige Bemerkungen bei Caesar und Tacitus (Caes.Bell. Gall.6.22, Tac.Germ.26.2). Später, am Ende des Mittelalters, finden sich an vielen Orten sogenannte Markgenossenschaften, in denen die Bauern den Wald und die Gemeindewiesen – die Allmende – gemeinschaftlich nutzten. So zog man eine Entwicklungslinie und meinte, dies sei der Rest des von Caesar und Tacitus beschriebenen Agrarkommunismus, nach

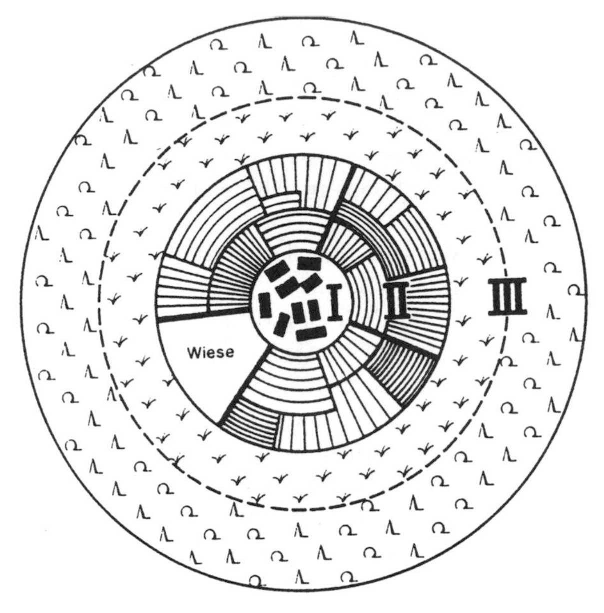

Modell eines Haufendorfes (nach Rösener, Bauern im Mittelalter, 1985, S. 56)

Ring I : Wohnbereich des Dorfes mit Hofstätten und Gärten
Ring II : Gewannflur mit privaten Feldern und Wiesen
Ring III: Allemende mit Weide- und Waldflächen

dem inzwischen die Äcker und Wiesen unmittelbar um das Dorf herum – in der sogenannten Gewannflur – Privateigentum geworden waren. Heute ist der größere Teil der Rechtshistoriker anderer Meinung. Die Siedlungsarchäologie hat gezeigt, daß das am meisten verbreitete Dorf, eben jenes Haufendorf mit Gewannflur und Allmende, erst im Mittelalter entstanden ist. Vorher gab es nur andere, kleinere Siedlungen. Die Markgenossenschaften werden sich erst gebildet haben, als durch die großen Rodungen der Wald knapp und deshalb eine Regelung seiner Nutzung notwendig geworden war. Das war die gleiche Zeit, in der das Dorf sich zu einer Rechtsform entwickelt hat, im Hohen Mittelalter, zur Stauferzeit, im 12. Jahrhundert, als so vieles sich änderte und auch die Stadt als selbständiges juristisches Gebilde entstanden ist. Damals reduzierte man die Eigenwirtschaft auf den Domänen (Rdz. 189, 202). Auch hörige Bauern arbeiteten seitdem im wesentlichen nur noch auf ihrem eigenen Hof und erbrachten ihre Leistungen an den Grundherrn fast nur noch als finanzielle Abgaben. Das machte es möglich, mehrere Bindungen einzugehen, die Abhängigkeit dadurch weiter zu relativieren und die Gemeinschaft und Autonomie des Dorfes zu stärken, zumal es einigen Bauern gelang, sich völlig aus der Hörigkeit zu befreien. So verbesserte sich die Situation in den Dörfern, auch durch die großen Rodungen und die Neuansiedlungen im Osten, bei denen man den Siedlergemeinschaften bessere Bedingungen bot als in den alten Dörfern. Also mußten die Grundherren dort nachziehen, um ihre Leute nicht zu verlieren, ganz abgesehen davon, daß die Anziehungskraft der Stadt einen zusätzlichen Druck ausübte. Dorf und Stadt hatten eine sehr ähnliche Entwicklung. Die Städte waren durchaus keine Fremdkörper in einer völlig andersartigen feudalen Umwelt, waren nicht liberale Oasen in einer feudalen Wüste.

Wie bei den Städten gab es eine große Zahl sehr unterschiedlicher Dorfverfassungen, auch mit verschiedenen Rechtsstellungen der Einwohner untereinander. Meistens war das Dorf mehr oder weniger abhängig von einem Grundherrn. An der Spitze stand ein Bürgermeister, dessen Bezeichnung von Landschaft zu Landschaft wechselte: Schulze, burmester, Schultheiß, Amman, Vogt. Regelmäßig hatte er eine Doppelfunktion, war sowohl Vertreter des Grundherrn als auch Repräsentant der Dorfgemeinde. Oft war sein Amt erblich. Er leitete das Dorfgericht, das meistens nur zuständig war für die Verhandlung von privaten Streitigkeiten der Dorfbewohner untereinander, ab und zu aber auch, zum Beispiel in Ostdeutschland, als Hochgericht über schwere Verbrechen zu urteilen hatte.

213. Grundherrschaft

Die im Frankenreich voll entwickelte Grundherrschaft (Rdz. 189) veränderte sich gleich zweimal im mittelalterlichen Deutschen Reich, nämlich zum erstenmal, als es seit dem 11. Jahrhundert mit der Landwirtschaft aufwärts ging, und das zweite Mal, als ihre Situation mit der Agrarkrise des 14. Jahrhunderts wieder schlechter wurde.

Zunächst hatten die großen Fortschritte der landwirtschaftlichen Technik die Folge, daß das alte Fronhofsystem zerfiel. Mit der Reduzierung der Eigenwirtschaft von Grundherren und dem Wegfall der Fronarbeiten verschwand in den meisten Gebieten sogar die Bindung der Bauern an die Scholle. In der neueren Forschung nennt man das die „Auflösung der ersten Leibeigenschaft" (Hans Mottek). Vielleicht ist das ein wenig übertrieben, aber jedenfalls verlor die alte Hörigkeit entscheidend an Boden, zumal noch die Flucht in die Stadt dazukam, die nach „Jahr und Tag" die Rechte des Grundherrn beseitigte. In der Geschichtsschreibung des 19. Jahrhunderts umschrieb man das mit den Worten „Stadtluft macht frei."

Seit der Agrarkrise des 14. Jahrhunderts hat sich dieser Prozeß wieder umgekehrt, entstand die „zweite Leibeigenschaft", die dann bis zum Beginn des 19. Jahrhunderts bestehen blieb. Die Zahl adliger Grundherren nahm zu und wohl auch die Größe ihrer Gebiete, in denen sie nun oft Rechte über alle dort lebenden Bauern erwarben („Luft macht eigen").

Allerdings war diese neue Hörigkeit genauso wenig ein einheitliches Rechtsinstitut wie die alte. Zwar gab es wieder eine weit verbreitete Bindung an die Scholle, aber dafür in den verschiedenen Gegenden durchaus unterschiedliche Regeln mit vielen Namen. Das Wort hörig gehört in diese „zweite Leibeigenschaft", kommt aus Norddeutschland, wo es seit dem 14. Jahrhundert auftritt, und zwar besonders in Westfalen. Leibeigenschaft ist eine moderne Bezeichnung. Sie geht auf das Wort eigen zurück, das in die erste Zeit gehört. Der Sachsenspiegel zum Beispiel, am Anfang des 13. Jahrhunderts, spricht von eigenschaph. In der rechtshistorischen Forschung heute gebraucht man dafür gern ein anderes Wort, das die Unsicherheit über die verschiedenartige Ausgestaltung der unterschiedlichen Formen überspielen soll. Man spricht von Unfreiheit und verdeckt mit diesem sehr allgemeinen Begriff gleichzeitig ein zusätzliches Problem, das in der Forschung zur allgemeinen Geschichte des Mittelalters zunehmend beachtet wird.

214. Sklaverei im Mittelalter?

Denn nicht nur im Frankenreich hat es Sklaven gegeben (Rdz. 197), wenn man mit diesem Begriff das Eigentum an Menschen bezeichnet, die ohne Bindung an die Scholle verkauft oder verschenkt werden können. Auch im Hohen und im Späten Mittelalter läßt sich das beobachten, wobei nur noch unklar ist, in welchem Umfang es verbreitet war. Jedenfalls ist die Vorstellung grundfalsch, Sklaverei hätte man nur in der Antike gekannt und dann erst wieder in der Neuzeit, als europäische Händler die großen Massen von Afrikanern nach Nord-, Süd- und Mittelamerika brachten.

Die Sklaverei des Frankenreichs, die aus der Antike stammte, erstreckte sich jedenfalls noch ziemlich weit ins deutsche Mittelalter. Fränkische Domänen wurden ja nicht nur mit hörigen Bauern betrieben, die vom Land nicht getrennt werden konnten (servi casati), sondern auch mit frei verfügbaren Sklaven (servi non casati). Solche landwirtschaftlichen Sklaven werden auch im Deutschen Reich endgültig erst dann verschwunden sein, als sich mit der Agrarrevolution die Situation der Bauern entscheidend verbesserte, also mit der „Auflösung der ersten Leibeigenschaft". Einen deutlichen Hinweis auf die Existenz von Sklaverei geben jedenfalls die Ministerialen (Rdz. 208), die nichts anderes waren als frei verfügbare Haussklaven. Im 12. Jahrhundert dürften beide Gruppen, diese Haussklaven und die in der Landwirtschaft, weitgehend in der großen Freiheit des Hohen Mittelalters aufgegangen sein.

Stattdessen gab es aber wieder Neues. Mittel- und Südeuropa waren seit dem 8. Jahrhundert ein riesiger Umschlagplatz für den Sklavenhandel, der im wesentlichen zwischen dem Osten und den Arabern vermittelte. Aus den slawischen Gebieten, aus Rußland und vom Schwarzen Meer, wurden Tausende und Abertausende von Sklaven über das Mittelmeer nach Italien, Südfrankreich und nach Spanien gebracht und von dort nach Ägypten und in den Nahen Osten verkauft. Tausende blieben dabei in den Handelsstädten hängen, also in Genua, Venedig, Florenz oder Marseille. Mallorca war eine Sklaveninsel. Hier konnten sie schlecht weglaufen und deshalb wurde hier noch am Ende des Mittelalters die Landwirtschaft mit Tausenden von Sklaven betrieben.

Der Handel lief aber nicht nur über das Mittelmeer. Er lief auch quer durch Deutschland, und zwar in großem Umfang. So blieben viele Sklaven auch in deutschen Städten hängen, nicht so zahlreich wie in Italien, aber eben ganz deutlich als echte Sklaven. Deshalb gab es dafür seit dem 10. oder 11. Jahrhundert auch ein neues Wort. Denn man mußte sie von anderen Formen der Unfreiheit unterscheiden, die immer noch die alten lateinischen Namen trugen – servus oder mancipium – aber sich inzwischen weiterentwickelt hatten. Man nannte sie Sklaven. Das war nichts anderes als die Bezeichnung ihrer Herkunft als Slawen. Natürlich kamen auch wieder andere dazu, Christen aus ganz Europa. Und die Kirche hat nichts dagegen getan. 1179, im Konzil von Venedig, begnügte man sich mit dem Verbot, daß Christen nicht als Sklaven von Juden gehalten werden dürfen und daß man sie nicht an die Araber verkaufen dürfte. Ein entsprechendes Verbot für christliche Eigentümer gab es nicht, schon gar nicht wegen heidnischer Sklaven, zu denen man übrigens auch die orthodox-christlichen Russen zählte.

215. Reichsrecht, Landrecht, Stadtrecht, Dorfrecht

Vielfältig und verschachtelt wie der Bau des mittelalterlichen Reiches, so ist auch sein Recht, ohne die klaren Trennungslinien, die für unser heutiges Rechtsverständnis so wichtig sind, zwischen Verfassungsrecht und Privatrecht, Gewohnheitsrecht und Gesetz, allgemeinem und territorialem Recht. Solche Vorstellungen tauchen zwar auf, sind in Ansätzen entwickelt, verschwinden aber schließlich im Gestrüpp miteinander verflochtener, ganz andersartiger Herrschaftsformen.

Es gibt nur wenig allgemeines Reichsrecht. Schon gar nicht gibt es ein allgemeines Gesetz, das etwa der König als Gesetzgeber erlassen könnte. Nicht, daß solche Vorstellungen völlig fehlten. Im Gegenteil. Die Stauferkaiser kennen sie sehr wohl, können sie aber nur in Italien verwirklichen, nicht zu Hause im deutschen Teil des Reiches. Die Vorstellungen kamen aus dem römischen Recht, das sich zu jener Zeit in Italien wieder intensiver durchsetzte und dann auch bald nach Deutschland vorzudringen begann (Rdz. 216). Deshalb verwunderte es auch nicht, wenn die Definition des Gesetzes, die dann für Europa so wichtig wurde, in Italien formuliert worden ist, und nicht in Deutschland. Thomas von Aquin war es, am Ende des 13. Jahrhunderts, dem Jahrhundert des geistigen Aufbruchs. In seiner Summa Theologiae schrieb er (II.1.90.4):

> potest colligi definitio legis, quae nihil est aliud quam quaedam rationis ordinatio ad bonum commune, ab eo, qui curam communitatis habet, promulgata.

> kann die Definition des Gesetzes gegeben werden, das nichts anderes ist als eine Ordnung der Vernunft für das allgemeine Wohl, die von demjenigen verkündet wird, der die Verantwortung für das Gemeinwesen hat.

In Deutschland war das graue Theorie. Hier sind die Könige nicht stark genug gewesen, anders als in Spanien, Frankreich und England. Hier stand jene Staffelung des Lehnswesens dagegen, die den König nur mit dem einzelnen Landesfürsten verband und den Durchgriff auf die unteren Stufen der Pyramide verhinderte. Dieses Lehnsrecht allerdings, dieses Recht des Adels mit seiner merkwürdigen Mischung aus Verfassungs- und Privatrecht, es galt im ganzen Deutschen Reich, war also allgemeines Reichsrecht, wie einige Verfassungsgrundsätze auch, auf die sich König und Reichsfürsten geeinigt hatten, z.B. das Statut zugunsten der Landesfürsten oder die Goldene Bulle (Rdz. 204), und wie die Landfriedensordnungen, die seit dem 12. Jahrhundert für das ganze Reich vereinbart wurden (Rdz. 207). Mehr aber nicht. Wenig Reichsrecht, weil die Macht der Kaiser gering war.

Den meisten Raum hatte wie im Frankenreich das Recht der einzelnen Territorien, das alte Stammesrecht. Allerdings mit einigen Veränderungen. Zum einen hatte das Statut über die Mitwirkung der Stände den Landesfürsten die Möglichkeit zugestanden, neues Recht zu schaffen, wenn sie sich darauf mit den Landständen einigten (Rdz. 206). Zum anderen war der personale Charakter dieses Rechts überlagert worden vom territorialen. Das hing zusammen mit dem Machtzuwachs dieser Territorien. Schon um 1220 heißt es im Sachsenspiegel (Landrecht, 1. Buch, 20. Kapitel):

> Jeder eingewanderte Mann empfängt Erbe in dem Land Sachsen nach dem Recht des Landes und nicht nach dem Recht des Mannes, er sei Bayer oder Schwabe oder Franke.

Es gab also nicht mehr das „internationale Privat- und Strafrecht der fränkischen Zeit“ (Rdz. 191).

Stadtrechte und Dorfrechte entstanden auf vielfältige Weise. Zum einen dadurch, daß Stadtherren oder Grundherren bei Neugründungen die wichtigsten Prinzipien der äußeren und inneren Ordnung einseitig vorschreiben, in einer Gründungsurkunde. Man nannte das Privileg. Dabei wurden oft einfach andere Stadtrechte übernommen und so entstanden Stadtrechtsfamilien, Gruppen von Städten mit gleichem Recht im Osten mit dem von Lübeck oder Magdeburg, im Südwesten zum Beispiel mit dem von Freiburg. Ältere Städte mußten sich ihr Recht meistens erkämpfen. Sie erhielten es dann entweder auch als Privileg des Stadtherren oder es wurde von den siegreichen Bürgern selbst als Satzung beschlossen. Hier wie dort entwickelte es sich dann langsam weiter, durch Beschlüsse des Stadtrates oder in der Rechtsprechung des Stadtgerichts. Dorfrechte wurden seit dem Späten Mittelalter auch als Weistümer aufgezeichnet, meistens in Frage und Antwort, im Zusammenwirken zwischen Grundherrn und Dorfgemeinde. So ergeben sich Privileg, Satzung und Weistum als die drei Möglichkeiten der Entstehung örtlichen Rechts, nämlich durch einseitige herrschaftliche Verleihung, autonomen Beschluß oder Vereinbarung zwischen Herrschaft und Gemeinschaft.

Das war aber nicht alles. Zwischen den Verstrebungen im Schachtelbau dieses Rechts, zwischen Reichsrecht und Landrecht, Stadtrecht und Dorfrecht, entwickelten sich im Hohen Mittelalter andere Einschiebsel, die allmählich immer größere Dimensionen annahmen. Das kanonische und das römische Recht.

216. Römisches Recht

Es begann im Hohen Mittelalter, in jener „Renaissance des 12. Jahrhunderts" (Rdz. 202), als mit dem ökonomischen Aufschwung eine neue Stadtkultur entstand und das Denken sich veränderte. Die Schriften des Aristoteles brachten eine neue Rationalität nach Europa, die Scholastik entwickelte sich und die Universität. In diesen Zusammenhang gehört auch die Wiedergeburt des klassischen römischen Rechts. Es ist eine allgemeine Entwicklung, die zuerst in Oberitalien beginnt, in den Städten der Lombardei:

> „Diese Städte waren jetzt ungemein reich, bevölkert und thätig. Das frische Leben ihres Handels und ihrer Gewerbe forderte ein ausgebildetes bürgerliches Recht; die Germanischen Volksrechte waren diesem Zustand nicht angemessen, auch die dürftige Kenntniß des Römischen Rechts, womit man sich bis jetzt beholfen hatte, genügte nicht mehr" (Savigny, Geschichte des römischen Rechts im Mittelalter, 3. Band, 2. Aufl. 1834, S. 84).

In Bologna entsteht die erste europäische Universität, als Schule von Juristen. Sie geht zurück auf die Tätigkeit eines sehr erfolgreichen Lehrers, der Irnerius hieß und schon um 1100 vom Unterricht der Grammatik übergegangen war zum Unterricht im römischen Recht. Dessen Tradition war zwar nie abgebrochen. Aber in Italien und den anderen Gebieten des ehemaligen weströmischen Reiches existierte es damals nur als Vulgarrecht (Rdz. 156), anders als in Byzanz, wo bis zum Untergang im 15. Jahrhundert die Kodifikation Justinians (Rdz. 157) die Grundlage der Rechtsordnung geblieben war. In Italien kannte man zwar einige Teile davon, die Institutionen, den Codex und die Novellen, weil auch dort einige byzantinische Herrschaftsgebiete waren, zum Beispiel das Exarchat von Ravenna, aber man kannte nicht die Digesten, das Kernstück, den wichtigsten Teil dieser Kodifikation, in dem die eigentliche Tradition des römischen Rechts erhalten war, mit den Auszügen aus den Schriften von Juristen der klassischen Zeit. In der Mitte des 11. Jahrhunderts tauchte nun ein Exemplar in Pisa auf, das aus Byzanz nach Italien gekommen war, die berühmte Handschrift F. Sie wird heute in Florenz aufbewahrt, eine Handschrift die noch im 6. Jahrhundert direkt vom Original der justinianischen Digesten abgeschrieben worden war. Eine Kopie kam nach Bologna zu Irnerius und wurde hier das A und O seines Rechtsunterrichts. Damit beginnt die Geschichte des modernen europäischen Rechts, das sich gründet auf römisches und kanonisches Recht, das römische der klassischen Zeit, vermittelt durch die justinianische Kodifikation und die mittelalterlichen Juristen aus der Schule von Bologna, in einem erstaunlichen Dreisprung. Zuerst waren die Schriften der klassischen Juristen von Rom nach Osten transportiert worden und erhielten in Konstantinopel dreihundert Jahre nach ihrer Zeit von Justinian in den Digesten neue Rechtsgeltung. Dann kamen sie, noch einmal fünfhundert Jahre später, nach Bologna zu Irnerius und an die anderen italienischen Universitäten, die bald darauf entstanden, als Grundlage einer neuen Rechtswissenschaft, und wurden von hier, drittens, in den nächsten vierhundert Jahren bis zum Ende des Mittelalters in Strahlenform über ganz Europa verbreitet.

Denn der Unterricht des Irnerius und seiner Nachfolger hatte großen Zulauf. Um 1200 gab es in Bologna eintausend Jurastudenten und die Hälfte davon waren keine Italiener. Wenn sie in ihre Heimatländer zurückgingen, arbeiteten sie dort auf der Grundlage des klassischen römischen Rechts und des Kirchenrechts und damit entstand in Europa wieder der Beruf eines Juristen. Er wurde nicht mehr iuris consultus genannt oder iuris peritus, wie im alten Rom, sondern iurista. Das war ein neues Wort, mit dem sich im öffentlichen Bewußtsein am Ende des Hochmittelalters ein neues Berufsbild durchgesetzt hatte.

Die Universität entstand aus der Vereinigung dieser Studenten. Sie bezahlten ihre Lehrer selbst und waren organisiert als „eine sich selbst verwaltende Genossenschaft" (Helmut Coing), an deren Spitze einer dieser Studenten als von ihnen gewählter Rektor stand. Erst später, als die Städte oder Fürsten die Finanzierung übernahmen, wurden daraus staatliche Universitäten mit zunehmendem Einfluß der Professoren. Etwa zur gleichen Zeit wie in Bologna, um 1150, entstand in Paris eine Schule von Theologen, von Anfang an als Professorenuniversität. Dieser Typ kam dann nach Deutschland, als hier die ersten Universitäten entstanden (Prag 1348, Wien 1365, Heidelberg 1386, Köln 1388).

Der Unterricht war pedantisch und schwerfällig, aber auf hohem juristischem Niveau. Man studierte – neben dem Decretum Gratiani (Rdz. 217) – im wesentlichen die Digesten und den Codex. Die wichtigsten Bücher las man morgens, die weniger wichtigen nachmittags, in der Reihenfolge der Fragmente, von denen keines ausgelassen werden durfte. Einige Teile der Digesten überging man allerdings vollständig. Für die Sachgebiete der einzelnen Titel gab es Zusammenfassungen (summae), entscheidend war jedoch die Lektüre der einzelnen Texte mit ihren konkreten Fällen, die sorgfältig erklärt wurden, in Anmerkungen am Rand des Textes, den sogenannten Glossen. Wegen dieser Arbeitsweise bezeichnet man Irnerius und seine Nachfolger als Glossatoren.

Einen gewissen Höhepunkt erreichte ihre Arbeit mit Accursius in der Mitte des 13. Jahrhunderts. Er hatte die ausführlichste Zusammenfassung der Einzelglossen geschrieben, die bald glossa ordinaria genannt und bis zum 18. Jahrhundert in der juristischen Praxis benutzt wurde. Den höchsten Grad an europäischer Berühmtheit erreichten zwei Professoren aus Perugia, Bartolus (1314–1357) und Baldus (1327–1400). Ihre Methode war etwas freier geworden und hing nicht mehr so eng am Text wie noch bei Accursius. Auch haben sie das oberitalienische Stadtrecht und das Kirchenrecht in ihren Unterricht und ihre Schriften aufgenommen und mit dem römischen Recht zu einer Einheit verschmolzen (ius commune, gemeines Recht). Mit anderen Worten, sie waren ein wenig moderner. Deshalb bezeichnet man die Juristen nach Accursius bis zum Ende des Mittelalters als Postglossatoren, oft auch als Konsiliatoren, weil sie mit ihren Gutachten (consilia) – angeblich – mehr als ihre Vorgänger praktische juristische Arbeit geleistet haben, nicht nur theoretische.

217. Kanonisches Recht

Was Irnerius um 1100 für das römische Recht leistete, das tat Gratian für das kirchliche, zur gleichen Zeit und in derselben Stadt. Und hat damit das moderne Recht in gleicher Weise beeinflußt, denn dessen Entwicklung war der einheitliche Prozeß einer sehr engen Verbindung von römischem und kirchlichem Recht. Beide zusammen waren das „gelehrte Recht", dem die Zukunft gehörte.

Gratian lebte als Mönch in einem Kloster in Bologna. Er lehrte das Kirchenrecht und hat dessen unzählige Regeln, die im Jahrtausend vorher entstanden waren, zusammengefaßt und in eine Ordnung gebracht. Eine Ordnung, die für uns heute eher unübersichtlich ist. Er nannte sein Buch „Concordia disconcordantium canonum", Vereinheitlichung uneinheitlicher Regeln. Kanon ist eine Vorschrift des Kirchenrechts. Das Wort entspricht dem, was man im römischen Recht als lex bezeichnet, also nicht nur das Gesetz, sondern auch jedes einzelne Fragment in den Digesten. Deshalb spricht man von Legisten und Kanonisten, den Juristen des römischen und des Kirchenrechts. Obwohl Gratians Buch nur eine private

Sammlung war, ist es für Jahrhunderte das Fundament des Kirchenrechts geblieben. Man nannte es auch Decretum Gratiani. Es erschien um 1140.

Kirche und Papst standen auf dem Höhepunkt ihrer Macht. Sie hatten die Vorherrschaft in Europa. Die Kirche war im Investiturstreit und besonders durch das Verbot der Priesterehe eine mächtige eigenständige Organisation geworden (Rdz. 210), hierarchisch gegliedert, in der sich Elemente staatlicher Herrschaft entwickelt hatten, die bald den Landesfürsten als Vorbild dienten. Dafür war ein einheitliches und geordnetes Recht notwendig. Die Ordnung des Gratian war das, was man brauchte, ein rationales System, das aus sich selbst weiterentwickelt werden konnte, anders als das gute alte Recht, das statisch war. Deshalb ihr großer Erfolg. Von Zeit zu Zeit wurde sie ergänzt, durch neue Sammlungen neuer päpstlicher Entscheidungen, im Liber Extra von 1234 und Liber Sextus von 1298, aber sie blieb der Grundstock, wuchs mit ihnen zum Corpus Juris Canonici, wie es seit 1580 offiziell genannt wurde (drei Jahre später, in der Ausgabe des Gothofredus 1583, erscheint die Parallelbezeichnung für das römische Recht: Corpus Iuris Civilis). Es ging nicht nur um Fragen der innerkirchlichen Organisation. Das kanonische Recht griff weit darüber hinaus in den weltlichen Bereich, denn die Gerichte der Bischöfe beanspruchten in vielfältiger Weise Zuständigkeit auch für das Zivil- und Strafrecht.

Das Decretum des Gratian und seine Ergänzungen wurden in gleicher Weise bearbeitet wie das römische Recht, mit Summen und Glossen. Die Beeinflussung war gegenseitig. Auf der einen Seite übernahm das kanonische Recht Begriffe und Methoden aus dem römischen. Auch der Gedanke einer einheitlichen Zusammenfassung kam von dort. Auf der anderen nahm es auf den Inhalt vieler Einzelregelungen des weltlichen Rechts Einfluß, am meisten im Eherecht, aber auch im Vertragsrecht, wo es die Formfreiheit gegen die vier Typen des römischen Rechts (Rdz. 147) durchsetzte und mit dem Zinsverbot vielfältigen Einfluß ausübte, im Zivilprozeß und im Strafrecht. Außerdem ist es oft Schrittmacher für das römische Recht dadurch gewesen, daß kirchliche Gerichte nach seinen Grundsätzen entschieden und Digesten, Codex und Novellen in ihren Entscheidungen zitierten, lange bevor die weltlichen Gerichte das taten, die sich erst spät vom einheimischen Recht trennten. Das kanonische Recht war bei uns „die Brücke, über welche das römische Recht bequem in Deutschland einziehen konnte“ (W. Moddermann 1874). Im 13. und 14. Jahrhundert fanden die Juristen, die in Italien römisches und kanonisches Recht studiert hatten, eine Beschäftigung meistens nur in der kirchlichen Verwaltung und Rechtsprechung. Das änderte sich erst im 15. Jahrhundert.

Nicht nur für das römische Recht war das kanonische von großer Bedeutung. Auch für die einheimischen Rechte. Denn mit der erfolgreichen Zusammenfassung der ungegliederten Regeln des Kirchenrechts, die in Jahrhunderten gewachsen waren, verbreitete sich ganz allgemein der Gedanke von Sammlung und Ordnung im Recht. So entstanden die deutschen Rechtsbücher (Rdz. 219).

218. Christliches Naturrecht: Thomas von Aquin

Den theoretischen Rahmen für das kanonische Recht schuf Thomas von Aquin, italienischer Graf und christlicher Philosoph, in der um 1270 geschriebenen Summa Theologica. Bei seinem Studium in Paris stieß er auf die Schriften des Aristoteles, die damals durch die Araber wieder nach Europa gekommen waren. Er hat sie mit der herkömmlichen Theologie des heiligen Augustinus zu einer neuen Lehre verbunden, nicht mehr allein auf den Glauben und das Gefühl gegründet, sondern in das helle Licht des Verstandes gestellt, eine rationale Urbanität, nicht mehr die alte Verachtung des Weltlichen im Leben des Klosters, und revolutionierte damit die Theologie im Sinne der europäischen Moderne des 12. Jahrhunderts.

Im zweiten Teil der „Theologischen Summe", die ein Anfängerlehrbuch sein sollte, entwickelt er eine neue christliche Ethik auf der Grundlage der Nikomachischen des Aristoteles (Rdz. 124), nach antikem Vorbild nicht nur eine Theorie der Moral, sondern auch des Rechts, das ein christliches Naturrecht ist, abgeleitet aus der Natur des Menschen, die sich allerdings ein wenig unterschied von der, die Aristoteles vor Augen hatte. Sie ist zwiespältig. Der Mensch hat zwei Naturen, eine vernünftige, die das Gute will, und eine sündige, die das Böse nicht immer vermeiden kann. Aber immerhin. Zum erstenmal erscheint die Vernunft im Zentrum der christlichen Theologie, appetitus quidam rationalis, wie er sie nennt.

Der Mensch ist ein Teil der göttlichen Schöpfung. Auch das gehört zu seiner Natur. Also unterscheidet Thomas drei Ordnungssphären. Die größte, allumfassende ist die göttliche Ordnung der Welt, die der Mensch nur erahnen und nie ganz erkennen, in der er nur glauben kann. Die lex aeterna, das ewige Gesetz, die Welt des Glaubens. Die nächst engere nennt er lex naturalis, das natürliche Gesetz, der eigentliche Bereich des christlichen Naturrechts. Es ist derjenige Teil der Schöpfungsordnung, der lex aeterna, den der Mensch mit seinem Verstand erkennen kann. Die Welt des Verstandes, der allerdings auch diesen Teil der lex aeterna nur in seinen großen Linien erkennen kann, nicht vollständig. Dieses Naturrecht der lex naturalis ist jener größere Rahmen, der durch die dritte Ordnungssphäre ausgefüllt wird, die lex humana, das von den Menschen selbst gesetzte Recht, die Gesetze von Kirche und Staat. Denn letztlich müssen sich die Menschen ihre Gesetze selber machen, weil sie die Schöpfungsordnung mit den beiden anderen Sphären nie genau genug erkennen können.

Interessant wird es dann, wenn sich Widersprüche ergeben. Was ist, wenn die lex humana der lex aeterna oder naturalis widerspricht? Denn jetzt geht es um das Verhältnis von Kirche und Staat und eines ist klar. Nur die Kirche weiß, was der Inhalt der beiden anderen ist. Deshalb haben kirchliche Gesetze den Vorrang vor weltlichen und im Extremfall ist es möglich, daß ein weltliches Gesetz als ungültig angesehen werden muß, weil es der lex aeterna oder naturalis widerspricht.

Das Naturrecht, die lex naturalis, ist zwar nur in seinen großen Linien erkennbar, aber Thomas nennt einige Grundprinzipien, aus denen dann – in logischer Schlußfolgerung – weitere Einzelheiten ableitbar sein sollen. Zunächst gehören die Zehn Gebote dazu, der Dekalog des Alten Testaments, und außerdem nennt er noch den Selbsterhaltungs- und den Fortpflanzungstrieb, die Geselligkeit, Religiosität und Gotteserkenntnis. Auch der Staat ist wieder dabei. Seine Notwendigkeit ergibt sich nicht einfach wie bei Aristoteles daraus, daß der Mensch ein staatliches Wesen ist, sondern als poena et remedium peccati, wie Thomas es formuliert, als Strafe und Heilmittel für die Sünde, aus der sündigen Natur des Menschen. Denn es muß auch eine weltliche Instanz geben, die die Sündigen in die Schranken weist, sie bestraft und die Ordnung bewahrt. Dieser Staat sieht im übrigen genauso aus wie die hierarchische und ständische Ordnung des Mittelalters. Sogar die Sklaverei wird legitimiert, mit derselben Begründung wie bei Aristoteles (Rdz. 124). Es ist ein bewahrendes Naturrecht, ganz im Sinne dieses antiken Vorbilds.

219. Die Rechtsbücher

Die Sammlung des römischen Rechts in der Kodifikation Justinians war das Modell für Gratian, er selbst mit seinem Buch wiederum der Auslöser einer „explosiven Aktivität“ (Sten Gagnér) von Rechtsaufzeichnungen im 13. Jahrhundert, die seine Vorstellungen im Bereich des weltlichen Rechts verwirklichten. Für Gratian nämlich erhielt die mündliche Tradition alter Gewohnheiten und Regeln durch die schriftliche Form einen höheren Wert. Schriftform bedeutete für ihn volle Rechtsverbindlichkeit. Wer das zusammenstellte, hatte also fast die Funktion eines Gesetzgebers, auch wenn er ein Privatmann war. Dahinter standen neue Vorstellungen von Herrschaft und Organisation, die aus dem römischen Recht kamen, denen der Kirche entsprachen und im Dekret des Gratian ihren vollendeten Ausdruck gefunden hatten. Der Begriff von Recht veränderte sich. War es im Frankenreich und im Frühmittelalter noch die Gesellschaft selbst, die darüber seit unvordenklichen Zeiten verfügte (Rdz. 193), wurde es nun etwas, das von oben kam. Aus dem egalitären wurde ein autoritäres Recht.

In Frankreich begann es um 1220 mit dem Très Ancien Coutumier. In Spanien und Skandinavien entstanden solche Sammlungen des Volksrechts, in Deutschland zuerst der Sachsenspiegel, der der wichtigste blieb, das Mühlhauser Rechtsbuch, der Schwabenspiegel und andere.

220. Der Sachsenspiegel

Zwischen 1220 und 1230 hat Eike von Repgow den Sachsenspiegel geschrieben, zuerst auf Latein, dann in seiner niederdeutschen Sprache, ein ungeheurer Bucherfolg, der weit über Sachsen hinaus verbreitet wurde und bald die Wirkung eines Gesetzbuches hatte. Über seinen Verfasser weiß man fast gar nichts. Er wird im östlichen Sachsen gelebt haben, ein Ministerialer (Rdz. 208) mit guten Rechtskenntnissen, der ab und zu als Zeuge in Urkunden genannt wird.

Das Buch hat zwei Teile, Landrecht und Lehnsrecht. Das Landrecht ist das Gewohnheitsrecht eines Bauernvolks, das Lehnsrecht die Ordnung seines Adels. Eine ländliche Welt, der die Stadt fremd ist. Weder im Landrecht noch im Lehnsrecht ist eine gedankliche Gliederung zu erkennen, von einer Systematik ganz zu schweigen. Wie im Dekret des Gratian gibt es Schwerpunkte einzelner Sachbereiche, aber auch vieles, das an verschiedenen Stellen gleichzeitig zur Sprache kommt, geschrieben in einem lebendigen Stil oft sehr persönlichen Charakters. Alles macht den Eindruck einer freien Assoziation. Ab und zu leuchtet Kritik auf, am deutlichsten beim Hauptproblem der mittelalterlichen Welt, Leibeigenschaft und Sklaverei (Landrecht, 3. Buch, 42. Kapitel, übers. v. Schmidt-Wiegand):

> „Gott hat den Menschen nach seinem Ebenbild geschaffen und ihn durch sein Martyrium erlöst, den einen wie den anderen. Ihm steht der Arme so nah wie der Reiche ... Als man zum erstenmal Recht setzte, da gab es keinen Dienstmann und da waren alle Leute frei, als unsere Vorfahren hierher in das Land kamen. Mit meinem Verstand kann ich es auch nicht für Wahrheit halten, daß jemand des anderen Eigentum sein sollte."

Es erinnert an Florentinus mit seinen Bemerkungen über Naturrecht und antike Sklaverei eintausend Jahre vorher (Rdz. 144) und war genauso folgenlos wie damals.

Das erste Buch des Landrechts beginnt mit der Zweischwertertheorie, im Sinne des Kaisers, gegen die Kirche (Rdz. 205). Dann folgen erbrechtliche Regeln, die Vormundschaft und eheliches Güterrecht. Im zweiten Buch kommt das Strafrecht und das privatstrafrechtliche Deliktsrecht, Nachbarrecht, im dritten wieder Strafrecht, Vorschriften über Wergeld und nach den Bußen für die Tötung von Hühnern und Gänsen etwas unvermittelt Regeln für die Königswahl und die Rechte von Fürsten und Grafen, über Märkte und Burgen, die Gerichtsbarkeit und wieder über das Erbrecht. In allen drei Büchern finden sich prozessuale Vorschriften, ein kunterbuntes Durcheinander, in dem aber das Vertragsrecht fast völlig fehlt. Es ist das statische Recht einer tauschlosen Eigenwirtschaft, in der es im wesentlichen nur Abgaben an den Adel gibt. Ganz kurz taucht eher nebenbei der Kauf auf, eine Ahnung vom Darlehen, eine Andeutung der Pacht. Mehr nicht. Keine Miete, kein Werkvertrag, Auftrag oder ein Gesellschaftsvertrag. Sehr breit wird dann das Lehnsrecht geschildert, in einem Buch mit fast achtzig Kapiteln, eine allgemeine Beschreibung des Rechts seiner Zeit, die nicht auf Sachsen beschränkt ist.

221. Gerichte

Im Früh- und Hochmittelalter blieb die Gerichtsverfassung, wie sie sich im Frankenreich entwickelt hatte. Es gab die Hochgerichtsbarkeit der Grafen und die Niedergerichte für die weniger wichtigen Streitigkeiten (Rdz. 195). Das veränderte sich im 13. Jahrhundert grundlegend, aus mehreren Gründen.

Erstens ging die Gerichtshoheit des Königs allmählich auf die Landesfürsten über, die immer stärker wurden. Völlig perfekt war der Übergang allerdings nicht, weil das Hofgericht des Königs subsidiär immer zuständig blieb.

Zweitens, und das war noch wichtiger, breitete sich die Strafjustiz rapide aus. Strafrecht und Zivilrecht traten endgültig auseinander und damit oft die Zuständigkeit der Gerichte. Wahrscheinlich deshalb fanden große ständische Differenzierungen statt, verschob sich die Zuständigkeit der Gerichte je nach Standeszugehörigkeit. Bei den Niedergerichten war das allerdings nicht der Fall, also bei denen, die jeweils für eine größere Zahl von Dörfern zuständig waren. In Sachsen nannte man sie Gogerichte, von go, der Gau. In Süddeutschland hießen sie weiter Zentgericht. In Strafsachen urteilten sie über Freie und Hörige. Deshalb haben sich um 1300, in einer Art Abwehrbewegung der westfälischen Freien, die berüchtigten Femegerichte gebildet, die auch Taten außerhalb ihres Gebietes verfolgten, mit Geheimprozessen im ganzen Reich Furcht und Schrecken verbreiteten und erst im 15. Jahrhundert ein Ende fanden, als besonders die Städte dagegen eine heftige Abwehrfront aufgebaut hatten.

Drittens, letzte große Veränderung im 13. Jahrhundert, zogen die Kirchengerichte immer mehr Prozesse an sich, im Zivilrecht und im Strafrecht, so daß sich auch dort mit dem Offizialat eines kirchlichen Einzelrichters (officialis) eine zusätzliche Gerichtsbarkeit entwickelte, weil das Sendgericht (von Synode, Versammlung) unter dem Vorsitz des Bischofs nicht mehr alles schaffen konnte. Das Ergebnis ist ein verwirrendes Bild, das mit dem folgenden Diagramm nur sehr unvollständig wiedergegeben werden kann:

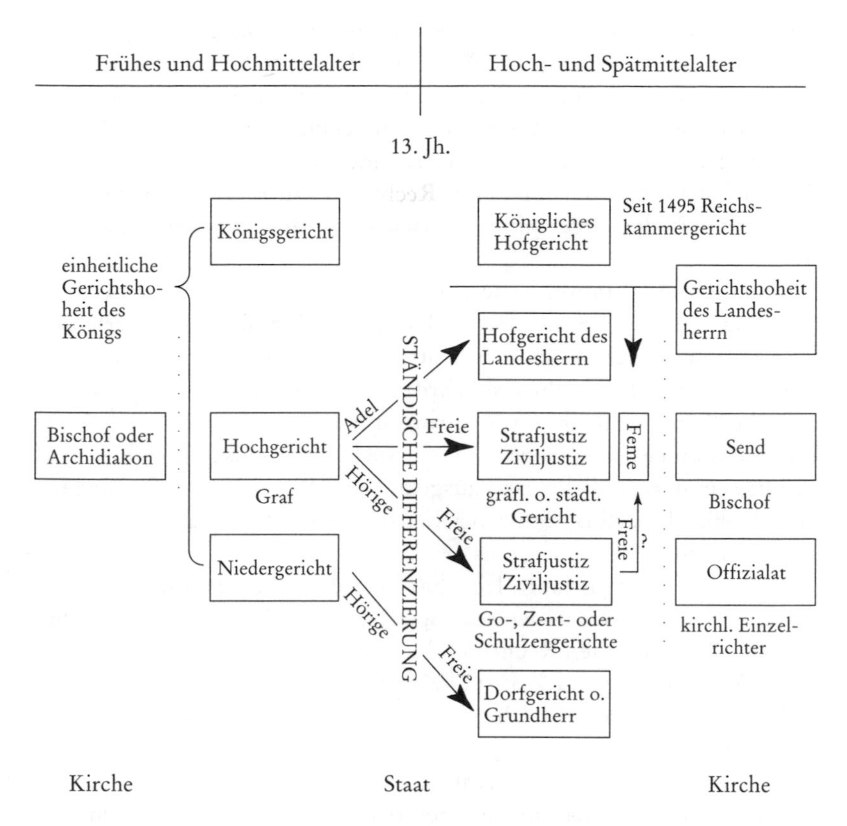

Veränderungen der Gerichtsverfassung im 13. Jahrhundert

222. Zivilprozeß

Der mittelalterliche Zivilprozeß bleibt zunächst unverändert, von der fränkischen Zeit bis zum Hochmittelalter. Der Richter führt die Verhandlung, die Schöffen sprechen das Urteil und die Dingpflichtigen – alle freien Männer – sind dabei und bilden den „Umstand“, der das Urteil bestätigt oder verwirft. Das ganze findet im Freien statt. Allerdings hatte sich der Ablauf des Prozesses im Laufe der Zeit sehr formalisiert. Kläger und Beklagter mußten bestimmte Worte gebrauchen und sie mit vorgeschriebenen Gesten und symbolischen Handlungen verbinden, ein komplizierter altertümlicher Formalismus, bei dem Unerfahrene leicht in die Gefahr kamen, den ganzen Prozeß zu verlieren, wenn sie nur einen einzigen Fehler machten. Hinzu kam die Schwerfälligkeit des Beweisverfahrens mit Eidesleistung, Gottesurteilen und gerichtlichem Zweikampf. Als dann aber die allgemeine Gerichtsverfassung sich im 12. und 13. Jahrhundert änderte, trat auch hier eine Wende ein. Das Verfahren wurde weniger förmlich, zielte mehr auf die Erforschung des wahren Sachverhalts als auf die Feststellung eines durch Formalismen bedingten Ergebnisses. Zeugen wurden gehört und Urkunden spielten eine größere Rolle. Damit veränderte sich der Gesamtcharakter des Rechts. Es wurde rationaler und paßte sich damit der allgemeinen Entwicklung des 12. Jahrhunderts an (Rdz. 202).

Einen großen Einfluß hatte dabei das Kirchenrecht mit seinem römisch-kanonischen Prozeß. Hier gab es keinen Umstand. Das Verfahren fand in geschlossenen Räumen statt, war nicht öffentlich. Zu einem großen Teil wurde der Prozeß schriftlich geführt, ein Aktenprozeß, in dem die Parteien mit ihrem Vorbringen den Ablauf bestimmten (Verhandlungsgrundsatz, Gegensatz: Untersuchungsgrundsatz), wobei es allerdings ein umständliches und ausgeklügeltes System fester Termine für die einzelnen Prozeßhandlungen gab, das sogenannte Positionalverfahren oder Artikelprozeß.

223. Gab es ein einheitliches mittelalterliches deutsches Privatrecht?

Einhundertfünfzig Jahre lang hat man diese Frage ganz selbstverständlich bejaht. Noch in den sechziger Jahren fanden sich in allen Lehrbüchern der deutschen Rechtsgeschichte systematische Darstellungen dieser Art. Erst in letzter Zeit sind Zweifel entstanden.

Die Annahme, im Mittelalter habe es überall in Deutschland gemeinsame privatrechtliche Regelungen gegeben, geht zurück auf Überzeugungen von Rechtshistorikern am Anfang des 19. Jahrhunderts. Dahinter stehen Vorstellungen einer einheitlichen deutschen Nation mit einem einheitlichen Volksgeist. Es waren die Germanisten, die Historiker des alten deutschen Rechts, die sich damit selbstbewußt an die Seite der Historiker des römischen Rechts stellten, der Romanisten. Aus dem Nebeneinander wurde bald ein Gegeneinander (Rdz. 281), in dem die Germanisten das mittelalterliche deutsche Recht als Instrument eingesetzt haben, um eine nationalistisch gefärbte sozialliberale Koalition gegen die Romanisten aufzubauen, denen sie vorwarfen, sie würden mit dem römischen Recht sozialen Ungerechtigkeiten Tür und Tor öffnen. Politisch waren sie im Recht, wissenschaftlich nicht ganz. Ihre Annahme, es habe ein einheitliches mittelalterliches deutsches Recht gegeben, war nicht so selbstverständlich. Es gab eine große Zahl autonomer Gebiete mit örtlichen Besonderheiten, und bis heute ist nicht geklärt, inwieweit man von allgemeinen Grundsätzen sprechen kann, die überall gegolten haben. Außerdem hat sich das Recht im Laufe der Jahrhunderte stark verändert, besonders in der Schwellenzeit des 12. und 13. Jahrhunderts.

Die weiteste Verbreitung hatte, seit dem 13. Jahrhundert, ohne Zweifel der Sachsenspiegel. Das rechtfertigt es, im wesentlichen seine Regelungen der folgenden kurzen Darstellung des Privatrechts zu Grunde zu legen. Ein Rechtskreis von mehreren, der zwar in gewisser Weise Modellcharakter hat, jedoch nicht überall und mit jeder Einzelheit Geltung beanspruchen konnte.

224. Familie und Verwandtschaft

Die alten verwandtschaftlichen Bindungen waren nicht mehr so groß wie früher. Die Familie wurde allmählich wichtiger. Bestimmungen über Verteilung von Wergeld und Haftung dafür, wie noch in der lex Salica, finden sich nicht mehr. Das Erbrecht der Verwandten ist nicht mehr völlig unabänderlich, wie noch im Frankenreich, sondern kann seit dem 12. und 13. Jahrhundert durch Vergabungen und Testamente verändert oder ausgeschlossen werden. Trotzdem ist die Bedeutung der Verwandtschaft immer noch beträchtlich. Man sieht das am besten in ihrem Kernbereich, beim Eigentum am Land. Grundstücksveräußerungen, die früher selten waren, kommen seit dem 11. und 12. Jahrhundert zunehmend vor. Die Verwandtschaft ist immer beteiligt, auf Seiten des Verkäufers und des Käufers (Rdz. 225). Dahinter steht die Vorstellung, daß Landeigentum letztlich der Verwandtschaftsgruppe gehört, auch wenn die individuellen Berechtigungen der einzelnen immer mehr in den Vordergrund traten.

Die meisten Änderungen finden – unter dem Einfluß der Kirche – im Eherecht statt. Die Eheschließung bleibt zwar wie früher (Rdz. 196) Übertragung der Gewalt über die Frau (munt) vom Vater auf ihren Mann. Aber seit dem 12. Jahrhundert setzt sich das kanonistische Prinzip durch, dies sei auch ein Vertrag zwischen Mann und Frau: consensus facit nuptias, die Ehe entsteht durch Vertrag. Die Frau mußte nun also zustimmen, konnte prinzipiell nicht mehr gegen ihren Willen verheiratet werden. Neben der alten Muntehe gab es außerdem die freie Friedelehe, ohne munt, die ohnehin auf diesem Prinzip der Freiwilligkeit beruhte. Für beide Formen war seit dem 12. Jahrhundert der Sakramentscharakter allgemein anerkannt. Das bedeutete in erster Linie das Verbot der Ehescheidung, das sich dann schnell durchsetzte, als das kirchliche Gerichtsverfahren zu jener Zeit in Deutschland immer mehr Bereiche erfaßte und auch die alleinige Kompetenz in Ehesachen beanspruchte. Bei der Friedelehe war die Scheidung vorher für beide jederzeit formlos möglich, bei der Muntehe natürlich nur dem Mann. Die Scheidung wurde dann in der kirchlichen Rechtsprechung ersetzt durch die Trennung von Tisch und Bett, die eine neue Ehe nicht zuließ.

225. Eigentum und Besitz

Der Verwandtschaftsordnung entspricht die Eigentumsordnung. Die Einzelfamilie schiebt sich in den Vordergrund und die Verwandtschaft verliert an Bedeutung. Also gibt es Individualrechte an Grund und Boden, die aber noch überlagert sind von verwandtschaftlichen Bindungen. Hinzu kommt die Verflechtung des größten Teils der Landwirtschaft mit dem Lehnswesen, die Existenz von Mehrfachberechtigungen an Ländereien. Nur in den Städten verbreitet sich ziemlich schnell und ganz allgemein das Privateigentum an Grundstücken. Bei beweglichen Sachen – Fahrnis – gibt es überall freies Privateigentum, in der Stadt und auf dem Land.

Eigentumsvorstellungen orientieren sich meistens am wichtigsten Gut, an Grund und Boden. Deshalb blieb der Charakter des mittelalterlichen Eigentums diffus, ohne harten und klaren Begriff wie bei Römern oder heute. Die erste mittelalterliche Definition des Eigentums hat Bartolus formuliert auf der Grundlage des römischen Rechts. Sie entstand erst in der Mitte des 14. Jahrhunderts und hat sich nur ganz allmählich über das gelehrte Recht verbreitet. Bartolus, Anmerkung 4 zu Ulp.D.41.2.17.1:

> Quid ergo est dominium? Responde est ius de re corporali perfecte disponendi nisi lex prohibeat.
>
> Was ist also Eigentum? Antwort: Es ist das Recht, über eine körperliche Sache (Grundstücke und bewegliche Sachen) umfassend zu verfügen, sofern nicht ein Gesetz es verbietet.

Im mittelalterlichen deutschen Recht gab es keine klare Abgrenzung von Eigentum und Besitz. Diese klare Abgrenzung war das Ziel des Bartolus in seiner berühmten Definition. Natürlich wußte man, daß es besser und schlechter Berechtigte gab. Die von Rechtshistorikern des Mittelalters früher gern als besonders eigenständige Erscheinung beschriebene gewere des deutschen Rechts läßt sich ohne weiteres als Besitz identifizieren, als tatsächliche Sachherrschaft, ähnlich wie bei Römern oder heute. Aber sie hatte doch sehr viel intensiver auch die Bedeutung der Berechtigung, nicht nur des tatsächlichen Innehabens, war gleichzeitig Nutzungsberechtigung oder Recht zum Besitz. Ebenso wie mit dem Wort für Eigentum an Grundstücken – eigen – auch bloße Nutzungsberechtigungen bezeichnet werden, nicht nur das volle Eigentum. Es gibt den Gegensatz zwischen eigen und gewere, aber die Übergänge sind fließend. Seit dem 13. Jahrhundert erscheint ein neues Wort, Eigentum, zuerst in einer lateinisch geschriebenen Urkunde aus Köln von 1230: hegindum.

Eigentum an Grundstücken wurde übertragen vor dem Ding, wie es im Sachsenspiegel heißt, also vor Gericht, indem der Veräußerer dem Erwerber erklärt, er würde ihm „oplaten", auflassen. Darauf wurde es ihm durch Urteil zugesprochen. Alle mußten zustimmen, die als Erben des Veräußerers in Frage kamen. Der berühmte Erbenlaub. Sachsenspiegel, Landrecht, 1. Buch, 52. Kapitel, § 1:

> Ane erven gelof unde ane echt ding ne mut neman sin egen noch sin lude geven – Ohne Zustimmung der Erben und ohne echtes Ding darf niemand sein Grundeigentum oder seine Leute veräußern.

Widersprach einer, war die Verfügung unwirksam. Ein Jahr nach der Auflassung war das noch möglich. Nach Jahr und Tag aber hatte der Erwerber rechte gewere. Niemand konnte ihm das Grundstück mehr streitig machen. Es war nicht eine Ersitzung wie im römischen Recht, die zum Eigentumserwerb führte, im praktischen Ergebnis aber das gleiche. Ähnlich wie in anderen Fällen, wenn jemand ein Grundstück unberechtigt in Besitz genommen hatte. Nach Jahr und Tag konnte der Berechtigte nicht mehr wegen des Bruchs seiner eigenen gewere klagen.

In den Städten, deren Grundstücksverkehr schneller war als auf dem Land, hat man Grundbücher angelegt, zuerst in Köln 1135, zunächst nur zur Übersicht und Kontrolle, bald auch mit Beweisfunktion. Sie hatten aber nicht die Aufgabe wie heute, daß erst die Eintragung den Eigentumsübergang perfekt machte. Man nennt das Transportfunktion. Notwendig war allein die Auflassung vor dem Gericht, später auch vor einem Notar.

Die Übereignung von beweglichen Sachen geschah wie in den meisten alten und neuen Rechtsordnungen, also durch Vertrag – zum Beispiel Kauf – und Übergabe der Sache. Insofern war es wie im römischen Recht (Rdz. 137). Aber es gab keine Ersitzung, auch nicht wie bei Grundstücken etwas ähnliches, nach Jahr und Tag, wohl aber eine Art gutgläubigen Erwerbs, nämlich sofort. Sachsenspiegel, Landrecht, 2. Buch, 60. Kapitel, § 1:

> Wer einem anderen etwas leiht oder verpfändet, es sei Pferd oder Kleidung oder andere bewegliche Habe, oder wenn er in anderer Weise freiwillig etwas weggibt und derjenige, der sie nun in Besitz hatte, verkauft oder verpfändet oder verspielt sie oder sie wird ihm gestohlen oder geraubt, dann kann jener, der sie ihm verliehen oder verpfändet hat, daraus keine Forderung erheben, außer gegen denjenigen, dem er sie geliehen oder verpfändet hat.

Das mittelalterliche deutsche Recht kennt nämlich regelmäßig keine Klage aus dem Eigentum, nur aus dem Bruch der gewere. Der Eigentümer muß sich an den halten, dem er die Sache gegeben hat, mit einer Klage aus dem Vertrag, wie wir es heute sagen würden. Gegen den gutgläubigen Erwerber konnte er nicht klagen. „Hand wahre Hand", oder „Wo du deinen Glauben gelassen hast, da sollst du ihn suchen", das waren die Rechtssprichwörter, mit denen man den Schutz der gewere des Erwerbers umschrieb. War die Sache aber gestohlen, galt das nicht, gab es keinen Schutz für den gutgläubigen Erwerber und der alte Eigentümer konnte auf Herausgabe klagen (Rdz. 228).

226. Erbrecht

Die meisten Erbschaften liefen so wie früher, innerhalb der Verwandtschaft nach beiden Seiten, bilateral, über die Verwandten von Mutter und Vater (Rdz. 180, 196), nicht prinzipiell einlinig wie bei den Römern. In erster Linie erbten die Kinder, wobei Söhne das Erbrecht von Töchtern ausschlossen. Ehegatten hatten kein Erbrecht, was für die Frauen kein Nachteil war, weil sie regelmäßig schon bei der Heirat abgesichert wurden. Im Verwandtenerbrecht waren dann Frauen und Männer bei etwas größerer Entfernung gleichgestellt (Sachsenspiegel, Landrecht, 1. Buch, 17. Kapitel, § 1, übers. v. Schmidt-Wiegand):

> Stirbt ein Mann, ohne Nachkommen zu hinterlassen, so nimmt sein Vater das Erbe. Wenn er keinen Vater mehr hat, so nimmt es seine Mutter mit größerem Recht als sein Bruder. Vater- und Mutter-, Schwester- und Brudererbe nimmt der Sohn und nicht die Tochter, es sei denn, daß kein Sohn da ist, dann nimmt es die Tochter. Wenn aber eine Erbschaft an entferntere Verwandte als Brüder und Schwestern fällt, alle, die sich gleich nah zur Verwandtschaft rechnen können, nehmen die gleichen Teile davon, es sei Mann oder Frau. Diese alle bezeichnen die Sachsen als Gesamterben.

Es war ein Verwandtenerbrecht nach Ordnungen, wie es heute im Bürgerlichen Gesetzbuch heißt (§§ 1924–1930). In der Rechtsgeschichte spricht man von Parentelen. Es hat sich bis heute erhalten, trotz der Rezeption des römischen Rechts, das ein ganz anderes System hatte, nämlich nur nach Graden zu berufen, wobei die Grade nach der Zahl der zwischen Erblasser und Erben liegenden Geburten berechnet wurden (quot generationes tot gradus, Rdz. 142). Das andere deutsche hat sich entwickelt, weil Verwandtschaft hier von vornherein bilateral organisiert war. Das einfache Gradsystem paßt dagegen nur für einlinige Verwandtschaftsordnungen, wie für die frühe patrilineare der Römer.

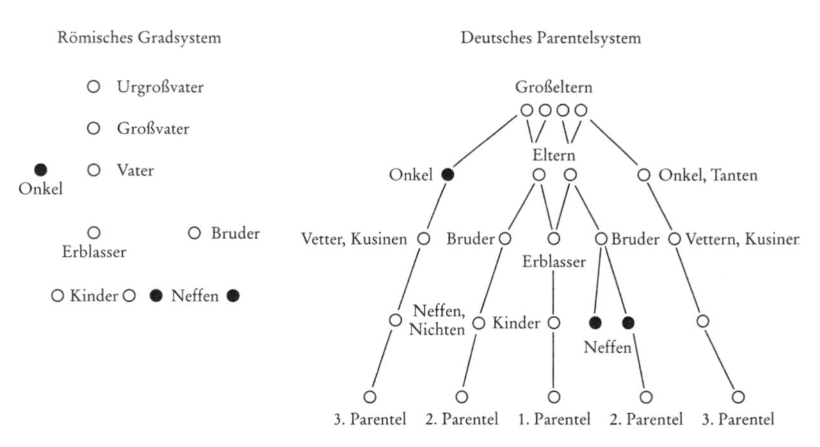

Gesetzliche Erbfolge: Vergleich von römischem Gradsystem und deutschem Parentelsystem, wenn nur noch drei Verwandte (●) leben. Im römischen Recht erben alle drei zu je einem Drittel, weil alle dritten Grades. Nach deutschem Recht erben nur die beiden Neffen, weil die zweite Parentel die dritte ausschließt.

Die Wende kam im 12. Jahrhundert, die Wende gegen die Verwandtschaft, für den freien Willen des Erblassers. Schon im 12. Jahrhundert begann man vereinzelt, aus diesem festgeschlossenen Verwandtenerbrecht auszubrechen, zunächst durch Geschäfte unter Lebenden, seit dem 13. Jahrhundert auch mit Testamenten. Von den Geschäften unter Lebenden waren die wichtigsten die sogenannten Vergabungen, meistens von Grundstücken, oft an Ehefrauen. Durch gerichtliche Auflassung erhielt der Bedachte sofort Eigentum. Dem Geber blieb ein lebenslanges Nutzungsrecht. Das Testament kam aus dem Bereich der Kirche. Sie hatte daran ein großes Interesse, weil sie sich nun ganz allein als Bedachte gegen die Verwandten durchsetzen konnte. Sie hatte schon immer die Testierfreiheit propagiert und ihren Geistlichen nach kanonischem Recht zugestanden, nicht uneigennützig. Seit dem frühen Mittelalter konnte man der Kirche das sogenannte Seelteil zuwenden, das auf eine bestimmte Quote beschränkt war. Im Testament war man frei, natürlich nicht nur zugunsten der Kirche. Im Gegensatz zu den Vergabungen wurde es erst mit dem Tod des Erblassers wirksam. Wie diese mußte es öffentlich vor Gericht erklärt werden. Später genügte die Erklärung vor einem Notar. Verständlicherweise gab es gegen diese Neuerung viel Widerstand, besonders in Sachsen. Die Magdeburger Schöffen haben noch im 14. Jahrhundert dem Testament die Anerkennung verweigert.

227. Verträge

Im Frankenreich spielten Verträge keine große Rolle. Im Deutschen Reich blieb das noch lange so und änderte sich erst im 11. und 12. Jahrhundert, mit der „wirtschaftlichen Revolution des zweiten Feudalzeitalters" (Rdz. 202). Nun stieg die Bedeutung von Verträgen außerordentlich, und erstaunlich war nur, daß sich ihre dogmatische Technik dabei nicht weiterentwickelte. Die Präzision der Begriffe kam später, am Ende des Mittelalters, mit der Rezeption des römischen Rechts.

Anders als im Recht der fränkischen Zeit gab es wohl keine besonderen Formvorschriften mehr. Der Vertrag war kein Formalakt, wie man es oft findet in älteren Rechtsordnungen. Es genügte die bloße Einigung. Mit anderen Worten: Der hoch- und spätmittelalterliche Vertrag war ganz allgemein ein Konsensualvertrag. Eine bemerkenswert fortschrittliche Haltung, die sogar noch über die des römischen Rechts hinausging, das ja auch noch Real-, Verbal- und Litteralverträge mit bestimmten zusätzlichen Erfordernissen kannte (Rdz. 147). Man führt sie auf den Einfluß des Kirchenrechts zurück. Gleichzeitig breitete sich das Urkundenwesen aus, aber nicht, weil man annahm, die Verträge würden nur mit der Beurkundung wirksam, sondern weil man Beweise haben wollte.

In ihrer äußeren Gestalt war jede Klage, die man wegen Vertragsverletzungen erhob, immer noch eine Deliktsklage, wie im Frankenreich (Rdz. 192, 200). Das gehört zur erstaunlichen Rückständigkeit der

Dogmatik. Aber der Inhalt der Klagen änderte sich, und das war wichtiger als diese altertümliche Formalität. Im Spätmittelalter waren sie wohl meistens schon auf Schadensersatz gerichtet, nicht mehr auf Bußen, die höher waren und Strafcharakter hatten. Allerdings gab es manche örtlichen Unterschiede.

228. Kauf

Wenn Sachen nicht sofort geliefert und bezahlt wurden (Barkauf), sondern erst später (Distanzkauf), dann war es im Hochmittelalter meistens noch so, daß der Käufer eine Arrha (Rdz. 118) zahlen mußte, ein Handgeld, das der Verkäufer aber nicht behielt, sondern für einen gemeinsamen Umtrunk mit den Zeugen verwendete (Weinkauf) oder an die Kirche weitergab (Gottespfennig). Im Spätmittelalter genügte die bloße Einigung.

War eine Sache verkauft worden, die nicht in Ordnung war, konnte der Käufer nicht reklamieren. Es gab weder Wandlung noch Minderung. „Augen auf, Kauf ist Kauf", hieß es, ganz anders als im römischen Recht oder heute. Warum? Das weiß man nicht genau. Vielleicht weil Handwerker und Marktverkäufer in den Städten sehr strengen Qualitätsregelungen unterworfen waren. Denn eine Tendenz in die römische Richtung gab es schon. War es nämlich ein verdeckter Mangel, den man beim Besichtigen unmöglich bemerken konnte, dann konnte man sein Geld zurückverlangen. Beim Viehkauf zum Beispiel, wenn es eine Krankheit war, die erst danach zum Vorschein kam.

Wurde eine gestohlene Sache verkauft, gab es auch im deutschen Recht keinen gutgläubigen Erwerb (Rdz. 225). Der Eigentümer konnte sie vom Käufer herausverlangen. Also war eine Rechtsmängelhaftung notwendig: Der Käufer hatte dann gegen den Verkäufer einen Anspruch auf Rückzahlung des Preises. Im Spätmittelalter gab es in einigen Gegenden, zum Beispiel in Jülich, eine Sonderregelung für den Fall, daß die Sache auf dem Markt gekauft worden war. Der Eigentümer hatte dann nur ein Auslösungsrecht, bekam seine Sache vom Käufer nur, wenn er ihm den Kaufpreis erstattet hatte. Auch hier steht, wie bei der Sachmängelhaftung, im Hintergrund die Autorität des gut überwachten Marktes der mittelalterlichen Stadt.

229. Pacht und Miete

Die Landpacht ist nicht immer leicht zu unterscheiden vom Verhältnis des Grundherrn zum hörigen Bauern, dessen Fronarbeiten durch finanzielle Abgaben ersetzt sind. Im Idealfall ist es einfach. Der Pächter ist nicht an die Scholle gebunden, hat keine persönlichen Rechte auf Schutz durch den Grundherrn und das Land nur für eine bestimmte Zeit vertraglich zur Nutzung erhalten. Solche Verträge gibt es in größerer Zahl seit dem 13. Jahrhundert, weil die Hörigkeit – seit dem 11. Jahrhundert ohnehin in Auflösung begriffen – zu teuer wurde und eine rein kapitalistisch genutzte Landwirtschaft für die Eigentümer günstiger war.

Die Miete entstand etwa zur selben Zeit in den Städten. Die größte im 13. Jahrhundert war Köln und ein Drittel der Wohngebäude sind dort Mietshäuser gewesen. Hier, bei der Miete, zeigt sich sehr deutlich der soziale Charakter des mittelalterlichen Rechts. Der römische Mieter hatte noch nicht einmal Besitz (Rdz. 138), der deutsche die volle gewere, was praktisch ein dingliches Recht bedeutete. Dem römischen wurde auf Zeit vermietet, dem deutschen zwar auch, aber ihm konnte nur aus wichtigem Grund gekündigt werden. Wurde das Mietshaus verkauft, konnte der neue Eigentümer in Rom den Mieter an die Luft setzen („Kauf bricht Miete", Rdz. 152) nicht aber in der mittelalterlichen Stadt („Kauf bricht nicht Miete").

230. Dienstvertrag

In der Landwirtschaft war abhängige Arbeit bis zum Hochmittelalter als Hörigkeit organisiert, die sich dann allmählich auflöste, als der Aufschwung der Landwirtschaft kam und Dörfer und Städte entstanden. An ihrer Stelle erscheinen seit dem 13. Jahrhundert zunehmend Gesindeverträge, im Kern freie Arbeitsverträge, aber mit manchen Spuren der alten Hörigkeit, zum Beispiel mit dem Züchtigungsrecht. Man bezeichnet das oft noch als besonderen personenrechtlichen Charakter dieser Dienstverträge, als eine Art familienrechtliches Band, auch im Hinblick auf Verträge über abhängige Arbeit im Handel und Handwerk der Stadt. Sicherlich eine übertrieben idealisierende Betrachtungsweise. In der Wirtschaftskrise des 14. Jahrhunderts jedenfalls brachen die Konflikte aus, mit Streiks der Gesellen und Aussperrung durch die Zünfte der Handwerker. Der erste Arbeitskampf dieser Art fand 1329 in Breslau statt, bei den Gürtelmachern.

231. Darlehen und Zinsen: das Wucherverbot

In der Naturalwirtschaft, vor dem wirtschaftlichen Aufschwung des 12. Jahrhunderts, hatte das Darlehen keine große Bedeutung, wohl aber für die Geldwirtschaft der Zeit danach. Damit wurde ein Problem akut, das seit karolingischer Zeit nur im engeren Bereich des Kirchenrechts für die Geistlichen selbst eine Rolle gespielt hatte, das kanonische Zinsverbot. Es steht im größeren Zusammenhang des Kampfs der Kirche für soziale Gerechtigkeit und ist das beherrschende Thema des Zivilrechts jener Zeit. Dessen Geschichte seit dem Hochmittelalter „kann nichts Anderes sein, als die Geschichte der Herrschaft der Wucherlehre in der Rechtslehre" (Wilhelm Endemann). Immer neue Wege hat man gefunden, sich mit diesem Thema zu arrangieren, und wahrscheinlich ist dies auch einer der Gründe dafür gewesen, daß es immer komplizierter und unverständlicher wurde.

Im Gegensatz zur Zinsfreiheit des römischen Rechts verbot die Kirche die Vereinbarung von Zinsen, nannte das Wucher, und berief sich dabei auf die Bibel, Lukas 6.35:

„Vielmehr liebet eure Feinde und tut Gutes und verleiht Geld, wo ihr nichts dafür zu bekommen hofft" (mutuum date nihil inde sperantes).

Es stammt aus dem antiken hebräischen Recht, für das es im Alten Testament an mehreren Stellen bezeugt ist (Rdz. 100). Papst Alexander bedrohte Verstöße dagegen 1179 mit Exkommunikation und Verweigerung des kirchlichen Begräbnisses. Clemens V. erklärte 1311 alles weltliche Recht für unwirksam, das dem kirchlichen Verbot widersprach. Umsonst. Die Kräfte der Wirtschaft waren stärker und das Recht ist ihnen gefolgt. Im Geschäftsverkehr fanden sich immer neue Umgehungsmöglichkeiten und am Ende hatte die Kirche den Kampf im praktischen Ergebnis verloren (Rdz. 233).

232. Pfandrecht

Von den Sicherungsrechten wurde das Pfand im Laufe der Zeit wichtiger als die Bürgschaft. Es gab nicht nur das Faustpfand an beweglichen Sachen, mit gewere des Gläubigers, sondern seit dem 12. Jahrhundert auch ein voll ausgebildetes Grundpfandrecht, ohne Besitz, das sich in den Städten entwickelte. Die gewere des Gläubigers am Grundstück wurde ersetzt durch öffentliche Erklärung vor Gericht oder Stadtrat oder durch Eintragung ins Grundbuch. Das Pfand war Verkaufspfand. Der Mehrerlös mußte dem Schuldner herausgegeben werden. Es war also für ihn günstiger als das in frühen Zeiten auftretende Verfallpfand (Rdz. 141).

233. Handels-, Gesellschafts- und Wertpapierrecht

Mit dem rasanten Aufschwung des Handels im 12. Jahrhundert bildete sich in den Städten ein selbständiges Recht der Kaufleute. Eines ihrer wichtigsten Probleme war das Wucherverbot des kanonischen Rechts, das oft ein entscheidender Katalysator bei der Ausformung der rechtlichen Lösungen im einzelnen gewesen ist.

Von Genua aus verbreitete sich über Italien die Kommenda, die Vorläuferin unserer Kommanditgesellschaft. In ihr gab es einen Unternehmer, der das Geschäft betrieb, im Fernhandel, und einen Kapitalisten, der sich mit Geld beteiligte. Zinsen durfte er nicht nehmen. Aber stattdessen durfte er als Gesellschafter am Gewinn beteiligt werden. Das war vom kanonischen Recht erlaubt, weil er ja auch mit seiner Einlage für die Schulden der Gesellschaft haftete. Im Ergebnis war mit der Konstruktion der Gesellschaft das Wucherverbot der Kirche umgangen. In Deutschland hieß sie Sendegesellschaft. Später entwickelten sich Anfänge von Offenen Handelsgesellschaften, in denen die Haftung für Geschäftsschulden bei allen Beteiligten unbeschränkt war. Und es gab noch andere Formen, wie die der berühmten Großen Ravensburger Handelsgesellschaft, die einhundertfünfzig Jahre lang bestanden hat, von 1380 bis 1530. Ihre wichtigsten Artikel waren Textilien, Metall und Gewürze. Und ihre komplizierte juristische Konstruktion ist in der Forschung immer noch ungeklärt.

Es gab Handelsmakler, von Anfang an wohl als amtliche Kontrolleure des Marktes, deren Bücher Beweiskraft hatten für die von ihnen vermittelten Geschäfte. Gildebücher hatten die Funktion unseres Handelsregisters für die in ihnen genannten Kaufleute. Handelsmarken entstanden, ursprünglich wohl als Eigentumszeichen für Waren, die ein anderer mit sich führte, denn auch das Kommissionsgeschäft war schon früh entstanden.

Eine große Rolle spielte das Wucherverbot im Wertpapierrecht. Beim Wechsel zum Beispiel. Auch seine Anfänge liegen im 12. Jahrhundert. Auch er hat seinen Ursprung im Fernhandel und ist in Italien entstanden. Das italienische Wort cambio bedeutet Geldwechsel, den ganz normalen Geldwechsel von verschiedenen Währungen. Mit dem Wechsel als Wertpapier wies nämlich jemand seinen auswärtigen Geschäftsfreund an, dem genannten Überbringer eine bestimmte Summe in der dortigen Währung zu zahlen, die er von ihm vorher in der eigenen erhalten hatte. Das war der Ursprung, zur Vermeidung der Transportgefahr, denn Bargeld konnte man unterwegs – durch Raub oder Diebstahl – leicht verlieren. Aber das war es nicht allein. Es brauchte nur noch ein bestimmtes Datum für die Zahlung genannt zu werden, mit einem gewissen zeitlichen Zwischenraum, und schon konnte man damit ein Darlehen verstecken, dessen verbotene Zinsen verschleiert waren in der Berechnung des Wechselkurses. Denn hier war vom kanonischen Recht ein Gewinn erlaubt, als Entgelt für die Mühe des Umtausches. Das war der eigentliche Grund für den großen Erfolg dieses Wertpapiers, das dann nämlich auch bald für Geschäfte am Ort benutzt worden ist. Es konnte leicht übertragen werden und hatte den zusätzlichen Vorteil, daß jeder, der es mit seiner Unterschrift weitergegeben hatte, dem Inhaber für die Zahlung haftete.

234. Delikte

Mit der Entstehung des öffentlichen Strafrechts im Hochmittelalter (Rdz. 236) verändert sich das Deliktsrecht. Einen Teil seiner Tatbestände gibt es an das Strafrecht ab und bei denen, die bleiben, entwickelt sich die Privatstrafe zum Schadensersatz. So war es auch im antiken römischen Recht (Rdz. 136), die normale Folge des Auseinandertretens von Strafrecht und Privatrecht. Damit verliert das alte Bußensystem an Bedeutung, das eine Kombination ist von Schadensersatz, der sich am Wert orientiert, und Rache, die darüber hinaus Genugtuung verlangt. Stattdessen gibt es nun zunehmend auf der einen Seite die öffentliche Strafe und auf der anderen den privaten Schadensersatz. Außerdem verwandelt sich die objektive Haftung zur subjektiven. Mit anderen Worten: Man braucht Schadensersatz grundsätzlich nur noch zu leisten, wenn man schuldhaft gehandelt hat, also vorsätzlich oder fahrlässig. Auch das ist die gleiche Entwicklung wie im römischen Recht (Rdz. 136), und zwar ebenfalls als Folge dieser Auflösung der alten Einheit von Privatrecht und Strafrecht. Ursprünglich war es so, daß regelmäßig die objektiv rechtswidrige Verursachung eines Schadens genügte, um einen Ausgleichsanspruch zu begründen. Nun wurde das eingeschränkt und nur noch eine vorsätzliche oder fahrlässige Handlung als Grund für einen solchen Anspruch anerkannt. Eine solche Unterscheidung wird nämlich spätestens dann notwendig, wenn das Strafrecht nur vorsätzliche Taten bedroht. So war es auch damals. Ins öffentliche Strafrecht gehörten zum Beispiel vorsätzliche Tötung und Diebstahl. Sachbeschädigung und fahrlässige Tötung führten zu privatem Schadensersatz. Sachsenspiegel, Landrecht, 2. Buch, 38. Kapitel:

> Ein Mann soll den Schaden ausgleichen, der anderen durch seine Unachtsamkeit entsteht, sei es durch einen Brand oder durch einen Brunnen, den er nicht kniehoch über der Erde abgesichert hat, oder daß er einen Mann oder ein Tier anschießt oder trifft, wenn er nach einem Vogel zielt. Dafür muß er nicht mit seinem Leben oder seiner Gesundheit büßen, auch wenn der Mann stirbt. Aber er muß Ausgleich leisten in Höhe seines Wergeldes.

Ein Rest aus alten Zeiten blieb immer noch. Bei der fahrlässigen Tötung wurde der Schadensersatz nach dem Wergeld berechnet, nach der Buße der früheren Zeit (Rdz. 199). Nicht nur hier. Auch anderswo sind Schadensersatzansprüche noch oft in typischen Summen eingeklagt worden, die man nur als eine Art Fortsetzung des Bußensystems erklären kann. Aber entscheidend war die neue Sicht, mit dem neuen Wort Schaden, das im Sachsenspiegel auftaucht und im Prinzip den tatsächlichen Wertverlust bezeichnete.

235. Ein Magdeburger Schöffenspruch zum Tierschaden

Die Magdeburger Schöffensprüche gehören zur Rechtsprechung der sogenannten Oberhöfe, die auf Anfrage von Gerichten solcher Orte tätig wurden, in denen dasselbe Stadtrecht galt. In Zweifelsfragen wandte man sich an die Autorität des Oberhofs, der meistens im Zentrum einer Stadtrechtsfamilie (Rdz. 215) lag. Sein Spruch war theoretisch unverbindlich und wurde erst rechtskräftig, wenn das Ortsgericht ihn als sein eigenes Urteil übernommen und verkündet hatte, was praktisch immer geschehen ist. Im folgenden Beispiel geht es um eine Anfrage des Gerichts der kleinen Stadt Großsalze in der Altmark. Auch dort lebte man nach Magdeburger Recht. Dieses Recht, das nie kodifiziert worden ist, stimmte im wesentlichen mit dem des Sachsenspiegels überein und war in Nord- und Ostdeutschland weit verbreitet, unter anderem durch die Autorität seines Schöffengerichts als Oberhof. Der Spruch für Großsalze stammte aus der Mitte des 15. Jahrhunderts. Ein Ochse hatte das Pferd eines anderen getötet, war dann in den Stall seines Eigentümers zurückgekommen, von ihm aber sofort herausgetrieben worden, als er gehört hatte, was passiert war. Dahinter stand eine Bestimmung des Sachsenspiegels über Schädigungen durch Tiere. Landrecht, 2. Buch, 40. Kapitel, §§ 1 und 2:

> Wessen Hund oder Eber oder Pferd oder Ochse, oder welcher Art Vieh es sei, einen Mann oder ein anderes Vieh tötet oder verletzt, sein Herr soll den Schaden dem rechtmäßigen Wergeld entsprechend oder nach seinem Wert bezahlen, wenn er es wieder in Besitz nimmt, nachdem er davon erfahren hat.
> Jagt jener aber das Tier davon und nimmt es weder in seinen Hof noch in sein Haus, noch füttert oder tränkt er es, dann trägt er keine Schuld an dem Schaden und der Geschädigte kann sich das Tier zur Abgeltung des Schadens nehmen, wenn er es will.

Der Eigentümer des Pferdes klagte gegen den Eigentümer des Ochsen auf Schadensersatz. Die Klage wurde abgewiesen. Zu Recht. Wie man verhältnismäßig leicht am Sachsenspiegel ablesen kann, an dem das Urteil sich auch im Wortlaut ganz eng orientiert. Links das Original (Friese-Liesegang, Magdeburger Schöffensprüche, 1. Bd., 1901, Großsalze Nr. 10, S. 21 f.), rechts die Übersetzung:

Original	Übersetzung
Den ersamen richter und scheppen des gerichtes tome Groten Solte, unsen besunderen guden frunden.	Dem ehrbaren Richter und den ehrbaren Schöffen des Gerichts zu Großsalze, unseren besonders guten Freunden.
Scheppen tho Magdeburgk	Schöffen zu Magdeburg
Unsen fruntliken grot tovorn. Ersamen besundern guden frundes. Nach den schulden unde anclagen Eylhard Nygemans unde nach den insagen unde antworden Hans Arndes spreke wy scheppen to Magdeburgk desse nachgeschreven recht: ... Nach der were, alse denne Eylhard Nygeman den genanten Hans Arndes in siner schulde beclaget, wu dat Hans Arndes osse unde rynd hir sulves bynnen deme Groten Solte to syner perde eyn gelopen is unde gestot hefft, also dat dat sulve perd van sulkem stote nicht lang darna gelevet, sunder by twen edder dren dagen edder dar by gestorven is, unde dat Hans	Unseren freundlichen Gruß voraus an die ehrbaren und besonders guten Freunde. Nach den Beschuldigungen und der Klage des Eylhard Nygeman und den Erwiderungen und Einlassungen des Hans Arnd sprechen wir Schöffen zu Magdeburg folgendes Recht: ... Nach der Klage, die Eylhard Nygeman gegen Hans Arnd wegen der Schuld erhoben hat, ist es so gewesen, daß der Ochse des Hans Arnd in Großsalze auf sein Pferd losgegangen ist und es so gestoßen hat, daß es nach dem Stoß nicht mehr lange lebte, sondern nach zwei oder drei Tagen gestorben ist und daß Hans Arnd das Rind danach wieder aufgenom-

Arndes dat sulve rind nach den tyden wedder ingenomen unde geleden hefft na alse vor ... dar denne Hans Arndes in sinen antwerde jegen settet, dat om sodanes, dat sin osse Eylhard Nygemans perd scholde gestot hebben, vor dat erste, ehir he den ossen nam, unwitlik was, sunder de osse sy in sinen hoff, so de open stund, sulves ungenodiget gekomen, so he eyn gastgever is, sunder so om dat irsten witlik wart van vorkundigunge Eylhard Nygemans, so hebbe he den ossen von stund uth sinen hove uth sinen weren van sik dreven ... spreke wy scheppen to Magdeburgk vor recht: Hefft Hans Arndes osse Eylhard Nygemanne sin val perd gestod, so dat dat sulve perd by twen edder dren dagen dar na gestorven is, is denne de sulve osse dar nach in Hans Arndes hoff, de denne open stund, so he eyn gastgever is, ungenodiget widder gekomen, unde hefft Hans Arndes den sulven ossen von stund dar nach, alse he sulken schaden aller erst vreschede, widder uthe synen hove unde weren gedreven unde dar na nicht gehuset, gehovet edder gefodert, dat he mit sines eynes hand up den hilgen, alse recht is, vorrechten darne, so is de genante Hans Arndes dem genanten Eylhard Nygemanne van siner schulde wegen, noch umme sine vorsumenisse unde gewerderden schaden nichtes pflichtig; sunder Eylhard Nygeman mochte sik des ossen vor sinen schaden underwunden unde untertogen hebben. Welk men und wie vorher bei sich gelassen hat ...

Dagegen hat Hans Arnd in seiner Erwiderung vorgetragen, ihm sei, als er den Ochsen aufnahm, zunächst unbekannt gewesen, daß sein Ochse das Pferd des Eylhard Nygeman gestoßen habe, sondern der Ochse sei von selbst und freiwillig in den Hof gekommen, der offen stand, weil er ein Gastwirt ist, sobald er das von Eylhard Nygeman erfahren habe, hätte er den Ochsen sofort aus seinem Hof und Besitz getrieben ... Also sprechen wir Schöffen zu Magdeburg für Recht: Hat der Ochse des Hans Arnd das fahlfarbige Pferd des Eylhard Nygeman so gestoßen, daß es zwei oder drei Tage danach gestorben ist, und ist der Ochse danach wieder von selbst in Hans Arnds Hof gekommen, der damals offen stand, weil er ein Gastwirt ist, und hat Hans Arnd den Ochsen sofort aus seinem Hof und Besitz getrieben, als er vom Schaden hörte, und ihn danach nicht wieder in sein Haus oder Hof genommen oder gefüttert, und wenn er das mit seiner Hand bei den Heiligen als Recht beschwört, dann ist Hans Arnd wegen der Schuld, der Versäumnisse und des Schadens dem Eylhard Nygeman zu nichts verpflichtet. Eylhard Nygeman hätte sich stattdessen wegen seines Schadens den Ochsen nehmen und aneignen können. Wer dem anderen in diesem Streit unterliegt, muß dem, der gewinnt, seine Gerichtskosten und das erstatten, was es gepart ok deme andern in siner sake fellich wert, mot deme jennen, de de sake wynnet, sine gerichtes koste, unde wat de ordel over felt to golende gekostet hebben, legeren unde wedder geven. Von rechtes wegen. Vorsigelt mit unserm ingesigel.

kostet hat, dies Urteil von auswärts einzuholen. Von Rechts wegen. Versiegelt mit unserem Siegel.

236. Strafrecht

Um 1200 gibt es nicht nur das Wort Schaden, noch ein anderes erscheint zum erstenmal auf der juristischen Bildfläche. Die Strafe. Dieses neue Wort ist der Abschluß einer Entwicklung, die im 12. Jahrhundert den endgültigen Durchbruch zum öffentlichen Strafrecht brachte und damit ein neues Kapitel der deutschen Rechtsgeschichte eröffnete. Zwar gab es schon vorher erste Anfänge, öffentliche Todesstrafe bei handhafter Tat neben Fehde oder Buße (Rdz. 199). Aber sie waren die Ausnahme und bis zum hohen Mittelalter ist das aus der segmentären Ordnung stammende Privatstrafrecht der normale Weg zum Ausgleich von Verletzungen gewesen. Nun aber, in jener Schwellenzeit, die so viele Veränderungen mit sich brachte, entwickelte sich das öffentliche Strafrecht zu maßgeblicher Form, drängte allmählich das alte Bußensystem zurück, ohne es jedoch völlig zu beseitigen, und befand sich dann endlich in jenem für frühe Staatlichkeit typischen Nebeneinander von altem Privatstrafrecht und neuem staatlichen Strafrecht.

Den diep sal man hengen. Den Dieb soll man hängen. So heißt es um 1220 lapidar im Sachsenspiegel und ähnlich geht es weiter (Landrecht 2.13). Der Mörder, der heimlich einen anderen umgebracht hat, wird qualvoll aufs Rad geflochten. Wer sonst jemand tötet, vergewaltigt oder Ehebruch begeht, dem wird mit dem Beil der Kopf abgeschlagen, und ebenso dem vredebreker, dem Friedensbrecher, der gegen das Gewaltverbot des Landfriedens verstößt. So stand es auch in den von Adel, Fürsten und König beschworenen Landfriedenseinigungen, die man zu Recht als eine der entscheidenden Ursachen jener Entwicklung ansieht, die nicht nur das Gewaltmonopol des Staates entstehen ließ, sondern auch das Strafrecht (Rdz. 207). Aber sie waren es nicht allein. Eine ganz wesentliche Rolle spielten auch die Städte, die im 12. Jahrhundert entstanden und dann die ersten gewesen sind bei der Bekämpfung der Kriminalität von „landschädlichen Leuten“, Nichtseßhaften, die als unerwünschtes Nebenergebnis auf der Strecke geblieben waren in dieser Umbruchzeit, als die Bauern sich von Dorf und Verwandtschaft lösten und in die Städte zogen. Mit Geldbußen war da nichts zu machen. Und noch eines kam hinzu. Die Kirche. Sie hatte schon vorher aus dem römischen Recht das Prinzip des Strafens übernommen, war nun in hohem Maße daran interessiert, abweichende Meinungen in Glaubensfragen als Ketzerei zu verfolgen, und wurde deshalb ein nicht zu unterschätzender Motor dieser Entwicklung, in der – aus verschiedenen Richtungen angestoßen – das Strafrecht des Mittelalters entstand, berüchtigt bis heute, denn es war in erstaunlicher Weise blutrünstig und grausam.

Nicht nur Hängen, Enthaupten und Rädern gab es als Strafe, auch Vierteilung, Lebendigbegraben, Ertränken, Verbrennen und Sieden in Wasser oder Öl. Hände, Finger, Füße, Ohren oder Nase wurden abgeschnitten und bei Meineid die Zunge ausgerissen. Die Augen konnten ausgestochen werden und bei Sexualdelikten wurde kastriert. Milder waren die sogenannten Strafen zu Haut und Haar: Prügel, Abschneiden der Haare und Einbrennen von Zeichen in das Gesicht.

Warum war dieses Strafrecht so grausam? Niemand hat darauf bisher eine einleuchtende Antwort geben können. Immerhin ist es im Laufe der nächsten Jahrhunderte etwas milder geworden, anders als in Mesopotamien, wo es umgekehrt war (Rdz. 76, 78). Nicht ganz so schwierig ist dagegen eine Antwort auf die oft behandelte Frage nach den allgemeinen Gründen für die Entstehung der „peinlichen Strafe“ im Hochmittelalter. Es gibt dazu im wesentlichen drei Theorien: Eidbruchtheorie, Nivellierungstheorie, Erweiterungstheorie.

Die Eidbruchtheorie (Rudolf His) geht davon aus, man habe die Täter mit öffentlicher Strafe verfolgt, weil sie den Eid gebrochen hätten, den sie auf den Landfrieden geschworen hatten. Eine Theorie, die Strafen für landschädliche Leute nicht erklären kann. Die Nivellierungstheorie (Gustav Radbruch, Eberhard Schmidt) meint, man habe das Vorgehen, das bei der Bestrafung von Sklaven und Hörigen üblich war, nun auch auf Freie ausgedehnt und damit die sozialen Unterschiede nivelliert. Was man sonst nicht gerade sagen kann. Nach der Erweiterungstheorie (Hans Hirsch, Joachim Gernhuber) ist das schon früher bei handhafter Tat ab und zu angewendete öffentliche Strafrecht auf alle anderen Taten erweitert worden. Womit, wie in den beiden anderen Theorien, eher das Wie als das Warum beschrieben wird, nur die Art und Weise der Entwicklung von Strafrecht, nicht ihr Grund.

Der rechtshistorische Vergleich zeigt, daß Bußensysteme typisch sind für segmentäre Ordnungen. Mit der Entstehung staatlicher Herrschaft entwickelt sich öffentliches Strafrecht, früher oder später. Lange Zeit existieren dann beide noch nebeneinander. So ist es in Mesopotamien und Ägypten gewesen, im antiken hebräischen Recht, in Griechenland und Rom (Rdz. 64, 76, 88, 101, 112, 133). Die auslösenden Momente sind jeweils verschieden. Aber der eigentliche Grund für die Entstehung öffentlichen Strafrechts ist die Existenz staatlicher Ordnung. Deshalb sind im mittelalterlichen Deutschland die Städte Vorreiter bei seiner Ausformung gewesen. In ihnen war das Element staatlicher Herrschaft stärker ausgeprägt als in den Territorien der Landesfürsten. Ihr Bezirk war enger, mit deutlicher Abgrenzung durch die Stadtmauer und ohne die personale Brechung, mit der die Herrschaft der Fürsten durch die Landstände gehemmt wurde.

Es mußte natürlich noch anderes hinzukommen, und ein entscheidendes Moment ist die Bevölkerungsexplosion dieser Zeit gewesen. Das alte Privatstrafrecht, das typisch ist für nahe Beziehungen in kleinen Gemeinschaften, war damit überfordert. Das andere, das staatliche Strafrecht, hat seinen Ort in der großen Masse. Und wenn zwischen 1150 und 1250 die Zahl der Menschen in Europa von fünfzig auf siebzig Millionen stieg, dann lag auf der Hand, warum eine neue Kriminalität entstand und die Notwendigkeit für ein anderes Strafrecht.

In der Stadt stand die Bekämpfung dieser Kriminalität von Randgruppen im Vordergrund. Die Fürsten setzten das Strafrecht ein im Kampf gegen den niederen Adel und seine Fehden und machten es damit zum Instrument des Ausbaus einer neuen, rein territorialen Herrschaft. Die Kirche hat beides unterstützt und war außerdem interessiert an der Verfolgung von Ketzerei. So gab es mehrere Ursachen der Entwicklung und im Hintergrund, als Antrieb des ganzen, das Wachsen des Staates.

237. Strafprozeß

Auch das Verfahren änderte sich im Spätmittelalter. Nicht mehr der Verletzte erhob die Klage und der Richter hatte die Rolle eines Schiedsrichters im ritualisierten Kampf zwischen ihm und dem Beklagten, über den die Schöffen ihr Urteil sprachen, sondern das Gericht selbst eröffnete eine Untersuchung, von Amts wegen, meistens auf Grund einer Anzeige. Nicht mehr die alten formalisierten Beweismittel waren Grundlage des Urteils, Parteieid oder Gottesurteil, sondern das Gericht versuchte selbst, die materielle Wahrheit festzustellen, durch Zeugen oder auf Grund eines Geständnisses. Dieses neue Verfahren nennt man Inquisitionsprozeß, von inquirere, untersuchen. Die Verhandlung war nicht öffentlich und die Untersuchung fand oft in der Folterkammer statt, wenn ausreichende Zeugen fehlten und man anders ein Geständnis nicht erreichen konnte. „Mit der Anwendung der Folter ist in das Strafverfahrensrecht eine ans Bestialische grenzende Grausamkeit eingedrungen, die sich der brutalen Härte des peinlichen Strafensystems des Mittelalters ebenbürtig an die Seite stellt" (Eberhard Schmidt). Jahrhundertelang ist das so geblieben und auch durch gewisse Einschränkungen der Constitutio Criminalis Carolina von 1532 (Rdz. 258) praktisch nicht gemildert worden. Am Ende der nichtöffentlichen Verhandlung wurde das Urteil öffentlich verkündet (endlicher Rechtstag) und anschließend öffentlich vollstreckt. Eine Berufung gab es nicht.

Wie es zu diesem neuen Verfahren kam und besonders zur Folter? Eine heute kaum noch vertretene Meinung (Eberhard Schmidt) führt beides auf einheimische deutsche Ursprünge zurück. Aber es ist sehr viel wahrscheinlicher, daß doch der Inquisitionsprozeß der Kirche gegen Ketzer dabei Pate gestanden hat und damit auch das römische Recht. Denn in den Digesten gab es Vorschriften über die Folterung von Sklaven (D.48.18) und im Codex war bestimmt, daß sie ausnahmsweise auch bei freien Bürgern möglich sei, nämlich bei Staatsverbrechen, dem crimen laesae maiestatis (Kaiser Constantinus 314 n. Chr., C.9.8.3). Zuerst wurden im allgemeinen Strafprozeß der italienischen Städte Personen minderer Herkunft gefoltert, die man mit Sklaven gleichsetzte. Das war im 13. Jahrhundert. Wenig später greift das auf den kirchlichen Prozeß über, weil man die Ketzerei als Staatsverbrechen ansah. Und in solchen Verfahren ist die Folter in Deutschland schon im gleichen Jahrhundert nachweisbar, um schließlich, Anfang des 14. Jahrhunderts, zuerst in Bischofsstädten, auch im allgemeinen Strafprozeß gegen „schädliche Leute" eingesetzt zu werden. Das weitet sich dann aus, völlig unkontrolliert auch gegen andere.

238. Der Prozeß gegen Veit Stoß

In der Nürnberger Stadtchronik von Heinrich Deichsler findet sich am 4. Dezember 1503 folgende Eintragung:

> „Item am Montag an sant Barbra tag da prent man den Veit Stoß durch ped packen und man het nie keinen so lind geprent."

Mit glühenden Eisen ein Brandmal auf beiden Wangen, und zwar sehr milde, was bedeutet, daß man sie nicht durchstoßen hat, wie gewöhnlich, sondern nur äußerlich gesengt mit dem „Nürnberger eisernen Zeichen", dem Adler der Stadt, damit man auch in der Fremde den Ort der Bestrafung erkannte. Im Grunde eine ganz normale Notiz. Die Chronik ist voll davon. Insofern ist das, was da für den 4. Dezember 1503 notiert worden ist, eine alltägliche Meldung, wäre da nicht der Name des Mannes, dem man die Wangen gesengt hat. Veit Stoß. Er war einer der ganz großen Holzschnitzer am Ende des Mittelalters, Zeitgenosse von Tilman Riemenschneider und Albrecht Dürer, damals etwa fünfundfünfzig Jahre alt, ein erfolgreicher und berühmter Mann. Vorher hatte er in Polen gelebt, in Krakau. 1496 war er mit seiner Frau und acht Kindern zurück nach Nürnberg gegangen, hatte das Bürgerrecht erworben und ein Haus, ein ziemlich wohlhabender Mann. Mit diesem Wohlstand hing zusammen, was 1503 mit der Brandmarkung endete. Bald nach seiner Rückkehr von Krakau hatte er einen Teil seines Geldes anlegen wollen und es einem Kaufmann gegeben. Man kann das in der Chronik von Heinrich Deichsler nachlesen.

„Er leget tausent gulden zu einem kaufman auf gewin und verlust und der kaufman hieß Jakob Paner an sant Gilgen gassen in dem haus zu den lebenköpfen und er saget im die gesellschaft ab und gab im die gulden wider. damit het er im gewunen die zeit dreu hundert gülden, und der Veit schnitzer sprach zu dem Paner: Lieber, weist mir einen, da ich die gulden zu leg, ich laß ir nit gern veirn. da weiset er in zu dem Startzedel, der nam die 13 hundert gulden an. und der selbig Startzedel was dem Paner sechs hundert gulden schuldig, die nam der Paner von dem Startzedel ein für sein schuld, und der Startzedel entran und trug dem Veit schnitzer die 1300 gulden hinweg. da erzurnt der Veit auf in und gedaht, wie er seins geltz vom Paner wider ein möht kumen und das er in so poslich mit wissen und mit geverd angeweist het und umb das sein gepraht. und der Veit schraib den selbigen schuldbrief nach jener hantschrift des Paners, das es im schier des Paners schuldbrief eben gleich was, und er het im sein sigel abgemacht und er trüket es auf den brief und er vordert am Paner sein 1300 gulden. Paner sprach: er het ims geben. sprach maister Veit: er het ims noch nit geben, er wolt im das beweisen mit seiner hantschrift, die der Veit het. und sie rehten wol zwai jar mit ainander, ee er sein obentteur darümb bestund."

Also: Jakob Paner hatte ihm die tausend Gulden mit einem Gewinn von dreihundert zurückgegeben und geraten, er solle das Geld bei Hans Startzedel anlegen, der Inhaber einer größeren Handelsgesellschaft gewesen ist, aber in wirtschaftlichen Schwierigkeiten und mit Schulden beim Paner, der auf diese Weise schnell sein Geld kassieren konnte, auf Kosten des Veit Stoß, der alles verlor. Kein Wunder, daß er wütend war und auf Rache sann. Aber was er machte, war eine Urkundenfälschung. Er fälschte den alten Schuldschein und forderte sein Geld von Paner noch einmal. Zwei Jahre zog der Streit sich hin, Ende Oktober 1503 hat er im Prozeß gegen Paner schließlich erklärt, er habe das Geld schon erhalten. Nun kam aber ein neues Problem.

Nun kam nämlich ein Strafverfahren wegen Urkundenfälschung. Es wurde erstaunlich schnell erledigt und endete verhältnismäßig glimpflich. Erstaunlich schnell, denn es dauerte nur vier Wochen, im November 1503. Andere Verfahren liefen über Monate, manchmal länger als ein Jahr. Als Gericht war zuständig der Rat der Stadt und sie wollten wohl den Mann nicht vernichten, der eine Berühmtheit war in ihren Mauern und Aushängeschild. Auf der anderen Seite war es schon ein starkes Stück, das er sich da geleistet hatte. Einem anderen wäre es an Kopf und Kragen gegangen, denn mit der Todesstrafe war man schnell zur Hand in Nürnberg. Vierzig Jahre vorher hatte man deswegen einen Stadtschreiber auf den Scheiterhaufen gebracht und zehn Jahre vorher, 1493, war ein anderer enthauptet worden, 1494 ein zweiter und der war sogar ein Patrizier.

Vor einer Verurteilung brauchte man allerdings einen Beweis und der war natürlich noch nicht erbracht für eine Urkundenfälschung, wenn Veit Stoß im Prozeß gegen Paner schließlich gesagt hatte, er habe das Geld tatsächlich schon erhalten. Die Urkunde konnte ja trotzdem echt sein. Man brauchte Beweise. Augenzeugen oder Geständnis. Augenzeugen dafür, wie er die Schuldkunde gefälscht hat, die gab es selbstverständlich nicht. Also brauchte man ein Geständnis.

Man weiß nicht viel über den Charakter dieses großen Mannes. Aber soviel ist klar. Er ist schon sehr umtriebig gewesen, ein unruhiger Geist und ein harter Geschäftsmann, stand jetzt in der Mitte seines Lebens, auf dem Höhepunkt seines Erfolgs und manches Meisterwerk ist noch entstanden. Der englische Gruß zum Beispiel, der riesige Rosenkranz, den er dreizehn Jahre später geschnitzt hat und der heute noch in der Kirche St. Lorenz in Nürnberg hängt. Ob so ein Mann schnell und einfach ein Geständnis machte, das ihm das Leben kosten konnte?

Wir kommen damit zu einem Problem, das nicht geklärt ist. Akten des Prozesses sind nicht erhalten, nur Berichte wie die in der Chronik des Heinrich Deichsler und Vermerke in den Büchern des Stadtrats. Veit Stoß muß auf Grund eines Geständnisses verurteilt worden sein. Anders ging es nicht. Und nun gab es ein Mittel, mit dem man letztlich jedes Geständnis aus einem Angeklagten herausholen konnte. Ist Veit Stoß gefoltert worden?

> „Veit Stöß pinden betroen, auff dem stain auff lassen steen, yn fragen in allen stucken wie herr Anton Tetzel erteilt hat."

So heißt es im Protokoll der Ratsbrüder am 18. November 1503. Anton Tetzel war der Ratsherr, der für dieses Verfahren zuständig gewesen ist und „fragen" heißt foltern, nicht nur mit Daumenschrauben, sondern auch mit Schlägen, Aufhängen, Stechen, Feuer, Gliederausreißen. Aber wahrscheinlich hat man ihn doch davon verschont, denn drei Tage später heißt es im selben Ratsbuch, am 21. November, es sei beschlossen worden:

> „Veit Stossen nochmalß guttlich zu red halten, wie die herren erteilt haben."

Zu red halten ist das Verhör ohne Folter, das natürlich keinen Sinn macht, wenn sie vorher schon angewendet worden wäre. Aber mit Sicherheit hat man sie ihm angedroht und diese Drohung allein hat auch starke Naturen oft dazu gebracht, ein Geständnis abzulegen. Sehr bald wird Veit Stoß es getan haben.

Er ist zum Tode verurteilt worden, wurde aber begnadigt zur Brandmarkung, die auch noch milde gewesen ist, und so hatte die Sache ein glimpfliches Ende gefunden, wohl nicht nur, weil man bedacht hat, daß Jakob Paner ihn vorher betrogen und so die Fälschung in gewisser Weise mit veranlaßt hatte, sondern auch, weil die Stadt diesen berühmten Mann nicht verlieren wollte, auf dem Höhepunkt seiner künstlerischen Arbeit. Dreißig Jahre hat er dort noch gelebt.

239. Rezeption und gemeines Recht

Am Ende des Mittelalters steht die Rezeption und ihr Ergebnis, das gemeine Recht. Jus commune, gemeines Recht, nannte man es, weil es überall in Deutschland galt, gemeinsames Recht war, im Gegensatz zum Partikularrecht der einzelnen Landschaften und Städte. Römisches Recht in der Form, die ihr Glossatoren und Postglossatoren gegeben hatten (Rdz. 216), mit Beiwerk aus dem kanonischen. Beide zusammen waren das „gelehrte Recht", das man an den Universitäten studierte, die es seit dem 14. Jahrhundert auch in Deutschland gab. Der Vorgang seiner Ausbreitung, die Rezeption, die Übernahme eines anderen Rechts in die einheimische Ordnung, ist ja erstaunlich genug. Überall in Europa, nur nicht in England, gab es ähnliches, die mehr oder weniger intensive Verbindung des römischen mit dem einheimischen Recht. Aber in Deutschland war sie am stärksten. Hier spricht man von einer sogenannten Vollrezeption, der vollständigen Übernahme des römischen Rechts.

Auch das ist jedoch nur bedingt richtig. In den Gebieten, die ihr eigenes Recht kodifiziert hatte, den Sachsenspiegel zum Beispiel oder ein ausgeprägtes Stadtrecht wie das von Lübeck, hat sich das römische Recht meistens nicht so erfolgreich durchsetzen können. Theoretisch galt es ohnehin nur subsidiär, hilfsweise, wenn sich im heimischen Recht keine Regelung fand. Praktisch war es regelmäßig umgekehrt. § 3 der Reichskammergerichtsordnung von 1495, nach der die Richter schwören mußten:

> „Unserm koniglichen oder kaiserlichen Camergericht getreulich und mit Fleis ob sein und nach des Reichs gemainen Rechten, auch nach redlichen, ehrbarn und leidlichen Ordnungen, Statuten und Gewohnheiten der Fürstenthumb, Herrschaften und Gericht, die für sy pracht werden, dem Hohen und dem Nidern nach seinem besten Verstentnus gleich zu richten".

Zuerst wird das gemeine Recht genannt, dann das der Territorien. Das heißt, die Parteien mußten sich vor Gericht auf das Partikularrecht berufen, wenn sie es denn angewendet wissen wollten. Und man muß annehmen, daß die Anwälte das nicht sehr oft getan haben, weil auch sie inzwischen gelehrte Juristen waren. Also wurde meistens nach gemeinem Recht entschieden.

Die Reichskammergerichtsordnung von 1495 gilt mit ihrem § 3 als Symbol für die Vollendung der Rezeption. Man unterscheidet heute eine Frühphase und eine Hauptphase. Die Frührezeption setzt schon im 12. Jahrhundert ein, als über die Brücke des kanonischen Rechts die ersten Anfänge des römischen nach Deutschland kamen (Rdz. 217). Die Hauptrezeption findet statt in der zweiten Hälfte des 15. Jahrhunderts. In diesen fünfzig Jahren am Ende des Mittelalters gelang der endgültige Durchbruch, und zwar in erster Linie deshalb, weil nun die gelehrten Juristen auch in die Gerichte einzogen und dort die alten Schöffen abgelöst haben. Besonders im Schuldrecht und im Sachenrecht hat sich so das römische Recht fast vollständig durchgesetzt. Am widerstandsfähigsten erwies sich das einheimische im Familienrecht.

„Verwissenschaftlichung des Rechtswesens“ (Franz Wieacker), das ist das Stichwort, mit dem heute die herrschende Meinung der Rechtshistoriker diesen Vorgang erklärt. Die Rezeption als das Ergebnis der höheren geistigen Qualität des römischen Rechts. Daneben habe auch noch eine Rolle gespielt, daß man das römische als Recht der deutschen Kaiser ansah, die sich als Nachfolger der römischen fühlten. Aber diese „Romidee“ hat den Prozeß in Deutschland allenfalls verstärkt. Allein kann sie es nicht gewesen sein. Denn überall in Europa ist der gleiche Vorgang zu beobachten. Also „Verwissenschaftlichung des Rechts“. Das römische Recht sei durch seine formale Technik dem einheimischen Recht überlegen gewesen. In der Tat war das mittelalterliche deutsche Recht weniger berechenbar, weniger „rational“. Insofern ist diese Theorie der Verwissenschaftlichung auch zutreffend. Aber sie ist immer verbunden mit dem Ehrenwort, wirtschaftliche Gründe hätten keine Rolle gespielt. Es sei allein die Rationalität gewesen, die höhere wissenschaftliche Qualität des römischen Rechts. Anders Friedrich Engels in einem Brief von 1884 (Marx-Engels-Werke, 36. Band, Seite 167):

> „Das römische Recht ist das vollendete Recht der einfachen Warenproduktion, d.h. also der vorkapitalistischen, die aber auch die Rechtsverhältnisse der kapitalistischen Periode meist einschließt. Also gerade, was unsere Städtebürger bei ihrem Aufkommen brauchten und im heimischen Gewohnheitsrecht nicht fanden.“

Die Übereinstimmung mit Friedrich Carl von Savigny liegt auf der Hand (Rdz. 216). Aber solche Meinungen gelten oft als gefährlich, „marxistisch“, und deshalb übersieht man auch gern, daß die von Wieacker eindringlich beschriebene Rationalität nicht nur eine geistige Erscheinung ist, sondern auch entscheidende wirtschaftliche Bedeutung hat, die schon 1925 von Max Weber in seinem Buch über „Wirtschaft und Gesellschaft“ beschrieben worden ist. Was war es also?

240. Entwicklungsphasen mittelalterlichen Rechts

Nimmt man die Einzelheiten zusammen, die das mittelalterliche Recht ausmachen, im Reich der Franken und der Deutschen, vom frühen bis zum späten Mittelalter, dann wird deutlich, daß die bisherige Einteilung der Epochen auch für die Geschichte des Rechts nicht mehr angemessen ist. Nicht der Beginn oder das Ende der fränkischen Zeit oder des Mittelalters sind die Wegmarken, an denen seine Entwicklung sich orientiert. Wendepunkt ist das 12. Jahrhundert. Hier entstand die moderne Welt, nicht erst mit der Entdeckung Amerikas. Das ist auch im Recht ganz deutlich zu sehen.

Bis zum 12. Jahrhundert bleibt es in Deutschland so, wie es schon am Anfang der fränkischen Zeit gewesen war, nämlich im wesentlichen Stammesrecht aus vorstaatlicher Zeit, das geprägt ist durch die verwandtschaftliche Ordnung und erst allmählich vom Lehnswesen überlagert wird. Das Eigentum ist verwandtschaftlich gebunden und es gibt kein Testament und wenig Verträge. Das Delikt ist geregelt als Privatstrafrecht, dem nur sehr wenig staatliche Strafe gegenübersteht, denn die staatliche Ordnung ist schwach, ein Personenverband von Feudalherren, in dessen Zentrum ein König steht, der immer auf Wanderschaft ist und ständig im Kampf mit dem Papst.

Gewinner in diesem Kampf sind die Landesfürsten, die im 12. Jahrhundert immer stärker werden und dann ganz allmählich das Territorialprinzip durchsetzen, mit dem ein neues Staatsverständnis entsteht und der alte Personenverband sich langsam auflöst. Die Weichen dafür sind endgültig 1231 gestellt, im Statut zugunsten der Fürsten. Im 12. Jahrhundert entstehen die Städte als Vorreiter dieser staatlichen Ordnung und das Dorf als neue juristische Form. Mit dieser neuen Staatlichkeit entwickelt sich in diesem 12. Jahrhundert das öffentliche Strafrecht und mit ihm ein neuer Zivil- und Strafprozeß, der nicht mehr formal und symbolisch abläuft als Ritual der Streitschlichtung in enger Gemeinschaft, sondern modern und formlos die wirkliche Wahrheit zu erforschen sucht, was dann im Kriminalverfahren allerdings verbunden ist mit der neuen Brutalität der Folter, die dem schrecklichen Inhalt des materiellen Strafrechts in nichts nachsteht.

Die alte Verwandtschaftsordnung löst sich im 12. Jahrhundert auf. Man kann das ablesen an der Zunahme von Verträgen, auch über Grundstücke, und an der neuen Freiheit im Erbrecht mit Vergabung und Testament. Zur gleichen Zeit verschwindet die alte Sklaverei des Frankenreichs, die noch aus der Antike stammt.

Die Wiedergeburt des römischen Rechts und sein Eindringen nach Deutschland in der Frührezeption seit dem 12. Jahrhundert sind über das Kirchenrecht verbunden mit dem Gedanken der juristischen Sammlung und Ordnung, der die Rechtsbücher entstehen läßt und neue Vorstellungen bringt von Herrschaft, Organisation und Recht. Sie sind zentralistisch, herrschaftlich orientiert, nicht mehr segmentär und deshalb auch mehr auf den Vertrag gestellt, der seit dem 12. Jahrhundert sogar bei der Eheschließung als Grundlage gilt. Mit anderen Worten: Der gesamte Charakter des Rechts hat sich verändert.

Wenn dann dreihundert Jahre später, am Ende des Mittelalters, die Kaiserkrönung auch ohne den Papst üblich wird und im Privatrecht die Rezeption sich vollendet, dann war das kein grundsätzlicher Wandel mehr gegenüber dem, was vorher war. Die nächste große Wende kam erst mit dem Durchbruch zur bürgerlichen Gesellschaft. Hier liegen die Wegmarken der Veränderung, im 12. und im 19. Jahrhundert, nicht im Übergang vom Mittelalter zur frühen Neuzeit. Auch im Recht.

Literatur

HRG = Handwörterbuch zur Deutschen Rechtsgeschichte, herausgegeben von Adalbert Erler und Ekkehard Kaufmann

202. *Dhondt/Le Goff/Romano/Tenenti*, Fischer Weltgeschichte Bd. 10 (Das frühe Mittelalter), 11 (Das Hochmittelalter), 12 (Die Grundlegung der modernen Welt: Spätmittelalter, Renaissance, Reformation) 1965/68; *Boockmann*, Stauferzeit und spätes Mittelalter 1987; *Berman*, Recht und Revolution 1991; *Cipolla/Borchardt* (Hg.), Europäische Wirtschaftsgeschichte Bd. 1: Mittelalter 1983 – **203.** *Coulborn*, Feudale Gesellschaftssysteme, in: *Bernsdorf* (Hg.), Wörterbuch der Soziologie (2. Aufl. 1969) 277–283; *Ganshof*, Was ist das Lehnswesen? 4. Aufl. 1975 – **204.** *E. Kaufmann*, König HRG 2 (1978) 1016–1021; Die Goldene Bulle, nach König Wenzels Prachthandschrift mit Übersetzung von K. Müller (Die bibliophilen Taschenbücher Nr. 84) 2. Aufl. 1983 – **205.** *Erler*, Kaiser, Kaisertum HRG 2 (1978) 518–530 – **206.** *Kroeschell*, Deutsche Rechtsgeschichte 1 (10. Aufl. 1992) 287–299 – **207.** *Brunner*, Land und Herrschaft (5. Aufl. 1965) 1–110, *Kroeschell*, (Rdz. 206) 184–198 – **208.** *Kroeschell*, (Rdz. 206) 198–210 – **209.** *Lammers*, Reichsvikariat HRG 4 (1990) 807–810; *Spieß*, Kindgedinge HRG 2 (1978) 741–743 – **210.** *Conrad*, Deutsche Rechtsgeschichte 1 (2. Aufl. 1962) 280–296 – **211.** *Planitz*, Die Deutsche Stadt im Mittelalter (5. Aufl. 1980) – **212.** *Rösener*, Bauern im Mittelalter 1985 – **213.** *H.K. Schulze*, Grundstrukturen der Verfassung im Mittelalter 1 (3. Aufl. 1995) 95–157 – **214.** *Verlinden*, L'esclavages dans l'Europe medièvale 2 Bde. 1955, 1977; *R. Schneider*, Gab es im frühmittelalterlichen Deutschland des 9.–11. Jahrhunderts Sklaven? und *Elze*, Sklaven im westlichen Mittelmeerraum im späten Mittelalter, in: *Miethke* (Hg.), Minderheiten im Mittelalter, Protokoll eines Kolloquiums an der Freien Universität Berlin, 1976 – **215.** *Gagnér*, Studien zur Ideengeschichte der Gesetzgebung 1960; *Planitz*, (Rdz. 211); *Kroeschell*, Deutsche Rechtsgeschichte 2 (9. Aufl. 1992) 128–139 – **216.** *Savigny*, Geschichte des römischen Rechts im Mittelalter 7 Bde. 2. Aufl. 1834/51, Ndr. 1961; *Trusen*, Anfänge des gelehrten Rechts in Deutschland 1962; *Coing* (Hg.), Handbuch der Quellen und Literatur der neueren europäischen Privatrechtsgeschichte, 1. Bd.: Mittelalter (1100–1500) 1973; *Schrage* (Hg.), Das römische Recht im Mittelalter 1987 – **217.** *Feine*, Kirchliche Rechtsgeschichte – Die katholische Kirche, 5. Aufl. 1972; *Coing*, (Rdz. 216); *Trusen* (Rdz. 216); *Berman*, (Rdz. 202, im 5. und 6. Kapitel eine übersichtliche Darstellung des kanonischen Rechts, Seite 327–412) – **218.** *Rode*, Geschichte der europäischen Rechtsphilosophie (1974) 75–84 – **219.** *Gagnér*, (Rdz. 215) 288–307; *Kroeschell*, (Rdz. 206) 242–253 – **220.** Den Sachsenspiegel benutzt man am besten in der Ausgabe des Manesse Verlages, hg. von Schott 1984. Die niederdeutsche Ausgabe: hg. v. Eckardt 1973 – **221.** *Conrad*, (Rdz. 210) 374–385; zur Feme: *Kroeschell*, (Rdz. 215) 169–171 – **222.** *Buchda*, Gerichtsverfahren, HRG 1, (1971) 1551–1557 – **223.** *Gudian*, Gemeindeutsches Recht im Mittelalter? Jus commune 2 (1969) 33–42 – **224.** *Schröter*, Wo zwei zusammenkommen in rechter Ehe – sozio- und psychogenetische Studien über Eheschließungsvorgänge vom 12. bis 15. Jahrhundert 1985 – **225.** *Conrad*, (Rdz. 210) 427–434; *Willoweit*, Dominium und proprietas – Zur Entwicklung des Eigentumsbegriffs in der mittelalterlichen und neuzeitlichen Rechtswissenschaft, in: Historisches Jahrbuch Band 94 (1974) 131–156 – **226.** *Hübner*, Grundzüge des deutschen Privatrechts 5. Aufl. (1930) 734–796 – **227.** *Gudian*, Zur Klage mit Schadensformel – Ein Beitrag zum mittelalterlichen Klagesystem, in: Zeitschrift der Savignystiftung für Rechtsgeschichte, Germanistische Abteilung 90 (1973) 121–148 – **228.** *Scherner*, Kauf, HRG 2 (1978) 675–686 – **229.** *Scherner*, Pacht, HRG 3 (1984) 1396–1399; *Trenk-Hinterberger*, Miete, HRG 3 (1984) 536–542; *Genius*, Der Bestandsschutz des Mietverhältnisses in seiner historischen Entwicklung bis zu den Naturrechtskodifikationen 1972 – **230.** *Schmieder*, Geschichte des Arbeitsrechts im deutschen Mittelalter 1939 – **231.** *Endemann*, Studien in der romanisch-kanonistischen Wirthschafts- und Rechtslehre bis gegen Ende des siebenzehnten Jahrhunderts, 2 Bände 1874, 1883 (Ndr. 1962) – **232.** *Hagemann*, Pfandrecht, HRG 3 (1984) 1684–1688 – **233.** *Endemann*, (Rdz. 231) 75–156 (Wechsel), 343–387 (Gesellschaft); *Rehme*, Geschichte des Handelsrechts, in: Ehrenberg (Hg.), Handbuch des gesamten Handelsrechts, 1. Band (1913) 82–178 – **234.** *E. Kaufmann*, Das spätmittelalterliche Schadensersatzrecht und die Rezeption der actio iniuriarum aestimatoria, in: Zeitschrift der Savignystiftung für Rechtsgeschichte, Germanistische Abteilung 78 (1961) 93–139 – **235.** *Hübner*, (Rdz. 226) 612 f. – **236.** *Eb. Schmidt*, Einführung in die Geschichte der deutschen Strafrechtspflege (3. Aufl. 1965) §§ 33–63; *Kroeschell*, (Rdz. 206) 184–198 und (Rdz. 215) 207–215; *Rüping*, Grundriß der Strafrechtsgeschichte (2. Aufl. 1991) § 3 (Seiten 11–23); *Sellert/Rüping*, Studien- und Quellenbuch zur Geschichte der deutschen Strafrechtspflege 1 (1989) 91–190 – **237.** *Eb. Schmidt*, (Rdz. 236) §§ 64–85, das Zitat auf Seite 95 f.; *Trusen*, Strafprozeß und Rezeption, in: *Landau/Schroeder* (Hg.), Strafrecht, Strafprozeß und Rezeption (1984) 29–118; *Sellert/Rüping*, (Rdz. 236) 107–113 – **238.** *Stammler*, Deutsches Rechtsleben in alter und neuer Zeit 1 (1932) 39–50; *Knapp*, Das alte Nürnberger Kriminalrecht (1896) 260 ff., 90; die Deichslersche Chronik und das Zitat daraus in: Die Chroniken der deutschen Städte vom 14. bis ins 16. Jahrhundert, 11. Band (1961) 667 f. – **239.** *Wieacker*, Privatrechtsgeschichte der Neuzeit (2. Aufl. 1967) 97–203; *Kiefner*, Rezeption (privatrechtlich), HRG 4 (1990) 970–984. Zur Rationalität bei Max Weber: *Marcuse*, Industrialisierung und Kapitalismus im Werk Max Webers, in: Kultur und Gesellschaft Band 2 (1965) 107–109.

Vierter Teil
Rechtsgeschichte der Neuzeit

16. Kapitel

FRÜHE NEUZEIT

Allgemeine Literatur: *Kroeschell*, Deutsche Rechtsgeschichte 3. Bd. 1989; *Kimminich*, Deutsche Verfassungsgeschichte (2. Aufl. 1987) 3. und 4. Kapitel; *Stolleis*, Geschichte des öffentlichen Rechts in Deutschland 1. Bd. 1988; *Jeserich/Pohl/v. Unruh* (Hg.), Deutsche Verwaltungsgeschichte 1. Bd. 1983; *Wieacker*, Privatrechtsgeschichte der Neuzeit 2. Aufl. 1967; *Coing*, Handbuch der Quellen und Literatur der neueren europäischen Privatrechtsgeschichte 2. Bd. 1. und 2. Teilband 1976/77; *Coing*, Europäisches Privatrecht 1. Bd. 1985; *Schlosser*, Grundzüge der Neueren Privatrechtsgeschichte 6. Aufl. 1988; *Eb. Schmidt*, Einführung in die Geschichte der deutschen Strafrechtspflege 2. Aufl. 1951; *Sellert/Rüping*, Studien- und Quellenbuch zur Geschichte der deutschen Strafrechtspflege 1. Bd. 1989; *Rüping*, Grundriß der Strafrechtsgeschichte 2. Aufl. 1991; *Kleinheyer/Schröder*, Deutsche und europäische Juristen aus neun Jahrhunderten 4. Aufl. 1996; *Stolleis* (Hg.), Juristen. Ein biographisches Lexikon. Von der Antike bis zum 20. Jahrhundert 1995.

241. Geschichte und Wirtschaft

Die dreihundert Jahre zwischen dem Ende des Mittelalters und dem Beginn der bürgerlichen Gesellschaft von Luthers Reformation bis zur französischen Revolution – von 1500 bis 1800 – sind in Deutschland die Zeit des Alten Reiches, das man noch vor kurzem nicht sonderlich schätzte, weil es angeblich schwach war und die Einheit verloren ging, nicht so interessant wie das malerische Mittelalter und der Erfolg des 19. Jahrhunderts mit Industrialisierung und nationaler Einigung. Erst in den letzten Jahrzehnten, nach der Katastrophe und Zerstörung des Nationalstaats, gab es allmählich wieder Interesse und Respekt.

Im 16. Jahrhundert wuchs die Bevölkerung stetig weiter, seit 1400 bis 1600 von zehn auf fünfzehn Millionen Menschen, nachdem sie vorher, im 14. Jahrhundert, vor der Pest, schon einmal diese fünfzehn Millionen erreicht hatte. Es gab eine Hochkonjunktur für Agrarprodukte, deren Preise stiegen. Auf dem Land machte das Geschäft der Adel mit seiner Grundherrschaft. Seine Macht nahm zu, die Ländereien wurden immer größer, während die Leibeigenschaft der Bauern sich verschärfte. Ähnlich war es in den Städten. Die Preise drückten die Reallöhne der kleinen Handwerker und der Gesellen. Das brachte Unruhe und förderte die Bereitschaft zu religiösen Veränderungen.

Luthers Reformation war das wichtigste Ereignis für Deutschland in diesem Jahrhundert. Als er 1521 auf dem Reichstag in Worms vor Karl V. erschien und seine Lehre verteidigte, erging das berühmte Edikt gegen ihn und seine Anhänger, die aus der Gemeinschaft des Reiches ausgeschlossen wurden. Es galt über dreißig Jahre, war aber politisch nicht durchsetzbar. Schon zu viele, auch Reichsfürsten, bekannten sich zum neuen Glauben und außerdem brauchte der Kaiser die Unterstützung des ganzen Reiches in seinen Auseinandersetzungen mit Frankreich und im Kampf gegen die Türken. Als er dann in der Mitte des Jahrhunderts auf beiden Fronten erfolgreich war und endlich den Rücken frei hatte, um im Inneren des Reiches den Schlag gegen die Protestanten zu führen, da war es zu spät. 1547 gewann er zwar noch die Schlacht bei Mühlberg, in Thüringen, und war eigentlich auf dem Höhepunkt seiner Macht in Deutschland. Aber seine Pläne für eine Reichsreform, die auf einen Kaiserstaat zielten und die Souveränität der Fürsten entscheidend geschwächt hätten, stießen auf deren gemeinsamen Widerstand, auch der katholischen, denen der Erhalt dieses status quo wichtiger war als die katholische Einheit. So kam es 1555 im Augsburger Religionsfrieden zu einem neuen Reichsgrundgesetz, im wesentlichen mit drei Kernsätzen. Das Reich blieb erhalten, erstens. Aber, zweitens, auch die reiligiöse Spaltung. Cuius regio, eius religio nannte man später diesen Grundsatz, daß die einzelnen Territorien in der Religion ihres Fürsten leben, dessen Souveränität damit, drittens, eindrücklich festgeschrieben war.

Wieder waren die Fürsten die Gewinner, besonders die protestantischen. Sie erhielten viel Kirchengut, dazu noch einige arrondierte Bistümer und hatten die Hoheit über die neue Landeskirche. Nun kümmerte sich der Staat um die Schule, das Armenwesen und die Krankenpflege, um Ehe und Familie und drang damit in Bereiche vor, die bisher zur Kirche gehörten. Auch in den katholischen Territorien war sie geschwächt und kam unter den Einfluß der Fürsten.

Nach dem Augsburger Frieden ist erst einmal für eine Generation Ruhe. Dann brechen die Konflikte wieder auf. Schließlich bilden sich Militärbündnisse, die evangelische Union (1608) und die katholische Liga (1609), und aus dem Streit der beiden Konfessionen in Böhmen entsteht nach dem Prager Fenstersturz 1618 der dreißigjährige Krieg, ein europäischer Glaubens- und Machtkampf, in dem besonders Deutschland schwer verwüstet wird. Es verliert wieder ein Drittel seiner Bevölkerung, wie durch die Pest dreihundert Jahre vorher. Das Ergebnis, 1648, im westfälischen Frieden, ist im Grunde nichts anderes als der status quo von 1555 und eine zusätzliche Stärkung der Macht der Territorialfürsten, die jetzt sogar das Bündnisrecht mit auswärtigen Staaten erhalten und, wenig später im Jüngsten Reichsabschied von 1654, das Recht, stehende Heere zu haben und dafür Steuern zu erheben, auch ohne Kriegsgefahr.

Da das Land durch den Krieg verwüstet und die Steuerkraft gering war, nahmen die Fürsten Aufbau und Lenkung der Wirtschaft immer mehr in eigene Hand. Es entsteht der Merkantilismus, der über Polizeiverordnungen (Rdz. 243) Produktion und Handel regelt und Qualität der Produkte und Preise und Löhne, mit Förderung des Exports und Behinderung von Importen für eine positive Handelsbilanz. Der Erfolg war regelmäßig nicht sehr groß.

Die stehenden Heere waren eine ganz entscheidende Neuerung, nicht nur ein ungeheures Machtinstrument in der Hand der Fürsten, mit dem sie jeden Widerstand der adligen Landstände im Keim ersticken konnten und sich das Gewaltmonopol des Staates endgültig sicherten, sondern auch ein Mittel zur Verwandlung des Adels vom Lehnsmann mit eigenen Rechten zum Offizier im Dienst des Fürsten, als Diener des Staates, einerseits verbeamtet und entfeudalisiert, andererseits mit dem Monopol auf diese Stellung, das ihm seine herausgehobene gesellschaftliche Position weiter garantierte. Übrigens nicht nur gesellschaftlich, sondern auch wirtschaftlich. Denn der Preis für den Verzicht auf Eigenrechte war die Duldung der Grundherrschaft durch die Fürsten, die Erbuntertänigkeit der Bauern. Sie zahlten die Zeche für diesen „Kompromiß zwischen Adel und Krone" (Heinz Schilling).

So blieb die ständische Gesellschaft des Mittelalters erhalten. Klerus, Adel, Bürger, Bauern, jeder war vom andern klar geschieden durch eigene Wirkungskreise, Tätigkeitsverbote, Pflichten, Titel, Anreden, Kleidung, Lebensstil. Nur in den protestantischen Ländern war der Klerus verschwunden, gehörte dort zum Bürgertum. Die Erbuntertänigkeit der Bauern war der Grund für die Rückständigkeit der deutschen Landwirtschaft im 17. und 18. Jahrhundert. Sie blieb feudal gebunden.

Nach dem westfälischen Frieden stand das Reich im Spiel der Allianzpolitik der Großmächte Frankreich, England, Schweden. Es wurden Kriege geführt, die aber kurz und begrenzt blieben und in denen es nicht mehr um Glaubensfragen ging, sondern um Erbfolgen und Territorien. Dem entspricht der neue Geist der Zeit, der Rationalismus des Descartes, die Entstehung der Naturwissenschaften und – ausdrücklich antikonfessionell – die Aufklärung des 18. Jahrhunderts. Es ist ein allgemeiner Umbruch im Denken. Aus der Freiheit, die nichts anderes war als ein anderes Wort für ständische Privilegien des Adels, wird ein Menschenrecht für alle, die nun durch das Nationalgefühl zusammengehalten werden, auch in Deutschland.

Hier wächst der Reichspatriotismus am Ende des 17. Jahrhunderts bei der Abwehr der Franzosen im Westen und mit dem endgültigen Sieg über die Türken im Osten. Danach, am Anfang des 18. Jahrhunderts, begeben sich die deutschen Territorialstaaten Preußen und Österreich auf den Weg zu europäischer Großmachtstellung, neben England, Frankreich und Rußland. Österreich hatte die besseren Voraussetzungen. Sein Gebiet war sechsmal so groß wie das von Preußen mit einer fast dreimal größeren Bevölkerung. Aber im kleinen Preußen war der Aufbau einer schlagkräftigen, militärisch-wirtschaftlichen Zentralverwaltung leichter als im riesigen Österreich. Außerdem setzten die Hohenzollern schon sehr früh ganz bewußt auf Militarisierung. Der Große Kurfürst war der erste, der nach dem westfälischen Frieden ein stehendes Heer unterhielt, und als Friedrich II. 1740 in Schlesien einfiel, hatte er 80 000 Mann unter Waffen. In Österreich waren es trotz einer sehr viel größeren Bevölkerung nur 100 000. Mit den Siegen über die Österreicher und der Eroberung ihrer Provinz begründete Friedrich auf einen Schlag die Vormachtstellung Preußens im protestantischen Norddeutschland. Er behauptete sie im zweiten schlesischen und im siebenjährigen Krieg, 1756–1763. Trotz des Verlustes blieben die Österreicher Großmacht im katholischen Süden. Der deutsche Dualismus war entstanden, der das ganze nächste Jahrhundert prägte. Eigentlicher Gewinner des siebenjährigen Krieges war England. Es wurde größte europäische Kolonialmacht, auf Kosten der Franzosen, deren Kräfte im Krieg mit Preußen gebunden waren. Sie sind deshalb auch die eigentlichen Verlierer dieses Krieges gewesen, die Bourbonen, und ihr Machtverlust einer der Gründe für ihren Sturz in der Revolution am Ende des Jahrhunderts, mit dem dann auch für Deutschland ein neues Zeitalter beginnt, das bürgerliche.

242. Das Reich und seine Institutionen

Es änderte sich nichts. Seit dem hohen Mittelalter gab es einen ständigen Machtverlust der Kaiser. Die Macht der Fürsten stieg auch in der frühen Neuzeit und der Kaiser hatte ein Amt mit viel Prestige, aber immer weniger Kompetenzen. So war es seit dem 13. Jahrhundert (Rdz. 204, 206). Jetzt sind es nicht nur die Vereinbarungen vor seiner Wahl gewesen, die Wahlkapitularien, in denen man ihm die Kompetenzen Schritt für Schritt zu beschneiden versuchte. Es kam die Spaltung der Reformation dazu und die Bedrohung durch die Türken, die ihn zu immer neuen Kompromissen zwangen. Die wichtigsten Stationen auf diesem Weg waren der Reichstag in Worms 1495, der Augsburger Reichsabschied von 1555, der Westfälische Frieden 1648 und der Jüngste Reichsabschied 1654.

In Worms wurde der Ewige Landfrieden verkündet (Rdz. 207), zu seiner Sicherung das Reichskammergericht gegründet und vom Kaiser versprochen, er werde den Reichstag jährlich einberufen. Schon das Wort war neu, Reichstag. Aus der Pflicht der Vasallen, beim Hoftag des Königs zu erscheinen, war ein Recht der Stände geworden, das immer mehr Eigengewicht entwickelte. Das Versprechen von 1495 wurde zwar nicht eingehalten, aber die Zahl der Sitzungen nahm allmählich zu und 1663 ist es gelungen, ihn als ständige Einrichtung durchzusetzen, der Immerwährende Reichstag in Regensburg, ein Gesandtenkongreß, Organ der Information und Diskussion, wo mancher kleinere Konflikt beigelegt werden und eine öffentliche Meinung entstehen konnte, die nicht ohne Bedeutung war für den Zusammenhalt und Fortbestand des Reiches.

Der Augsburger Reichsabschied, dessen wichtigster Teil der Religionsfriede war (Rdz. 241), brachte die Reichsexekutionsordnung mit Regeln für die Sicherung des Landfriedens und für die Vollstreckung der Urteile des Reichskammergerichts. Nicht der Kaiser war es, dem das übertragen wurde, sondern die Stände zogen es an sich, auf der Ebene der Reichskreise, die es seit kurzem gab, als mittlere neue Instanz zwischen dem Reich und seinen Territorien. Es waren zehn: Bayern, Schwaben, Oberrhein, Franken, Westfalen, Niedersachsen, Obersachsen, Österreich, Burgund und Kurrhein, zum großen Teil als Zusammenschlüsse von benachbarten Reichsständen. Sie hatten nicht nur die Reichsexekution, sondern mußten auch das Reichsheer für ihr Gebiet organisieren, waren zuständig für Straßenbau, Münzwesen und wirtschaftliche Fragen und benannten die Richter für das Reichskammergericht. Einige blieben schwache Gebilde, und zwar meistens dort, wo es große Territorien gab, in Österreich oder im Norden. Wenn aber viele kleine Reichsstände nebeneinander lagen und Koordination sinnvoll war, zum Beispiel in Schwaben, dann waren sie sehr lebendig, eine vorparlamentarische Selbstverwaltung bis zum Ende des Reiches, die direkt einmündete in den Liberalismus des deutschen Südwestens.

Die Gründung des Reichskammergerichts war letztlich die Aufhebung der Kompetenz des Königs als oberster Richter des Reiches. Es hatte seinen Sitz seit 1495 zuerst in Frankfurt, wanderte dann durch mehrere Städte, zog 1527 nach Speyer und kam schließlich 1689 nach Wetzlar, war Berufungsinstanz für Urteile von Obergerichten der Territorien und Reichsstädte und erste Instanz für Anklagen wegen Landfriedensbruchs, für Prozesse von Reichsständen untereinander und, nicht unwichtig, für Prozesse von Untertanen gegen ihre Obrigkeiten, also etwas ähnliches wie unsere Verfassungsbeschwerde wegen Verletzung von Rechten durch den Staat. Wie die Forschung der letzten Jahre gezeigt hat, scheint man nicht besonders obrigkeitshörig gewesen zu sein in Speyer und Wetzlar.

Die Habsburger reagierten schnell und holten sich einen Teil ihrer Kompetenz einfach dadurch zurück, daß sie in Wien ein Konkurrenzgericht von eigenen Gnaden eröffneten, den Reichshofrat, mit gleichen Zuständigkeiten. Das Konkurrenzproblem war leicht zu lösen. Dasjenige Gericht hatte zu entscheiden, das zuerst angerufen worden war. Im Lauf der Zeit scheint sich eine Art Arbeitsteilung ergeben zu haben. Das Reichskammergericht entschied eher in Streitigkeiten aus dem protestantischen Norden, der Reichshofrat hauptsächlich für den katholischen Süden.

Wichtigste verfassungsrechtliche Neuerung im Westfälischen Frieden 1648 war, daß den Fürsten das Recht zugestanden wurde, untereinander und mit ausländischen Staaten Bündnisse zu schließen, sofern sie sich nicht gegen den Kaiser oder das Reich richteten. Ein weiterer Schritt auf dem Weg zum souveränen Territorialstaat, dem 1654 im Jüngsten Reichsabschied der nächste folgte, mit dem die stehenden Heere der Landesfürsten verfassungsrechtlich anerkannt und finanziell gesichert wurden. Also die wichtigsten Stationen der Verfassungsentwicklung seit dem hohen Mittelalter.

1231	Statut zugunsten der Fürsten (Rdz. 206)
1356	Goldene Bulle (Rdz. 204)
1495	Ewiger Landfrieden (Rdz. 207) mit Reichskammergericht
1555	Augsburger Reichsabschied (Rdz. 241) mit Reichsexekutionsordnung
1648	Westfälischer Frieden
1654	Jüngster Reichsabschied
1663	Immerwährender Reichstag

Insgesamt war das Reich katholisch geprägt. Die Mehrheit seiner Bevölkerung ist zwar protestantisch gewesen, aber dagegen stand die Mehrheit der Kurfürsten. Und so war die Kaiserwahl in ununterbrochener Folge eine Domäne der katholischen Habsburger, seit 1438 bis zum Ende des Reiches 1806, mit einer einzigen Unterbrechung im österreichischen Erbfolgekrieg, als von 1742 bis 1745 ein katholischer Wittelsbacher deutscher Kaiser war, Karl VII. aus Bayern, der wenig Erfolg hatte und früh gestorben ist. Auch das war übrigens neu im Alten Reich, die Kaiserwahl. Man wurde nicht mehr von den Kurfürsten zum deutschen König gewählt und dann vom Papst als römischer Kaiser gekrönt. Zuletzt war das Karl V. in Bologna, 1530. Jetzt wurde man gleich electus Romanorum imperator, Erwählter Römischer Kaiser durch die Kurfürsten. Die Päpste protestierten noch einige Zeit und gaben dann auf. Säkularisierung von Politik als Folge der Reformation. Zu den sieben Kurfürsten kam übrigens 1623 einer dazu, der Herzog von Bayern, und 1692 noch einer, der Herzog von Braunschweig-Calenberg als Kurfürst von Hannover, und als 1777 sich Bayern und Kurpfalz vereinigten, da waren es wieder acht.

Das Deutsche Reich – ein Monstrum? Dieses berühmte Urteil Samuel Pufendorfs war bis vor kurzem noch weit verbreitet. Es findet sich in seinem Buch von 1667, De statu imperii Germanici, das er unter dem Pseudonym Severinus von Monzambano geschrieben hat, ein protestantischer Jurist auf der Seite der protestantischen Fürsten gegen den Kaiser. Samuel Pufendorf, die Verfassung des Deutschen Reiches, 6. Kapitel, § 9 (übers. v. Horst Denzer):

> „Es bleibt uns also nichts anderes übrig, als das Deutsche Reich, wenn man es nach den Regeln der Wissenschaft von der Politik

> klassifizieren will, einen irregulären und einem Monstrum ähnlichen Körper zu nennen, der sich im Laufe der Zeit durch die fahrlässige Gefälligkeit der Kaiser, durch den Ehrgeiz der Fürsten und durch die Machenschaften der Geistlichen aus einer regulären Monarchie zu einer so disharmonischen Staatsform entwickelt hat, daß es nicht mehr eine beschränkte Monarchie, wenngleich der äußere Schein dafür spricht, aber noch nicht eine Föderation mehrerer Staaten ist, vielmehr ein Mittelding zwischen beiden.“

Legt man diesen Maßstab an, dann ist auch das englische Commonwealth ein Monstrum, die UNO oder die Europäische Union, ja selbst die Bundesrepublik mit ihrer Herrschaft der Verbände und dem Parlamentarismus. Mit anderen Worten, man sieht es heute anders, läßt dem Alten Reich und dem Reichstag und dem Reichskammergericht wieder seine Würde, seine Berechtigung, die ihm abgesprochen wurde aus der Perspektive eines großen, ziemlich einheitlichen und sehr souveränen Staates, den wir seit Bismarck wieder hatten, der uns aber seit dem Ende des letzten Krieges nicht mehr unbedingt als das Ziel aller Träume erscheint. Jedenfalls hat das Alte Reich etwas länger gehalten als das von 1871, ein verwinkeltes altes Haus, uneinheitlich, unübersichtlich:

> „ein dauerhaftes gothisches Gebäude, das eben nicht nach allen Regeln der Baukunst errichtet ist, in welchem man aber sicher wohnet“,

schrieb Karl Theodor von Dalberg, Erzbischof von Mainz, „Von der Erhaltung der Staatsverfassungen“, 1795.

243. Die Territorialstaaten und der Absolutismus

Unter diesem Dach entstand in den Territorien der moderne Staat. Jetzt erst, seit dem 17. Jahrhundert, gibt es auch dieses Wort. Ein Lehnwort aus dem Lateinischen. Status bedeutet ursprünglich nur Stand, Stellung, Zustand. Seit dem 14. Jahrhundert findet es sich im Sinn von Amt am Hof oder des Hofes selbst, später auch als Budget. Jetzt erst wird es gebraucht für die Herrschaft des Fürsten über sein Gebiet und die Menschen, aber oft mit negativem Klang, denn es war über die Staatsräson – ragione di stato – verbunden mit der Lehre des Machiavelli, den die Deutschen gar nicht liebten. Erst die Philosophen des 18. und 19. Jahrhunderts, besonders Georg Wilhelm Friedrich Hegel, haben daraus etwas sehr Abstraktes gemacht, das ihnen seitdem besonders am Herzen liegt.

Die Entstehung des modernen Staates war ein doppelter Prozeß mit umgekehrten Vorzeichen, indem die Fürsten die wechselseitigen Bindungen des Lehnswesens nach oben und unten allmählich lockerten, teilweise sogar auflösten. Und zwar so, daß sie einerseits als Vasallen des Königs und Kaisers immer unabhängiger wurden, während andererseits ihre eigenen Lehnsleute, die adligen Landstände, die Autonomie zunehmend verloren. Ebenso die Städte, von denen nur einige Reichsstädte die Freiheit bewahren konnten. Am Ende dieser Entwicklung steht der absolutistische Staat, dessen Macht sich gründet auf ein stehendes Heer und einen ausgedehnten Beamtenapparat, mit Steuerhoheit und Hoheit über die Landeskirche, und dessen politisches Programm umschrieben ist mit Souveränität, Staatsräson und „Policey". Es war allerdings ein Prozeß, der in den einzelnen Gebieten des Alten Reiches sehr unterschiedlich verlaufen ist und seinen Höhepunkt nur in wenigen großen Territorien erreichte, während viele mittlere und kleinere Fürsten die alten lehnsrechtlichen Verbindungen zum Kaiser mehr oder weniger unverändert ließen und auch in manchen größeren Territorien die Landstände, Adel und Städte, noch ziemlich stark geblieben sind. Im Grunde genommen waren es nur Österreich und Preußen, die im 18. Jahrhundert zu voller Souveränität und Staatlichkeit kamen, nachdem sie Bayern überholt hatten, das unter Kurfürst Maximilian I. in der ersten Hälfte des 17. Jahrhunderts zunächst der Vorreiter dieser Entwicklung gewesen war.

Aber gleichgültig, ob groß oder klein, wirkliche Staaten, wie immer man sie definiert, „Schwellenstaaten" oder „Minderstaaten", sie alle zielten letztlich auf das Ideal Frankreich und Ludwig XIV. Den berühmten Satz „l'État c'est moi" – „der Staat bin ich" – hat er wohl nicht gesprochen. Hat aber sehr bewußt seinen Versailler Hof als barockes Theaterprogramm des Absolutismus inszeniert. Er selbst im Zentrum, der Monarch als einziger Träger der gesamten Macht des Staates und, von ihm selbst beschrieben in seinen Memoiren, in symbolischer Verklärung als Sonne, die

> „durch den Glanz, der sie umgibt, durch das Licht, das sie anderen, sie wie ein Hofstaat umgebenden Sternen mitteilt, durch die gleichmäßige Gerechtigkeit, mit der sie dieses Licht allen Zonen der Erde zuteilt, durch das Gute, das sie allerorten bewirkt, indem sie unaufhörlich auf allen Seiten Leben, Freude und Tätigkeit weckt, durch ihre unermüdliche Bewegung, die gleichwohl als ständige Ruhe erscheint, durch ihren gleichbleibenden und unveränderlichen Lauf, von dem sie sich nie entfernt und niemals abweicht, sicher das lebendigste und schönste Sinnbild eines großen Herrschers darstellt."

Auch Absolutismus ist ein Begriff lateinischen Ursprungs. Absolut heißt losgelöst, frei von etwas, nämlich von den alten Bindungen des Lehnsrechts. Davon befreiten sich die Fürsten allmählich und Juristen halfen mit dem römischen Recht. Auch das steht hinter dem neuen Wort:

> *Ulp.D.1.3.31:* Princeps legibus solutus est, der Fürst ist an die Gesetze nicht gebunden.

Ulpian schrieb das im Kommentar zu den Ehegesetzen des Augustus, aber schon Justinian hatte es verallgemeinert und so übernahm es Jean Bodin, der erste Theoretiker dieses modernen Staates und Begründer der Lehre von der Souveränität. Lateinisch superioritas oder maiestas. Die Souveränität, das war das A und O. Bodin hat sie 1576 formuliert in seinen „Sechs Büchern über die Republik" als puissance absolue et perpétuelle d'une république, absolute und ewige Macht des Staates über seine Untertanen. Dazu gehörte natürlich auch die Entmachtung der Landstände. Ihr Steuerbewilligungsrecht hatte schon im Dreißigjährigen Krieg gelitten, als die Fürsten im Wege des Notstandsrechts – necessitas hieß das lateinisch – die Steuern für das Heer schnell selbst dekretierten. Das war der Durchbruch zur Steuerhoheit, die man später nach und nach ausbaute. Die Fürsten bauten sie aus, und zwar friedlich, indem sie den Ständen das Recht zur Steuerbewilligung abkauften, oder mit Gewalt, indem sie mit ihren Truppen gegen den Adel vorgingen, so wie die brandenburgischen Kurfürsten die Burgen der Quitzows schon im 15. Jahrhundert zusammengeschossen hatten. Aus dem Personenverbandsstaat des Mittelalters wurde der Territorialstaat der Neuzeit.

Die Souveränität wird ergänzt durch die Staatsräson, 1527 formuliert von Nicoló Machiavelli in seinem Buch „Il Principe", der Fürst. Staatsräson, das ist der Grundsatz, daß die Macht des Staates durchgesetzt und gesichert werden müsse ohne Rücksicht auf Recht und Moral. Ragione di stato nannte man das oder ratio status. Es wurde viel darüber geschrieben und von den Fürsten meistens so gehandelt. Die deutsche Reichspublizistik allerdings (Rdz. 248) war dagegen, erkannte auch den Satz des Ulpian nicht an, princeps legibus solutus. Stattdessen wurde, an den Philosophenfakultäten, lieber über die Ziele des Staates nachgedacht. Wozu soll er sie einsetzen, seine puissance absolue et perpétuelle?

Seit dem 15. Jahrhundert spricht man mit Blick auf diese Ziele von Policey, lateinisch politia. Im Griechischen politeia, wo es einfach die Verfassung der antiken Polis war. Ein Wort, das in der theoretischen Diskussion an den Universitäten über die richtige Ordnung und die Ziele des Gemeinwesens seit langem eine große Rolle spielte, eine Art spätmittelalterliche politische Wissenschaft. Man stützte sich fast ausschließlich auf den lateinischen Text der „Politik" des Aristoteles. Es war also viel mehr als das, was wir heute unter Polizei verstehen. Erst später hat sich der Begriff in diesem Sinn verengt, als man daran ging, das Feld der Tätigkeit des Staates wieder einzugrenzen. Damals bedeutete es soviel wie die gesamte Ordnung, die die Verwaltung des Fürsten zu regeln hatte. Und sie regelte fast alles. Handel und Handwerk, Bergbau und Landwirtschaft, Kleidung und Gottesdienst, das Armenwesen und die Krankenversorgung, die Badestuben und die Bettelei, auch „daß den Kindern das Duzen ihrer

Eltern nicht gestattet wird". Dahinter stand als Programm das allgemeine Wohl. Johann Heinrich Gottlob von Justi, einer der großen Theoretiker des Absolutismus, „Kurzer systematischer Grundriß aller Oeconomischen und Cameralwissenschaften", 1759, § 2:

> „Dieser Endzweck ist die allgemeine Glückseligkeit."

Nun entsteht das moderne Beamtentum. Die Zahl der Stellen steigt schon im 17. Jahrhundert sprunghaft an und es entsteht ein neuer Typ von Zentralverwaltungen, in enger Verflechtung von Militärbehörden und Wirtschaftsverwaltung. Bekanntestes Beispiel ist das von Friedrich Wilhelm I. in Preußen eingerichtete Generaldirektorium. Damit eng verbunden ist der Aufstieg der Juristen, gleichberechtigt neben dem Adel. Diese Beamten garantierten jenen gleichmäßigen Lauf, den Ludwig XIV. beschrieben hat. Der Staat als Maschine. Graf Mirabeau, De la Monarchie prussienne sous Frédéric le Grand, 1788, 8. Buch, S. 360 f.:

> „Zunächst ist die preußische Monarchie als solche ein Gegenstand des Interesses für alle, die glauben, dies sei eine große und schöne Maschine, an der vorzügliche Künstler während der letzten Jahrhunderte gearbeitet haben. Sie hat Einzelteile von vorzüglicher Qualität. Überall herrscht der Geist von Ordnung und Regelmäßigkeit."

244. Adel, Grundherrschaft, Ständewesen und Feudalismus

Nach der Beseitigung seiner alten Eigenrechte wird der Adlige entweder zum Hofmann, wie ihn Baldassare Castiglione 1528 beschrieben hat, im „Libro del Cortegiano", oder er geht in den Militärdienst des Fürsten, wo für ihn das Offizierskorps reserviert ist. Seine Stellung zum Landesfürsten hatte sich dadurch natürlich verändert. Eine gewisse Selbständigkeit des alten Vasallen war verloren, aber die Gegenseitigkeit geblieben und das ganze kein schlechtes Geschäft. Denn die eigentliche Grundlage seiner Existenz wurde nicht angetastet, die Grundherrschaft über die Bauern. Im Gegenteil.

Diese „zweite Leibeigenschaft", die seit der Agrarkrise des 14. Jahrhunderts wieder entstanden war (Rdz. 213), breitete sich im 16. Jahrhundert weiter aus, auch durch die großen Gewinne der Grundherren in jener Hochkonjunktur für Agrarprodukte. Sie wurde nach der Niederschlagung des großen Bauernaufstandes von 1525 noch dadurch verschärft, daß die aus dem römischen Recht geschulten Juristen des 16. und 17. Jahrhunderts zunehmend dazu übergingen, sie nach den Vorschriften des antiken Sklavenrechts zu behandeln. Wie im späten Mittelalter gab es dabei örtliche Unterschiede, war die Abhängigkeit im Westen milder und meistens nur auf Abgaben beschränkt, östlich der Elbe härter. Aber selbst in Bayern konnte der Grundherr die einzelnen Bauern wie Sklaven des römischen Rechts verkaufen, verschenken oder vererben, getrennt von Grund und Boden, als ganz normales privates Eigentum. Dabei hatte die Leibeigenschaft nicht nur diesen privatrechtlichen Charakter, sondern war auch öffentlich-rechtlicher Natur. Mitten im Absolutismus. Der Gutsherr war in seinem Dorf eine Art Landesherr, verfügte über Verwaltung, Schule, Polizei und Gerichtsbarkeit. Noch 1794 heißt es im Preußischen Allgemeinen Landrecht, zweiter Teil, siebzehnter Titel, § 23:

> „Wo das Recht der Gerichtsbarkeit mit dem Besitze einer gewissen Art von Gütern überhaupt verbunden, oder gewissen Gütern besonders beygelegt ist, heißt dasselbe die Patrimonialgerichtsbarkeit."

Der Tiefpunkt war im 17. Jahrhundert erreicht. Im 18. Jahrhundert gab es zunehmend Kritik, die dann nach und nach zur Aufhebung der Leibeigenschaft führte.

Wenn man bedenkt, daß Deutschland zum größten Teil von der Landwirtschaft lebte, die meisten Menschen hier beschäftigt waren und daß diese Landwirtschaft überwiegend grundherrschaftlich organisiert gewesen ist, und wenn man annimmt, Grundherrschaft sei ein wesentliches Element des Feudalismus, der ja auch im übrigen nicht beseitigt war, dessen lehnsrechtliche Bindungen zwischen Kaiser, Landesfürsten und Adel sich nur stark verändert hatten, dann kann man schon die Meinung vertreten, auch das Alte Reich sei feudal geprägt gewesen. Die rechtshistorische Literatur ist überwiegend anderer Meinung, nur die „Marxisten" – wer auch immer das sein mag – sehen es so, und das Ganze ist auch deshalb nicht unproblematisch, weil die Auffassungen darüber, was denn eigentlich Feudalismus sei und ob es überhaupt ein wissenschaftlich sinnvoller Begriff ist, noch immer weit auseinandergehen (Rdz. 203). Man sollte jedoch bedenken, daß auch die mittelalterliche ständische Gliederung unverändert geblieben war, dem Bauern verboten, in den Bürgerstand überzutreten, und der Bürger vom Adel, streng abgegrenzt durch Standesrecht und Lebensweise. Wie auch immer man es nennen mag, Ständewesen, Grundherrschaft und Privilegien des Adels, das war auch die Grundstruktur der frühneuzeitlichen Verfassung.

245. Reichsrecht, gemeines Recht, Territorialrecht: der Aufstieg des Gesetzes

„Dys recht satzte der Keyser", schrieb jemand am Ende des Mittelalters auf eine Handschrift des Sachsenspiegels und zeigte damit, daß damals – im Spätmittelalter – die Vorstellung aufgekommen war, der Kaiser hätte die höchste Kompetenz für die Setzung von Recht. Auch die Geltung des römischen Rechts erklärte man sich so, mit einem Gesetz Kaiser Lothars II. von 1135, kurz vor der Stauferzeit, als er in Italien Krieg führte, die Handschrift der Digesten fand, und sie offiziell zum Recht des Reiches machte. Erst im 17. Jahrhundert hat der Helmstedter Professor

Hermann Conring bewiesen, daß dies eine Legende ist, 1643, in seinem Buch De origine iuris Germanici, und gezeigt, wie es wirklich war. Nicht mit einem einzigen Gesetz sei das Corpus Iuris in Kraft getreten, sondern nach und nach habe es sich durchgesetzt, gewohnheitsrechtlich.

Schon die Vorstellung vom Gesetz des Kaisers war ja falsch. Nur gemeinsam mit der Versammlung der Grafen und Fürsten konnte er neues Recht begründen. Bis zum Ende des Alten Reiches hatten die Reichsgesetze diesen Charakter einer Einigung mit den Reichsständen (Rdz. 215), nicht nur die berühmte Constitutio Criminalis Carolina von 1532 oder die Reichsnotariatsordnung von 1559, sondern auch noch die vom Reichstag im 18. Jahrhundert erlassenen Gesetze über das Zunft-, Lehrlings- und Gesellenwesen.

Neben diesem originären Reichsrecht stand das römische als allgemeines oder gemeines Recht. Und für beide gab es eine Art Subsidiaritätsprinzip. Örtliches Recht, Territorialrecht ging grundsätzlich vor. Ganz anders als bei uns nach Artikel 31 des Grundgesetzes, „Bundesrecht bricht Landesrecht". Man dachte noch mittelalterlich. Für das mittelalterliche Rechtsdenken, das noch aus der vorstaatlichen Zeit stammt, ist Recht nämlich nicht etwas, das man machen kann, in einem bewußten Akt eines Gesetzgebers. Recht war grundsätzlich Ordnung aus uralter Zeit, gutes altes Recht der örtlichen Gemeinschaft, die ursprünglich eine Stammesgesellschaft war. Dieses Recht konnte man nicht setzen, sondern nur finden. Rechtsfindung im Urteil als Aufgabe von Schöffen, die Mitglieder der örtlichen Gemeinschaft sind und nicht gelehrte Spezialisten des Rechts. Wenn man Recht in dieser Weise als Ordnung begreift, die von unten entstanden ist in unvordenklicher Zeit, dann hat es natürlich eine Kraft und Legitimität, die viel stärker ist als alles, was von oben kommt.

Die Entwicklung seit dem 16. Jahrhundert ging allerdings in eine andere Richtung. Schon die Reichskammergerichtsordnung von 1495 hatte bestimmt, § 1, dort solle entschieden werden

> „nach des Reichs gemainen Rechten, auch nach redlichen, ehrbarn und leidlichen Ordnungen, Statuten und Gewohnheiten der Fürstenthumb, Herrschaften und Gericht, die für sy pracht werden ..."

Das örtliche Recht mußte für sy pracht werden, weil die Richter des Kammergerichts es nicht kennen konnten. Man mußte es beweisen und das war nicht immer leicht. So erklärt sich die wachsende Bedeutung des römischen Rechts, zumal auch vor Ort immer häufiger gelehrte Richter entschieden und nicht mehr ortskundige Schöffen.

Auch hatten sich die allgemeinen Vorstellungen inzwischen verändert, mit der wachsenden Dichte von Herrschaft. Man hatte sich allmählich gewöhnt an den Einfluß von oben. Das zeigen die Meinung über Karl den Großen auf der Handschrift des Sachsenspiegels und die lotharische Legende zum römischen Recht. Allerdings entstand der neue Staat nicht auf dieser Ebene des Kaisers, sondern eine Etage tiefer. Die Territorialfürsten waren es und sie blieben nicht untätig. Hier entsteht mit dem Staat auch ein neuer Begriff vom Gesetz. Es fing im Grunde ganz harmlos an, für damalige Vorstellungen außerhalb des Bereichs von Recht, nämlich im Gebiet der „Policey" (Rdz. 243). Es begann mit einer Unzahl von Polizeiordnungen, die mehr zur bloßen Verwaltung gehörten, Verwaltungsgebote waren, über das verschwenderische Leben von Studenten, Viehhandel, Fleisch- und Brotpreise, Handel der Juden, Erwerb von Grundstücken, heimliche Verlobungen oder Verkauf von Salpeter. Wurde das in umfassende Landesordnungen zusammengestellt, dann konnte auch schon das alte Recht mit einbezogen werden, so daß man eine Art Gesamtschau der Ordnung erreichte, die man Landrecht nannte. Überall gab es das, auch in den kleinen Territorien, und meistens waren die Landstände beteiligt.

Allmählich griff diese Tätigkeit der Fürsten von der Polizei immer mehr über in den Bereich des Rechts und befreite sich auch Schritt für Schritt von der Mitwirkung der Stände. „Der Raum des Rechts ..., das man finden, jedoch nicht machen konnte, das nicht aus geschriebenen Ordnungen und Geboten nach dem Willen des ‚Staates', d.h. des Monarchen bestand, wurde enger und enger und verschwand schließlich aus der Wirklichkeit des Rechtslebens fast völlig" (Wilhelm Ebel). Spätestens im 18. Jahrhundert war es selbstverständlich, daß der Monarch die Gesetze erläßt. Wieder hatten die Juristen mit dem römischen Recht die theoretische Grundlage geliefert, mit einem oft zitierten Satz des Ulpian:

> *Ulp.D.1.4.1pr.:* Quod principi placuit, legis habet vigorem. Der Wille des Prinzeps hat die Kraft des Gesetzes.

Das Wort princeps war nicht ungünstig. Man konnte es mit Kaiser übersetzen, aber auch mit Fürst. So war im Territorialstaat des Fürsten das allgemeine Gesetz entstanden. Thomas Hobbes, Leviathan, Kapitel 19, sagte es 1651 noch etwas deutlicher, war wegen dieser Deutlichkeit in Deutschland allerdings lange verpönt:

> „Auctoritas, non veritas facit legem."

Die Macht des Fürsten bestimmt, was Inhalt eines Gesetzes wird, nicht allgemeine Überzeugungen von Wahrheit und Richtigkeit. Die Fürsten hatten damit nicht nur die Zuständigkeit für die Rechtsetzung verändert, sondern die gesamte Struktur von Recht. Jetzt erst war staatliches Recht in unserem Sinne entstanden (Rdz. 38). Das gute alte Recht hatte noch manches aus der vorstaatlichen Ordnung. Jetzt erst wurde Recht steuerbar, progressiv, abstrakt, rational, gebietseinheitlich. Das gute alte Recht war eine für uns eher unübersichtliche Sammlung von Faustregeln, induktiv. Man denke nur an den Sachsenspiegel. Das neue Gesetz wird systematisch, deduktiv. Nach dem Vorbild von Mathematik und Naturwissenschaften. Mit obersten Grundsätzen, aus denen die Einzelheiten sich mehr oder weniger logisch ergeben. Wie auf dem Höhepunkt dieser Entwicklung am Ende des Alten Reiches, im Preußischen Allgemeinen Landrecht von 1794. Das Gesetz als verbindliche Anweisung für den beamteten Richter, der es im Auftrag des Fürsten anzuwenden hat, im Prinzip ohne eigenen Spielraum, und Recht nicht mehr in sich selber finden kann und darf wie vorher die Schöffen. Nur so war garantiert, meinten die Fürsten, daß sich ihr Wille auch durchsetzt und der Endzweck des Staates erreicht wird, die gemeinschaftliche Glückseligkeit, denn sie sagten nicht einfach auctoritas statt veritas:

> „Allgemeine Gesetzlichkeit ist das Charakterzeichen, daß ein Staat das allgemeine Beste beabsichtigt,"

schrieb Johann Adam Bergh 1798 in einer Anmerkung als Herausgeber des Buches von César Beccaria „Über Verbrechen und Strafe" (Rdz. 267)

246. Rechtswissenschaft: Überblick

La puissance absolue et perpétuelle brauchte Juristen als Mechaniker für die Maschine. Mancher Streit der nun säkularisierten Politik wurde juristisch geführt und besonders in den protestantischen Ländern trat der Jurist an die Stelle des Klerus. Sie waren nicht besonders beliebt, galten als „böse Christen" (Martin Luther) und habgierig. „Der Gelehrten Recht ist der Macht und Geldes Knecht" (Christoph Lehmann 1630). Aber sie wurden immer wichtiger und deshalb auch ihre Wissenschaft an den Universitäten, wo sie studierten. Am Anfang war es noch günstiger, im Ausland zu studieren, möglichst in Italien. Aber allmählich bekam auch die deutsche Rechtswissenschaft einen eigenen Rang, neben Italienern, Franzosen und Holländern, die einen besseren Ruf hatten. Um 1500 gab es immerhin einige, Ulrich Zasius in Freiburg mit seinen Schülern (Johann Sichardt, Johann Fichard, Bonifacius Amerbach) und Johann Apel in Wittenberg, die schon etwas weiter dachten als Glossatoren und Postglossatoren, ein wenig systematischer, und sogar juristische Entdeckungen machten, die noch heute wichtig sind, wie Apels Unterscheidung von dinglichen und obligatorischen Rechten.

Aus diesen Anfängen entwickelte sich bald die Zivilrechtswissenschaft des Alten Reiches, die man Usus Modernus nennt (Rdz. 247). Gabelungen an ihrem Rand störten die traditionelle Zweiteilung in kanonisches und römisches Recht, als um 1600 an einigen protestantischen Universitäten das ius publicum entstand als Verfassungsrecht des Deutschen Reiches (Rdz. 248) und kurz danach mit Benedikt Carpzov in Sachsen die Wissenschaft vom Strafrecht (Rdz. 259). Die Neugeburt des Naturrechts etwa zur gleichen Zeit (Rdz. 249) fand dagegen außerhalb der juristischen Fakultäten statt, 1625, mitten im Dreißigjährigen Krieg, als Hugo Grotius sein Buch schrieb De iure belli ac pacis. Es blieb noch einige Zeit draußen, kam 1661 an die Calvinistische Universität Heidelberg, aber nur als Lehrstuhl – Samuel Pufendorfs – an der philosophischen Fakultät, und wurde juristisch salonfähig mit der Gründung der Universität Halle 1694, allgemein ein juristisches Grundlagenfach, das am Ende des Alten Reiches sogar noch von einigen mit dem inzwischen ehrwürdig gewordenen Zivilrecht des Usus Modernus verbunden wurde und auch mit Verfassungs- und Staatsrecht.

Am Beginn des Alten Reiches, in der Mitte des 16. Jahrhunderts, begann unter Juristen eine Methodendiskussion, deren praktische Auswirkungen man bisher wohl überschätzt hat. In Frankreich, besonders an der Universität Bourges, war man dazu übergegangen, die Texte des Corpus Iuris nicht mehr als ganz so heilig anzusehen, wie man es bisher gemacht hatte. Die Franzosen – Jacobus Cuiacius und Hugo Donellus sind die bekanntesten – interpretierten die Texte nun mehr in ihrem systematischen und besonders auch in ihrem historischen Zusammenhang, nämlich der klassischen Zeit vor Justinian, und sie versuchten auch, den ursprünglichen Wortlaut zu rekonstruieren, den sie vor den Eingriffen durch die juristischen Interpolationen (Rdz. 157) gehabt hatten. Diese humanistische Richtung des mos gallicus richtete sich gegen die scholastische Arbeitsweise von Glossatoren und Postglossatoren, die man als mos italicus bezeichnete. Der spätere Usus Modernus ist dadurch teilweise beeinflußt worden, aber viel wichtiger war sein Verhältnis zum jeweiligen Ortsrecht.

247. Rechtswissenschaft: Usus Modernus Pandectarum oder Älteres Gemeines Recht

In ganz Europa begann schon während der Rezeption die Verflechtung von altem örtlichem Recht, den sogenannten Statuten, mit dem neu hinzugekommenen römischen. Von den Postglossatoren war dafür in Italien die Statutentheorie entwickelt worden, nach der, wie im Mittelalter nicht anders denkbar (Rdz. 245), das Statutarrecht Vorrang hatte, aber im Sinne des römischen ausgelegt werden sollte, das damit dann doch ein Übergewicht erhielt. So machte man es überall in Europa. In der Zeit des Alten Reiches veränderte sich diese Verbindung etwas mehr in Richtung Ortsrecht. Man nennt das heute Älteres Gemeines Recht oder Usus Modernus Pandectarum.

Die Worte sind schwer zu übersetzen, „Moderner Gebrauch der Pandekten" ist schief. Es war der Titel eines Buches des damals berühmtesten Juristen, Samuel Stryk, Professor in Frankfurt an der Oder, Wittenberg und Halle. Der erste Band erschien 1690, der letzte 1709. Entscheidend ist das Wort usus, das die neue Methode bezeichnet, nämlich in Verbindung mit der Widerlegung der lotharischen Legende durch Hermann Conring (Rdz. 245). Der hatte ein halbes Jahrhundert vorher gezeigt, daß die Geltung des römischen Rechts nicht auf einem Gesetz des Kaisers Lothar beruhte. Es sei „usu receptum". Unsere Vorstellung noch heute, die Rezeption. Usus ist ein alter Begriff des römischen Rechts. Es bezeichnet den kontinuierlichen Brauch, das Herkommen, die Anwendung einer Regel über längere Zeit mit der Folge, daß daraus Recht entsteht, Gewohnheitsrecht. Wenn nun das römische Recht, das war Stryks Grundgedanke, nur Schritt für Schritt rezipiert worden ist, gewohnheitsrechtlich, und nicht in einem Akt, dann konnte man auch in jedem einzelnen Fall prüfen, ob nicht doch eine Vorschrift örtlichen Rechts bestehen geblieben und abweichendes römisches gar nicht erst wirksam geworden war. Ganz anders als die Statutentheorie, die grundsätzlich von der Wirksamkeit beider Rechtskreise ausging und nur entschied, wie man die Konkurrenz zu lösen hatte. Diese Methode durchzieht das ganze Buch von Samuel Stryk. Es geht zwar in der Reihenfolge der Digesten vor, von denen aber im Grunde nur die Titelüberschriften bleiben, während die Darstellung sich nicht mehr an den einzelnen Fragmenten der römischen Juristen orientiert, sondern in freier Form römisches und einheimisches Recht miteinander verbindet. Dabei ist er im Zweifel eher geneigt, dem Ortsrecht den Vorzug zu geben. Bei ihm ist es das sächsische, mit dem Sachsenspiegel als Grundlage, wie bei den meisten Vertretern des Usus Modernus. Bei David Mevius in Greifswald, um die Mitte des 17. Jahrhunderts, war es das von Lübeck und für Wolfgang Adam Lauterbach in Tübingen, zur gleichen Zeit, das württembergische Recht. Das hieß Usus Modernus, der neue Usus im Hinblick auf die Digesten, die von Stryk im Titel seines Buches mit ihrer griechischen Bezeichnung genannt werden, Pandekten. Das römische Recht war wie ein Netz über den Boden des eigenen gelegt, die Maschen sehr weit, aber sie gaben dem ganzen Struktur.

Usus Modernus, die wichtigsten Namen:

1595–1666	Benedikt Carpzov (Leipzig)
1608–1672	Johann Brunnemann (Frankfurt/Oder)
1609–1670	David Mevius (Greifswald)
1618–1678	Wolfgang Adam Lauterbach (Tübingen)
1619–1692	Georg Adam Struve (Jena)
1640–1710	Samuel Stryk (Halle)
1674–1749	Justus Henning Böhmer (Halle)
1681–1741	Johann Gottlieb Heineccius (Halle)
1683–1752	Augustin Leyser (Wittenberg)
1755–1831	Christian Friedrich Glück (Erlangen)

Am Ende des Alten Reiches kam zum römischen und zum Ortsrecht noch eine dritte Schicht dazu. In der ersten Hälfte des 18. Jahrhunderts haben andere den Usus Modernus zusammengefaßt mit Regeln aus den frei entworfenen Systemen des Naturrechts, die inzwischen auch schon eine Tradition von mehr als einem Jahrhundert hatten (Rdz. 249). Johann Gottlieb Heineccius in Halle war es, damals in Europa der bekannteste deutsche Jurist, und Augustin Leyser, Professor in Helmstedt und Wittenberg.

248. Rechtswissenschaft: Reichspublizistik

Nach der Beseitigung der Fehde im Ewigen Landfrieden von 1495 wurde ein großer Teil der Auseinandersetzungen, die die Reichsstände früher gewaltsam gelöst hatten, nun vor dem Reichskammergericht oder Reichshofrat juristisch entschieden. Das war ja auch der Sinn dieser neuen Einrichtungen. Am Ende des 16. Jahrhunderts erreichte die Verrechtlichung von Politik einen gewissen Höhepunkt, als die Religionsstreitigkeiten wieder zunahmen und schließlich zum Dreißigjährigen Krieg führten, vorher aber die beiden Gerichte mit einer nicht geringen Zahl verfassungsrechtlicher Probleme beschäftigten. Die juristischen Diskussionen und Publikationen über die Kompetenzen von Kaiser und Fürsten und die Auslegung von Reichsverfassungsrecht hatten zur Folge, daß um 1600 eine neue Wissenschaft entstand. Man nannte sie ius publicum und bezeichnet sie heute als Reichspublizistik. Es gab jetzt einen entsprechenden Unterricht an den Juristenfakultäten, mit Vorlesungen und Disputationen, und zwar zuerst an den protestantischen Universitäten Altdorf, Gießen, Jena und Straßburg, sehr bald aber auch an den anderen. Ius publicum heißt öffentliches Recht. Schon die Römer hatten es vom Privatrecht unterschieden, allerdings in einem anderen Sinn als jetzt (Rdz. 133):

> *Ulp.D.1.1.1.2:* publicum ius est quod ad statum rei Romanae spectat, privatum quod ad sigulorum utilitatem.
>
> *Deutsch:* Öffentliches Recht ist, was den Zustand des römischen Gemeinwesens betrifft, Privatrecht, was dem Interesse der einzelnen dient.

Die Unterscheidung spielte im Mittelalter keine große Rolle, weil die Verfassungsstruktur über das Lehensrecht rein persönlich organisiert war und deshalb eine Trennung von öffentlichem und privatem Recht schwer möglich gewesen ist. Erst als sich in der frühen Neuzeit die kalte Trennscheibe des Staatsapparates zwischen Fürsten und Untertanen schob und das Lehensrecht vom Staat überlagert wurde, konnte ein eigenständiger Bereich des öffentlichen Rechts entstehen. Es war nun Verfassungs- und Staatsrecht, zu dem auch das Kirchenrecht und das neu entstandene Völkerrecht (Rdz. 249) gehörte, nicht aber Verwaltungsrecht, das erst ein Produkt der bürgerlichen Gesellschaft des 19. Jahrhunderts werden sollte.

Am Anfang stritt man sich darüber, auf welche Grundlage dieses ius publicum zu stellen sei. Waren es einige nicht unwichtige Sätze des römischen Rechts, die man im Corpus Iuris fand? Für den Kaiser waren sie meistens günstiger. Oder sollten es nur die heimischen Quellen des Reichsverfassungsrechts sein, also Goldene Bulle, Ewiger Landfriede, Reichskammergerichtsordnung, Reichshofratsordnung, Reichsexekutionsordnung, Augsburger Religionsfriede, die jeweiligen Wahlkapitularien und später der Westfälische Friede und der Jüngste Reichsabschied? Der Streit ging einige Zeit hin und her zwischen den beiden Richtungen der Reichspublizistik, der kaiserlichen und der reichsständischen, zwischen Johannes Reinkingk und Johannes Limnaeus, und war bald entschieden zugunsten der heimischen Quellen, gegen das römische Recht. Es kann keine Anwendung finden, sagte man, weil das antike Imperium Romanum und die Stellung seines Kaisers ganz anders gewesen waren als der komplizierte Bau des Alten Reiches. Begrifflichkeit und Methode des neuen Faches blieben allerdings römisch, wie überall im Recht und ohne daß dies den Beteiligten noch besondes bewußt war, wie ja auch die Sprache des Unterrichts und der Literatur lateinisch gewesen ist.

Größte Herausforderung für das neue Fach war Jean Bodin mit seinen „Sechs Büchern über die Republik“ von 1576, Erfinder und Theoretiker der Souveränität, die sich in seinem Vaterland Frankreich ja an der Spitze ungehindert entwickeln konnte. Aber im Deutschen Reich? Eine absolute und ewige Macht des Kaisers über seine Untertanen? Da waren schließlich noch die Fürsten und die anderen Reichsstände. Also ist es keine Monarchie, sagte Bodin, denn der Kaiser ist nicht souverän. Es ist vielmehr eine reine Aristokratie, in der dreihundert oder vierhundert Personen etwas zu sagen haben, die wirklich souverän sind. Die Antwort der deutschen Reichspublizistik fand Hermann Kirchner, Respublica, 1608. Sie wurde herrschende Meinung mit Johannes Limnaeus, Juris publici Imperii Romano-Germanici libri IX, 1629/1634. Man hat zu unterscheiden zwischen einer Souveränität des Gemeinwesens und des Herrschers, sagten sie. Das Reich ist souverän, der Kaiser auch, aber nicht allein. Es ist eine mit aristokratischen Elementen gemischte Monarchie. Widerspruch kam nur in den vierziger Jahren von Hippolithus a Lapide, wie der Verfasser einer antihabsburgischen Kampfschrift sich nannte, hinter der ein deutscher Jurist in schwedischen Diensten stand, Bogislaus Philipp von Chemnitz (1605–1678), und später von Pufendorf mit seiner berühmten Schrift 1667 (Rdz. 242).

Limnaeus, Chemnitz und Pufendorf schrieben übrigens nicht als Professoren des Verfassungsrechts. Damals gab es nur einen, Dietrich Reinking in Gießen. Die wichtigsten Bücher dazu wurden im 17. Jahrhundert noch außerhalb der Universitäten geschrieben, von Praktikern an den

Höfen. Erst mit der Gründung der beiden Reformuniversitäten Halle 1694 und Göttingen 1737 änderte sich das, aber selbst im 18. Jahrhundert war die eine der beiden großen Kapazitäten nicht an der Universität, nämlich Johann Jakob Moser, das „Orakel der deutschen Staatsrechtslehre", ein Mann von unglaublicher Produktivität in einem wechselvollen Leben. Der andere war Professor, und was für einer, Johann Stephan Pütter in Göttingen, fast sechzig Jahre im Hörsaal, der immer brechend voll gewesen ist. Beide sind methodisch ruhig und abgewogen. Die Reichspublizistik hatte ihren Höhepunkt erreicht, mit einer ungeheuren Stoffsammlung, besonders bei Moser, als feste Grundlage einer sicheren Methode, die man schon als positivistisch bezeichnen kann, indem sich aus dem positiv vorgegebenen und gesammelten Material und, wie man meinte, ohne eigene politische Wertung die Lösung eines Streitfalls ergab.

Die deutsche Reichspublizistik:

1590–1664	Dietrich Reinkingk
1592–1663	Johannes Limnaeus
1605–1678	Bogislaus Ph. v. Chemnitz (Hippolithus a Lapide)
1606–1681	Hermann Conring
1632–1694	Samuel Pufendorf
1701–1785	Johann Jakob Moser
1725–1807	Johann Stephan Pütter

Neben der Reichspublizistik stand eine andere Wissenschaft vom Staat, die Policeywissenschaft, in der philosophischen Fakultät. Sie war eine Verwaltungslehre der Territorialstaaten, die ihren Ursprung in den Lehren des Aristoteles hatte, in seiner Ethik für den einzelnen, der Ökonomie für das Haus und der Politik für das Gemeinwesen. Hier ging es um das Ziel des Staates, die allgemeine Glückseligkeit, praktisch die ganze Innenpolitik, von der sich die wirtschaftlichen Teile später als Kameral- und Merkantilwissenschaften abzweigten, als Steuerwissenschaft und Staatswirtschaft. Das ius publicum war erfolgreicher, wurde Modefach für die in den Staatsdienst drängenden höheren Söhne, überall, aber besonders in Halle und dann in Göttingen. Halle strahlte noch aus einem anderen Grund, durch ein zweites Fach, das große Wirkung versprach.

249. Rechtswissenschaft: Klassisches Naturrecht

Im 17. und 18. Jahrhundert erreichte das Naturrecht seinen Höhepunkt, seine klassische Zeit. Die wichtigsten Daten sind die beiden Bücher von Grotius und Hobbes, 1625 und 1651, die Gründung der Universität Halle, 1694 – die „Geburtsstunde des preußischen Naturrecht"

(Wilhelm Dilthey) – und die Kodifikation des Preußischen Allgemeinen Landrechts genau einhundert Jahre später, 1794. Die antike Tradition, begründet von den Sophisten, Platon und Aristoteles (Rdz. 124), war im Mittelalter durch Thomas von Aquin mit der christlichen Offenbarung verbunden worden und reichte so über die Spätscholastik bis in die Frühe Neuzeit. Nun kam die entscheidende Wende. Das Naturrecht trennte sich langsam wieder von den religiösen Inhalten, wurde profan, weil die Glaubensspaltung allgemeingültige Aussagen unmöglich gemacht hatte, verband sich mit der mathematisch-naturwissenschaftlichen Methode des neuen Rationalismus, den Galilei und Descartes am Anfang des 17. Jahrhunderts begründet hatten, und wurde über die von ihr eingeforderte allgemeine Gleichheit aller Menschen zur juristischen Grundlagenwissenschaft des Absolutismus, Grundlagenfach der Juristenfakultäten. Ein nicht unwichtiger Wechsel von der Philosophie und Theologie ins Zentrum des Rechts. Die allgemeine Gleichheit war der Hebel, mit dem feudale Grundstrukturen allmählich demontiert werden konnten. Aber nicht nur das. Über die mit ihr ja auch verbundene allgemeine Freiheit hat das Naturrecht gleichzeitig wichtige Grundsteine für den Aufbau der bürgerlichen Gesellschaft zusammengefügt, als wesentlicher Teil jener großen Bewegung, die man Aufklärung nennt, die „Entzauberung der Welt" (Max Weber), die von England und Frankreich ausging und die Glaubensfreiheit forderte und die Freiheit der Wissenschaft. Hier hat das Naturrecht seinen wichtigsten Beitrag geleistet mit den Vorarbeiten für die Formulierung der allgemeinen Menschenrechte.

Den Anfang machten zwei extreme Entwürfe, als These und Antithese, nämlich das Völkerrecht des Hugo Grotius von 1625 und die Staatstheorie von Thomas Hobbes 1651. Die Vollendung gelang durch die Kombination der beiden, als Synthese. Das war die Leistung Samuel Pufendorfs mit seinem Naturrechtssystem von 1672. Der Rest ist Ausbau gewesen, Konkretisierung, Verfeinerung, die Arbeit derjenigen, die in einem weiteren Sinn seine Schüler waren, Christian Thomasius zum Beispiel und Christian Wolff.

Hugo Grotius, das Wunderkind aus Delft, studiert im Alter von elf Jahren an der Universität Leiden, promoviert mit fünfzehn in Orléans, wird mit sechzehn Rechtsanwalt in Den Haag, schreibt Gedichte und ein Drama, über Theologie und Geschichte, wird berühmt und hoher Verwaltungsbeamter der Niederlande, steht im Streit mit Moritz von Oranien auf der falschen Seite, nämlich der Patrizier, wird deswegen zu lebenslanger Haft verurteilt, flieht zwei Jahre später nach Paris und schreibt dort mitten im Dreißigjährigen Krieg „De iure belli ac pacis", Das Recht des Krieges und des Friedens, 1625. Vorarbeiten anderer hatte es gegeben, wie immer. Trotzdem ist sein Buch der Beginn des Völkerrechts. Er konstruiert es auf der Grundlage eines Naturrechts, das ebenfalls neu ist, nämlich profan. Ein berühmter Satz im Vorwort, § 11. Sein Naturrecht gilt nämlich,

> etiamsi daremus, quod sine summo scelere dari nequit, non esse Deum aut non curari ab eo negotia humana ...

> auch wenn man frevelhafterweise annähme, es gäbe keinen Gott oder er würde sich um die Dinge der Menschen nicht kümmern.

Ein alter Gedanke der theologischen Scholastik, aber hier erhält er einen neuen Klang. Denn es entscheidet allein die weltliche Natur des Menschen darüber, was rechtens sei. Die weltliche Natur des Menschen, das heißt für Hugo Grotius, er ist vernünftig und gesellschaftlich, rational und sozial. Entscheidend ist sein Verstand, die Vernunft, aus der das meiste sich ergibt, weshalb man für Grotius und diejenigen, die ihm da folgen, auch vom Vernunftrecht spricht. Aber trotzdem ist der Mensch allein verloren, kann nur überleben in Gesellschaft mit anderen. Appetitus societatis nennt er das. Auf diesem Fundament wird nun ein Gebäude errichtet mit dem Baumaterial der Geschichte. Das Universalitätsprinzip. Dabei greift er zurück auf den Begriff des alten römischen ius gentium (Rdz. 139), verändert ihn aber leicht. Ius gentium war für die Römer im wesentlichen nur dasjenige Recht, das bei allen Völkern in gleicher Weise gilt. Der Kauf zum Beispiel, im Gegensatz zur mancipatio, die es nur bei ihnen selbst gab, also ius civile war. Damals, für die Römer, konnte ius gentium durchaus noch der Natur des Menschen widersprechen. Sklaverei zum Beispiel (Rdz. 144). Jetzt wird ius gentium zum Beweis dafür, daß sie der Natur des Menschen entspricht. Weil es eben bei allen Völkern und zu allen Zeiten in gleicher Weise gegolten hat. Nicht gerade ein progressiver Ansatz, aber immerhin gehörte inzwischen – 1625 – die Sklaverei nicht mehr dazu. So baute Grotius sich sein Gebäude mit Tausenden von Zitaten, nicht nur aus dem Corpus Iuris und dem Alten Testament, sondern, Vorwort § 40:

> „Zum Beweis dieses Rechts habe ich auch Zeugnisse von Philosophen, Historikern, Dichtern und sogar von Rednern benutzt. Man kann ihnen zwar nicht unbedingt vertrauen. Denn sie schreiben im Dienst ihrer Theorie, ihres Themas, eines bestimmten Falles. Aber wenn viele dasselbe sagen, zu verschiedenen Zeiten und an verschiedenen Orten, dann kann man schon annehmen, dies sei ein universales Prinzip".

Noch etwas hat er verändert. Das ius gentium, das bei allen Völkern gilt, wird zu einem Recht zwischen den Völkern. Völkerrecht. Durch einen einfachen zusätzlichen Gedanken. Er behandelt Staaten wie einzelne Personen. Auch Staaten können also miteinander Verträge schließen, Eigentum haben, Rechte verletzen und notfalls zur Selbsthilfe greifen, und das heißt in ihrem Fall zum Krieg. Weil das alles aus dem Recht privater Personen hergeleitet wird, ist es gleichzeitig die Darstellung eines natürlichen Privatrechts, ius naturae et gentium, wie es im Untertitel heißt. Ineinander verwoben, im Grunde nur als Beschreibung des Kriegsrechts. Im Zentrum steht der Vertrag, den Grotius in seinen Einzelteilen zum erstenmal sehr viel genauer beschreibt als alle vorher, daß er nämlich zustandekommt durch Angebot und Annahme, daß seine Grundlage zwar der gemeinsame Wille der Parteien ist, der Konsens, wie schon die Römer erkannt hatten, daß aber dieser bloße innere Wille nicht genügt, um rechtlich wirksam zu werden, sondern daß er auch noch nach außen erklärt werden muß, durch Worte, Schrift, Gebärden, also unser Begriff der Willenserklärung, daß die Stellvertretung dabei ein allgemeines Prinzip sei, und so weiter und so weiter. Der Vertrag ist das einigende Band, das alles zusammenhält. Ähnlich wie die Reziprozität in vorstaatlichen Gesellschaften (Rdz. 13, 26). Denn einen übergeordneten Staat und Gerichte als Quelle von Recht gibt es ja nicht im Verkehr der Völker untereinander. Es ist Recht, das seine Geltung in sich selber trägt. Über den Vertrag. Ohne Staat.

Ganz anders Thomas Hobbes. Es gibt nur ein Recht durch den Staat. Weil nämlich der Staat notwendige Folge einer bestimmten Natur des Menschen ist. Also sind seine Gesetze Naturrecht. Naturrecht und positives Gesetz sind eins. Was ist die Natur des Menschen? Machtgier, Gewalt und List, Neid, Konkurrenz, Eitelkeit, nicht Vernunft und Geselligkeit. Leviathan, 1651, 11. Kapitel, die Grundlage, die alles trägt:

> So that in the first place, I put for a generall inclination of all mankind, a perpertuall and restless desire of power after power, that ceaseth onely in death.
>
> Man muß von Anfang an davon ausgehen, daß alle Menschen ein gemeinsames Ziel haben, sie wollen Macht und immer mehr Macht, ständig und ununterbrochen, und das endet erst mit dem Tod.

Daraus rekonstruiert er einen Naturzustand, „naturall condition“, seine große Erfindung. Ohne den Staat ist der Mensch dem Menschen ein Wolf, homo homini lupus. Der berühmte Krieg aller gegen alle, seine Erfahrungen im englischen Bürgerkrieg, kombiniert mit Nachrichten über die „Wilden“ in Nordamerika. Dies ist das Resumé seiner Rekonstruktion im 13. Kapitel:

> „Wo Menschen zusammenkommen und kein Staat existiert, der sie in Schach hält, dort gibt es kein Vergnügen, sondern nur Ärger.

> Denn jeder will von den anderen so anerkannt werden, wie er sich selber sieht. Bei jedem Zeichen von Geringschätzung geht er soweit, wie er kann, und das heißt dort, wo es keine Staatsgewalt gibt, bis zur gegenseitigen Vernichtung, natürlich auch, um in den Augen der Zuschauer dieses Racheaktes noch besser dazustehen. Solange es keinen Staat gibt, leben die Menschen im Zustand des Krieges aller gegen alle. In einem solchen Zustand arbeitet niemand, weil es sich nicht lohnt. Es gibt keinen Ackerbau, keine Schiffahrt, keine bequemen Häuser, keine Maschinen, weder Künste noch Geselligkeit und stattdessen, was das Schlimmste ist, Angst vor gewaltsamem Tod und ständige Gefahr, und das Leben ist einsam, armselig, primitiv und kurz."

Das führt zum „ersten natürlichen Gesetz": Suche den Frieden und jage ihm nach. Daraus folgt das zweite: Jeder muß auf alles verzichten, womit er den Frieden gefährden kann, besonders auf Gewalt, und zwar in einem gemeinsamen Vertrag. Daraus das dritte: pacta sunt servanda, Verträge müssen eingehalten werden. Und so weiter, insgesamt neunzehn natürliche Gesetze, cartesianisch-logisch hintereinander geschaltet, eins aus dem andern, nach dem Muster von Gesetzen der neuen Naturwissenschaft. Nicht humanistisch-gelehrte Sammlung wie vorher bei Grotius, geisteswissenschaftlich.

Die Menschen übertragen also ihre Wolfsnatur auf einen Oberwolf, der Ordnung und Friede garantiert, und so entsteht der Staat als logische Folge von Machtgier und Angst, wie Wasser als Kombination von Wasserstoff und Sauerstoff. Hobbes sieht ihn als biblisches Ungeheuer, Leviathan, „aus seinen Nüstern fährt Rauch wie von einem siedenden Kessel und mit Binsenfeuer, sein Odem ist wie lichte Lohe und aus seinem Rachen schlagen Flammen" (Hiob 41). Nennt ihn auch sterblichen Gott. Sterblich, weil die Fürsten Menschen sind. Und Gott wegen der Allmacht. Zur Allmacht gehört – natürlich – die Gesetzgebung. Einer der berühmtesten Sätze aus der Geschichte der Staats- und Rechtstheorie, in der lateinischen Ausgabe von 1668, 26. Kapitel:

> Auctoritas non veritas facit legem. – Deutsch: Die Machtvollkommenheit und nicht irgendeine Wahrheit bestimmt, was Gesetz wird.

Das Gesetz als Befehl des Fürsten, egal was drin steht. Das ging ganz eindeutig gegen Hugo Grotius, der die richtigen Inhalte suchte, mühsam zusammengestellt aus der Fülle der Überlieferung im Geist der Vernunft, so daß alle zustimmen können, weil es ja wahr ist. Nein, das Gesetz ist ein Befehl des Souveräns. Zack zack. Und notfalls wird es durchgesetzt mit Zwang. Seitdem gibt es die Übereinstimmungstheorie und die Zwangstheorie im Recht, bis heute, seit Hugo Grotius 1625 und Thomas Hobbes 1651.

Nun kommt Samuel Pufendorf, 1672. Wie hat er sich entschieden? Geisteswissenschaftlich für Grotius oder naturwissenschaftlich wie Hobbes? Im ganzen ersten Buch begründet er, warum er sich für Grotius entscheidet, obwohl er auch Hobbes bewundert und vieles von ihm übernimmt. Es geht um die sittliche Ordnung, um Menschenwürde und Willensfreiheit. Naturwissenschaftlich ist das unmöglich auf den Begriff zu bringen. Ein bißchen altväterlich das Ganze, mit Perücke, aber großartig. Die Würde des Menschen, dignatio. Hier erscheint sie zum ersten Mal im Recht und damit steht er am Anfang der Ideen allgemeiner Menschenrechte, noch vor John Locke und mit deutlicher Wirkung auf Amerikaner und Franzosen einhundert Jahre später (Rdz. 272). De iure naturae et gentium, 1672, 2. Buch, 1. Kapitel, § 5:

> „Der Mensch ist von höchster Würde, weil er eine Seele hat, die ausgezeichnet ist durch das Licht des Verstandes, durch die Fähigkeit, die Dinge zu beurteilen und sich frei zu entscheiden, und die sich in vielen Künsten auskennt."

Die Menschen sind frei und gleich, schon im Naturzustand, dessen Idee er von Hobbes übernimmt, den er aber mit der Geselligkeit des Grotius ausstaffiert. Socialitas sagt er (ein anderes Wort für appetitus societatis). Warum? Sie müssen sich zusammentun, weil sie allein zu schwach sind. Imbecillitas ist sein Stichwort dafür, kreatürliche Schwäche. Gemeinsam sind sie stark. So entsteht der Staat, durch Vertrag, in mehreren Stufen. Sein System ist eine Kombination von Grotius und Hobbes. Zivil- und Völkerrecht im wesentlichen nach Grotius, Naturzustand und Staat zum Teil nach Hobbes. Er beginnt mit dem einzelnen Menschen als Rechtssubjekt, ein Begriff, den er als erster formuliert (2. Buch), geht weiter mit dem allgemeinen Vertragsrecht, das die Personen miteinander verbindet (3. Buch), Eigentum (4. Buch), das besondere Vertragsrecht (5. Buch), die Familie als kleine Gemeinschaft (6. Buch) und der Staat als große (7. Buch) und schließlich das Recht der Staaten untereinander, das Völkerrecht (8. Buch), deutlich getrennt vom Recht der Personen, anders als bei Grotius. Zum erstenmal erhält das Naturrecht ein juristisches System, mit dem es seinen Anspruch verwirklichen kann, nicht nur Sozialphilosophie zu sein, sondern Rechtstheorie. Damals gab es auch die ersten Vorlesungen über Natur- und Völkerrecht an den Juristenfakultäten, in den sechziger Jahren in Kiel und Greifswald, in den Siebzigern in Frankfurt/Oder, Marburg, Erfurt, Straßburg und Helmstedt und am Anfang des 18. Jahrhunderts gehörten sie überall zum Standardprogramm, auf der Grundlage des Pufendorfschen Systems.

Den Höhepunkt seines aufklärerischen Programms erreicht das Naturrecht mit Christian Thomasius in Halle. Er war der erste, der eine Vorlesung in deutscher Sprache hielt, 1687, damals noch in Leipzig, ein unerhörter Vorgang, denn seit über dreihundert Jahren sprach man an den Universitäten lateinisch. Latein war Tradition, Unbeweglichkeit. Deutsch bedeutete Aufklärung, Veränderung, Aufruhr. Er kam auch nicht im Talar in den Hörsaal, wie die anderen, sondern im modischen Seidenrock. Gab die erste Zeitschrift in deutscher Sprache heraus, die Teutschen Monate, und schrieb über Folter und gegen Hexerei (Rdz. 261, 262). „Dem Thomasius", schrieb Friedrich der Große, Oevres Band 1, Seite 367, „hat das weibliche Geschlecht zu verdanken, daß es in Frieden alt werden und sterben kann". Die meisten derjenigen, die vorher als Hexen verbrannt wurden, waren ja Frauen gewesen.

Das klassische Naturrecht

1488–1567	Johann Oldendorp	Eisagoge iuris naturalis 1539
1557–1638	Johannes Althusius	Dicaeologia 1617
1583–1645	Hugo Grotius	De iure belli ac pacis 1625
1588–1679	Thomas Hobbes	Leviathan 1651
1632–1694	Samuel Pufendorf	De iure naturae et gentium 1672
1655–1728	Christian Thomasius	Fundamenta iuris naturae et gentium 1705
1679–1754	Christian Wolff	Ius naturae 1740/48

Der andere in Halle war Christian Wolff, Mathematiker und Philosoph, beeinflußt von Leibniz, der auch über Naturrecht geschrieben hatte, mathematisch, logisch. Wolff steht am Ende der eindrucksvollen Naturrechtssysteme. Ius naturae methodo scientifico pertractatum, 1740 bis 1748, mit großer Wirkung auf die Juristen der nächsten Jahrzehnte, das „Programm einer logischen Ableitung juristischer Entscheidungen aus Obersätzen und allgemeinen Begriffen mit einem zuvor festgestellten Stellenwert im System" (Franz Wieacker) nach dem Muster der mathematischen Naturwissenschaften und damit wurde er der Vater der Begriffsjurisprudenz des 19. Jahrhunderts (Rdz. 293). Für uns heute erscheint es eher weitschweifig und langweilig. Damals, im 18. Jahrhundert, war er der einflußreichste Philosoph des absolutistischen Wohlfahrtsstaates.

250. Gerichte und Zivilprozeß

Die Gerichtsverfassung des Alten Reiches bietet ein verwirrendes Bild, das von der Forschung in den Einzelheiten noch längst nicht aufgeklärt ist. Im Prinzip war es nicht anders als in der allgemeinen Verfassungsentwicklung. Der Kaiser verliert Kompetenzen und die Fürsten werden immer stärker, auch auf Kosten von Adel und Kirche. Die Einrichtung des Reichskammergerichts bedeutete die Übernahme der Gerichtsbarkeit des Königs durch die Reichsstände, ein Verlust, den der Kaiser durch die Einrichtung des Reichshofrates zum Teil wieder gutmachen konnte. Die Stellung der größeren Fürsten verbesserte sich entscheidend durch das privilegium de non appellando. Sie erhielten damit fast vollkommene Justizhoheit, denn es bedeutete, daß gegen Urteile von Gerichten ihres Landes Berufung nicht mehr zum Reichskammergericht oder Reichshofrat eingelegt werden konnte, sondern nur bei ihren eigenen Hofgerichten, die damit – in unserer Terminologie – zu Oberlandesgerichten mit endgültiger Entscheidungskompetenz wurden. Innerhalb der größeren Territorien übernahmen die Landesherren die Hochgerichtsbarkeit, grob gesprochen mit fürstlichen Landgerichten, während die Niedergerichtsbarkeit in der Hand der Städte und des Adels blieb und neben der Patrimonialgerichtsbarkeit auch noch freie Dorfgerichte existierten. Die Kirchengerichte wurden immer weiter zurückgedrängt und die überregionalen Schöffenstühle auf das Gebiet ihres Landes beschränkt. Zum Teil verkümmerten sie allmählich, wie der von Magdeburg, zum Teil kam jetzt erst ihre große Zeit, wie bei dem von Leipzig, was im wesentlichen damit zu tun hatte, daß mit dem Sieg des gelehrten Rechts die Professoren als Beisitzer immer wichtiger wurden, die es in Magdeburg nicht gab, wohl aber an der Universität Leipzig. Daneben bekam die Gutachtentätigkeit von Juristenfakultäten große Bedeutung. In schwierigen Rechtsfragen wurden ihnen die Akten zugeschickt und sie entschieden praktisch an Stelle des Gerichts. Erst am Ende der Epoche haben die Fürsten das verboten und gesagt, ihre studierten Richter sollten das gefälligst selbst entscheiden.

Das gelehrte Recht veränderte auch die Funktion von Richtern und Schöffen. Die Richter blieben nicht mehr auf die Prozeßleitung beschränkt, sondern entschieden allmählich selbst, während die Schöffen an Bedeutung verloren. Nur im Reichskammergericht behielt der vorsitzende Richter seine alte Stellung, aber die Beisitzer waren hier ja auch regelmäßig gelehrte Juristen.

Der schwerfällige römisch-kanonische Artikelprozeß des Mittelalters wurde vereinfacht. Die sächsischen Juristen des Usus Modernus – der berühmte Benedikt Carpzov (1595–1666) in Leipzig war der Schrittmacher – entwickelten ein Verfahren, in dem man von vornherein in Klage und Erwiderung das gesamte Material auf den Tisch des Hauses legen mußte. Am Anfang des Prozesses wurde nun eine zusammenfassende

Darstellung des Sachverhalts gefordert und zwar auch das, was zunächst noch nicht unbedingt wichtig erschien, „in omnem eventum", für alle Fälle. Das ging viel schneller. Die Eventualmaxime des sächsischen Prozesses gegen das alte Reihenfolgenprinzip. Sie setzte sich bald überall durch, auch vor dem Reichskammergericht, und wurde die Grundlage des gemeinen Prozesses, mit Schriftlichkeit, Nichtöffentlichkeit und Verhandlungsmaxime wie bisher (Rdz. 222).

251. Familie und Erbrecht

Die Kontrolle der Familie durch die Kirche – und über die Kirchenaufsicht mittelbar durch den Staat – wurde etwas stärker, gleichzeitig verschlechterte sich die Situation der Frauen. Nach altem Recht war es ja noch möglich gewesen, in freier Friedelehe zu leben ohne die munt-Gewalt des Mannes über seine Frau. Nun gab es praktisch nur noch eine einzige Form, nach Kirchenrecht, mit dem aus dem Hochmittelalter stammenden Prinzip consensus facit nuptias (Rdz. 224). Das Verbot der Scheidung setzte einen deutlichen Anfang voraus und den nahm die Kirche nun unter ihre Obhut. Die Eheschließung. Seit dem Konzil von Trient, 1563, mußten die Eheleute ihren Willen vor dem katholischen Ortspfarrer erklären, mit zwei Zeugen und der Eintragung ins Traubuch. Im protestantischen Gebiet wurde die Ehe im Kreis der Familie geschlossen, weil man hier auch die Zustimmung der Eltern forderte, und in einem zweiten Akt war sie zu bestätigen durch die Einsegnung in der Kirche. Hier gab es sogar, bei Ehebruch zum Beispiel, die Möglichkeit einer Scheidung, die dem Unschuldigen erlaubte, wieder zu heiraten. In jedem Fall aber galt, dort wie hier, die Frau sei dem Manne untertan. Imperium nannte man das oder potestas, Herrschaft. Mit einem Züchtigungsrecht, das er nur mäßig ausüben durfte, wie es hieß, und nur aus berechtigtem Anlaß. Die Frau war beschränkt geschäftsfähig, bedurfte für jedes Rechtsgeschäft seiner Zustimmung.

> Huic potestati in personas uxorum competenti respondet a parte uxorum reverentia et subiectio conveniens

kann man bei Samuel Stryk nachlesen, Usus Modernus Pandectarum, 1704, § 48 zu D.23.2. Auf deutsch:

> Dieser Herrschaft über die Person von Frauen entspricht auf ihrer Seite die Pflicht zur Ehrerbietung und ein entsprechendes Betragen.

Im Naturrecht gab es vorsichtigen Widerspruch. Samuel Pufendorf war es mal wieder, konnte nicht verstehen, warum die Herrschaft des Mannes über seine Frau der Natur des Menschen entspricht (Ius naturae et gentium, 1672, 6.1.11), anders als Hugo Grotius, der sich einfach auf die Bibel berufen hatte (De iure belli ac pacis, 1625, 2.5.8). Epheser 5.22 + 23:

> Die Frauen sollen sich ihren Männern unterordnen wie dem Herrn. Denn der Mann ist das Haupt der Frau ...

Am Ende des Mittelalters entstand der Familienname, nach dem Vorbild des Adels, zuerst in den Städten, dann auch auf dem Land. Die Frau konnte den ihres Mannes führen, tat es auch meistens, war aber dazu nicht verpflichtet. Ohnehin erschien lange Zeit noch der Vorname wichtiger.

Der Wandlung der Familie von einer autonomen Solidargemeinschaft in eine von außen bestimmte und vom Privateigentum geprägte Institution entsprach es, wenn sich im Usus Modernus das römische Testament vollständig durchsetzte, das sich ja gegen ihre Einheit richtet. Testierfreiheit galt als Grundsatz, nach den Vorschriften Justinians, also die Errichtung vor sieben Zeugen, was die Reichsnotarordnung von 1512 ergänzte: und vor einem Notar, oder das Testament vor Gericht, durch mündliche Erklärung oder Übergabe der Handschrift. Ausgleich war das Pflichtteilsrecht für Kinder, Eltern und Geschwister, ebenfalls nach dem Muster des römischen Rechts. Ursprünglich war es ein Viertel des gesetzlichen Erbteils, die falzidische Quart, nach der lex Falcidia von 40 v. Chr., aber Justinian hatte es für die Kinder auf ein Drittel erhöht, bei mehr als vieren sogar auf die Hälfte, in der Novelle 18 von 536 n. Chr.

Für größere adlige Ländereien entwickelte sich allerdings eine neuartige Bindung, das Familienfideikommiß. Das hatte weder etwas mit dem Lehnsrecht zu tun noch mit dem römischen, auch wenn es mit seinem Namen an das antike römische Fideikommiß anknüpfte, das nur ein formloses Vermächtnis war (Rdz. 142). Es konnte durch Testament angeordnet werden und bedeutete, daß das Land der Familie ungeteilt als Ganzes erhalten bleiben mußte und weder durch künftige Testamente noch durch Verkauf ganz oder teilweise übertragen werden konnte. Und blieb wirksam, bis es durch Einigung aller Beteiligten aufgehoben wurde.

Selbst im gesetzlichen Erbrecht ging es stärker in Richtung römisches Recht. Es gab zwar manchen Widerstand, verschieden von Gebiet zu Gebiet, und letztlich blieb es beim alten deutschen Parentelsystem (Rdz. 226), aber offiziell galt die Novelle 118, die Justinian 543 n. Chr. ziemlich undeutlich abgefaßt hatte und die nun zum großen Teil im Sinne des deutschen Rechts interpretiert werden konnte. Wichtigste Neuerung war das sogenannte Repräsentationssystem. Es war uralt, stammte noch aus dem Recht der Zwölftafeln. Es ging um die Enkel. Hatte jemand zum Beispiel zwei Söhne, von denen einer gestorben war, aber Kinder hinterlassen hatte, dann erbten diese Enkel nach altem deutschen Recht nicht von ihrem Großvater. Der überlebende Onkel schloß sie aus und bekam alles. Im römischen Recht traten sie schon immer an die Stelle ihres gestorbenen Vaters, „repräsentierten" ihn, denn man sagte sich, eines

Tages würden sie das ja auch von ihm erhalten haben, als seine Erben, wenn er lange genug gelebt und seinen Vater beerbt hätte. Das gab es im deutschen Recht nicht, war vernünftig und paßte ohne Schwierigkeiten ins Parentelsystem. Der Widerstand war trotzdem groß, wie man sich denken kann, und ist im 16. Jahrhundert erst durch ausdrückliche Reichsgesetze weitgehend beseitigt worden.

252. Die gescheiterte Verlobung der Tochter des Herrn Mevius

Einer der vielen zeitgenössischen Fälle im Buch des Samuel Stryk (Rdz. 247), und zwar aus dem Recht des Verlöbnisses, das damals eine viel größere Rolle spielte als heute, weil es rechtlich voll verbindlich war und man vor dem Kirchengericht auf Vollzug der Ehe – ad consummationem matrimonii – klagen konnte. Er spielt am Ende des 17. Jahrhunderts irgendwo in Brandenburg-Preußen, vor dem fürstlichen Konsistorium, also der vom brandenburgischen Kurfürsten eingesetzten evangelischen Kirchenbehörde, die mit Juristen und Theologen besetzt und auch als Gericht in Ehesachen tätig war. Wahrscheinlich ist es ein Gutachten der juristischen Fakultät (Rdz. 250) in Frankfurt an der Oder, vielleicht auch der von Halle. Auftraggeber war der beklagte junge Mann. Also, Samuel Stryk, Usus Modernus Pandectarum, § 2 zu D.23.1 (7. Aufl. 1737):

> Habt ihr auf des Mevii Tochter eine ehliche affection geworffen, und da ihr von derselben eine Gegen-Lieb verspüret, ihr bey dem Vater und Mutter durch zwey abgesendete gute Freunde eure christliche intention entdecken und um die Tochter ordentlich Anwerbung thun lassen, worauf Mevius sich der Anwerbung und zu seinem Hause tragender affection halber bedancket, und darbey bezeuget, daß er an eurer Person kein Mißfallen hätte, er könne sich aber in so wichtiger Sache so fort nicht resolviren, sondern er bäte, ihm auf 14. Tage-Bedenckzeit zu gönnen, alsdann solte er eine gewisse resolution erhalten. Da ihr nun besorget, es möchte die Antwort nicht beyfällig, sondern vielmehr abschlägig erfolgen, und ihr dadurch in Schimpf gerathen, so habt ihr vor Ablauf der 14. Tage dem Mevio wissen lassen, daß er sich ferner in Überlegung dieser Sache nicht bemühen dürfte, weil ihr euch eines andern bedacht, und eure Gedancken auf eine andere Person gerichtet hättet; So bald ihr nun Mevio solches wissend gemacht, ist derselbe voller Unmuths geworden, und hat wider euch bey dem Fürstl. consistorio eine Klage ad consummationem matrimonii angestellt. Ob nun wohl Mevius für sich anführet, daß ihr um seine Tochter ordentlich angehalten, auch darbey eure gegen sie tragende ehliche Lieb durch die abgeschickte Personen bezeugen lassen, Mevius auch euch seine Tochter noch nicht versaget, sondern nur in solcher importanten Sache eine kleine dilation verlanget, welche bey solchem ehlichen

> Anbringen keinem Vater zu versagen ist, eure abgeschickte Frey-Werber auch ihnen diese Bedenck-Zeit nicht mißfallen lassen, und daher es das Ansehen gewinnet, daß ihr die Zeit erwarten und von Mevio die resolution alsdann einholen sollen, welche, daß sie eurer intention gemäß mit einem erfreulichen Ja-Wort erfolgen würde, Mevius sancte versichert. Weil aber dennoch die von euch geschehene Anwerbung an und vor sich keine Verbindung machen können, indem ihr hiedurch dem Mevio nur eure intention eröffnen, und das Ja-Wort erbitten wollen, und da Mevius deshalben Bedenckzeit verlanget, euch gleichergestalt solche Frist zu fernerer Überlegung nicht versaget werden können, massen, wie sonst in negotiis judicialibus bekant ist, quod dilatio uni parti concessar, etiam alteri communis sit, ... solches auch in dilatione extrajudiciali statt finden müsse, und ihm der Mevius zu imputiren, daß er nicht sofort seinen Consensum ertheilet, und also durch seine repromission das vinculum obligationis sponsalitiae befestiget, weil bis dahin die Sache nur in terminis tractatuum bestanden, woraus keine obligation entstehen kan ... und daß nunmehro Mevius vorwendet, er sey mit dem Ja-Wort parat gewesen, solches zuspäte geschiehet, da ihr bereits zurück getreten. So seyd ihr dahero von der angestelleten Klage zu absolviren. Von Rechts wegen.

Wie ein Slalom läuft die Geschichte der Verlobung. Die sponsalia der römischen Frühzeit waren eine Stipulation zwischen Schwiegervater und Bräutigam, einklagbar mit der actio certi ex sponsione. Die alte Einheit von Recht und Moral. Am Ende der Republik verliert sie ihre Verbindlichkeit, hat nur noch unwesentliche Nebenwirkungen, ist mehr Moral oder Sitte als Recht. Erst im kanonischen Recht des Mittelalters kommt die harte Einheit zurück. Nun gab es sponsalia de futuro, die Verlobung als Einigung für die Zukunft, und – manchmal schwer davon zu unterscheiden – sponsalia de praesenti, die Eheschließung, die sofort wirksam wird. Jedesmal kirchenrechtlich als Vertrag zwischen Frau und Mann, consensus facit nuptias. Die Zustimmung der Eltern kam erst mit Luther dazu, genauer gesagt: die Zustimmung der beiden Väter. Und praktisch war es immer, wie bei Stryk, ein Vertrag zwischen dem Vater der Frau und ihrem Mann. Noch bis zum Ende des Alten Reiches blieb die Verlobung klagbar und erst die bürgerliche Gesellschaft des 19. Jahrhunderts, liberal wie sie war, begnügte sich wieder mit der Unverbindlichkeit der späten römischen Republik, in der neuen Trennung von Recht und Moral.

253. Das Testament der Katharina Zwadin

Testamente errichtete man nach den Vorschriften des römischen Rechts, entweder vor sieben Zeugen oder, wie Katharina Zwadin es 1702 gemacht hat, durch Übergabe zu den Akten des Gerichts, also an den Rat ihrer Stadt, der die niedere Gerichtsbarkeit hatte. Es gab allerdings ein Problem. Dazu das Gutachten der juristischen Fakultät Halle von 1709 bei Samuel Stryk, Usus Modernus Pandectarum § 19 zu D.28.1 (6. Aufl. 1737):

> Ist Catharina Zwadin zu Pöseneck verstorben, und hat vor ihrem Ende den 22. April 1702 E.E. Rath ein schriftlich mit C.Z. unterschriebenes und versiegeltes Testament mit diesen Worten: Alles was darinnen enthalten, ist mein Wille, bitte darüber zu halten, übergeben. Hat aber die Testatrix keinen Buchstaben weder lesen noch schreiben können, und ist ihr bey Überreichung des Testaments solches nicht vorgelesen, noch dieselbe, ob solches in allen Puncten ihr rechter beständiger Wille sey, befraget worden, dahero anietzo die Frage entstehet: Ob solches Testament vor gültig zu achten?
>
> Ob nun wol vor dessen Gültigkeit angeführet werden möchte, daß die Testamenta judicialiter oblata zu Recht beständig seyn, wenn nur der Testator solches persöhnlich überreicht, und weiter keine solennia erfordert werden. L.Omnium 19. Cod. de Testament. (= ein Zitat aus dem Codex Justinians, C.6.23.19 pr., mit einer Konstitution des Theodosius von 416 n. Chr. zur Möglichkeit eines öffentlichen Testaments durch formfreie Übergabe an den Kaiser, U.W.) auch an keinem Orte in jure ausdrücklich geordnet, daß die Testamenta denen imperitis literarum erst vorgelesen werden müsen, sondern da die Testatrix hieselbst coram judicio sich erkläret, daß ihr letzter Wille in dem versiegelten Testament enthalten, die praesumtion zu fassen, daß sie sich solches wohl werde haben vorlesen lassen, und es dahero scheinet, daß deroselben Testament vor gültig wohl zu achten.
>
> Weil aber dennoch obige Jura überall diese tacitam conditionem in sich begreiffen, wofern es nur gewiß ist, daß solches des Testatoris beständiger Wille, und daher bey einem, der selbst lesen und schreiben kan, die blosse oblatio eines versiegelten Testaments genug ist, im gegentheil wo jemand, wie in diesem Casu, gar nichts lesen und schreiben kan, und dennoch ein testamentum scriptum judicialiter offerirt, es eine gantz andere Beschaffenheit hat, folglich in solchem Fall nothwendig dem testatori vorher das Testament vorgelesen werden muß, wie das in simili bey eines Blinden Testament deutlich verordnet ist in L.8.cod.qui Testam.facere possunt (= C.6.22.8 pr., eine Konstitution des Justinus von 521 n. Chr. U.W.) und mit einem, der nicht lesen und schreiben kan, es eben die Beschaffenheit hat, indem solcher, was darinn geschrieben, nicht wis-

> sen kan, wo es ihm nicht in Gegenwart der Zeugen vom Notario, oder testamento judici oblato vom Richter selbst vorgelesen werde, und daher aus diesen und andern Ursachen, die bewerthesten Rechts-Lehrer in solchem Fall praelectionem de necessitate erfordern, ... solches auch der Notariat-Ordnung Maximiliani I. de Anno 1512 tit. von Testamenten, gemäß, und anderer Gestalt de fide testamenti ein judex nicht gewiß seyn kan:
> So ist daher der Catharina Zwadinn Testament vor gültig nicht zu achten.

Die Lösung folgt strikt dem römischen Recht. Dort war in der Konstitution des Justinus (C.6.22.8 pr.) das Vorlesen zwar nur für Blinde vorgesehen und auch nur beim Siebenzeugentestament, aber ein römischer Jurist hätte hier nicht anders entschieden und ebenso gesagt, das muß auch für dieses sogenannte öffentliche Testament gelten und wenn man nicht lesen und schreiben kann. Der Richter hätte es ihr vorlesen müssen. Es genügt nicht, ihr Testament einfach zu den Akten zu nehmen. Also war es unwirksam.

254. Eigentum und Besitz

Im Recht des Eigentums herrschte nun die Terminologie der Römer. Es galten ihre Regeln, allgemein anerkannt war auch die Definition des Bartolus als „umfassende Verfügungsbefugnis" (Rdz. 225), aber es gab doch viele Beschränkungen, die das römische Recht nicht kannte. Man denke nur an das Lehnswesen oder das neue Familienfideikommiß. Im Lehnsrecht machte man es schon seit dem Mittelalter einfach so, daß unterschieden wurde zwischen dem Eigentum des Lehnsherrn als dominium directum, Eigentum im engeren Sinn, und dem des Vasallen, dominium utile, Eigentum im weiteren Sinn. Mit anderen Worten, beide waren in unterschiedlicher Weise Eigentümer. Wenn ihnen ein anderer die Sache vorenthielt, hatten sie beide die Herausgabeklage, die rei vindicatio. Unmöglich für römische Vorstellungen.

Das Lokalrecht verdrängte auch die römischen Regeln für die Übereignung, wenn es um Grundstücke ging. Notwendig blieb also die Erklärung des Eigentümers vor Gericht oder städtischem Rat, die Auflassung, und die Eintragung in öffentliche Bücher. Bei beweglichen Sachen wechselte nur die Terminologie. Die Übereignung blieb kausal, wie im römischen und im alten deutschen Recht, gebunden an die Wirksamkeit eines Grundgeschäftes, etwa des Kaufs. Aber man nannte das nicht mehr iusta causa (Rdz. 137), sondern sprach vom titulus. Diese Lehre war von Johann Apel begründet worden, der zu Luthers Zeiten an der Universität Wittenberg lehrte und auch die Unterscheidung von dinglichen und obligatorischen Rechten eingeführt hatte. Ein Systematiker. Bei der Übereignung sprach er vom titulus und modus acquirendi. Der Eigentumserwerb brauchte also eine innere Legitimation (titulus) und eine äußere Form (modus). Wurde eine Sache verkauft und übergeben, dann erwarb der Käufer Eigentum, weil er einen Titel hatte, den Kauf, und weil die äußere Form eingehalten worden war, die Übergabe als modus. Im römischen Recht hieß das noch traditio und iusta causa, war nicht so deutlich. Apels neue Lehre blieb gemeines Recht in der ganzen Zeit des Alten Reiches, dreihundert Jahre lang bis zum 19. Jahrhundert. Sie bereitete die heutige Unterscheidung von obligatorischem Grundgeschäft und dinglichem Erfüllungsgeschäft vor und erleichterte schließlich die Trennung der beiden im sogenannten Abstraktionsprinzip, die von Friedrich Carl von Savigny vollzogen und in das Bürgerliche Gesetzbuch aufgenommen wurde.

Schwierigkeiten gab es beim Erwerb von Nichtberechtigten. Also: Eigentümer E verleiht seine Sache an Leiher L und der verkauft und übereignet sie – unberechtigt – an einen Dritten, den Käufer K. Kann E die Sache von K mit der rei vindicatio herausverlangen? Nach römischem Recht ja, denn es galt der Satz nemo plus iuris transferre potest quam ipse haberet. Niemand kann mehr Recht übertragen, als er selber hat (Rdz. 137). Stattdessen gab es die Ersitzung. Nach einem Jahr erwarb K das Eigentum und erst dann entfiel die rei vindicatio des E. Im Sachsenspiegel war es anders. E konnte von vornherein nicht klagen, denn hier hieß es, wo du deinen Glauben gelassen hast, da sollst du ihn suchen (Rdz. 225). Was sollte nun gelten, römisches oder lokales Recht? Die Antworten waren uneinheitlich. Meistens löste man das Problem wohl im Sinne des römischen Rechts und sagte, die Praxis hätte sich inzwischen geändert. Zum Teil entschied man nach dem Sachsenspiegel und erklärte, insofern sei die rei vindicatio durch das lokale Recht eingeschränkt. Sah es also nicht wie heute als Fall des gutgläubigen Erwerbs, der dem K das Eigentum verschaffte, sondern nur als Einschränkung für das Klagerecht des E.

Allmählich änderte das Eigentum im Alten Reich seinen Charakter, weil mit dem römischen Recht der Besitz kam und dadurch die harte Unterscheidung zwischen Eigentümer und Besitzer. Eigentum war Eigentum und Besitz eben nur Besitz. Allerdings wurde dessen Schutz erweitert, war nicht auf Eigenbesitz beschränkt wie bei den Römern. Auch Mieter, Pächter oder Entleiher hatten ihn jetzt. Das kam aus dem mittelalterlichen kanonischen Recht, wo man sozialer dachte als im römischen. Dort hatte auch die actio spolii ihren Ursprung, eine neue Besitzschutzklage, die einfacher war als das römische Interdiktenverfahren, das sie jetzt völlig verdrängte. Ihr Schutz reichte sehr viel weiter, zwang selbst den redlichen Besitzer einer Sache zur Herausgabe, sofern der alte Besitzer sie nur unfreiwillig verloren hatte, an irgendjemand anders. Typisch kanonisches Recht, nicht gerade „verkehrsfreundlich“. Wurde deshalb im 19. Jahrhundert auch schnell wieder abgeschafft.

255. Verträge

Das Alte Reich war ein Agrarland. Der Geschäftsverkehr in den Städten nahm zwar im 16. Jahrhundert allmählich zu, erlitt aber im 17. Jahrhundert schwere Rückschläge durch die Verwüstungen und Entvölkerung des Dreißigjährigen Krieges und kam erst um die Wende zum 18 .Jahrhundert wieder auf das Niveau von früher. Das war der Grund, warum im Vertragsrecht nur langsame Entwicklung stattfand, die kontinuierlich fortsetzte, was kanonisches und römisches Recht im Hohen und Späten Mittelalter begonnen hatten.

Der Usus Modernus übernahm die Vertragslehre des kanonischen Rechts, wonach jede ernsthafte Vereinbarung auch rechtliche Wirkungen habe, rückte also ab vom geschlossenen Katalog der Vertragstypen im antiken römischen Recht und machte das pactum zum Zentralbegriff der Schuldverträge. Pactum, das war im römischen Recht nur eine Nebenabrede zu anerkannten Vertragstypen gewesen, zusätzliche Vereinbarungen über Stundung, Rücktrittsmöglichkeiten oder den Ort der Leistung, mit dem Grundsatz:

> *Ulp.D.2.14.7.4:* nuda pactio obligationem non parit ... eine bloße Abrede allein erzeugt noch keine Verpflichtung,

was später auch zitiert wurde als ex pacto nudo actio non oritur, also: aus einem bloßen pactum entsteht keine Klagemöglichkeit. Das war nun vorbei. Jetzt wurde jede Vereinbarung einfach zur Stipulation (Rdz. 146) ernannt, bei der die Einhaltung der Form von Frage und Antwort ohnehin längst nicht mehr notwendig war, oder man sagte, alle Verträge – gleich welcher Art – seien jetzt Konsensualverträge (Rdz. 147) und damit klagbar. Das war das eine, die allgemeine Form- und Typenfreiheit.

Das andere waren kleine Fortschritte in der allgemeinen Rechtsgeschäftslehre. Man erkannte, daß ein Vertrag zustandekommt durch Angebot und Annahme, und machte sich auch Gedanken über die Frage, wie lange jemand an sein Angebot gebunden bleibt, ohne das allerdings so klar zu formulieren. Stellvertretung und Vertrag zugunsten Dritter wurden nun im Ergebnis überall zugelassen, nach jahrhundertelanger Kleinarbeit, ersten Anfängen im römischen Recht selbst (Rdz. 145) und einigen Erweiterungen durch Glossatoren und Postglossatoren. Aber es waren mühsame Umwege, die man machte. Mühsame Umwege zur Umgehung jener Sätze des römischen Rechts, die klar dagegen standen, wie zum Beispiel

> *Ulp.D.45.1.38.17:* Alteri stipulari nemo potest ... Niemand kann sich für einen anderen etwas versprechen lassen.

Verschlungene Pfade mußte man gehen, je nachdem, ob man für den Vertretenen eine Verpflichtung begründen wollte („passive Stellvertretung“) oder eine Forderung („aktive Stellvertretung“). In der juristischen Literatur wurde das an völlig verschiedenen Stellen behandelt. Die aktive Stellvertretung und der Vertrag zugunsten Dritter bei der Kommentierung des Digestentitels 2.14, De pactis. Für die passive Stellvertretung bei der actio institoria in Digesten 14.3. Erst Christian Wolff, am Ende der Epoche, hat das gemeinsame Prinzip erkannt und einheitlich formuliert, in seinen Institutionen 1761. So wie es heute im § 164 des Bürgerlichen. Gesetzbuches heißt:

> „Eine Willenserklärung, die jemand innerhalb der ihm zustehenden Vertretungsbefugnis im Namen des Vertretenen abgibt, wirkt unmittelbar für und gegen den Vertretenen."

Auch wenn man inzwischen ganz klar den Willen der Vertragsparteien als Grundlage erkannt und anerkannt hatte, gab es doch noch vielfältige Bindungen, die verhindern konnten, daß er rechtliche Wirkungen erhielt. Anders ausgedrückt: Die Willensfreiheit hatte sich durchaus noch nicht völlig durchgesetzt. Das kam erst mit der Vertragsfreiheit des 19. Jahrhunderts. Gegen deren „formelles Konsensprinzip" stand immer noch das „materielle Äquivalenzprinzip" des kanonischen Rechts. Die bloße Willenseinigung genügte nicht. Leistung und Gegenleistung mußten auch in einem angemessenen Verhältnis stehen. Vom „Wucherverbot" des kanonischen Rechts, wie das Zinsverbot allgemein genannt wurde, hatte man sich zwar bald gelöst. Die Reichspolizeiordnung von 1577 und der Jüngste Reichsabschied von 1654 erlaubten einen Höchstzins von 5 %. Aber sehr stark wirkte noch lange der Gedanke des gerechten Preises, iustum pretium. Um mehr als das Doppelte durfte er, auch ohne böse Absicht, keinesfalls überschritten werden. Sonst war das eine laesio enormis, eine übermäßige Schädigung, die die Unwirksamkeit des Vertrages zur Folge hatte. Auch das sollte erst im bürgerlichen Recht des 19. Jahrhunderts beseitigt werden, ersetzt durch die Böswilligkeit, die sittenwidrige Schädigung des § 138 BGB. Und noch eins kennzeichnet die innere Gerechtigkeit dieses schwerfälligen Vertragsrechts. Die clausula rebus sic stantibus.

Auch sie kommt aus dem kanonischen Recht. Der Gedanke der „Geschäftsgrundlage", wie wir sie heute nennen und zähneknirschend in Kauf nehmen, nachdem sie im 19. Jahrhundert längst beseitigt war, uns aber inzwischen durch Weltkriege und Inflation wieder aufgezwungen wurde (Rdz. 286). Eine ganz einfache Überlegung. Daß nämlich Vereinbarungen hinfällig werden können, wenn die Verhältnisse sich grundlegend ändern. Das Objektive gegen das Subjektive. Eine Tempelschändung für diejenigen, die den Vertrag allein auf den Willen der Parteien stellen, als Ausdruck und Grundlage unserer Freiheit.

Clausula rebus sic stantibus bedeutet, alle Verträge werden – stillschweigend – mit der Abrede (Klausel) geschlossen, daß die Verhältnisse so bleiben. Der erste, der das klar als allgemeines Rechtsprinzip formuliert hat, war Baldus im 14. Jahrhundert. Es war ein Gedanke, der weit in die Antike zurückreicht, sich schon bei Cicero und Seneca findet, in der Spätantike vom heiligen Augustinus übernommen wurde, der dann mit seinem Text achthundert Jahre später in das Deretum Gratiani rutschte und damit kanonisches Recht wurde (2. Teil, Causa 22, Quaestio 2, Kapitel 14). Italienische Juristen des 15. und 16. Jahrhunderts trugen das weiter, die französischen Humanisten im 16. Jahrhundert übrigens bezeichnenderweise nicht, wohl aber wieder die des Usus Modernus, wo der Grundsatz weitgehend akzeptiert war. Ob er in der Praxis eine größere Rolle spielte, ist nicht erforscht. Hugo Grotius diskutiert das Ganze ausführlich und schränkt es sehr vernünftig ein auf wirklich gravierende Fälle, etwa so wie unsere „Geschäftsgrundlage“ (Rdz. 286), De iure belli ac pacis, 2. Buch, 16. Kapitel, §§ 25–27. Am Ende des 18. Jahrhunderts gibt es ernsthaften Widerstand, der im 19. Jahrhundert zur völligen Beseitigung der clausula führte. Pacta sunt servanda hieß es nun wieder, wie bei den Römern. Verträge müssen eingehalten werden. Im Namen der Freiheit.

Diese Freiheit war im Alten Reich aber noch ganz anders eingeschränkt. Nicht nur durch das materielle Äquivalenzprinzip mit iustum pretium und clausula rebus sic stantibus. Viel umfassender durch das Policeyrecht (Rdz. 243). Das ist 1955 zum ersten Mal von Gustav Klemens Schmelzeisen dargestellt worden, in seinem Buch „Polizeiordnungen und Privatrecht“. Manche Verträge waren völlig verboten, zum Beispiel über die Einfuhr oder Ausfuhr bestimmter Güter. Die meisten waren in ihrem Inhalt von Amts wegen vorbestimmt. Für Arbeitsverträge gab es Vorschriften, die bis ins einzelne alles regelten, die tägliche Arbeitszeit, ihren Anfang, das Ende und die Pausen, die Laufzeit der Verträge, den alljährlichen allgemeinen Kündigungstermin und natürlich die Höhe der Entlohnung. Das gleiche für Waren und Dienstleistungen von Händlern, Gastwirten und Handwerkern mit genauer Bestimmung von Qualität, Quantität und Preisen. Das tägliche Leben der Menschen ist dadurch sehr viel stärker geprägt worden als durch die Lehre von der Form- und Typenfreiheit der Verträge in den Handbüchern des Usus Modernus.

256. Handels-, Gesellschafts- und Wertpapierrecht

Auch hier baut man weiter auf den im Mittelalter gelegten Fundamenten. Schon damals gab es den Versicherungsvertrag, assecuratio, zuerst für Seetransporte. Der Usus Modernus behandelt ihn jetzt auch wissenschaftlich, nämlich als Kauf von Sicherheit gegen Entgelt. Daneben entwickelte sich im 18. Jahrhundert die Feuerversicherung.

Im Gesellschaftsrecht bleibt es im wesentlichen bei den Personengesellschaften des Mittelalters (Rdz. 233). Allerdings werden die ersten Anfänge von sogenannten Kapitalgesellschaften deutlich, also solchen, an denen man sich nur anonym mit einer Geldeinlage beteiligt und die dann im 19. Jahrhundert als Aktiengesellschaften so große Bedeutung bekommen sollten. Im Alten Reich waren es die brandenburgisch-preußische und die österreichische Kompanie für den Handel mit Kolonialländern nach dem Vorbild der englischen und holländischen Ostindienkompanien.

Eine wichtige Veränderung gibt es beim Wechsel. Jetzt erst kommt er zu seiner eigentlichen Bedeutung. Im Mittelalter war er seiner Struktur nach tatsächlich nur ein Geldwechselgeschäft (Rdz. 233). Aber nun entsteht im 17. Jahrhundert das Indossament, das ist die Möglichkeit der Übertragung an beliebig viele Zwischenpersonen durch schriftlichen Vermerk mit Unterschrift auf der Rückseite (italienisch dorso, der Rücken). Jeder, der ihn weitergibt – und dafür die Wechselsumme von seinem Nachfolger erhalten hat – haftet für die Einlösung. Dadurch wird der Wechsel zu einem Umlaufpapier mit hoher Sicherheit für den kaufmännischen Kredit.

257. Delikte

Mit der Ausweitung des öffentlichen Strafrechts verlor das alte Privatstrafrecht endgültig seine Existenzberechtigung (vgl. Rdz. 234.). Einige Zeit sah man beide noch nebeneinander, war es möglich, entweder private Anklage zu erheben vor dem öffentlichen Strafgericht oder Klage auf Bußzahlung als zivilrechtliche Streitigkeit. Aber schon bald wird sie in der frühen Neuzeit perfekt, die Trennung von Zivilrecht und Strafrecht. Nun steht auf der einen Seite der Staat mit seinem Strafanspruch und auf der anderen der Verletzte, der nur noch privaten Schadensersatz verlagen kann in Höhe des tatsächlichen Wertverlustes. Nicht mehr.

Dieser deliktische Ersatzanspruch bei Sachbeschädigungen oder Körperverletzungen gründete sich zwar dem Namen nach noch auf die alte lex Aquilia (Rdz. 136). Aber die Juristen des Usus Modernus haben sie ziemlich verändert. Auch die letzten Reste des Strafrechts wurden aus ihr entfernt. Im ersten Kapitel des Gesetzes hatte man ja bei Tötung von Sklaven oder Vieh immerhin den Höchstwert des letzten Jahres zu zahlen, also möglicherweise viel mehr als den Wert zur Zeit des deliktischen Eingriffs. Das wurde nun gestrichen, mit der lakonischen Bemerkung, es werde von den Gerichten nicht mehr als zeitgemäß angesehen („qua ratione hodie in foro cessante", Samuel Stryk, Usus Modernus Pandectarum, 1704, § 4 zu D.9.2.). Also brauchte man auch nicht mehr die Unterscheidung zwischen diesem ersten Kapitel und dem dritten und ebensowenig, weil sowieso überflüssig, die zwischen actio directa und actio in factum bei unmittelbar körperlichen und anderen mittelbaren Eingriffen. Das Deliktsrecht war also stark vereinfacht und beruhte im Grunde schon auf einer ähnlichen Generalklausel, wie wir sie heute in § 823 Abs. 1 BGB haben. Rechtsfolge war der Ersatz des tatsächlichen

Schadens, der bei Körperverletzungen ergänzt wurde durch einen neuartigen Anspruch auf „Schmertzen-Geld", pecunia doloris, der heute in § 847 BGB geregelt ist. Damals wurde er einfach mit der Praxis der Gerichte begründet, als Ausgleich für solche Fälle, in denen man einen Vermögenswert der verletzten Substanz nicht berechnen konnte. Ausgleich, nicht Strafe. Denn das „Theater des Schreckens" (Richard van Dülmen), die Praxis der Strafgerichte, war jetzt allein in der harten Hand des Staates.

258. Constitutio Criminalis Carolina, Strafprozeß und Folter

Das war nicht nur ein „Theater des Schreckens", am Ende der Untersuchung nach außen gewendet, nämlich die Verkündung des Urteils auf dem endlichen Rechtstag (Rdz. 237) und die anschließende öffentliche Vollstreckung. Auch vorher schon war der Strafprozeß ein Räderwerk der Grausamkeit. Mit der Folter hatte der Richter ein Instrument erhalten, das er letztlich unkontrolliert einsetzen konnte. Im Spätmittelalter wurden die Klagen immer lauter und schließlich versuchte man, das Verfahren genauer zu regeln. Auf dem Wormser Reichstag 1521 ist nicht nur Luther vor Karl V. erschienen, sondern auch eine Kommission eingesetzt worden, deren Aufgabe es war, eine neue Ordnung zu entwerfen. 1532, auf dem Reichstag in Regensburg, ist sie verkündet worden, die Carolina: Constitutio Criminalis Carolina oder „des Keyser Karls des fünfften und des heyligen Römischen Reichs peinlich gerichts ordnung", ein Reichsabschied, beschlossen von Reichstag und Kaiser, mitten in den Wirren von Reformation und Türkenkrieg. In erster Linie war sie ein Prozeßgesetz, besonders für die Folter, hatte aber auch Bestimmungen des materiellen Strafrechts. Eine Art Rahmengesetz des Reiches ist sie gewesen mit dem Vorbehalt von Sonderregelungen in den einzelnen Territorien und daneben galt noch das rezipierte römische Strafrecht. Eigentlich war sie nur eine Autorität unter anderen, hatte aber großen Erfolg und galt fast dreihundert Jahre bis zum Ende des 18. Jahrhunderts, teilweise noch am Anfang des 19. Jahrhunderts.

Dies, meinte man noch bis vor kurzem, sei im wesentlichen das Verdienst eines Mannes, des fränkischen Ritters Johann von Schwarzenberg. Inzwischen zweifelt man. Die Carolina war ein Kind der Rezeption, des gelehrten Rechts, von dessen Präzision auch Schwarzenberg sich Rettung gegen Willkür erhoffte. Aber er beherrschte es nicht, war kein studierter Jurist und konnte die wichtigen Vorarbeiten der italienischen Juristen gar nicht lesen, weil sie lateinisch geschrieben waren. Hofmeister des Bischofs von Bamberg ist er gewesen und damit verantwortlich für die Redaktion der Bamberger Halsgerichtsordnung von 1507. Aber die Rolle seiner juristischen Mitarbeiter wird dabei wichtiger gewesen sein, als man bisher glaubte. Auf der Grundlage dieser Ordnung ist die Carolina formuliert worden.

Schwer zu entscheiden, ob sie ihr Ziel wenigstens teilweise erreicht hat. In den zahllosen Hexenprozessen der nächsten zweihundert Jahre jedenfalls bestimmt nicht. Sie waren schlimmer als alles vorher. Aber auch allgemein wurde das Ungleichgewicht im Kampf zwischen Richter und Angeklagtem nicht grundsätzlich verändert. Die Vorschriften über die Folter waren zu weit gefaßt und setzten einen verständigen Richter voraus (Art. 58), den es zu oft nicht gab. Der Angeklagte hatte keine auch nur einigermaßen zureichende Verteidigung. Die alten Fürsprecher wurden von der Carolina noch weiter zurückgedrängt. Im entscheidenden Teil des neuen Inquisitionsprozesses – während der Folter – hatten sie gar nichts zu sagen.

Der Inquisitionsprozeß (Rdz. 237) hatte sich durchgesetzt. Es gab zwar auch nach der Carolina noch die theoretische Möglichkeit einer privaten Anklage. Aber sie spielte keine Rolle mehr. Der Inquisitionsprozeß war schriftlich, und er war geheim, selbst für den Angeklagten. Er hatte keine Akteneinsicht, kannte die Anklage nicht im ganzen, wußte oft nicht, wer ihn angezeigt hatte, wer die Zeugen waren und was es sonst an Beweisen gab. Also ein Prozeß, der vollkommener Ausdruck gewesen ist der absoluten Macht des Fürsten über seine Untertanen. La puissance absolue et perpétuelle. Es war auch ihr absolutes Recht, im Strafverfahren die Wahrheit festzustellen. Durch ihren Richter. Das Gericht blieb zwar äußerlich unverändert. Aber der Richter, der im Mittelalter nur die prozessuale Leitung hatte, wurde immer wichtiger. Früher waren es die Schöffen, die letztlich das Urteil bestimmten. Jetzt aber, mit der Voruntersuchung, die bei ihm lag, und mit der Entscheidung über die Folter hatte er das Verfahren in der Hand. Da half auch das neue Recht der Aktenversendung nicht (Art. 219). Bei Zweifeln, besonders darüber, ob gefoltert werden dürfe, sollte sich der Richter ein Gutachten beim Oberhof einholen oder bei der nächsten Juristenfakultät. Das sollte sicherstellen, daß wirklich von gelehrten Juristen entschieden wurde.

Die Carolina unterschied zwischen Voraussetzungen für die Folter und für die Verurteilung. Zur Verurteilung war die Aussage zweier Augenzeugen notwendig, die einen guten Leumund haben und die Begehung der Tat selbst gesehen haben mußten. Oder ein Geständnis. Zwei gute Augenzeugen, das war auch damals selten. Blieb also das Geständnis. Und hier lag das Problem. Heute löst man es dadurch, daß ein Richter schon verurteilen darf, wenn er auf Grund von Indizien überzeugt ist, der Angeklagte habe die Tat begangen. Man nennt das freie Beweiswürdigung. Damals konnte er das nicht, brauchte das Geständnis. Und das bekam er oft nur über die Folter, die „peinlich frag". Dafür stellte die Carolina nun genauere Bedingungen auf. Er durfte sie anordnen, wenn es immerhin einen einzigen Tatzeugen gab oder wenn „redlich anzeygen" vorlagen, also taugliche Indizien, die durch zwei Zeugen bewiesen werden mußten. Das berühmte Indiziensystem der Carolina in Artikeln 20 bis 47. Es gab allgemeine – für alle Straftaten – und besondere für einzelne Verbrechen. Zum Beispiel bei Mord, Artikel 33:

> „Item so der verdacht vnnd beklagt des mordts halber vmb die selbig zeit, als der mordt geschehen verdechtlicher weiß, mit blutigen kleydern, oder waffen gesehen worden, oder ob er des ermordten habe genommen, verkaufft, vergeben, oder noch pei jm hett, das ist für eyn redlich anzeygen anzunemen vnnd peinlich frage zugebrauchen, erkündte dann solchen verdacht mit glaublicher anzeyge oder beweisung ableynen, daß soll vor aller peinlicher frag gehort werden."

Man meint oft, und beruhigt sich mit diesem Gedanken, diese Indizien, die damals für die Folter reichten, seien die gleichen gewesen, die heute zur Verurteilung führen können. Übersieht dabei aber, daß dem Richter heute mit modernen Methoden der Kriminalistik oft sehr viel genauere Mittel zur Verfügung stehen und selbst dann noch im Zweifel zugunsten des Angeklagten entschieden wird. In dubio pro reo, dieser Satz stammt aus dem Anfang des 19. Jahrhunderts. Man kannte ihn nicht und machte aus der Indizienlehre der Carolina eine „perfide Jagdwissenschaft" (Christian Reinhold Köstlin 1845).

259. Die Entwicklung des Strafrechts

Das materielle Strafrecht des Mittelalters blieb im Prinzip unverändert, war von der Carolina weitgehend übernommen worden. Allerdings wurden schon im 16. Jahrhundert die schweren Verstümmelungsstrafen immer weniger angewendet und seit dem 17. Jahrhundert nahmen auch die grausamen Hinrichtungsarten ab. Meistens richtete man nur noch mit dem Schwert oder Strang, abgesehen von den Hexen, die man fast immer verbrannte. Auch die Gesamtzahl der Hinrichtungen, die im 16. Jahrhundert noch sehr hoch gewesen war, verringerte sich im 17. und 18. Jahrhundert drastisch und kontinuierlich, wahrscheinlich deshalb, weil schwere Gewalttaten nicht mehr so häufig waren. Gewaltverbrechen wurden allmählich von Diebstahl und Betrug verdrängt. Am sichersten lebte man in der Stadt. Auf dem Land, gedeckt durch große Wälder und teilweise auch getragen von einer gewissen Sympathie der Bauern, gab es noch im 18. Jahrhundert große Räuberbanden, den bayerischen Hiasl, den Schinderhannes vom Hunsrück oder Hanikel in Württemberg.

Die Milderung der gerichtlichen Praxis war möglich, weil die Carolina ohnehin nicht den Anspruch erhob, ein Gesetz mit unbedingter Geltung zu sein, das die Strafanwendung erschöpfend regelte. Also übernahm man von den italienischen Juristen die Lehre von der poena extraordinaria, der Ausnahmestrafe. Wollte man eine mildere Strafe aussprechen, dann berief man sich darauf, daß die dem Angeklagten vorgeworfene Tat nicht ganz dem normalen Verbrechenstyp entspreche. Das würde es rechtfertigen, von der Regelstrafe abzuweichen. Es ging so weit, daß Benedikt Carpzov im 17. Jahrhundert erklärte, zu seiner Zeit seien fast alle Verbrechen sogenannte crimina extraordinaria und würden deshalb mit einer poena extraordinaria bestraft. Auch die neue Freiheitsstrafe (Rdz. 260) gehörte hierher und weitete sich immer mehr aus. In zwei Bereichen nahm die Härte zu. Das eine waren die Hexenverfolgungen im 16. und 17. Jahrhundert (Rdz. 261), das andere politische Prozesse mit dem Vorwurf des crimen laesae maiestatis. Es stammte aus dem römischen Recht, bedeutete an sich Verletzung der Majestät des Kaisers und uferte jetzt völlig aus, indem fast jeder Verstoß gegen die Interessen des Landesfürsten verfolgt und oft sehr hart bestraft wurde. Der Fürst verkörperte die neue Autorität des Staates und das Inquisitionsverfahren war der vollendete Ausdruck seines Strafanspruchs. Immer häufiger machte er ihn selbst geltend, unabhängig vom Gericht, indem er Verurteilungen bestätigte oder Verurteilte begnadigte. Die Zeit der Kabinettsjustiz.

Das Strafrecht war im Unterricht an den Universitäten im 16. Jahrhundert noch ein Anhängsel des Zivilrechts. Im 17. Jahrhundert wurde es eine selbständige Wissenschaft, und zwar durch Benedikt Carpzov (1595–1666). Er lebte in Leipzig, war fast vierzig Jahre Vorsitzender Richter des berühmten Schöffengerichts. Durch ihn nahm dessen Bedeutung als „Schöffenstuhl" noch weiter zu. So bezeichnete man diejenigen Gerichte, die auch für andere Gutachten schrieben oder Urteile vorbereiteten. Carpzov ist auch Mitglied der Leipziger Juristenfakultät gewesen und schrieb viele Bücher. Das wichtigste: Practica nova Imperialis Saxonica rerum criminalium 1635, ein Handbuch des sächsischen Strafrechts, nach einem für ihn typischen System, nämlich dem der zehn Gebote, und mit einer neuen Genauigkeit der dogmatischen Begriffe. Er war zwar ein Zeitgenosse von Descartes und Hugo Grotius, aber doch ein Mann der alten Schule. Gehörte als Lutheraner noch in die mittelalterliche Frömmigkeit der aristotelischen Scholastik. Das prägte seine Vorstellungen. Der Staat muß strafen, weil Gott es will. Eine theologische Straftheorie.

Allmählich entsteht nun eine strafrechtliche Dogmatik. Gewisse Ansätze fanden sich schon in der Carolina, etwa in Artikel 178 mit der Definition des Versuchs, der strafbar ist, wenn

> „sich jemandt eyner missethatt mit etlichen scheinlichen wercken, die zu volnbringung der missethatt dienstlich sein mögen, vndersteht, vnnd doch an volnbringung der selben missethat durch andere mittel, wider seinen willen verhindert würde."

Carpzov baute das aus, behandelte auch Kausalität und Teilnahme, entwickelte eine neue Schuldlehre, besonders im Hinblick auf den Vorsatz, und zwar letztlich immer zu dem Zweck, um zwischen crimen ordinarium und extraordinarium unterscheiden und Ausnahmestrafen begründen zu können.

Zur gleichen Zeit stellt das Naturrecht schon die Weichen für grundsätzliche Veränderungen. Hugo Grotius hatte es vorbereitet und Samuel Pufendorf formuliert dann am Ende des Jahrhunderts ausführlich eine neue Straftheorie. Ius Naturae et Gentium, 8. Buch, 3. Kapitel, §§ 8–12. Nun war es nicht mehr der Wille Gottes, sondern die Vernunft des Menschen. Erstes Ziel der Strafe: den Verurteilten so zu beeinflussen, daß er keine Straftaten mehr begeht. Heute nennt man das Spezialprävention. Zweites Ziel: dafür zu sorgen, daß auch von anderen sowas nicht mehr gemacht wird, Schutz der Allgemeinheit durch Abschreckung, Generalprävention. Das beeinflußt auch die Strafzumessung. Harte Strafen sind ungerecht, wenn man mit einer milderen diese Ziele besser erreichen kann. Vergeltung, Rache? Für Carpzov gehörten sie zum Willen Gottes. Für die Vernunft spielen sie keine Rolle mehr. Utilitas ist das neue Zauberwort, Nützlichkeit.

Was Carpzov und Pufendorf in Bewegung setzten, nimmt in der Aufklärung des 18. Jahrhunderts seinen Fortgang. Hexenverfolgung und Folter widersprechen jetzt der Vernunft und Menschlichkeit. Sie werden abgeschafft. Mit Cesare Beccaria (Rdz. 267) erhebt sich eine Stimme, die in ganz Europa gehört wird und zur Sprache bringt, was unbewußt alle bewegt. Überall wird jetzt nachgedacht über Sinn und Unsinn des Strafens. Aber der Fortschritt ist eine Schnecke. Das Zeitalter humanen Strafrechts ist auch dieses Jahrhundert nicht geworden.

Die Milderung der gerichtlichen Praxis und die Veränderungen in den Vorstellungen über das Strafrecht verbanden sich bald mit den Anfängen einer neuen Art von Strafe, der Freiheitsstrafe. Sie verbreitete sich in der Frühen Neuzeit sehr schnell, erreichte ihren eigentlichen Höhepunkt aber erst in der bürgerlichen Gesellschaft des 19. Jahrhunderts. Erst als die Freiheit kostbarstes Gut geworden war, wurde ihr Entzug in den Mittelpunkt strafrechtlicher Sanktionen gestellt.

260. Gefängnisse und Zuchthäuser

Gefängnisse kannte man zu allen Zeiten, seit es staatliche Herrschaft gibt und staatliches Strafrecht. Sie dienten aber nicht dem Vollzug von Freiheitsstrafen, sondern dazu, Angeklagte bis zur Gerichtsverhandlung und Vollstreckung des Urteils festzuhalten. Im Mittelalter war es oft ein Turm an der Stadtmauer, dort wo das Militär lag. Die Gefangenen, Männer und Frauen, hockten im Erdgeschoß, in das man nur durch ein Loch an der hohen Decke kam, mit einem Strick aus der Wachstube darüber.

Die ersten Anfänge der Freiheitsstrafe liegen am Ende des Mittelalters, in den Städten. Sie sind noch nicht genügend erforscht. Die Carolina setzt sie als bekannt voraus, sagt in Art. 157 beim „kleinen" Diebstahl unter fünf Gulden:

> „Wo aber der dieb kein solche geltbuß vermag, soll er mit dem Kercker, darinn er etlich zeitlang ligen, gestrafft werden."

Das 1627 in Bamberg gebaute Malefizhaus zum Beispiel diente der Vollstreckung dieser älteren Gefängnisstrafe, die möglicherweise schon den Zweck einer urtümlichen Resozialisierung hatte, Spezialprävention, wie man am Anbau einer Kapelle im Untergeschoß sehen kann. Allerdings fehlt hier noch die entscheidende Ergänzung, die kurz vorher anderswo die große Wende brachte. Die neue Freiheitsstrafe war mit Arbeit verbunden.

Auch Zwangsarbeit ist an sich eine uralte Strafe, im Bergwerk, auf Galeeren, später beim Festungsbau. War aber nichts anderes als Nutzung der Arbeitskraft von Gefangenen auf Kosten ihrer Gesundheit. Im Grunde eine Leibesstrafe. Das ändert sich im 16. Jahrhundert mit den englischen und niederländischen Zuchthäusern, die in Deutschland schnell nachgeahmt werden. Über dem Tor des ältesten niederländischen in Amsterdam war ein Relief angebracht mit einem Wagen, der von Löwen, Tigern und Wildschweinen gezogen wurde. Über ihnen die Peitsche des Kutschers. Wenn man sogar wilde Tiere zähmen kann, sollte das sagen, dann kann man das auch mit liederlichen Menschen. Das Stichwort fand sich bei der Figur daneben, einer Frau mit einer Geißel über zwei Männern. Castigatio: Zucht, Züchtigung, Disziplinierung. Die Mittel waren Arbeit und Prügel, Unterricht und Seelsorge. Ein bißchen roh das Ganze. Aber immerhin, Spezialprävention. Angeblich hat man auch Erfolge gehabt.

Es begann in England. Die Zahl der Nichtseßhaften und Bettler hatte stark zugenommen, wie fast überall in Europa, und man nahm sie nun in eine Art Polizeigewahrsam, ohne Gerichtsverfahren. 1552 stellte Edward VI. der Stadt London dafür ein Palais zur Verfügung, das Kardinal Wolsey sich fünfzig Jahre vorher zwischen Fleetstreet und Themse gebaut hatte und Bridewell hieß. Es dauerte nicht lange und es gab überall solche „Bridewells", in die bald auch Strafgefangene eingewiesen wurden. Am Ende des Jahrhunderts übernahmen das die Holländer. 1595 eröffneten sie in einem alten Amsterdamer Kloster das rasphuis, in dem die Männer Harthölzer zersägen, raspeln mußten. Später wurde ein „secretes tuchthuis" angegliedert, in dem Eltern ihre schwer erziehbaren Söhne freiwillig abliefern konnten. 1597 kam ein Frauenzuchthaus dazu, in einem alten Ursulinenkloster, wo die Frauen mit Spinnen beschäftigt wurden, das spinhuis. Männer und Frauen getrennt, das war ebenso calvinistisch wie

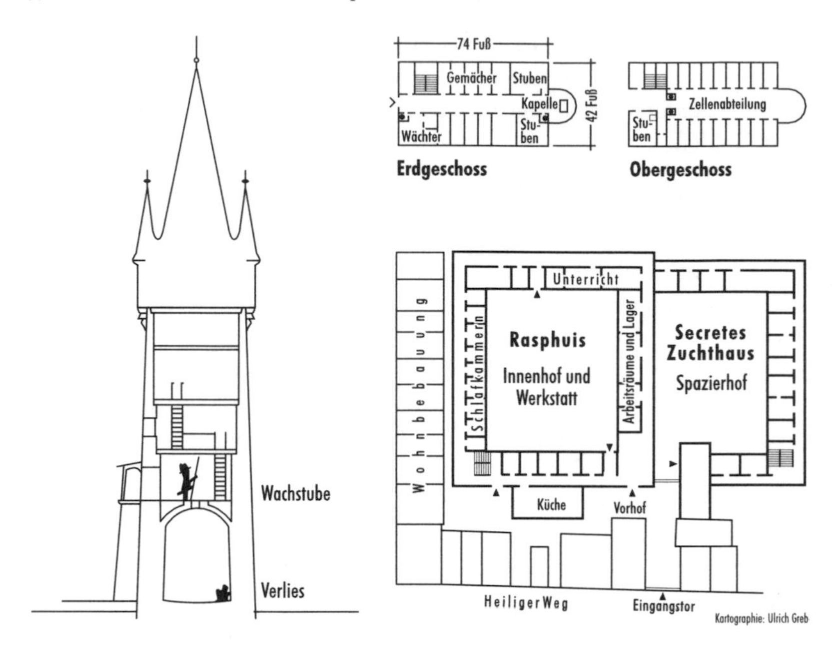

Abbildung 13: Die Veränderungen im Bau von Gefängnissen und Zuchthäusern: links der Diebesturm in Lindau am Bodensee (14. Jh.), rechts oben das Malefizhaus in Bamberg (1627) und rechts unten das Männerzuchthaus mit dem „sekreten Zuchthaus" (1595). Aus: Graul, Der Strafvollzugsbau einst und heute (1965) S. 17, 25, 29.

die Arbeit, die man als von Gott vorgeschriebenen Selbstzweck des Lebens verstand. „Innerweltliche Askese" im „Geist des Kapitalismus" (Max Weber).

Von den Holländern lernten es die norddeutschen Hansestädte und sehr schnell breiteten sich nun am Anfang des 17. Jahrhunderts die Zuchthäuser über ganz Deutschland aus, bald nur noch als Vollzugsanstalten für Freiheitsstrafen, die im Wege einer poena extraordinaria (Rdz. 259) von den Gerichten für solche Täter ausgesprochen werden konnten, bei denen man meinte, sie seien damit gestraft genug und könnten vielleicht gebessert werden. Schon im 17. Jahrhundert aber wurden die Arbeitsleistungen der Gefangenen wichtiger als dieser Strafzweck, die Anstalten an private Unternehmer verpachtet, die Lebensbedingungen bis zur Verwahrlosung verschlechtert. Im 18. Jahrhundert waren die meisten von ihnen heruntergekommen zu „Hochschulen des Verbrechertums". Nur in Holland ist man den alten Idealen treu geblieben.

261. Hexenprozesse

Überall in Europa gab es Hexenprozesse, die meisten in Deutschland. Neben dem Holocaust an den Juden war es die größte Massentötung von Zivilisten. Früher sprach man von Millionen, heute meint man, es seien ungefähr einhunderttausend Opfer gewesen. Die erste Zahl ist sicher zu hoch, die zweite wohl zu niedrig. Bis weit ins Mittelalter reichen die Prozesse zurück. Als Massenphänomen – und das ist das Erstaunliche daran – sind sie jedoch eine Erscheinung der Neuzeit, gleichzeitig mit Renaissance, Reformation und Rationalismus. Die meisten Opfer waren Frauen, besonders ältere. Die meisten Opfer gehörten zur unteren Gesellschaftsschicht.

Die Prozesse beginnen im Süden Deutschlands, breiten sich aus nach Norden und erreichen ihren Höhepunkt im 16. und 17. Jahrhundert, in Wellen um 1590, 1630 und 1660. Im 18. Jahrhundert sind es nur noch Einzelfälle. Die letzte Hinrichtung: Kempten 1775. Es gab nicht nur zeitliche Konzentration, auch örtliche. Die Kernzone lag in den Mittelgebirgen, also im Gebiet der größten territorialen Zersplitterung. Mit anderen Worten: kleine Landesherren konnten dem Drängen der Bevölkerung nach Hexenprozessen am wenigsten widerstehen. Trier und Westfalen gehören dazu, Schaumburg-Lippe, der Harz und die Bistümer Bamberg, Würzburg, Mainz, Fulda, Eichstädt. Am wenigsten anfällig waren große Territorien, Bayern zum Beispiel, der Niederrhein, die nord- und ostdeutsche Tiefebene.

Es waren Strafprozesse ohne Straftat. Eines der dunkelsten Kapitel in der Geschichte des Rechts im hellen Licht der europäischen Neuzeit. Die Carolina (Rdz. 258) als Grundlage. Artikel 109:

> „Item so jemandt den Leuten durch zauberey schaden oder nachtheyl zufügt, soll man straffen vom leben zum todt, vnnd man soll solche straff mit dem fewer thun. Wo aber jemandt zauberey gebraucht, vnnd damit niemant schaden gethan hett, soll sunst gestrafft werden, nach gelegenheit der sach, darinnen die vrtheyler radts gebrauchen sollen, wie vom radt suchen hernach geschriben steht."

Von der Milderung im zweiten Satz machte man keinen Gebrauch. Die Verurteilungen ergingen auf Grund eines Geständnisses, anders ging es hier nicht, und das war immer mit der Folter erzwungen oder mit der Drohung von Folter. 1487, im berühmten „Hexenhammer" der Dominikanermönche Heinrich Institoris und Jakob Sprenger, war der Tatbestand des Artikels 109 schon konkretisiert, nämlich in vier Teile. Teufelspakt, Teufelsbuhlschaft, Schadenszauber, Teufelstanz. Auch die extrem frauenfeindliche Tendenz kam aus diesem Buch.

Teufelspakt, das war der Abfall vom Gott der Christen, Teufelsbuhlschaft der Beischlaf mit dem Satan, meist einem kleinen schwarzen Männchen, das dann die Utensilien reichte für den Schadenszauber, für Krankheit und Tod von Mensch und Tier, und schließlich, fast das wichtigste, der Teufelstanz oder Hexensabbat, wohin sie durch die Lüfte flogen und wo sie die anderen Hexen sahen, deren Namen sie dann unter der Folter preisgaben, die „Besagungen", ohne die die großen Prozeßwellen gar nicht möglich gewesen wären. Meistens wurden diejenigen genannt, über die ohnehin schon im Ort das tödliche Gerücht ging.

Hexerei war crimen atrocissimum, schlimmstes Verbrechen, und damit auch crimen exceptum, für das die Folterregeln der Carolina nicht galten. Hier brachen die Dämme endgültig. Juristenfakultäten und Gerichte ließen die Folter zu, wenn Zeugenaussagen über solche Gerüchte vorlagen und mehrere Besagungen geständiger Hexen. Das wars dann.

Es gab Widerspruch. Johann Weyer, Leibarzt des Herzogs in Düsseldorf, schrieb 1563 „Von den Blendwerken der Dämonen". Forderte, man solle entweder wirklich eine Straftat nachweisen oder freisprechen. Das führte einerseits zum Ende der Hexenprozesse im Herzogtum Kleve-Jülich-Berg, andererseits zum wütenden Angriff des großen Jean Bodin, De la démonomanie des sorcières, 1580. Le procurateur général de Belzebub, wie ihn Voltaire deshalb nannte, erreichte immerhin, daß Weyers Buch in anderen Gegenden Deutschlands keine Wirkung mehr hatte. 1631, auf dem Höhepunkt der zweiten Welle, schrieb Friedrich Spee von Langenfeld, Jesuit und Poet und Professor für Moraltheologie in Paderborn. Er hatte die Frauen in der Haft betreut. Cautio Criminalis hieß seine Schrift. Die Geständnisse sind alle mit der Folter erpreßt, sagte er. Also muß man die Folter abschaffen und die Prozesse auch. Was dann immerhin, auf dem Umweg über die schwedische Regierung, in Bremen und Verden geschah. 1701 schrieb Christian Thomasius, „über das Verbrechen der Hexerei", De crimine magiae. Er zielte als erster auf den Tatbestand. Teil zwei, Teufelsbeischlaf, sei gar nicht möglich. Der Teufel ist nämlich ein Geist, hat keinen Körper. Was man theologisch beweisen kann. Geht also gar nicht. Die großen Wellen waren vorbei und so führte das nach einem Edikt Friedrich Wilhelms I. von 1714 praktisch zum Ende der Hexenprozesse in Preußen. Aber noch 1712, zwei Jahre vorher, und später in allen Auflagen, konnte Samuel Stryk, Kollege des Thomasius in Halle und damals der berühmteste Jurist im Deutschen Reich, in seinem Usus Modernus die alte Lehre weitertragen. Die Einschränkungen des Artikels 109 der Carolina gelten nur, ubi pactum speciale cum diabolo non intercessit, „wo ein Teufelspakt nicht geschlossen wurde". Tatbestand Teil 1. Ist er erfüllt, wird verbrannt (§ 18 zu D.48.8). Trotzdem. Die anderen Länder folgten dem Beispiel des preußischen Königs. Der letzte Hexenprozeß in Deutschland fand 1775 statt, wenig beachtet (Rdz. 264). Dann gab es noch eine Hinrichtung 1782 im Schweizer Glarus und 1793 im polnischen Posen. Das war das Ende der Hexenprozesse in Mitteleuropa.

Unendlich viel ist darüber geschrieben worden. Wenig Seriöses. Ist ja auch eine interessante Mischung aus Frauenfeindlichkeit, Gewalt und Sexualität. Waren es heidnische Kulte? Ging es um den Prozeß der Zivilisation zur sozialen Disziplinierung? War es ein Instrument der Glaubenskämpfe? Oder eine Abwehrreaktion der besitzenden Bauern gegen die Armen? Ein Kampf der Fürsten gegen die Hebammen, der Ärzte gegen die weisen Frauen oder ganz allgemein ein Feldzug gegen das weibliche Geschlecht? Ein Stelldichein von Fragen und Fragezeichen. Ohne den modernen Inquisitionsprozeß wäre es jedenfalls nicht möglich gewesen.

262. Die Abschaffung der Folter

Mit der Folter dauerte es etwas länger. Die Proteste waren nicht so deutlich, eher nur sehr allgemeine Bedenken gegen die Glaubwürdigkeit von erzwungenen Geständnissen. Sie finden sich bei Hugo Grotius, Thomas Hobbes und Samuel Pufendorf. Aber keiner geht so weit, ihre Abschaffung zu fordern. Auch nicht Christian Thomasius. Anders als sonst – die Professoren schrieben regelmäßig die Arbeiten, die Doktoranden brauchten sie nur zu verteidigen – hat er die berühmte Dissertation von 1705 nicht selbst geschrieben, „Über die Verbannung der Folter aus den Gerichten der Christen“ (De Tortura ex foris Christianorum proscribenda). Lobt zwar in einem Nachwort den Mut des Doktoranden, hat aber Zweifel, ob sie nicht doch ab und zu notwendig sei. Für die meisten großen Namen der Rechtswissenschaft war es selbstverständlich, daß gefoltert werden müsse, wenn der notwendige Tatverdacht gegeben war, auch wenn sie die Anforderungen inzwischen etwas höher ansetzten und öfter auf sogenannte Verdachtsstrafen hinwirkten. War der Angeklagte nicht geständig, der Tatverdacht sehr hoch und der Richter nicht bereit zur Folter, dann kam eine poena extraordinaria in Betracht, die milder sein mußte als die normale. Manche meinen heute – wohl zu Unrecht – dadurch sei die Folter schon vor ihrer offiziellen Abschaffung praktisch beseitigt worden.

Jedenfalls war es ein erstaunlicher und selbständiger Schritt, als Friedrich II. vier Tage nach seinem Amtsantritt mit einer Kabinettsorder vom 3. Juni 1740 die Folter in Preußen abschaffte, „ausser bey dem Crimine Laesae Majestatis, und Landesverrätherey, auch denen großen Mordthaten, wo viele Menschen ums Leben gebracht“. 1756 hat er auch diese Ausnahmen beseitigt. Das alles hatte eine völlige Veränderung des Beweisrechts zur Folge, nämlich die freie Beweiswürdigung durch den Richter statt der starren Regeln der Carolina. Der preußische König hat das zwar gesehen, mit seinen etwas unklaren Anweisungen aber zunächst etwas Verwirrung gestiftet.

Die anderen Staaten im Deutschen Reich folgten zögernd. Im Bayerischen Kriminalkodex von 1751 wurde die Folter sogar noch einmal ausdrücklich bestätigt und blieb dort geltendes Recht bis 1806. Aber das Beispiel Preußens machte Schule, zumal das über ganz Europa verbreitete Buch von Cesare Beccaria 1761 (Rdz. 267) endlich die richtigen Worte fand. Als letzter deutscher Staat hat Baden sie abgeschafft, 1831, dreihundert Jahre nach der Carolina.

263. Der Brief des Bürgermeisters Johann Junius

In Bamberg gab es auf der zweiten Welle der Hexenprozesse seit 1625 mehrere hundert Opfer. Zu ihnen gehörte auch Johann Junius, fünfundfünfzig Jahre alt, Bürgermeister und Ratsherr der Stadt. Er wurde 1628 verbrannt. Vorher versuchte er noch, aus dem Gefängnis einen Brief herauszuschmuggeln, der jedoch abgefangen und zu den Akten genommen wurde:

> „Zu viel hundert tausend guter nacht hertzliebe dochter Veronica. Vnschuldig bin ich in das gefengnus kommen, vnschuldig bin ich gemarttert worden, vnschuldig muß ich sterben. Denn wer in das haus (Hexenhaus) kompt, der muß ein Drudner (Hexer) werden oder wird so lange gemarttert , biß das er etwas auß seinem Kopff erdachte weiß, vnd sich erst, daß got erbarme, vf etwas bedencke. Wil dir erzehlen, wie es mir ergangen ist. Alß ich das erste mahl bin vf die Frag gestemt worden, war Doctor Braun, Doctor Kötzendörffer und die zween fremde Doctor da ..., da fragt mich Doctor Braun zu abtswert: schwager, wie kompt ir daher, Ich antwortt: durch die valsheit, vnglück. Hört, Ir, sagt er, Ir seyt ein Drutner, wolt Ir es gutwillig gestehen, wo nit, so wird man euch Zeug (Zeugen) herstellen vnd den Hencker an die seyten. Ich sagt, ich bin kein Drutner, ich hab ein reines gewissen in der sach, wan gleich taussent Zeug weren, so besorg ich mich gar nicht, doch wil ich gern die Zeug hören. Nun wurdt mir des Cantzlers Sohn (Dr. Haan) vorgestelt, so fragt ich Ihn, Her Doctor, waß wißet Ir von mir, Ich hab die Zeit meines lebens weder in gueten noch bössen nie noch (mit Euch?) zu thun gehabt; so gab er mir die Antwort, Herr Collega, wegen des landtgerichts. Ich bit euch umb der Zeugen. In der hoffhaltung hab ich euch gesehen. Ja wie aber? Er wißt nicht. So bat ich die herrn Commissarios, man soll ihn beeydig und recht examiniren. Sagt Doctor Braun, man werd es nicht mach, wie Ihr es haben wolt, es ist genug, daß er euch gesehen hat. Gehet hin herr Doctor. Ich sagt, so, herr, was ist das für ein Zeug? Wann es also gehet, so seyt ir so wenig sicher, alß ich oder sonsten ein ander ehrlicher man. Da war kein gehör. Danach kommt der Cantzler, sagt wie sein sohn; hette mich auch gesehen, hat mir aber nicht vf die Füß gesehen, waß ich war. Darnach die hoppfen Elß (eine angeklagte Taglöhnerin). Sie hette mich in Haupts mohr (Hauptsmorwald) dant-

zen seh. Ich fragt noch, wie sie sah. Sie sagt sie wüßte es nicht. Ich bat die Herrn um gottswillen, sie hörten, daß es lauter falsche Zeug weren, man sollte sie doch beeydig vnd sicher examiniren, es hat aber nicht sein wollen, sondern gesagt, ich sollte es guttwillig bekennen oder der hencker sollte mich wohl zwing. Ich gab zur antwort: ich hab got niemal verleugnet, so sollt ich es auch nicht thun, gott soll mich auch gnedig dafür behueten. Ich wollt eher darueber außstehen, was ich sole. Vnd da kam leider, Gott erbarm es in höchstem himmel der hencker und hat mir den Daumenstock angelegt, bede hende zusamen gebunden, daß das blut zu den negeln heraußgangen vnd allenthalben daß ich die hendt in 4 wochen nicht brauch koennen, wie du da auß dem schreiben seh kannst. So hab ich mich Gott in sein heilige funff wunden befohlen vnd gesagt, weyl es Gottes ehr vnd nahmen anlang, den ich niht verleugnet hab, so will ich mein vnschult vnd alle diese marter vnd pein in seine 5 wunden leg er wirt mir mein schmertz lindern, daß ich solche schmertz ausstеh kann. Darnach hat man mich erst außgezogen, die hendt vf den Rücken gebunden vnd vf die höhe in der Fulter (Folter) gezogen. Da dachte ich, himmel vnd erden ging vnder, haben mich achtmahl auffgezogen, vnd wieder fallen lassen, daß ich ein vnselig schmerzen empfan. (Auf dem Rande, quer:) Liebes Kindt 6 haben auf einmahl auf mich bekennt, als: der Cantzler, sein sohn, Neudecker, Zaner, Hoffmaisters Ursel vnd Hopffen Els alle falsch auß zwang wie sie alle gesagt, vnd mir vmb Gotteswillen eher sie gerichtet abgebetten ... worden sie willen nichts alß liebs vnd guts von mir. Sie hetten essag muß, wie ich selbsten erfahren werde ... kann kein Priester hab, nimb das schreiben wohl in acht.
(2. Seite:) Und dießes ist alles fasel nackent geschehen, dan sie haben mich fasel nacket ausziehen lassen. Als mir nun unser hergot geholfen, hab ich zu Ihnen gesagt: Verzeihe euch Got, daß ir ein ehrlich man also vnschuldig angreift, wollt ihn nicht allein vmb leib vnd seel, sondern vmb hab vnd guet bring. Sagt Doctor Braun, du bist ein schelm. Ich sagt, ich bin kein schelm, noch solcher man vnd so ehrlich, alß Ir alle seyt, allein weyle es also zugehet, so wirdt kein ehrlicher man in Bamberg sicher sein. Ir so wenig als ich oder ein ander. Sagt Doctor, er wer nit vom Teuffel angefochten; ich sagt: ich auch nicht, aber eure falsche Zeugen, das sen die Teuffel, eure scharffe marter. Dann ihr laßt kein hinweg und wenn er gleich alle Marter ausstehet. Vnd dieses ist den Freytag den 30. Juny gescheh hab ich mit Gott die Marter ausstеh müß. Hab mich also die gantze Zeit nicht anzieh noch die hendt brauch können ohne die andern schmerzen die ich ganz vnschuldig leiden muß. Als nun der

Hencker mich wieder hinwegführt in das gefengnus, sagt er zu mir: Herr, ich bit euch vmb gotteswillen, bekennt etwas, es sey gleich war oder nit. Erdenket etwas, dan ir könnt die marter nicht ausstehen, die man euch anthut, vnd wann ir sie gleich alle ausstehet, so kompt ir doch niht hinaus, wann Ir gleich ein graff weret, sondern fangt ein marter wider auf die andre an, bis ir saget, ir seyt ein Truttner, vnd sagt, eher niht dann lest man euch zufrieden, wie denn auß allen iren vrtheylen zu sehen, daß eins wie das ander gehet .... Und dann ist dieses mein Aussag wie folgt aber alle erlogen ... Liebes kindt dieses schreiben halt verborgen, damit es nicht vnter die leut kompt, sonsten werde ich dermassen gemartert daß es zu erbarmen vnd es würden die wechter geköpffet ...
Ich hab etliche tag an dem schreiben geschrieben; es seint meine hendt alle lam, ich bin haltd gar übel zugericht. Ich bitte dich vmb des jüngsten gerichts willen, halt dies schreiben in guter Hut vnd bet für mich als dein vatter für ein rechten merterer nach meinem tode ... doch hütt dich daß du das schreiben nicht lautbar machest. Lass die Anna Maria (seine zweite Tochter, Nonne in Bamberg) auch für mich bet. Das darfst künlich für mich schwören daß ich kein trudner sondern ein mertirer bin vnd sterb hiemit gefast. Guter Nacht denn dein vatter Johannes Junius sieht dich nimmermehr. 24. July ao 1628."

264. Der letzte Hexenprozeß in Deutschland

Das Stift Kempten war ein geistliches Territorium unter einem Fürstabt, der mit diesem Prozeß noch einmal gegen den Geist der neuen Zeit demonstrierte. Am 11. April 1775 ist Anna Maria Schwägelin dort hingerichtet worden, eine dreißig- bis vierzigjährige geistig und körperlich verfallene Frau, die vom Armenhaus einer Frau Kuhstaller in Langenegg in Pflege gegeben worden war. Zwischen den beiden hatte es Streit gegeben und Frau Kuhstaller Anzeige erstattet.

Aus dem Urteil:

Auf dises hin wurde entzwischen der jnquisitin und der Kuhestallerin die Confrontation vorgenommen, und ob zwar die Kuhestallerin der inquisitin alles unter das Gesicht widerhollet, so hat doch die jnquisitin die von der Kuhestallerin an dem Frohnleichnams-Abend angezeigte Begebenheit als auch die in der Frühe und Abends Zeit zwischen 3 und 4 Uhr mehreren Theils vermerkte Unruhe, wie nicht weniger, daß sie zu der Kuhestallerin 3 Tag vor Lichtmeß gesagt hätte: ob wäre der Teufel bey ihr gewesen: widersproche, inzwischen aber ad jnterr.98 usq. 123 (von Frage 98 bis 123) widerholt, den Pact mit dem Teufel in der Nacht-Hörberg auf dem Sennhof gemachet zu haben, und daß sie mit 2 vorderen auf-

gehebten Fingern Gott abgeschwohren, die Mutter Gottes und allen Heiligen ab- und hiegegen dem Teufel sich zugesagt: ihme zu dienen, zu gehorsamen, ihme zu verehren und sein zu seyn, wornach sie dann in specie auf den ihr gemachten Zuspruch ad jnterr. 110 und 111 einbekennet, damahlens mit dem Teufel die Unzucht in dem Werk verrichtet zu haben.
Es wurde auf diseshin mit der jnquisitin die Verhör über die von dem Zuchtmeister unterm 10. diß beschehene eydliche Aussag continuiret, und ob zwar selbe hierauf ad jnterr. 124 auf deme verblieben, ob hätte sie mit dem Teufel keinen anderen Umgang, als wie sie bereits bekennet, mehr gehabt, auch mit demselben nicht öfters als auf dem Harth unzucht getrieben; So hat sie dagegen zur Vermäntlung des mit ihme gepflogenen commercii concubinarii gesagt, daß ihr in dem Schlaf vorgekommen, ob thäte der Teufel scheinbahrlich vor ihr darstehen und thäte sie sich mit demselben, wie auf dem Harth, versündigen, welches ihr zu Langenegg 2 bis 3 mahlen begegnet seye, wie dann in denen Gedanken der Teufel immer bey ihr gewesen, und ihr zugesetzet, daß sie sich solle ab dem Brodt Thuen: sie seye sein und nicht mehr in der Gnad Gottes. Sie habe viele derley Träume gehabt und auch in dem Traum hierzu eingewilliget, meisten Theils aber dabey, daß sie sich solle selbsten umbringen. Der Teufel seye ihr dabei vorgekommen, wie ein Männlein von 16 oder 17 jahren, bald als wie grün gekleidet, bald als wenn er rothe Hosen und bald als wenn er nur kurze Stifeleten tragen Thäte. In dem Traum sey ihr dann vorgekommen, sie erzähle ihme, was an deme Tag geschehen, und habe halt mit diesem, den sie Hannes geheißen, geheimgartet. Bekennet übrigens zugleich, daß der Teufel wie sie Gott und allen Heiligen auf dem Harth abgeschwohren, sich ihme zugeeignet und mit ihme Unzucht zu treiben versprochen gehabt, so hätte dieser zu ihr gesagt, daß sie ihme „Hanß“ nennen, ihme dienen, und was er wollen, Thuen solle, dagegen Er ihr Sachen genug schaffen und ihr Buhler sein wolle.
Sie jnquisitin hingegen habe der Teufel „Mey“ geheissen; vide jnterr.139 usq.154. Gleich wie man hierauf der jnquisitin ad jnterr. 155 den Vorhalt gemachet, daß auf solche Art es nicht wohl sein könne, mit dem Teufel in dem Traum Unzucht getrieben zu haben, und daß ihr solches nur in dem Traum vorgekommen seye, sondern daß aus diesem sich vielmehr ergebe, daß, weilen der Teufel ihr versproche, ihr Buhler zu seyn, sie mit demselben die Buhlschaft wissentlich und geflißentlich getrieben habe, zumahlen sie selbsten gegen den Zuchtmeister nicht in Abrede gestellt hätte, sich 3 Mahlen in Werk versündiget zu haben. So hatte dise geantwortet: Es habe es

ihr eben nur der Teufel so eingegeben, dem Zucht-Meister es so zu sagen. Sie seye halt aus der Gnad Gottes, weilen sie Gott und alle Heiligen abgeläugnet, so vielmahl die Heilige Sacramenten unwürdig empfangen.

Es nutze sie kein Betten mehr, sie seye schon verdammt. Von der Zeit an, als sie dem Augustiner gebeichtet und nicht recht absolviret worden zu seyn geglaubet, komme ihr bishero im Traum und in dem Schlaf vor, als wan sie sich immer mit dem Teufel versündigen thue. vid.jnterr.162 ...

Sie seye aus Armuth und Verlassenheit hinter dem Teufel gerathen, inzwischen habe der Teufel von ihr nichts anderes als die Unzucht verlanget, und derentwillen auch weder denen Leuthen noch dem Vieh jemals einen Schaden zugefügt.

In peinlicher Rechts-Fertigung sich haltend entzwischen dem hochfürstlichen Kempt. Fiscalen, Ankläger an einem, dann Maria Anna Schwegelin, etlich 40 Jahr, von Lachen, der diesseitigen Herrschaft Deinselberg gebürtig, ledigen Standes, Angeklagten, am anderen Theil p(un)cto pacti cum daemone wird auf beschehene Anklag Red und Antwortt und allgründlicher Untersuchung der Sachen nach reiffer Ueberlegung und hierüber eingeholten Rath deren Rechtsgelehrten, vermög deren peinlichen Rechten und Ausweisung Kaiser Carl V. Halsgerichtsordnung von Malefiz-Amann. und Urtheils-Sprechern dieses Gerichtes zu Recht erkannt:

daß die Maleficantin wegen dieser mit dem bösen Feind eingegangener wiederholter Bündtnuß, als einem deren ärgsten Lastern, dem Scharfrichter zu Handen und Banden übergeben, auf die gewöhnliche Richtstatt geführt, daselbst durch das Schwerd vom Leben zum Tode hingerichtet, der Körper hingegen verbrannt werden solle, dieses ihr zur wohlverdienten Straf, anderen hingegen zum Beyspihl und Exempel, allermaßen sie dahin condamniret wird. Von Rechtswegen.

Actum et publicatum, Stift Kempten, den 11. April 1775.

Juristisch ging es darum, daß nur Teufelspakt und Teufelsbuhlschaft vorlagen und deswegen an sich Artikel 109 Satz 2 der Carolina entgegenstand, weil der Schadenszauber fehlte, übrigens auch der Teufelstanz. Trotzdem wurde sie zum Tode verurteilt, weil mit dem Teufelspakt das entscheidende Element des Tatbestandes eines Hexenverbrechens gegeben war (vgl. Samuel Stryk Rdz. 261).

265. Die Prozesse des Müllers Arnold und das

Christian Arnold war Erbpächter einer Wassermühle bei Pommerzig in der Neumark, das heute ein Ort direkt an der Grenze in Polen ist. Die Mühle lag kurz vor der Oder an einem Bach, der Wasser verlor, als 1770

Eingreifen Friedrichs des Großen

an seinem Oberlauf Karpfenteiche angelegt wurden. Die Arbeit in der Mühle wurde dadurch behindert, die Einnahmen gingen zurück und der Müller kam mit den Zahlungen an den Grundherrn in Verzug. Es wurden Prozesse geführt, die Christian Arnold verlor. 1778 ließ der Grundherr die Erbpacht schließlich versteigern. Erwerber war über einen Strohmann derjenige, der die Teiche angelegt hatte, nämlich der Grundherr der Nachbargemeinde Kray. Nach mehreren vergeblichen Anläufen konnte der Müller 1779 an der Bittschriftenlinde in Potsdam den König auf sich aufmerksam machen, der dafür sorgte, daß nun wenigstens ein Schadensersatzprozeß gegen diesen Grundherrn der Nachbargemeinde geführt wurde. Aber auch diese Klage wurde vom Landgericht Küstrin abgewiesen. Als Friedrich II. dann auf eine schnelle Berufungsentscheidung durch das Berliner Kammergericht gedrungen und man dort ebenfalls gegen Christian Arnold entschieden hatte, kam es zum Eklat. Drei der Richter des Kammergerichts wurden zum Verhör in das Schloß geladen und verhaftet. Verhaftet wurden auch vier der Richter in Küstrin und der des Patrimonialgerichts in Pommerzig. Der König diktierte am 11. Dezember 1779 ein Protokoll:

> „Seine Königliche Majestät werden dahero in Ansehung der wider den Müller Arnold aus der Pommerziger Krebsmühle in der Neumark abgesprochen und hier approbirten höchst ungerechten Sentenz ein nachdrückliches Exempel statuiren, damit sämmtliche Justiz-Collegia in allen dero Provinzien sich daran spiegeln, und keine dergleichen grobe Ungerechtigkeiten begehen mögen. Denn sie müssen nur wissen, daß der geringste Bauer, ja was noch mehr ist, der Bettler, eben sowohl ein Mensch ist, wie Seine Majestät sind, und dem alle Justiz muß wiederfahren werden, indem vor der Justiz alle Leute gleich sind, es mag sein ein Prinz, der wider einen Bauer klagt, oder auch umgekehrt, so ist der Prinz vor der Justiz dem Bauer gleich; und bei solchen Gelegenheiten muß pur nach der Gerechtigkeit verfahren werden, ohne Ansehn der Person. Darnach mögen sich die Justiz-Collegia in allen Provinzien nur zu richten haben, und wo sie nicht mit der Justiz ohne alles Ansehen der Person und des Standes gerade durch gehen, sondern die natürliche Billigkeit bei Seite setzen, so sollen sie es mit Sr. K.M. zu thun kriegen. Denn ein Justiz-Collegium, das Ungerechtigkeiten ausübt, ist gefährlicher und schlimmer, wie eine Diebesbande, vor die kann man sich schützen, aber vor Schelme, die den Mantel der Justiz gebrauchen, um ihre üble Passiones auszuführen, vor die kann sich kein Mensch hüten. Die sind ärger, wie die größten Spitzbuben, die in der Welt sind, und meritiren eine doppelte Bestrafung."

Das Kammergericht sollte die verhafteten Richter wegen Rechtsbeugung bestrafen, weigerte sich aber. Also zog der König das Verfahren an sich, sprach zwei der Richter frei und verurteilte die anderen zu einem Jahr Festungshaft und zur Zahlung von Schadensersatz an Christian Arnold. Der erhielt seine Mühle zurück, Europa jubelte und die preußische feine Gesellschaft war empört. Das letzte Beispiel eines „Machtspruchs" des Königs gegen den „Rechtsspruch" eines Gerichts. Zum einen war das der Anlaß für die Berufung eines neuen Großkanzlers, der zuständig war für Justiz und Gesetzgebung, und damit der Auslöser der Kodifikation des Allgemeinen Landrechts von 1794 (Rdz. 266), zum anderen wichtigster Markstein auf dem Weg zur Unabhängigkeit der Justiz im 19. Jahrhundert, Symbol mutigen Widerstandes von Richtern gegen Eingriffe des Fürsten in die Justiz. Denn natürlich wußten sie, daß sie sich gegen denjenigen stellten, in dessen Namen das Urteil erging, für das Recht und gegen Kabinettsjustiz.

Nur leider war dieser Widerstand doch nicht so ehrenwert, wie man bis vor kurzem glaubte. Neuere Untersuchungen haben ergeben, daß die Urteile gegen Christian Arnold insgesamt zu Unrecht ergangen sind. Der König hatte das richtige Gefühl. Es war für den armen Mann nicht einfach, sich gegen den Mächtigen durchzusetzen. Auch nicht vor Gericht. Die berühmten Sätze im Protokoll trafen den Kern. Denn juristisch war vieles falsch in den Urteilen. Bei der Erbpacht minderte sich der Zins, wenn der Ertrag aus Gründen zurückging, die ihren Ursprung im Zustand des Pachtgegenstandes hatten. Die übermäßige Ableitung von Wasser am Oberlauf eines kleinen Gewässers verpflichtete zum Schadensersatz an die unteren Anlieger. Und alles sprach dafür, daß der Bach am Unterlauf viel von seiner Kraft verloren hatte. Wenn die Richter das gesehen oder auch nur geahnt haben, und warum sollten sie es nicht?, dann sind sie sogar zu Recht verurteilt worden. Ganz anders, als man bisher meinte. Der Meilenstein auf dem Weg zur Unabhängigkeit der Justiz lag ziemlich weit entfernt von Recht und Gerechtigkeit.

266. Preußisches Allgemeines Landrecht

Am Ende des Alten Reiches steht eine imposante Kodifikation. Das Allgemeine Landrecht für die Preußischen Staaten von 1794 gehört mit dem Codex Maximilianeus Bavaricus Civilis (1756) und dem österreichischen Allgemeinen Bürgerlichen Gesetzbuch (1811) zu den sogenannten Naturrechtskodifikationen des späten Absolutismus, enthält aber als einzige wirklich eine umfassende Ordnung nach dem System, das Samuel Pufendorf mehr als einhundert Jahre vorher in seinem Ius Naturae et Gentium entworfen hatte (Rdz. 249). Das Gesetz enthielt als ersten Teil das Privatrecht der Individuen. Im zweiten Teil folgte das Recht der Gemeinschaften, von der Familie über die Stände und Kirchen bis zum Staat und am Ende das Strafrecht, das mit seinen 1577 Paragraphen einen guten

Eindruck gibt vom Umfang des Ganzen, wenn man bedenkt, daß unser Strafgesetzbuch heute mit 358 Paragraphen auskommt. Das Lehnsrecht wird geregelt, als Recht der Individuen im ersten Teil, und die Grundherrschaft im Ständerecht des zweiten Teils, nämlich als Recht der Bauern vor dem der Bürger und des Adels. Nur das Prozeßrecht fehlt, weil es schon kurz vorher neu erlassen worden war, und – natürlich – das Völkerrecht.

Die Pläne waren alt. Schon seit langem wollte der preußische Staat das unterschiedliche Recht seiner verschiedenen Provinzen vereinheitlichen. Aber erst nach der Justizkatastrophe um die Prozesse des Müllers Arnold kam 1779 mit dem neuen Großkanzler Carmer eine Gruppe von Männern, die es geschafft hat. Kopf des Unternehmens war Carl Gottlieb Suarez. Sie waren am Naturrecht geschult und wie ihr alter König groß geworden mit den Ideen der Aufklärung. Friedrich wollte nun endlich Schluß machen mit den „Ficfaquereyen" der Juristen bei der Anwendung des alten Rechts. Klar und einfach und eindeutig sollte das neue sein. Entscheidend aber war die einheitsstiftende Wirkung:

> „Denn es ist ja der selten genug beachtete Unterschied der älteren und der neueren Zeit, daß in jener die Menschen ohne vielen Verkehr, ohne große Beweglichkeit, innerhalb enger geographischer Grenzen sich bewegten, sich also bei ihren Lokalrechten wohl befanden, während jetzt in jeglicher Beziehung ein so verbreiteter Verkehr, eine solche Beweglichkeit herrscht, daß Lokalrechte in einer Provinz ungefähr dasselbe herbeiführen, was in älterer Zeit die Folge davon gewesen wäre, wenn jede Straße einer Stadt ihr eigenes Recht gehabt hätte,"

schrieb vierzig Jahre später ein liberaler Verwaltungsjurist, der Oberlandesgerichtsrat Wentzel. 1786 starb Friedrich II. und drei Jahre später kam die französische Revolution. Aufklärung war in Preußen nicht mehr gefragt. Friedrich Wilhelm II. stoppte 1792 die Veröffentlichung des „Allgemeinen Gesetzbuches", wie es heißen sollte. Man sah darin nun revolutionäre Tendenz. Aber 1793, nach der zweiten Teilung Polens, als Gebiete mit über einer Million neuer Einwohner zu Preußen kamen, brauchte man schnell ein neues Recht für die Integration. Also setzte der König es 1794 doch noch in Kraft, mit einigen konservativen Polituren und unter neuem Namen. Die allgemeine Tendenz blieb. § 83 der Einleitung, ein Hauch von Menschenrechten:

> „Die allgemeinen Rechte des Menschen gründen sich auf die natürliche Freyheit, sein eigenes Wohl, ohne Kränkung der Rechte eines Andern, suchen und befördern zu können."

Das Zivilrecht war im wesentlichen das römische, nach dem System des Naturrechts und mit einigen wenigen technischen und sozialen Verbesserungen. Die wichtigste technische: bei der Gefahrtragung des Käufers (Rdz. 150). Die wichtigste soziale: bei der Rechtsstellung des Mieters gegenüber einem neuen Eigentümer. Nun hieß es nicht mehr „Kauf bricht Miete", wie in Rom und im Usus Modernus. Jetzt hatte der Mieter ein „dingliches Recht" (Erster Teil, 21. Titel, § 2, vgl. Rdz. 229) und konnte bleiben, wie im alten deutschen Recht. Das Familienrecht hatte eine deutliche Tendenz gegen die alte ständische Ordnung, zum Beispiel bei der Reduzierung der väterlichen Gewalt. Das Vormundschaftsgericht konnte in Erziehungsfragen eingreifen, Kinder über vierzehn Jahren durften die Konfession frei wählen und Eltern ihren Kindern eine Ehe nicht mehr aufzwingen. Das Scheidungsrecht war großzügig.

Aber die ständische Gliederung blieb völlig erhalten, mit einer langen Reihe von Beschränkungen des Eigentums, der Berufe und der Eheschließung. Bauer, Bürger, Edelmann blieben strikt getrennt. Selbst das Strafrecht war ständisch gegliedert, nicht nur bei der Art der Strafen, auch in ihrer Höhe. Beleidigungen unter Adligen zum Beispiel wurden härter bestraft als unter Bauern oder Bürgern und die Strafe war milder, wenn man von oben nach unten beleidigte, als umgekehrt. Freiheitsstrafen sind nun gesetzlich eingeführt und finden sich am häufigsten. Die alten Leibesstrafen sind weitgehend abgeschafft. Aber es gibt noch die Prügelstrafe, Markenzeichen der Preußen mit dem berühmten Stock, und Zuchthausstrafe mit „Willkomm" und „Abschied", schwerer körperlicher Züchtigung bei der Aufnahme und der Entlassung. Auch die Todesstrafen sind zum Teil noch mittelalterlich, nicht nur Schwert und Galgen, sondern das grausame Rad mit dem Zerbrechen der Knochen und der Scheiterhaufen. In der Grundherrschaft und im Gesinderecht der Hausangestellten versuchte Suarez, die Prügelei vorsichtig einzuschränken. Er machte das in gewundenen Formulierungen, die einerseits zu lauten Protesten der Konservativen führten und sich andererseits bis 1918 hielten. Erst der Rat der Volksbeauftragten hat die Gesindeordnung von 1810 aufgehoben, in die die Regelung des Allgemeinen Landrechts übernommen worden war (2. Teil, 5. Titel, § 77).

Im Staatsrecht, das nur schwach ausgebildet war, gab es erste Ansätze von Rechtsstaatlichkeit und überall eine „juristische Sprachplanung" (Reinhart Koselleck) weg von der Ständegesellschaft in Richtung auf eine Staatsbürgergesellschaft. Dazu gehörte auch, daß vom König selten die Rede war und stattdessen viel öfter vom Staat gesprochen wurde. Eine Neuheit in der Sprache des Rechts, um die Carl Gottlieb Suarez sich ganz allgemein verdient gemacht hat mit einfachen und klaren Sätzen, auf deutsch. Im Grunde hat er wenig geändert. Die alte Gesellschaft blieb, wie sie war. Aber die Sprache mit ihrer modernen Allgemeinheit wies in die neue Zeit.

267. Rechts- und Staatsphilosophie der Aufklärung

Für diese neue Zeit gab es im Absolutismus noch manche andere Vorarbeit. Der erste, der die Richtung gewiesen hat auf dem Weg zur bürgerlichen Demokratie war John Locke. „Über die Regierung" 1690. Er setzt an bei Thomas Hobbes und seinem Naturzustand, sieht aber den Anfang der Menschheit nicht ganz so verzweifelt und kommt zu anderen Ergebnissen. Kein allmächtiges Ungeheuer und sterblicher Gott (Rdz. 249), sondern eine gemäßigte Monarchie mit Gewaltenteilung und Menschenrechten, die jetzt auch schon etwas präziser sind als bei Samuel Pufendorf (Rdz. 249). Ein Unterwerfungsvertrag? Ja, aber warum sollen die Menschen ihre Rechte aus dem Urzustand denn eigentlich insgesamt abtreten? Doch nur soweit, wie es unbedingt notwendig ist, um Recht und Ordnung zu garantieren. The Second Treatise of Government, 7. Kapitel, § 93:

> „Das hieße die Menschen für so dumm zu halten, daß sie zwar zu verhüten suchen, was ihnen Marder oder Füchse antun könnten, aber glücklich sind, ja es für Sicherheit halten, von Löwen verschlungen zu werden."

Also übertragen sie dem Staat nicht das Recht auf Leben, Freiheit und Eigentum, sondern behalten sie als vorstaatliche Menschenrechte. Auch sonst ist der Monarch kein absoluter Souverän. Das Volk behält die Gesetzgebung, für die ein Parlament gewählt wird, das nicht nur neben dem König steht, sondern sogar die höchste Gewalt ist im Staate. Allerdings, wie soll gewählt werden?

Der „vorsichtige Locke" (Leo Strauss) äußert sich sehr unklar. Jedenfalls gibt es noch kein allgemeines und gleiches Wahlrecht für jedermann. Das würde zu weit gehen mit der Souveränität des Volkes. Das Parlament soll seine Repräsentation sein, sagt er, „im Verhältnis seines Beitrages zur Öffentlichkeit". Nur wer im Wohlstand lebt, der darf zur Wahl. Grundeigentum und Adel.

Die Gewaltenteilung des John Locke wird ausgebaut bei Montesquieu. „Vom Geist der Gesetze", 1748. Jetzt sind es nicht nur zwei Gewalten, Parlament und Regierung, sondern drei. Die Justiz kommt dazu. Also Legislative, Exekutive und Jurisdiktion. 11. Buch, 6. Kapitel:

> „Alles wäre verloren, wenn ein und derselbe Mann oder dieselbe Körperschaft der Fürsten, des Adels oder des Volkes diese drei Gewalten (pouvoirs) ausübte: Gesetze zu erlassen, sie in die Tat umzusetzen und über Verbrechen und private Streitigkeiten zu richten."

Daraus ergibt sich stillschweigend die Forderung nach Unabhängigkeit der Justiz. Unabhängigkeit vom Monarchen. Die Richter sollen nach dem

Gesetz urteilen, nicht nach den Wünschen des Königs. Denn, ein berühmter Satz im gleichen Kapitel, der König mag sich beruhigen,

> „unter den drei Gewalten, von denen wir gesprochen haben, ist die der Rechtsprechung gewissermaßen gleich Null,"

en quelque façon nulle. Weil der Richter nämlich, wie er dort wenig später schreibt, nur der Mund des Gesetzes ist, la bouche qui prononce les paroles de la lois.

Diese Gewaltenteilungslehre von Locke und Montesquieu trifft in der französischen Revolution auf den Widerstand der Vorstellungen Jean Jacques Rousseaus. „Der Gesellschaftsvertrag", 1762. Er macht Ernst mit der Volkssouveränität, war nicht so vorsichtig wie Locke und auch nicht am Kompromiß orientiert wie der Baron Montesquieu. Kein Unterwerfungsvertrag, sondern nur ein Gesellschaftsvertrag steht am Anfang des Staates. Schon die ersten Sätze des Buches klingen wie eine Fanfare:

> „Der Mensch ist frei geboren und überall liegt er in Ketten. Einer hält sich für den Herrn der anderen und bleibt doch mehr Sklave als sie. Wie ist dieser Wandel zustande gekommen? Ich weiß es nicht. Was kann ihm Rechtmäßigkeit verleihen? Diese Frage glaube ich beantworten zu können."

Sieben Jahre vorher hatte er auch noch die Antwort auf die erste Frage. Es war das Privateigentum. Im „Diskurs über den Ursprung der Ungleichheit unter den Menschen," 1755, beginnt der zweite Teil:

> „Der erste, der ein Stück Land eingezäunt hatte und dreist sagte: ‚Das ist mein' und so einfältige Leute fand, die das glaubten, der ist der wahre Begründer der bürgerlichen Gesellschaft gewesen. Wieviele Verbrechen, Kriege, Morde, Leiden und Schrecken würde einer dem Menschengeschlecht erspart haben, hätte er die Pfähle herausgerissen oder den Graben zugeschüttet und seinesgleichen zugerufen: ‚Hört ja nicht auf diesen Betrüger. Ihr seid verloren, wenn ihr vergeßt, daß die Früchte allen gehören und die Erde niemandem'."

Aber darum konnte es nicht mehr gehen. Privateigentum, das wußte Rousseau, läßt sich schwer abschaffen. So mußte wenigstens die „Rechtmäßigkeit" wiederhergestellt werden. Und wie? Dadurch, daß das Volk die Ordnung in die eigenen Hände nimmt und wenigstens die Gesetze selbst erläßt, nicht über ein Parlament wie bei Locke und Montesquieu, sondern in direkter Demokratie, über Volksabstimmungen wie in der Antike, Drittes Buch, 15. Kapitel:

> „Wie dem auch sei. Von dem Augenblick an, wo ein Volk sich Vertreter gibt, ist es nicht mehr frei. Es existiert nicht mehr."

Direkte Demokratie ist heute unerwünscht. Allgemein ist man der Meinung, daß es Zwischeninstanzen geben muß für die Gesetzgebung, Parlamente mit gewählten Vertretern des Volkes. Die dann auch manchmal gegen die Mehrheit des Volkes entscheiden können, wenn sie gewählt sind. Was ab und zu notwendig sei, zum Beispiel bei Steuergesetzen. Außerdem würde direkte Demokratie in einer Massengesellschaft auch gar nicht funktionieren. Also ist es angesichts solcher radikalen Sätze wie in jenem 15. Kapitel auch kein Wunder, daß Verfassungshistoriker noch heute herummäkeln an Jean Jacques Rousseau, besonders an seiner – in der Tat etwas mystischer – volonté générale. Mit ihr wollte er das Problem von Mehrheit und Minderheit bei Volksabstimmungen über Gesetze erklären. Die Minderheit wird durch die Mehrheit gezwungen, etwas zu tun, was sie nicht will. Ist das demokratisch? Ja, sagt Rousseau. Sie werden gar nicht gezwungen, etwas zu tun, was sie nicht wollen. Sie haben sich nur geirrt. Die Mehrheit hat immer Recht. Die Minderheit wird nur gezwungen, etwas zu tun, was sie wollen würde, wenn sie richtig nachgedacht hätte. Wie auch immer. Mit der direkten Demokratie hat Rousseau sich nicht durchgesetzt. Das war zu radikal. Die bürgerliche Gesellschaft hörte auf Locke und Montesquieu.

Rechts- und Staatsphilosophen der Aufklärung

John Locke	1632–1704	The Second Treatise of Government 1690
Charles de Montesquieu	1689–1755	De l'esprit des lois 1748
Jean Jacques Rousseau	1712–1778	Du contract social 1762
Cesare Beccaria	1738–1794	Dei delitti e delle pene 1764

Zwei Jahre nach diesem berühmten Buch ging noch ein anderes durch Europa, das großes Aufsehen erregte. Cesare Beccaria, Dei delitti e delle pene, 1764. „Über Verbrechen und Strafen", Wegweiser für ein neues Strafrecht im 19. Jahrhundert. Er beginnt mit John Locke. Der Anfang, 1. Kapitel:

> „Die Gesetze sind die Bedingungen, unter denen unabhängige und isolierte Menschen sich in Gesellschaft zusammenfanden, Menschen, die es müde waren, in einem ständigen Zustand des Krieges

> zu leben und eine Freiheit zu genießen, die ungewiß und deshalb unnütz geworden war. Sie opferten davon einen Teil, um sich des Restes in Sicherheit und Ruhe zu erfreuen."

Wie gesagt, nur einen Teil. Und daraus folgt das Recht des Staates zu strafen, aber es ist genau in diesem Sinn begrenzt. 2. Kapitel:

> „Jede Strafe, die nicht aus unausweichlicher Notwendigkeit folgt, sagt der große Montesquieu, ist tyrannisch."

Der Staat darf nur strafen, wenn es unbedingt notwendig ist. Notwendig ist es, Schaden von der Allgemeinheit fernzuhalten. Rache, Vergeltung ist es nicht. Also nur General- und Spezialprävention (Rdz. 259). Sicherheit ist wichtiger als Härte. Deshalb bevorzugte er das Gefängnis, zumal hier mit der zeitlichen Dauer das von ihm geforderte „bestimmte Verhältnis zwischen Verbrechen und Strafe" am besten abgewogen werden kann. Deshalb fordert er die Abschaffung der Todesstrafe, die ersetzt werden soll durch lebenslangen Freiheitsentzug. Das Ganze untermauert durch einen menschlichen Strafprozeß. Öffentliche Verhandlung und freie Beweiswürdigung statt Geheimprozeß und Folter. So kam es dann auch, im nächsten Jahrhundert.

Literatur

241. *Burkhardt*, Frühe Neuzeit 1985; *Schilling*, Aufbruch und Krise – Deutschland 1517–1648 (1988); *Schilling*, Höfe und Allianzen – Deutschland 1648–1763 (1989) – **242.** *Willoweit*, Deutsche Verfassungsgeschichte 1990; *Smend*, Das Reichskammergericht 1911 (Ndr. 1965); *Diestelkamp* (Hg.), Forschungen aus den Akten des Reichskammergerichts 1984; *Diestelkamp*, Das Reichskammergericht im Rechtsleben des Heiligen Römischen Reiches Deutscher Nation 1985; *Diestelkamp*, Rechtsfälle aus dem Alten Reich – Denkwürdige Prozesse vor dem Reichskammergericht 1995 – **243.** Zur Wortgeschichte: *Weinacht*, Staat. Studien zur Bedeutungsgeschichte des Wortes von den Anfängen bis ins 19. Jahrhundert 1968; das Zitat aus den Memoiren Ludwigs XIV. in: *Dickmann*, Geschichte in Quellen, Bd. 3 (1966) 430; *Jeserich/Pohl/von Unruh* (Hg.), Deutsche Verwaltungsgeschichte Band 1: Vom Spätmittelalter bis zum Ende des Reiches (1983) IV. Kapitel; *Hattenhauer*, Geschichte des Beamtentums 1980. – **244.** *Conrad*, Deutsche Rechtsgeschichte Band 2 (1966) 2. Abschnitt, 11. Kapitel; *Stolberg-Rilinger*, Der Staat als Maschine 1986 – **245.** *W. Ebel*, Geschichte der Gesetzgebung in Deutschland 2. Aufl. 1958, Ndr. 1988; *Kroeschell*, Deutsche Rechtsgeschichte 3 (1989) 82–84; Polizeiordnungen: *Schmelzeisen*, Polizei- und Landesordnungen, in Beyerle/Kunkel/Thieme (Hg.), Quellen zur neueren Privatrechtsgeschichte Deutschlands 2. Band 1968/69 – **246.** *Schnur*, (Hg.), Die Rolle der Juristen bei der Entstehung des modernen Staates 1986; *Luig*, Mos gallicus mos italicus HRG 3 (1984) 691–698 – **247.** *Wieacker*, Privatrechtsgeschichte der Neuzeit (2. Aufl. 1967) 3. Teil; *Luig*, Römisches Recht, Naturrecht, Nationales Recht 1996; *Coing*, Europäisches Privatrecht Band 1: Älteres Gemeines Recht (1500–1800) 1985; *Kroeschell*, (Rdz. 245) 10–21. Zu den einzelnen Juristen sehr gut: *Kleinheyer/Schröder*, Deutsche und europäische Juristen aus neun Jahrhunderten 4. Aufl. 1996 – **248.** *Stolleis*, Geschichte des öffentlichen Rechts in Deutschland, 1. Band, Reichspublizistik und Policeywissenschaft 1600–1800, 1988. Zu den einzelnen Juristen ausführlicher *Stolleis* (Hg.), Staatsdenker im 17. und 18. Jahrhundert 2. Aufl., 1987 – **249.** *Welzel*, Naturrecht und materiale Gerechtigkeit 4. Aufl. 1962; *Bloch*, Naturrecht und menschliche Würde 1961 (suhrkamp taschenbuch 49, 1972); *Wieacker*, (Rdz. 247) 4. Teil; zu Grotius am besten *Hofmann* bei *Stolleis* 1987 (Rdz. 248) zu Thomasius *Bloch*, im Anhang und *Schneiders* (Hg.), Christian Thomasius 1655–1728, 1989 – **250.** *Buchda*, Gerichtsverfassung, Artikelprozeß, Gerichtsverfahren HRG 1 (1971) 1563–1576, 233–235, 1551–1563 – **251.** *Coing*, (Rdz. 247) 10., 18., 25. und 27. Kapitel; *Hübner*, Grundzüge des deutschen Privatrechts (5. Aufl. 1930) 771–775; *Lockemann*, Namensrecht HRG 3 (1984) 836–843 – **252.** *Kaser*, Das Römische Privatrecht 1. Band (2. Aufl. 1971) §§ 17, 74; *H. Dieterich*, Das protestantische Eherecht in Deutschland bis zur Mitte des 17. Jahrhunderts 1970 – **253.** *Kaser*, Das römische Privatrecht 2. Band (2. Aufl. 1975) 482 A.41 + 42 – **254.** *Coing*, (Rdz. 247) 13. und 14. Kapitel – **255.** *Coing*, (Rdz. 247) 19. und 20. Kapitel; zur clausula rebus sic stantibus: *Feenstra*, Fata Iuris Romani (1974) 364–391 – **256.** *Coing*, (Rdz. 247) 23. Kapitel – **257.** *H. Kaufmann*, Rezeption und usus modernus der lex Aquilia 1958 – **258.** *Landau/Schröder* (Hg.), Strafrecht, Strafprozeß und Rezeption – Grundlagen, Entwicklung und Wirkung der Constitutio Criminalis Carolina 1984; *Henschel*, Die Strafverteidigung im Inquisitionsprozeß des 18. und im Anklageprozeß des 19. Jahrhunderts Diss. Freiburg 1972; *Langbein*, Torture and the Law of Proof 1972; *Sellert/Rüping*, Studien- und Quellenbuch zur Geschichte der deutschen Strafrechtspflege 1. Band (1989) 262–273 – **259.** *van Dülmen*, Theater des Schreckens – Gerichtspraxis und Strafrituale in der frühen Neuzeit 1985; *Eb. Schmidt*, Einführung in die Geschichte der deutschen Strafrechtspflege (3. Aufl., 1965) §§ 86 – 260; *Sellert/Rüping*, (Rdz. 258) 241–345 – **260.** *Radbruch*, Die ersten Zuchthäuser und ihr geistesgeschichtlicher Hintergrund, in: ders. Elegantiae Iuris Criminalis (1950) 116–129; *Sellert-Rüping*, (Rdz. 258) 255–262 – **261.** *Schormann*, Hexenprozesse in Deutschland 2. Aufl. 1986; *Behringer*, Hexenverfolgung in Bayern 1987; *Jerouschek*, Die Hexen und ihr Prozeß. Die Hexenverfolgungen in der Reichsstadt Esslingen 1992 – **262.** *Schmidt*, (Rdz 259) §§ 253, 254; *Langbein* (Rdz 258) – **263.** *Soldan/Heppe/Bauer*, Hexenprozesse Bd. 2 (3. Aufl. 1911) 6–12 – **264.** *Behringer*, (Rdz. 261) 363–365; ders. (Hg.) Hexen und Hexenprozesse 1988 (dtv Nr. 2957) 435–437 – **265.** *Eb. Schmidt*, Rechtssprüche und Machtsprüche der preußischen Könige des 18. Jahrhunderts 1943; *Diesselhorst*, die Prozesse des Müllers Arnold und das Eingreifen Friedrichs des Großen 1984 – **266.** Allgemeines Landrecht für die Preußischen Staaten von 1794, Textausgabe mit einer Einführung von Hans Hattenhauer 2. Aufl. 1994; *Koselleck*, Preußen zwischen Reform und Revolution (2. Aufl. 1975) 23–149, dort S. 49f das Zitat von Wentzel – **267.** Locke, Montesquieu und Rousseau benutzt man am besten in den Übersetzungen bei Reclam (RUB Nr. 9691, 8953, 1769), Beccaria ist als Insel-Taschenbuch erschienen (Nr. 1068); *Zippelius*, Geschichte der Staatsideen 9. Aufl. 1994; *Deimling* (Hg.), Cesare Beccaria – Die Anfänge moderner Strafrechtspflege in Europa 1989; zum „vorsichtigen Locke“ *Leo Strauss*, Naturrecht und Geschichte (stw Nr. 216, 1977) 210–262.

17. Kapitel

19. JAHRHUNDERT UND WEIMARER REPUBLIK

Allgemeine Literatur: *E. R. Huber*, Deutsche Verfassungsgeschichte seit 1789, 7 Bände 1960–1984; *Kimminich*, Deutsche Verfassungsgeschichte 2. Aufl. 1987; *Willoweit*, Deutsche Verfassungsgeschichte 2. Aufl. 1992; *Grimm*, Deutsche Verfassungsgeschichte 1776–1866, 1988; *Dürig/Rudolf*, Texte zur deutschen Verfassungsgeschichte 1979; *Wieacker*, Privatrechtsgeschichte der Neuzeit 2. Aufl. 1967; *Coing*, Europäisches Privatrecht 2. Band: 19. Jahrhundert (1800–1914) 1989; *Schlosser*, Grundzüge der Neueren Privatrechtsgeschichte 8. Aufl. 1996; *Wesenberg/Wesener*, Neuere deutsche Privatrechtsgeschichte 4. Aufl. 1985; *K. W. Nörr*, Zwischen den Mühlsteinen. Eine Privatrechtsgeschichte der Weimarer Republik 1988; *Stolleis*, Geschichte des öffentlichen Rechts in Deutschland 2 Bd.: Staatsrechtslehre und Verwaltungswissenschaft 1800–1914, 1992; *Eb. Schmidt*, Einführung in die Geschichte der deutschen Strafrechtspflege 3. Aufl. 1993; *Rüping*, Grundriß der Strafrechtsgeschichte 2. Aufl. 1991; *Kleinheyer/Schröder*, Deutsche und europäische Juristen aus neun Jahrhunderten 4. Aufl. 1996; *Stolleis* (Hg.), Juristen. Ein biographisches Lexikon. Von der Antike bis zum 20. Jahrhundert 1995

268. Geschichte und Wirtschaft

Mit der französischen Revolution beginnt in Europa 1789 das Zeitalter der bürgerlichen Gesellschaft und der Nationalstaaten, untrennbar verbunden mit der industriellen Revolution, die 1769 durch James Watts Erfindung der Dampfmaschine eingeleitet wurde. In Deutschland zerfällt das Alte Reich endgültig, nachdem Napoleon mit seinen Truppen fast ganz Europa erobert hat. Die deutsche bürgerliche Gesellschaft wurde dann im Wege der Reform von oben durchgesetzt, von aufgeklärten Fürsten und liberalen Beamten, die – zuerst in Österreich und Preußen – der Revolution im eigenen Land zuvorkommen und den ökonomischen und damit den militärischen Anschluß an die Fortschritte der modernen westlichen Staaten sichern wollten.

In der ersten Hälfte des 19. Jahrhunderts ist Deutschland im Vergleich mit diesen Staaten ein unterentwickeltes Agrarland. Schrittmacher für die Zukunft – und nach den ersten Reformen auch dominierender Bremser – war Preußen, das die meisten Ressourcen hatte, mit Kohle und Stahl im Ruhrgebiet und Schlesien, später auch im Saarland. Nach der Niederlage von Jena und Auerstedt – 1807 – begann es seine Reformen: Bauernbefreiung, Judenemanzipation, Gewerbefreiheit, Bodenfreiheit, Gemeindeselbstverwaltung, Schulpflicht, Wehrpflicht, Humboldtsche Hochschulreform. Der Staat zieht sich aus der Lenkung der Wirtschaft zurück und überläßt sie dem sich selbst regulierenden Prozeß der Gesellschaft nach dem Programm, das Adam Smith dafür 1779 in seinem „Reichtum der Nationen" gegeben hatte. Durch die Freisetzung der Bauern entstand das für den Aufbau der Industrie notwendige Proletariat, das in der Rezession der dreißiger und vierziger Jahre in größtem Elend lebt.

In der zweiten Hälfte des Jahrhunderts machte die Industrialisierung endlich den großen Schritt nach vorn mit einer unerhörten Steigerung der Produktion. Die deutsche Bevölkerung wuchs im 19. Jahrhundert auf das Doppelte, in den großen Städten auf das Zehnfache. Trotz der Entvölkerung der Dörfer verdreifachte sich die landwirtschaftliche Produktion und trotz der großen Steigerung der Produktion in Industrie und Landwirtschaft bleibt die Massenarmut drückend, als Preis der Industrialisierung und Liberalisierung. Es entsteht die soziale Frage, die von Karl Marx und Friedrich Engels auf ihren Begriff und von der Sozialdemokratie auf die Tagesordnung der deutschen Politik gebracht wird. Immerhin steigen die Reallöhne allmählich und verdoppeln sich in der Zeit von 1850 bis 1910.

Nach dem Zerfall des Alten Reiches hatten sich die deutschen Fürsten 1815 im Deutschen Bund zusammengeschlossen, der ihre Herrschaft gegen den vordringenden Liberalismus sichern sollte. Dieser „Vormärz" gipfelt in der mißlungenen Revolution von 1848, die den Gegensatz zwischen Österreich und Preußen wieder ausbrechen läßt, als in der Paulskirche eine Verfassung für Deutschland ausgearbeitet wurde. Die Revolution besiegelt immerhin das Ende des Absolutismus in Deutschland. Er wird abgelöst durch die konstitutionelle Monarchie, einen für das damalige Deutschland typischen Kompromiß zwischen Absolutismus und parlamentarischer Demokratie. In ihr sind die Menschenrechte formal garantiert und ist die Gewaltenteilung akzeptiert. Der Gegensatz zu Österreich wird 1866 mit dem militärischen Sieg Preußens entschieden, das dann den Norddeutschen Bund gründet, die Vorstufe des Bismarckreichs von 1871, mit dem der deutsche Nationalstaat entstanden ist. Der dafür mit Frankreich geführte Krieg belebt die Wirtschaft, die auch noch von den Milliarden profitiert, die Frankreich als Reparationen zu zahlen hat. Eine leichte Rezession in den achtziger Jahren verstärkt die sozialen Spannungen, die Bismarck mit der Sozialgesetzgebung aufzufangen versucht. Trotzdem haben die Sozialdemokraten große Stimmengewinne. Als dann auch noch 1889 der erste große Streik – der Bergarbeiter – das Land erschüttert, dauerte es nicht mehr lange und Bismarck gab auf. In den neunziger Jahren bis zum ersten Weltkrieg bessert sich die Konjunktur. Es ist „das goldene Zeitalter der deutschen Wirtschaft". Die bürgerliche Gesellschaft war in Deutschland auf ihrem Höhepunkt. Ihre Geburtshelfer lebten alle noch im 18. Jahrhundert. James Watt und die Erfindung der Dampfmaschine, Adam Smith und sein „Reichtum der Nationen", die französische Revolution und die „Metaphysik der Sitten" von Immanuel Kant, der der Philosoph dieser vielen Freiheiten gewesen war. Nur der Kernbereich des Rechts dieser bürgerlichen Gesellschaft ist erst in jenem Jahrhundert entstanden, im neunzehnten, das Zivilrecht. Friedrich Carl von Savigny hat es formuliert und das Pandektenrecht seiner historischen Schule. Daraus ist das bürgerliche Gesetzbuch entstanden, das am 1. Januar 1900 in Kraft getreten ist.

Im ersten Weltkrieg greift der Staat – gegen dieses BGB – mit der Organisation der Kriegswirtschaft wieder stark in den ökonomischen Bereich ein. Die Niederlage von 1918 besiegelt das Schicksal der Monarchie und die Weimarer Republik übernimmt – als parlamentarische Demokratie – ein schweres Erbe, mit dem sie fünfzehn Jahre später scheitert. Kriegsbedingte Inflation, Reparationen und die Weltwirtschaftskrise erschüttern die Wirtschaft. Den Bürgern fehlt die demokratische Tradition. 1925 wählen sie einen Monarchisten zum Staatspräsidenten, Paul von Hindenburg. Nutznießer der politischen und ökonomischen Krise waren Konservative und Nationalsozialisten, die das Land 1933 gemeinsam in das Abenteuer des sogenannten Dritten Reiches stürzen.

269. Das Ende des Alten Reiches

Seit 1792 führten deutsche Fürsten – Österreich, Preußen, das Deutsche Reich – in wechselnden Allianzen Krieg gegen Frankreich, um die revolutionäre Entwicklung zu unterdrücken. Ein dreiundzwanzigjähriger Krieg, der erst 1815 mit dem endgültigen Sieg über Napoleon beendet war. Während dieses Krieges ist das Alte Reich untergegangen. Der Untergang wurde eingeleitet, als Napoleon 1801 die linksrheinischen deutschen Gebiete annektierte und der Deutsche Kaiser im Frieden von Luneville auf sie verzichtete. Damit waren die Kurfürsten von Köln und Trier aus dem Reich ausgeschieden. Die anderen Fürsten, die Gebiete links des Rheins verloren hatten, wurden 1803 im Reichsdeputationshauptschluß auf Kosten der Kirche und der kleinen reichsunmittelbaren Stände entschädigt, durch Säkularisation und Mediatisierung. Geistliches Gebiet mit insgesamt 3 Millionen Einwohnern wurde dem der weltlichen Landesfürsten eingegliedert (Säkularisation), ebenso das von bisher reichsunmittelbaren Rittern und Städten (Mediatisierung). Von den alten Reichsstädten behielten nur sechs die volle Landeshoheit, zum Beispiel Hamburg, Bremen und Lübeck.

Das Ende des Alten Reiches kam 1806, als 16 süddeutsche und westdeutsche Fürsten – mit einem Drittel des Reichsgebiets, darunter Bayern, Baden und Württemberg – sich auf Druck Napoleons im Juli zum Rheinbund zusammenschlossen, den Austritt aus dem Reich erklärten und darauf der Habsburger Franz II. das Amt des Deutschen Kaisers aufgab, ebenfalls auf Druck Napoleons, der sich zwei Jahre vorher selbst zum Kaiser der Franzosen gekrönt und damit für Frankreich den Anspruch auf die Nachfolge der alten römischen Kaiser erhoben hatte. Franz II. erklärte durch seinen Außenminister Graf Stadion am 6. August 1806:

„... und wenn noch der Fall übrig blieb, daß sich fördersamer Beseitigung eingetretener politischer Verwickelungen ein veränderter Stand ergeben dürfte, so hat gleichwohl die am 12. Julius zu Paris unterzeichnete, und seitdem von den betreffenden Theilen genehmigte, Übereinkunft mehrerer vorzüglicher Stände zu ihrer gänzlichen Trennung von dem Reiche und ihrer Vereinigung zu einer besonderen Conföderation, die gelegte Erwartung vollends vernichtet ... Wir erklären demnach durch Gegenwärtiges, daß Wir das Band, welches Uns bis jetzt an den Staatskörper des deutschen Reiches gebunden hat, als gelöst ansehen, daß wir das reichsoberhauptliche Amt und Würde durch die Vereinigung der conföderirten rheinischen Stände als erloschen und uns dadurch von allen übernommenen Pflichten gegen das deutsche Reich losgezählt betrachten und die von wegen desselben getragene Kaiserkrone und geführte kaiserliche Regierung, wie hiermit geschieht, niederlegen ...“

270. Deutscher Bund

Zur großen Enttäuschung gesamtdeutscher Patrioten wurde nach dem Sieg über Napoleon nicht wieder ein deutsches Reich gegründet, als Bundesstaat, sondern nur eine lockere Organisation der Fürsten, als Staatenbund. Artikel 2 der Bundesakte vom 8. Juni 1815:

„Der Zweck desselben ist Erhaltung der äußeren und inneren Sicherheit Deutschlands und der Unabhängigkeit und Unverletzbarkeit der einzelnen deutschen Staaten.“

Aber der eigentliche Zweck war, wenn man es richtig liest, nur die innere Sicherheit, die Sicherung des monarchischen Prinzips gegen liberale Tendenzen zu Volkssouveränität und Nationalstaat. Das war das gemeinsame Interesse der beiden Konkurrenten Preußen und Österreich. Der Deutsche Bund war nichts anderes als die „Einheit der Reaktion gegen die Einheit der Nation“ (Thomas Nipperdey). Er existierte von 1815 bis 1866, vom Wiener Kongreß bis zur Gründung des Norddeutschen Bundes nach der Schlacht von Königsgrätz und hatte nur Aufgaben der Gefahrenabwehr, keine auf dem Gebiet der Wirtschaft oder des Rechts, noch nicht einmal ein gemeinsames Bundesgericht, sondern nur ein einziges Organ, die Bundesversammlung der Fürsten und der freien Städte. Sie hatte ihren Sitz in der Mitte, in Frankfurt am Main. Preußen und Österreich dominierten. Die Klein- und Mittelstaaten wollten dagegen eine Koalition – das „dritte Deutschland“ – als Gegengewicht aufbauen, aber die Versuche sind bald gescheitert.

So sehr die volle Souveränität der Mitglieder Dreh- und Angelpunkt des Bündnisses war, gab es doch einen Ausnahmefall, der es den anderen erlaubte, sich einzumischen in die inneren Angelegenheiten eines Einzelstaats, nämlich bei Gefährdung des monarchischen Prinzips. Artikel 26 Satz 2 der Wiener Schlußakte von 1820:

> „Sollte im letztgedachten Fall die Regierung notorisch außer Stande seyn, den Aufruhr durch eigene Kräfte zu unterdrücken, zugleich aber durch die Umstände gehindert werden, die Hülfe des Bundes zu begehren, so ist die Bundes-Versammlung nichts desto weniger verpflichtet, auch unaufgerufen zur Wiederherstellung der Ordnung und Sicherheit einzuschreiten."

Ständiges Thema war dieser Kampf gegen den Liberalismus. 1819 erließ die Bundesversammlung die Karlsbader Beschlüsse über die Aufsicht in den Universitäten, die Pressezensur und die Einrichtung einer Zentralbehörde in Mainz zur Untersuchung revolutionärer Umtriebe. 1824 und 1830 ergehen Bundesbeschlüsse zur Erhaltung der Ruhe in Deutschland. Höhepunkt dieses Bundesverfassungsschutzes sind die dreißiger Jahre: 1832 „Sechs Artikel" und „Zehn Artikel", 1833 wieder eine Zentralbehörde, 1834 Geheimbeschlüsse in Wien über „Sechzig Artikel", 1835 Maßnahmen gegen Handwerksgesellen und Verbot der Schriften des Jungen Deutschlands, 1836 ein Bundesbeschluß über die Bestrafung und Auslieferung politischer Verbrecher auf deutschem Bundesgebiet. Die sogenannten „Demagogenverfolgungen".

271. Verfassungsfrage

Die Aktivitäten der Fürsten geben ein falsches Bild. Das deutsche Volk ist wahrhaftig keine Brutstätte des Liberalismus gewesen. Trotzdem verbreiteten sich auch hier nach der französischen Revolution freiheitliche, antifeudale und antiklerikale Ideen, am stärksten im Südwesten und Westen des Landes und hauptsächlich im kleinen Kreis eines gebildeten Publikums, das sich teilweise aber wieder abwendete, als die Nachrichten kamen über die Schreckensherrschaft der Jakobiner. Liberalismus, das war eine Verfassungsbewegung. Es war der Ruf nach einer Verfassung im modernen Sinn, zielte auf Einschränkung oder – bei den wenigen ganz Radikalen – sogar auf Beseitigung fürstlicher Macht durch Menschenrechte, Gewaltenteilung, Volksvertretung. Gedanken, die im 17. und 18. Jahrhundert vorbereitet worden waren von Pufendorf, Locke, Montesquieu und Rousseau und die sich dann verwirklicht hatten in der amerikanischen Unabhängigkeitserklärung von 1776, 1787 in der amerikanischen Verfassung, 1789 in der französischen Menschenrechtserklärung und in den französischen Verfassungen von 1791, 1793 und 1795.

Die ersten Anfänge in Deutschland – und das ist bisher wenig beachtet worden – stammen aus dem letzten Jahrzehnt des 18. Jahrhunderts. Da ist zum einen die kurze Epoche der Mainzer Republik mit dem ersten gewählten deutschen Parlament, veranlaßt durch die französische Besatzung 1792/93 und beseitigt durch den Einmarsch preußischer Truppen.

Daneben gab es eine Reihe von weit verbreiteten Verfassungsentwürfen, zum Teil sehr radikal, wie der von Joseph Rendler 1793, orientiert an der französischen jakobinischen Verfassung desselben Jahres, oder die Entwürfe von Christian Sommer aus Köln 1797, von Traugott Krug, dem Nachfolger Immanuel Kants in Königsberg, ebenfalls 1797, der Entwurf des Ulmer Bürgerausschusses 1799, alle auf der Grundlage der französischen Direktorialverfassung von 1795. Mit der Erklärung der Menschenrechte, dem Wahlrecht und – zum Teil – dem Prinzip der Gewaltenteilung waren sie der tatsächlichen Entwicklung in Deutschland weit voraus. Erst ein halbes Jahrhundert später sind sie verwirklicht worden, nach der Märzrevolution von 1848, und nur in unvollkommener Weise. Man nannte es das „constitutionelle System" (Rdz. 275).

Einer der Gründe für den späten und bescheidenen liberalen Erfolg in Deutschland war paradoxerweise die ultrakonservative Bundesakte von 1815 mit ihrem Artikel 15:

> „In allen Bundesstaaten wird eine Landständische Verfassung stattfinden."

Gemeint war die Wiederherstellung feudaler Mitwirkungsrechte des Adels, also das Gegenteil liberaler Repräsentativverfassungen mit Parlamenten aus Abgeordneten, die von allen Einwohnern des Landes gewählt werden. Dadurch kamen aber nun diejenigen Staaten in Gefahr, die ihr Gebiet im Reichsdeputationshauptschluß durch Eingliederung kirchlicher und adliger Gebiete verdoppelt und verdreifacht hatten. Für sie war der Übergang zur Repräsentativverfassung ein Gebot der Selbstbehauptung. Nur so konnten sie die Einheit ihres Territoriums sichern. Als Reaktion auf Artikel 15 entstand sehr schnell – schon zwischen 1818 und 1820 – der sogenannte süddeutsche Frühkonstitutionalismus in den Verfassungen von Bayern, Baden-Württemberg und des Großherzogtums Hessen (Darmstadt) mit ersten Andeutungen von Gewaltenteilung und gewissen Ansätzen zu Menschenrechten. Zwischen 1830 und 1833 kommen neue Verfassungen in Braunschweig, Hannover, Hessen-Kassel und Sachsen, als Reaktion auf die Julirevolution 1830 in Paris. So blieb die Verfassungsfrage aktuell, im finstersten Vormärz. Im übrigen war sie das Thema eines kleinen Häufleins Liberaler, deren Wortführer die beiden Freiburger Professoren Rotteck und Welcker waren. Ihr „Staats-Lexikon" in 15 Bänden (1834–1843) fand weite Verbreitung, hatte mehrere Auflagen und war die Bibel des deutschen Liberalismus in der Mitte des Jahrhunderts. Unter dem Stichwort „Constitution, Constitutionelles System" schrieb Karl von Rotteck:

> „Das constitutionelle System also, wie es sich seit dem Anbeginn der Nordamerikanischen und der Französischen Revolution ausge-

bildet hat, ist – in der Theorie vollständig, in der Praxis wenigstens annähernd – übereinstimmend mit dem System eines rein vernünftigen Staatsrechts, angewandt auf die factisch vorliegenden oder historisch gegebenen Verhältnisse. Der oberste Satz in diesem System lautet folgendermaßen: Die Staatsgewalt ist eine Gesellschaftsgewalt, demnach eine von der Gesammtheit ausgehende und dieser Gesammtheit in der Idee fortwährend angehörige Gewalt, d.h. sie ist nichts anderes als der wirksame Gesammtwille der Gesellschaftsgenossen. Es ist hier also von keiner herrischen, von keiner aus dem Eigenthumsrecht abfließenden, von keiner unmittelbar vom Himmel stammenden, auch von keiner patriarchalischen usw., überhaupt von keiner auf einen andern Titel als den Gesellschaftsvertrag sich gründenden Gewalt die Rede; oder es muß wenigstens jede, wenn auch ursprünglich aus irgendeinem andern Titel hervorgegangene und jetzt historisch rechtlich bestehende, Gewalt nach Inhalt und Form dermaßen geregelt und beschränkt werden, daß durch ihre Thätigkeit und geordnete Wechselwirkung mit den zu Regierenden die Herrschaft des wahren Gesammtwillens möglichst getreu und zuverlässig verwirklicht werde."

272. Menschenrechte

Die Herkunft der mit dieser „Constitution" unmittelbar verbundenen Menschenrechte ist umstritten. Manche führen sie zurück auf das Naturrecht der Antike und auf das Mittelalter. Aber wenn sie Abwehrrechte gegen den Staat sind, was heute allgemeine Meinung ist, dann müssen sie ein Produkt der Moderne sein. Denn einen Staat mit seiner puissance absolue et perpétuelle (Rdz. 243) als ständiger Drohung von Eingriffen in Rechte der Bürger, den gibt es erst seit der Neuzeit. Und die Menschenrechte stammen deshalb in der Tat erst aus dem klassischen Naturrecht des 17. und 18. Jahrhunderts.

Wenn Alkidamas – und später die Stoa – die Sklaverei auf Gesetze der Polis zurückführt, die gegen die Natur des Menschen verstoßen (Rdz. 124, vgl. Rdz. 144), und wenn der englische König Johann ohne Land am 15. Juni 1215 auf einer Wiese in Runnymede bei Windsor an der Themse vor seinen Baronen die Magna Charta Libertatum unterzeichnet – die im 39. Artikel bestimmt, daß kein freier Mann verhaftet, gefangen gehalten, seines Vermögens beraubt, für vogelfrei erklärt, verbannt oder in anderer Weise bestraft werden darf ohne den Spruch eines Richters – dann kommt das unserem Verständnis für Menschenrechte zwar sehr nahe, ist aber doch etwas grundsätzlich anderes. Denn Alkidamas sieht nur das Verhältnis von Freien zu Sklaven, von Mensch zu Mensch, nicht das des einzelnen zum Staat. Und das Abkommen zwischen dem englischen König und den Baronen ist ein typischer mittelalterlicher Vertrag zwischen einem Lehnsherrn und seinen Vasallen, nur zwischen ihnen wirksam und ohne den universalen Anspruch unserer Menschenrechte.

Auch im klassischen Naturrecht dauerte es noch eine Weile. Hugo Grotius brauchte die Menschenrechte nicht. Sein Naturrecht war auf den Vertrag gegründet, ohne den Staat. Und Thomas Hobbes, Hofphilosoph des absolutistischen Staates, er wollte sie nicht. Erst Samuel Pufendorf, mit der großen Perücke, der beide kombiniert, sah das Problem und bezeichnete es als die Würde des Menschen, dignatio (Rdz. 249). Daraus hat dann John Locke die Einzelheiten abgeleitet, nämlich life, liberty and property als vorstaatliche Rechte der Menschen, die dem Staat zwar im Unterwerfungsvertrag alle anderen Rechte abgetreten haben, aber diese nicht (Rdz. 267).

Als George Mason, ein reicher Farmer in Virginia und Nachbar von George Washington, die erste Verfassung eines amerikanischen Staates formulierte, die Virginia bill of rights vom 12. Juni 1776, griff er auf John Locke zurück, übersah großzügig die Situation seiner eigenen Sklaven und der noch im Lande lebenden Indianer und schrieb:

> „Alle Menschen sind von Natur aus frei und unabhängig und besitzen gewisse angeborene Rechte, derer sie, wenn sie den Status einer Gesellschaft annehmen, durch keine Abmachung ihre Nachkommenschaft berauben oder mindern können, und zwar den Genuß des Lebens und der Freiheit und dazu die Möglichkeit, Eigentum zu erwerben und besitzen und Glück und Sicherheit zu erstreben und zu erlangen."

Das Glück hatte er von Aristoteles, die eudaimonia. Am Anfang der Nikomachischen Ethik wird sie als eigentliches Ziel der Polis für alle Bürger genannt. Einen Monat nach George Mason schrieb Thomas Jefferson die Unabhängigkeitserklärung der Vereinigten Staaten vom 4. Juli 1776 und übernahm seine Worte:

> „Wir halten diese Wahrheiten für selbstverständlich, daß alle Menschen gleich an Rechten geboren werden und von ihrem Schöpfer mit gewissen unveräußerlichen Rechten ausgestattet sind und daß dazu gehören das Leben, die Freiheit und das Streben nach Glück."

Life, Liberty and the persuit of Happiness. Von 1784 bis 1789 ist Jefferson Botschafter der Vereinigten Staaten in Paris gewesen und war dabei, als Lafayette die Erklärung der Menschenrechte formulierte, die am 26. August 1789 von der Nationalversammlung beschlossen wurde:

> „Die Menschen werden frei und gleich an Rechten geboren und bleiben es. Unterschiede dürfen nur im Gemeinwohl begründet

> sein. Der Endzweck aller politischen Vereinigungen ist die Erhaltung der natürlichen und unveräußerlichen Menschenrechte. Diese Rechte sind die Freiheit, das Eigentum, die Sicherheit und der Widerstand gegen Unterdrückung ..."

Das Glück blieb draußen. Im absolutistischen Staat Europas war es als „allgemeine Glückseligkeit" oder „öffentliches Wohl" zu stark in Verruf gekommen (Rdz. 243). Aber noch etwas fehlte, meinte Olympe de Gouge 1791, bevor sie zwei Jahre später auf dem Schaffott gestorben ist. Wenige Tage nach der Annahme der französischen Verfassung durch den König schrieb sie die „Erklärung der Rechte der Frau und der Bürgerin":

> „Die Frau ist frei geboren und bleibt dem Manne gleich an Rechten. Soziale Unterschiede dürfen nur im Gemeinwohl begründet sein ... Freiheit und Gerechtigkeit bestehen darin, alles zurückzugeben, was anderen zusteht. So hat die Ausübung der natürlichen Rechte der Frau allein ihre Grenzen in der fortdauernden Tyrannei, die der Mann ihr entgegensetzt. Diese müssen durch die Gesetze der Natur und der Vernunft neu gezogen werden ..."

Im 19. Jahrhundert hatten die – weiter auf weiße Männer beschränkten – Menschenrechte ein wechselhaftes Schicksal. In Deutschland wurden sie zum erstenmal als „Grundrechte des Deutschen Volkes" in der Paulskirchenverfassung von 1849 aufgeführt, aber nicht wirksam. Kurz danach kamen sie endlich in die Verfassungen der einzelnen Staaten, zum Beispiel in die preußische von 1850, aber nicht als Menschenrechte, sondern als „Rechte der Preußen", und auch sonst nicht so vollkommen ausgebildet wie vorher. Bismarck nahm sie in seine Reichsverfassung von 1871 nicht auf. Sie seien bereits „Gemeingut" geworden und außerdem Sache der Länder. In 55 Artikeln regelte dann die Weimarer Verfassung zum erstenmal für das ganze Reich die „Grundrechte und Grundpflichten der Deutschen". Bis 1933 in der Verfassungspraxis allerdings weitgehend als Programmsätze interpretiert, nicht als Menschenrechte wie 1849. Nach Hitlers Amtsantritt und dem Reichstagsbrand wurden sie in der Verordnung des Reichspräsidenten zum Schutze von Volk und Staat am 28. Februar außer Kraft gesetzt, mit den bekannten Folgen, und kamen erst 1949 im Grundgesetz wieder zur Geltung, zum erstenmal in vollem Umfang auch für diejenigen, an die Olympe de Gouge schon 1791 erinnert hatte.

273. Rechtsstaat und Justizreform

In der ersten Hälfte des 19. Jahrhunderts erhält der Begriff Rechtsstaat dieselbe Bedeutung wie die ebenfalls von den Liberalen geforderte Verfassung. Er tauchte auf am Ende des 18. Jahrhunderts und wurde entscheidend geprägt durch Robert von Mohl in seinem „Staatsrecht des Königreichs Württemberg" (1829/31), als Kombination von Menschenrechten und Gewaltenteilung. Die Menschenrechte – Freiheit und Eigentum – sind das Fundament, in das der Staat nur auf Grund von Gesetzen eingreifen darf, an deren Erlaß die Bürger durch ein von ihnen gewähltes Parlament – Gewaltenteilung – mitgewirkt haben. Also ein Staat im Sinne Immanuel Kants, der ihn 1797 als „Vereinigung einer Menge von Menschen unter Rechtsgesetzen" definiert hatte (Metaphysik der Sitten, 1. Teil § 52). Das Strafrecht sollte von Willkür gereinigt und die Verwaltung verrechtlicht werden. Damit war aber auch gleichzeitig die Absicht verbunden, den Staat auf diese Funktion der Gewährleistung von Recht zu beschränken und ihn aus der Lenkung von Wirtschaft und Gesellschaft zu verdrängen, ihm also das zu nehmen, was man seit Jahrhunderten Policey nannte (Rdz. 243), die Sorge um die allgemeine Glückseligkeit. Die Ablösung des Polizeistaates durch den Rechtsstaat zielte auch auf den freien Markt des Adam Smith.

Zur Sicherung der beiden Grundprinzipien – Menschenrechte und Gewaltenteilung – wurde das Programm des Rechtsstaats angereichert mit einem Katalog von Verfahrensgrundsätzen, die eine radikale Reform der Justiz bedeuteten. Frankreich war meistens das Vorbild. Nach dem Untergang des Absolutismus in der Märzrevolution 1948 wurde sie um die Mitte des Jahrhunderts verwirklicht. Ihre Eckpfeiler waren die Vereinheitlichung der Justiz durch Abschaffung der Patrimonialgerichtsbarkeit (Rdz. 244), unter der in Deutschland bis 1848 noch etwa ein Viertel der Gesamtbevölkerung gelebt hat, die Unabhängigkeit der Richter, Öffentlichkeit und Mündlichkeit im Zivil- und Strafprozeß, Schutz vor willkürlicher Verhaftung und grundlegende Rechte von Angeklagten im Strafverfahren wie gesetzlicher Richter, rechtliches Gehör und nulla poena sine lege, Ablösung des Inquisitionsprozesses durch den reformierten Strafprozeß, also Einführung der Staatsanwaltschaft und das ganze ergänzt durch Schwurgerichte (Rdz. 290). Als dieses Jahrhundertwerk einer Justizreform vollendet war, veränderte sich der Rechtsstaatsbegriff.

Für Robert von Mohl war er „materiell". Rechtsstaat bedeutete die Gewährung von Menschenrechten, Gewaltenteilung und Justizreform. Als das erreicht war, verengte er sich und wurde „formell". Jetzt verstand man – und zwar auch die Konservativen – darunter nur noch den allgemeinen Grundsatz, den man später den Vorbehalt des Gesetzes nannte: Der Staat darf in Rechte von Bürgern nur eingreifen auf der Grundlage eines Gesetzes. Schon Robert von Mohl hatte das verbunden mit der Forderung nach Kontrolle der Verwaltung. Seit der Mitte des Jahrhunderts wird das präzisiert als Gebot von Verwaltungsgerichtsbarkeit und Rechtsstaat bedeutet jetzt Gesetzmäßigkeit der Verwaltung und ihre gerichtliche Kontrolle, die verwirklicht wird in den sechziger und siebziger Jahren (Rdz. 279). Am Ende der Justizreform steht die Durchsetzung der ebenfalls erst seit der Jahrhundertmitte geforderten „freien Advokatur", freie Zulassung zum Anwaltsberuf nach dem Examen und Unabhängigkeit der Anwälte von staatlichem Zwang. Bis zum Erlaß der Rechtsanwaltsordnung 1878 waren sie fast überall Beamte mit staatlichem Disziplinarrecht. Seitdem stehen sie unter der Disziplinargewalt der von ihnen gewählten Anwaltskammer. Schließlich, als Symbol der Vollendung des Rechtsstaats, entstehen am Ende des Jahrhunderts die Justizpaläste. Der Palast des Rechts war neben den des Monarchen getreten, die Herrschaft des Rechts neben die Herrschaft des Königs.

274. Paulskirchenverfassung

Wieder kam der Anstoß aus Frankreich. Nach der Pariser Februar-Revolution, dem Sturz des „Bürgerkönigs" Louis Philippe und dem Beginn der zweiten Republik griffen die Unruhen Anfang März 1848 auch auf Deutschland über und zwangen die Fürsten zu Konzessionen, die das Ende des Absolutismus bedeuteten. Im April hob ihre Bundesversammlung die Karlsbader Beschlüsse auf und ordnete Wahlen für eine Nationalversammlung an, die eine gesamtdeutsche Verfassung beraten sollte. So hatte es Ende März ein in der Bundeshauptstadt versammeltes inoffizielles „Vorparlament" linker und liberaler Gruppen gefordert.

Die Nationalversammlung trat am 18. Mai 1848 in der Frankfurter Paulskirche zur feierlichen Eröffnung zusammen. Schnell bildeten sich Fraktionen: extreme und gemäßigte Republikaner, monarchistische Konservative und in der Mitte die Altliberalen. Diese Liberalen waren die größte Gruppe, die einen Kompromiß suchte zwischen Republikanern und Monarchisten. Es sind diejenigen gewesen, die bei den Märzunruhen Angst vor dem „Pöbel" bekommen hatten und nun doch wieder einen gewissen Schutz beim Monarchen sahen. Der erste Erfolg dieser Mittelfraktion – der „Casino"-Partei, wie man sie nach dem Gasthof nannte, in dem sie sich trafen – war schon im Juni die Wahl des österreichischen Erzherzogs Johann zum Reichsverweser. Er war ein Onkel Kaiser Ferdinands, galt als liberaler Monarchist, war sehr populär und der ideale Kompromißkandidat für dieses Amt, mit dem eine gesamtdeutsche Monarchie vorläufig wieder begründet und besetzt wurde. Und im übrigen ein Sieg des großdeutschen Gedankens.

Im Lauf des nächsten Jahres beschloß das Parlament den Abschnitt über die Grundrechte und danach den organisatorischen Teil der künftigen Verfassung. Die großdeutsche Lösung – mit Österreich – verbauten die Habsburger sich selbst, als sie im März 1849 eine Verfassung ohne Sonderstatus für ihre deutschen Landesteile oktroyierten. Also war das Ergebnis eine kleindeutsche Lösung, von Preußen dominiert, und zwar nach dem Muster der konstitutionellen Monarchie (Rdz. 275), die nun bis zur Weimarer Republik der deutsche Sonderweg sein sollte, der Kompromiß der Altliberalen. Aber der zum deutschen Kaiser gewählte preußische König lehnte ab. Die Fürsten hatten sich vom Schrecken der Märzrevolution erholt und Friedrich Wilhelm IV. war zwar durchaus bereit, die Führung in Deutschland zu übernehmen, aber nicht im Auftrag eines vom Volk gewählten Parlaments, sondern nur „von Gottes Gnaden“ und das heißt auf Grund einer Einigung der deutschen Fürsten, wie es seinem Bruder Wilhelm dann ja 1871 auch gelungen ist. Mit der Ablehnung war das Werk der Paulskirche gescheitert und im August 1849 legte auch der Reichsverweser sein Amt nieder.

275. Konstitutionelle Monarchie

Trotz des Scheiterns der Paulskirche brachte die Revolution von 1848 einen gewissen Erfolg. Ziemlich schnell waren in den einzelnen Ländern Verfassungen erlassen, verändert oder wieder in Kraft gesetzt worden, die die Macht der Fürsten teilweise beschränkten. Das Ende des Absolutismus in Deutschland. Die Herrschaft der Fürsten war leicht gebändigt. Man nennt es konstitutionelle Monarchie. Muster für die Zukunft war die preußische Verfassung von 1850. Etwas verändert wurde sie fortgesetzt in den Verfassungen des Norddeutschen Bundes 1866 und des Deutschen Reichs 1871.

Dieser Verfassungstyp zeichnete sich dadurch aus, daß die Gewaltenteilung Montesquieus mit Exekutive, Legislative und Jurisdiktion in gewisser Weise eingeführt wurde. Allerdings blieb das Übergewicht des Monarchen sehr groß. Von einer Teilung der Macht konnte man nicht sprechen. Es war eine Machtbegrenzung. Die Regierung wurde nicht vom Parlament gewählt, sondern vom König ernannt. Seine Macht war nur beschränkt durch die Gesetzgebungsbefugnis des Parlaments, das aber vorsichtshalber aus zwei Kammern bestand. Die eine – in Preußen das Herrenhaus – bestand aus Mitgliedern der Familie des Monarchen, hohen Adeligen und Angehörigen der reichen Oberschicht und die andere – das Abgeordnetenhaus – wurde in Preußen nach einem Dreiklassenwahlrecht bestimmt, so daß auch hier die besitzende Klasse das Übergewicht hatte. Als Volksvertretung konnte man es nicht bezeichnen. Außerdem durften selbst diese beiden Kammern nicht allein entscheiden. Sie brauchten für jedes Gesetz die Zustimmung des Monarchen. Art. 62 Abs. 1 preuß. Verf.:

> „Die gesetzgebende Gewalt wird gemeinschaftlich durch den König und durch zwei Kammern ausgeübt. Die Übereinstimmung des Königs und beider Kammern ist zu jedem Gesetze erforderlich.“

In der Verfassung des Norddeutschen Bundes und des Deutschen Reichs ist diese Beschränkung weggefallen. Die beiden Kammern – Bundesrat und Reichstag – entschieden nun immerhin allein. Auch auf das Dreiklassenwahlrecht konnte Bismarck verzichten, weil die große Masse des Volkes sowieso noch dazu neigte, konservativ zu wählen und nicht liberal, wie die besitzenden Bürger.

Inhaber der Staatsgewalt blieb der Monarch allein. Er selbst – oder gemeinsam mit den anderen Fürsten – hatte die Verfassung erlassen und damit seine Macht nur selbst beschränkt, die in der Substanz unverändert blieb und „von Gottes Gnaden" kam, also eine Herrschaft war, die ihren Grund nur in sich selbst hatte und keinen Auftrag vom Volk.

Über das Wesen dieses Verfassungstyps ist man verschiedener Meinung. Vor kurzem noch hat Ernst Rudolf Huber die Auffassung vertreten, es sei „ein auf eigenen Boden gegründetes und einer eigenen Wurzel entstammendes politisches Gebilde" gewesen, ein deutscher Sonderweg, grundsätzlich anders als westliche parlamentarische Demokratie. Dagegen hat Ernst-Wolfgang Böckenförde ausführlich begründet, warum es nur eine Übergangserscheinung war, ein Kompromiß zwischen Absolutismus und Parlamentarismus. Wenn es ein eigenständiger Verfassungstyp gewesen wäre, würde er eine besondere Legitimation haben müssen. Aber das von den Fürsten in Anspruch genommene Gottesgnadentum war eine leere Formel, weil es eine verbindliche religiös-sakrale Weltordnung nicht mehr gab. Außerdem bewegte sich diese konstitutionelle Monarchie der Bismarckschen Reichsverfassung bis zum Ende des ersten Weltkriegs ganz allmählich in die Richtung einer parlamentarischen Demokratie, zum Beispiel bei der Bewilligung des Staatshaushalts oder bei der Verantwortlichkeit der Minister. Also ist es eine Übergangserscheinung gewesen, ein Kompromiß, nicht „eigenartig preußisch-deutsches" System (Otto Hintze) im Gegensatz zu westlichem Liberalismus, der mit deutschem Wesen angeblich nicht zu vereinbaren war.

276. Preußischer Verfassungskonflikt

Die Probe aufs Exempel dieser konstitutionellen Monarchie war der preußische Verfassungskonflikt von 1862 bis 1866, mit der Berufung Bismarcks einerseits Weichenstellung in die Richtung der deutschen Einheit, andererseits Festigung der preußischen Militärmonarchie gegen bürgerliche liberale Tendenzen, die der Geschichte unseres Landes manches Verhängnis erspart hätten. Der Konflikt entstand, weil die liberale Mehrheit des Abgeordnetenhauses nicht bereit war, Pläne für eine Heeresreform zu akzeptieren, mit denen König Wilhelm I. und Kriegsminister Roon die Armee vergrößern und die militärische Disziplin straffen wollten, unter anderem durch die Erhöhung der Wehrpflicht von 2 auf 3 Jahre und Auflösung der Landwehr, die eine gegenüber der normalen „Linie" gesonderte Truppe von Reservisten war, nach Meinung der Militärs zu bürgerlich und unzuverlässig im Fall innerer Unruhen. Sie sollte in die „Linie" integriert werden. Durch die Erhöhung der Wehrpflicht wollte der König den Drill verstärken, was selbst nach Meinung seiner Militärs nicht unbedingt erforderlich war.

Die Liberalen waren zu Konzessionen bereit, bei der Verstärkung des Heeres, sogar bei der Auflösung der Landwehr. Ihre Schmerzgrenze lag bei der Erhöhung der Wehrpflicht. Aber gerade hier wollte der König nicht nachgeben und dachte an Rücktritt. Da erschien als letzter Ausweg Otto von Bismarck, der entschlossen war, die Pläne des Königs auch gegen das Parlament durchzusetzen. Ein denkwürdiges Gespräch der beiden am 16. September 1861 und dann wurde er sofort zum preußischen Ministerpräsidenten ernannt.

Die verfassungsrechtliche Waffe in der Hand des Parlaments war das Haushaltsgesetz, mit dem das Geld für die Heeresreform bewilligt werden mußte. Gesetze kamen nach der Verfassung von 1850 zustande durch Beschlüsse von Abgeordnetenhaus, Herrenhaus und des Königs. Alle drei mußten zusammenwirken (Rdz. 275). Das Abgeordnetenhaus verweigerte die Zustimmung für den Haushalt 1862/63. Völlig korrekt löste der König es also auf, aber bei den Neuwahlen wurde die liberale Mehrheit noch stärker. Wieder verweigerte sie die Zustimmung zum Haushalt, bis 1865.

Die juristische Antwort der Regierung Bismarck war die „Lückentheorie". Wenn die drei für die Gesetzgebung zuständigen Staatsorgane sich im Fall des Haushalts nicht einigen können, müsse auch ohne Einigung eine Lösung gefunden werden, anders als im Fall normaler Gesetze. Denn der Staat kann ohne Haushalt nicht existieren. Insofern habe die Verfassung eine „Lücke". Sie sei in der Weise zu schließen, daß der König – als eigentlicher Träger der Staatsgewalt – dann eben allein die Befugnis habe, die Staatsausgaben ohne Bewilligung durch das Parlament zu regeln.

Die „Lückentheorie" stand gegen die „Appelltheorie". Die Liberalen meinten, der König habe nur das Recht, das Parlament aufzulösen und an das Volk zu appellieren, ein besseres zu wählen. Womit allerdings nicht die Frage beantwortet war, was zu geschehen habe, wenn das Volk noch größere Mehrheiten gegen den König ins Parlament schickt. Deshalb und nach der Grundkonzeption der konstitutionellen Monarchie entsprach die Lückentheorie wohl eher der Verfassung und hatte Bismarck nicht Unrecht mit seiner immer wieder zitierten Rede im Abgeordnetenhaus am 27. Januar 1863, die schon damals im Sinne von „Macht geht vor Recht" mißverstanden worden ist:

> „Wird der Compromiß dadurch vereitelt, daß eine der betheiligten Gewalten ihre eigene Ansicht mit doctrinairem Absolutismus durchführen will, so wird die Reihe der Compromisse unterbrochen und an ihre Stelle treten Conflicte, und Conflicte, da das Staatsleben nicht stillzustehen vermag, werden zu Machtfragen. Wer die Macht in Händen hat, geht dann in seinem Sinne vor, weil das Staatsleben auch nicht einen Augenblick stillstehen kann."

Der König setzte seinen Willen mit Bismarck durch, die „Lückentheorie" und die Heeresreform wurden durchgeführt. Dann steuerte Bismarck in die Kriege gegen Dänemark und Österreich, 1864 und 1866, die vom Generalstabschef Moltke zum Sieg geführt wurden. Er öffnete mit der Gründung des Norddeutschen Bundes – und den Annexionen von Hannover und Hessen – den Weg zu der von den Liberalen angestrebten deutschen Einheit, erreichte damit die Spaltung dieser Partei – in die linke Fortschrittspartei und die Nationalliberalen, die bereit waren, mit Bismarck in Zukunft zusammenzuarbeiten – und erhielt so schließlich im Abgeordnetenhaus mit der „Indemnitätsvorlage" rückwirkend die Zustimmung zum Vorgehen „in seinem Sinne", womit der Konflikt beendet war, in jeder Hinsicht im Sinne der konstitutionellen Monarchie.

277. Norddeutscher Bund und Reichsgründung

Am 14. Juni 1866, einen Tag vor dem Krieg gegen Österreich, erklärte Preußen den Deutschen Bund (Rdz. 270) für aufgelöst. Die Österreicher wurden bei Königgrätz militärisch besiegt und erklärten sich im Frieden von Prag – August 1866 – einverstanden mit der Bildung eines Bundesstaates nördlich des Mains unter preußischer Führung. Dieser Staat, der Norddeutsche Bund, war der Zusammenschluß des durch Annexionen vergrößerten Preußen mit 22 Mittel- und Kleinstaaten, einschließlich der Hansestädte Bremen, Lübeck und Hamburg. Der Name täuscht. Es war ein Bundesstaat, kein Staatenbund, also ein selbständiger Völkerrechtssubjekt und damit der Vorgänger des Deutschen Reichs von 1871. Auf der Grundlage des von der Frankfurter Nationalversammlung 1848 beschlossenen Wahlgesetzes fanden allgemeine und direkte Wahlen statt. Im April 1867 nahm das schon als „Reichstag" bezeichnete Parlament die im wesentlichen von Bismarck entworfene Verfassung an und danach auch die Landtage der meisten Länder. Aber diese demokratische Legitimation täuscht. Denn der neue Staat war eine Gründung von oben, zustandegekommen durch Vertrag des Königs von Preußen mit den norddeutschen Fürsten im August 1866, wenige Tage vor dem Frieden von Prag.

Die Verfassung des Norddeutschen Bundes entsprach im wesentlichen der preußischen von 1850 (Rdz. 275), nur daß es jetzt ein föderalistischer Bundesstaat war mit mehreren Fürsten von Gottes Gnaden, die einen sehr großen Teil ihrer Kompetenzen behielten, weit mehr als die Länder der Bundesrepublik, auch im Bereich der Gesetzgebung. Auch der Norddeutsche Bund war eine konstitutionelle Monarchie. An seiner Spitze stand der König von Preußen als „Präsidium", der den Bundeskanzler ernannte, im übrigen die Aufgabe hatte, den Staat nach außen zu vertreten, also den Krieg erklären konnte und Frieden schließen und Bündnisse, und außerdem – das wichtigste für einen König – Oberbefehlshaber war über das gesamte Bundesheer im Krieg und im Frieden, wofür im ganzen Gebiet auch gleich die preußischen Militärgesetze eingeführt wurden.

Neben dem Reichstag stand als zweite Kammer der Bundesrat, die Vertretung der Fürsten und der drei Hansestädte. Im Vergleich mit der preußischen Verfassung von 1850 gab es wichtige Unterschiede. Erstens kamen Gesetze zustande ohne das Präsidium, also nur im Zusammenwirken von Reichstag und Bundesrat. Und zweitens Artikel 17 Satz 2:

> „Die Anordnungen und Verfügungen des Bundespräsidiums werden im Namen des Bundes erlassen und bedürfen zu ihrer Gültigkeit der Gegenzeichnung des Bundeskanzlers, welcher dadurch die Verantwortlichkeit übernimmt."

Eine Konzession an die Liberalen, die diese Ministerverantwortlichkeit immer wieder gefordert haben, eine Verantwortlichkeit gegenüber dem Parlament. Sie hat im Ergebnis Bismarcks Stellung außerordentlich verbessert, weil sie ihn formal auch vom Reichstag abhängig machte, also gegenüber dem König stärkte, aber gleichzeitig nur formal war, denn ein Mißtrauensvotum des Parlaments hatte allenfalls politische Bedeutung, nicht juristische. Seine Ernennung und Entlassung lag allein in der Kompetenz des Königs.

Aus dieser Verfassung, die noch nicht einmal vier Jahre gegolten hat, ist manches sogar in das Grundgesetz der Bundesrepublik übergegangen, nicht nur die Bezeichnung des Kanzlers und der Länderkammer, sondern auch das Prinzip der Gewichtung der Stimmen in dieser Kammer nach der Zahl der Einwohner der Länder und der Grundsatz, daß Länder, wenn sie mehrere Stimmen haben, sie nur einheitlich abgeben dürfen.

Die Gründung des Deutschen Reiches ist das Ergebnis einer Reihe von Faktoren, zu denen auch ein weit verbreitetes Gefühl der nationalen Zusammengehörigkeit in Deutschland gehörte. Konkret waren es drei verfassungsrechtliche Vorläufer, drei Kriege und vier Männer. Rechtliche Vorprägungen waren die preußische Verfassung von 1850, ihre Festigung zugunsten des Königs im preußischen Verfassungskonflikt und ihre Fortsetzung in der Verfassung des Norddeutschen Bundes. Die vier Männer waren der preußische König Wilhelm I., sein Ministerpräsident Bismarck, der preußische Kriegsminister Roon und Generalstabschef Moltke. Mit drei Kriegen haben sie Preußens Hegemonie in Deutschland vollendet, unter Ausschluß von Österreich. Der dänische Krieg 1864 brachte die Annexion Schleswig-Holsteins durch Preußen und Österreich, der Krieg mit Österreich zwei Jahre später dessen Verdrängung aus Schleswig-Holstein, die Annexion Hannovers und Hessen-Nassaus und die Gründung des Norddeutschen Bundes und der deutsch-französische Krieg 1870/71 die Gründung des deutschen Reiches, zusätzlich die Annexion von Elsaß-Lothringen als Reichsland, organisiert nach dem Muster einer preußischen Provinz.

Die Verfassung des Deutschen Reichs von 1871 ist mit geringfügigen Abweichungen die des Norddeutschen Bundes, auch in der Zahl und Reihenfolge seiner 78 Artikel. Der Norddeutsche Bund war ja von vornherein nur als Übergangslösung gedacht. Mit ihm hatten die süddeutschen Fürsten – Baden, Hessen, Bayern, Württemberg und die anderen – während des Krieges gegen Frankreich im November 1870 die Gründung eines „Deutschen Bundes" zum 1. Januar 1871 vereinbart, nachdem die Schlacht bei Sedan gewonnen war und die Belagerung von Paris begonnen hatte. Auch das Deutsche Reich, wie es schließlich genannt wurde, war also eine konstitutionelle Monarchie und zustandegekommen durch Vereinbarung der Fürsten. Am 30. November 1870 schrieb der bayerische König Ludwig II. in Hohenschwangau einen Brief an den preußischen König in seinem Hauptquartier in Versailles:

> „Ich habe mich an die deutschen Fürsten mit dem Vorschlage gewendet, gemeinschaftlich mit mir bei Eurer Majestät in Anregung zu bringen, daß die Ausübung der Präsidialrechte des Bundes mit Führung des Titels eines Deutschen Kaisers verbunden werde. Sobald mir Ew. Majestät und die verbündeten Fürsten ihre Willensmeinung kundgegeben haben, werde ich meine Regierung beauftragen, das Weitere zur Erzielung der entsprechenden Vereinbarungen einzuleiten."

Denselben Vorschlag machten drei Wochen später – und das war im Sinne Wilhelms I. die richtige Reihenfolge – Abgesandte des norddeutschen Reichstags, in Versailles erschienen, wo dann am 18. Januar 1871 die Kaiserproklamation stattfand, im Spiegelsaal des Schlosses vor einer Versammlung von Uniformen der Fürsten und Generäle und einigen bürgerlichen Abgeordneten in Zivil. Zwei Tage später wurde der Befehl zur Eroberung von Paris gegeben. Dann kam der Waffenstillstand. Im März wurde der Reichstag für das ganze Deutsche Reich gewählt, der im April – mit wenigen Korrekturen – die neue alte Verfassung beschloß, über die sich die Fürsten schon geeinigt hatten. De iure bestand das Deutsche Reich auf Grund der Novemberverträge der Fürsten allerdings schon seit dem 1. Januar 1871.

Über den Charakter dieses neuen Staates gibt es verschiedene Meinungen. Sie reichen von „Cäsarismus" über „Bonapartismus" bis zur Militärmonarchie. Verfassungsrechtlich korrekt bleibt die Bezeichnung als konstitutionelle Monarchie. Damals war auch noch umstritten, ob es überhaupt ein neuer Staat sei und nicht einfach die Fortsetzung des Norddeutschen Bundes, dem die süddeutschen Staaten nur beigetreten seien, ähnlich wie 120 Jahre später die DDR der Bundesrepublik. Das war die „Identitätstheorie" des „Begründers der Wissenschaft des Reichsstaatsrechts", Paul Laband. Heute sieht man es anders. Nach dem Sinn und dem Wortlaut der Novemberverträge, im Hinblick auf die Kaiserproklamation und die schnell einsetzende Tendenz zur Zentralisierung muß man annehmen, daß es ein neuer Staat gewesen ist, der da entstanden war.

Verfassungsorgane waren der Kaiser, der Bundesrat, der Reichstag und ein einziger Minister, der jetzt Reichskanzler hieß. Eine Reichsregierung gab es nicht. Sie entwickelte sich aber bald außerhalb der Verfassung durch die Einrichtung sogenannter „Ämter" mit Leitern im Rang von Staatssekretären, die dem Kanzler gegenüber weisungsgebunden waren. Auswärtiges Amt, Reichseisenbahnamt, Reichspostamt, Reichsjustizamt und andere. Das bedeutete eine Verstärkung und Bürokratisierung der Reichszentrale auf Kosten der Länder. Das Reich, konstruiert als Föderation halbautonomer Fürsten, wurde ein Beamtenstaat mit preußischer Disziplin. Deshalb sprach man von der „Verpreußung" Deutschlands.

Auch der Reichstag wurde stärker. Zum einen sind seine Kompetenzen 1872 entscheidend erweitert worden, nämlich auf die Gesetzgebung im gesamten Zivilrecht. Die lex Miquel-Lasker, benannt nach den beiden – nationalliberalen – Antragstellern. Jetzt gehörte auch das Sachenrecht dazu und das Familien- und Erbrecht, nicht nur das Schuldrecht, wie es in Art. 4 Ziff. 13 der Reichsverfassung zunächst vorgesehen war. Das ermöglichte den Erlaß eines einheitlichen Bürgerlichen Gesetzbuches (Rdz. 285). Außerdem entwickelte sich eine faktische Parlamentarisierung, und zwar in doppelter Weise. Für die Vorbereitung der immer wichtiger werdenden Gesetzgebung des Reiches – ebenfalls auf Kosten der Länder, wie bei der Gesetzgebung des Bundestages in der Bundesrepublik – intensivierte man die Zusammenarbeit der „Ämter" mit den Ausschüssen des Reichstags, die oft erhebliche Änderungen der Regierungsentwürfe zur Folge hatten. Es kam hinzu, daß die auf Bismarck folgenden Kanzler – Caprivi, Hohenlohe-Schillingsfürst, Bülow, Bethmann-Hollweg, Michaelis, Hertling, Max von Baden – politisch schwächer waren als ihr großer Vorgänger. Und es kamen politische Ungeschicklichkeiten Wilhelms II. hinzu, sein „persönliches Regiment". Insgesamt eine Schwächung der politischen Spitze, durch die sich die in der Verfassung verankerte Ministerverantwortlichkeit des Kanzlers, die eigentlich nur eine formale Abhängigkeit vom Parlament bedeutete, allmählich in die Richtung einer parlamentarischen Demokratie entwickelte, in der eine Regierung gehen muß, wenn sie nicht mehr das Vertrauen der Mehrheit hat. Am Ende des Kaiserreichs ist das mit einem „Parlamentarisierungserlaß" Wilhelms II. noch ausdrücklich zugestanden worden, im September 1918, und am 28. Oktober durch ein Gesetz sogar noch in die Verfassung aufgenommen, kurz vor Toresschluß, genauer gesagt: zwölf Tage vorher.

278. Weimarer Reichsverfassung

„Die hingenommene Verfassung" wird sie von Heinrich August Winkler genannt, in seiner Geschichte der Weimarer Republik, denn sie entsprach nicht dem Lebensgefühl der Mehrheit der Deutschen, als sie am 31. Juli 1919 von der Nationalversammlung im neuen Theater in Weimar beschlossen worden war. Dort war man zusammengekommen, weil Berlin nach einem Putschversuch der Kommunisten zu unsicher schien. Sozialdemokraten und Bürgerliche – das „Bündnis der alten mit der neuen Ordnung" (Kimminich) – fürchteten noch immer deren Versuche, die die Macht gewaltsam an sich reißen und eine Räterepublik errichten wollten. Die Weimarer Verfassung wurde beschlossen vier Wochen nach dem erzwungenen Friedensvertrag von Versailles. Der Krieg war verloren, Wilhelm II. geflohen, die Bevölkerung durch die scheinbar plötzliche Niederlage völlig überrascht und verunsichert und die Lage durch diesen Vertrag erheblich erschwert, die Zahlung von Reparationen in Höhe von 226 Milliarden Goldmark – zu zahlen in Raten bis 1963 – und die Abtretung von 13 % des Reichsgebiets mit 75 % der Eisengruben und 25 % der Kohlengruben.

Also, es eilte, und die Eile trieb zum Kompromiß. Die Weimarer Verfassung war ein Kompromiß zwischen Bürgerlichen und Sozialdemokraten, nicht entschieden genug in der Beseitigung der alten antidemokratischen Strukturen. Hugo Preuß hatte sie entworfen, ein Berliner Professor des Staatsrechts, kurz vorher als Innenminister eingesetzt, ein Liberaler, dessen wichtigster Berater Max Weber gewesen ist. Beide hatten eine merkwürdige Angst vor einem „Parlamentsabsolutismus", wahrscheinlich, weil sie künftige linke Mehrheiten im Reichstag fürchteten, von Sozialdemokraten und Kommunisten. Deshalb verordneten sie der neuen Republik neben dem Parlament und der Regierung einen sehr starken Präsidenten, der direkt vom Volk gewählt wurde, mit umfangreichen Kompetenzen ausgestattet war und schon damals in Weimar von einem sozialdemokratischen Abgeordneten als „Kaiserersatz" bezeichnet wurde.

Das war das Charakteristikum der Weimarer Republik, dieser starke Reichspräsident, ein wenig nach amerikanischem Vorbild, aber nur halb, denn er war nicht Regierungschef, sondern nur derjenige, der die Regierung ernannte, ohne den Reichstag, wie damals der Kaiser. Allerdings konnte sie durch ein Mißtrauensvotum des Parlaments gestürzt werden. Das war der Unterschied zur alten Verfassung des Kaiserreichs.

Ein anderer wichtiger Unterschied war die Schwächung der Länder. Bismarck mußte noch Rücksicht nehmen auf die Fürsten. Die hatten nun abgedankt, wie der Kaiser. Aber auch ihre Nachfolger, die Länderregierungen, wurden bei der Beratung der Verfassung nicht beteiligt. Das war allein Sache der Nationalversammlung, die zu diesem Zweck im Januar

1919 vom ganzen Volk – und zum erstenmal von Männern und Frauen – gewählt worden war. In Weimar wurde der Föderalismus geschwächt und die zentralistische Struktur gestärkt. Es gab zwar noch eine Länderkammer, den Reichsrat, der an der Gesetzgebung ähnlich beteiligt war wie früher der Bundesrat. Aber sein Einspruch konnte vom Reichstag mit Zweidrittelmehrheit zurückgewiesen werden, während früher ein Gesetz ohne Zustimmung des Bundesrates nicht zustandekommen konnte. Außerdem – sehr wichtig – war die Gesetzgebungskompetenz des Reichstags zu Lasten der Länder erheblich erweitert worden.

Also vier Verfassungsorgane wie früher. Reichstag, Reichsrat, Reichspräsident und Reichsregierung. Und wie früher wurde die Regierung eingesetzt ohne das Parlament. Aber doch auch Unterschiede, im Föderalismus und bei der Verantwortlichkeit der Regierung. Das war eine starke Annäherung an westeuropäische Modelle. Bleibt der Reichspräsident. Er hatte tatsächlich fast dieselben Kompetenzen wie der Kaiser, war Oberbefehlshaber über die Armee im Krieg und im Frieden, ernannte die Regierung, konnte jederzeit das Parlament auflösen, ohne Begründung, und – von großer Bedeutung für Geschichte und Scheitern dieser Republik – er hatte umfassende diktatorische Kompetenzen für den Fall, daß der zu seinen Gunsten unscharf formulierte Tatbestand des Artikels 48 erfüllt war. Danach war der Notstand gegeben, „wenn im Deutschen Reich die öffentliche Sicherheit und Ordnung erheblich gestört oder gefährdet wird". So konnte er Grundrechte außer Kraft setzen – wie nach dem Reichstagsbrand – und Länderregierungen absetzen und Reichskommissare einsetzen – wie im „Preußenschlag" 1932 – oder unter Umgehung des Reichstags Gesetze erlassen – wie die Notverordnungen zur Zeit der Regierung Brüning seit 1930, als sie die Mehrheit im Parlament verloren hatte. Dieses Notstandsrecht des Artikels 48 führte in der kurzen Zeit zwischen 1918 und 1933 dazu, daß sich das Schwergewicht staatlicher Macht von Parlament und Regierung immer mehr auf den Reichspräsidenten verlagerte. Verbunden mit der Person Hindenburgs war das einer von vielen Gründen für das Scheitern der Weimarer Republik.

279. Verwaltungsrechts

Ius publicum, das Staatsrecht des Alten Reichs, ist heute ein Oberbegriff und bedeutet öffentliches Recht, in dem man unterscheidet zwischen Staatsrecht und Verwaltungsrecht. Das Staatsrecht behandelt die Organisation der Staatsorgane, Parlament, Regierung und so weiter, ihr Verhältnis zueinander und die wesentlichen Grundsätze ihres Verhältnisses zum Bürger, also die Menschenrechte, insgesamt also die wesentlichen Prinzipien der Verfassung, weshalb man es in anderen Ländern – besser als bei uns – Verfassungsrecht nennt, constitutional law, droit constitutionel oder diritto costituzionale. Das Verwaltungsrecht dagegen ist das Recht auf der Ebene darunter, nämlich das Recht der Verwaltung unterhalb der

Regierungsebene, genauer gesagt: das Recht zum Schutz des Bürgers gegenüber dieser Verwaltung.

Beides sind neue Begriffe. Das Wort Staatsrecht gehört noch in die alte Reichspublizistik (Rdz. 248), erscheint im 18. Jahrhundert als deutsche Übersetzung des lateinischen ius publicum. Das Verwaltungsrecht ist ein Begriff des 19. Jahrhunderts, hervorgegangen aus der Kameralistik und Policeywissenschaft, die eine Mischung war aus Politologie, Volkswirtschaft, Steuerrecht und Verwaltungswissenschaft, die aber nicht ins Recht gehörten, sondern an den Philosophischen Fakultäten gelehrt wurden.

Die Umwandlung der Policeywissenschaft in das Verwaltungsrecht war eine qualitative Veränderung, anders als das Auftauchen des Wortes Staatsrecht, das seinen Grund nur darin hatte, daß die juristischen Bücher seit dem 18. Jahrhundert auch auf deutsche geschrieben wurden.

Die Umwandlung der Policeywissenschaft in das Verwaltungsrecht war Folge des Übergangs vom absolutistischen Wohlfahrtsstaat in den bürgerlichen Rechtsstaat (Rdz. 273). Es war ein erstaunlich langwieriger Prozeß, der am Anfang des 19. Jahrhunderts begann und erst an seinem Ende abgeschlossen war.

Rechtsstaat, das ist die Kombination gewesen von Menschenrechten und Gewaltenteilung. Der Staat sollte in Menschenrechte nur auf Grund von Gesetzen eingreifen dürfen, an deren Erlaß der Bürger durch ein von ihm gewähltes Parlament – im Sinne der Gewaltenteilung – mitgewirkt hatte. Das war am Anfang des Jahrhunderts zunächst nur ein in politischen Umrissen gefordertes Konzept. Es hat sich allmählich zu einem verwaltungsrechtlichen System entwickelt, das am Ende des Jahrhunderts ausgebildet und im wesentlichen mit vier Rechtsinstituten klar umrissen war. Verwaltungsakt, Vorbehalt des Gesetzes, gerichtlicher Rechtsschutz und – als Ausnahme – das besondere Gewaltverhältnis oder die Anstalt.

Vorbereitet war alles schon lange vorher. Vorbereitet war diese Entwicklung im 17. und 18. Jahrhundert durch die Entstehung des Berufsbeamtentums (Rdz. 243), also von meist bürgerlichen Staatsdienern, die nach festen Regeln – zunächst meistens Weisungen der Fürsten – gleichmäßig entscheiden sollten. Der absolutistische Staat als große Maschine (Rdz. 243), die mehr oder weniger mechanisch funktioniert, rational, ohne Ansehen der Person. Vorbereitet wurde das Verwaltungsrecht des 19. Jahrhunderts auch durch die um die Jahrhundertwende wieder eingeführte Trennung von Justiz und Verwaltung, die man vorübergehend – teilweise – zusammengelegt hatte, zum Schutz des kleinen Mannes vor übermäßigen Gerichtskosten – Sporteln, die den Richtern zugute kamen – und zum Schutz vor der für ihn ungünstigen Tendenz ständischer Gerichte, die oft zugunsten ihrer eigenen Standesgenossen entschieden. Seit dem Ende des 18. Jahrhunderts gab es wieder Bezirksregierungen, die nur

Verwaltungsaufgaben hatten, und Gerichte, die für die Rechtsprechung zuständig waren. Vorbereitet war das ganze schließlich, ebenfalls am Ende des 18. Jahrhunderts, durch die Entstehung von Fachministerien nach französischem Vorbild – Äußeres, Inneres, Heer, Justiz, Kultus – in denen der Sachverstand allmählich wichtiger wurde als der Wille des Fürsten.

Alles zusammengenommen bedeutete das Berechenbarkeit von Verwaltung, die auch wichtig geworden war, weil der kapitalistische Betrieb des 19. Jahrhunderts auf der rationalen Kalkulierbarkeit von Gewinnchancen beruhte. Beides gehörte zusammen. Das Prinzip der Gesetzmäßigkeit der Verwaltung im Rechtsstaat auf der einen Seite und die von Max Weber entdeckte und beschriebene Rationalität kapitalistischer Wirtschaft auf der anderen. Vor diesem politischen und ökonomischen Hintergrund entsteht das juristische System eines neuen Verwaltungsrechts.

Den Anfang machte der Tübinger Professor Robert von Mohl 1829 mit den zwei Bänden seines Buches über „Das Staatsrecht des Königreichs Württemberg". Darin unterschied er zum erstenmal zwischen Staatsrecht und Verwaltungsrecht, also erster Band Staatsrecht und zweiter Band Verwaltungsrecht. Dahinter stand die von Hegel eingeführte Unterscheidung von Staat und Gesellschaft, die die deutsche Politik des 19. Jahrhunderts geprägt hat. Sie ermöglichte es, einerseits das Staatsrecht zu verstehen als ein Regelwerk für das Funktionieren der Staatsorgane und andererseits das Verwaltungsrecht zu sehen als das Wirken dieses Staatsapparates nach außen, in den staatsfreien Raum einer von ihm geschiedenen Gesellschaft. Das war in der alten Policeywissenschaft undenkbar, denn sie verstand Staat und Untertanen als eine Einheit. Bei Robert von Mohl war diese Unterscheidung aber nur eine neue Sichtweise, die an den Inhalten der Policeywissenschaft im zweiten Band nichts änderte, auch nicht am alten Eingabenwesen, der damals sogenannten Verwaltungsrechtspflege. Die Bürger konnten sich über unrechtmäßiges Vorgehen von Behörden seit langem beschweren. Aber entschieden wurde von den Ämtern selbst. Die erste klare Forderung, das zu ändern, kam zwanzig Jahre später, 1849, in § 182 der Paulskirchenverfassung:

> „Die Verwaltungsrechtspflege hört auf; über alle Rechtsverletzungen entscheiden die Gerichte."

Aber die Verfassung trat nicht in Kraft. Es vergingen noch einmal vierzehn Jahre, bis die Forderung zum erstenmal in einem Land erfüllt wurde, in Baden, das eines der liberalsten war. Großherzog Friedrich hat 1863 eine Verwaltungsgerichtsbarkeit eingeführt, an der Spitze mit einem Verwaltungsgerichtshof in Karlsruhe. Ein Jahr später, 1864, hat Otto Bähr – damals Richter am Obergericht in Kassel – das für alle deutschen Staaten gefordert, mit seiner Schrift „Der Rechtsstaat", die das von der Paulskirchenverfassung geforderte richterliche Prüfungsrecht ausführlich begründete.

In Preußen ist es 1872 eingeführt worden, im größten deutschen Staat, ein Jahr nach der Reichsgründung. Man begann mit dem Aufbau von Verwaltungsgerichten, die aber in der unteren und mittleren Instanz noch in die Verwaltung integriert waren. Nur die oberste Instanz, das 1875 gegründete Preußische Oberverwaltungsgericht, war völlig selbständig. In den nächsten Jahren folgten andere Länder. Hessen 1874, Württemberg 1876, Bayern 1878 und Sachsen 1900.

Paulskirchenverfassung und Otto Bähr hatten offen gelassen, ob die richterliche Überprüfung durch die ordentlichen Gerichte stattfinden sollte oder durch besondere Verwaltungsgerichte. Die Entscheidung fiel letztlich in Preußen, zugunsten der besonderen Verwaltungsgerichte und durchaus mit Hintergedanken. Denn erstens konnte man sie auf diese Weise in den unteren Instanzen mit der Verwaltung verbinden, was die Behörden beruhigte und mit ordentlichen Gerichten nicht möglich gewesen wäre. Und zweitens, noch wichtiger, entschied man sich für das sogenannte „Enumerationsprinzip". Die Gerichte konnten vom Bürger nur in bestimmten Fällen angerufen werden, die in einzelnen Gesetzen ausdrücklich genannt waren. Das richtete sich gegen die von der Paulskirche und von Otto Bähr geforderte – und heute geltende – „Generalklausel", die eine allgemeine Überprüfung von Verwaltungsentscheidungen möglich macht. Die preußische Lösung, die sich durchsetzte, war also ein Kompromiß, im Grunde ein Erfolg der Verwaltung, den sie im wesentlichen dem Berliner nationalliberalen Professor Rudolf von Gneist verdankt. Er hatte diesen Kompromiß nicht nur in einem Buch konzipiert, „Der Rechtsstaat und die Verwaltungsgerichte in Deutschland," 1872, sondern war auch politisch maßgeblich an seiner Durchsetzung beteiligt und gilt also zu Unrecht als Schöpfer unserer heutigen umfassenden und völlig selbständigen Verwaltungsgerichtsbarkeit.

Die Verwaltungsgerichte waren Einrichtungen der Länder. Aber schon bald wurde die Gründung eines Reichsverwaltungsgerichts gefordert. In der Kaiserzeit war das nicht durchzusetzen. Man hätte damit zu weit in die Kompetenzen der Länder eingegriffen. Anders die Weimarer Republik. Es war sogar ausdrücklich in Artikel 107 ihrer Verfassung gefordert. Aber die Verhandlungen zogen sich hin und scheiterten, zum Teil aus finanziellen Gründen, letztlich weil Bayern und Preußen im Reichsrat Widerstand leisteten, aus partikularistischen Gründen. Erst Adolf Hitler blieb es vorbehalten, den Einheitsstaat auch hier zu verwirklichen. 1941 wurde das Reichsverwaltungsgericht gegründet, durch Erlaß des Führers. Blieb aber bedeutungslos, weil der Einfluß der Partei zu groß war.

Die dogmatischen Grundlagen des durch die Verwaltungsgerichtsbarkeit neu geschaffenen Rechts sind im 19. Jahrhundert im wesentlichen durch zwei Männer geschaffen worden. Karl Friedrich Gerber und Otto Mayer. Gerber hat 1852 – damals war er Professor in Tübingen – mit einem Buch „Über öffentliche Rechte" die Beziehung zwischen Bürger und Verwaltung als ein Rechtsverhältnis dargestellt, und zwar durch die Konstruktion subjektiver öffentlicher Rechte nach dem Vorbild des Privatrechts. Aus dieser Verletzung sollte sich ein Anspruch auf Rechtsschutz ergeben. Am Ende des Jahrhunderts ist das durch Otto Mayer zu einem imposanten völlig neuen System ergänzt und ausgebaut worden, 1895/96 in seinem Lehrbuch „Deutsches Verwaltungsrecht". Damals war er Professor in Straßburg und noch heute sieht man in ihm den „Vater des deutschen Verwaltungsrechts".

Otto Mayer hat den Begriff des Verwaltungsakts aus dem französischen Recht in das deutsche übernommen und ihn fast schon so formuliert, wie heute in § 35 des Verwaltungsverfahrensgesetzes. Für seine Wirksamkeit brauchte er die Grundlage eines Gesetzes. Ist sie nicht gegeben, müssen die Verwaltungsgerichte ihn aufheben. Der sogenannte Vorbehalt des Gesetzes. Er hat das ergänzt durch den Begriff der Anstalt, um das ganze einschränken zu können. Die Anstalt begründet ein „besonders Gewaltverhältnis", zum Beispiel im Militär, im Gefängnis oder in der Schule. Auch dort werden Maßnahmen gegen einzelne angeordnet, aber das sind keine Verwaltungsakte. Dagegen kann man nicht klagen. Sie brauchen auch keine gesetzliche Grundlage, denn, so sah es Otto Mayer, sie ergehen nicht im Außenverhältnis, wirkten nicht vom Staat in die Gesellschaft hinein, sondern finden statt im Innenbereich des Staates, eben in der Anstalt, im besonderen Gewaltverhältnis.

Nicht nur die Wissenschaft hat Begriffe geprägt. Auch die Verwaltungsgerichte waren tätig, schon im 19. Jahrhundert, allen voran das Preußische Oberverwaltungsgericht in Berlin, zum Beispiel mit jener Entscheidung vom 14. Juni 1882 zum Begriff der Polizei, die deutlich machte, inwiefern sich das Policeyrecht des Alten Reichs qualitativ verändert hatte zum Verwaltungsrecht einer bürgerlichen Gesellschaft:

280. PrOVGE 9.353: Kreuzberg-Urteil

Zum Andenken an die Befreiungskriege war 1821 auf einem Sandhügel am südlichen Ende von Berlin ein Denkmal errichtet worden, das man 1878 vergrößert hat. Eine hohe eiserne neugotische Spitzsäule mit einem Eisernen Kreuz. Das Kreuzbergdenkmal. Nachdem zum Norden, in Richtung Stadt, schon fast alles zugebaut war, mit mehrstöckigen Mietskasernen, erließ der Polizeipräsident 1879 wenigstens noch für das südlich angrenzende Baugelände eine Polizeiverordnung „zum Schutze des auf dem Kreuzberge bei Berlin zur Erinnerung an die Siege der Freiheitskriege errichteten … Nationaldenkmals". Nur noch Villen sollten dort gebaut werden, „daß dadurch die Aussicht von dem Fuße des Denkmals auf die Stadt und deren Umgebung nicht behindert und die Aussicht des Denkmals nicht beeinträchtigt wird".

Also wurde 1881 der Bauantrag eines „Rentiers M." abgelehnt, der dort ein vierstöckiges Mietshaus errichten wollte. Das Verwaltungsgericht Berlin erklärte die Verweigerung der Baugenehmigung für rechtswidrig und wies den Polizeipräsidenten an, die Genehmigung zu erteilen. Der ging in die Berufung zum Preußischen Oberverwaltungsgericht und verlor auch dort den Prozeß. Das Haus wurde gebaut.

Der Polizeipräsident berief sich zur Begründung seiner Verordnung und der Ablehnung der Baugenehmigung auf das Preußische Allgemeine Landrecht, 2. Teil, 17. Titel, § 10:

> „Die nöthigen Anstalten zur Erhaltung der öffentlichen Ruhe, Sicherheit und Ordnung, und zur Abwendung der dem Publico, oder einzelnen Mitgliedern desselben bevorstehenden Gefahr zu treffen, ist das Amt der Polizey."

Zur öffentlichen Ordnung, die hier von der Polizei geschützt werden sollte, meinte ihr Berliner Präsident, gehöre alles, was die Interessen des öffentlichen Wohles angeht, also auch die Sorge für die richtige Wirkung des Denkmals. Es ginge nicht nur um Leben, Gesundheit und Eigentum der Bürger:

> „Denn ein Gemeinwesen besitze noch viele andere und namentlich ideale Güter, welche eines behördlichen Schutzes gegen die Handlungen einzelner Mitglieder des Staats bedürften. Hier handle es sich darum, den Patriotismus – eines der höchsten idealen Güter, welches eine Nation besitzen könne – zu hüten. Denn das auf dem Kreuzberg stehende Nationaldenkmal – dazu bestimmt, den gegenwärtigen und kommenden Geschlechtern das Andenken an die glorreiche Zeit der Befreiungskriege wach zu erhalten – habe der Staat erst vor kurzem mit großen Geldopfern auf einen würdigen Standpunkt und zu einer wirksamen Höhe emporheben lassen; der bei seiner Errichtung verfolgte Zweck, dasselbe als ein wichtiges Förderungsmittel des Patriotismus dienen zu lassen, würde verloren gehen, wenn die Ansicht des Denkmals bezw. die Aussicht von dem Fuße desselben nach der Stadt durch hohe kasernenartige Bauten behindert würde."

Nein, sagte das Preußische Oberverwaltungsgericht. Öffentliche Ordnung heißt nicht, für das öffentliche Wohl zu sorgen. Die Polizei darf nur eingreifen, wenn ein „wirklicher Schaden" droht, nicht ein bloßer „Nachteil". Die Polizei hat nicht die Aufgabe, für allgemeine Glückseligkeit zu sorgen, sondern soll Gefahren abwehren. Den Patriotismus zu hüten, den auch das Preußische Oberverwaltungsgericht für eines der höchsten Güter hält, das ist zu allgemein, betrifft nur das allgemeine Wohl und ist nicht Aufgabe der Polizei. Nur dann könnte sie eingreifen, wenn das Denkmal beschädigt oder verunstaltet würde, auch durch die Umgebung. Das würde ein wirklicher Schaden sein, nicht nur ein allgemeiner Nachteil. Durch die im Norden ohnehin schon übliche Bebauung mit Mietskasernen wird das Denkmal ebensowenig verunstaltet wie durch die geplante im Süden. Man kann es nicht mehr so gut sehen. Aber das reicht nicht. Die Polizei muß sich zurückhalten mit Eingriffen in Rechte von Bürgern – Gefahrenabwehr statt Gemeinwohl. Das war – in der Rechtsprechung zum Verwaltungsrecht – die Wende vom absolutistischen Wohlfahrtsstaat zum bürgerlichen Rechtsstaat, von der Policey zur Polizei (vgl. Rdz. 243).

281. Historische Schule, Pandektenrecht und Terrotorialrecht

1814 veröffentlichte der renommierte Heidelberger Professor für römisches Recht, Justus Thibaut, eine kleine Schrift „Über die Nothwendigkeit eines allgemeinen bürgerlichen Rechts für Deutschland." Er forderte, die deutschen Fürsten sollten dem Volk ein gemeinsames Gesetzbuch für alle Staaten geben, nicht nur im Zivilrecht, sondern auch im Straf- und Prozeßrecht. Einheit im Recht als erste Stufe zu einer neuen staatlichen Einheit, getragen von der nationalen Begeisterung nach den Befreiungskriegen, damals ohnehin keine aussichtsreiche Forderung in einer Zeit, die geprägt war vom konservativen Partikularismus der Mächtigen. Aber es kam hinzu, daß selbst ein Teil der Liberalen sich umstimmen ließ von einer Gegenschrift, die sofort noch im selben Jahr erschien. Friedrich Carl von Savigny, „Vom Beruf unserer Zeit für Gesetzgebung und Rechtswissenschaft". Dieser Kodifikationsstreit ging noch einige Zeit weiter. Die Mehrheit war der Meinung Savignys, gegen eine Gesetzgebung, und damit war die Sache entschieden.

Savignys Autorität als Lehrer des römischen Rechts war noch größer als Thibauts, nicht nur weil es völlig ungewöhnlich gewesen war, daß ein reicher Aristokrat sich für diesen Beruf entschied, weit unter seinem Stand, was zu einer Aufwertung der Professoren führte, sondern auch, weil er ein eindrucksvoller Mann gewesen ist, ein begabter Theoretiker, erfolgreicher Lehrer und talentierter Stilist, mit großem Einfluß an der neu gegründeten Berliner Universität. Bis heute der Säulenheilige der deutschen Rechtswissenschaft des 19. Jahrhunderts.

Er hatte sich für diesen Beruf ganz bewußt entschieden, weil er sah, daß das Alte Reich gefährdet war, und er wollte die alte Ordnung wenigstens dadurch retten, daß er das Recht dieses Reiches – das römische – am Leben erhielt. Denn auch dieses Recht war bedroht. Als er 1814 schrieb, waren schon drei große Gesetzbücher entstanden, die die Geltung des römischen Rechts in Deutschland beendet hatten. Das Preußische Allgemeine Landrecht von 1794, das österreichische Allgemeine Bürgerliche Gesetzbuch von 1811 und der französische Code Civil von 1804, den die Franzosen während der Besatzungszeit eingeführt hatten, der bei den Bürgern beliebt war und deshalb in manchen deutschen Gebieten in Kraft blieb. Nur in der Mitte Deutschlands, von Norden nach Süden, gab es noch eine Zone des gemeinen Rechts.

Die alte Ordnung konnte auch Friedrich Carl von Savigny nicht retten. Aber dem römischen Recht hat er tatsächlich mit einem neuen Programm zu neuem Leben verholfen, bis zum Ende des Jahrhunderts. Thibauts Schrift war eine willkommene Gelegenheit, diesem neuen Programm den richtigen Schwung zu geben. Er war ohnehin schon dabei, es zu formulieren, und nannte es historische Schule. Danach gründet sich Recht nicht mehr auf die Vernunft oder die Natur des Menschen und schon gar nicht auf Gesetzgebung. Es wächst in Jahrhunderten als Produkt einer stillen Tätigkeit des Volksgeistes, den Johann Gottfried Her-

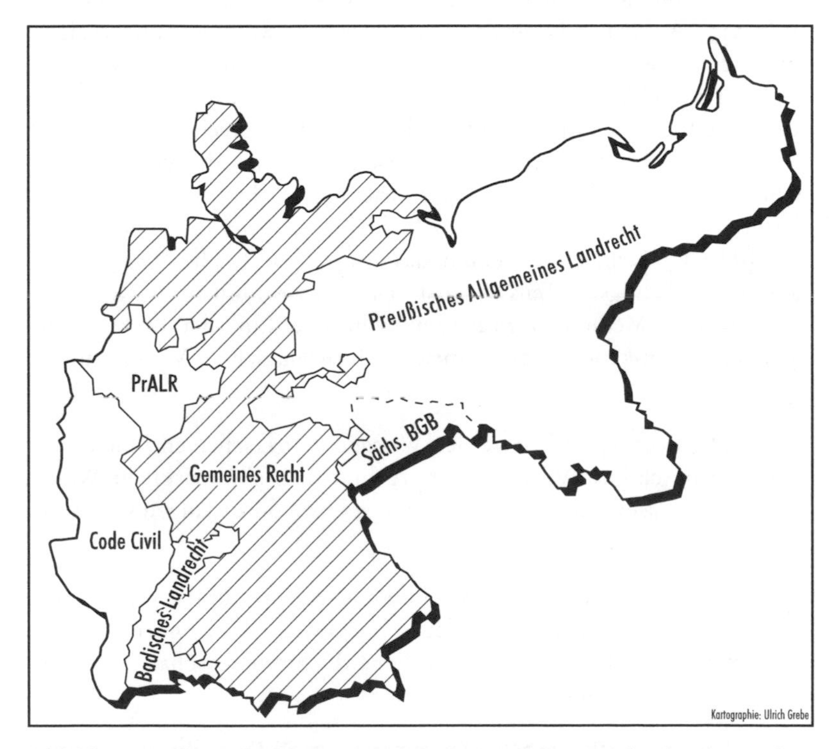

Abbildung 14: Skizze des bis zum 1. 1. 1900 im Deutschen Reich geltenden Rechts. Schraffiert: gemeines Recht. Für die genauen Einzelheiten am besten: Deutsche Rechts- und Gerichtskarte 1896, Ndr. 1996 (hg. v. Diethelm Klippel)

der vierzig Jahre vorher erfunden hatte, ebenso wie die Sprache eines Volkes sich organisch zu ihrer Individualität entwickelt. Das richtete sich gegen logische Stringenz von Aufklärung und Naturrecht und gegen naturrechtliche Kodifikationen wie das Preußische Allgemeine Landrecht.

Das Programm war nicht unbedingt schlüssig. Besonders unklar blieb, wieso der deutsche Volksgeist in den letzten Jahrhunderten hauptsächlich römisches Recht hervorgebracht haben soll. Aber es war erfolgreich, dieses Programm, weil die historische Methode auch für Bürgerliche wichtig war. Savigny legte die Betonung auf die Vergangenheit. Die alte Ordnung. Für liberale Bürgerliche bedeutete Geschichte in erster Linie Veränderung und Entwicklung, nämlich zur bürgerlichen Gesellschaft. Was letztlich auch die Funktion der historischen Schule gewesen ist, denn das römische Recht, aus dem sie die regionalen Ergänzungen des Usus Modernus (Rdz. 247) entfernte, war eben mit seiner Rationalität, dem freien Eigentum und dem freien Vertrag das für den freien Markt einer bürgerlichen Wirtschaft am besten geeignete Instrument. Wie es Friedrich Engels schon für die Rezeption am Ende des Mittelalters formuliert hat (Rdz. 239). Außerdem konnte über das römische Recht auch im 19. Jahrhundert leichter eine gewisse Rechtseinheit hergestellt werden als durch die reformunwilligen Fürsten des Deutschen Bundes. Es trafen sich verschiedene Interessen und so entstand das Pandektenrecht, benannt nach den Titeln der Lehrbücher des römischen Rechts, die von Savigny-Schülern in ganz Deutschland geschrieben wurden, von Puchta und Dernburg in Berlin, Vangerow in Heidelberg, Brinz in München und Windscheid in Leipzig. Pandekten, das war der griechische Name der Digesten, des wichtigsten Teils der justinianischen Kodifikation (Rdz. 157).

Historische Methode war für Savigny in erster Linie der direkte Rückgriff auf das antike Recht der römischen Juristen, denn („Vom Beruf ..." S. 29):

> „Die Begriffe und Sätze der Wissenschaft erscheinen ihnen nicht wie durch ihre Willkühr hervorgebracht, es sind wirkliche Wesen, deren Daseyn und deren Genealogie ihnen durch langen vertrauten Umgang bekannt geworden ist."

So wie er ein Jahr später in der von ihm mit seinem – für das germanische Recht zuständigen – Berliner Kollegen Karl Friedrich Eichhorn – neu gegründeten „Zeitschrift für geschichtliche Rechtswissenschaft" das Programm formuliert hat (Bd. 1, S. 6):

> „Die geschichtliche Schule nimmt an, der Stoff des Rechts sei durch die gesamte Vergangenheit der Nation gegeben, doch nicht durch Willkür, so daß er zufällig dieser oder ein anderer sein könnte, son-

dern aus dem innersten Wesen der Nation selbst und ihrer Geschichte hervorgegangen. Die besonnene Tätigkeit aber jedes Zeitalters müsse darauf gerichtet werden, diesen mit innerer Notwendigkeit gegebenen Stoff zu durchschauen, zu verjüngen und frisch zu erhalten."

Trotz des Rückgriffs auf das antike Recht hat das Pandektenrecht nicht wenig aus dem angeblich so „willkürlichen" und ungeliebten Naturrecht übernommen. Den Begriff der Willenserklärung zum Beispiel oder die Regeln für Irrtum und Stellvertretung. Sie machten es möglich, allgemeine Regeln für das gesamte Zivilrecht aufzustellen. Die Entdeckung des „Allgemeinen Teils". Dadurch entstand das sogenannte Pandektensystem mit fünf Teilen. Allgemeiner Teil, Sachenrecht, Schuldrecht, Familienrecht, Erbrecht. Das ist dann auch die Einteilung des Bürgerlichen Gesetzbuches geworden, mit der Umstellung von Schuldrecht und Sachenrecht. Wie überhaupt das Pandektenrecht mit seiner – aus dem Naturrecht stammenden – hohen Begrifflichkeit entscheidende Vorarbeiten geleistet hat für die Kodifikation des BGB, dessen Mangel an sozialer Rücksicht auf die wirtschaftlich Schwachen dort und im antiken römischen Recht seine Ursachen hat.

Das Pandektenrecht des 19. Jahrhunderts war insofern der Höhepunkt der deutschen Rechtswissenschaft, die in weiten Teilen Deutschlands eine theoretische Angelegenheit blieb, in der Praxis keine Rolle spielen konnte, wenn das Landesrecht kodifiziert war wie in Preußen, Baden, Bayern oder in den linksrheinischen Gebieten des Code Civil. Hier waren die Partikularrechte das in der Praxis geltende Recht und diente das Pandektenrecht nur dem Unterricht an den Universitäten. Diese Kluft zwischen Ausbildung und Praxis war allerdings eine sehr alte Tradition deutscher Juristenfakultäten, an denen das Partikularrecht nur selten gelehrt worden ist, weil Professoren und Studenten aus dem ganzen Reich kamen. Sie hat bekanntlich Nachwirkungen bis heute.

282. Fortschritte und Rückschritte im Zivilrecht

Wichtigste Veränderung im Zivilrecht dieser Zeit ist die Durchsetzung der Vertragsfreiheit. Sie entspricht dem Wirtschaftsprogramm der bürgerlichen Gesellschaft, das Adam Smith 1776 im „Wealth of Nations" formuliert hatte. Das freie Spiel der Kräfte, dem das Eingreifen des Staates nur schadet. In der staatlich gelenkten Wirtschaft des Merkantilismus war das meiste gesetzlich geregelt oder durch Herkommen ständisch gebunden. Man konnte nicht produzieren und Handel treiben, wie man wollte. Ein großer Teil des Bodens war unverkäuflich, weil er zur adligen Grundherrschaft gehörte und nur vererbt wurde. Die Gewerbefreiheit war eingeschränkt durch Gilden, Innungen und Zünfte. Tausende von Polizeiverordnungen regelten den Handelsverkehr, die Produktion und Zeiten und Löhne der Arbeit (Rdz. 243). Das 19. Jahrhundert hat diese Schranken beseitigt, auf vielfältige Weise und ohne daß man in Deutschland mit einem Satz des Gesetzgebers eine allgemeine Vertragsfreiheit verkündete, wie es der französische Code Civil von 1804 getan hat in Artikel 1134:

> „Verträge, die rechtmäßig zustandegekommen sind, treten im Verhältnis derjenigen, die sie abgeschlossen haben, an die Stelle des Gesetzes."

Schrittmacher in Deutschland war Preußen. Hier wurde zuerst die Bodenfreiheit verkündet durch ein Edikt von 1807, die Gewerbe- und Handelsfreiheit durch ein Edikt von 1810. Auch die festen Preise für Waren und Dienste wurden beseitigt, zum Beispiel durch die Gesindeordnung von 1810. Der Lohn hing nun nur noch „von freier Übereinkunft ab". Und da lag das Problem. Denn diese Entfesselung der wirtschaftlichen Kräfte führte zwar – mit einer Verzögerung von etwa einem halben Jahrhundert – zu ungeahntem wirtschaftlichem Aufschwung, der aber erkauft wurde mit dem Elend von Millionen, die nun dem Diktat der Unternehmer ausgeliefert waren. Ein Diktat, das völlig frei war, nachdem man die Bildung von Gewerkschaften verboten hatte. Dazu kam das preußische Edikt vom 9.10.1807:

> „Nach dem Martinitage 1810 hört alle Gutsuntertänigkeit in Unseren Staaten auf. Nach dem Martinitage gibt es nur noch freie Leute."

Die sogenannte Bauernbefreiung. Auf der einen Seite war sie tatsächlich ein großer Fortschritt. Aber auf der anderen bedeutete sie auch, daß viele von ihnen sich allein nicht mehr halten konnten, ihr Land verkaufen mußten, in die Städte und neuen Industriebetriebe zogen und hier das Heer derjenigen vergrößerten, die für einen Hungerlohn ihre Arbeitskraft verkauften. Das war nicht unbedingt ein Fortschritt im Zivilrecht, oder, wie Karl Marx und Friedrich Engels es im Kommunistischen Manifest 1848 formuliert haben:

> „Die Bourgeoisie, wo sie zur Herrschaft gekommen, hat alle feudalen, patriarchalischen, idyllischen Verhältnisse zerstört. Sie hat die buntscheckigen Feudalbande, die den Menschen an seinen natürlichen Vorgesetzten knüpften, unbarmherzig zerrissen und kein anderes Band zwischen Mensch und Mensch übriggelassen als das nackte Interesse, als die gefühllose „bare Zahlung."

Schließlich wurden noch die letzten Zinsschranken beseitigt, die im Alten Reich gegolten hatten, und so konnte man am Ende des Jahrhunderts, nachdem 1869 auch die Gewerkschaften zugelassen worden waren, mit einigem Stolz sagen (Hedemann, Die Fortschritte des Zivilrechts im 19. Jahrhundert, 1. Bd. 1910, Seite 3):

„Jedermann darf Verträge schließen, Testamente machen, Vereine gründen, welcher Art er will."

Diese Vertragsfreiheit wurde ergänzt durch die allgemeine Rechtsfähigkeit. Jedermann konnte jetzt in gleicher Weise Träger von Rechten und Pflichten sein. Dazu entstand – als Schöpfung des Pandektenrechts – die juristische Person in ihrer heutigen Gestalt, mit dem Prototyp der Aktiengesellschaft. Und das Recht, das einem zustand, nannte man nun das subjektive Recht, von Savigny formuliert als die „der einzelnen Person zustehende Macht: ein Gebiet, worin ihr Wille herrscht", von Rudolph von Ihering als „rechtlich geschütztes Interesse". Das ganze ergänzt durch die Erfindung des Anspruchs, so wie er heute in § 194 BGB definiert ist als das „Recht, von einem anderen ein Tun oder ein Unterlassen zu verlangen". Das war Bernhard Windscheids Leistung („Die actio des römischen Civilrechts vom Standpunkte des heutigen Rechts", 1856).

Im Vertragsrecht wird die Lehre von der Willenserklärung so weit entwickelt, daß sie dann vom BGB perfektioniert werden konnte (Rdz. 151). Die Stellvertretung wurde allgemein anerkannt, der Vertrag zugunsten Dritter von der historischen Schule allerdings noch abgelehnt, weil er dem römischen Recht zu sehr widersprach. Auch die Möglichkeit der Forderungsabtretung war noch umstritten. Am Ende des Alten Reiches hatte sie sich im gemeinen Recht allmählich durchgesetzt, ebenfalls gegen das römische Recht. Aber die historische Schule erhob Widerspruch, am heftigsten Christian Friedrich Mühlenbruch mit einer Schrift von 1817, der sich jedoch letztlich nicht durchsetzen konnte (Rdz. 283). Erfolgreich war die historische Schule und ihr Pandektenrecht dagegen bei der Beseitigung der dem römischen Recht nicht entsprechenden clausula rebus sic stantibus, die über Bartolus und Baldus in das gemeine Recht Eingang gefunden hatte. Sie mußte dann erst am Anfang des 20. Jahrhunderts gegen das BGB durch die Rechtsprechung des Reichsgerichts als „Geschäftsgrundlage" wieder eingeführt werden (Rdz. 286).

Die Dogmatik der Leistungsstörungen – Verzug, subjektive und objektive und anfängliche und nachträgliche Unmöglichkeit – und die dazugehörenden allgemeinen Lehren vom Schadensersatz sind von Friedrich Mommsen systematisch neu geordnet („Beiträge zum Obligationenrecht", 1853/55) und so in das BGB übernommen worden. Auch nicht ideal, wie man in letzter Zeit erkannt hat.

Im Sachenrecht setzte sich die Konstruktion des abstrakten dinglichen Vertrags durch, die dann vom BGB in § 929 übernommen wurde. Das war eine Erfindung Savignys, gegen das römische Recht, überflüssig und kompliziert (vgl. Rdz. 137). Ein Fortschritt war dagegen die Ausbreitung des Grundbuchsystems, das in den deutschen Ländern nach und nach eingeführt wurde, auch für den Erwerb des Eigentums an Grundstücken. Motor dieser Entwicklung waren die neuen Hypothekengesetze, die für den Kreditmarkt außerordentlich nützlich gewesen sind.

Fortschritte und Rückschritte gab es auch im Familienrecht. Der Kulturkampf der siebziger Jahre brachte die Zivilehe, für das Deutsche Reich eingeführt durch das Personenstandsgesetz von 1875. Aber während die Aufklärung des 18. Jahrhunderts noch erstaunlich scheidungsfreundlich gewesen war, zum Beispiel im Preußischen Allgemeinen Landrecht, hat sich in der Restaurationszeit des 19. Jahrhunderts wieder die katholische und altlutherische Vorstellung durchgesetzt, die Ehe sei grundsätzlich nicht lösbar. Auch ist die Stellung der Ehefrauen nicht verbessert worden. Der Mann bestimmte die Geschicke der Familie. Er hatte die Verfügung über Vermögen und Arbeitskraft seiner Frau. Er allein blieb Inhaber der väterlichen Gewalt über die Kinder.

283. OAG Erfurt, Blätter für Rechtsanwendung 29.108: Forderungsabtretung

Es war kein besonders wichtiger, sondern eher ein ganz normaler zivilrechtlicher Fall, den das Thüringische Oberappellationsgericht – das höchste Gericht des Landes – 1864 zu entscheiden hatte. Aber er war typisch für die Unsicherheit im Umgang mit der Forderungsabtretung, die auch in der Rechtsprechung nach dem Erscheinen des Buches von Mühlenbruch 1817 (Rdz. 282) aufgetreten war.

Jemand („J.K.“) hatte ein Grundstück verkauft, im Januar 1855, für 1250 Gulden und 400 als Anzahlung erhalten. Der Rest sollte im Februar gezahlt werden. Aber der Käufer leistete nur 250, so daß noch eine Forderung in Höhe von 600 Gulden bestehen blieb. Sie wurde auch in den nächsten Jahren nicht beglichen. 1862 hat der Verkäufer sie an seinen künftigen Schwiegersohn abgetreten, als Mitgift, in einer notariellen Urkunde. Und dieser Schwiegersohn klagte nun gegen den Käufer auf Zahlung von 600 Gulden. Wichtigster Einwand des Beklagten war, man könne aus der Urkunde nicht erkennen, aus welchem Grund der Verkäufer die Forderung an den Kläger abgetreten habe.

Das war nämlich einer der Streitpunkte in der wissenschaftlichen Diskussion nach Mühlenbruch. Er hatte diese Frage des Grundes der Forderungsabtretung wieder in den Mittelpunkt der Frage nach ihrer Wirksamkeit gestellt. Weil das im römischen Recht eine Rolle spielte, das die Forderungsabtretung zunächst völlig abgelehnt hatte. Ein Schuldner sollte nicht einfach einen neuen Gläubiger vor die Nase gesetzt bekommen. Deshalb ging man komplizierte andere Wege, bei denen er mitwirken mußte. Und wenn er sich weigerte, scheiterte das ganze. Wofür ja auch gute Gründe sprechen. Im Laufe der Zeit ließen sich die antiken römischen Juristen aber erweichen und gaben dem neuen Gläubiger auch dann eine – besonders konstruierte – Klage, wenn der Schuldner an der Abtretung nicht beteiligt war, nämlich wenn der neue Gläubiger die Forderung dem alten Gläubiger abgekauft hatte. Man nannte die Klage dann eine actio utilis. Hier hat Mühlenbruch angesetzt und das war ja auch gar nicht so unvernünftig. Die Forderungsabtretung mußte wenigstens einen rechtfertigenden Grund haben. Man nannte das causa cessionis. Anders das Naturrecht. Für die Juristen des 18. Jahrhunderts war der Grund der Forderungsabtretung gleichgültig. Entscheidend war nur, daß der bisherige Gläubiger sich mit demjenigen über die Abtretung geeinigt hatte, der die Forderung erwerben sollte. In unserer heutigen Terminologie spricht man hier – wie bei der Übereignung – von Abstraktionsprinzip und Kausalitätsprinzip. Nach römischem Recht war allenfalls eine kausale Forderungsabtretung möglich. Es mußte ein rechtfertigender Grund vorhanden sein, zum Beispiel der Kauf der Forderung. Das Naturrecht hatte die abstrakte Übertragung zugelassen. Sie war jetzt wirksam auch ohne rechtlichen Grund. Hinter diesem Unterschied stand die Frage, wieweit man noch auf den Schuldner Rücksicht nehmen will. Das spätere römische Recht hatte wenigstens noch die zusätzliche Barriere der causa cessionis aufgebaut. Das Naturrecht hat auf ihn gar keine Rücksicht mehr genommen. Und das wollte Mühlenbruch wieder rückgängig machen.

Darum ging auch der Streit vor dem Oberappellationsgericht Erfurt, das sich gegen Mühlenbruch entschied und sagte, die Abtretung sei wirksam, der Käufer müsse an den Schwiegersohn die 600 Gulden zahlen, auch wenn aus der Abtretungsurkunde ein rechtfertigender Grund – der „Rechtstitel", also die Mitgift – nicht ersichtlich sei, und sogar dann, wenn die Mitgiftbestellung hinfällig oder unwirksam wäre. Die entscheidenden Sätze im Urteil:

> „Für den Beklagten ist es im Allgemeinen gleichgiltig, aus welchem speziellen Rechtstitel J.K. die fragliche Forderung dem Kläger zur Geltendmachung auf eigene Rechnung überlassen hat, wie auch vom Beklagten über ein besonderes Interesse an der Kenntnis jenes Rechtstitels nichts vorgebracht wurde."

Es war die Zeit, als man wieder zur Meinung des Naturrechts zurückkam und die abstrakte Einigung zwischen dem alten Gläubiger und demjenigen genügen ließ, der die Forderung erwerben sollte. Und natürlich ohne Mitwirkung des Schuldners. Mühlenbruch hatte verloren. Und so ist es noch heute in § 398 BGB geregelt:

> „Eine Forderung kann von dem Gläubiger durch Vertrag mit einem anderen auf diesen übertragen werden (Abtretung). Mit dem Abschlusse des Vertrags tritt der neue Gläubiger an die Stelle des bisherigen Gläubigers."

Wenn dann ein rechtfertigender Grund fehlt, zum Beispiel der Kauf der Forderung unwirksam oder die Mitgiftbestellung hinfällig ist, dann kann der alte Gläubiger vom neuen Gläubiger eben die Rückübertragung der Forderung verlangen, nach den Grundsätzen der ungerechtfertigten Bereicherung.

284. Handelsrecht und Gesellschaftsrecht

Das Handelsrecht hat seinen Ursprung im Mittelalter, als Standesrecht für Kaufleute, ein ständisches Recht, das es im römischen nicht gab. Und das Zinsverbot der Kirche spielte dabei für die Entstehung des Wechselrechts und des modernen Gesellschaftsrechts eine besondere Rolle (Rdz. 231, 233, 256). In der frühen Neuzeit hat sich das ganze kontinuierlich weiterentwickelt, durch Handelsbräuche und Stadtrechte mit Regeln für Börsengeschäfte, Firma und Prokura, Bank- und Wechselrecht, Schiffs- und Seerecht. Es blieb aber territorial unterschiedlich und ist erst im 19. Jahrhundert vereinheitlicht und nicht unwesentlich verändert worden.

In dieser Zeit lassen sich nämlich zwei Entwicklungslinien beobachten, die sich zu widersprechen scheinen, letztlich aber beide durchaus der Logik des wirtschaftlichen Umbruchs von der ständischen zur bürgerlichen Gesellschaft entsprechen. Auf der einen Seite ist das Handelsrecht im 19. Jahrhundert Vorreiter auf dem Weg zur allgemeinen Rechtseinheit in Deutschland, auf der anderen nimmt seine Bedeutung mit dem Entstehen dieser Einheit ständig ab. Mit anderen Worten, das Handelsrecht ist – aus ökonomischer Notwendigkeit – ein Motor auf dem Weg zur Rechtseinheit, in der seine Selbständigkeit aber immer mehr abhanden kommt, weil das bürgerliche Recht auf allgemeiner Gleichheit beruht, und ständische Besonderheiten nun auch hier wegfallen, indem dieses bürgerliche Recht jetzt in gleicher Weise gilt für Geschäfte zwischen einzelnen Bürgern und für den gesamten Bereich von Handel und Produktion. Man nannte das „Kommerzialisierung des Zivilrechts". Sonderregeln blieben im Grunde nur für das Gesellschaftsrecht und das Wertpapierrecht.

Den entscheidenden Anstoß gab die Gründung des Deutschen Zollvereins von 1834. Mit ihm entstand ein einheitliches Wirtschaftsgebiet ohne Zollschranken, etwa die Hälfte des Deutschen Bundes. Seit den vierziger Jahren bemühte man sich um eine Vereinheitlichung des Wechselrechts. Dann kam 1848 die Deutsche Nationalversammlung in Frankfurt, die zwar mit ihrem Verfassungsentwurf scheiterte, aber immerhin ein einheitliches Wechselgesetz beschlossen hat, die Allgemeine Deutsche Wechselordnung, die in allen deutschen Staaten in Kraft getreten ist, meistens, nachdem sie noch einmal als Landesrecht erlassen worden war.

1861 einigte sich der Deutsche Bund auf ein Allgemeines Deutsches Handelsgesetzbuch, das dann ebenfalls in den nächsten Jahren von den meisten Bundesstaaten als Landesgesetz verkündet worden ist. In ihm waren die Handelsgeschäfte geregelt und ein großer Teil des Gesellschaftsrechts. Schließlich wurde 1869 vom Norddeutschen Bund zur Vereinheitlichung der Rechtsprechung dieses Handelsrechts das Bundesoberhandelsgericht in Leipzig gegründet. Zwei Jahre später, nach der Reichsgründung, hieß es Reichsoberhandelsgericht und 1879 ist es umgewandelt worden zum Reichsgericht, also einem allgemeinen obersten Gericht für das gesamte Zivil- und Strafrecht, durchaus im Sinne dieser Kommerzialisierung des Zivilrechts, das nun eben auch für den Kommerz zuständig geworden war. Kleine Unterschiede blieben. Und deshalb, als am 1. Januar 1900 das neue Bürgerliche Gesetzbuch in Kraft getreten ist, kam als Ergänzung gleichzeitig ein neues Handelsgesetzbuch dazu.

Wichtigste Neuerung im Gesellschaftsrecht des 19. Jahrhunderts war die Entstehung der modernen Aktiengesellschaft, deren Großkapital aufgebracht wird von einer großen Zahl einzelner Geldgeber, die ihre Einlage zwar nicht zurückfordern, aber über ihren Anteil jederzeit frei verfügen können. In ihren ersten Anfängen geht sie zurück auf die Gründung italienischer Banken im 15. Jahrhundert, entwickelte sich weiter über Kolonialgesellschaften, von denen die Ostindischen Kompanien die bekanntesten sind, und erhielt ihre endgültige Form um die Mitte des 19. Jahrhunderts durch neue Gesetze, die genaue Bedingungen aufstellten für ihre Gründung und die Haftung der Gesellschafter auf ihre Einlage beschränkten. In Deutschland geschah das zum erstenmal – nach französischem Vorbild – durch ein preußisches Gesetz von 1843. Diese Aktiengesellschaft wurde zur wichtigsten Form industrieller Großunternehmen. Nicht nur der Eisenbahnbau wäre ohne sie nicht möglich gewesen. Auch für den Aufbau der Großindustrie hatte sie entscheidende Bedeutung.

Am unteren Ende der ökonomischen Leiter, auf der Ebene der Verbraucher, Handwerker und kleinen Landwirte, entstand in Deutschland nach englischem Vorbild ein neuer Genossenschaftstyp, Konsum- und Wirtschaftsgenossenschaften, ebenfalls zum erstenmal in Preußen geregelt mit einem Gesetz von 1867 auf der Grundlage eines Entwurfs von Hermann Schulze-Delitzsch, der das verstand als Selbsthilfe der kleinen Leute, die sich nicht vom Manchester-Kapitalismus überrollen lassen wollten.

In der Mitte zwischen beiden, den ganz großen Gesellschaften oben und denen für die ganz Kleinen unten, stand eine deutsche Erfindung ohne irgendein historisches oder ausländisches Vorbild, die Gesellschaft mit beschränkter Haftung, GmbH, die jüngste unter den neuen Gesellschaftsformen des 19. Jahrhunderts, geregelt im GmbH-Gesetz des Reichstags 1892 und gedacht als Organisationsform für mittelgroße Unternehmen mit einer entsprechenden Begrenzung des kaufmännischen Risikos.

285. Bürgerliches Gesetzbuch

Als 1871 das Deutsche Reich gegründet wurde, war die Einheit im Zivilrecht nur zu einem Teil hergestellt, nämlich durch das gesetzlich geregelte Handelsrecht und in gewisser Weise durch ein einheitliches Pandektenrecht (Rdz. 281), also wissenschaftlich, was durchaus Wirkungen auf die Praxis hatte. Aber es gab doch noch erhebliche territoriale Unterschiede, zum Beispiel durch gesetzliche Regelungen wie das Preußische Allgemeine Landrecht oder den Code Civil. Ist man also gleich daran gegangen, die Rechtseinheit zu schaffen, wie man es im Strafrecht getan hat (Rdz. 291)? Die Verfassung stand dagegen. Der Föderalismus der Einzelstaaten war im Zivilrecht stark geblieben, anders als im Strafrecht, und der Reichstag nach Art. 4 Ziff. 13 der Verfassung nur zuständig für die Gesetzgebung im Schuldrecht, weil das wichtig war für den gemeinsamen Handel, nicht im Sachenrecht, Familien- und Erbrecht. Auch für das „gerichtliche Verfahren" durfte der Reichstag danach gemeinsame Vorschriften erlassen. Sie kamen ziemlich früh. 1877 wurden die sogenannten Reichsjustizgesetze erlassen, nämlich Zivilprozeßordnung, Gerichtsverfassungsgesetz und Konkursordnung. Dafür brauchte man aber auch ein entsprechendes allgemeines Zivilrecht. Das wurde 1873 ermöglicht durch eine von den liberalen Abgeordneten Johannes Miquel und Eduard Lasker beantragte Verfassungsänderung, die lex Miquel-Lasker. Nun war das Reich zuständig für „das gesamte bürgerliche Recht". Trotzdem dauerte es noch einmal 23 Jahre.

Die Beratungen zogen sich hin. Es war zwar schon 1874 eine Kommission eingesetzt worden, unter dem Vorsitz von Bernhard Windscheid, dem Verfasser des erfolgreichsten Lehrbuchs der Pandekten. Aber erst 1888 haben sie ihren Entwurf veröffentlicht, mit fünf Bänden „Motive". Sofort gab es Widerspruch. Im wesentlichen gegen die Unverständlichkeit der juristischen Terminologie und den unsozialen Charakter eines ungebändigten Manchester-Liberalismus. Über die Sprache schrieb 1890 Anton Menger, Professor für Zivilprozeßrecht in Wien („Das Bürgerliche Recht und die besitzlosen Volksklassen", Seite 16 unten):

> „Kein Teil der Gesetzgebung bedarf so sehr einer volkstümlichen, allgemein verständlichen Ausdrucksweise als das bürgerliche Recht; denn die übrigen Gesetze: die Verfassungs-, Verwaltungs-, Zivilprozess- und Strafgesetze werden nur von bestimmten Volkskreisen oder in besonderen Fällen, dieses wird dagegen täglich und von allen Staatsbürgern angewendet. Nun besitzen wir aber eine juristische Literatur von ungeheurer Ausdehnung, in welcher die Differenzierung der Rechtsbegriffe und überhaupt die Zerfaserung des Rechtsstoffes so weit getrieben ist, dass man die deutsche Rechtswissenschaft treffend mit einem Messer verglichen hat, welches so dünn und scharf geschliffen ist, dass es nicht mehr schneidet. Die Verfasser des Entwurfes, welchen ohnedies kein besonderes Formtalent nachzurühmen ist, stehen nun ganz unter dem Einfluss die-

> ser juristischen Scholastik und haben demgemäss ein Werk geliefert, dessen abstrakte und unpopuläre Ausdrucksweise kaum überboten werden kann."

Und die eindrucksvollsten Sätze gegen die unsoziale Vertragsfreiheit formulierte Otto von Gierke, Professor für Deutsche Rechtsgeschichte und Privatrecht in Berlin („Die soziale Aufgabe des Privatrechts" 1889, Seite 28):

> „Wenn das moderne Recht hier den Grundsatz der Vertragsfreiheit durchführt, so kann doch auch hier nicht willkürliche, sondern nur vernünftige Freiheit gemeint sein: Freiheit, die kraft ihrer sittlichen Zweckbestimmung ihr Maaß in sich trägt, Freiheit, die zugleich Gebundenheit ist. Schrankenlose Vertragsfreiheit zerstört sich selbst. Eine furchtbare Waffe in der Hand des Starken, ein stumpfes Werkzeug in der Hand des Schwachen, wird sie um Mittel der Unterdrückung des Einen durch den Anderen, der schonungslosen Ausbeutung geistiger und wirthschaftlicher Übermacht. Das Gesetz, welches mit rücksichtslosem Formalismus aus der freien rechtsgeschäftlichen Bewegung die gewollten oder als gewollt anzunehmenden Folgen entspringen läßt, bringt unter dem Schein einer Friedensordnung das bellum omnium contra omnes in legale Formen. Mehr als je hat heute auch das Privatrecht den Beruf, den Schwachen gegen den Starken, das Wohl der Gesamtheit gegen die Selbstsucht der Einzelnen zu schützen."

1890 wurde eine zweite Kommission eingesetzt unter dem Vorsitz von Gottlieb Planck, einem hannoverschen Richter, der später einen der wichtigsten Kommentare zum BGB geschrieben hat. Sie sollte alles noch einmal überarbeiten und legte 1895 einen zweiten Entwurf vor, sprachlich ein wenig verbessert, inhaltlich kaum. Nun begann auch die Kritik der Frauenverbände am patriarchalischen Charakter des Familienrechts, zum erstenmal mit juristisch ausgebildeten Sprecherinnen, Anita Augspurg, Marie Raschke und Emilie Kempin. Aber ihr von den Sozialdemokraten unterstützter Widerstand war ebenso erfolglos wie Otto von Gierkes Forderung nach einem „Tropfen sozialistischen Öles". Ein – unwesentlich veränderter – dritter Entwurf wurde 1896 mit einer Denkschrift des Reichsjustizamtes dem Reichstag vorgelegt, eine Parlamentskommission beriet über die Vorlage, der Reichstag beschloß mit Mehrheit gegen die Stimmen der Sozialdemokraten, der Bundesrat stimmte zu und Wilhelm II. hat am 18. August 1896 das Bürgerliche Gesetzbuch verkündet. Am 1. Januar 1900 ist es in Kraft getreten. Also:

1871	Art. 4 Ziff. 13 Reichsverfassung: nur „Obligationenrecht“
1873	lex Miquel-Lasker: „das gesamte bürgerliche Recht“
1874	1. Kommission (Windscheid)
1888	1. Entwurf und 5 Bände „Motive“
1890	2. Kommission (Planck)
1895	2. Entwurf und 7 Bände „Protokolle“
1896	3. Entwurf, Beschluß im Reichstag und Bundesrat, Verkündung
1900	in Kraft getreten

Das BGB ist ein typisches Produkt des 19. Jahrhunderts, in Gesetzesform gegossenes Pandektenrecht, dessen System, Terminologie und hohes Abstraktionsniveau es übernommen hat. Juristisch gesehen keine schlechte Leistung. Es stellten sich zwar bald einige Unzulänglichkeiten heraus. Aber sie konnten durch Rechtsprechung und Wissenschaft schnell beseitigt werden. Und so ist es bis heute über einhundert Jahre äußerlich unverändert geblieben, bis auf das Familienrecht, das öfter erneuert wurde. Nicht nur technisch ein typisches Produkt des 19. Jahrhunderts, sondern auch sozialpolitisch, als Höhepunkt jener „majestätischen Gleichheit der Gesetze, die den Armen wie den Reichen verbietet, unter den Brücken zu schlafen, auf den Straßen zu betteln und Brot zu stehlen“ (Anatol France). Das nämlich ist der rechtspolitische Hintergrund einer juristischen Abstraktion, die von allen Besonderheiten absieht und jeden Rechtsvorgang gleich behandelt. Sie ist der juristische Ausdruck für allgemeine Gleichheit, und damit auch für allgemeine Freiheit. Eine Gleichheit, die nur übersieht, daß die formale Gleichbehandlung von faktisch Ungleichen in höchstem Maße ungerecht werden kann, nämlich zur „Freiheit eines freien Fuchses in einem freien Hühnerstall“ (Roger Garaudy). Wie unsozial das BGB ist, sieht man, wenn man sich vorstellt, es würde heute weder ein Arbeitsrecht geben noch ein soziales Mietrecht, sondern nur die dürftigen Regeln des BGB. Arbeitsrecht und soziales Mietrecht sind außerhalb dieses Gesetzes entstanden und letztlich nichts anderes als eine umfassende Einschränkung seiner Vertragsfreiheit im Sinne sozialer Verantwortung (Rdz. 287).

Die technischen Mängel wurden bald erkannt. Im Vertragsrecht waren einige Probleme übersehen worden und nicht geregelt, im wesentlichen zwei, nämlich die „positiven Vertragsverletzungen“ und das Verschulden bei Vertragsschluß, die culpa in contrahendo. Das eine hat der Berliner Anwalt Adolf Staub schon 1902 entdeckt. Das andere, die culpa in contrahendo, ist 1911 vom Reichsgericht im berühmten „Teppichrollenfall“ ergänzt worden (RGZ 78.239). Eine der wichtigsten rechtspolitischen Veränderungen kam 1920:

286. RGZ 100.129: Dampfpreis-Fall

Jemand hatte 1912 in Berlin eine Fabriketage an einen Betrieb vermietet und sich verpflichtet, über eine zentrale Anlage auch den Dampf zu liefern für die dort aufgestellten Maschinen. Der Mietpreis betrug 780 Mark monatlich, mit Dampf. Er war fest vereinbart für acht Jahre bis 1920. Dann aber kam der erste Weltkrieg und die Inflation und die Preise für die Kohlen stiegen immer höher mit der Folge, daß der Vermieter in den Jahren 1917 bis 1919 allein dafür monatlich 4800 Mark zahlen mußte, nur um den Dampf für diesen einen Betrieb liefern zu können. Der Dampf war sechsmal so teuer wie die Miete und er machte einen Verlust von 4000 Mark im Monat, jährlich 48.000. Das geht zu weit mit der Inflation, meinte der Vermieter, und verlangte eine Nachzahlung für die Zeit von 1917 bis 1919. Das Landgericht Berlin und das Kammergericht haben seine Klage abgewiesen. Das sei eben das Risiko, meinten sie, wenn man langfristige Verträge abschließt. Das Reichsgericht dagegen gab ihm Recht, mit diesem Urteil von 1920.

Das war eine Sensation. Denn Landgericht und Kammergericht hatten durchaus im Sinne dessen entschieden, was das Reichsgericht bis dahin immer wieder gesagt hat. Wer sich verkalkuliert, muß das Risiko tragen. Wie er ja auch den Gewinn einstreicht, wenn er sich zu seinen Gunsten verrechnet hat. Und das ändert sich auch nicht bei einer grundlegenden Veränderung der Verhältnisse. Pacta sunt servanda: Verträge müssen eingehalten werden. Ein Mann, ein Wort. Früher, da galt mal die Regel der clausula rebus sic stantibus, wonach jeder Vertrag unter der stillschweigenden Klausel steht, daß die Dinge so bleiben, wie sie sind. Aber diese Regel ist vom Pandektenrecht und vom BGB ausdrücklich abgelehnt und beseitigt worden. So hatte das Reichsgericht noch 1917 entschieden.

Nun aber, 1920, unter dem Eindruck der „ungeahnten Umwälzung aller wirtschaftlichen Verhältnisse" änderten die Richter in Leipzig ihre Meinung. Unter diesen ungewöhnlichen Bedingungen könnte der Vermieter die Anpassung der Miete an die neue Entwicklung verlangen und habe Anspruch auf eine angemessene Nachzahlung. Zur Begründung verwiesen sie auf jene alte Lehre von der clausula rebus sic stantibus, die aus dem Mittelalter stammt (Rdz. 255), und auf den in § 242 BGB enthaltenen Grundsatz von Treu und Glauben. Später ist das Reichsgericht sogar dazu übergegangen, Verträge in Sonderfällen nicht nur anzupassen, sondern für völlig unwirksam zu erklären.

Im nächsten Jahr, 1921, erschien dazu eine Schrift des Göttinger Zivilrechtlers Paul Oertmann, „Die Geschäftsgrundlage. Ein neuer Rechtsbegriff". Er gab dem ganzen einen neuen Namen, der bis heute dazugehört. Geschäftsgrundlage. Und er entwarf dafür eine neue Formel, die in der Rechtsprechung des Bundesgerichtshofes bis heute angewendet wird, die Oertmannsche Formel, allerdings ergänzt durch den Grundsatz von Treu und Glauben, den das Reichsgericht schon in seiner ersten Entscheidung genannt hatte. Obwohl das ganze im Grunde nichts anderes ist als die alte Lehre der clausula rebus sic stantibus, was problematisch ist.

Denn das BGB beruht auf dem Grundsatz, daß für die Wirksamkeit von Verträgen nur eines entscheidend ist. Der Wille der Parteien. Das Subjektive, der freie Wille, die Freiheit. Nun kommen aber objektive Momente ins Spiel, die Verhältnisse. Daran knabbert man bis heute herum und deshalb lehnen manche das alles auch heute noch völlig ab. Wo kommt man hin, wenn Leistung und Gegenleistung immer in einem angemessenen Verhältnis stehen müssen? Das ist mittelalterliches Recht, nicht moderne Wirtschaft, die auf dem freien Markt beruht und Angebot und Nachfrage, nicht auf gerechten Preisen. Freiheit statt Sozialismus. Paul Oertmann hatte zwar mit seiner Formel versucht, die Geschäftsgrundlage mit einem hypothetischen Willen der Parteien zu verbinden und sie damit ins Subjektive zu wenden. Aber die Ergänzung durch Treu und Glauben zeigt, daß letztlich doch das Objektive hier entscheidend ist. Und deshalb lernen die Studenten auch heute noch, daß man dieses Rechtsinstitut nur ganz selten anwenden darf. Nur ausnahmsweise. Im übrigen bleibt es beim Grundsatz des BGB. Pacta sunt servanda. Verträge müssen eingehalten werden.

287. Arbeitsrecht und soziales Mietrecht

Die Beseitigung der ständischen Ordnung war im Bereich der Arbeit keineswegs verbunden mit rechtlicher Gleichstellung von Unternehmern und Beschäftigten. Im Gegenteil. Die Lage der Arbeiter verschlechterte sich unbeschreiblich, weil der Inhalt des Arbeitsverhältnisses nicht mehr durch gesetzliche Regelungen oder Herkommen bestimmt wurde, sondern durch Fabrikordnungen, die einseitig vom Unternehmer erlassen waren, nicht nur für Arbeitszeit, Lohn und Entlassung, sondern auch mit Fabrikstrafen, die jahrzehntelang eine außerordentliche Rolle spielten. Fabrikstrafen bedeuteten einseitig festgelegten Abzug vom Lohn nicht nur bei Verspätung, sondern zum Beispiel auch wegen Ungebühr, Unterhaltung bei der Arbeit oder schlechter Kleidung. Streitigkeiten aus dem Arbeitsverhältnis kamen nicht vor Gericht, sondern wurden entschieden von Ortspolizeibehörden, die angeblich mit den Verhältnissen besser vertraut waren. Erst am Ende des Jahrhunderts, als 1891 Gewerbegerichte entstanden, entwickelte sich das Arbeitsverhältnis allmählich vom Unterwerfungsakt zum Rechtsverhältnis.

Die Grausamkeit dieses Systems wurde um die Mitte des 19. Jahrhunderts nur mangelhaft gemildert durch die sogenannte Arbeiterschutzgesetzgebung, die auch weniger soziale Gründe hatte, sondern eher militärische. Es hatte sich nämlich herausgestellt, daß viele Bezirke ihre Kontingente für die Armee nicht stellen konnten, weil die Gesundheit der jungen Männer durch Kinderarbeit geschädigt war. Also wurde in erster Linie die

Beschäftigung von Kindern und Jugendlichen eingeschränkt, daneben aber auch das Trucksystem verboten, also die Entlohnung mit Waren oder Gutscheinen statt mit Geld. Der berühmte Zehnstundentag, der in England schon 1847 ganz allgemein eingeführt worden war, kam in Deutschland erst 1910, außerdem nur für Frauen, nicht für Männer. Also kein Wunder, daß die Stimmen für die Sozialdemokraten von Wahl zu Wahl zunahmen, was Bismarck in den achtziger Jahren – vergeblich – mit einer sehr verdienstvollen Sozialgesetzgebung zu verhindern suchte: Krankenversicherung (1883), Unfallversicherung (1884), Rentenversicherung (1889). Die Arbeitslosenversicherung kam erst in der Weimarer Zeit (1918, 1927).

Das Verbot von Gewerkschaften fiel 1869 in der Gewerbeordnung des Norddeutschen Bundes, wurde aber 1878 mit dem Sozialistengesetz für einige Jahre mehr oder weniger wieder erneuert. Außerdem sind ihre Streiks durch Polizeimaßnahmen oft erheblich behindert worden. Trotzdem ist 1873 der erste deutsche Tarifvertrag zustandegekommen, für die Buchdrucker. Die rechtliche Einordnung solcher Tarifverträge machte große Schwierigkeiten, besonders die Frage ihrer Wirkung auf den einzelnen Arbeitsvertrag. Auch das große Werk Philipp Lotmars – „Der Arbeitsvertrag nach dem Privatrecht des deutschen Reichs", 2 Bände, 1902/08 – brachte keine endgültige Klärung.

Die Wende kam 1918. Erst in der Weimarer Republik entsteht das Arbeitsrecht im eigentlichen Sinn, mit Gesetzgebung, Rechtsprechung, Wissenschaft und einer allgemein anerkannten Gewerkschaftsbewegung. Am Anfang steht der Achtstundentag. In den Wirren des Zusammenbruchs haben Gewerkschaften und Unternehmerverbände schnell gehandelt und sich am 15. November 1918 in einer „Zentralarbeitsgemeinschaftsvereinbarung" darauf geeinigt. Der Achtstundentag war der Preis, für den die deutschen Arbeiter auf eine Revolution verzichteten und sich damit erträgliche Lebensbedingungen erkauften, zusammen mit der Einrichtung von Betriebsräten. Gesetzliche Regelungen kamen 1918 mit der Tarifvertragsverordnung und 1920 mit dem Betriebsrätegesetz. 1921 erschienen Hugo Sinzheimers „Grundzüge des Arbeitsrechts" und damit entstand eine neue Wissenschaft. Die Grundlage für eine angemessene Rechtsprechung wurde 1926 gelegt, durch das Arbeitsgerichtsgesetz mit einer eigenständigen Gerichtsbarkeit in Arbeitssachen, Arbeitsgerichten, Landesarbeitsgerichten und dem Reichsarbeitsgericht, das beim Reichsgericht in Leipzig errichtet wurde. Stand Hugo Sinzheimer in Frankfurt mit seiner Schule eher auf der Seite der Gewerkschaften, gab es auch bald Vertreter des Arbeitsrechts, die mehr die Interessen der Unternehmer vertraten, zum Beispiel Walter Kaskel in Berlin. Die Arbeitsrechtswissenschaft der Weimarer Zeit war ausgeglichen pluralistisch, im Gegensatz zu der in der Bundesrepublik (Rdz. 337).

Die Anfänge eines sozialen Mietrechts liegen im ersten Weltkrieg. Es wurde weniger gebaut, die Wohnungsnot größer und – ganz entscheidend – Soldaten an der Front wurden unruhig, wenn ihre Familien zu Hause die Kündigung erhielten, weil sie die Miete nicht mehr zahlen konnten. 1917 wurde die Mieterschutzverordnung erlassen, nach der Mieteinigungsämter ziemlich frei entscheiden konnten in jenen drei Bereichen, die zum sogenannten Mietnotrecht gehören, nämlich Wohnraumbewirtschaftung, Mietpreisbindung und Kündigungsschutz. 1922 erging das Reichsmietengesetz zur Preisbindung und 1923 das Mieterschutzgesetz, das die Kündigung durch den Vermieter nur in bestimmten Fällen erlaubte, ähnlich wie heute. Am Ende der Weimarer Zeit begann die Ablösung dieses Notrechts durch ein soziales Mietrecht, und zwar mit einer Notverordnung von 1931. In ihr war vorgesehen, daß das Mietengesetz und das Mieterschutzgesetz 1933 aufgehoben werden sollten, was allerdings davon abhängig gemacht wurde, daß das Mietrecht des BGB bis dahin sozialverträglich neu geregelt würde. Die alten Vorschriften waren aus der Not von Krieg und Nachkriegszeit entstanden. Deshalb Notrecht. Aber man sah, daß eine strukturelle Ungleichheit zwischen Vermieter und Mieter auch in normalen Zeiten besteht. Deshalb sei ein soziales Mietrecht zum Schutz der Mieter auch in Zukunft notwendig. Zu einer solchen Regelung ist es aber nicht mehr gekommen und deshalb bleiben Reichsmietengesetz und Mieterschutzgesetz weiter in Kraft, im Grunde jetzt schon als soziales Mietrecht.

288. Strafrecht der Territorialstaaten

Das Strafrecht der deutschen bürgerlichen Gesellschaft beginnt mit Anselm von Feuerbach. Was Savigny für das Zivilrecht bedeutete (Rdz. 281), war Feuerbach im Strafrecht. Mit sehr verschiedenen Schicksalen. Savigny kam aus dem Hochadel und lebte souverän in geordneten Verhältnissen. Feuerbach war nichtehelich geboren und sein Leben voller Anstrengungen. Eine gewisse Parallele zu Goethe und Schiller. 1801, als Feuerbach Professor in Kiel geworden war, erschien sein „Lehrbuch des in Deutschland geltenden peinlichen Rechts“, eines der erfolgreichsten Lehrbücher des 19. Jahrhunderts. In ihm ist das Programm formuliert, das bis heute – in Artikel 103 Absatz 2 des Grundgesetzes – das rechtsstaatliche Strafrecht der bürgerlichen Gesellschaft bestimmt, der berühmte Satz, der seine Erfindung ist, nulla poena sine lege, keine Strafe ohne Gesetz (zitiert nach der 2. Aufl. 1813, § 20):

> „Jede Zufügung einer Strafe setzt ein Strafgesetz voraus. (Nulla poena sine lege). Denn lediglich die Androhung des Uebels durch das Gesetz begründet den Begriff und die rechtliche Möglichkeit einer Strafe.“

1804 ging er an die bayerische Universität Landshut. Wie immer gab es Streit. Und so wurde er 1805 vom Kurfürsten ins Justizministerium nach München berufen, wo er das bayerische Strafgesetzbuch ausgearbeitet hat, das 1813 erlassen worden ist. Seine größte Leistung. Kantisch, liberal und nun auch ohne die ständischen Privilegierungen und Diskriminierungen, die noch im Strafrecht des Preußischen Allgemeinen Landrechts enthalten sind, außerdem sehr viel kürzer – abstrakter – und mit größerer Präzision in der Formulierung der Tatbestände. Die Präzision des Tatbestandes war Grundlage für die Durchführung seines Programms nulla poena sine lege. Im Lauf des 19. Jahrhunderts ist das zwar noch weiter präzisiert worden, im preußischen StGB von 1851 und dem daraus entwickelten Reichsstrafgesetzbuch von 1871. Aber die entscheidende Wende kam mit Anselm von Feuerbach. Das wird deutlich aus der folgenden Reihe mit dem Beispiel des Diebstahls vom Sachsenspiegel bis zum heute noch geltenden StGB:

> *Um 1220, Sachsenspiegel* II.13.1:
> „Den diep sal man hengen."
>
> *1532, Constitutio Criminalis Carolina*, Art. 157:
> „Item so einer erstlich gestolen hat unter fünff gülden werth ... so soll der Richter darzu halten ... dem berechtigten den diebstall mit der zwispil zu bezalen ..."
>
> *1794, Preußisches Allgemeines Landrecht* II.20.1108:
> „Wer um seines Gewinns, Vortheils, oder Genusses willen, eine bewegliche Sache aus dem Besitze eines Andern ohne dessen Vorbewußt oder Einwilligung entwendet, der macht sich eines Diebstahls schuldig."
>
> *1813, Bayerisches Strafgesetzbuch*, § 209:
> „Wer eine ihm nicht eigentümliche bewegliche Sache eigenmächtig, jedoch ohne Gewalt an einer Person, in seinen Besitz nimmt, um dieselbe rechtswidrig als sein Eigentum zu haben, ist des Diebstahls schuldig."
>
> *1851, Preußisches Strafgesetzbuch*, Art. 144:
> „Einen Diebstahl begeht, wer eine fremde bewegliche Sache einem Andern in der Absicht wegnimmt, dieselbe sich rechtswidrig zuzueignen."
>
> *1871, Reichsstrafgesetzbuch*, § 242 (noch heute gültig):
> „Wer eine fremde bewegliche Sache einem anderen in der Absicht wegnimmt, dieselbe sich rechtswidrig zuzueignen, wird mit Freiheitsstrafe bis zu fünf Jahren oder mit Geldstrafe bestraft."

Am Anfang wird nur vom Dieb und Diebstahl gesprochen und nicht gesagt, was das ist. Das Allgemeine Landrecht gibt eine Definition, aber sie ist noch zu weit – „Gewinn, Vorteil oder Genuß" sind überflüssig. Erst bei Feuerbach wird der Diebstahl auf seinen Begriff gebracht, wobei „ohne Gewalt" letztlich auch noch wegbleiben konnte, weil „mit Gewalt" den Raub bedeutet, der besonders geregelt ist. Deshalb ist das später zu Recht weggefallen.

Dieses bayerische StGB von 1813 ist das Vorbild aller folgenden Kodifikationen in deutschen Staaten geworden, Sachsen (1839), Württemberg (1839), Braunschweig (1841), Hessen (1841), Baden (1851) und so weiter. Sie waren nicht nur notwendig, weil hier in weiten Teilen immer noch die Constitutio Criminalis Carolina galt (Rdz. 258), sondern auch, weil man jetzt Ernst machen wollte mit rechtsstaatlichen Prinzipien und dem von Feuerbach formulierten Grundsatz. Sein Gesetz hatte allerdings auch Schwächen. Sie beruhten auf seiner Theorie von der Generalprävention, nach der alleiniger Zweck von Strafgesetzen die Abschreckung der Allgemeinheit ist (Rdz. 259, 267). Deshalb waren seine Strafandrohungen sehr hoch. Feuerbach selbst hat das später in einem zweiten Entwurf von 1824 noch korrigiert und entsprechend milder waren die anderen Landesgesetze.

Am längsten dauerte es mit der Kodifikation eines liberalen Strafrechts in Preußen. Das hatte politische Gründe. Das Allgemeine Landrecht war am Anfang des 19. Jahrhunderts zugunsten polizeistaatlicher Tendenzen laufend verschärft worden. Das wollte man nicht in Frage stellen. Die letzte Hürde fiel 1842 mit der Entlassung des stockkonservativen Justizministers von Kamptz. Deshalb ist ein modernes preußisches StGB erst 1851 erlassen worden. In die Zeit vorher fällt:

289. Kammergericht Berlin, Urteil vom 19. 1. 1843: Der Fall Jacoby

Ein Urteil, das nie veröffentlicht und dem Angeklagten nach vielen Schwierigkeiten schließlich nur mündlich begründet worden ist. Eines der bemerkenswertesten Urteile in politischen Strafsachen des 19. Jahrhunderts.

Johann Jacoby war Arzt in Königsberg und dort Wortführer der demokratischen Opposition. Wenige Monate nach dem Regierungsantritt Friedrich Wilhelms IV. veröffentlichte er 1842 eine kleine anonyme Schrift von 48 Seiten unter dem Titel „Vier Fragen beantwortet von einem Ostpreußen", gerichtet an den neuen König mit der Aufforderung, er möge endlich ein Versprechen einlösen, das sein Vater – Friedrich Wilhelm III. – dem preußischen Volk schon 1815 gegeben hatte, nämlich dem Staat eine Verfassung zu geben. Das Heft wurde sofort verboten, war aber vorher schon sehr schnell in 2500 Exemplaren vollständig verkauft worden, die nicht nur in Preußen von Hand zu Hand gingen und großes Aufsehen erregten. Eine der erfolgreichsten politischen Flugschriften des

19. Jahrhunderts. „Was wünschen die Stände?", fragte Jacoby. Und antwortete klar und eindringlich, gesetzmäßige Teilnahme der Bürger an den Angelegenheiten des Staates. Was berechtigt sie? Das Bewußtsein eigener Mündigkeit und das Versprechen von 1815. Welcher Bescheid wurde ihnen gegeben? Anerkennung ihrer treuen Gesinnung und Vertröstung auf unbestimmte Zeit. Was bleibt der Ständeversammlung zu tun übrig? „Das was sie bisher als Gunst erbeten, nunmehr als erwiesenes Recht in Anspruch zu nehmen."

Der König war empört, läßt untersuchen und Jacoby gibt sich sofort zu erkennen, gewinnt im Land immer größere Sympathie, wird angeklagt wegen Hochverrats, denn der König will den „frechen Juden" zum Tode verurteilen lassen. Das hatte Jacoby vorausgesehen und durch kluge Formulierungen und vorsichtige Argumentation Vorsorge getroffen. Es beginnt ein groteskes Pingpongspiel zwischen dem Königsberger Oberlandesgericht und dem Kammergericht in Berlin, die sich gegenseitig die Zuständigkeit zuspielen. Das Königsberger Gericht meint, das sei Hochverrat und gehöre deshalb in die Kompetenz des Kammergerichts. Das Kammergericht ist anderer Meinung und verweist zurück nach Königsberg. Dann soll der König entscheiden. Der überläßt die Entscheidung dem Angeklagten und so kommt der Fall vor das Kammergericht. Der zuständige Strafsenat – „Criminaldeputation des Instruktionssenats" – entscheidet am 5. April 1842, im üblichen Verfahren des Inquisitionsprozesses, nicht öffentlich, ohne den Angeklagten, nach Aktenlage. Jacoby wird vom Vorwurf des Hochverrats freigesprochen. Kein Umsturzversuch zur Beseitigung der Monarchie. Aber er wird verurteilt wegen „Erregung von Mißvergnügen gegen die Regierung" und Majestätsbeleidung zu zweieinhalb Jahren Festungshaft. Allgemeines Landrecht II.20 § 199:

> „Wer sich des Verbrechens der beleidigten Majestät durch ehrenrührige Schmähungen des Oberhaupts im Staate, mit Worten, Schriften oder anderen sinnlichen Darstellungen schuldig macht, der hat Zwey- bis Vierjährige Zuchthaus- oder Festungsstrafe verwirkt."

Hier lag das erste Problem. Denn § 199 meint nur die Beleidigung des jeweils regierenden Königs. Jacobys Vorwürfe richteten sich aber gegen seinen Vorgänger. Friedrich Wilhelm IV. war erst wenige Monate im Amt. Das zweite Problem, Allgemeines Landrecht II. 20 § 151, Erregung von Mißvergnügen gegen die Regierung:

> „Wer durch frechen, unehrerbietigen Tadel oder Verspottung der Landesgesetze und Anordnungen im Staate Mißvergnügen oder Unzufriedenheit der Bürger gegen die Regierung veranlaßt, der hat Gefängniß oder Festungsstrafe auf sechs Monate bis zwey Jahre verwirkt."

Die Schrift hatte zwar große Erregung verursacht, war aber nicht frech und unehrerbietig, sondern sachlich, logisch und klar. Also legte Jacoby Berufung ein, über die im Kammergericht selbst entschieden werden mußte, vom Oberappellationssenat, der dem Strafsenat als nächsthöhere Instanz übergeordnet gewesen ist. Und es war zu erwarten, daß er die Strafe verschärft, denn der König war empört über das milde Urteil der ersten Instanz. Wieder wurde schriftlich verhandelt ohne Öffentlichkeit und ohne den Angeklagten, der selbst die Berufung begründet hatte, keinen Verteidiger wollte. Der Oberappellationssenat entschied am 19. Januar 1843, einstimmig, unter seinem Vorsitzenden Wilhelm Heinrich von Grolmann, dem Präsidenten des Kammergerichts. Freispruch. Das Urteil des Strafsenats wurde aufgehoben und Johann Jacoby freigesprochen. Damit hatte niemand gerechnet. Das liberale Deutschland jubelte. Zornige Wut beim König, für den das eine schwere Niederlage gewesen ist. Und der alte Grolmann wußte, daß er nun in Ungnade war. Hat bald seinen Abschied genommen, aber den Ruf des Kammergerichts befestigt, Meilensteine zu setzen auf dem Weg zur Unabhängigkeit der Justiz. Diesmal sogar – anders als im Fall des Müllers Arnold (Rdz. 265) – mit einer richtigen Entscheidung.

290. Reformierter Strafprozeß und der Strafvollzug

Der Prozeß gegen Jacoby war noch in jenem alten prozessualen Rahmen gelaufen, der sich seit dem Mittelalter im Prinzip nicht verändert hatte. Inquisitionsverfahren mit Untersuchung durch den Richter, der dann selbst den Prozeß einleitete, in dem nicht öffentlich verhandelt und nur nach Aktenlage entschieden wurde. Trotz ständig wachsender Kritik gelang es den Fürsten, daran bis zur Mitte des 19. Jahrhunderts festzuhalten. Aber dann brach ihr Widerstand doch zusammen. Schon vor der Märzrevolution 1848. Besonders durch die Verfahren gegen sogenannte Demagogen waren diese Geheimprozesse zu sehr in Verruf gekommen. Um die Mitte der vierziger Jahre setzte sich fast überall in Deutschland eine neue Form durch, der reformierte Strafprozeß, nach französischem Vorbild, mit Öffentlichkeit und Mündlichkeit einer Verhandlung, die nach dem Anklageprinzip geführt wurde. Die Voruntersuchungen wurden nun nicht mehr vom Richter geführt, sondern von der neu geschaffenen Staatsanwaltschaft, die seitdem auch die Anklage erhebt und der dann in der Verhandlung vor dem Gericht eine Verteidigung gegenübersteht, was vorher auch nicht selbstverständlich war. Das Ganze ergänzt durch genauere Vorschriften über die Untersuchungshaft, die vorher vom Richter völlig willkürlich angeordnet werden konnte. Insgesamt gesehen ein wesentlicher Bestandteil der Verfassungsbewegung zum Rechtsstaat (Rdz. 273). Für den Strafprozeß ist das wissenschaftlich untermauert worden durch Karl Mittermaier in Heidelberg und Heinrich Zachariae in Göttingen. Die ersten Gesetze sind in Württemberg und Baden erlassen worden (1843, 1845). Preußen folgte 1846.

Nach der Märzrevolution kamen die Geschworenengerichte dazu, wie es § 179 der Paulskirchenverfassung für schwere Straftaten gefordert hatte, ebenfalls nach dem Vorbild der Franzosen, die damit nach der Revolution eine Forderung Montesquieus erfüllt haben, der sie bei den Engländern entdeckt hatte, als Garantie von Bürgerfreiheit gegen die Willkür der vom König abhängigen Berufsrichter. Nun sollten die Bürger selbst über ihre Mitbürger entscheiden. Die ersten deutschen Gesetze ergingen 1848 in Bayern und Hessen und 1849 in Preußen, Hannover, Württemberg und Baden. Die neuen Schwurgerichte bestanden aus zwölf Geschworenen, die über die Tatfrage entscheiden sollten, und drei Berufsrichtern, die über die Rechtsfrage zu entscheiden hatten. In der Wissenschaft war das umstritten. Feuerbach hatte sich dagegen entschieden, weil er – zu Recht – meinte, man könne die beiden Fragen nicht trennen. Auch Mittermaier sah das Problem, entschied sich aber trotzdem für diese demokratische Form der Gerichte in einem Vortrag auf einer Lübecker Juristentagung 1847, der die Wissenschaft stark beeinflußte und zur Entscheidung der Frankfurter Nationalversammlung führte. Erst 1921 ist dieses System durch eine Verordnung des Reichsjustizministers Emminger wieder beseitigt worden, angeblich aus finanziellen Gründen.

Ohne Fortschritte blieb dagegen der Strafvollzug. Die Freiheitsstrafe war immer wichtiger geworden, hatte die alten Körperstrafen abgelöst und stand nun zwischen der Todesstrafe und der Geldstrafe im Zentrum des Systems. Man machte sich auch in Deutschland Gedanken über eine Reform ihres Vollzugs, nachdem besonders in den Vereinigten Staaten große Anstrengungen unternommen worden waren, durch ihn Einfluß zu nehmen auf die Resozialisierung der Gefangenen, im „Pennsylvanischen" und „Auburnschen System" als Kombination von nächtlicher Einzelhaft und gemeinschaftlicher täglicher Arbeit mit absolutem Schweigegebot, die zur inneren Einkehr und Besinnung führen sollten. Aber in Deutschland wurden Veränderungen weitgehend verhindert. Zu einem nicht geringen Teil war das die Schuld Anselm von Feuerbachs. Denn er hatte mit seinem Prinzip der Generalprävention alle anderen Strafzwecke für unzulässig erklärt, also auch den der Spezialprävention, die Besserung des Täters. Und so blieben deutsche Gefängnisse und Zuchthäuser, was sie schon im 18. Jahrhundert waren, unmenschliche Gemäuer in unverantwortlichem hygienischen Zustand, eher „Ort für Begräbnisse als zur Unterbringung von Lebenden", wie es der preußische Justizminister von Arnim schon 1799 formuliert hatte. Eine gewisse Verbesserung kam erst in der Weimarer Republik, 1923, mit einer Vereinbarung der Länder im Reichsrat, nach der die Resozialisierung durch ein Stufensystem gefördert werden sollte, das schon im 19. Jahrhundert diskutiert worden war. Nun wurden die Haftbedingungen je nach Entwicklung des einzelnen Gefangenen zunehmend gelockert, wozu jetzt auch der Besuch von Verwandten gehörte, um ihn auf das Leben in Freiheit vorzubereiten, ohne daß er wieder straffällig werde. Der Erfolg war gering. Und zehn Jahre später ist das von den Nationalsozialisten weitgehend wieder beseitigt worden, die eine solche Vorzugsbehandlung von „Verbrechern" sofort kritisiert hatten.

291. Strafgesetzbuch für das Deutsche Reich

Schon bald nach der Gründung des Norddeutschen Bundes – 1867 – ging man daran, ein gemeinsames Strafgesetzbuch vorzubereiten. Als Grundlage diente das preußische von 1851. Schwierigkeiten gab es bei der Todesstrafe, über die im Reichstag heftige Debatten geführt wurden. Im März 1870 ist dort mit großer Mehrheit ihre Abschaffung beschlossen worden. Aber Gesetze konnten nur mit Zustimmung des Bundesrats zustandekommen und die meisten Fürsten waren für die Todesstrafe. Also gab der Reichstag nach und beschloß im Mai 1870 ihre Wiederaufnahme in das Gesetz, das am 1. Januar 1871 in Kraft treten sollte. Das war jener Tag, an dem die inzwischen gelungene Gründung des Deutschen Reiches wirksam wurde und so ist dieses Strafgesetzbuch für den Norddeutschen Bund mit geringfügigen Änderungen und kurzer Verzögerung als Strafgesetzbuch für das Deutsche Reich verkündet und wirksam geworden.

Es war wie das BGB ein typisches Produkt des 19. Jahrhunderts. Beide Gesetze sahen als Adressaten nur den freien und mündigen Bürger, der selbstbestimmt handeln kann. Beide übersahen die sozialen Probleme. Das BGB übersah die Benachteiligung der sozial Schwachen, das StGB die sozialen Ursachen von Kriminalität. Deshalb gab es hier auch keinen Versuch, durch Spezialprävention auf die Besserung von Tätern hinzuwirken. Aber immerhin kamen bald gewisse Veränderungen, und sogar noch etwas schneller als im Zivilrecht.

Schon vor dem ersten Weltkrieg entstand bei kurzen Freiheitsstrafen eine ausgedehnte Praxis der Aussetzung zur Bewährung, außerhalb des Gesetzes, einfach auf dem Verwaltungsweg, nämlich auf der Grundlage des Rechts zur Begnadigung, das den Fürsten zustand. Zwischen 1895 und 1903 haben sie dieses Recht in fast allen Ländern auf ihre Justizminister delegiert, die dann davon – nach Rücksprache mit den Gerichten – in umfangreichem Maße Gebrauch machten.

Ebenfalls noch vor dem ersten Weltkrieg kam eine zweite Ergänzung, die in erster Linie wissenschaftlichen Charakter hatte, aber nicht nur theoretisch von Bedeutung war. Die Trias von Tatbestandsmäßigkeit, Rechtswidrigkeit und Schuld als Voraussetzung für die Bestrafung eines Täters. Das Strafgesetzbuch von 1871 ist – wie das preußische von 1851 – letztlich nichts anderes als eine etwas präzisierte Form des von Feuerbach konzipierten bayerischen Gesetzes von 1813 (Rdz. 288). Im Mittelpunkt steht der Tatbestand. Auf ihn hatte sich die rechtsstaatliche Präzisierung konzentriert. Heute weiß man mehr, sieht genauer, nämlich daß auch noch objektive Rechtswidrigkeit hinzukommen muß und subjektive Schuld. Es sind Nuancen, aber sie können sehr wichtig werden. Ihre Ergänzung kam ebenfalls außerhalb des Gesetzes, durch die Wissenschaft, am Ende des 19. Jahrhunderts. Im wesentlichen das Verdienst des Berliner Strafrechtlers Franz von Liszt (Rdz. 293). Damit war nicht nur ein höheres Maß an Genauigkeit in der Anwendung des Gesetzes verbunden. Manche meinen sogar, es sei die wichtigste dogmatische Neuerung seit vielen Jahrhunderten. Was wohl leicht übertrieben ist. Aber sie ermöglicht auch entscheidende Korrekturen des Gesetzes. Zum Beispiel beim Schwangerschaftsabbruch. Über ihn ist in der Weimarer Zeit genauso heftig diskutiert worden wie über die Todesstrafe im Reichstag des Norddeutschen Bundes, weitgehend auf Initiative der Sozialdemokraten. Auch hier kam der Reichstag nicht zu wesentlichen Veränderungen, wohl aber das Reichsgericht mit einer aufsehenerregenden Entscheidung vom 11.3.1927, in der ein Abbruch bei medizinischer Indikation für rechtmäßig und damit straflos erklärt wurde, und zwar nach dem Grundsatz vom übergesetzlichen Notstand, den das Gericht auf der Grundlage der neu entwickelten Lehre von der Rechtswidrigkeit formulieren konnte (RGSt 61.242).

Wichtigste gesetzliche Änderungen der Weimarer Republik waren das Jugendgerichtsgesetz und das Geldstrafengesetz, beide im selben Jahr erlassen, 1923. Die Strafmündigkeit der Jugendlichen wurde von 12 auf 14 Jahre heraufgesetzt und für sie im Gesetz der Grundsatz der Spezialprävention eingeführt. Strafen sind für sie seitdem nur zulässig, wenn Erziehungsmaßnahmen nicht ausreichen. Und wenn Strafen ausgesprochen wurden, konnten sie nun zum erstenmal auf gesetzlicher Grundlage vom Richter zur Bewährung ausgesetzt werden. Auch im Strafvollzug von Jugendlichen soll seitdem der Besserungsgedanke im Vordergrund stehen.

Im Erwachsenenstrafrecht konnten jetzt nach dem Geldstrafengesetz kurze Freiheitsstrafen durch Geldstrafen ersetzt werden, wenn nicht von vornherein eine Geldstrafe möglich war. Die konservative Kritik an diesem Gesetz war besonders heftig. Angesichts einer wachsenden Kriminalität hielt man ganz allgemein die Praxis der Gerichte für zu milde und besonders die Handhabung des Gnadenrechts:

> „Die Knochenerweichung ist die Krankheit unserer Zeit. Wir müssen wieder hart werden",

schrieb Adolf Baumbach 1928 in der Deutschen Juristen-Zeitung (DJZ 1928.42). Die Wende kam auch hier mit den Nationalsozialisten.

292. Politisches Strafrecht der Weimarer Zeit

Die Rechtsprechung in politischen Strafsachen bewegte sich schon während des 19. Jahrhunderts nicht unbedingt auf dem Niveau jenes Beispiels, das Grolmann mit dem Kammergericht im Fall Jacoby gegeben hatte (Rdz. 289). Unrechtmäßigkeiten und Ungerechtigkeiten waren eher normal, nicht nur bei den „Demagogenverfolgungen" gegen Liberale und in den Prozessen gegen Sozialdemokraten nach dem Sozialistengesetz von 1878. Als Karl Liebknecht 1910 das Wort „Klasenjustiz" gebrauchte, war die Empörung groß. Aber objektiv ist dieser Ausdruck durchaus berechtigt gewesen. Er ist nur subjektiv mißverstanden worden als Vorwurf von bewußter Rechtsbeugung. In der Weimarer Zeit ist die Schieflage der Justiz in politischen Verfahren noch krasser geworden, weil das – meist konservativ geprägte – juristische Personal dasselbe geblieben war und die politische Situation sich für diese Juristen ungünstig verändert hatte. Im Unterschied zur Zeit vorher ist nun aber die Kritik lauter geworden und das führte in den zwanziger Jahren zu einer ausführlichen Diskussion über die „Vertrauenskrise der Justiz".

Die Kritik begann schon 1921 mit einer Schrift des Heidelberger Mathematikers Otto Julius Gumbel, „Zwei Jahre Mord". Eine knappe Statistik über das unterschiedliche Vorgehen der Justiz gegen Straftäter von rechts nach links am Beispiel der politischen Morde seit dem 9. November 1918. 314 waren es von rechts, 13 von links. Für die von links hatte die Justiz achtmal die Todesstrafe ausgesprochen und insgesamt 176 Jahre Freiheitsstrafe, für die von rechts keine Todesstrafe, sondern nur insgesamt 31 Jahre Freiheitsstrafe und einmal lebenslange Festungshaft. Das ergibt für jeden Mord von links etwa 29 Jahre, für jeden von rechts zwei Monate, was nicht nur in der parteilichen Rechtsprechung der Gerichte seine Ursache hat, sondern auch darin begründet war, daß Polizei und Staatsanwaltschaft bei Straftaten von rechts unzulänglich ermittelten und oft gar keine Anklage erhoben worden war.

In der späteren Zeit veränderte sich das Bild ein wenig. Die am Rathenau-Mord beteiligten Rechtsextremisten sind sehr hart bestraft worden. Die ebenfalls von Rechtsextremisten begangenen Fememorde der Schwarzen Reichswehr wurden zwar von den unteren Instanzen empörend milde behandelt. Aber diese Urteile sind vom Reichsgericht wieder aufgehoben und zur härteren Bestrafung zurückverwiesen worden.

Anders war es allerdings wieder in den vielen Prozessen wegen Landesverrats, die sich nur gegen die politische Linke richteten. 1927 waren es zum Beispiel 44 Verurteilungen. Das waren in diesem einzigen Jahr mehr als in den dreißig Jahren vor dem Krieg. Eines der krassesten Fehlurteile ist das des Reichsgerichts 1931 gegen Carl von Ossietzky gewesen.

In ähnlicher Weise wurde das Gesetz zum Schutz der Republik angewendet, das 1922 nach dem Mord an Rathenau erlassen worden war und hochverratsähnliche Bestimmungen enthielt. Der im Gesetz neu eingerichtete Staatsgerichtshof entwickelte eine juristische Konstruktion, nach der die bloße Mitgliedschaft in der KPD als Hochverratsvorbereitung gewertet werden konnte, nicht aber die in der genauso gefährlichen NSDAP. In politischen Prozessen der Jahre 1924/25 sind gegen Kommunisten insgesamt etwa 5000 Jahre Freiheitsstrafe ausgesprochen worden, fünfmal mehr als in den zwölf Jahren 1878 bis 1890 unter der Geltung des Sozialistengesetzes. Die Zahlen für die Nationalsozialisten lagen weit darunter.

Große Empörung besonders im Ausland erregten 1921 Prozesse vor dem Reichsgericht in Leipzig wegen Kriegsverbrechen, deren Verfolgung 1919 im Versailler Friedensvertrag vereinbart war. Das Deutsche Reich hatte sich zur Auslieferung für einen internationalen Prozeß verpflichten müssen. Aber schon Holland hatte sich geweigert, den Kaiser auszuliefern, der dort im Asyl war. Also wollten auch die Deutschen die 795 Verdächtigen nicht herausgeben, die auf einer Liste der Siegermächte standen. Stattdessen einigte man sich darauf, daß ihnen der Prozeß vor dem Reichsgericht gemacht werden sollte. Aber nur gegen zehn wurde verhandelt. Sechs sind frei gesprochen worden und vier verurteilt. Der schwerste Fall war der zweier U-Boot-Offiziere, die mitverantwortlich waren für die völkerrechtswidrige Versenkung eines Lazarettschiffs. Das U-Boot hatte dann sogar noch diejenigen beschossen und getötet, die in Rettungsbooten Zuflucht gefunden hatten. Die beiden wurden nur zu vier Jahren Gefängnis verurteilt, aus dem sie kurz danach entkommen konnten.

Verheerende Wirkung hatte 1924 der „Prozeß des Reichspräsidenten". Das politische Klima der Weimarer Zeit ist durch ihn entscheidend beeinflußt worden. In ihm wurde ein Journalist vom Vorwurf der Verleumdung freigesprochen, der Friedrich Ebert als Landesverräter bezeichnet hatte, weil der am Ende des Krieges von seiner Partei in einen Streikrat der Berliner Arbeiter geschickt worden war, um in der Rüstungsindustrie Schlimmeres zu verhindern. Die Magdeburger Richter – rechtskonservative Gegner der Demokratie – kamen zu dem für den Reichspräsidenten und die Republik vernichtenden Ergebnis, er habe „objektiv" Landesverrat begangen. Zwar hat auch hier das Reichsgericht korrigiert und Friedrich Ebert 1931 in einem Parallelverfahren vollständig rehabilitiert. Aber er war schon bald nach dem Magdeburger Urteil gestorben und der Schaden nach sieben Jahren ohnehin kaum wieder gutzumachen. Alles in allem also für die Justiz der Weimarer Zeit doch eine miserable Bilanz, trotz einiger Lichtblicke.

293. Wandel der Methoden

Das Recht der bürgerlichen Gesellschaft ist von Anfang an verbunden gewesen mit ausführlichen Erörterungen von Methodenfragen. Schon im 18. Jahrhundert, in der Vorbereitungsphase. Montesquieu rechtfertigt seine Forderung nach Unabhängigkeit der Justiz mit der These, der Richter sei nur der Mund, der den Wortlaut des Gesetzes spricht (Rdz. 267). Noch deutlicher ist Cesare Beccaria mit seinem Buch „Über Verbrechen und Strafen" 1766 im 4. Kapitel über die Auslegung der Gesetze, die im Strafrecht ganz besonders gerechtfertigt oder besser gesagt geleugnet werden mußte:

> „Nicht einmal die Befugnis, das Strafgesetz auszulegen, kann bei den Strafrichtern liegen, und zwar aus dem Grund, weil sie nicht Gesetzgeber sind ... Bei jedem Verbrechen hat der Richter einen vollkommenen Syllogismus zu vollziehen: Den Obersatz bildet das allgemeine Gesetz, den Untersatz die mit dem Gesetz übereinstimmende oder nicht übereinstimmende Handlung. Die Schlußfolgerung muß in Freispruch oder Strafe bestehen."

Im 19. Jahrhundert kommt für das Zivilrecht hinzu, daß es kaum Gesetze gibt oder – wie in Preußen – keines, das den Ansprüchen der historischen Schule genügt. Also konstruiert sie ihr Pandektenrecht (Rdz. 281) auf der Grundlage des römischen und ergänzt dessen historische Legitimation durch eine – scheinbar – exakte Methode nach dem Vorbild der Naturwissenschaften, also durch Logik, Systematik und eine hoch entwickelte Begrifflichkeit, die zu einem guten Teil schon vom Naturrecht vorbereitet war.

Natürlich wußten Savigny und seine Schüler ebenso wie Montesquieu und Beccaria, daß das alles nicht so einfach ist. Sie wußten, daß es kein Gesetz und keinen Begriff gibt, die so genau sind, wie es notwendig wäre, um in allen Zweifelsfällen zu eindeutigen Ergebnissen zu kommen. Aber sie brauchten das Prinzip. Montesquieu brauchte es zur Rechtfertigung der Gewaltenteilung, Beccaria für die von Strafe und die historische Schule zur Legitimation für den Aufbau eines bürgerlichen Zivilrechts ohne Gesetzgeber. So entstand der juristische Positivismus, ein Begriff, der ausdrücken soll, dieses Recht sei keine subjektive Erfindung von Juristen, sondern etwas, das ihnen positiv – objektiv – vorgegeben war. So entstand die Begriffsjurisprudenz als seine Methode, nicht nur im Zivilrecht, sondern auch im Strafrecht und im öffentlichen Recht. Im Strafrecht war es Anselm von Feuerbach mit seinem Tatbestand (Rdz. 288) und dazu die „klassische Schule" Karl Bindings, mit dem der – von sozialen Überlegungen freie – Liberalismus hier seinen Höhepunkt erreichte. Im Staatsrecht sind es Karl Friedrich Gerber und Paul Laband gewesen, die ihre Dogmatik nach dem Vorbild des pandektistischen Zivilrechts entwickelt haben. Und im Verwaltungsrecht war es – sehr ähnlich – Otto Mayer (Rdz. 279).

In der zweiten Hälfte des 19. Jahrhunderts erreichte dieser begriffliche Positivismus der Rechtswissenschaft seinen Höhepunkt, ähnlich wie die von sozialer Rücksicht unbeeinflußte Gesetzgebung mit dem StGB und dem BGB. Von da an gings bergab. Im Zivilrecht und Strafrecht wandeln sich die Methoden schon vor dem ersten Weltkrieg. Im Staatsrecht erst in der Weimarer Zeit. Und gleichzeitig entsteht eine neue juristische Wissenschaft. Die Rechtssoziologie. Hinter all dem steht dieselbe Ursache. Hinter all dem steht die soziale Dimension, die von der Wissenschaft wie von der Gesetzgebung bisher bewußt ausgeschaltet worden war. Denn reine Begrifflichkeit und Abstraktion bedeuten, daß man nicht bereit ist, die soziale Frage in das Recht miteinzubeziehen. Das ändert sich nun. Ganz vorsichtig. Im Zivilrecht beginnt es mit Rudolf von Jhering, „Der Zweck im Recht", 1877/83. Für ihn bestimmen gesellschaftliche und wirtschaftliche Zwecke das Recht und seine Begriffe, nicht umgekehrt. In der Weimarer Republik wird das von Philipp Heck zur „Interessenjurisprudenz" weiterentwickelt, die auch heute noch die juristische Methode bestimmt mit der Forderung, bei der Entscheidung von Konflikten, die im Gesetz nicht eindeutig geregelt sind, müsse eine Interessenabwägung vorgenommen werden, möglichst auf der Grundlage von Interessenwertungen des Gesetzes. Noch weiter schien die sogenannte Freirechtsschule zu gehen, deren wichtigste Programmschrift von Hermann Ulrich Kantorowicz stammt, 1906, unter dem Pseudonym Gnaeus Flavius, „Der Kampf um die Rechtswissenschaft". Aber so frei, wie man oft meint, war auch diese Freirechtsschule nicht. Sie suchte ebenfalls nur nach interessegebundenen Verfahren zur Ergänzung der begrifflichen Dogmatik, die sie weiter für notwendig hielt, deren Anwendung allein jedoch eine mehr oder weniger absichtliche Selbsttäuschung sei.

Rudolf von Ihering hatte entscheidenden Einfluß auf die Entstehung der „soziologischen Schule" im Strafrecht, die begründet wurde durch Franz von Liszt, „Der Zweckgedanke im Strafrecht" 1882. Sie stand seitdem im Gegensatz zur „klassischen Schule" Karl Bindings. Seit Franz von Liszt weiß man, daß Kriminalität soziale Ursachen hat und seine Vorschläge zur Strafrechtsreform – Abschaffung der kurzen Freiheitsstrafe und Ersetzung durch die Geldstrafe, Strafaussetzung zur Bewährung, besondere Gerichtsbarkeit und besondere Maßregeln für Jugendliche – beeinflussen seitdem die Strafrechtsreformen (Rdz. 291, 338).

Die Rechtssoziologie in Deutschland ist entstanden mit Eugen Ehrlich, „Grundlegung der Soziologie des Rechts", 1913, als Widerspruch gegen die pandektistische Begriffsjurisprudenz, die alle gesellschaftlichen Probleme ausgeklammert hatte. Ganz anders Max Weber. Seine Rechtssoziologie in „Wirtschaft und Gesellschaft" – geschrieben 1911/12, erschienen 1921/22, nach seinem Tod – ist eine soziologische Rechtfertigung der „Rationalität" dieser Pandektenwissenschaft und ihrer großen Bedeutung für die kapitalistische Wirtschaft, die auf Kalkulierbarkeit im Recht angewiesen ist.

Erste Ansätze eines Methodenwandels im Staatsrecht kamen in der Weimarer Zeit. Was Paul Laband mit „Das Staatsrecht des deutschen Reiches" 1876/82 für die Bismarcksche Verfassung gewesen ist, war Gerhard Anschütz mit seinem klassischen Kommentar für die Weimarer, „Die Verfassung des deutschen Reiches" 1921, 14. Auflage 1933. Beide in der begrifflichen Tradition des 19. Jahrhunderts, nur mit dem Unterschied, daß der eine ein Monarchist gewesen ist und der andere ein Demokrat. Die Kritik an diesem staatsrechtlichen Positivismus kam von zwei sehr unterschiedlichen Männern, von Carl Schmitt und Rudolf Smend. Beide sahen den Staat und seine Verfassung in erster Linie nicht mehr als Normengefüge. Für Carl Schmitt – antidemokratisch, antiliberal, katholisch – waren Machtfragen entscheidend, nach dem Modell des „Leviathan" seines großen Vorbilds Thomas Hobbes (Rdz. 249). Während Rudolf Smend – demokratisch, liberal, evangelisch – die Tradition der deutschen idealistischen Philosophie des 19. Jahrhunderts verbunden hat mit modernen Vorstellungen vom Staat als sozialem System, für das „Integration" entscheidend ist, ein ständiger Prozeß von Sinngebung, der ganz allgemein soziale Einheiten entstehen läßt und zusammenhält. Carl Schmitt ist der Jurist des „Dritten Reichs" geworden und Rudolf Smend einer der einflußreichsten Staatsrechtler der Bundesrepublik. Und so entsprach auch hier der Wandel juristischer Methoden den großen politischen Veränderungen, die im 20. Jahrhundert Antworten gewesen sind auf die soziale Frage, die im 19. Jahrhundert entstand, von seinem Recht und der großen Politik aber im wesentlichen ignoriert wurde.

294. Das juristische Jahrhundert

Das 19. Jahrhundert war in Deutschland ein juristisches Jahrhundert und das hat Wirkungen bis heute, positive und negative. Die Fürsten hatten mit dem Sieg über Napoleon auch den politischen Kampf gegen das liberale Bürgertum gewonnen. Die Bürger beschränkten sich aufs Geschäft und veränderten auf diese Weise die Situation zu ihren Gunsten, unterstützt von Juristen, die das, was politisch nicht durchzusetzen war, im wesentlichen juristisch-wissenschaftlich erreicht haben. Ein bürgerliches Recht. So entstand der Rechtsstaat, ein Wort, das es nur im Deutschen gibt. Unabhängigkeit der Justiz, Öffentlichkeit und Mündlichkeit des Verfahrens vor einem gesetzlichen Richter, nulla poena sine lege, Einrichtung der Staatsanwaltschaft und Entstehung des Verwaltungsrechts, das waren große Fortschritte, nicht nur durch die Wissenschaft, zum Teil auch als Konzessionen von oben, aber immer auf Drängen der Juristen. Die Menschenrechte standen immerhin in den meisten Verfassungen, auch wenn sie noch keine große Bedeutung hatten. Das starke Gewicht des Rechts hatte seine Grundlage im Pandektenrecht, das mit seinem – auch im Ausland anerkannten – hohen dogmatischen Niveau Einfluß hatte auf alle anderen juristischen Bereiche. Auf diesem Fundament entstanden dann am Ende des Jahrhunderts die Justizpaläste, als Symbole des Rechtsstaates. Hier lag aber auch das Problem. Denn das hohe dogmatische Niveau bedeutete Vernachlässigung politischer Probleme, besonders der sozialen Frage, die erst in der Weimarer Zeit eine juristische Rolle spielt, im Arbeitsrecht, Mietrecht und mit vorsichtigen Reformen des Strafrechts. Und hier in Weimar zeigen sich die negativen Folgen des juristischen Jahrhunderts. Durch die pandektistische Methode war das Recht zu formalistisch geworden. Soziale Gerechtigkeit, Demokratie und Menschenrechte kamen zu kurz, auch im Verfassungsrecht. Deshalb konnte Hitler ohne weiteres immer wieder versichern, ohne Widerspruch von seiten des Rechts, er wolle ganz legal die staatliche Macht. Wie es denn ja auch geschehen ist. Die Juristen hatten keine demokratische Tradition. Die politische Schieflage der Weimarer Strafjustiz kam dazu. Und so war das Recht nicht in der Lage, seine eigene Justizkatastrophe im „Dritten Reich" zu verhindern.

Literatur

268. *Nipperdey*, Deutsche Geschichte 1800–1866 (5. Aufl. 1991), ders. Deutsche Geschichte 1866–1918 (2 Bde. 1990, 1992); *Kolb*, Die Weimarer Republik 2. Aufl. 1988; *Winkler*, Weimar 1918–1933 (1993) – **269.** *E.R. Huber*, Deutsche Verfassungsgeschichte seit 1789 Bd. 1 (2. Aufl. 1960) §§ 1–5; *Kimminich*, Deutsche Verfassungsgeschichte (2. Aufl. 1987) 273–288; die Erklärung des Kaisers in: *E.R. Huber*, Dokumente zur Deutschen Verfassungsgeschichte Bd. 1 (3. Aufl. 1978) 38 – **270.** *Kimminich*, (Rdz. 269) 5. Kap.; Bundesakte, Wiener Schlußakte und Bundestagsbeschlüsse bei *Huber*, Dokumente (Rdz. 269) 84–154 – **271.** *K. Kröger*, Einführung in die jüngere deutsche Verfassungsgeschichte (1988) §§ 5 + 6; zur Mainzer Republik: *H. Scheel*, Die Mainzer Republik 3 Bde. 1975–1989, *F. Dumont*, Die Mainzer Republik von 1792/93 (1982); zu den Verfassungsentwürfen: *H. Dippel*, Die Anfänge des Frühkonstitutionalismus am Ende des 18. Jahrhunderts 1991; zum Ulmer Entwurf: *U. Schmidt*, Südwestdeutschland im Zeichen der französischen Revolution 1993; zu Christian Sommer: *Wolfrum*, Christian Sommer, 1995. – **272.** *G. Jellinek*, Die Erklärung der Menschen- und Bürgerrechte; *H. Hofmann*, Zur Herkunft der Menschenrechtserklärungen JuS 88.841–848; *P. Noack*, Olympe de Gouge 1992 – **273.** *Böckenförde*, Entstehung und Wandel des Rechtsstaatsbegriffs, in: Ehmke/Schmid/Scharoun (Hg.) Festschrift für Adolf Arndt (1969) 53–76; *Stolleis*, Rechtsstaat HRG 4 (1990) 367–375; *D. Simon*, Die Unabhängigkeit des Richters (1975) 1–20; *Fögen*, Der Kampf um die Gerichtsöffentlichkeit 1974; *Weißler*, Geschichte der Rechtsanwaltschaft (1905, Ndr. 1967) 422–603 – **274.** *Willoweit*, Deutsche Verfassungsgeschichte (3. Aufl. 1996) § 31; *Kühne*, Die Reichsverfassung der Paulskirche 1985 – **275.** *Kimminich*, (Rdz. 269) 327–342; *Huber*, (Rdz. 269) Bd. 3 (2. Aufl. 1975) § 1; *Böckenförde*, in: ders. (Hg.) Moderne deutsche Verfassungsgeschichte (1972) 146–170 – **276.** *Kimminich*, (Rdz. 269) 371–376; *Huber*, (Rdz. 275) §§ 19–23; Bismarcks Rede 27.1.63 bei *Huber*, Dokumente (Rdz. 269) Bd. 2 (3. Aufl. 1986) 55–60, das Zitat auf S. 57; zum Konflikt insgesamt vorzüglich: *Nipperdey*, (Rdz. 268) 749–764, 795 ff. – **277.** *Kimminich*, (Rdz. 269) 406–473; zur Parlamentarisierung *Willoweit*, (Rdz. 274) § 36; der Text der Verfassung des Norddeutschen Bundes bei *Huber*, Dokumente (Rdz. 269) Bd. 2 (3. Aufl. 1986) 272–285, dort auch S. 268–270 die Verträge Preußens m. d. nordd. Ländern v. 18.8.1866, S. 326–338 die des Norddeutschen Bundes m. d. südd. Ländern und S. 349 der Kaiserbrief Ludwig II. – **278.** *Kimminich*, (Rdz. 269) 474–540; *Kröger*, (Rdz. 271) 129–167; *Willoweit*, (Rdz. 274) §§ 37, 38 – **279.** *Forsthoff*, Lehrbuch des Verwaltungsrechts Bd. I Allgemeiner Teil (10. Aufl. 1973) §§ 2 + 3; *Stolleis*, Geschichte des öffentlichen Rechts in Deutschland 2. Bd. (1992) 5. + 9. Kap.; *Kohl*, Das Reichsverwaltungsgericht. Ein Beitrag zur Entwicklung der Verwaltungsgerichtsbarkeit in Deutschland 1991. – **280.** Urteil des Preußischen Oberverwaltungsgerichts vom 14. Juni 1882, Entscheidungssammlung 9. Band S. 353–384. – **281.** Thibaut und Savigny. Ihre programmatischen Schriften, mit einer (sehr guten, U. W.) Einführung von Hans *Hattenhauer*, 1973; *Wieacker*, Privatrechtsgeschichte der Neuzeit (2. Aufl. 1967) §§ 20–23. – **282.** Die Einzelheiten bei: *Hedemann*, Die Fortschritte des Zivilrechts im 19. Jahrhundert 1910/1935, Ndr. 1968 und *Coing*, Europäisches Zivilrecht Band II, 19. Jahrhundert, 1989; zur Vertragsfreiheit: *Kaiser*, Industrielle Revolution und Privatautonomie, in: Kritische Justiz 1976 S. 60–74; das Zitat aus dem Kommunistischen Manifest: MEW 4.464. – **283.** Zum ganzen sehr ausführlich: *Luig*, Zession und Abstraktionsprinzip, in: Coing/Wilhelm (Hg.), Wissenschaft und Kodifikation des Privatrechts im 19. Jahrhundert, Band II (1977) 112–143. – **284.** *Bergfeld*, Handelsrecht (Deutschland) in: Coing (Hg.) Handbuch der Quellen und Literatur der neueren europäischen Privatrechtsgeschichte III.3 (1986) 2853–2968; *Kellenbenz*, Handelsrecht (Deutschland) in: HRG 2 (1971) 1942–1954; *Bösselmann*, Die Entwicklung des deutschen Aktienwesens im 19. Jahrhundert 1939; *Wagner*, Gesellschaftsrecht (Deutschland), in: *Coing*, (Hg.) aaO. 2969–3041; *de Roover/Laubenberger*, Wechsel/Wechselrecht, in: HRG 5 (1944) 1179–1183. – **285.** *Dölemeyer*, Das Bürgerliche Gesetzbuch für das Deutsche Reich (BGB), in: Coing (Rdz. 284) III.2 (1982) 1572–1625; *Michael John*, Politics and the Law in Late Nineteenth-Century Germany, The Origins of the Civil Code 1989; *Berneike*, Die Frauenfrage ist Rechtsfrage, Die Juristinnen der deutschen Frauenbewegung und das Bürgerliche Gesetzbuch 1995; *Staub*, Die positiven Vertragsverletzungen 1904 (ein Vortrag auf dem Deutschen Juristentag 1902) – **286.** *Beck-Margetta*, Die clausula rebus sic stantibus und die Geschäftsgrundlage in der Dogmengeschichte, in: La formazione storica del diritto moderno in Europa III (1977) 1263–1276; *Rummel*, Die clausula rebus sic stantibus 1991; *Larenz*, Geschäftsgrundlage und Vertragserfüllung 3. Aufl. 1963. – **287.** Fabrikordnungen: *Heinz Wagner*, Die Politische Pandektistik (1985) 173–220; Arbeiterschutzgesetze: *G. Anton*, Geschichte der preußischen Fabrikgesetzgebung bis zu ihrer Aufnahme durch die Reichsgewerbeordnung 1891 (Ndr. 1953); i. ü. *Blanke/Erd/Mückenberger/Stascheit*, Kollektives Arbeitsrecht, Quellentexte zur Geschichte des Arbeitsrechts in Deutschland Bd. 1: 1840–1933, 1975; Mietrecht: *Roquette*, Das Mietrecht des Bürgerlichen Gesetzbuches (1966) 3–7 – **288.** *Radbruch*, Paul Johann Anselm von Feuerbach. Ein Juristenleben 3. Aufl. 1969; *Eb. Schmidt*, Einführung in die Geschichte der deutschen Strafrechtspflege (3. Aufl. 1969) §§ 248–251. – **289.** *Holtze*, Geschichte des Kammergerichts 4. Band (1904) 147–152, 156 A. 3; *Engelmann*, Die Freiheit! Das Recht! Johann Jacoby und die Anfänge unserer Demokratie (1984) 76–110 – **290.** *Eb. Schmidt*, (Rdz. 288) §§ 284–296, 300–303; *Schwind*, Kurzer Überblick über die Geschichte des Strafvollzugs, in: Schwind/Blau, Strafvollzug in der Praxis (2. Aufl.

1988) S. 1–16 – **291.** *Eb. Schmidt*, (Rdz. 288) §§ 297–299, 331, 335–338; zu Franz von Liszt: § 320. – **292.** Zur politischen Justiz allgemein: *Kirchheimer*, Politische Justiz 1965 (Ndr. 1993); *Liebknecht*, Gegen die preußische Klassenjustiz, in: Gesammelte Reden und Schriften 3. Band (1960) 3–55; Weimar: *H. und E. Hannover*, Politische Justiz 1918–1933 (1966), z.T. korrigiert durch *Neusel*, Höchstrichterliche Strafgerichtsbarkeit in der Republik von Weimar 1972, aber eben nur z.T., vgl. *Jasper*, Justiz und Politik in der Weimarer Republik, in: Vierteljahreshefte für Zeitgeschichte 1982. 167–205; zur „Vertrauenskrise“: *Rasehorn*, Justizkritik in der Weimarer Republik 1985; Zu den Leipziger Prozessen wegen Kriegsverbrechen: *Schwengler*, Völkerrecht, Versailler Vertrag und Auslieferungsfrage. Die Strafverfolgung wegen Kriegsverbrechen als Problem des Friedensschlusses 1919/20 (1982) 344–359; das Urteil des Reichsgerichts zu Friedrich Ebert: RGSt 65.422, besonders S. 431 f. – **293.** *Larenz*, Methodenlehre der Rechtswissenschaft (6. Aufl. 1991) 9–173; *Ogorek*, Richterkönig oder Subsumtionsautomat? 1986; *Eb. Schmidt*, (Rdz. 288) §§ 272–273, 307–322; *Wilhelm*, Zur juristischen Methodenlehre im 19. Jahrhundert. Die Herkunft der Methode Paul Labands aus der Privatrechtswissenschaft 1958; *Stolleis*, (Rdz. 279) 8. Kapitel.

18. Kapitel

DAS „DRITTE REICH"

Allgemeine Literatur: *Ingo Müller*, Furchtbare Juristen 1987; *Gruchmann*, Justiz im Dritten Reich 1933–1940, 2. Aufl. 1990; *Hirsch/Majer/Meinck*, Recht, Verwaltung und Justiz im Nationalsozialismus 1984; *Rüthers*, Die unbegrenzte Auslegung 1968; *Im Namen des Deutschen Volkes*, Justiz und Nationalsozialismus, Katalog zur Ausstellung des Bundesministers der Justiz 3. Aufl. 1994

295. Geschichte und Wirtschaft

Die Weimarer Republik hatte in der Mitte der zwanziger Jahre eine gewisse Stabilität erreicht. Aber 1929/30 begannen neue Schwierigkeiten, politisch und ökonomisch. Ökonomisch durch die im Herbst 1929 einsetzende Weltwirtschaftskrise. Politisch, weil Reichspräsident Hindenburg und seine Umgebung die parlamentarische Demokratie beseitigen und einen Verfassungswandel herbeiführen wollten zugunsten der alten preußischen Eliten. Zunächst mit den Kanzlern Brüning, Papen und Schleicher, die ohne den Reichstag das Land regierten und Gesetze erließen über Notverordnungen des Reichspräsidenten. Schließlich meinte Hindenburg, er könne sein Ziel nur noch mit Adolf Hitler erreichen, dessen NSDAP bei den Reichstagswahlen 1932 stärkste Partei geworden war. Am 30. Januar 1933 hat er ihn zum Reichskanzler ernannt. Die hinter dem Reichspräsidenten stehenden Gruppen – Großlandwirtschaft, Industrie, Militär – waren zur Abkehr von der Weimarer Demokratie entschlossen, fürchteten sich vor der zunehmenden Stärke der Kommunisten und meinten, sie könnten die NS-Bewegung für ihre Zwecke nutzen. Es kam eher umgekehrt.

Hitlers Ziele waren ein autoritärer „Führerstaat", Ankurbelung der Wirtschaft, Beseitigung der Juden und Eroberung von „Lebensraum", besonders im Osten, also Krieg. Die Ankurbelung der Wirtschaft gelang erstaunlich schnell, durch staatlichen Protektionismus und eine geschickte Geldpolitik Hjalmar Schachts, des Reichsbankpräsidenten und Wirtschaftsministers. Der staatliche Protektionismus war schon in der Weimarer Zeit angelegt, griff aber erst jetzt, zumal die Weltwirtschaft sich ganz allgemein erholte. Hitler hatte einfach Glück. 1932 gab es sechs Millionen Arbeitslose. 1934 war die Zahl mehr als halbiert und 1939 die Arbeitslosigkeit beseitigt. In den sechs Jahren vor dem Krieg stiegen die Realeinkommen um 18 %. Die allgemeine Stimmung war optimistisch. Nur hinter den Kulissen entstanden Probleme, seit 1935, weil Hitler ökonomisch va banque spielte. Er ließ so viel in die Rüstung investieren und den Außenhandel vernachlässigen, daß die dadurch wachsende riesige Rohstofflücke nur durch schnelle kriegerische Eroberungen ausgeglichen werden konnte, auf die er spekulierte. 1939 führte das zum Blitzkrieg gegen Polen und in den zweiten Weltkrieg, nachdem im Jahr vorher Österreich und die Sudetenländer ohne einen Schuß dem Reich eingegliedert worden waren.

Innenpolitisch begann der Kampf schon 1933, gegen politische Gegner nach dem Reichstagsbrand mit der Einrichtung von Konzentrationslagern, mit Säuberungen im öffentlichen Dienst und 1934 mit Liquidierungen in den eigenen Reihen beim sogenannten Röhmputsch, dem die SA-Führung zum Opfer fiel, kaltblütig ermordet, weil sie dem Bündnis mit der Reichswehr im Wege stand. Die Geheime Staatspolizei wurde zum Instrument des Terrors ausgebaut und machte den – auch vor dem 20. Juli 1944 versuchten – Widerstand verschiedener Gruppen aussichtslos, zumal die große Masse des Volkes Adolf Hitler zujubelte und sogar einverstanden war mit der Verfolgung von Juden, die ihren ersten Höhepunkt 1935 hatte mit den Rassegesetzen und 1938 mit der sogenannten Reichskristallnacht, um dann im Schutze des Krieges ihr grausiges Maximum zu erreichen, den Holocaust.

Der Krieg war zunächst erfolgreich. Fast ganz Europa wurde erobert. Auch der Angriff auf die Sowjetunion 1941 brachte erste Erfolge. Aber das Blatt wendete sich am Ende dieses Jahres mit der Kriegserklärung durch die Vereinigten Staaten, die auch die Sowjetunion materiell unterstützten. Anfang 1943 kapitulierte eine deutsche Armee in Stalingrad und im Juni 1944 begann die Invasion der Westalliierten in der Normandie. Ein Jahr später lag Deutschland in Schutt und Asche. Die bedingungslose Kapitulation wurde unterschrieben am 8. Mai 1945 im Berliner Stadtteil Karlshorst.

296. Verfassung

Mit verblüffender Geschwindigkeit wurde die Weimarer Verfassung beseitigt, zuerst die wichtigsten Grundrechte durch Hindenburgs Notverordnung vom 28.2.1933 „zum Schutz von Volk und Staat" nach dem Reichstagsbrand. Nun gab es bis zum 8. Mai 1945 keine Garantie mehr für persönliche Freiheit, Meinungs- und Pressefreiheit, Vereins- und Versammlungsfreiheit, Briefgeheimnis, Eigentum und Unverletzlichkeit der Wohnung. Die Grundlage für das Schreckensregiment von SS und Gestapo. Sofort entstanden die ersten – „wilden" – Konzentrationslager.

Nach der für die NSDAP erfolgreichen Reichstagswahl Anfang März – sie stieg von 33 % auf 44 % – hat der Reichstag am 24.3.1933 das Ermächtigungsgesetz erlassen, nach dem die Regierung ihre Gesetze künftig selbst erlassen konnte, sogar solche, mit denen die Verfassung geändert wurde. Es erging mit großer Mehrheit. Auch die bürgerlichen Parteien stimmten dafür, insgesamt 441 Stimmen gegen 91 der SPD. Die kommunistischen Abgeordneten durften an der Sitzung nicht teilnehmen. Ihre 81 Mandate waren nach der Notverordnung vom 28. Februar für erledigt erklärt worden. Artikel 76 der Weimarer Verfassung forderte für Änderungen eine Zweidrittelmehrheit. Die war gegeben, selbst wenn alle 647 Abgeordneten anwesend gewesen wären, also auch die Kommunisten. Und deshalb sprach der angesehene Staatsrechtler Heinrich Triepel von einer „legalen Revolution“, übersah aber großzügig, daß der gewaltsame Ausschluß eines Teils von Abgeordneten die Rechtmäßigkeit eines Gesetzes hindert. Ganz abgesehen davon, daß der Reichsrat nicht ordnungsgemäß zugestimmt hatte. Wie auch immer. Die Gewaltenteilung zwischen Parlament und Regierung war beseitigt.

Auf der Grundlage dieser Ermächtigung erließ die Reichsregierung am 14.7.1933 ein Gesetz, mit dem alle anderen Parteien verboten wurden. § 1:

> „In Deutschland besteht als einzige politische Partei die Nationalsozialistische Deutsche Arbeiterpartei.“

Am 30.1.1934 wurden – ebenfalls durch Gesetz der Regierung – die Länder zu Verwaltungseinheiten des Reiches herabgestuft, damit der Föderalismus beseitigt und kurz danach der Reichsrat aufgelöst. Das führte zur „Verreichlichung der Justiz“, die nun zentral der Aufsicht des Reichsjustizministers unterstellt war, bisher eine kleine Behörde, jetzt ein großes Ministerium.

Letzter Baustein zum „Führerstaat“ war der Tod Hindenburgs am 2.8.1934. Schon einen Tag vorher hatte Hitler ein Gesetz erlassen, das die Ämter des Reichspräsidenten und Kanzlers vereinigte. Seitdem hieß er „Führer und Reichskanzler“. Seitdem hatte er unbegrenzte Macht, die später nur noch offiziell um eine Befugnis ergänzt wurde, die er letztlich schon lange hatte. Im Krieg, am 26.4.1942, ernannte er sich auf einer der wenigen Sitzungen des Reichstags zum „Obersten Gerichtsherrn“. Das endgültige Aus für die Unabhängigkeit der Justiz. Aus einem Bundesstaat mit rechtsstaatlicher Gewaltenteilung und Menschenrechten war ein zentralistischer Polizeistaat geworden, ohne Menschenrechte, und an der Spitze ein „Führer“. Dessen Gewalt war, wie es das führende Lehrbuch beschrieb (E.R. Huber, Verfassungsrecht des Großdeutschen Reiches, 2. Aufl. 1939, S. 230),

> „umfassend, total frei und unabhängig, ausschließlich und unbeschränkt.“

297. Reichstagsbrandprozeß

Am Abend des 27. Februar 1933 brannte der Reichstag. Im Gebäude wurde ein junger Mann festgenommen, Marinus van der Lubbe, Holländer, Maurergeselle, mit kommunistischen Überzeugungen. Wahrscheinlich hat er den Brand allein gelegt. Aber das ist bis heute umstritten. Die Nationalsozialisten nutzten die Situation geschickt aus, glaubten vielleicht selbst daran, das sei der Beginn eines kommunistischen Umsturzversuches. Sofort ließen sie alle Abgeordneten der KPD verhaften. Innenminister Frick formulierte jene Verordnung zum Schutz von Volk und Staat, die Hindenburg unterschrieben hat und deren § 5 für Brandstiftung und andere Terrorakte die Todesstrafe vorschrieb, wo bisher lebenslange Freiheitsstrafe vorgesehen war. Die Tat war aber am Tage vorher begangen und so konnte das Gesetz auf sie nicht angewendet werden. Nulla poena sine lege. Hitler wollte jedoch die Todesstrafe für die Angeklagten. Es waren fünf. Neben van der Lubbe der Vorsitzende der KPD-Fraktion im Reichstag, Ernst Torgler, und drei Bulgaren, die seit längerer Zeit unter falschem Namen in der Stadt gelebt hatten, Dimitroff, Popoff und Taneff, Mitarbeiter des illegalen westeuropäischen Büros der Kommunistischen Internationale, das seinen Sitz in Berlin hatte. Also brauchten die Nationalsozialisten ein Gesetz, das die Rückwirkung dieser Strafe für diesen Fall anordnete. Das Reichsjustizministerium hatte größte Bedenken. Staatssekretär Schlegelberger wies mit Nachdruck auf den Grundsatz nulla poena sine lege, der in Art. 116 der Reichsverfassung garantiert war:

> „Eine Handlung kann nur dann mit einer Strafe belegt werden, wenn die Strafbarkeit gesetzlich bestimmt war, bevor die Handlung begangen wurde."

Innenminister Frick berief sich dagegen auf ein Gutachten von drei Strafrechtsprofessoren, die eine rückwirkende Strafverschärfung angeblich für zulässig hielten, sofern die Handlung als solche vorher für strafbar erklärt worden war. Tatsächlich ging das Gutachten eher in die andere Richtung. Hitler blieb hart. Schlegelberger gab nach. Am 29.3.1933 erließ die Reichsregierung auf der Grundlage des Ermächtigungsgesetzes die „lex van der Lubbe":

> „§ 5 der Verordnung des Reichspräsidenten zum Schutz von Volk und Staat ... gilt auch für Taten, die in der Zeit zwischen dem 31. Januar und dem 28. Februar 1933 begangen sind."

Die erste Niederlage des Justizministeriums bei der Verteidigung rechtsstaatlicher Prinzipien. Nachdem dieser Damm gebrochen war, sollten noch viele folgen.

Die Verhandlung vor dem Reichsgericht begann im September unter großer internationaler Beachtung. Man durfte gespannt sein, wie das Gericht auf dieses Gesetz reagieren würde. In der Verhandlung erwies sich außerdem, daß Torgler und die drei Bulgaren offensichtlich unschuldig waren. Das Urteil erging am 23. Dezember 1933. Das Gericht fuhr einen mittleren Kurs. Einerseits wurden die vier freigesprochen, gegen den Willen Hitlers, andererseits van der Lubbe zum Tode verurteilt, gegen Art. 116 der Verfassung, und zwar mit einer blamablen Begründung, die zeigte, daß auch das höchste Gericht in Zukunft dem Drängen der Nationalsozialisten nachgeben würde. Aber es half nichts. Der Freispruch der vier Kommunisten ging zu weit, widerlegte die Theorie einer kommunistischen Verschwörung. Die Antwort war ein wütendes Geheul, zum Beispiel im „Völkischen Beobachter“ vom 24. Dezember 1933:

> „Wir sind überzeugt, daß das nationalsozialistische Deutschland dieses Urteil nicht ohne Folgerungen für die Regelung von Zuständen in der Rechtspflege hinnimmt, die eine solche Prozeßführung ermöglicht hat. Es wird sehr schnell die notwendigen Folgerungen zu ziehen wissen und Zustände beseitigen, die geeignet sind, die Erfolge der nationalsozialistischen Revolution zu beeinträchtigen.“

Diese – ohnehin vorgesehenen (Rdz. 304) – Folgerungen kamen vier Monate später. Im April 1934 ist dem Reichsgericht die Zuständigkeit für solche Prozesse entzogen und auf den neu gegründeten Volkgerichtshof in Berlin übertragen worden.

298. Justiz

Die Nationalsozialisten haben von Anfang an Druck gemacht. Sie wußten, es könnte rechtliche Hindernisse geben für ihre gewalttätige Politik. Wie bei der Rückwirkung der lex van der Lubbe. An der Spitze des Reichsjustizministeriums standen Juristen der alten Schule. Hitler ließ sie im Amt, um den Schein der Legalität zu wahren. Minister war Franz Gürtner, sein Staatssekretär Franz Schlegelberger. Sie versuchten, rechtsstaatliche Prinzipien durchzuhalten, gaben aber immer wieder und immer weiter nach und schlidderten so in den juristischen Abgrund, nachdem sie sich einmal auf Hitler eingelassen hatten. Ähnlich ging es vielen anderen, zum Beispiel Erwin Bumke, dem Präsidenten des Reichsgerichts. Hitler wurde immer mächtiger und hat sie schnell in die Ecke gedrängt, zumal der Druck des Krieges dazukam. Als Gürtner 1941 starb, zögerten die Nationalsozialisten noch, einen eigenen Mann an seine Stelle zu setzen, und überließen Schlegelberger die Führung des Ministeriums, bis sie es 1942 wagten, Otto Thierack zum Minister zu machen, der sofort daran ging, ganz offen – mit seinen berüchtigten „Richterbriefen“ – die Unabhängigkeit der Justiz zu beseitigen (Rdz. 307).

Die Haltung der Richter war nicht einheitlich. Allgemein verließen sie sich zunächst auf ihre in der Verfassung garantierte Unabhängigkeit und den Schutz des Ministeriums, fühlten aber zunehmend den Druck der politischen Führung, die besonders im Strafrecht die Disziplinierung der Gesellschaft schnell auf ein militärisches Niveau gebracht hat, mit der Einrichtung neuer Gerichte – Volksgerichtshof, Sondergerichte, Reichskriegsgericht – und mit dem Erlaß immer schärferer Gesetze. Der Kampf gegen den politischen Feind wurde oft an der Justiz vorbei direkt polizeilich geführt, in den Folterkellern der Gestapo und Konzentrationslagern von SA und SS. Wegen der dort begangenen Verbrechen versuchten Gerichte in den ersten Jahren sogar noch, Strafverfahren durchzuführen, und es gab auch Verurteilungen. Aber die meisten Verfahren wurden auf Druck von Partei und Gestapo eingestellt und als Hitler Ende 1935 – gegen Gürtners Widerspruch – in einem besonders krassen Fall die verurteilten Täter begnadigte, war die Niederlage der Justiz perfekt und sie gab den Widerstand auf. Nur noch einmal, im Krieg, hat ein mutiger Richter Strafanzeige wegen Mordes erstattet gegen den Chef der Reichskanzlei, Philipp Bouhler, wegen der sogenannten Euthanasieaktion. Es war ein Vormundschaftsrichter am Amtsgericht Brandenburg, Lothar Kreyßig, der festgestellt hatte, daß seine Mündel systematisch umgebracht wurden. Er riskierte viel, wurde aber nur in den vorzeitigen Ruhestand versetzt. Seine Anzeige war nicht vergeblich. Das Ministerium versuchte vorsichtig zu intervenieren und als der Bischof von Münster, Graf Galen, an die Öffentlichkeit ging, befahl Hitler den Abbruch der Aktion (Rdz. 306).

Im übrigen war Anpassung die Parole der Justiz. Das Zivilrecht war nicht so sehr betroffen, obwohl es auch hier eine nicht unerhebliche Zahl von Richtern gab, die den Rassenwahn in juristische Urteile umsetzten, bei der Scheidung von Mischehen zum Beispiel, trotz vorsichtigen Zögerns des Reichsgerichts, oder im Vertragsrecht (Rdz. 301). Am schlimmsten war es im Strafrecht. Hier eskalierte die von Hitler immer wieder geforderte Härte in grausame Höhen, weit über die Exzesse der Hexenprozesse hinaus (Rdz. 261). Noch nie sind in Deutschland in so kurzer Zeit so viele Menschen zum Tode verurteilt worden wie in diesen zwölf Jahren, etwa 50000, von Zivil- und Militärgerichten, die meisten wegen Lappalien. Zwölf Jahre lang, das sind im Durchschnitt mehr als zehn Todesurteile täglich. In den 25 Jahren davor waren es 1600, im Grunde auch schon sehr viel, nämlich jede Woche ein Urteil. Aber die Steigerung ist unglaublich, eine Katastrophe, die ihre Ursache hatte nicht nur in der großen Zahl immer schärferer Gesetze (Rdz. 304) und in Druck und Anpassung. Sie war auch weitgehend getragen von der Überzeugung derjenigen, die Rolf Hochhuth „furchtbare Juristen“ genannt hat.

299. Rechtswissenschaft

Wird Justiz in dieser Weise als beliebig einsetzbares Instrument zur Durchsetzung von Machtpolitik mißbraucht, verliert das Recht seine Rolle als Ordnungsfaktor und seine Funktion zur Erhaltung von Gerechtigkeit. An seine Stelle tritt politische Willkür. Und damit verliert auch die Rechtswissenschaft ihre Bedeutung, selbst wenn sie bereit ist, dieser Politik als Erfüllungsgehilfe zu dienen. Das war das Schicksal jener ziemlich großen Zahl von Professoren, die 1933 meinten, sie könnten mitwirken an der Gestaltung einer neuen Rechtswissenschaft. Besonders die jüngeren sind es gewesen, die um die Jahrhundertwende geboren waren, seit 1930 mit der Brüningschen Notverordnungspolitik das Scheitern der parlamentarischen Demokratie erlebten, aus Überzeugung oder Opportunismus auf den Nationalsozialismus setzten und auf die Lehrstühle derjenigen berufen wurden, die als Juden oder als politisch unzuverlässig entlassen worden waren. „Stoßtruppfakultät“ ist die „Kieler Schule“ gewesen, mit Georg Dahm, Ernst Rudolf Huber, Karl Larenz, Friedrich Schaffstein und Wolfgang Siebert.

Prominentester Wortführer der nationalsozialistischen Rechtswissenschaft war zunächst Carl Schmitt, der „Kronjurist des Dritten Reichs“, der sich schon in der Weimarer Zeit einen Namen gemacht hatte als Staatsrechtslehrer und Kritiker der Demokratie. Mit erstaunlicher Geschwindigkeit produzierte er eine große Zahl von Schriften, übernahm nicht nur den antisemitischen Rassenwahn der Nazis und legitimierte ihre Morde beim sogenannten Röhmputsch, sondern formulierte auch die methodischen Grundlagen für eine neue nationalsozialistische Rechtswissenschaft. Genauso schnell, wie er aufgestiegen war, mußte er sich wieder zurückziehen, als 1936 seine eigenen Kollegen im „Schwarzen Korps“ – der Zeitschrift der SS – Äußerungen veröffentlichen ließen, die er vor 1933 gegen die Nazis und ihren Rassenwahn von sich gegeben hatte.

Das neue Staatsrecht war ein Sammelsurium von Bekenntnissen zu Führertum und Volksgemeinschaft, Blut und Boden, „Du bist nichts, dein Volk ist alles“. Die Nazis brauchten kein Staatsrecht. Sie machten, was sie wollten. Methodischer Hintergrund der überflüssigen Konstruktionen, mit denen die Reste der zum Teil noch geltenden Weimarer Verfassung theoretisch beseitigt werden sollten, waren Ausführungen Carl Schmitts über „Legalität und Legitimität“ von 1932. Legalität, das war die Gesetzlichkeit geschriebenen Verfassungsrechts, die verdrängt wurde durch die im Rang höher stehende Legitimität der nationalsozialistischen Revolution für Volk und Rasse. Reinhard Höhn, Ernst Rudolf Huber, Otto Kollreuther, Herbert Krüger, Theodor Maunz, Ulrich Scheuner und Werner Weber waren die wichtigsten Vertreter dieser Richtung. Auch Ernst Forsthoff gehörte dazu, bis er Anfang der vierziger Jahre in Gefahr kam, seine Professur zu verlieren, weil er sich juristisch gegen den Bau einer Parteigedenkstätte im Magdeburger Dom ausgesprochen hatte.

Forsthoff ist es gewesen, dem eine juristische Entdeckung gelang, die heute noch von Bedeutung ist. Das liberale Verwaltungsrecht Otto Mayers kannte nur die Eingriffsverwaltung, die mit Verwaltungsakten in subjektive Rechte der Bürger eingreift (Rdz. 279). Ernst Forsthoff beschrieb dagegen 1938 – „Die Verwaltung als Leistungsträger“ – eine andere Tätigkeit des Staates, nämlich die Leistungserwaltung. Das Stichwort war „Daseinsvorsorge“, also die Versorgung für die Grundbedürfnisse der Bürger mit Wasser und Energie, öffentlichen Verkehrsmitteln, Krankenhäusern, Schulen. Diese Verwaltung greift nicht ein, sondern leistet. Durch diese Entdeckung wurde nicht nur der Staat aufgewertet, sondern auch Gerbers subjektives öffentliches Recht (Rdz. 279) relativiert, das dem nationalsozialistischen Verwaltungsrecht ein Dorn im Auge war, denn „Gemeinnutz geht vor Eigennutz“. Auch heute noch unterscheidet man – zu Recht – zwischen Eingriffs- und Leistungsverwaltung, allerdings ohne Relativierung des subjektiven öffentlichen Rechts (Rdz. 331).

Im Strafrecht war es besonders die „Stoßtruppfakultät“ der Kieler Schule mit Georg Dahm und Friedrich Schaffstein, die schon 1932 ein autoritäres gegen das alte liberale Strafrecht gefordert hatten und so die unglaubliche Härte der Nazijustiz legitimierten:

> „Der Staat benutzt die Strafe, um seine Macht aller Welt sichtbar vor Augen zu führen. In der Strafe offenbart sich symbolisch die Würde des Staates, die Todesstrafe macht eindringlich sichtbar, daß der einzelne dem Staat preisgegeben werden darf“,

schrieben sie in ihrem Buch „Liberales oder autoritäres Strafrecht?“ (S. 41). Nicht mehr die Tat sollte bestraft werden, sondern der böse Wille, die Gesinnung. Das führte zur Lehre vom „Tätertyp“. Der Verbrecher als solcher. Das wurde von Hans Welzel in den dreißiger Jahren leicht modifiziert, etwas mehr in Richtung auf das alte liberale Tatstrafrecht, indem er mit seine finalen Handlungslehre die überkommene Dreiteilung beibehielt, also Tatbestandsmäßigkeit, Rechtswidrigkeit, Schuld (Rdz. 291), aber den Vorsatz – den bösen Willen – und die Tat zu einem Einheitsbrei in der Tatbestandsmäßigkeit vereinigte. Eine Art Kompromiß zwischen der Tätertyplehre der harten Nazis und dem alten liberalen Strafrecht. Erstaunlicherweise hat sich das später im Strafrecht der Bundesrepublik durchgesetzt.

Auch im Zivilrecht änderte sich einiges, und zwar durch die Rassegesetze der Nationalsozialisten. Die Wissenschaft ging eilfertig voraus. Noch vor den Nürnberger Gesetzen (Rdz. 306) schrieb Karl Larenz auf der Grundlage von methodischen Überlegungen Carl Schmitts („Rechtsperson und subjektives Recht“, in: Georg Dahm, Hg., Grundfragen der neuen Rechtswissenschaft, 1935, Seite 241 f.):

> „Nicht als Individuum, als Mensch schlechthin oder als Träger einer abstrakt-allgemeinen Vernunft habe ich Rechte und Pflichten ... sondern als Glied einer sich im Recht ihre Lebensform gebenden Gemeinschaft, der Volksgemeinschaft. Nur als in Gemeinschaft le-

> bendes Wesen, als Volksgenosse ist der Einzelne eine konkrete Persönlichkeit. ... Rechtsgenosse ist nur, wer Volksgenosse ist; Volksgenosse ist, wer deutschen Blutes ist. Dieser Satz könnte an Stelle des die Rechtsfähigkeit ‚jedes Menschen‘ aussprechenden § 1 BGB an die Spitze unserer Rechtsordnung gestellt werden.“

Das bedeutete die Vernichtung der bürgerlichen Existenz von Juden, deren Fortsetzung die der physischen Existenz in den Gaskammern von Auschwitz gewesen ist. Der Höhepunkt der von Bernd Rüthers beschriebenen unbegrenzten Auslegung, die im Zivilrecht eine nicht unwichtige Rolle spielte, weil man auf das BGB angewiesen blieb, das man nicht so schnell ändern konnte (vgl. Rdz. 300, 301). Sehr stark geprägt von ähnlichen Vorstellungen waren die Schriften von Heinrich Lange, Wolfgang Siebert und Heinrich Stoll.

300. Zivilrecht

Es änderte sich nicht viel. Eigentum und privater Vertrag als Grundlage der wirtschaftlichen Ordnung blieben erhalten, trotz der Polemik gegen den jüdischen Liberalismus. Im Gegenteil. Der Kampf gegen den Kommunismus hatte gerade das Ziel der Erhaltung des Privateigentums an Betrieben und Unternehmen. Deutschland blieb eine bürgerliche Gesellschaft, nur eben im Ausnahmezustand und mit planwirschaftlichen Tendenzen. Deshalb das Weiterleben des bürgerlichen Rechts. Franz Schlegelberger hatte zwar 1937 als Staatssekretär des Reichsjustizministeriums in einem Vortrag den „Abschied vom BGB“ verkündet. Aber die Arbeiten am neuen Volksgesetzbuch kamen über Entwürfe nicht hinaus. Die Zeit war zu kurz. Es hätte sich ohnehin nicht viel geändert. Nur der Allgemeine Teil wurde in gewisser Weise abgeschafft, nämlich 1935 durch Streichung dieser Vorlesung an den Juristenfakultäten.

Gewisse Erleichterungen in den Anforderungen an die Form von Testamenten brachte das Testamentsgesetz 1938. Wesentliches änderte sich nur im Familienrecht. Zunächst durch die Eheverbote der Nürnberger Gesetze (Rdz. 306). Und dann durch die Erleichterung von Ehescheidungen mit der Einführung des Zerrüttungsprinzips gegen das bisherige Schuldprinzip des BGB. Anlaß war der Anschluß des katholischen Österreich, in dem Scheidungen vorher überhaupt nicht möglich waren. Deshalb wurde 1938 ein neues Ehegesetz erlassen. Das Zerrüttungsprinzip beruhte auf Überlegungen, die noch aus der Weimarer Zeit stammten.

Im übrigen wurde, was Larenz 1935 über die Rechtsstellung von Volksgenossen geschrieben hatte, sehr schnell grausige gerichtliche Wirklichkeit:

301. RG JW 1936.2537

Der Regisseur Eric Charell hatte am 24. Februar 1933 einen Vertrag mit der UFA geschlossen über Dreharbeiten für einen Film mit dem Ti-

Die Heimkehr des Odyaseus

tel „Die Heimkehr des Odysseus“ und einen Vorschuß erhalten von 26 000 Mark. Der Vertrag enthielt die Klausel, die UFA dürfe zurücktreten, wenn Charell „durch Krankheit, Tod oder ähnlichen Grund nicht zur Durchführung seiner Regietätigkeit imstande“ sei. Charell war Jude. Die antisemitische Hetze nahm zu. Die UFA erklärte am 5. April 1933 den Rücktritt und verlangte den Vorschuß zurück. Das Berliner Kammergericht gab ihr Recht. Charell ging in die Revision. Aber das Reichsgericht bestätigte das Berliner Urteil. Die jüdische Abstammung sei ein „ähnlicher Grund“ im Sinne der Rücktrittsklausel:

> „Der nationalsozialistischen Weltanschauung dagegen entspricht es, im Deutschen Reich nur Deutschstämmige als rechtlich vollgültig zu behandeln. Damit werden grundsätzliche Abgrenzungen des früheren Fremdenrechts erneuert und Gedanken wiederaufgenommen, die vormals durch die Unterscheidung zwischen voll Rechtsfähigen und Personen minderen Rechts anerkannt waren. Den Grad völliger Rechtslosigkeit stellte man ehedem, weil die rechtliche Persönlichkeit ganz zerstört sei, dem leiblichen Tode gleich ... So ist unbedenklich, eine aus gesetzlich anerkannten rassepolitischen Gesichtspunkten eingetretene Änderung in der rechtlichen Geltung der Persönlichkeit dem gleichzuachten, sofern sie die Durchführung der Regietätigkeit in entsprechender Weise hindert, wie Tod oder Krankheit es täten.“

Eine der ersten reichsgerichtlichen Entscheidungen dieser Art gegen Juden. Bald folgten ähnliche, für Dienstverträge, Mietverträge und für andere.

302. Arbeitsrecht

Mit dem Kampf gegen den Kommunismus war verbunden die Leugnung von Klassengegensätzen. Das Volk war eine große Gemeinschaft und der Feind waren nur die Juden. Also wurden 1933 die Gewerkschaften und ihre Betriebsräte ebenso aufgelöst wie die Arbeitgeberverbände und beide vereinigt zur Deutschen Arbeitsfront. Das bedeutete die Beseitigung des kollektiven Arbeitsrechts, also des Rechts der Tarifverträge, von Streik und Aussperrung und des Rechts der Mitbestimmung durch Betriebsräte. Sehr schnell wurde ein Arbeitsgesetzbuch erlassen, das Gesetz zur Ordnung der nationalen Arbeit von 1934 (AOG), nach dem „Führerprinzip“. § 1:

> „Im Betrieb arbeiten der Unternehmer als Führer des Betriebes, die Angestellten und Arbeiter als Gefolgschaft gemeinsam zur Förderung der Betriebszwecke und zum gemeinsamen Nutzen von Volk und Staat zusammen.“

Arbeitsbedingungen und Löhne sollten von staatlichen Treuhändern bestimmt werden, letztlich entschieden nach dem AOG aber doch die Unternehmer, denen vom Staat ernannte Vertrauensräte – mit beratender Funktion – an die Seite gestellt wurden, statt der von den Arbeitnehmern gewählten Betriebsräte. Die nationalsozialistische Arbeitsrechtswissenschaft ergänzte das ganze durch die Konstruktion des Arbeitsverhältnisses als eines personenrechtlichen Gemeinschaftsverhältnisses. Bisher hatte man den Dienstvertrag – wie Kauf oder Miete – als schuldrechtlichen Austauschvertrag angesehen. Ansatz für die neue Konstruktion war § 2 AOG:

> „Der Führer des Betriebes entscheidet der Gefolgschaft gegenüber in allen betrieblichen Angelegenheiten, soweit sie durch dieses Gesetz geregelt werden. Er hat für das Wohl der Gefolgschaft zu sorgen. Diese hat ihm die in der Betriebsgemeinschaft begründete Treue zu halten."

Während das kollektive Arbeitsrecht vollständig beseitigt war, wurde das individuelle Arbeitsrecht – der einzelnen Dienstverträge – leicht verbessert. Es gab zwar auch hier Verschlechterungen in der Rechtsprechung, besonders beim Kündigungsschutz für unliebsame Arbeitnehmer, und zwar nicht nur für Juden und politische Gegner, sondern bei Aufsässigkeit jeglicher Art. Aber nicht weniges wurde wesentlich verbessert, zum Teil durch Gesetz wie die Arbeitszeitregelung (Arbeitszeitordnung 1938) und – zur Erhöhung der Geburtenrate – der Mutterschutz (Mutterschutzgesetz 1942), zum Teil durch Rechtsprechung und Literatur wie der Gleichbehandlungsgrundsatz und die Haftungsbeschränkung bei gefahrgeneigter Arbeit, beides heute noch wichtig, außerdem ein Anspruch auf Beschäftigung einerseits und auf Urlaub andererseits, alles abgeleitet aus §§ 1 und 2 AOG.

303. Verwaltungsrecht

Verwaltungsrecht bedeutet Berechenbarkeit von Verwaltung, und zwar nicht nur zum Schutz von individuellen Rechten des Bürgers, sondern auch im Interesse der Funktionsfähigkeit des Staates. Das war wohl der entscheidende Grund für das Überleben einer Disziplin im Dritten Reich, die ihre Entstehung dem Liberalismus des 19. Jahrhunderts verdankt (Rdz. 279). Erstaunlicherweise blieben in der Rechtsprechung der Verwaltungsgerichte gewisse Rechte des Individualgüterschutzes gegen staatliche Eingriffe bis in die ersten Jahre des Krieges erhalten.

Die nationalsozialistische Verwaltungsrechtswissenschaft – Reinhard Höhn, Herbert Krüger, Theodor Maunz – verkündete zwar schnell das Ende des subjektiven öffentlichen Rechts. Es sollte durch die „Gliedstellung der Persönlichkeit in der Gemeinschaft" ersetzt werden. Und es wurde diskutiert über den Fortbestand der Verwaltungsgerichtsbarkeit, die SS und Gestapo beseitigen wollten. Aber in der Führungsspitze der Partei waren die Meinungen geteilt. Nachdem Himmler 1936 endgültig die Freistellung von gerichtlicher Kontrolle für Gestapo und Konzentrationslager erreicht hatte, gab er nach und die Gemäßigten – Innenminister Frick und „Reichsrechtsführer" Frank – setzten sich durch. Die Verwaltungsgerichtsbarkeit blieb erhalten. 1941 wurde sie sogar noch durch die Einrichtung des Reichsverwaltungsgerichts ergänzt, das aber keine wesentliche Bedeutung erlangte, denn die Kompetenz der Gerichte wurde in wesentlichen Bereichen immer weiter eingeschränkt, nur in weniger wichtigen Fragen erweitert und in den letzten Jahren des Krieges existierten sie nur noch als Fassade.

Die erste ausdrückliche Einschränkung kam im Gesetz zur Wiederherstellung des Berufsbeamtentums (Rdz. 306) vom 7.4.1933, nach dem Juden und politische Gegner aus ihren Ämtern entfernt wurden, und zwar, wie es in § 1 hieß, „unter Ausschluß des Rechtsweges". Im Dezember wurde den Gemeinden die Klagebefugnis gegen Eingriffe in ihre Selbstverwaltungsrechte entzogen und am 10.2.1936 wurde das preußische Gesetz über die Gestapo erlassen, in dessen § 7 bestimmt war:

> „Verfügungen und Angelegenheiten der Geheimen Staatspolizei unterliegen nicht der Nachprüfung durch die Verwaltungsgerichte."

Das bedeutete das Ende einer zum Teil sehr mutigen Rechtsprechung des Preußischen Oberverwaltungsgerichts mit seinem Präsidenten Bill Drews, das hier ab und zu noch eingegriffen hatte und im Gewerberecht noch einige Zeit unerschrocken weitermachte (Urteil vom 28.5.36):

> „Die Zugehörigkeit zur semitischen Rasse bedingt für sich allein weder allgemeine gewerbliche Unzuverlässigkeit noch bildet sie einen Grund zum Ausschluß vom Wirtschaftsleben."

Ähnliche Entscheidungen finden sich in den dreißiger Jahren auch beim Badischen Verwaltungsgerichtshof, während andere Verwaltungsgerichte sich schon 1933 für unzuständig erklärt hatten, wenn es sich um „politische" Maßnahmen handelte, meistens unter Berufung auf die Notverordnung des Reichspräsidenten vom 28.2.33 nach dem Reichstagsbrand (Rdz. 296). Auch das Preußische Oberverwaltungsgericht hat sich später extrem antisemitisch geäußert. Trotzdem. Die Verwaltungsgerichtsbarkeit blieb im Gegensatz zu anderen ganz allgemein ein leiser Lichtblick im großen Dunkel jener Justizkatastrophe, die ihren Höhepunkt im Strafrecht hatte.

304. Strafrecht

Niemals sind in Deutschland in so kurzer Zeit so viele Gesetze erlassen worden, die Strafrecht und Strafprozeß zum Instrument des Terrors verfälschten. Niemals gab es so viele Gesetze, die die Todesstrafe androhten. Niemals sind in so kurzer Zeit so viele Todesurteile erlassen worden.

Niemals war das Mißverhältnis zwischen Gewicht der Tat und Höhe der Strafe so grausam wie in diesen zwölf Jahren, besonders in den letzten sechs des Krieges.

Im März 1933 begann es mit der lex van der Lubbe (Rdz. 297), dem ersten Verstoß gegen das Rückwirkungsverbot im Strafrecht. Später folgten andere, zum Beispiel im Gesetz gegen Kidnapper 1936 und 1938 in dem gegen Autofallen, jeweils wegen einzelner Fälle, in denen Hitler wie bei van der Lubbe die Todesstrafe wollte. Bis 1935 kamen drei Kampfgesetze gegen die innenpolitische Opposition. Von ihnen ist die Heimtückeverordnung die bekannteste, die 1934 zum Heimtückegesetz erweitert wurde. 1935 fiel das Analogieverbot im Strafrecht durch einen neuen § 2 StGB und brachte das Ende des von Feuerbach formulierte Grundsatzes nulla poena sine lege (Rdz. 288). Dann im selben Jahr das Blutschutzgesetz vom 15. Mai, mit dem die „Rassenschande“ strafbar wurde. Zur Vorbereitung des Krieges entstand schon 1938 die Kriegssonderstrafrechtsverordnung mit dem neuen Tatbestand der Wehrkraftzersetzung, der auch Tausenden Zivilisten das Leben gekostet hat. Im Krieg folgten 1939 die Rundfunkverordnung gegen das Hören ausländischer Sender und die Volksschädlingsverordnung gegen Plünderung und andere Straftaten unter Ausnutzung der Luftschutzverdunkelung. Die Volksschädlingsverordnung übernahm ebenso wie die Gewaltverbrecherverordnung vom selben Jahr die Tätertyplehre der nationalsozialistischen Rechtswissenschaft und ging bis zur Todesstrafe, die Gewaltverbrecherverordnung mit Rückwirkung. Insgesamt sind es etwa fünfzig Gesetze und Verordnungen gewesen. Der Höhepunkt wurde 1944 erreicht mit einer Novelle zum Kriegssonderstrafrecht, nach der die Todesstrafe verhängt werden konnte, wenn das „gesunde Volksempfinden“ sie forderte, aber der normale Strafrahmen nicht ausreichte.

Sofort 1933 wurden Sondergerichte für politische Strafsachen eingerichtet, je eine Strafkammer eines Landgerichts in einem Oberlandesgerichtsbezirk, deren Zuständigkeiten und Zahl bis zum Ende des Krieges ständig erhöht wurden. Sie entschieden im Schnellverfahren und es gab weder Berufung noch Revision. Zum Schluß sind sie praktisch für alles zuständig gewesen und die meisten Todesurteile ziviler Strafgerichte gehen auf ihr Konto, allerdings auch manche Entscheidung gegen die Absichten der Nazis wie der Freispruch für Otto Dibelius – später evangelischer Bischof von Berlin – von der Anklage nach dem Heimtückegesetz durch das Sondergericht beim Landgericht Berlin 1937.

1934 ist der Volksgerichtshof gegründet worden – zunächst nur für Verfahren wegen Hoch- und Landesverrats – und 1936 das Reichskriegsgericht, beide in Berlin und beide mit grausigen Blutspuren. Im Gegensatz zu früher weiß man heute allerdings, daß die Rechtsprechung des

Volksgerichtshofs in den Jahren bis zum Krieg verhältnismäßig milde war, und auch am Ende des Krieges gab es ziemlich viele Freisprüche. Trotzdem. Sein Ruf als Instrument des Terrors ist leider völlig berechtigt, nicht nur durch den Prozeß gegen die Hitler-Attentäter, ebenso wie der des Reichskriegsgerichts und der unteren Kriegsgerichte, die man in den siebziger Jahren noch ganz anders beurteilt hat. Neuere Untersuchungen haben ergeben, daß die Militärgerichtsbarkeit grausamer war als die der zivilen Strafgerichte. Sie hat über 30000 Todesurteile zu verantworten, die anderen Strafgerichte etwa die Hälfte, zusammen etwa 50000 (Rdz. 298).

Im Strafprozeß wurden 1935 zwei neue Haftgründe eingeführt, nämlich Vorbeugung gegen Begehung weiterer Straftaten und Erregung in der Öffentlichkeit, vom Reichsjustizministerium mit dem Hintergedanken der Hilfe für Gerichte und Angeklagte. So konnte man dem noch schlimmeren Zugriff durch die Gestapo zuvorkommen. Seit 1939 gab es den außerordentlichen Einspruch und seit 1940 die Nichtigkeitsbeschwerde. Mit ihnen konnte der Oberreichsanwalt – vergleichbar dem heutigen Generalbundesanwalt – rechtskräftige Urteile aufheben lassen. Womit die Rechtssicherheit im Kernbereich beseitigt war. Anlaß für die Einführung des außerordentlichen Einspruchs war Hitlers Empörung über ein zu mildes Urteil des Volksgerichtshofs. Grund für die Nichtigkeitsbeschwerde waren Urteile der Sondergerichte, die ebenfalls sofort rechtskräftig wurden. Der Oberreichsanwalt hat hier ab und zu auch zugunsten der Verurteilten eingegriffen. Im übrigen wurden ganz allgemein Kompetenzen der Staatsanwaltschaft ständig erweitert. Seit 1940 konnte sie anklagen, wo sie wollte. Das Ende des Rechts auf den gesetzlichen Richter. Und seit 1944 konnte sie sogar selbst Haftbefehle erlassen, womit der Richter insoweit völlig überflüssig geworden war.

Das Szenario des Schreckens wurde ergänzt durch die Wiedereinführung der Folter, die Friedrich II. zweihundert Jahre vorher abgeschafft hatte (Rdz. 262). Die politische Polizei begann damit schon 1933, einfach so. Ohne Gesetz. Oder genauer: gegen das Gesetz. Der Widerstand von Gerichten und Justizministerium gegen die „verschärfte Vernehmung" blieb vergeblich. Zwar einigte sich das Ministerium 1937 mit der Gestapo-Leitung darauf, es dürften höchstens 25 Stockhiebe vorgenommen werden. Was auch schon ein Stück aus dem Tollhaus war. Aber das blieb ebenso sinnlos wie der Versuch Minister Gürtners, die Gestapo daran zu hindern, die Justiz in vielen Fällen völlig auszuschalten. Das geschah sowohl, bevor die Gerichte tätig werden konnten, als auch danach, nämlich dann, wenn die Gestapo der Meinung war, ein Urteil sei zu milde. Bei der Entlassung aus der Strafhaft stand sie vor dem Gefängnistor. Gegen Einweisung in Konzentrationslager, Folter und Mord war selbst die harte Justiz machtlos. Heinrich Himmler war noch grausamer.

305. Reichsgericht, Urteil vom 31.3.1942: Der Fall Schlitt

Ewald Schlitt, Werftarbeiter in Wilhelmshaven, heiratet 1937 im Alter von 25 Jahren, aber die Ehe ist nicht glücklich. Von Anfang an gibt es Streit, wohl auch, weil er vermutet, sie hätte Kontakt mit anderen Männern. Nachbarn hören seine laute Stimme, Schläge und ihr leises Weinen. Im Sommer 1940 kommt es zu einer fürchterlichen Szene, nachdem sie zugegeben hatte, mit einem anderen Mann geschlafen und Lebensmittelkarten gefälscht zu haben. Die schwer mißhandelte Frau wird in eine Heilanstalt eingewiesen, infiziert sich mit einer Darmgrippe, an der sie wegen ihres geschwächten Zustands stirbt. Am 14. März 1942 ist Ewald Schlitt vom Landgericht Oldenburg zu 5 Jahren Zuchthaus verurteilt worden wegen schwerer Körperverletzung mit Todesfolge. Das Gericht lehnt die Anwendung der Gewaltverbrecherverordnung von 1939 aber ausdrücklich ab, weil er nicht vorbestraft war und nur in Jähzorn, nicht kaltblütig gehandelt habe und erregt durch eine eigene Krankheit. Sieben Tage später liest Adolf Hitler einen irreführenden Bericht in der Berliner „Nachtausgabe“, ruft noch in der Nacht beim geschäftsführenden Justizminister Schlegelberger an und verlangt die Todesstrafe. Schlegelberger läßt sich aus Oldenburg informieren und am nächsten Tag durch den Oberreichsanwalt einen außerordentlichen Einspruch beim Reichsgericht einlegen. Das war der 24. März. Am 25. März ist Ewald Schlitt schon im Untersuchungsgefängnis Leipzig. Am 26. März setzt Reichsgerichtspräsident Bumke den Termin für die Hauptverhandlung an auf den 31. März. Sie beginnt um 9 Uhr. Um 13 Uhr 30 verkündet er das Todesurteil nach § 1 der Gewaltverbrecherverordnung, ohne auch nur mit einem Satz auf die Gründe der Oldenburger Richter einzugehen. Er wußte, Hitler würde hart reagieren gegen die gesamte Justiz, wenn er anders entschieden hätte. Einen Tag später wird Schlitt zur Hinrichtung nach Dresden gebracht, wo das Urteil am nächsten Morgen um halb sechs vollstreckt worden ist. Ein Justizmord. Und Bumke hat das gewußt, aber Schlitt geopfert, um die Justiz vor größerem Schaden zu retten. Die Oldenburger Richter beschwerten sich bei ihrem Oberlandesgerichtspräsidenten. Der Oberlandesgerichtspräsident beschwerte sich bei seinem Gauleiter. Der Gauleiter sprach mit Hitler, der dann gesagt haben soll, er sei vom Justizministerium falsch informiert worden (vgl. aber Rdz. 307).

306. Ausgrenzung und Entrechtlichung

Ziel der Nationalsozialisten war eine monolithische „arische“ Volksgemeinschaft unter Ausschluß aller, die ihren autoritären Ordnungsvorstellungen und ihrem Rassenwahn im Wege standen. Sie mußten beseitigt werden, also nicht nur sogenannte Staatsfeinde – Kommunisten, Sozialdemokraten – und die Juden, sondern auch Sinti und Roma, andere „Fremdvölkische“, Geisteskranke, Kriminelle, Homosexuelle, Asoziale. Die Geschichte ihrer Ausgrenzung ist geprägt durch zunehmende Entrechtlichung. Das heißt, das Recht spielte dabei immer weniger eine Rolle. Zunächst wurde die Ausgrenzung noch juristisch betrieben durch Gesetze und Gerichtsentscheidungen (Rdz. 301). Aber das führte immer weiter in einen rechtsfreien Raum, der dann ausgefüllt wurde durch einfache Befehle der politischen Führung oder völlig freies Handeln von Behörden und Polizei, SS und Gestapo. Dieser Prozeß beginnt mit der Notverordnung des Reichspräsidenten vom 28.2.33, die Menschenrechte außer Kraft setzte und Grundlage war für die Einrichtung der ersten Konzentrationslager (Rdz. 296). Und er endet mit dem Holocaust.

Grundlage für die Entlassung von Juden und politischen Gegnern war das Gesetz zur Wiederherstellung des Berufsbeamtentums vom 7.4.33. Die Ausgrenzung der Juden wurde weitergeführt durch die Nürnberger Gesetze vom 15.5.35, nämlich Reichsbürgergesetz und Blutschutzgesetz, die ihnen die politischen Bürgerrechte entzogen und Eheschließungen oder außerehelichen Verkehr mit „Ariern" verboten haben unter Androhung von Gefängnis- oder Zuchthausstrafe. Dann kamen keine Gesetze mehr, sondern nur noch Verordnungen. Zum Beispiel über ihren Ausschluß aus dem Wirtschaftsleben, ihr Auftreten in der Öffentlichkeit, die „Arisierung" ihrer Betriebe – alles 1938 – oder über den Judenstern 1941. Der Judenstern bereitete den Holocaust vor, den Hitler kurz vorher nur noch durch mündlichen Geheimbefehl angeordnet hatte. Für die wenigen, die übrig blieben, hieß es dann in einer Verordnung zum Reichsbürgergesetz vom 1.7.43 in § 1:

> „Strafbare Handlungen von Juden werden durch die Polizei geahndet."

Gerichte waren für sie nicht mehr zuständig. Auch hier standen sie nun in einem rechtsfreien Raum. Das Recht zog sich zurück, durch Rechtsverordnung. Also Entrechtlichung durch Recht.

Ähnliche Wirkung hatte die Polenstrafverordnung vom 4.12.41 mit Gummitatbeständen und einem Verfahren wie vor Standgerichten, das meistens mit der Todesstrafe endete. Kurz danach erging der „Nacht- und Nebel"-Erlaß, unterschrieben am 7.12.41 von Wilhelm Keitel als Chef des Oberkommandos der Wehrmacht. Dieser Erlaß war gerichtet gegen den Widerstand in den anderen besetzten europäischen Gebieten. Die Angeklagten wurden bei Nacht und Nebel nach Deutschland gebracht, ohne daß irgend jemand darüber informiert wurde. Das sollte Schrecken verbreiten. Die Verfahren fanden vor Sondergerichten statt, in Dortmund, Köln, Kiel und Berlin, mit grauenvollen Haftbedingungen, oft ohne Verteidiger und Dolmetscher. Auch hier stand am Ende meistens die Todesstrafe.

Für die Schwächsten der Schwachen erging zunächst noch ein Gesetz – am 25.7.33 – „zur Verhütung erbkranken Nachwuchses". Sogenannte

Erbgesundheitsgerichte beschlossen 350.000 Zwangssterilisationen, von denen viele Tausend tödlich waren. Die systematische Tötung von Geisteskranken dagegen begann am Anfang des Krieges nur noch mit einem schriftlichen Geheimbefehl Hitlers, zurückdatiert auf den 1.9.1939. Dieser „Euthanasie"-Aktion fielen 80.000 zum Opfer. Sie wurde 1941 abgebrochen nach einem öffentlichen Protest des Grafen Galen, Bischof von Münster, bei einer Predigt in der Lambertikirche (Rdz. 298). Öffentlicher Protest konnte erfolgreich sein. Und so bleibt die Frage, warum sich niemand fand, der sich öffentlich gegen den Holocaust an den Juden gewendet hat.

Als Fortsetzung der Ausgrenzung war geplant ein „Gesetz über die Behandlung Gemeinschaftsfremder", ausgearbeitet im Innenministerium, dessen Leitung 1943 Himmler übernommen hatte. Es richtete sich gegen Arbeitsscheuhe, „Liederliche", Landstreicher, Bettler, Bummelanten, Querulanten, Homosexuelle und Kriminelle. Für sie sollte § 2 gelten:

> „Gemeinschaftsfremde werden von der Polizei überwacht."

Also Konzentrationslager und Tod. Entrechtlichung durch Recht. Das Gesetz sollte am 1.1.45 in Kraft treten, ist aber im Durcheinander des Kriegsendes nicht mehr erlassen worden.

307. Vom Rechtsstaat über den Doppelstaat zum Polizeistaat

Die Entwicklung bei der Ausgrenzung von Randgruppen ist ganz allgemein der Weg des Rechts im Dritten Reich gewesen. Der Weg vom Recht zur Entrechtlichung. Schließlich entschied nur noch der verbrecherische Wille der politischen Führung, was richtig und falsch ist. „Die Herrschaft des Ausnahmezustandes bewegte sich von der Peripherie in die Mitte des Reiches" (Martin Broszat).

Ernst Fraenkel hat in seinem Buch „Der Doppelstaat" die Meinung vertreten, die Herrschaft Hitlers habe zu einer Teilung staatlichen Lebens geführt. Deutschland sei ein Land geworden, in dem zu einem Teil die normalen Gesetze weiter gegolten haben. Er nennt das den Normenstaat. In ihm lebte der normale Bürger. Anders die Randgruppen. Sie waren weitgehend dem Zugriff von SS und Gestapo ausgeliefert. Das nennt er den Maßnahmenstaat. Eine Beobachtung, die richtig ist für die Jahre 1933 bis 1938, in denen Fraenkel in Berlin gelebt und – heimlich – dieses Buch geschrieben hat. Nach seiner Flucht veränderte sich aber die Situation.

Fraenkels Theorie beruht auf Erfahrungen, die er selbst gemacht hat. Er war Strafverteidiger. Seine Mandanten sind immer dann in gewisser Weise sicher gewesen, wenn es ihm gelungen war, sie in die Verfügungsgewalt der Justiz zu bringen. In den Normenstaat. Zwar drohte hier Verurteilung und Haft, aber nicht Folter und Mord. Im Gefängnis war die Freiheit verloren, aber nicht die körperliche Unversehrtheit gefährdet, die extrem bedroht war, wenn die Gestapo den ersten Zugriff hatte. Der

Maßnahmenstaat. Also mußte er sehen, sie so schnell wie möglich im Normenstaat unterzubringen, um sie vor dem Maßnahmenstaat zu schützen.

Der Fall Schlitt (Rdz. 305) zeigt, daß im Krieg auch der Normenstaat zerbrochen ist. Spätestens jetzt hatte die politische Führung jederzeit den unmittelbaren Zugriff auf jeden einzelnen. Zumal noch zweierlei hinzu kam. Erstens nahm Hitler diesen Fall zum Anlaß, noch einen Schritt weiterzugehen. Ewald Schlitt war am 2.4.1942 hingerichtet worden. Am 26.4.1942 ist der Reichstag zu seiner letzten Sitzung zusammengerufen worden. Hitler ließ sich als „Oberster Gerichtsherr“ bestätigen und sagte unter anderem in seiner Rede:

> „Ich habe – um nur ein Beispiel zu erwähnen – kein Verständnis dafür, daß ein Verbrecher, der im Jahre 1937 heiratet und dann seine Frau so lange mißhandelt, bis sie endlich geistesgestört wird und an den Folgen einer letzten Mißhandlung stirbt, zu fünf Jahren Zuchthaus verurteilt wird in einem Augenblick, in dem zehntausende brave deutsche Männer sterben müssen, um der Heimat die Vernichtung durch den Bolschewismus zu ersparen, daß heißt also, um ihre Frauen und Kinder zu schützen. Ich werde von jetzt ab in diesen Fällen eingreifen und Richter, die ersichtlich das Gebot der Stunde nicht erkennen, ihres Amtes entheben.“

Zweitens hat er dann auch bald die Vakanz im Reichsjustizministerium beendet, das seit dem Tod Gürtners 1941 kommissarisch von Staatssekretär Schlegelberger geleitet wurde. Im August 1942 ist Otto Thierack zum Minister ernannt worden, ein harter Nationalsozialist. Er hat mit seinen „Richterbriefen“ sofort und ganz offen Einfluß genommen auf die Rechtsprechung aller Gerichte. Dies zusammen – der Fall Schlitt, Hitlers Rede, Thieracks Briefe – bedeutete nicht nur das Ende der richterlichen Unabhängigkeit und jeglicher Gewaltenteilung. Es war auch das Ende des Normenstaates. Das Deutsche Reich war einen weiten Weg gegangen vom Rechtsstaat des 19. Jahrhunderts über den Doppelstaat am Ende der dreißiger Jahre bis zum Polizeistaat der vierziger, der dann schließlich selbst untergegangen ist in diesem Krieg mit einer Orgie von Gewalt und Mord.

Literatur

295. *Thamer*, Verführung und Gewalt. Deutschland 1933–1945, 2. Aufl. 1986. – **296.** *Broszat*, Der Staat Hitlers 13. Aufl. 1992; *Hirsch/Majer/Meinck*, Recht, Verwaltung und Justiz im Nationalsozialismus (1984) 87–152, 507–515, der Aufsatz von Heinrich *Triepel*, dort S. 116–118 und dazu *Meinck*, S. 119–125. – **297.** *Ingo Müller*, Furchtbare Juristen (1987) 36–44; *Gruchmann*, Justiz im Dritten Reich

1933–1940 (2. Aufl. 1990) 826–831, 956–960; *Thamer*, Brandstifter und Ordnungshüter. Der Reichstagsbrand und die Folgen, in: Uwe Schultz (Hg.) Große Prozesse (1996) 313–321; der Text des Urteils zur Rückwirkung bei *Kaul*, Geschichte des Reichsgerichts Bd. 4, 1933–1945 (1971) 343–347. – **298.** *Gruchmann*, (Rdz. 297); *Reitter*, Franz Gürtner 1976; zu Schlegelberger: *Michael Förster*, Jurist im Dienst des Unrechts 1995; *Kolbe*, Reichsgerichtspräsident Dr. Erwin Bumke 1975; *Boberach*, (Hg.) Richterbriefe 1975; *Marxen*, Das Volk und sein Gerichtshof 1994; *Wüllenweber*, Sondergerichte im Dritten Reich 1990; *Haase*, Das Reichskriegsgericht 1993; *Werle*, Justiz-Strafrecht und polizeiliche Verbrechensbekämpfung im Dritten Reich 1989; zu den Urteilen über Verbrechen in Konzentrationslagern: Justiz und Nationalsozialismus, Katalog zur Ausstellung des Bundesministers der Justiz (3. Aufl. 1994) 190 ff.; *Kramer*, Lothar Kreyßig, in: Kritische Justiz (Hg.) Streitbare Juristen (1988) 342–354; Zivilrecht: einerseits *Rüthers*, Die unbegrenzte Auslegung 1968 (Ndr. 1973), andererseits *Rainer Schröder*, „... aber im Zivilrecht sind die Richter standhaft geblieben!“ 1988; zu den Scheidungsurteilen: *Angermund*, Deutsche Richterschaft 1919–1945 (1990) 109–121; die Zahlen der Todesurteile: Justiz und Nationalsozialismus, Katalog (3. Aufl. 1994) 206; „furchtbare Juristen“: *Rolf Hochhuth*, Juristen. Drei Akte für sieben Spieler 1979. – **299.** *Kunkel*, Der Professor im Dritten Reich, in: Die deutsche Universität im Dritten Reich 1966 S. 103–133; *Grimm*, Die „Neue Rechtswissenschaft“, in: Lundgren (Hg.), Wissenschaft im Dritten Reich (1985) 31–54; *Stolleis*, Recht im Unrecht (1994) 126–170; *Marxen*, Der Kampf gegen das liberale Strafrecht 1975; *Rüthers*, (Rdz. 298); zu Carl Schmitt: *Bendersky*, Carl Schmitt 1983; *Rüthers*, Carl Schmitt im Dritten Reich 2. Aufl. 1990; *Noack*, Carl Schmitt 1993; *Koenen*, Der Fall Carl Schmitt 1995; eine gute Zusammenfassung: *Wiegandt*, „Ich bin Theorethiker, reiner Wissenschaftler und nichts als Gelehrter“ – Ein Lebensbild Carl Schmitts, in: Juristische Schulung 1996 S. 778–781 – **300.** *Gruchmann*, Die Entstehung des Testamentsgesetzes, in: Zeitschrift für neuere Rechtsgeschichte 7 (1985) 53–63; *Gruchmann*, Das Ehegesetz vom 6. Juli 1938, in: Zeitschrift für neuere Rechtsgeschichte 11 (1989) 63–83; *Hattenhauer*, Das Volksgesetzbuch, in: Festschrift Rudolf Gmür (1983) 255–279 – **301.** Mietverträge: *Rüthers*, (Rdz. 298); Dienstverträge: *Rüthers*, (Rdz. 298) S. 243–247. – **302.** *Deventer*, Arbeitsrecht im Nationalsozialismus, in: Juristische Schulung 1988 S. 13–20; *Mayer-Maly*, Nationalsozialismus und Arbeitsrecht, in: Recht der Arbeit 1989, S. 233–240 – **303.** *Stolleis*, Recht im Unrecht (1994) 190–220; *Külz*, Verwaltungskontrolle unter dem Nationalsozialismus, in: Kritische Justiz 1969 S. 367–378; *Wolfgang Kohl*, Das Reichsverwaltungsgericht 1991; das Urteil des PrOVG bei *Frege*, in Külz/Naumann (Hg.) Staatsbürger und Staatsgewalt Bd. 1 (1963) 148 f. – **304.** *Gruchmann*, (Rdz. 297); *Schreiber*, Die Strafgesetzgebung im Dritten Reich, in: Dreier/Sellert (Hg.) Recht und Justiz im „Dritten Reich“ (1989) 151–179; *Messerschmidt/Wüllner*, Die Wehrmachtjustiz im Dienste des Nationalsozialismus 1987; *Haase*, Das Reichskriegsgericht und der Widerstand gegen die nationalsozialistische Herrschaft 1993; *Wüllenweber*, (Rdz. 298) zum Volksgerichtshof zuletzt: *Marxen*, Das Volk und sein Gerichtshof 1994; Ausschaltung der Justiz (außer bei Gruchmann S. 535–745): *Werle*, Justiz-Strafrecht und polizeiliche Verbrechensbekämpfung im Dritten Reich 1989. – **305.** *Kaul*, (Rdz. 297) 196–202; *Kolbe* (Rdz. 298) 337–353; *Michaelis*, Die außerordentliche Wiederaufnahme rechtskräftig abgeschlossener Verfahren in der Praxis des Reichsgerichts 1941–1945; in: Dreier/Sellert (Hg.) Recht und Justiz im „Dritten Reich“ (1989) 278–282. – **306.** *Majer*, „Fremdvölkische“ im Dritten Reich 1981; *Hilberg*, Die Vernichtung der europäischen Juden 1982; *Jäckel/Röhwer*, Der Mord an den Juden im zweiten Weltkrieg 1985; *Klee*, „Euthanasie“ im NS-Staat 1983 (als Taschenbuch 1985); *Gruchmann*, „Nacht- und Nebel“-Justiz; in: Vierteljahreshefte für Zeitgeschichte 29 (1981) 342–396; die meisten Gesetze (auch das zum 1.1.1945 geplante) und Verordnungen bei *Hirsch/Majer/Meinck*, (Rdz. 296) – **307.** *Fraenkel*, The Dual State 1941, deutsch: Der Doppelstaat 1974 (Taschenbuch 1984); das Zitat bei *Broszat*, Der Staat Hitlers (1969) 422; die Rede Hitlers zitiert nach *Kolbe*, (Rdz. 298) 355; *Boberach*, (Hg.) Richterbriefe 1975.

19. Kapitel

DEUTSCHE DEMOKRATISCHE REPUBLIK

Allgemeine Literatur: *Brunner*, Einführung in das Recht der DDR 2. Aufl. 1979; *Markovits*, Die Abwicklung – Ein Tagebuch zum Ende der DDR-Justiz 1992; Im Namen des Volkes? Über die Justiz im Staat der DDR, Katalog und Wissenschaftlicher Begleitband (Hg. vom Bundesministerium der Justiz) 1994; *Feth*, Hilde Benjamin – Eine Biographie 1997 (mit vielen historischen Einzelheiten und Kurzbiographien) – DDR-Literatur: Zur Geschichte der Rechtspflege der DDR I (1945–1949), II (1949–1961), III (1961–1971), hg. von einem Autorenkollektiv unter Leitung von *H. Benjamin* 1976, 1980 und 1986; Staats- und Rechtsgeschichte der DDR – Grundriß 1983; hg. v. d. Humboldt-Universität Berlin, verantwortlich *I. Melzer*.

308. Geschichte und Wirtschaft

Nach dem Krieg liegt Deutschland in Schutt und Asche. Der Wiederaufbau beginnt langsam. In der sowjetischen Zone bewegt er sich von vornherein in die Richtung einer sozialistischen Ordnung nach dem Vorbild der Sowjetunion. Es werden auch bürgerliche Parteien zugelassen. Aber sie haben nur die Funktion eines Alibis. Das Hindernis einer starken Sozialdemokratischen Partei wird schon 1946 beseitigt, auch unter Druck der Militärregierung, durch die Vereinigung mit der KPD zur Sozialistischen Einheitspartei. Die ökonomischen Weichen werden gestellt durch Beschlagnahme und Verstaatlichung von Privatbetrieben, zunächst nur derjenigen, die Nationalsozialisten gehören, dann aber auch allgemein von Banken, Versicherungen und Großbetrieben. Der Großgrundbesitz wird schon 1945/46 in der Bodenreform zu zwei Dritteln auf eine halbe Million Kleinbauern verteilt. Das andere Drittel wird später Volkseigentum, das mit dem Grundbesitz der verstaatlichten Betriebe immer größere Bedeutung erhält. Allerdings wird der wirtschaftliche Aufbau stark behindert durch die Belastung mit Reparationen an die Sowjetunion im Wert von vielen Milliarden Mark.

Der Kalte Krieg, der 1948/49 mit der Berliner Blockade eskaliert, führt 1949 zur Gründung der beiden deutschen Staaten. In der DDR wird der Kommunist Wilhelm Pieck Präsident und der Sozialdemokrat Otto Grotewohl Ministerpräsident. Starker Mann bleibt bis 1971 Walter Ulbricht, Generalsekretär der SED. Die bürgerliche Verfassung von 1949 ist nur eine Fassade, die DDR ein Einparteienstaat ohne freie Wahlen. Nach dem Vorbild der Sowjetunion setzt sie auf den Ausbau der Schwerindustrie und vernachlässigt andere Bereiche wie Feinmechanik oder Optik. Das erweist sich später als großer Fehler. Auf Stalins Tod im März 1953 folgt der Aufstand vom 17. Juni. Danach wird mehr Gewicht auf Konsumgüter gelegt. In diesem Jahr erreichen die Flüchtlingszahlen mit 331000 ihren ersten Höhepunkt. Ende der fünfziger Jahre verbessert sich der Lebensstandard, aber das Chruschtschow-Ultimatum 1958 zum Berlin-Status und die Kollektivierung der Landwirtschaft haben wieder große Flüchtlingszahlen zur Folge. Also wird das Land am 13. August 1961 abgeriegelt durch den Bau der Berliner Mauer und die hermetische Schließung der Grenze zur Bundesrepublik. Das führt zu einer gewissen Konsolidierung.

1963 entschließt sich Ulbricht, die Planwirtschaft teilweise zu dezentralisieren und den einzelnen Betrieben größere Entscheidungsbefugnisse zu geben. Das Neue Ökonomische System der Planung und Leitung, NÖSPL. Es brachte Verbesserungen, gefährdete aber die Macht der Partei und wurde deshalb schon 1965 weitgehend wieder zurückgenommen durch das Neue Ökonomische System, NÖS. Die Eigenständigkeit gegenüber der Sowjetunion wird größer, aber das politische Gefüge bleibt starr. Das führt zum Putsch von Reformern gegen Ulbricht, der 1971 als Generalsekretär der Partei durch Erich Honecker abgelöst wird. Die Liberalisierung der Politik ist nun begleitet von einer weiteren Steigerung des Lebensstandards. Mit der Regierung Brandt wird 1972 der Grundlagenvertrag geschlossen, der die allgemeine internationale Anerkennung der DDR zur Folge hat. 1973 werden beide deutsche Staaten Mitglieder der UNO. Aber trotzdem wächst die Unzufriedenheit im Land. Die Zahl der Ausreiseanträge nimmt zu und die der Ausbürgerung von Intellektuellen, zum Beispiel 1976 Wolf Biermann und 1977 Jurek Becker, Sarah Kirsch und Reiner Kunze. Die politische Führung ist überaltert und nicht bereit, den von Gorbatschow seit 1985 in Gang gesetzten Reformen zu folgen. 1983 und 1984 mildern noch einmal Milliardenkredite der Bundesrepublik die von außen nicht erkennbare desolate Wirtschaftslage. Im Mai 1989 beginnt die Massenflucht nach Ungarn, das dann seine Grenzen zur Bundesrepublik öffnet. Das ist der Anfang vom Ende. Im Oktober putscht Egon Krenz in ähnlicher Weise gegen Honecker, wie der fast zwanzig Jahre vorher gegen Ulbricht. Aber der Staat ist nicht mehr zu retten. Am 9. November 1989 fällt die Berliner Mauer. Die ersten freien Wahlen im März 1990 werden von der CDU gewonnen und Lothar de Maizière als Ministerpräsident hat nur noch die Aufgabe, die Wiedervereinigung vorzubereiten. Sie wird beschlossen von der Volkskammer am 23. August durch Beitritt nach Artikel 23 des Grundgesetzes der Bundesrepublik zum 3. Oktober 1990.

309. Besatzungszeit

Nach der Kapitulation übernahmen die Alliierten die Staatsgewalt in Deutschland. Allgemein war der Alliierte Kontrollrat in Berlin zuständig. Außerdem hatte jede Besatzungszone ihre eigene Militärregierung, im

Osten die Sowjetische Militäradministration in Deutschland, SMAD, Berlin-Karlshorst. Es gab keine deutsche Staatsgewalt mehr. Nicht nur die letzte Regierung – unter Karl Dönitz in Flensburg – war aufgelöst. Die Alliierten hatten auch alle normalen Verwaltungsbehörden und die Gerichte geschlossen. Über die dadurch entstandene „Rechtslage Deutschlands" wurde in der deutschen Rechtswissenschaft bald heftig diskutiert. Hans Kelsen und Hans Nawiasky erklärten, das Deutsche Reich sei untergegangen. Die überwiegende Mehrheit der westdeutschen Staatsrechtler war anderer Meinung.

Kontrollrat und Militärregierungen übernahmen nicht nur die Regierungsgewalt, sondern auch die Gesetzgebung. Typisch nationalsozialistisches Recht wurde aufgehoben. Neue Gesetze wurden erlassen. Die Aufhebung war schwierig. Was war typisch nationalsozialistisch und was nicht? Das blieb in vielen Fällen unklar.

Eine der wichtigsten Aufgaben der Militärregierungen ist die politische Säuberung gewesen, die auf der Konferenz von Jalta im Januar 1945 beschlossen war. Alle nationalsozialistischen Einflüsse sollten aus dem öffentlichen Leben beseitigt werden. Die Entnazifizierung. Alle Deutschen wurden überprüft, in den verschiedenen Besatzungszonen in unterschiedlicher Weise. Am mildesten waren Engländer und Franzosen. Am härtesten Amerikaner und Sowjets. Im Gegensatz zu den Westzonen (Rdz. 323) ist sie in der sowjetischen später auch nicht mehr rückgängig gemacht worden. Sie wurde konsequent genutzt, um beim Wiederaufbau von Verwaltung und Justiz freigewordene Stellen mit Mitgliedern der SED zu besetzen und so die absolute Kontrolle des Staatsapparates vorzubereiten. Schwierig war es bei der Justiz. Qualifizierte Juristen eigener couleur waren selten. Deshalb behalfen sich die örtlichen sowjetischen Kommandanten zunächst mit „Richtern im Soforteinsatz", linientreuen Männern und Frauen ohne juristische Ausbildung. Bald fand man einen neuen Weg. Die Ausbildung von Volksrichtern und Volksstaatsanwälten. Schon Anfang 1946 begannen Schnellkurse von sieben Monaten. Später wurden es acht. Seit 1947 war es ein Jahr. Für die Teilnahme genügte eine abgeschlossene Volksschulausbildung. 80% waren Mitglieder der SED. Diese Ausbildung ist in Westdeutschland als völlig unzureichend scharf kritisiert worden. Heute beurteilt die Forschung sie weniger negativ. Denn die Lehrgänge waren sehr intensiv und die Durchfallquote sehr hoch. 1949 kamen 60% der Richter und 70% der Staatsanwälte aus diesen Kursen und immerhin hat man so vermieden, die Justiz wie im Westen mit alten Nationalsozialisten zu überlasten (Rdz. 323).

1946/47 haben die Sowjets die Länder Brandenburg, Mecklenburg, Sachsen, Sachsen-Anhalt und Thüringen neu gegründet. Gemeinderäte, Kreistage und Landtage wurden – nicht ganz frei – gewählt und Verfassungen beschlossen. Im Gegensatz zu den Westzonen aber von Anfang an mit starker Tendenz zur Zentralisierung. Sehr schnell wurden Zentralverwaltungen für die ganze Zone eingesetzt, nicht nur im Bereich von Wirtschaft und Verkehr, sondern auch von Justiz, Gesundheit, Volksbildung. Alles – wie im Westen – unter Aufsicht der Militärregierung, die auch bei der Gesetzgebung das letzte Wort hatte. Die von Landtagen beschlossenen Gesetze wurden erst wirksam, wenn die SMAD sie genehmigte.

Auch die Verfolgung von NS-Verbrechen lag – wie im Westen – zunächst allein in der Kompetenz von Militärgerichten. Sie urteilten auf der Grundlage eines Kontrollratsgesetzes, Nr. 10 vom 20.10.45, das dem Statut für den Nürnberger Prozeß gegen die Hauptkriegsverbrecher (Rdz. 324) nachgebildet war. Es ließ aber zu, daß die Militärregierungen in Einzelfällen deutsche Gerichte für zuständig erklärten. Davon wurde später häufig Gebrauch gemacht. Die Zahl der Verurteilungen in der Besatzungszeit war überall sehr hoch. Im Westen sind von alliierten Gerichten etwa 5000 NS-Täter verurteilt worden, etwa 650 zum Tode. Vor sowjetischen Militärgerichten sollen es sehr viel mehr gewesen sein. Genauere Zahlen fehlen. Zusammen mit Gerichten in der Sowjetunion werden 30000 Verurteilungen genannt. Von deutschen Gerichten sind in der sowjetischen Zone etwa 6000 verurteilt worden, die meisten 1947/49, ähnlich wie im Westen, wo es etwa 4000 waren.

310. Verfassung

Nachdem der Parlamentarische Rat in Bonn am 23. Mai 1949 das Grundgesetz beschlossen hatte (Rdz. 327), bestätigte der Volksrat in Ostberlin am 30. Mai eine Verfassung, die von der SED schon 1946 für Gesamtdeutschland entworfen worden war. Eine fast bürgerlich-parlamentarische Verfassung, zum Teil nach dem Vorbild der Weimarer. Volkskammer, Länderkammer, Regierung, Präsident der Republik, unabhängige Gerichte, allerdings mit der Möglichkeit einer „Abberufung“ von Richtern (Art. 132), ein Anschein Gewaltenteilung und Menschenrechte. Kein Verfassungsgericht und keine Überprüfung der Verfassungsmäßigkeit von Gesetzen durch Richter. Eine Fassade, die errichtet war, weil man immer noch hoffte, die deutsche Einheit wiederherzustellen, natürlich im Sinne ihres sozialistischen Hintergrunds.

Die Verfassungswirklichkeit änderte sich schnell. 1952 erließ die Volkskammer ein Gesetz zur Einführung von Bezirken statt der Länder. Die Landtage verabschiedeten entsprechende Gesetze und stellten ihre Tätigkeit ein. Ebenso die Länderregierungen. Die Länderkammer wurde erst 1958 abgeschafft. Ebenfalls 1952 wurde die kommunale Selbstverwaltung entscheidend geschwächt durch das Prinzip der „doppelten Unterstellung“. Einerseits blieben die örtlichen Verwaltungen weiter abhängig von ihren Gemeinde- und Stadträten, Kreis- und Bezirkstagen. Andererseits waren sie jetzt aber auch weisungsgebunden gegenüber den entsprechenden höheren Behörden bis zum Ministerrat. Menschenrechte wurden nicht als Abwehrrechte gegen den Staat verstanden, sondern „sozialistisch" interpretiert als Teilhaberechte. Die letzte wichtige Veränderung kam 1960 nach dem Tod von Präsident Wilhelm Pieck. An seine Stelle trat ein Gremium von 24 Mitgliedern, der Staatsrat, nach dem Vorbild des Obersten Sowjet. Ein kollektives Staatsoberhaupt. Den Vorsitz übernahm Walter Ulbricht. Damit war er auf dem Höhepunkt seiner Macht. Der Staatsrat wurde das wichtigste Staatsorgan, das – neben der Volkskammer – sogar Gesetzgebungskompetenz hatte. Sein Unterorgan war der Nationale Verteidigungsrat, die höchste Instanz in militärischen Fragen, im Rang über dem Verteidigungsministerium.

Die Verfassung von 1949 war völlig verändert, die DDR ein zentralistischer Einheitsstaat ohne Gewaltenteilung geworden, die als bürgerliches Prinzip abgelehnt wurde (Rdz. 267, 273). Als Zusammenfassung der Veränderungen wurde deshalb 1968 eine neue Verfassung erlassen und durch Volksabstimmung bestätigt. Jetzt also Volkskammer, Staatsrat und – als eine Art Restregierung – Ministerrat. Alles ohne Gewaltenteilung unter der Flagge der Volkskammer als einziger oberster Instanz. Und in Artikel 1:

> „Die Deutsche Demokratische Republik ist ein sozialistischer Staat deutscher Nation. Sie ist die politische Organisation der Werktätigen in Stadt und Land, die gemeinsam unter Führung der Arbeiterklasse und ihrer marxistisch-leninistischen Partei den Sozialismus verwirklichen."

Dadurch wurde die oberste Instanz wieder entwertet, denn mit diesem ersten Artikel galt letztlich auch für die Volkskammer, was in einem Gesetz vom 12. Februar 1969 für die Mitarbeiter von Staatsorganen angeordnet wurde, nämlich die Bindung an Beschlüsse der SED. Die Abwertung des Parlaments spiegelt sich auch in der Zahl seiner Sitzungen. In den fünfziger Jahren waren es jährlich noch über hundert, in den achtzigern nur noch fünfundzwanzig. Eine nicht unwichtige Veränderung zur früheren Zeit brachte die neue Verfassung in Artikel 19 und 86 mit der starken Betonung der sozialistischen Gesetzlichkeit. Das bedeutete eine bemerkenswerte Aufwertung des Rechts gegenüber der Politik (Rdz. 314, 321).

Die neue Verfassung wurde dann 1974 noch einmal leicht geändert und galt in dieser Form, bis die frei gewählte Volkskammer am 17. Juni 1990 Verfassungsgrundsätze beschloß, nach denen die DDR bis zur Wiedervereinigung als freiheitlicher und demokratischer Rechtsstaat existierte. Walter Ulbricht blieb nach seiner Entmachtung Staatsratsvorsitzender bis zu seinem Tod 1973. Honecker reichte zunächst das Amt als Generalsekretär der Partei.

Aber die Kompetenzen des Staatsrats wurden 1972 zugunsten des Ministerrats beschnitten. Dies und der im selben Jahr mit der Bundesrepublik geschlossene Grundlagenvertrag führten 1974 zu jener Verfassungsnovellierung, die die Beschneidung der Kompetenzen des Staatsrats bestätigte und Artikel 1 neu formulierte. Seine gesamtdeutsche Zielrichtung wurde gestrichen. Die DDR war nun nicht mehr ein sozialistischer Staat „deutscher Nation", sondern „der Arbeiter und Bauern".

311. Die Waldheimer Prozesse

Am Beginn der Rechtsgeschichte der DDR steht eines der dunklen Kapitel deutscher Justiz. Von April bis Juni 1950 haben zwanzig Sonderstrafkammern des Landgerichts Chemnitz in Schnellverfahren 3385 Urteile gegen Angeklagte gesprochen, die der DDR von der SMAD nach Auflösung eigener Lager als NS-Verbrecher zur Verurteilung übergeben waren. Die Prozesse fanden statt in Räumen der Krankenabteilung des Zuchthauses Waldheim. Die Richter waren vom Justizministerium aus der ganzen DDR nach politischer Zuverlässigkeit ausgesucht, alles Volksrichter (Rdz. 309), die Verfahren von der Rechtsabteilung des Zentralkomitees geplant, gesteuert und vor Ort überwacht. Anklageschriften erhielten die Gefangenen am Abend vor der Verhandlung. Verteidiger und Öffentlichkeit waren nicht zugelassen. Erst zum Schluß gab es im Rathaus von Waldheim zehn Prozesse mit „erweiterter Öffentlichkeit" gegen Angeklagte, bei denen man sicher sein konnte, daß die Beweise ausreichen. Denn die anderen Urteile ergingen fast nur auf der Grundlage sowjetischer Protokolle, die nicht weiter überprüft wurden, und zwar meistens wegen Verbrechen gegen die Menschlichkeit nach dem Kontrollratsgesetz Nr. 10 von 1945 (Rdz. 309) und einer Kontrollratsdirektive Nr. 38 von 1946. Die Richter waren angewiesen, Urteile unter fünf Jahren nur zu erlassen, wenn vorher eine Kommission zugestimmt hatte, zu der Vertreter des Zentralkomitees, des Justizministeriums und der Volkspolizei gehörten. Nur vier Angeklagte wurden freigesprochen, 32 zum Tode verurteilt und die meisten zu Freiheitsstrafen zwischen 15 und 25 Jahren. Alles in drei Monaten. Das heißt, jede Kammer hat täglich mindestens drei Verfahren durchgeführt, die Urteile beraten, verkündet und geschrieben. Viele Verhandlungen dauerten nur eine halbe Stunde. Viele Angeklagte waren unschuldig und sind nur wegen ihrer Mitgliedschaft in NS-Organisationen verurteilt worden. Selbst ein Hitlerjunge war dabei, der am Ende des Krieges als Siebzehnjähriger in einem militärischen Ausbildungslager eine Uniform getragen hatte. Das war alles. Er wurde zu acht Jahren Gefängnis verurteilt.

Walter Ulbricht hatte die Weisung gegeben. Die 3400 seien so schnell wie möglich und hart zu verurteilen. Er hatte zwei Gründe. Die DDR wollte zeigen, daß sie die Verfolgung von NS-Tätern mit großer Energie fortsetzt, im Gegensatz zur „faschistisch" beeinflußten Bundesrepublik, wo Adenauer mit den Alliierten über eine Amnestie verhandelte und außerdem das Gesetz zu Artikel 131 des Grundgesetzes vorbereitete, nach dem ehemalige Nationalsozialisten einen Anspruch auf Wiedereinstellung in den öffentlichen Dienst erhielten (Rdz. 334). Außerdem war Waldheim ein Vorlauf für Prozesse der Zukunft. Die Partei wollte sehen, wie weit sie gehen konnte mit der politischen Steuerung der Justiz. Und sie sah, es ging so weit, wie sie wollte.

312. Justiz

Die Justiz ist seit der Gründung der DDR systematisch umgebaut worden. Ziel war die Verhinderung rechtsstaatlicher Strukturen der bürgerlichen Gesellschaft, also von Gewaltenteilung und Unabhängigkeit der Richter. Das nämlich ist immer verbunden mit einem komplizierten System des Rechts und seiner Durchsetzung im Prozeß und garantiert auf diese Weise eine gewisse Selbständigkeit des Rechts gegenüber der Politik, die man nicht wollte. Also war Vereinfachung das neue Ziel und Eingliederung der Justiz in die allgemeinen Strukturen des Staatsapparats.

Es begann 1949 mit der Errichtung des Obersten Gerichts. Im Gegensatz zum alten Reichsgericht – und dem Bundesgerichtshof im Westen – hatte es nur noch die Aufgabe, über wichtige – politische – Strafsachen in erster Instanz zu entscheiden und über die Kassation im Zivil- und Strafrecht. Die Kassation ist ein Rechtsmittel, das nur der Staatsanwaltschaft zusteht, innerhalb eines Jahres gegen Urteile, die von den Parteien im Zivilprozeß oder vom Angeklagten im Strafprozeß nicht mehr angegriffen werden können. Mit anderen Worten, die Revision – die Hauptaufgabe von Reichsgericht und Bundesgerichtshof – war gestrichen, der Rechtsweg für den Bürger verkürzt. Deshalb war das Oberste Gericht ein Gericht neuen Typs. Es war auch sehr viel kleiner als die beiden anderen. Bei seiner Gründung hatte es vierzehn Richter, das alte Reichsgericht 1945 noch über hundert. 1952, mit der Abschaffung der Oberlandesgerichte, kam die Berufung gegen Urteile der Bezirksgerichte dazu, wenn sie ausnahmsweise in erster Instanz zuständig waren für Zivil- oder Strafsachen.

1952 wurden die Länder aufgelöst. An ihre Stelle traten Bezirke (Rdz. 310). Das war der Abschluß einer weiteren Reduzierung und Vereinheitlichung der Justiz. Die alte Vierteilung wurde ersetzt durch eine Dreiteilung der Ebenen. Früher waren es Amtsgericht, Landgericht, Oberlandesgericht, Reichsgericht. Jetzt gab es nur noch Kreisgericht, Bezirksgericht und Oberstes Gericht. Erste Instanz in Zivilsachen war grundsätzlich immer das Kreisgericht. Die Berufung ging zum Bezirksgericht. Dann war Schluß für den Bürger. Die Dreiteilung bedeutete nicht nur Vereinfachung, sondern auch Vereinheitlichung mit dem allgemeinen Aufbau der Verwaltung in Kreisen, Bezirken und Zentrale. Die Vereinheitlichung ist 1960 noch dadurch verstärkt worden, daß die Richter nicht mehr vom Ministerium ernannt, sondern von den entsprechenden Kreistagen und Bezirkstagen gewählt wurden, die Richter des Obersten Gerichts – wie schon vorher – von der Volkskammer, seit Mitte der sechziger Jahre für die jeweilige Wahlperiode.

1963 sind die Arbeitsgerichte aufgelöst und in die allgemeine Gerichtsbarkeit eingegliedert worden. Eine weitere Vereinfachung. Die Verwaltungsgerichte waren schon 1952 beseitigt (Rdz. 315). Und so gab es jetzt nur noch eine einzige Gerichtsbarkeit. Mit drei Instanzen. Die Eingliederung der Arbeitsgerichte hatte ihre Ursache nicht nur in der Tendenz zur Vereinfachung und Vereinheitlichung, sondern auch darin, daß es schon seit zehn Jahren Konfliktkommissionen gab, die sich bewährt hatten, mit Laienrichtern in den Betrieben, die einen sehr großen Teil der arbeitsrechtlichen Streitigkeiten vor Ort entschieden. 1960 wurden sie auch zuständig für strafrechtliche und zivilrechtliche Bagatellfälle. Gegen ihre Entscheidungen war Einspruch möglich zum Arbeitsgericht, später zum Kreisgericht. Neben diesen Konfliktkommissionen in den Betrieben gab es seit 1964 Schiedskommissionen in den Gemeinden für alle Bürger, ebenfalls Laiengerichte außerhalb der Justiz und ebenfalls zuständig für die Entscheidung von Bagatellfällen im Zivil- und Strafrecht. Ein gemeinsames Gesetz über diese gesellschaftlichen Gerichte – GGG – erging 1968.

Also war die „Justizdichte" der DDR sehr viel geringer als in bürgerlichen Gesellschaften, die Rolle des Rechts bewußt reduziert. 1988 kamen auf 100 000 Einwohner der Bundesrepublik 29 Richter. In der DDR waren es acht. Und ihre Besoldung lag nur wenig über dem allgemeinen Einkommensniveau. Auch die Zahl der Zivil- und Strafverfahren war sehr viel niedriger und sie wurden schneller beendet.

Die Ausbildung der Juristen ist vereinfacht, ihr Studium verkürzt worden. Der Referendardienst und das Assessorexamen wurden 1953 abgeschafft. Seit 1954 fand das Referendarexamen nicht mehr vor einem Justizprüfungsamt statt, sondern als Diplomprüfung in der Universität. Die Zahl der Juristenfakultäten war reduziert, Rostock und Greifswald geschlossen. Die übrigen vier mußten ihre Ausbildung einschränken. Seit 1968 wurden in Berlin nur noch Richter und Anwälte ausgebildet, in Halle und Leipzig Wirtschaftsjuristen – meistens Justitiare für die Betriebe – und in Jena Staatsanwälte.

Einheitlichkeit der Rechtsprechung und politische Konformität der Justiz ergeben sich in bürgerlichen Gesellschaften nur mittelbar, nämlich durch eine sehr intensive Ausbildung, durch die Überprüfung von Urteilen in mehreren Instanzen und über die Beförderung von Richtern mit starken Karriereanreizen bei der Besoldung. Wer abweichend entscheidet, wird nicht befördert. Die DDR ersetzte das durch direkte Anweisungen, direkte Lenkung der Rechtsprechung. Das Oberste Gericht konnte nach

§ 39 Gerichtsverfassungsgesetz verbindliche Richtlinien für die Auslegung von Gesetzen erlassen. Das Justizministerium und das Oberste Gericht nahmen Einfluß auf vielfältige Weise, zum Beispiel durch Instrukteure, die vor Ort die Rechtsprechung überprüften und kritisierten. § 21 Absatz 1 Gerichtsverfassungsgesetz:

> „Das Ministerium der Justiz übt die Anleitung der Bezirks- und Kreisgerichte aus, kontrolliert die Erfüllung der diesen Gerichten übertragenen Aufgaben und unterstützt sie bei der Verwirklichung der Ziele der Rechtsprechung. Es studiert und analysiert die Rechtsprechung und wertet die Ergebnisse seiner Kontrolltätigkeit für die Arbeit des Ministerrates sowie für die Qualifizierung der Mitarbeiter der Bezirks- und Kreisgerichte aus. Es informiert das Oberste Gericht über Ergebnisse der Kontrolltätigkeit, die für die Leitung der Rechtsprechung bedeutsam sind."

Außerordentlich groß war der informelle Einfluß der Partei. Die meisten Richter und Staatsanwälte waren Mitglieder der SED. Besonders die Rechtsabteilung des Zentralkomitees der Partei bewegte sich mindestens bis in die sechziger Jahre „wie eine Spinne im Netz" (Hubert Rottleuthner) zwischen Oberstem Gericht, Generalstaatsanwalt, Justizministerium, Politbüro, Staatsrat, Volkskammer und den Ministerien für Inneres und Staatssicherheit. Eines der krassesten Beispiele:

313. Urteil des Obersten Gerichts v. 27.6.55: Der Fall Wiebach

Am 24. Juni 1955 begann vor dem Obersten Gericht in Ostberlin ein Prozeß gegen fünf Männer wegen Spionage für westliche Geheimdienste, die mit dem Rundfunksender RIAS in Westberlin zusammengearbeitet haben sollen. Die „Strafsache gegen fünf Agenten des RIAS". Zehn Tage vor dem Beginn des Prozesses schickte der Leiter der Rechtsabteilung des Zentralkomitees, Klaus Sorgenicht, an Walter Ulbricht eine Hausmitteilung mit einem Bericht über die Angeklagten, was ihnen vorgeworfen wird, wer die Anklage vertritt und den Vorsitz im Gericht hat. Die Angeklagten hatten jeder für sich gehandelt. Der Zusammenhang des Prozesses wurde über den RIAS konstruiert. Über Joachim Wiebach heißt es:

> „Der Beschuldigte Wiebach war bis Februar d.J. bei der DEWAG und berichtete an den RIAS über Inhalt und Verlauf der Betriebsversammlungen bei der DEWAG, über Versorgungsschwierigkeiten, über die Struktur des Betriebes, über Namen und Tätigkeit von SED-Mitgliedern, über die Tätigkeit der BGL (Betriebsgewerkschaftsleitung, U.W.), der FDJ und der Gesellschaft für Sport und Technik, über laufende Aufträge der Regierung und des ZK (Zentralkomitee, U.W.).
>
> Nach seiner Entlassung lieferte er Informationen über Objekte der

> Sowjetarmee und der KVP (Kasernierte Volkspolizei, U.W.), über die Stärke der Einheiten und über deren Waffen in den Gebieten Potsdam, Angern, Mirow, Leisnig, Schwerin und Peitz. Bei diesen Fahrten horchte er die Bewohner aus und fertigte verleumderische Berichte an. Bei den Treffs im RIAS lieferte er ferner Informationen über Staatsakte der Regierung, über Besuche ausländischer Delegationen und sonstige Veranstaltungen. Ähnliche Berichte gab er auch an das „Bundesamt für Verfassungsschutz" und an den CIC (Counter Intelligence Corps, U.W.). Insbesondere für die letztgenannte Spionagezentrale lieferte er Spionageberichte militärischen Charakters aus dem Gebiet Jüterbog und trug militärische Objekte in Meßtischblätter beim CIC ein."

Nach dem Bericht über die vier anderen am Ende eine Art Drehbuch wie bei allen Prozessen, die der Partei politisch wichtig waren:

> „Die Hauptverhandlung wird am 24.6.1955 beim Obersten Gericht beginnen. Die Anklage wird Genosse Dr. Melsheimer vertreten, den Vorsitz führt der Präsident des Obersten Gerichts, Dr. Schumann. Die Verhandlung wird öffentlich durchgeführt. Es sollen wieder Delegationen aus Betrieben und die Presse teilnehmen.
>
> Folgende Strafen sind beabsichtigt:
> Wiebach lebenslängliches Zuchthaus
> Baier 15 Jahre Zuchthaus
> Krause lebenslängliches Zuchthaus
> Gast 12 Jahre Zuchthaus
> Vogt 8 Jahre Zuchthaus"

Darunter der handschriftliche Vermerk „Einverstanden W. Ulbricht". Aber die für den Angeklagten Wiebach vorgesehene Strafe hatte er durchgestrichen und darüber geschrieben: „Vorschlag Todesstrafe". Am 27. Juni ist Joachim Wiebach vom Obersten Gericht zum Tode verurteilt worden. Das Urteil wurde vollstreckt. Günther Krause und Manfred Vogt erhielten ebenso die vorgeschlagenen Strafen. Bei Willi Gast ging das Gericht drei Jahre höher. Richard Baier erhielt zwei Jahre weniger. Sozusagen als Rest richterlicher Unabhängigkeit, die auch später noch in der Verfassung von 1968 garantiert war.

314. Rechtswissenschaft

In einem Staat, der das Recht reduziert und weitgehend durch Entscheidungen politischer Instanzen ersetzt, spielt die Rechtswissenschaft nur eine untergeordnete Rolle, ganz anders als in bürgerlichen Gesellschaften, in denen sich das Recht – neben der Gesetzgebung – entwickelt in gegenseitiger Beeinflussung von Rechtsprechung und Rechtswissenschaft. Also hatten in der DDR die Juristenfakultäten und ihre Professoren – seit 1968 hießen sie Sektionen für Rechtswissenschaft – in erster Linie die Aufgabe der Ausbildung von Studenten. Sie waren kleiner geworden und konnten besser kontrolliert werden. Die Grundlagenforschung wurde auch für das Recht an der großen zentralen Akademie der Wissenschaften betrieben, wie in der Sowjetunion, wo die Universitäten die Funktion der Lehre hatten und die Forschung konzentriert war bei der Akademie der Wissenschaften. Humboldts Ideal der Einheit von Forschung und Lehre galt als bürgerliches Prinzip.

Insofern blieb für die Rechtswissenschaft nur ein geringer Spielraum. Hinzu kam, daß die Möglichkeit für Veröffentlichungen gering war, ganz abgesehen von der Zensur durch die Rechtsabteilung des Zentralkomitees. Für jedes Gebiet gab es jeweils nur ein einziges standardisiertes Lehrbuch und einen Kommentar zu den wichtigen Gesetzen, immer geschrieben von Autorenkollektiven und auch im Umfang nicht vergleichbar mit der Literaturflut im Westen. Nur zwei juristische Zeitschriften standen zur Verfügung, die „Neue Justiz" mehr für die Praxis und „Staat und Recht" mehr für die Theorie.

Trotzdem sind hier und da auch aus der Wissenschaft Anstöße gekommen für die Weiterentwicklung des Rechts. Heinz Such in Leipzig hat großen Einfluß gehabt für die Dogmatik des Volkseigentums und das Vertragssystem der Betriebe. Damit wurden gleichzeitig Weichen gestellt für die Aufsplitterung der überlieferten drei Rechtsgebiete – Zivilrecht, Strafrecht, öffentliches Recht – in sogenannte Rechtszweige, die selbständige Bereiche wurden und die alte Dreiteilung mehr oder weniger aufhoben. Aus dem Zivilrecht wurde zum Beispiel das Bodenrecht ausgegliedert, wegen des Volkseigentums, und das Vertragsrecht der Betriebe und das Familienrecht. Diese Rechtszweige spielten dann im Zivilgesetzbuch von 1975 kaum noch eine Rolle oder – das Familienrecht – gar keine. Ende der fünfziger, Anfang der sechziger Jahre versuchte Martin Posch in Jena mit der Erfindung eines „allgemeinen Rechtsverhältnisses" die – als bürgerlich empfundene – Zweiteilung des Schuldrechts in Vertrag und Delikt zu überwinden. Was nicht gelungen ist. Trotzdem wurde er einer der geistigen Väter des neuen Zivilgesetzbuches. Im Strafrecht dagegen war der Einfluß der Wissenschaft eher hinderlich. Die Einführung der neuen liberaleren „Freund-Feind-Theorie" gegen die alte stalinistische „Klassenkampftheorie" (Rdz. 319) mußte gegen den Widerstand von Professoren mit Beschlüssen des Staatsrats unter Ulbricht durchgesetzt werden.

Am schwierigsten war die Situation der allgemeinen Rechtstheorie und im Verwaltungsrecht, denn hier geht es in besonderer Weise um die Eigenständigkeit juristischer Entscheidungen gegenüber dem, was politische Instanzen für richtig halten. Der letzte Widerstand der Wissenschaft wurde für lange Zeit 1958 gebrochen in der „Babelsberger Konferenz" mit einem langen Referat Walter Ulbrichts zur Dominanz der Politik über das Recht. Es war ausgearbeitet von Karl Polak, dem theoretischen Kopf und mächtigen Mann in der Rechtsabteilung des Zentralkomitees. Zwei Professoren wurden gemaßregelt, die mit ihren Schriften dieser Dominanz im Wege standen. Hermann Klenner und Karl Bönninger. Hermann Klenner, Rechtstheoretiker in Berlin, wurde entlassen und mußte für einige Jahre als Bürgermeister einer kleinen Gemeinde im Oderbruch arbeiten. Danach durfte er nicht wieder an die Universität, sondern kam in die philosophische Abteilung der Akademie der Wissenschaften. Karl Bönninger, Verwaltungsrechtler in Leipzig, wurde milder behandelt. Nach einer Bewährungszeit als Sekretär des Rates einer sächsischen Kleinstadt kam er zurück an die Universität.

Die Wissenschaft war dadurch nach Babelsberg allgemein eingeschüchtert und blieb bis zum Ende linientreu. Nach der Konferenz wurde Verwaltungsrecht für viele Jahre beseitigt (Rdz. 315) und die Vorlesung „Geschichte der Rechts- und Staatstheorie" wurde ersetzt durch eine andere zum Thema „Der Kampf der Arbeiterklasse und der Volksmassen um die Errichtung der Diktatur des Proletariats und den Sieg des Sozialismus".

In der Rechtswissenschaft der DDR gab es seit 1958 stillschweigend drei Gruppen. Die „Babelsberger" waren in der Mehrheit. „Antibabelsberger" wie Klenner und Bönninger blieben eine kleine Minderheit. Dazwischen lavierten einige Unentschiedene je nach Lage, die sich im Lauf der Zeit für die Antibabelsberger leicht verbesserte, zum Beispiel mit der neuen Verfassung von 1968 und ihrer sozialistischen Gesetzlichkeit in Artikel 19 und 86 als Anerkennung einer gewissen Selbständigkeit des Rechts gegenüber der Politik. So blieb es bis zum Ende der DDR, bei kleinen Erfolgen. 1975 erschien – unter Honecker – wieder ein Lehrbuch „Staats- und Rechtstheorie" und 1979 sogar eins zum „Verwaltungsrecht". Auch die entsprechenden Vorlesungen wurden wieder gehalten.

315. Verwaltungsrecht

1946 hatte das Kontrollratsgesetz Nr. 36 die Einrichtung von Verwaltungsgerichten für ganz Deutschland vorgeschrieben. Auch in der sowjetischen Zone ergingen entsprechende Landesgesetze. Aber nur in Brandenburg, Mecklenburg und Thüringen wurden sie durchgeführt. In Sachsen und Sachsen-Anhalt gab es keine Verwaltungsgerichte, auch nicht nach 1949, obwohl die Verfassung der DDR ihre Existenz in Artikel 138 garantiert hatte. Im Gegenteil. Als 1952 die Länder abgeschafft und die Justiz vereinheitlicht wurde, mußten die Verwaltungsgerichte der drei anderen Länder ihre Tätigkeit einstellen. Ohne Gesetz, einfach durch interne Anweisung des Innenministeriums. Konnte man nun vor den allgemeinen Gerichten klagen? Nein, sagte das Oberste Gericht in einer Reihe von Entscheidungen. Das würde dem Prinzip der Einheit der Staatsgewalt widersprechen. Auf deutsch: Die Gewaltenteilung ist abgeschafft. Also sind Gerichte und Verwaltung eine einzige staatliche Einheit, in der ein Teil nicht einen anderen gleichberechtigten Teil kontrollieren darf.

Dem Ende der Verwaltungsgerichtsbarkeit folgte 1958 das des materiellen Verwaltungsrechts, nämlich auf der Babelsberger Konferenz (Rdz. 314). Es wurde verkündet von Walter Ulbricht in seinem langen Referat mit dem verklausulierten Satz:

> „So ist die Trennung von Staatsrecht und Verwaltungsrecht ein bürgerliches Prinzip, das wir aufgeben sollten."

Auf deutsch: Staatsrecht ist das Recht des Staates. Verwaltungsrecht ist das Recht des Bürgers gegen den Staat (Rdz. 279). Jetzt soll es nur noch Staatsrecht geben ohne solche Rechte des Bürgers. So blieb es viele Jahre. Aber allmählich ist das Verwaltungsrecht wieder auferstanden. Aus zwei Gründen. Erstens, weil jede Verwaltung Regeln braucht, will sie wirksam funktionieren. Zweitens, weil Willkür und Ungleichbehandlung zu Unruhe unter Bürgern führt, die auch für einen sozialistischen Staat schädlich ist.

Deshalb wurde 1961 mit einem „Erlaß des Staatsrats über die Eingaben der Bürger" das Eingabenwesen gesetzlich geregelt, das sich – nach sowjetischem Vorbild – schon in den fünfziger Jahren entwickelt hatte. Es stammt aus dem Absolutismus des 18. Jahrhunderts, entspricht den Bittschriften in Preußen (Rdz. 265) und ging in der Sowjetunion auf die Zarenzeit zurück. Ein paternalistisches System, in dem die Verwaltung über Beschwerden der Bürger selbst entscheidet. In der DDR wurde davon millionenfach Gebrauch gemacht und die Erfolgsquote soll genauso hoch gewesen sein wie die von Verwaltungsprozessen in der Bundesrepublik.

Seit Mitte der sechziger Jahre kam allmählich auch das materielle Verwaltungsrecht zurück, zunächst als „Recht der staatlichen Leitung und Organisation". 1974 wurde in Jena wieder eine Vorlesung „Verwaltungsrecht" gehalten und 1979 erschien die erste Auflage eines Lehrbuchs mit diesem Titel, 1988 die zweite. Aber die Verwaltungsgerichtsbarkeit blieb tabu. Zwar hatte die Rechtsabteilung des Zentralkomitees 1975 vorgeschlagen, sie wieder einzuführen. Aber das wurde abgelehnt. Erst 1988 erging – wohl als Reaktion auf Kritik im Ausland – ein „Gesetz über die Zuständigkeit und das Verfahren der Gerichte zur Nachprüfung von Verwaltungsentscheidungen" (GVGV), und zwar nach dem Enumerationsprinzip (Rdz. 279). Einige Gesetze wurden durch Klagemöglichkeiten ergänzt, zum Beispiel das Staatshaftungsgesetz von 1969. Und seit dem 1.7.1989 waren dafür die allgemeinen Gerichte zuständig. Aber großes

Gewicht hat das in dem einen Jahr bis zum Ende der DDR nicht mehr gehabt. Die Bürger blieben bei ihren Eingaben. Daran hatten sie sich in vierzig Jahren gewöhnt.

316. Zivilrecht

Als die DDR gegründet wurde, galt noch das BGB. Für den Aufbau einer sozialistischen Wirtschaft war es völlig ungeeignet. Aber man hatte nichts anderes und die Kodifikation eines neuen Zivilgesetzbuches brauchte 26 Jahre. Erst 1975 ist das ZGB erlassen worden. Also mußte das alte bürgerliche Recht auf andere Weise zurückgedrängt und beseitigt werden. Erstens durch Einführung einer neuen Eigentumsform, des Volkseigentums. Zweitens durch Ausgliederung und Neuregelung einzelner Rechtsgebiete, die Rechtszweige genannt wurden (Rdz. 314). Und drittens – weniger wichtig – durch Auslegung der alten Vorschriften im neuen Geist.

Frei verfügbares Privateigentum an Grund und Boden ist das eine Fundament bürgerlicher Wirtschaft. Das andere ist die Vertragsfreiheit. Also erstens Grund und Boden. Durch Beschlagnahme von Grundstücken und Betrieben, deren Eigentümer nationalsozialistisch belastet waren oder vom Krieg profitiert hatten, wurde schon 1945 mit einem Befehl Nr. 124 der SMAD ein großer Teil des Bodens der DDR für die spätere Umwandlung in Volkseigentum reserviert. Praktisch waren das alle Großbetriebe. Die Zerschlagung des Großgrundbesitzes in der Bodenreform 1945/46 kam in erster Linie den Kleinbauern zugute, aber auch hier ging ein beträchtlicher Teil an „Volkseigene Güter“ oder an die Länder und wurde später Volkseigentum. Durch weitere Enteignungen erhöhte sich sein Anteil im Lauf der Zeit auf über 30 Prozent der gesamten Bodenfläche, für die seit 1948 das Sonderrecht des Volkseigentums galt und nicht mehr das BGB. Daneben existierte mindestens noch einmal genauso viel Genossenschaftseigentum der Landwirtschaftlichen Produktionsgenossenschaften, ebenfalls unter Sonderrecht. Volkseigentum – besser: Staatseigentum – wurde in der Regel an Volkseigene Betriebe oder Wohnungsbaugenossenschaften als Verfügungsberechtigte übergeben, die Rechtsträger genannt wurden. Die Rechtsträgerschaft konnten sie mit Zustimmung des Rates des Kreises an andere Volkseigene Betriebe oder Genossenschaften übertragen. Der Rat des Kreises konnte es auch einzelnen Bürgern zur Verfügung stellen, meistens durch Verleihung eines Nutzungsrechts, dessen juristische Folge gewesen ist, daß dann beim Bau eines Hauses privates Gebäudeeigentum entstand, als Sondereigentum, das von dem am Grundstück unabhängig war und frei übertragen werden konnte (Rdz. 59). Damit sollte die Eigeninitiative beim Wohnungsbau gefördert werden. Im übrigen unterschied man seit der Verfassung von 1968 drei Formen sozialistischen Eigentums, nämlich – Artikel 10 – Volkseigentum, Genossenschaftseigentum und Eigentum gesellschaftlicher Organisationen.

Außerordentlich wichtig war auch die Ausgliederung des Vertragsrechts der Betriebe, das Wirtschaftsrecht. Das bedeutete die Beseitigung der Vertragsfreiheit, des zweiten Fundaments eines bürgerlichen Rechts. Schon vor der Gründung der DDR gab es dafür Sonderregelungen. 1951 erging dazu eine Verordnung über das allgemeine Vertragssystem und 1957, 1965 und 1982 wurden Vertragsgesetze erlassen, jeweils auf den neuesten Stand gebracht, nach denen Wirtschaftsverträge regelmäßig nur wirksam waren, wenn staatliche Stellen zugestimmt hatten, zur Sicherung der zentralen Wirtschaftslenkung durch Pläne. Ebenfalls durch Sondergesetz geregelt war das Recht der Landwirtschaftlichen Produktionsgenossenschaften. Für Export- und Importverträge mit ausländischen Firmen galt dagegen zunächst das BGB weiter. Denn hier – mindestens im Westen – bewegte man sich auf dem freien Markt. Aber nach dem Erlaß des ZGB war das BGB endgültig außer Kraft und man brauchte eine Neuregelung. Die kam 1976 mit dem Gesetz über internationale Wirtschaftsverträge, GIW einem der modernsten dieser Art, zumal auch das Verschuldensprinzip des BGB aufgegeben wurde, was in der Bundesrepublik nur teilweise geschehen ist, und zwar durch die Rechtsprechung (Rdz. 335/336).

Im Familienrecht ist die Gleichstellung von Frauen und Männern sehr viel schneller und radikaler durchgesetzt worden als in der Bundesrepublik, nicht nur mit dem Hintergedanken, die Frauen besser in den Produktionsprozeß einzubinden. Teilweise stand auch hier die Gleichberechtigung nur auf dem Papier. Aber das Selbstbewußtsein der Frauen im Osten war größer als im Westen. Nach Artikel 30 der Verfassung von 1949 waren alle entgegenstehenden Vorschriften des BGB (Rdz. 282, 285) sofort und automatisch aufgehoben, während das Grundgesetz für die gesetzliche Neuregelung eine Übergangsfrist von vier Jahren gelassen hatte, die der Bundestag weit überschritt. Das Zerrüttungsprinzip für die Ehescheidung – im Ehegesetz 1938 eingeführt – wurde beibehalten, während es in der Bundesrepublik – unter Adenauer – 1961 zugunsten des Verschuldensprinzips abgeschafft und 1976 – von den Sozialliberalen – wieder eingeführt wurde. Der Anwaltszwang für Scheidungsprozesse war schon 1948 beseitigt worden. Das Familiengesetzbuch der DDR von 1965 ist dann im wesentlichen nur eine Zusammenfassung dessen gewesen, was man dort inzwischen geändert hatte, insgesamt ein gutes Gesetz. Damit war das vierte Buch des BGB endgültig außer Kraft.

1975 wurde das neue Zivilgesetzbuch erlassen. Nun galt das BGB überhaupt nicht mehr. Schon 1952 hatte man eine erste Kommission eingesetzt. Aber es gab Schwierigkeiten, die größten bei der Frage der Einheit oder Trennung von Wirtschaftsrecht und Zivilrecht der Bürger. In der Sowjetunion waren beide einheitlich in einem Gesetzbuch geregelt.

Das wurde von den Wirtschaftsrechtlern der DDR abgelehnt. Sie wollten das Vertragsgesetz bestehen lassen und blieben erfolgreich. So wurde das ZGB ein Gesetz, das im wesentlichen nur für den einzelnen Bürger und sein Verhältnis zu anderen galt, ohne das Familienrecht. Das Wirtschaftsleben berührte es nur, wo der einzelne Bürger Verträge schloß, als Mieter oder Verbraucher. Deshalb ist es mit seinen 480 Paragraphen kürzer als das BGB mit 2385. Es war nach Lebensbereichen geordnet – materielles und kulturelles Leben; Wohnen und Erholung; Schutz des Lebens, der Gesundheit und des Eigentums; Erbrecht – und hatte keinen Allgemeinen Teil. Das Abstraktionsprinzip der Übereignung (Rdz. 137, 282) war ersetzt durch das international übliche Kausalitätsprinzip. Das Erstaunlichste war die Sprache. Zum erstenmal seit dem Preußischen Allgemeinen Landrecht von 1796 gab es ein deutsches Gesetzbuch, das lebendig und volksnah geschrieben war und das jeder verstehen konnte. Ein Journalist mit juristischer Ausbildung – Karl-Heinz Arnold – hatte den Auftrag erhalten, die von der Juristenkommission vorgelegte Fassung stilistisch zu überarbeiten.

Das BGB war nun endgültig beseitigt. Es war aufgelöst in vier Teile. Für Rechtsgeschäfte zwischen Betrieben galt das Vertragsgesetz. Für das Verhältnis der Bürger untereinander und ihre Verträge mit Betrieben – Kauf, Miete – gab es das ZGB. Und für Verträge von Betrieben mit dem Ausland galt das GIW. Daneben stand das Familiengesetzbuch.

Als das BGB noch galt und zur Anwendung kam, weil Volkseigentum oder Sonderrecht für andere Rechtszweige nicht betroffen war, behalf man sich nicht selten mit Auslegungen im Sinne der „sozialistischen Gesetzlichkeit". Ein typisches Beispiel (Neue Justiz 1959 Seite 219):

317. Kreisgericht Potsdam, Urteil vom 15. 1. 59: Das Radio

„Der Kläger und der Verklagte besuchten im November 1958 eine Kinoveranstaltung in B. Nach der Veranstaltung gingen beide dieselbe Straße entlang. Der Kläger ging hinter dem Verklagten und hatte sein Kofferradio so laut angestellt, daß der vor ihm gehende Verklagte die Sendung hören konnte. Es handelte sich um eine Übertragung des RIAS. Daraufhin bat der Verklagte den Kläger, diese Sendung abzuschalten, da sie unerwünscht sei. Dies lehnte der Kläger ab. Der Verklagte hörte, daß ein Sprecher über die wenige Tage zuvor in unserer Republik durchgeführte Volkswahl sprach. Als hierbei die Worte „Sowjetzone" und „Pankower Regime" fielen, schlug der Verklagte dem Kläger das Gerät aus der Hand, so daß es zu Boden fiel und zerbrach.

Der Kläger hat beantragt, den Verklagten zur Zahlung eines Schadensersatzes von 190 DM (damals noch offizielle Bezeichnung, U.W.) zu verurteilen. Der Verklagte hat Klagabweisung beantragt. Er hat vorgetragen, daß er es für notwendig erachtet habe, den Apparat zu zerstören, um zu verhindern, daß eine derartige Hetzsendung öffentlich auf einer unserer Straßen verbreitet wird.

Aus den Gründen:

Aus dem Sachverhalt ergibt sich eindeutig, daß dem Kläger ein Schaden an seinem Eigentum zugefügt worden ist. Der Verklagte hat ihm vorsätzlich das Kofferradio zerbrochen.

Es war jedoch auch zu überprüfen, ob die Handlung des Verklagten widerrechtlich geschehen ist oder ob der Verklagte zu dieser Handlung berechtigt war. Das Gericht ist der Auffassung, daß die Handlung des Verklagten nicht widerrechtlich war. Gemäß § 228 BGB handelt derjenige nicht widerrechtlich, der eine fremde Sache beschädigt oder zerstört, um damit eine durch die fremde Sache hervorgerufene drohende Gefahr von sich oder einem anderen abzuwenden.

Nachweislich hat der Kläger das Kofferradio so laut spielen lassen, daß auch andere Passanten den Hetzkommentar des RIAS hören konnten. Er hat sich damit eine Verbreitung von Hetze gegen unseren Staat zuschulden kommen lassen. Die Übertragung derartiger Sendungen auf öffentlicher Straße stellt eine drohende Gefahr für unsere Republik dar. Dieser Gefahr trat der Verklagte mit seiner Handlung entgegen. Dabei war es notwendig, das Gerät zu beschädigen bzw. zu zerstören, da der Kläger bereits in der vorhergehenden Aussprache gezeigt hatte, daß er durch Diskussionen nicht davon zu überzeugen war, daß es erforderlich sei, sein Gerät abzustellen. Dies zeigte sich auch in der mündlichen Verhandlung, in der der Kläger mehrfach verlangte, man solle ihm nachweisen, daß es verboten sei, derartige Sender zu hören. Der entstandene Schaden steht auch nicht außer Verhältnis zu der mit dem Gerät erzeugten Gefahr. Der Schaden beläuft sich nach Angaben des Klägers auf 190 DM. Dem steht die Gefahr gegenüber, die mit den Hetzsendungen für die Bevölkerung unserer Republik hervorgerufen wurde. Es steht somit fest, daß der Verklagte gemäß § 228 BGB nicht widerrechtlich handelte. Also fehlt es an dem Erfordernis der Widerrechtlichkeit, so daß die Klage abzuweisen war."

318. Arbeitsrecht

Überall in Deutschland wurde nach dem Krieg von den Alliierten das Gesetz zur Ordnung der nationalen Arbeit (Rdz. 302) aufgehoben, sind Gewerkschaften zugelassen und Betriebsräte gebildet worden. Die sowjetische Zone ging seit 1948 allerdings in eine andere Richtung. Der Freie Deutsche Gewerkschaftsbund erklärte auf einer Tagung in Bitterfeld die Abkehr von „überholten" Traditionen. Seine Aufgabe sei nicht nur der Kampf um bessere Löhne, sondern in erster Linie die Mitarbeit bei der Planerfüllung. Dadurch erhielten die Gewerkschaften in der DDR bis zum Ende eine Doppelfunktion mit ständigen Interessenkonflikten. Einerseits waren sie Vertreter der Beschäftigten. Andererseits sollten sie die Betriebsleitung bei der Planerfüllung unterstützen. Dabei veränderten sich die Gewichtungen im Lauf der Zeit, was der Grund dafür war, daß in der DDR drei Arbeitsgesetzbücher erlassen worden sind. Die Löhne wurden zunächst noch durch Tarifverträge bestimmt, seit 1950 durch Anordnungen der Regierung.

1948/49 wurden die Betriebsräte durch Betriebsgewerkschaftsleitungen ersetzt, die zwar noch im Betrieb gewählt wurden, aber gleichzeitig Teile der Gewerkschaft waren, nicht mehr unabhängig von außerbetrieblichen Instanzen, und jetzt wie die Gewerkschaft jene Doppelfunktion hatten mit jenen ständigen Interessenkonflikten. Auch das Streikrecht war durch die Doppelfunktion de facto weggefallen. Wie sollte eine Gewerkschaft einen Streik führen und gleichzeitig den Plan erfüllen? In der Verfassung von 1949 war das Streikrecht mit Artikel 94 gewährleistet und auch im ersten Gesetzbuch der Arbeit (GdA) von 1950 noch vorgesehen. Aber im zweiten Gesetzbuch der Arbeit (GBA) von 1961 war es gestrichen und ebensowenig erschien es in der zweiten Verfassung von 1968. Nun war es auch juristisch abgeschafft. Was 1961 zu Unruhen führte unter den Arbeitern.

Im GBA 1961 wurde die Stellung der Betriebsleitung gestärkt, die der Betriebsgewerkschaftsleitung geschwächt und der Kündigungsschutz verbessert. Nun war eine Kündigung nicht nur abhängig von der Zustimmung der Betriebsgewerkschaftsleitung. Es sollte auch sichergestellt werden, daß der Gekündigte in einem anderen Betrieb beschäftigt würde. Nach Ulbrichts Sturz 1971 plante Honecker eine Neufassung des Arbeitsrechts mit dem Ziel der Stärkung der Gewerkschaften im Betrieb. Aber erst 1977 erging das neue – dritte – Arbeitsgesetzbuch (AGB), in dem der Betriebsleiter geschwächt wurde und die Betriebsgewerkschaftsleitung gestärkt. Sie erhielt vielfältige neue Zustimmungsrechte. Der Betriebsleiter mußte nach § 20 sogar Rechenschaft darüber ablegen, wie er Vorschläge verwirklicht hatte, die von ihr gemacht worden waren. Und die Kündigung setzte nun – nach § 54 Absatz 2 – zwingend voraus, daß eine zumutbare Arbeit in einem anderen Betrieb vermittelt wurde. Im GBA 1961 war das nur eine Sollvorschrift gewesen.

Nimmt man alles zusammen, läßt sich sagen, daß in der DDR das kollektive Arbeitsrecht sehr eingeschränkt war und das individuelle ständig verbessert wurde, nicht nur beim Kündigungsschutz, auch im Urlaubsrecht und Mutterschutz. Der Urlaubsanspruch von 18 Tagen war 1989 auf dem Niveau des Bundesurlaubsgesetzes, der Mutterschutz mit 26 Wochen sogar besser als der in der Bundesrepublik mit 14 Wochen.

319. Strafrecht

Kriminalität hat nach marxistischer Auffassung gesellschaftliche Ursachen und entsteht durch die mit dem Privateigentum an Produktionsmitteln verbundene Ausbeutung. Also hätte sie in sozialistischen Ländern verschwinden müssen. Tat sie aber nicht. Deshalb suchte man nach Erklärungen. Auch in der DDR gab es dafür zunächst die stalinistische

Klassenkampftheorie. Kriminalität ist danach Widerstand der gestürzten Ausbeuter, zum Teil auch Ergebnis von Resten kapitalistischen Bewußtseins einzelner Bürger. Daraus erklärt sich die außerordentliche Härte des Strafrechts in den fünfziger Jahren, nicht nur im eigentlich politischen Bereich. Denn nach dieser Theorie war jede Form von Kriminalität politisch. Grundlage blieb das Strafgesetzbuch von 1871. Rein politische Straftaten wurde im wesentlichen nach einem Befehl Nr. 160 der SMAD vom 3.12.45 gegen „Diversion“ und „Sabotage“ verfolgt und nach Artikel 6 Absatz 2 der Verfassung von 1949, der als unmittelbar geltendes Strafrecht angesehen wurde:

> „Boykotthetze gegen demokratische Einrichtungen und Organisationen, Mordhetze gegen demokratische Politiker, Bekundung von Glaubens-, Rassen-, Völkerhaß, militärische Propaganda sowie Kriegshetze und alle sonstigen Handlungen, die sich gegen die Gleichberechtigung richten, sind Verbrechen im Sinne des Strafgesetzbuches. Ausübung demokratischer Rechte im Sinne der Verfassung ist keine Boykotthetze.“

Nach Stalins Tod 1953 setzte in der Sowjetunion eine Wende ein, mit dem Strafgesetzbuch von 1956, nämlich der Übergang von Klassenkampftheorie zur Freund-Feind-Theorie. Zum einen sei Kriminalität der Kampf von Feinden gegen den Sozialismus. Sie müssen hart bestraft werden. Aber zum anderen ist sie sehr oft nur Straucheln von loyalen Bürgern, von Freunden, denen man helfen muß. Die DDR folgte zögernd. Zunächst 1957 mit einigen Liberalisierungen in einem Strafrechtsergänzungsgesetz, dann mit einem Beschluß des Staatsrats vom 30.1.61, in dem gefordert wurde, die Gerichte sollten weniger strafen, stattdessen mehr erziehen und bessern. Die ausdrückliche Übernahme der Freund-Feind-Theorie. Außerdem war ja schon 1960 den Konfliktkommissionen der Betriebe ein großer Teil Bagatellkriminalität zur Entscheidung überlassen worden. Gegen dieses neue kriminalpolitische Programm kam Widerstand aus der Wissenschaft, besonders von John Lekschas aus Halle und Joachim Renneberg von der Hochschule für Staat und Recht in Potsdam, beide Verfasser des ersten Lehrbuchs zum Strafrecht, das 1957 erschienen war, mit einer langen und umständlichen Begründung der Klassenkampftheorie. Aber sie wurden zurückgepfiffen durch einen zweiten Beschluß des Staatsrats vom 24.5.62, der noch einmal ausdrücklich erklärte, die meisten Straftaten würden nicht aus Feindschaft gegen den Sozialismus begangen. Zwei Jahre später sind die Schiedskommissionen in den Gemeinden eingerichtet worden, ebenfalls zur Entscheidung von Bagatellfällen. Die Zahl der Verfahren vor diesen gesellschaftlichen Gerichten (Rdz. 312) lag danach immerhin bei dreißig bis vierzig Prozent der Straftaten. Dazu gehörten nicht nur Beleidigungen und Hausfriedensbruch, sondern auch leichte Körperverletzung und Betrug.

1967 wurde nach dem neuen Programm ein modernes Strafgesetzbuch erlassen. In ihm blieb zwar die Todesstrafe. Sie wurde erst 1987 abgeschafft. Aber zum Teil ist es liberaler gewesen als die späteren Reformgesetze der Bundesrepublik (Rdz. 338). Eine Aussetzung von Freiheitsstrafen zur Bewährung zum Beispiel war unbegrenzt möglich, auch wenn es mehr waren als zwei Jahre. Seit 1972 war der Schwangerschaftsabbruch nicht mehr strafbar, mit einer Fristenlösung von 12 Wochen, eines der ersten Gesetze unter der Verantwortung Erich Honeckers. Schon in der Besatzungszeit war durch Ländergesetze die soziale Indikation eingeführt, von 1950 bis 1965 aber wieder gestrichen. Auch die Resozialisierung wurde ernsthafter betrieben als im Westen. Nach dem Wiedereingliederungsgesetz von 1977 mußten die Räte der Kreise den entlassenen Strafgefangenen Wohnung und Arbeit besorgen. Allerdings war der Strafvollzug härter und die Quote der vollzogenen Freiheitsstrafen höher als in der Bundesrepublik. Die Gefangenenziffer der DDR, also die Zahl der Strafgefangenen je 100000 Einwohner, war etwa doppelt so hoch wie im Westen Deutschlands.

Das politische Strafrecht beginnt vor dem Obersten Gericht schon 1950 während der Waldheimer Prozesse, bis 1952 in Verfahren meistens unter dem Vorsitz von Hilde Benjamin, die dann Justizministerin wurde. Es waren Schauprozesse, die Strafen entsetzlich hoch, meistens Zuchthaus von vielen Jahren bis lebenslang und daneben auch Todesurteile, in der Regel nach Art. 6 der Verfassung von 1949 über sogenannte „Boykotthetze", der als unmittelbar geltendes Strafrecht angesehen wurde (Entscheidungen des Obersten Gerichts Band 1 S. 33–44). In den siebziger Jahren kamen ständig neue Tatbestände dazu und wurde auch der Strafrahmen oft erweitert. In der Praxis der Gerichte spielten die größten Rolle Gummivorschriften wie staatsfeindliche Hetze (§ 107 StGB-DDR), öffentliche Herabwürdigung der staatlichen Organe (§ 220), Beeinträchtigung staatlicher Tätigkeit (§ 214) oder Rowdytum (§ 215). Der ungesetzliche Grenzübertritt des § 213 StGB legitimierte in Verbindung mit § 27 des Grenzgesetzes von 1982 die Schüsse an Mauer und Stacheldraht. Das politische Strafrecht blieb sehr hart. Für geringfügige Aufmüpfigkeit gab es hohe Freiheitsstrafen. Verbunden mit dem maßlosen Spitzelwesen des Ministeriums für Staatssicherheit war das eine Katastrophe dieses deutschen Sozialismus. Dazu eines von vielen tausend Beispielen:

320. Stadtbezirksgericht Berlin-Pankow, Urteil v.

„Der Angeklagte wird wegen Beeinträchtigung staatlicher Tätigkeit – Vergehen gemäß § 214 Abs. 1 StGB – zu einer Freiheitsstrafe von einem Jahr und zwei Monaten verurteilt.

Gründe:

12.8.85: Ein Verkaufsstellenleiter der HO am Grenzübergang

Der Angeklagte hat nach neunjährigem Schulbesuch den Beruf eines Fachverkäufers erlernt und war als solcher und als Verkaufsstellenleiter in Verkaufsstellen für Fleischwaren bei der HO tätig. Der Angeklagte ist geschieden. Die Mutter des Angeklagten ist 1977 nach Berlin-West verzogen. Der Angeklagte wollte gleichfalls nach Berlin (West) zu seiner Mutter. Seit April 1994 stellte der Angeklagte entsprechende Ersuchen an den Rat des Stadtbezirks Berlin-Prenzlauer Berg. Die Ersuchen wurden abgelehnt und der Angeklagte war mit einer derartigen Entscheidung nicht einverstanden und er entschloß sich mit einer demonstrativ provokatorischen Handlung die zuständigen staatlichen Organe zu zwingen, seinem Willen stattzugeben.

Am 27.5.1985 trank der Angeklagte im erheblichen Maß Alkohol und begab sich gegen 0.25 Uhr des 28. Mai 1985 zur Grenzübergangsstelle Chausseestraße im Stadtbezirk Berlin-Mitte. Er legte seinen Personalausweis für Bürger der DDR vor und forderte seine Ausreise nach Berlin (West). Der Angeklagte wurde festgenommen und die Blutalkoholuntersuchung ergab 2,0 Promille. Dieser Sachverhalt steht aufgrund der Aussagen des Angeklagten, des zum Gegenstand der Hauptverhandlung gemachten Festnahmeprotokolls und des Blutalkoholgutachtens fest.

Somit ist erwiesen, daß der Angeklagte staatliche Tätigkeit beeinträchtigte, indem er in einer die öffentliche Ordnung gefährdenden Weise seine Mißachtung der Gesetze der DDR bekundete. Er ist daher gemäß § 214 Abs. 1 StGB schuldig und entsprechend strafrechtlich zur Verantwortung zu ziehen. Die Handlungsweise des Angeklagten war auch geeignet, die Ordnung an der Grenzübergangsstelle zu stören und die Tätigkeit der dortigen Mitarbeiter zu behindern. Andererseits war zu berücksichtigen, daß zum Tatzeitpunkt kein reger grenzüberschreitender Verkehr stattfand. Unter Beachtung des § 61 StGB erkannte das Gericht auf eine Freiheitsstrafe von einem Jahr und zwei Monaten, anstelle der vom Staatsanwalt beantragten Freiheitsstrafe von einem Jahr und vier Monaten."

321. Recht und Politik

Die Entwicklung des Rechts der DDR bedeutete den Übergang von der hochentwickelten Technik bürgerlicher Justiz zu bewußt einfachen Rechtsformen. Recht war nicht mehr Steuerungsinstrument für den gesellschaftlichen und wirtschaftlichen Prozeß. Das lief unmittelbar über die Politik. Dafür war es übersichtlich, sozial und bürgernah, mehr auf Ausgleich bedacht als auf Streitentscheidung. Das zeigen die gesellschaftlichen Gerichte, die auch die Funktion hatten, die Justiz zu entlasten, während in der Bundesrepublik die Flut der Prozesse immer höher gestiegen ist. Das Programm war Vereinfachung und Reduzierung, womit das Recht im wesentlichen auf seine Ordnungsfunktion beschränkt war. Herrschaftsfunktion hatte es nur noch im politischen Strafrecht, die Herrschaftskontrollfunktion war vollständig verloren. Das Verhältnis hatte sich umgekehrt. Die Politik kontrollierte das Recht. Die DDR war kein Rechtsstaat.

Auch gibt es viele Parallelen mit dem Dritten Reich. Die Abschaffung der Länder, die Beseitigung der Gewaltenteilung, die Bildung eines zentralistischen Einheitsstaates unter Ausschaltung anderer Parteien, die Lenkung der Rechtsprechung. Hitlers Eingreifen im Fall Schlitt (Rdz. 305) und Ulbrichts Empfehlung für das Urteil gegen Joachim Wiebach (Rdz. 313). Ist da ein großer Unterschied? Die Abneigung gegen das BGB und die Abschaffung des Allgemeinen Teils sind beiden Staaten ebenso gemeinsam wie Einschränkungen des kollektiven Arbeitsrechts, Abschaffung des Streiks und das in Verbindung mit Verbesserungen im individuellen Arbeitsrecht.

Aber es gibt Unterschiede. Die Abwertung des Rechts gegenüber der Politik war in der DDR nicht so stark wie im Dritten Reich. Der Prozeß verlangsamte sich, zuerst mit der Aufnahme der sozialistischen Gesetzlichkeit in die Verfassung von 1968, zuletzt mit dem Gesetz über die gerichtliche Nachprüfung von Verwaltungsentscheidungen 1988. Dazu gehört auch die Abschaffung der Todesstrafe 1987. In den vierzig Jahren DDR sind ungefähr 170 Todesurteile ergangen. Eine kleine Zahl, wenn man sie vergleicht mit den 1600 in den fünfundzwanzig Jahren vor 1933. Und jenseits aller Vergleichbarkeit mit den 50000 in den zwölf Jahren danach. Im übrigen hat Honecker seit 1972 alle Todesurteile im Gnadenwege umgewandelt in lebenslange Freiheitsstrafe, mit Ausnahme von politischen Fällen. Das letzte dieser Urteile ist 1981 vollstreckt worden.

Der Geheimdienst des Ministeriums für Staatssicherheit hatte polizeiliche Befugnisse wie die Gestapo im Dritten Reich, im Gegensatz zu den Ämtern für Verfassungsschutz der Bundesrepublik, die nicht verhaften und durchsuchen können und keine eigenen Gefängnisse haben. Aber das MfS konzentrierte sich auf ein ausuferndes Spitzelwesen im ganzen Land, nicht auf Folter und Mord wie die Gestapo. Direkte Sanktionen gegen den politischen Feind blieben in der DDR Aufgabe der Justiz. Sie ist dabei unverhältnismäßig hart gewesen. Aber es gab keinen Maßnahmenstaat wie im Dritten Reich. Die vielen Hundert Opfer an Mauer und Stacheldraht waren unmenschlich. Aber die DDR hat keinen Krieg vom Zaun gebrochen, nicht millionenfachen Mord eines Holocaust zu verantworten und die Macht schließlich aus der Hand gegeben ohne Schuß, während das Dritte Reich untergegangen ist in einer Orgie von Mord und Gewalt.

War die DDR ein Unrechtsstaat? Der Vorwurf wird oft erhoben. Sie war kein Rechtsstaat, aber das bedeutet nicht automatisch das Gegenteil.

Beide Begriffe treffen nicht. Es war eine andere Welt. Der Vorwurf würde stimmen, wenn man darunter einen Staat versteht, der Unrecht begangen hat. Aber er geht weiter und meint einen Staat, in dessen Zentrum der verbrecherische Wille einer Führung steht, die rücksichtslos ihre Ziele verfolgt und das Recht mit Füßen tritt. Der Vorwurf meint die Parallele zum Dritten Reich. Und die ist falsch. Das Recht der DDR war wieder willige Dienerin der Politik geworden. Das bleibt als Mahnung für die Zukunft. Auch die Bundesrepublik ist da nicht völlig ohne Fehl und Tadel geblieben.

Literatur

308. *Hermann Weber*, Die DDR 1945–1986 (1988); ders. DDR, Grundriß der Geschichte 1945–1990 (1991) – **309.** *Stolleis*, Besatzungsherrschaft und Wiederaufbau deutscher Staatlichkeit, in: Isensee/Kirchhof (Hg.) Handbuch des Staatsrechts der Bundesrepublik Deutschland Band I (1987) § 5; *Etzel*, Die Aufhebung von nationalsozialistischen Gesetzen durch den Alliierten Kontrollrat (1945–1948) 1992; *Braas*, Die Entstehung der Länderverfassungen in der sowjetischen Besatzungszone Deutschlands 1946/47 (1987); *Fürstenau*, Entnazifizierung 1969; *Vollnhals*, Entnazifizierung 1991; *Feth*, Die Volksrichter, in: Rottleuthner (Hg.) Steuerung der Justiz in der DDR (1994) 351–377; *Benjamin*, u.a. Zur Geschichte der Rechtspflege der DDR 1945–1949 (1976); *Schöneburg*, Geschichte des Staates und des Rechts der DDR. Dokumente 1945–1949 (1984); *Amos*, Justizverwaltung in der SBZ/DDR. Personalpolitik bis Anfang der fünfziger Jahre 1996; die Zahlen für die Prozesse wegen NS-Verbrechen z.T. bei *Rückerl*, NS-Verbrechen vor Gericht (2. Aufl. 1984) 95–100, 329, z.T. bei *Wieland*, Die Nürnberger Prinzipien im Spiegel von Gesetzgebung und Spruchpraxis sozialistischer Staaten, in: Hankel/Stuby (Hg.) Strafgerichte gegen Menschheitsverbrechen (1995) 109–111; die Zahlen über Verurteilungen durch sowjetische Gerichte bei *Feth*, Hilde Benjamin (1997) 152 – **310.** *Mampel*, Die sozialistische Verfassung der Deutschen Demokratischen Republik 3. Aufl. 1996, zur geschichtlichen Entwicklung der Kommentar zur Präambel Rdz. 34–70 – **311.** *Werkentin*, Scheinjustiz in der frühen DDR, in: Kritische Justiz 1991. 332–350; *Eisert*, Die Waldheimer Prozesse 1993 – **312.** *Benjamin*, u.a. Zur Geschichte der Rechtspflege der DDR 1949–1961 (1980), 1961–1971 (1986); *Reiland*, Die gesellschaftlichen Gerichte der DDR 1971; Zahlen zur Justizdichte in: *Bundesministerium der Justiz*, (Hg.) Im Namen des Volkes? Über die Justiz im Staat der SED, Katalog (1994) S. 144; *Liwinska*, Die juristische Ausbildung in der DDR, Diss. Berlin 1996; *Rottleuthner*, (Hg.) Steuerung der Justiz in der DDR 1994 – **313.** *Werkentin*, bei Rottleuthner (Rdz. 312) S. 122 f.; *Beckert*, Die erste und letzte Instanz, Schau- und Geheimprozesse vor dem Obersten Gericht der DDR (1995) 277–284, auf S. 278 f. eine Wiedergabe des Originals der Hausmitteilung – **314.** *Dreier/Eckert/Mollnau/Rottleuthner*, (Hg.) Rechtswissenschaft in der DDR 1949–1971 (1996); außerdem noch zu Heinz Such: *Stolleis*, (Hg.) Juristen. Ein biographisches Lexikon von der Antike bis zum 20. Jahrhundert (1995) 596 f.; zu Martin Posch: *Markovits*, Die Abwicklung. Ein Tagebuch zum Ende der DDR-Justiz (1993) 229–235, dort auch S. 160 zum Schicksal von Klenner und Bönninger, zu Klenner S. 124–128, zu Bönninger S. 259–264 und zur Babelsberger Konferenz S. 154–161; außerdem: *Eckert*, (Hg.) Die Babelsberger Konferenz vom 2./3. April 1958 (1993); zu Karl Polak:

Stolleis, aaO. S. 491 f. – **315.** *Suermann*, Verwaltungsrechtsschutz in der DDR, Diss.Gött. 1971 (auch zu den Eingaben und anderen Möglichkeiten); *Bernet*, Eingaben als Ersatz für Rechte gegen die Verwaltung in der DDR, in: Kritische Justiz 1990 S. 153–161; Schätzungen zur Erfolgsquote der Eingaben bei *Markovits*, Rechtsstaat oder Beschwerdestaat, in: Recht in Ost und West (1987) 265–281 (S. 271); *Bönninger*, Die Babelsberger Konferenz und das Schicksal der Verwaltungsrechtswissenschaft, in: Eckert (Rdz. 314) S. 203–208, dort S. 205 das Zitat von Walter Ulbricht. – **316.** zum Familiengesetzbuch *Feth* (Rdz. 309) 206– 224; *Markovits*, Sozialismus und bürgerliches Zivilrechtsdenken in der DDR 1969; *Eckert/Hattenhauer*, Das Zivilgesetzbuch der DDR vom 19. Juni 1975 (1995) – **318.** *Rüthers*, Arbeitsrecht und politisches System 1973; *Brunner*, Einführung in das Recht der DDR (2. Aufl. 1979) 120–136; Arbeitsrecht Lehrbuch (Autorenkollektiv unter Kunz/Thiel) 3. Aufl. 1986 – **319.** *F.C. Schroeder*, Das Strafrecht des realen Sozialismus. Eine Einführung am Beispiel der DDR 1983; *Fritsche*, Die Entwicklung des Abtreibungsrechts in der DDR, in: Thietz (Hg.), Ende der Selbständigkeit? Die Abschaffung des § 218 in der DDR (1992); *Werkentin*, Politische Strafjustiz in der Ära Ulbricht 1995; zu Hilde Benjamin: *Feth* (Rdz. 309); zu den Gefangenenziffern: *Eisenberg*, Kriminologie 4. Aufl. 1995 § 43/Rdz. 14 und 15 und Tabelle 35) – **320.** Aktenzeichen 19 S. 393/82 (211-109-85); der Fall ist behandelt – als Rechtsbeugung – in BGH NJW 95.3324-3332 auf S. 331 f. unter 3. – **321.** *Markovits*, (Rdz. 314); zum Unrechtsstaat: *Sendler*, Die DDR ein Unrechtsstaat? – ja oder nein? in: Zeitschrift für Rechtspolitik 1993 S. 1–5; *Rückert*, Zeitgeschichte des Rechts, in: Univ. Milano, Dipart.Giur.-Polit., Quaderni della sezione di Teoria 6 (1996) 31–35.

20. Kapitel

BUNDESREPUBLIK DEUTSCHLAND

Allgemeine Literatur: *Kroeschell*, Rechtsgeschichte Deutschlands im 20. Jahrhundert (1992) 6. Teil; *Birke*, Die Bundesrepublik Deutschland: Verfassung, Parlament, Parteien 1997.

322. Geschichte und Wirtschaft

Im Westen Deutschlands war der Wiederaufbau leichter als im Osten. Während die sowjetische Zone mit hohen Reparationsleistungen belastet wurde, blieben Demontagen und Reparationen im Westen erträglich und wurden 1946 ganz eingestellt. Der ökonomische Aufschwung begann hier 1948 mit der Währungsreform, Öffnung zur Marktwirtschaft und Aufbauhilfen aus dem Marshall-Plan. Auf die westliche Währungsreform antworteten die Sowjets mit der Berliner Blockade. Man war auf dem Höhepunkt des Kalten Krieges und Amerikaner, Engländer und Franzosen beschlossen als Sicherung gegen Stalins bedrohliches Drängen nach Westen die Bildung eines westdeutschen Teilstaats. Die 1949 gegründete Bundesrepublik war zunächst geprägt durch die „Kanzlerdemokratie" Konrad Adenauers, der zur dominierenden Figur des Landes wurde und es konsequent in die Westbindung von NATO und Europäischer Wirtschaftsgemeinschaft geführt hat, weil er meinte, nur so würde automatisch die Wiedervereinigung folgen. Ihm zur Seite stand Wirtschaftsminister Ludwig Erhard mit seiner sozialen Marktwirtschaft, deren Erfolg nicht zuletzt auf den Gewinnen der westdeutschen Industrie aus Lieferungen für den Korea-Krieg 1950–1953 beruhte. Schon Mitte der fünfziger Jahre war die Arbeitslosigkeit beseitigt, die im Winter 1949/50 noch bei zwei Millionen lag. So konnte 1952 ein Wiedergutmachungsabkommen mit Israel über Leistungen in Höhe von 3,4 Milliarden Mark abgeschlossen werden, das die internationale Reputation der Bundesrepublik außerordentlich stärkte, und 1953 das Londoner Abkommen über die Begleichung der gesamtdeutschen Auslandsschulden in Höhe von 7,5 Milliarden.

Trotz restaurativer Tendenzen entstand in der Adenauer-Zeit allmählich eine moderne Gesellschaft, die in den sechziger Jahren mit steigendem Wohlstand den Höhepunkt ihrer Liberalität erreichte. Konrad Adenauer ist 1963 zurückgetreten. Er war 87 Jahre alt und sein Ansehen erschüttert. 1961 schien mit der Mauer in Berlin sein Konzept für die Wiedervereinigung gescheitert und kam seine erste schwere innenpolitische Niederlage mit einem Urteil des Bundesverfassungsgerichts gegen seine Pläne für ein Regierungsfernsehen. Die zweite war 1962 die Spiegel-Affäre, praktisch das Ende der Ära Adenauer. Sein Nachfolger wurde Ludwig Erhard, der 1966 zurücktrat, als die Bundesrepublik zum erstenmal eine leichte Wirtschaftskrise erlebte, die von der großen Koalition aus CDU und SPD unter Georg Kiesinger schnell überwunden werden konnte. Diese große Koalition war das Ergebnis der zielstrebigen Politik Herbert Wehners, der nach dem Godesberger Programm von 1959 mit seiner Umarmungstaktik gegenüber der CDU die SPD 1969 zum Wahlsieg Willy Brandts geführt hat.

Die sozialliberale Koalition aus SPD und FDP hielt bis 1982. Ihre vielen Reformprogramme sind nur teilweise gelungen, unter anderem deshalb, weil 1973 mit der ersten Ölkrise – Verdreifachung der Preise – eine weltweite Rezession entstand. Ihre Bewältigung sah Helmut Schmidt als seine Hauptaufgabe an, nicht die Reformen. Er war 1974 Nachfolger Willy Brandts geworden, der wegen der Spionageaffäre Guilleaume zurücktreten mußte. Brandts großer Verdienst ist die Normalisierung des Verhältnisses zum Osten gewesen, 1970 durch Verträge mit der Sowjetunion und Polen, 1972 durch den Grundlagenvertrag mit der DDR. Das von ihm Versprochene „Mehr Demokratie wagen“ wurde zum Teil außerparlamentarisch praktiziert, zuerst durch die Studentenrevolte der sechziger Jahre gegen autoritäre Strukturen der Universitäten, gegen die braune Vergangenheit führender Vertreter in Staat und Gesellschaft und den Krieg der Amerikaner in Vietnam, dann durch Bürgerinitiativen gegen Umweltzerstörung und Atomkraft in den siebzigern, schließlich in den achtziger Jahren von der Friedensbewegung mit ihrem Protest gegen die von Helmut Schmidt veranlaßte Nachrüstung der in Westdeutschland stationierten amerikanischen Atomraketen. Diese Aktivitäten stärkten die demokratische Sensibilität, besonders unter den Jüngeren. Dagegen stand eine innenpolitische Verhärtung, die verursacht war durch Terroranschläge der Roten Armee Fraktion (RAF), einer Stadtguerilla als Abspaltung aus der Studentenrevolte.

Die zweite Ölkrise kam 1979. Damit wurde auch Helmut Schmidt nicht mehr fertig. Die Folge war ein wirtschaftlicher Abschwung und hohe Arbeitslosigkeit. 1980 lag sie bei zwei Millionen. Das führte zur politischen Wende der FDP, die 1982 wieder zur CDU wechselte und Helmut Kohl zum Kanzler machte. Unter seiner Regierung gelang in den nächsten acht Jahren zunächst ein ökonomischer Aufschwung. Nur die Arbeitslosenzahlen stiegen weiter. Ursache dafür war die große Steigerung der Arbeitsproduktivität, besonders durch Computer, Roboter und moderne Telekommunikation. Immer weniger Menschen konnten immer mehr produzieren. In diese Phase des Aufschwungs fiel 1990 die Wiedervereinigung, 1992 ergänzt durch den Vertrag von Maastricht, nach dem die 1957 in den Verträgen von Rom begründete Europäische Wirtschaftsgemeinschaft erweitert werden soll zur Währungsunion und zur politischen Einheit. Bei der Wiedervereinigung meinte Helmut Kohl, die notwendigen Milliarden für den Aufbau der ostdeutschen Wirtschaft seien leicht zu finanzieren. Aber es kam anders. Der Aufschwung im Osten brauchte länger als erwartet und auch im Westen stiegen die Arbeitslosenzahlen, Mitte der neunziger Jahre auf über vier Millionen. Eine widersprüchliche Situation. Die Wiedervereinigung gelungen, die europäische Einheit vor der Vollendung, ein reiches Land, große politische Stabilität, die in fast fünfzig Jahren gewachsen war, aber die schwerste Wirtschaftskrise seit der Gründung des Staates.

323. Besatzungszeit

Wie im Osten (Rdz. 309) waren im Westen zunächst alle Behörden und Gerichte geschlossen, wurden aber von den Militärregierungen schnell wieder aufgebaut. Sie ernannten Bürgermeister und Landräte, die ihnen vertrauenswürdig erschienen. Dann sind in den drei Zonen wieder Länder gegründet worden, meistens allerdings nicht in den alten Grenzen der Weimarer Republik, sondern neue Einheiten nach besatzungstechnischen Zufälligkeiten wie Nordrhein-Westfalen oder Niedersachsen. Nur Bayern, Bremen und Hamburg erhielten wieder ihre alte Form. Ministerpräsidenten wurden von oben ernannt, in den meisten Ländern Verfassungen ausgearbeitet und meistens durch Volksabstimmungen bestätigt. Wahlen fanden statt und von den Länderparlamenten wurden neue Ministerpräsidenten gewählt. Oft waren es wieder die von den Alliierten ernannten. In der französischen Zone hatte das Saarland eine Sonderstellung, keine Verfassung, keine Wahlen. Es wurde wie eine eigene Verwaltungseinheit behandelt, als Vorbereitung für die Angliederung an Frankreich.

In der amerikanischen Zone gab es für die Koordinierung der deutschen Verwaltungen einen Länderrat in Stuttgart, in der britischen Zone einen Zonenbeirat. Die Franzosen wollten keine Zentralinstanz der Deutschen und weigerten sich 1946 auch, dem Vorschlag der Amerikaner für eine gemeinsame Verwaltung der drei Westzonen zu folgen. Nur die Engländer machten mit. So wurde 1947 die Bizone gegründet mit fünf regional verteilten Ressorts und einem obersten Organ, dem Wirtschaftsrat in Frankfurt, der aus 52, später 104 Abgeordneten bestand, die von den Landtagen gewählt worden waren. Auch ein deutsches Obergericht für das Vereinigte Wirtschaftsgebiet wurde gebildet, in Köln. Alles in allem eine Art halbautonomer deutscher Rumpfstaat, auch personell die Keimzelle der späteren Bundesrepublik.

Der Aufbau der Länder und ihrer Verwaltung, die Justiz und das gesamte öffentliche Leben waren betroffen von der Entnazifizierung, die 1945 beschlossen war auf den Konferenzen von Jalta und Potsdam und konkretisiert in den Kontrollratsdirektiven Nr. 24 und 38 von 1946 und weiteren Entnazifizierungsgesetzen. Alle erwachsenen Deutschen wurden überprüft und eingeteilt in fünf Kategorien, von Hauptschuldigen über Mitläufer bis zu nicht Belasteten, zunächst von alliierten Dienststellen, dann von deutschen Spruchkammern, nachdem 1945 schon einhundert- bis zweihunderttausend Verdächtige verhaftet und in Lagern festgehalten waren. Die Sanktionen sind nicht nur Berufsverbote gewesen, sondern auch Gefängnis, Zwangsarbeit, Vermögenseinziehung oder Gehaltskürzung. Die Amerikaner waren am härtesten. Bei ihnen wurden zum Beispiel 65 % der Volksschullehrer entlassen und in Nürnberg der ganze mittlere und gehobene Verwaltungsdienst. Die Franzosen sind uninteressiert gewesen und die Engländer bewegten sich auf einer mittleren Linie. Bald wurden Entlassungen wieder rückgängig gemacht, verschieden von Land zu Land. In Hessen waren Mitte 1949 fast alle wieder eingestellt, in Bayern bei den Lehrern nur 14 %.

Die Justiz ist in den drei Zonen von oben wieder aufgebaut worden, durch Oberlandesgerichtspräsidenten, die von den Militärregierungen eingesetzt waren und mit ihrer Zustimmung alle Richter ernannten. Es sind meistens konservative ältere Juristen gewesen, die bald ein zähes Ringen begannen um die Wiedereinstellung nationalsozialistisch belasteter Richter, immer mit dem Argument der Personalnot, die tatsächlich bestand. Die Alliierten stimmten in der Regel zu. Schon seit 1945 galt in der britischen Zone die sogenannte „Huckepack-Regel“. Mit jedem unbelasteten Richter durften die OLG-Präsidenten einen belasteten einstellen, der also auf dem Rücken des anderen wieder ins Gericht kam. 1948, auf dem Höhepunkt des Kalten Krieges, war in Westdeutschland fast das gesamte alte Justizpersonal wieder im Amt und die Entnazifizierung gescheitert.

Neben der Aufhebung nationalsozialistischen Rechts (Rdz. 309) begannen auch im Westen Strafprozesse wegen NS-Verbrechen nach dem Kontrollratsgesetz Nr. 10 (Rdz. 309), zunächst vor alliierten Militärgerichten, etwa 4500 Verfahren mit vielen Todesurteilen, dann auch vor deutschen, etwa eine ähnliche Zahl, meistens wegen weniger schwerer Delikte, die im Lauf der Zeit auch nach dem deutschen Strafgesetzbuch von 1871 beurteilt wurden. Am Anfang stand der:

324. Nürnberger Prozeß

Nach einer vorbereitenden Sitzung des Internationalen Militärtribunals am 10. Oktober 1945 in Berlin begann am 20. November 1945 im Nürnberger Justizpalast der Prozeß gegen 24 „Hauptkriegsverbrecher“, unter ihnen Karl Dönitz, Hermann Göring, Rudolf Heß, Wilhelm Keitel, Franz von Papen, Hjalmar Schacht und Julius Streicher. Richter waren der Amerikaner Biddle, der Franzose Donnedieu de Vabres, der Engländer Lawrence und der sowjetische General Nikitschenko. Jeder der Alliierten hatte einen Chefankläger. Die Angeklagten wurden von deutschen Anwälten verteidigt.

Grundlage des Prozesses war ein Statut, das die Alliierten am 8. August 1945 in London unterzeichnet hatten. Es regelte Zusammensetzung und – angelsächsisches – Verfahren vor dem Gericht und formulierte die Grundsätze der Anklage, nämlich jene „klassischen" drei Tatbestände: Verbrechen gegen den Frieden, Kriegsverbrechen und Verbrechen gegen die Menschlichkeit. Seit Anfang der vierziger Jahre hat man in England und Amerika in Ministerien und Kommissionen darüber nachgedacht und verhandelt, wie man die Verbrechen der Deutschen ahnden soll: wo, von wem, auf welcher rechtlichen Grundlage. Die Engländer hatten große Bedenken gegen eine gerichtliche Lösung auf völkerrechtlicher Grundlage, weil sich das leicht gegen eigene Kriegsverbrechen wenden könnte. Auch in den Vereinigten Staaten gab es solche Bedenken, bis sich Mitte 1945 der von Präsident Roosevelt dafür ernannte Sonderbeauftragte durchsetzte, der Bundesrichter und spätere amerikanische Chefankläger Robert Jackson. Der Nürnberger Prozeß ist im wesentlichen sein Werk.

Das Gericht tagte zehn Monate. Rudolf Höß trat als Zeuge auf, der erste Kommandant von Auschwitz, und rechnete vor, er habe ungefähr drei Millionen Juden umgebracht. Der Bericht des SS-Generals Stoop über die Vernichtung des Warschauer Ghettos wurde vorgelesen. SS-General Ohlendorf berichtete über Judenmorde der Einsatzgruppen in der Sowjetunion, Erwin von dem Bach-Zelewski, ebenfalls General der SS, über massenhafte Ermordung der russischen Zivilbevölkerung und General Lahousen über die Ausrottung der polnischen Intelligenz und den Kommissarbefehl, nach dem die Wehrmacht Tausende von Politoffizieren der Sowjets umgebracht hat.

Das Urteil wurde am 1. Oktober 1946 verkündet. Zwölf Angeklagte sind zum Tod durch Erhängen verurteilt worden. Drei wurden freigesprochen, nämlich Schacht, Papen und Fritzsche. Die übrigen erhielten Freiheitsstrafen zwischen zehn Jahren und lebenslang.

Oft ist der Vorwurf von Siegerjustiz erhoben worden. Er ist zum Teil berechtigt, wenn man darunter versteht, daß Sieger über Besiegte urteilen wegen Verbrechen, die auch sie begangen haben, ohne daran zu denken, ihre eigenen Leute zu bestrafen. Zum Beispiel Kriegsverbrechen wie die Atombomben auf Hiroshima am 6. August 1945, zwei Tage vor dem Londoner Statut, und auf Nagasaki am 9. August, einen Tag danach. Oder die Bombenangriffe auf die Zivilbevölkerung in deutschen Städten.

Haupteinwand gegen den Prozeß ist bis heute die Verletzung des Grundsatzes nulla poena sine lege (Rdz. 288). Die Angeklagten seien verurteilt worden wegen Taten, die nicht strafbar waren, als sie begangen wurden. Das stimmt nur teilweise, eigentlich nur im Hinblick auf Verurteilungen wegen Verbrechens gegen den Frieden, also wegen des Angriffskrieges. Verbrechen gegen die Menschlichkeit – im wesentlichen Völkermord, also Mord – waren schon strafbar nach dem deutschen Strafgesetzbuch von 1871. Und die individuelle Strafbarkeit von Kriegsverbrechen – also schweren Verstößen gegen die Haager Landkriegsordnung von 1907 – ist völkerrechtlich weitgehend schon vorher anerkannt gewesen. Außerdem waren auch sie strafbar nach deutschem Militär- und Zivilstrafrecht. Trotzdem. Robert Jackson schrieb in seinem Schlußbericht für den amerikanischen Präsidenten:

> „Eines der größten Hindernisse für den Prozeß war, daß vorher niemand den Weg gebahnt hatte. Aber das Urteil, so wie es jetzt ergangen ist, gibt seinen Rechtsgrundsätzen für die Zukunft die zusätzliche Geltungskraft eines Präzedenzfalls."

Der Prozeß sollte Signalwirkung für die Zukunft haben. Und angesichts der unermeßlichen Verbrechen des Dritten Reichs bleibt die geschichtliche Wirkung des Prozesses von den juristischen Einwänden und Vorwürfen unberührt. Was 1919/21 mit dem Versailler Vertrag und den Leipziger Prozessen gescheitert war (Rdz. 292), nämlich der Versuch eines Anfangs im internationalen Strafrecht, ist hier wohl doch gelungen. Fünfzig Jahre konnte man zweifeln, obwohl in der UNO seit 1946 an der Formulierung eines internationalen Strafgesetzbuches – draft code – gearbeitet wurde. Die Einsetzung des Jugoslawien-Tribunals durch den UN-Sicherheitsrat 1993 und des Ruanda-Tribunals 1994 können bedeuten, daß der Nürnberger Prozeß Zeichen gesetzt hat für die Durchsetzung seiner Prinzipien im nächsten Jahrhundert.

325. Folgeprozesse

Danach fanden in Nürnberg vor einem amerikanischen Gerichtshof zwölf weitere Prozesse statt, auf der Grundlage des Kontrollratsgesetzes Nr. 10 (Rdz. 309), gegen insgesamt 184 Angeklagte, von denen 24 zum Tode verurteilt worden sind. Die Prozesse wurden unter anderem gegen Ärzte geführt, die am „Euthanasie"-Programm beteiligt waren (Rdz. 306), gegen die Leitung der IG-Farben, gegen Alfried Krupp und Mitarbeiter seiner Firma, gegen Angehörige des Auswärtigen Amts im „Wilhelmstraßen"-Prozeß und im „Juristen-Prozeß" gegen 14 Angeklagte, die mehr oder weniger zufällig zusammengewürfelt waren. Zu ihnen gehörten die Staatssekretäre Schlegelberger (Rdz. 298), Klemm und Rothenberger, der Oberreichsanwalt beim Volksgerichtshof Lautz und einige Richter an Sondergerichten. Schlegelberger wurde zu lebenslanger Gefängnisstrafe verurteilt wegen seiner Mitwirkung bei der Beseitigung der richterlichen Unabhängigkeit (Fall Schlitt, Rdz. 305), beim Holocaust und beim Zustandekommen der Polenstrafverordnung und des Nacht- und Nebel-Erlasses (Rdz. 306). 1950 ist er wegen Haftunfähigkeit entlassen worden und starb 1970.

Vor den Militärgerichten in den drei Westzonen liefen viele andere Prozesse, ebenfalls auf der Grundlage des Kontrollratsgesetzes Nr. 10, die meisten – 489 Verfahren gegen 1672 Angeklagte – vor einem amerikanischen Militärgericht auf dem Gelände des ehemaligen Konzentrationslagers Dachau, von 1945 bis 1948. Die „Dachauer Kriegsverbrecherprozesse". Es waren Prozesse nicht nur wegen der dort begangenen Verbrechen, sondern auch wegen Verbrechen in anderen Konzentrationslagern oder gegen den Leiter der Anstalt Hadamar und seine Mitarbeiter, wo viele Opfer der „Euthanasie"-Aktion umgebracht worden sind. Großes Aufsehen erregte ein Verfahren gegen Angehörige eines Panzerregiments, die im Dezember 1944 im belgischen Malmedy amerikanische Kriegsgefangene erschossen hatten. Nach dem Malmedy-Prozeß gab es Einwände gegen unzulässige Ermittlungsmethoden. Die Schuldigen waren schwer zu ermitteln und die Amerikaner hatten die Angeschuldigten unter starkem Druck zu Geständnissen gezwungen. Das führte dazu, daß ein großer Teil der Strafen umgewandelt und einige Urteile ganz aufgehoben wurden. Insgesamt sind in den Dachauer Prozessen 426 Todesurteile ergangen.

326. Verfolgung von NS-Unrecht in der Bundesrepublik

1950 haben die Westalliierten den Gerichten der Bundesrepublik die volle Zuständigkeit für die Verfolgung von NS-Verbrechen übertragen. Aber man war allgemein der Auffassung, die juristische Bewältigung der Vergangenheit sei durch die Prozesse in der Besatzungszeit abgeschlossen (Rdz. 324, 325). Nur ab und zu gab es einzelne Verfahren, zum Beispiel 1950/51 in Augsburg gegen Ilse Koch, die berüchtigte „Kommandeuse" des Konzentrationslagers Buchenwald. Die Stimmung war eher für einen Schlußstrich unter die Vergangenheit, zum Teil sogar bei den Alliierten, die auf Drängen Adenauers in den fünfziger Jahren fast alle begnadigten, die von ihren Gerichten wegen Kriegsverbrechen verurteilt worden waren. Dahinter stand die zunehmende Spannung zwischen Ost und West. Deswegen wollten sie die Wiederbewaffnung der Bundesrepublik. Und die deutschen Militärs hatten die Gnadenaktion dafür mehr oder weniger ausdrücklich zur Bedingung gemacht.

Die Wende kam 1958 mit dem „Ulmer Einsatzgruppenprozeß" gegen einen SS-Offizier. Er hatte auf Wiedereinstellung in den öffentlichen Dienst geklagt, worüber in der Presse berichtet wurde. Jemand erinnerte sich an ihn und wußte, daß er 1941 beteiligt gewesen war an Massenerschießungen von Juden in Litauen. Das brachte den Prozeß ins Rollen, der großes Aufsehen erregte. Nun wurde deutlich, daß schwere Verbrechen noch ungesühnt waren. Deswegen ist im selben Jahr die Zentralstelle der Landesjustizverwaltungen zur Aufklärung nationalsozialistischer Verbrechen gegründet worden, um endlich systematisch vorgehen zu können. Ebenfalls 1958 erhielt der Hessische Generalstaatsanwalt Fritz Bauer von einem Journalisten Akten des Konzentrationslagers Auschwitz, die ein Häftling 1945 aus Breslau mitgebracht hatte. In ihnen waren nicht nur viele Namen von Opfern genannt, sondern auch die der Täter. Sehr vorsichtig hat Bauer dann den großen Auschwitz-Prozeß in Frankfurt vorbereitet, weil er fürchten mußte, daß seine Ermittlungen durch NS-Seilschaften in Justiz und Polizei behindert würden. Der Prozeß begann 1963 und dauerte fast zwei Jahre. Nun wurde die Öffentlichkeit der Bundesrepublik endgültig sensibilisiert, nachdem schon 1961/62 der Prozeß gegen Adolf Eichmann in Jerusalem stattgefunden hatte. Grauenvolle Einzelheiten wurden bekannt. Das Urteil erging 1965. Von 22 Angeklagten erhielten sechs lebenslange Freiheitsstrafen. Drei wurden freigesprochen, weil die Beweise nicht ausreichten. Ein Problem, das im Lauf der Zeit mit zunehmendem Alter der Zeugen immer größer wurde. Und noch eins kam dazu.

1965, noch während des Auschwitz-Prozesses, begann im Bundestag die Diskussion über die Verjährung von NS-Verbrechen. Auch hier drängte die Zeit. 1969 wurde die Verjährung zweimal verlängert und 1979 für Mord und Völkermord vollständig aufgehoben (§78 Abs. 2 StGB). Allerdings war schon 1968 eine „Panne" passiert, möglicherweise beabsichtigt von einem Abteilungsleiter im Bundesjustizministerium, der in der Fachwelt einen guten Namen, aber auch eine schlimme NS-Vergangenheit hatte. Eduard Dreher, Verfasser eines Kommentars zum Strafrecht. Er war verantwortlich für das neue Ordnungswidrigkeitengesetz, bei dessen Erlaß im Bundestag von den Abgeordneten nicht bemerkt worden ist, daß gleichzeitig noch etwas anderes geändert wurde, nämlich der damalige § 50 Abs. 2 StGB (heute §28 Abs. 2). Damit war die Verjährung für Beihilfe zum Mord auf kaltem Weg rückwirkend zum 8. Mai 1960 eingetreten, wenn dem Gehilfen eigener Rassenhaß nicht nachzuweisen war. Ein schwieriger Beweis mit großer Bedeutung, weil nach der – umstrittenen – Rechtsprechung die höheren Ränge von Wehrmacht und SS nur als Gehilfen bestraft wurden, im Gegensatz zu den unteren, die man als Täter ansah, weil nur sie unmittelbar gehandelt hatten. Deshalb platzten schon 1969 mehrere Prozesse gegen Offiziere von Einsatzgruppen.

Besonders peinlich war das Ergebnis der Verfolgung von Justiz-Unrecht. Trotz der unvorstellbaren Zahl von etwa 50000 Todesurteilen (Rdz. 298) ist kein einziger Richter oder Staatsanwalt des Dritten Reichs von der Justiz der Bundesrepublik zur Rechenschaft gezogen worden. Es gab nur einen ernsthaften Versuch. 1967 ist Hans-Joachim Rehse wegen Beihilfe zum Mord und zum versuchten Mord in sieben Fällen vom Landgericht Berlin zu fünf Jahren Zuchthaus verurteilt worden. Als Richter am Volksgerichtshof war er verantwortlich für insgesamt 231 Todesurteile. Aber das Urteil des Berliner Landgerichts ist 1968 vom Bundesgerichtshof aufgehoben worden (NJW 1968.1339). Der Volksgerichtshof sei ein ordentliches Gericht gewesen und Rehse ein unabhängiger Richter. Deshalb hätte er als Täter verurteilt werden müssen, nicht als Gehilfe seines Vorsitzenden Freisler. Also mußte ihm selbst Mordlust oder niedrige Gesinnung nachgewiesen werden. Die seines Vorsitzenden reichte nicht aus. Im zweiten Prozeß 1969 ist das nicht gelungen. Was zu erwarten war. Er wurde freigesprochen. Die Justiz der Bundesrepublik hat also bei der Verfolgung von NS-Unrecht weitgehend versagt, nicht zuletzt deshalb, weil noch viele ehemalige NS-Richter im Amt waren.

327. Grundgesetz

In der ersten Hälfte des Jahres 1948 verstärkten sich die Spannungen zwischen den Westalliierten und den Sowjets, die im März den Kontrollrat verließen und im Juni auf die Währungsreform im Westen mit der Berliner Blockade antworteten. Pläne für die Bildung eines westdeutschen Teilstaates hatten die Amerikaner schon lange. Die Engländer schlossen sich an und die Zustimmung der Franzosen wurde erreicht durch die Einwilligung der beiden anderen zur Eingliederung des Saarlandes. Am 1. Juli 1948 übergaben die drei Militärgouverneure in Frankfurt den Ministerpräsidenten der elf westdeutschen Länder die „Frankfurter Dokumente". Sie enthielten erstens die Ermächtigung – besser: Aufforderung – zur Einberufung einer verfassunggebenden Versammlung bis zum 1. September, die eine Verfassung des neuen Staates ausarbeiten sollte. Zweitens die Aufforderung für eine bessere Neugliederung der weitgehend zufällig zustandegekommenen westdeutschen Länder. Und drittens die Grundzüge eines künftigen Besatzungsstatus, unter dem der westdeutschen Staat existieren würde. Die Militärgouverneure forderten eine Verfassung auf demokratischer und stark föderalistischer Grundlage mit der Garantie von Menschenrechten und stellten ihre Genehmigung in Aussicht, wenn sie diesen Forderungen entsprechen würde.

Die Ministerpräsidenten zögerten. Sie fürchteten, ein Teilstaat würde die deutsche Einheit gefährden. Am 21. und 22. Juli trafen sie sich in Rüdesheim und einigten sich auf einen Kompromiß, entschieden sich für die Annahme des Angebots der Alliierten, aber mit der Einschränkung, daß nicht eine Verfassung beschlossen werden sollte, sondern nur ein Grundgesetz, das wie eine Verfassung wirken, aber keine vollständige und endgültige Verfassung sein sollte. Deshalb sei es auch nicht von einer verfassunggebenden Versammlung zu beschließen, die von Bürgern gewählt wird, und danach auch nicht in einer Volksabstimmung zu bestätigen, wie es demokratischen Grundsätzen für den Erlaß von Verfassungen entspricht. Akteure sollten die Länderparlamente sein, nicht die Bürger selbst. Die Länderparlamente sollten Abgeordnete wählen für einen Parlamentarischen Rat, der das Grundgesetz beschließt, das dann von diesen Parlamenten bestätigt wird und nicht von den Bürgern. Die Alliierten waren einverstanden. Auf der Frankfurter Schlußkonferenz am 26. Juli sagte der Franzose Pierre König: „Wenn sie akzeptieren, die volle Verantwortung zu übernehmen, so können wir ihnen sagen: en avant".

Im August wählten die westdeutschen Landtage 65 Vertreter des Parlamentarischen Rats, nämlich 27 von CDU/CSU, 27 von der SPD, fünf von der FDP und je zwei von der Deutschen Partei, Zentrum und der KPD. Westberlin schickte fünf Beobachter. Sie kamen zusammen in Bonn am 1. September 1948 und verhandelten acht Monate. Die Schlußabstimmung fand statt am 8. Mai 1949.

Die Beratungen des Parlamentarischen Rats waren vorbereitet durch einen Verfassungskonvent, der von den Ministerpräsidenten kurz vorher einberufen war und vom 10. bis 23. August 1948 in Herrenchiemsee einen Entwurf formulierte, auf dessen Grundlage in Bonn verhandelt wurde. Der Konvent bestand aus Regierungsvertretern und Sachverständigen. Die wichtigsten Entscheidungen sind schon hier gefallen. So die über die Stellung des Bundespräsidenten, der nicht mehr wie in der Weimarer Republik den Kanzler ohne das Parlament ernennen und auch keine Notstandsbefugnisse mehr haben sollte. Stattdessen die Stärkung des Bundeskanzlers durch das konstruktive Mißtrauensvotum, mit dem er nur abgewählt werden kann, wenn der Bundestag gleichzeitig einen Gegenkandidaten wählt. Ein starkes Bundesverfassungsgericht mit umfangreichen Kompetenzen als Sicherung gegen die Aushöhlung der Verfassung, wie sie mit dem Ermächtigungsgesetz von 1933 eingeleitet wurde. Schließlich die Entscheidung für einen Bundesrat mit Vertretern der Landesregierungen statt eines Senats, in dem die Vertreter von den Bürgern der einzelnen Länder gewählt werden.

Der Parlamentarische Rat ergänzte den Entwurf mit wesentlichen Einzelheiten. Hier wurde über den Namen des Staates entschieden. Auf Vorschlag von Theodor Heuß einigte man sich auf „Bundesrepublik Deutschland" und meldete mit dem Wort „Deutschland" den Anspruch an auf Vertretung aller Deutschen. Hier fiel die Entscheidung für die unmittelbare Geltung aller Grundrechte in Art. 1 Abs. 3 – anders als nach der Weimarer Verfassung – und die Rechtsweggarantie dafür in Art. 19 Abs. 4. Langwierige Auseinandersetzungen gab es um die Fassung des allgemeinen Gleichheitssatzes in Art. 3. In Anlehnung an die Weimarer Verfassung sollte es nur heißen:

> „Alle Menschen sind vor dem Gesetz gleich. Das Gesetz muß Gleiches gleich, es kann Verschiedenes nach seiner Eigenart behandeln. Jedoch dürfen die Grundrechte nicht angetastet werden."

Was das meinte, war klar. Es zielte auf unterschiedliche Behandlung von Männern und Frauen. Dagegen führte die Sozialdemokratin Elisabeth

Selbert einen zähen Kampf, mit Unterstützung von Gewerkschaften und Frauenverbänden. Zweimal unterlag sie in den Abstimmungen. Aber im Januar 1949 errang sie ihren großen Sieg. Seitdem heißt es unmißverständlich und ohne jede Einschränkung in Art. 3 Abs. 2:

„Männer und Frauen sind gleichberechtigt."

Heftige Auseinandersetzungen quer durch die Parteien gab es um die Kompetenzen von Bund und Ländern. Auch die Aufnahme von Volksabstimmungen war umstritten und wurde mehrheitlich abgelehnt. Die Formulierung in Art. 20 Abs. 2 Satz 2 deutet allerdings eher in die Richtung ihrer Zulässigkeit. Am 10. Mai 1949 wurde noch das Wahlgesetz für den ersten Bundestag beschlossen und am selben Tag fiel – sehr knapp – die Entscheidung für Bonn als Sitz von Parlament und Regierung. Dann stimmten die Länderparlamente ab, nur das von Bayern dagegen. Und am 12. Mai 1949, dem Tag, an dem die Berliner Blockade aufgehoben wurde, haben auch die Alliierten dem Grundgesetz ihre Zustimmung gegeben. Es ist am 23. Mai vom Parlamentarischen Rat veröffentlicht worden und am 24. Mai 1949 in Kraft getreten. Ein Provisorium mit gewolltem Mangel an Demokratischer Legitimation. Im Lauf der Zeit ist er durch tatsächliche Akzeptanz geheilt worden und am 3. Oktober 1990 ist dieses Grundgesetz sogar gesamtdeutsche Verfassung geworden, hat aber seinen Namen behalten.

Die wichtigsten Daten der Entstehung des Grundgesetzes

	1948
20. März	Sowjetunion verläßt Kontrollrat
20. Juni	Währungsreform in den Westzonen
23. Juni	Währungsreform in der sowj. Zone
24. Juni	Beginn der Berliner Blockade
1. Juli	Frankfurter Dokumente
26. Juli	Frankfurter Schlußkonferenz
10.–23. August	Verfassungskonvent in Herrenchiemsee
1. September	Eröffnung des Parlamentarischen Rats in Bonn
	1949
8. Mai	Schlußabstimmung im Parlamentarischen Rat
9.–11. Mai	Zustimmung der Länderparlamente, nicht in Bayern
24. Mai	Inkrafttreten des Grundgesetzes
14. August	Bundestagswahlen
7. September	Zusammentritt des Bundestages
20. September	Amtsantritt der Bundesregierung

328. Entwicklung des Grundgesetzes seit 1949

Auch das Grundgesetz hat sich im Lauf der Zeit verändert, nicht nur die Verfassung der DDR (Rdz. 310). Es ist sogar häufiger geändert worden als diese, bis 1996 insgesamt dreiundvierzigmal. Aber es war kontinuierliche Weiterentwicklung, nicht grundlegende Umgestaltung.

Wichtige Veränderungen brachte die Westintegration der Bundesrepublik. Verfassungsrechtlicher Hebel war die „Öffnungsklausel" des Art. 24. 1952 wurde die Montanunion gegründet mit Frankreich, Italien und den Benelux-Ländern. Aber im selben Jahr gab es großen verfassungsrechtlichen Streit um die deutsche Wiederaufrüstung, der 1954 dadurch gelöst wurde, daß Bundestag und Bundesrat Art. 73 Ziff. 1 geändert haben. Seitdem konnte der Bundestag auch Gesetze erlassen zu Fragen der Verteidigung. Ebenfalls 1954 ist die Bundesrepublik Mitglied der NATO geworden.

Folge dieser außenpolitischen Aufwertung waren Verhandlungen mit den Alliierten über die Aufhebung des Besatzungsstatuts. 1955 führten sie im Deutschland-Vertrag zur vollen Souveränität, allerdings mit etwas unklaren Vorbehalten der Alliierten für den Fall des Notstands. Sie sollten so lange gelten, bis das Grundgesetz dafür eine eigene Regelung erhalten würde. Das dauerte dreizehn Jahre. Es gab viel Streit. Erst 1968 hat die große Koalition aus CDU/CSU und SPD die Notstandsgesetze erlassen, ein kompliziertes Gestrüpp, verteilt über das ganze Grundgesetz. Der von der westdeutschen Linken befürchtete Mißbrauch fand nicht statt. Und auch das der SPD als Ausgleich zugestandene Widerstandsrecht des Art. 20 Abs. 4 brauchte nicht in Anspruch genommen zu werden.

Nach dem Deutschlandvertrag folgten 1957 die Verträge von Rom. Ihr wichtigster war der über die Gründung der Europäischen Wirtschaftsgemeinschaft (Rdz. 342). Die für die westlichen Nachbarn nicht ganz ungefährliche Souveränität der Bundesrepublik war nun durch ihre ökonomische und militärische Einbindung in EWG und NATO endgültig stabilisiert. In diesen Zusammenhang gehört auch die Regelung der immer noch offenen Frage des Saarlandes. Es hatte eine eng mit Frankreich verbundene Sonderstellung und gehörte nicht zu den Ländern der Bundesrepublik. 1954 einigte sich Konrad Adenauer mit dem französischen Ministerpräsidenten Mendès-France auf einen europäischen Status für das Land, der durch eine Volksabstimmung bestätigt werden sollte. Sie fand 1955 statt. Die Saarländer lehnten ab. Das war die Entscheidung für den Beitritt zur Bundesrepublik, der 1956 vom Landtag in Saarbrücken nach Art. 23 GG zum 1. Januar 1957 erklärt worden ist.

1967 kam eine tiefgreifende Änderung der Finanzverfassung zur Bekämpfung der Wirtschaftskrise von 1965/66. Bis dahin diente das Haushaltsrecht nur dem Ziel, einen Ausgleich zu schaffen zwischen Einnahmen und Ausgaben des Staates. Karl Schiller, der Wirtschaftsminister der großen Koalition, brachte dagegen jetzt Theorien von John Maynard Keynes in verfassungsrechtliche Form, nach denen der Staat mit seinem Haushalt auch die Aufgabe hat, im Wege der „Globalsteuerung" für Stabilität und Wachstum der Wirtschaft zu sorgen, durch eine antizyklische Haushaltspolitik. Seitdem heißt es in Art. 109 Abs. 2 GG:

> „Bund und Länder haben bei ihrer Haushaltswirtschaft den Erfordernissen des gesamtwirtschaftlichen Gleichgewichts Rechnung zu tragen."

Die letzte große Ergänzung war der Beitritt der DDR, den ihre Volkskammer am 23. August 1990 zum 3. Oktober beschlossen hat, wie das Saarland nach Art. 23 GG, nicht nach dem eher geeigneten Art. 146. Aber die Ausarbeitung einer neuen Verfassung? Das hätte zu lange gedauert. Stattdessen vereinbarte man in Art. 5 des am 31. August 1990 von den Parlamenten der beiden deutschen Staaten beschlossenen Einigungsvertrages eine Reform des Grundgesetzes. Sie ist weitgehend gescheitert, weil die liberalkonservative Koalition sie nicht wollte. Es wurde zwar eine gemeinsame Verfassungskommission eingesetzt aus Vertretern des Bundestages und des Bundesrates. Aber sie hat nur unwesentliche Änderungen vorgeschlagen. Sie sind vom Bundestag 1994 beschlossen worden, darunter zwei sogenannte Staatsziele, nämlich Förderung der Gleichstellung von Frauen in Art. 3 Abs. 2 Satz 2 und Umweltschutz in Art. 20a, außerdem eine leichte Einschränkung der Zentralisierungstendenzen des Bundes bei der Gesetzgebung. Unabhängig davon war vom Bundestag schon 1993 durch den neuen Art. 16a das Asylrecht des alten Art. 16 Abs. 2 Satz 2 sehr stark eingeschränkt, um nicht zu sagen: abgeschafft worden.

Ähnlich wie 1955 die Souveränität der Bundesrepublik ergänzt worden ist durch die Einbindung in westliche Bündnissysteme, wurde die Wiedervereinigung stabilisiert durch den Vertrag von Maastricht. Er ist 1991 geschlossen worden, die große Erweiterung der römischen Verträge von 1957. Die Europäischen Gemeinschaften wurden ausgebaut zur Europäischen Union, nicht nur mit einer Währungseinheit, sondern auch als politische Gemeinschaft. Weil das eingreift in Kompetenzen der Bundesländer, haben sie im neugeschaffenen Art. 23 GG Mitwirkungsrechte erhalten bei der Entwicklung dieser EU und der neu geordneten EG.

Es gab auch Wandlungen ohne Veränderung des Wortlauts der Verfassung. Die beiden wichtigsten sind die Zentralisierung der Gesetzgebung und das Wertesystem der Grundrechte. Die Zentralisierung der Gesetzgebung steht eigentlich im Gegensatz zum Grundgesetz. In Art. 30, 70 und 83 ist vorgesehen, daß das Schwergewicht staatlicher Tätigkeit bei den Ländern liegen soll, nicht bei den Zentralinstanzen in Bonn. Im Lauf der Zeit hat sich das Verhältnis umgekehrt. Die Bundesrepublik ist zwar nicht ein zentralistischer Einheitsstaat geworden wie die DDR, aber unter dem Motto „Einheit der Lebensverhältnisse" hat die Zentrale in Bonn auf Kosten der Länder immer mehr Kompetenzen an sich gezogen, besonders bei der Gesetzgebung. Es gibt nur ganz wenig Landesgesetze, die für das Leben der Menschen entscheidende Bedeutung haben. Alles Wichtige wird vom Bundestag beschlossen. Das Grundgesetz wollte es anders. Allerdings ist die Umkehrung zu einem Teil dadurch ausgeglichen worden, daß – auch durch die Rechtsprechung des Bundesverfassungsgerichts – die Zustimmungsbefugnisse des Bundesrates erweitert wurden. Immer mehr Gesetze können nur wirksam werden, wenn er einverstanden ist, als Vertretung der Länder. Aber es bleibt die Frage, ob das ein ausreichender Ersatz für ihren Kompetenzverlust ist. Denn letztlich ist auch der Bundesrat eine Bonner Zentralinstanz. Die zweite klammheimliche Wandlung – das Wertesystem der Grundrechte – ist allein in der Rechtsprechung des Bundesverfassungsgerichts entstanden.

329. Bundesverfassungsgericht

Moderne Verfassungsgerichtsbarkeit beginnt mit der Entscheidung des amerikanischen Supreme Court vom 24. Februar 1803 in Sachen Marbury gegen Madison. Damals ist zum erstenmal ein Gesetz für verfassungswidrig erklärt worden. In Deutschland war ähnliches vorgesehen nach § 126 der Paulskirchenverfassung von 1849, die aber nicht wirksam wurde. Und so dauerte es noch einhundert Jahre. In der Weimarer Republik gab es zwar einen Staatsgerichtshof. Er war jedoch im wesentlichen nur zuständig für Prozesse zwischen dem Reich und den Ländern. Als 1924 Richter des Reichsgerichts andeuteten, sie würden in Zukunft möglicherweise Gesetze auf ihre Vereinbarkeit mit der Verfassung überprüfen, folgte in der Wissenschaft eine ausführliche Diskussion. Die Mehrheit war dagegen. Am bekanntesten wurde eine Schrift Carl Schmitts, „Der Hüter der Verfassung", 1929. Richter hätten nicht die Kompetenz, sagte er. Sie sollen Gesetze anwenden, nicht überprüfen. Hüter der Verfassung sei der Reichspräsident. Nachdem jedoch gerade der mit Hitlers Ernennung zum Reichskanzler den Prozeß der Verfassungszerstörung eingeleitet hatte, war man sich einig in Herrenchiemsee und im Parlamentarischen Rat, daß man für die Sicherung der Zukunft ein starkes Verfassungsgericht brauchen würde.

1951 hat es seine Arbeit aufgenommen, in zwei Senaten, jeder mit zwölf Richtern, je zur Hälfte gewählt vom Bundestag und Bundesrat. Im Verfassungsstreit um die Wiederbewaffnung erlebte es 1952 seine erste Krise mit heftigen Angriffen nicht nur des Bundeskanzlers, sondern auch von Justizminister Thomas Dehler, weil es vorläufige Beschlüsse gefaßt hatte, die nach Meinung der beiden in die falsche Richtung gingen. Das

Gericht lavierte sich durch. Es wartete die Wahlen 1953 ab, die Adenauer haushoch gewonnen hat. So konnte er die Verfassung – in Art. 74 Ziff. 1 GG – ändern lassen und die Richter brauchten nicht mehr zu entscheiden. Danach begann die Bundesregierung einen langen und zähen Kampf um die politische Mehrheit im Gericht, den sie im Lauf der Zeit unter anderem dadurch gewonnen hat, daß die Zahl der Richter in beiden Senaten reduziert wurde, 1956 und 1963 um jeweils zwei. Dadurch fielen mehr Sitze derjenigen Richter weg, die von der SPD benannt waren. Seitdem hat jeder Senat nur acht Mitglieder.

In den fünfziger Jahren hat das Gericht mit einer behutsamen liberalen Rechtsprechung seine Autorität begründet und in Fragen der große Politik nur ein einziges Mal gegen Adenauer entschieden, nämlich 1961 gegen seine Pläne für ein Regierungsfernsehen (BVerfGE 12.205). Auch die sechziger Jahre blieben ruhig. Die SPD bereitete sich nach dem Godesberger Programm mit der Umarmungstaktik Herbert Wehners (Rdz. 322) vor auf die Regierungsverantwortung in der großen Koalition und vermied grundsätzliche Auseinandersetzungen mit der CDU/CSU auch vor Gericht. Erst in den siebziger Jahren übernahm das Bundesverfassungsgericht eine beachtliche politische Bremsfunktion für die Reformpolitik der sozialliberalen Koalition mit einer großen Zahl brisanter Entscheidungen, zum Beispiel 1973 gegen die Hochschulreform (BVerfGE 35.79), 1975 gegen die Reform der Strafbarkeit des Schwangerschaftsabbruchs (BVerfGE 39.1) oder 1978 gegen die Wehrdienstverweigerung (BVerfGE 48.127). Nur einmal hat es in einer wichtigen Frage zugunsten der Regierung entschieden, nämlich 1979 beim Mitbestimmungsgesetz (BVerfGE 50.290). Seit den achtziger Jahren bewegte es sich auf einer mittleren Linie. Mal entschied es für die Regierung Kohl – Neuwahlen (BVerfGE 62.1, 1983), Nachrüstung (BVerfGE 68.1, 1984), Bodenreform (BVerfGE 84.90, 1991), Maastricht (BVerfGE 89.155, 1993), AWACS (NJW 94.2207, 1994) – und mal gegen sie: Volkszählungsgesetz (BVerfGE 65.1, 1983), Flick-Akten (BVerfGE 67.100, 1984). Nach dem Kruzifix-Beschluß von 1995 (BVerfGE 93.1) kam seine zweite große Krise, mit heftiger Kritik aus Bonn und maßlosen Angriffen der bayerischen Staatsregierung, die ihren Höhepunkt erreichten auf einer Großdemonstration vor der Münchener Feldherrnhalle.

Im übrigen hat das Bundesverfassungsgericht mit Hunderten anderer Entscheidungen in einer weltweit einmaligen Feinsteuerung großen Einfluß genommen auf die gesamte Entwicklung des Verfassungsrechts der Bundesrepublik, besonders durch seine Rechtsprechung zu den Grundrechten. Schon früh hat es sie nicht nur als Abwehrrechte gegen den Staat verstanden (Rdz. 272), sondern auch als Wertentscheidungen, die für alle Bereiche des Rechts gelten, auch im Zivil- und Strafrecht. Die Verfassung ist seitdem nicht mehr nur der Rahmen für das Funktionieren der Staatsorgane, sondern auch Grundlage der gesamten gesellschaftlichen Ordnung. Das sogenannte Wertesystem. Eine der großen Leistungen des Gerichts. Sie begann 1958 mit

330. BVerfGE 7.198: Lüth-Urteil

Erich Lüth war Senatsdirektor und Leiter der Hamburger Pressestelle. Als Vorsitzender des Hamburger Presseklubs hat er 1950 eine Rede gehalten zur Eröffnung der „Woche des deutschen Films" und kam darauf zu sprechen, daß bald ein neuer Film in die Kinos kommen sollte, den Veit Harlan gedreht hatte, der Regisseur von „Jud Süß", dem schlimmsten antisemitischen Machwerk der Filmgeschichte des Dritten Reichs. Harlan war deswegen sogar wegen Verbrechens gegen die Menschlichkeit nach dem Kontrollratsgesetz Nr. 10 (Rdz. 309) angeklagt und vom Schwurgericht Hamburg nur wegen Befehlsnotstands freigesprochen worden, weil Goebbels ihn am Anfang des Krieges dazu gezwungen habe. Im übrigen sei mit „Jud Süß" der objektive und subjektive Tatbestand eines Verbrechens gegen die Menschlichkeit erfüllt, auch das dafür notwendige „Angriffsverhalten" gegeben, nämlich eine antisemitische Hetze, die das Klima geschaffen hat, in dem der Holocaust möglich wurde.

Erich Lüth sah durch das Wiederauftreten Veit Harlans die Aussöhnung mit Israel gefährdet und sagte deshalb in seiner Rede, Verleiher und Theaterbesitzer müßten jetzt Charakter zeigen. Da hakte die Firma nach, die den neuen Film produzierte. In einem Brief fragte sie, mit welcher Berechtigung er die Erklärung gegen Harlan abgegeben habe. Lüth antwortete in einem offenen Brief, den er der Presse übergab. Es sei nicht nur das Recht, sondern sogar die Pflicht anständiger Deutscher, „sich im Kampf gegen diesen unwürdigen Repräsentanten des deutschen Films über den Protest hinaus auch zum Boykott bereitzuhalten". Daraufhin erwirkte die Firma gegen ihn zunächst eine einstweilige Verfügung und dann auch ein Urteil vor dem Landgericht Hamburg, in dem ihm verboten wurde, das deutsche Publikum aufzufordern, den neuen Film nicht zu besuchen. Der Boykottaufruf sei – nach ständiger Rechtsprechung – eine sittenwidrige Schädigung im Sinne des § 826 BGB. Erich Lüth hat dagegen Verfassungsbeschwerde erhoben. Nach § 90 Abs. 2 Satz 2 BVerfGG ist sie ausnahmsweise auch schon bei Urteilen möglich, gegen die noch Berufung oder Revision eingelegt werden kann, wenn die Frage von allgemeiner Bedeutung ist. Am 15.1.1958 hat das Bundesverfassungsgericht das Urteil des Landgerichts aufgehoben. Es habe Erich Lüths Grundrecht auf Meinungsfreiheit nach Art. 5 Abs. 1 GG verletzt. Die Frage war, ob Grundrechte nur Abwehrrechte gegen den Staat sind. Dazu das Bundesverfassungsgericht (S. 204):

> „Die grundsätzliche Frage, ob Grundrechtsnormen auf das bürgerliche Recht einwirken und wie diese Wirkung im einzelnen gedacht werden müsse, ist umstritten. Die äußersten Positionen in diesem Streit liegen einerseits in der These, daß die Grundrechte ausschließlich gegen den Staat gerichtet seien, andererseits in der Auffassung, daß die Grundrechte oder doch einige und jedenfalls die wichtigsten von ihnen auch im Privatrechtsverkehr gegen jedermann gälten ... Ohne Zweifel sind die Grundrechte in erster Linie dazu bestimmt, die Freiheitssphäre des einzelnen vor Eingriffen der öffentlichen Gewalt zu sichern; sie sind Abwehrrechte des Bürgers gegen den Staat. Das ergibt sich aus der geistesgeschichtlichen Entwicklung der Grundrechtsidee wie aus den geschichtlichen Vorgängen, die zur Aufnahme von Grundrechten in die Verfassungen der einzelnen Staaten geführt haben ...
> Ebenso richtig ist aber, daß das Grundgesetz, das keine wertneutrale Ordnung sein will, in seinem Grundrechtsabschnitt auch eine objektive Wertordnung aufgerichtet hat und daß gerade hierin eine prinzipielle Verstärkung der Geltungskraft der Grundrechte zum Ausdruck kommt. Dieses Wertesystem, das seinen Mittelpunkt in der innerhalb der sozialen Gemeinschaft sich frei entfaltenden menschlichen Persönlichkeit und ihrer Würde findet, muß als verfassungsrechtliche Grundentscheidung für alle Bereiche des Rechts gelten; Gesetzgebung, Verwaltung und Rechtsprechung empfangen von ihm Richtlinien und Impulse. So beeinflußt es selbstverständlich auch das bürgerliche Recht; keine bürgerlich-rechtliche Vorschrift darf in Widerspruch zu ihm stehen, jede muß in seinem Geiste ausgelegt werden."

Deshalb würde die Auslegung des § 826 BGB bei Berücksichtigung der Meinungsfreiheit des Art. 5 Art. 1 GG in diesem Fall ergeben, daß der Boykottaufruf nicht gegen die guten Sitten verstoßen habe. Veit Harlan sei durch „Jud Süß" politisch schwer belastet und Erich Lüth durfte davon ausgehen, daß sein Wiederauftreten als Regisseur die Herstellung eines wahren inneren Friedens mit dem jüdischen Volk gefährden würde. Also könne sein Verhalten nicht als unsittlich im Sinne des § 826 BGB angesehen werden, denn (S. 219):

> „Damit würde der Wert, den das Grundrecht der freien Meinungsäußerung für die freiheitliche Demokratie gerade dadurch besitzt, daß es die öffentliche Diskussion über Gegenstände von allgemeiner Bedeutung und ernstem Gehalt gewährleistet, empfindlich geschmälert. Wenn es darum geht, daß sich in einer für das Gemeinwohl wichtigen Frage eine öffentliche Meinung bildet, müssen pri-

vate und namentlich wirtschaftliche Interessen einzelner grundsätzlich zurücktreten. Diese Interessen sind darum nicht schutzlos; denn der Wert des Grundrechts zeigt sich gerade auch darin, daß jeder von ihm Gebrauch machen kann. Wer sich durch die öffentliche Äußerung eines andern verletzt fühlt, kann ebenfalls vor der Öffentlichkeit erwidern. Erst im Widerstreit der in gleicher Freiheit vorgetragenen Auffassungen kommt die öffentliche Meinung zustande, bilden sich die einzelnen angesprochenen Mitglieder der Gesellschaft ihre persönliche Ansicht."

31. Verwaltungsrecht

„Verfassungsrecht vergeht, Verwaltungsrecht besteht", schrieb Otto Mayer 1924 im Vorwort der 3. Auflage seines Lehrbuchs zum Verwaltungsrecht und meinte damit, seit der letzten Auflage hätte sich nicht viel geändert, obwohl sie noch in der Kaiserzeit erschienen und inzwischen eine Demokratie entstanden war. In der Bundesrepublik zeigte sich, daß dieser Satz falsch ist. Unter dem Einfluß des Grundgesetzes hat sich das Verwaltungsrecht völlig verändert.

Schon 1949 war es nicht mehr so, wie Otto Mayer es um 1900 konstruiert hatte (Rdz. 279). Die Grundstrukturen waren zwar dieselben: Verwaltungsakt, moderner Polizeibegriff (Rdz. 280), Vorbehalt des Gesetzes und die Versagung des Rechtsschutzes im besonderen Gewaltverhältnis der Anstalt, also in Gefängnissen, Kasernen und Schulen. Aber im Dritten Reich hatte Ernst Forsthoff die Leistungsverwaltung entdeckt, in der es keinen Rechtsschutz geben sollte (Rdz. 303). Otto Mayer kannte nur die Eingriffsverwaltung. Und für sie war in der Besatzungszeit der Rechtsschutz erheblich erweitert worden, das alte Enumerationsprinzip ersetzt durch die Generalklausel im Verwaltungsgerichtsgesetz (VGG) der Amerikaner 1946 und in der Militärregierungsverordnung Nr. 165 (MRV 165) der Engländer 1948. In der französischen Zone galten Ländergesetze, die nicht so weit gingen. Aber im großen Gebiet der Bizone konnte jetzt nicht nur geklagt werden, wenn es in einzelnen Gesetzen ausdrücklich vorgesehen war (Enumerationsprinzip), sondern ganz allgemein beim Erlaß oder der Ablehnung eines Verwaltungsakts, der damit zum „Angelpunkt des ganzen Rechtsschutzsystems" (Obermayer) geworden war. Am Beginn der Bundesrepublik gab es also einen Rechtsschutz im gesamten Bereich der Eingriffsverwaltung, aber nicht im Innenbereich und bei der Leistungsverwaltung. Das hat sich grundlegend geändert, ohne einen Federstrich des Gesetzgebers, allein durch die Rechtsprechung, die dabei den Vorgaben des Grundgesetzes in Art. 1 Abs. 3 und Art. 19 Abs. 4 gefolgt ist.

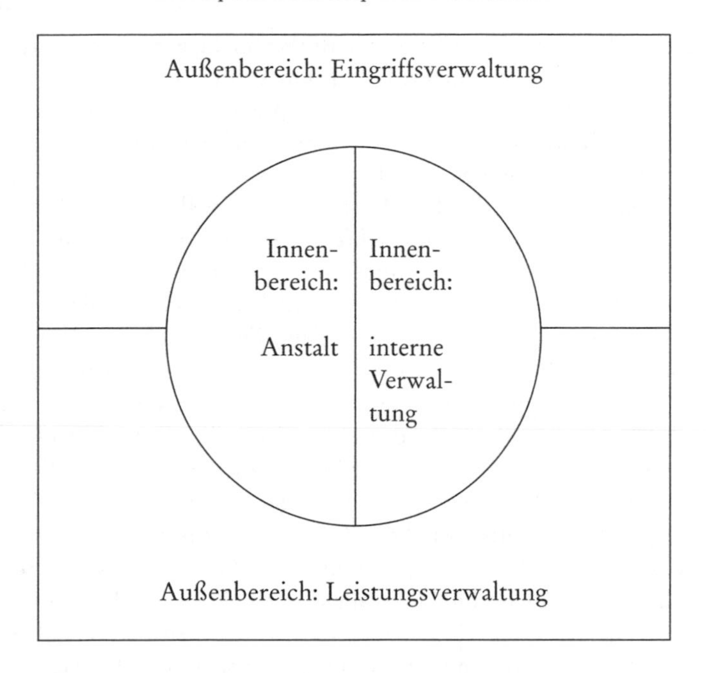

Es begann 1954 mit der Entscheidung des Bundesverwaltungsgerichts zur Fürsorge (Rdz. 332). Sie erweiterte den Rechtsschutz auf die Leistungsverwaltung. Eine „kopernikanische Wende" (Ossenbühl) im Verwaltungsrecht der Bundesrepublik. Ein Jahr später ist sie von Otto Bachof als Subjektivierung des Verhältnisses von Staat und Bürger beschrieben worden. Seitdem steht der Bürger dem Staat nicht mehr als Untertan gegenüber, sondern als Rechtssubjekt mit gleichen Rechten. Das wurde ergänzt durch die Rechtsprechung zur Rücknahme von rechtswidrigen begünstigenden Verwaltungsakten, die seit 1957 nicht mehr ohne weiteres möglich ist, sondern den Vertrauensschutz der Bürger zu beachten hat (OVG Berlin DVBl 1957.503), und 1960 durch den Erlaß der Verwaltungsgerichtsverordnung, die die alliierten Verfahrensgesetze ablöste und mit der allgemeinen Leistungsklage und der Feststellungsklage den Rechtsschutz vom engen Begriff des Verwaltungsrechts unabhängig machte. Ebenfalls 1960 wurde das Bundesbaugesetz erlassen, mit dem sich das Verwaltungsrecht noch mehr vom Eingriffssystem entfernte und das Planungsrecht entstand.

1972 kam der zweite Umsturz im Weltbild des Verwaltungsrechts. Das Bundesverfassungsgericht öffnete nun sogar den bisher tabuisierten Innenbereich für die Überprüfung durch die Verwaltungsgerichte. Seit seinem Beschluß über den Brief des Strafgefangenen (Rdz. 333) gibt es keine „besonderen Gewaltverhältnisse" mehr. Nur noch im eigentlichen Innenbereich der Verwaltung kann der Bürger nicht gerichtlich vorgehen gegen interne und vorbereitende Überlegungen der Behörden.

Auch in der Wissenschaft fand ein entsprechender Wandel statt. Seit den siebziger Jahren hat sich hier die Sonderrechtstheorie gegen die alte Subjektionstheorie durchgesetzt. Es geht um die Abgrenzung von Verwaltungsrecht und Zivilrecht. Handelt die Verwaltung zivilrechtlich, kommt ein Streit vor die Zivilgerichte, im anderen Fall vor die Verwaltungsgerichte. Was also ist der Unterschied zwischen öffentlichem Recht und Zivilrecht? Früher sagte man, öffentlichrechtlich sei alles, was im „Über-Unterordnungsverhältnis" geschieht. Die Subjektionstheorie. Sie entsprach dem Untertanenstaat des 19. Jahrhunderts. Also wurde sie abgelöst durch die Sonderrechtstheorie. Danach handelt Verwaltung öffentlichrechtlich, wenn es dafür Sondervorschriften gibt, die nur ihr Handeln bestimmen, also Bauordnungen oder Polizeigesetze. Wenn eine Behörde Papier kauft im Laden nebenan, gilt das allgemeine Recht des BGB. Kein Sonderrecht. Gibt es Streit, sind die Zivilgerichte zuständig.

In den siebziger Jahren entstand als neues Gebiet des Verwaltungsrechts das Umweltrecht. Eine Leistung der sozialliberalen Koalition Willy Brandts, der schon im Wahlkampf 1961 den blauen Himmel über der Ruhr versprochen hatte. In schneller Folge ergingen neue Gesetze:

1971	Fluglärmgesetz, Benzinbleigesetz
1972	Abfallgesetz
1974	Bundesimmissionsschutzgesetz, Lebensmittelgesetz
1975	Waschmittelgesetz und Umweltstrafrecht als 28. Abschnitt des StGB
1976	Wasserhaushaltsgesetz mit neuer Abwasserabgabe
1977	Düngemittelgesetz
1980	Umweltchemikaliengesetz

Das Umweltbundesamt wurde gegründet und der Rat von Sachverständigen für Umweltfragen. Die ersten Lehrbücher erschienen. Neue Professuren wurden eingerichtet und besondere Vorlesungen gehalten. Aber das Vollzugsdefizit ist noch groß, die Umweltzerstörung noch lange nicht beendet. Aus Untersuchungen darüber ergab sich eine verwaltungsrechtliche Neuentdeckung. Das „informelle Verwaltungshandeln". Dazu gehören – unter Ausschluß der anderen Betroffenen – Vorverhandlungen der Behörden mit den Betreibern von umweltgefährdenden Anlagen, bei denen die Bedingungen durch gegenseitige Zugeständnisse ausgehandelt werden, oft an der Grenze des juristisch Vertretbaren. „Der Staat paktiert nicht", hatte Otto Mayer noch gesagt. Aber bei Großprojekten muß verhandelt werden. Anders geht es nicht. Nur ist die Grenze von der Zusammenarbeit zur Kollaboration schwer zu ziehen.

Das von Otto Mayer begründete Verwaltungsrecht hat sich also stark verändert. Die Fassade steht noch, mit Verwaltungsakt und Vorbehalt des Gesetzes als Grundmauern. Aber im Inneren ist ein völlig neues Gebäude entstanden. Er würde es nicht wiedererkennen. Das neue Verwaltungsrecht ist im Prinzip bürgerfreundlich, ohne verwaltungsfeindlich zu sein. Eine ziemlich feste Grundlage für den aufrechten Gang der Bürger und wohl das erfreulichste Kapitel in der Rechtsgeschichte der Bundesrepublik, wenn man von Ausnahmen absieht wie der Rechtsprechung zu Fragen des Ausländerrechts und der Errichtung von Atomkraftwerken und ihrer Entsorgung.

332. BVerwGE 1.159: Fürsorgeunterstützung

Ein älterer Mann in Hannover erhielt Fürsorgeleistungen, heute: Sozialhilfe. Er lebte in einer Zweizimmerwohnung mit einer Frau, die ihm den Haushalt führte, weil er gebrechlich war. Die Mietbeihilfe wurde ihm deshalb nur zur Hälfte gezahlt, weil die Behörde meinte, die andere Hälfte sollte die Frau zahlen. Gegen die Ablehnung seines Antrages auf den vollen Betrag erhob er Anfechtungsklage. Die Behörde war der Auffassung, die Klage sei nicht nur unbegründet, sondern schon unzulässig, denn bisher konnten Fürsorgeberechtigte nicht klagen, wenn ihre Anträge abgelehnt wurden. Seit Otto Mayer ist für die Anfechtungsklage eine Rechtsverletzung notwendig, heute nach § 42 Abs. 2 VwGO. Ein Fürsorgeempfänger, wurde bis 1954 allgemein gesagt, habe aber keinen Anspruch auf solche Leistungen. Deshalb sei er durch einen ablehnenden Bescheid nicht in seinen Rechten verletzt. Zwar sei die Behörde nach der Fürsorgeverordnung von 1924 verpflichtet, einem Bedürftigen die vorgeschriebene Unterstützung zu zahlen. Aber diese Verpflichtung bestehe nur gegenüber der Allgemeinheit im Interesse der öffentlichen Ordnung, die durch Armut gefährdet werde. Sie bestehe nicht gegenüber dem Armen selbst. Er sei nicht Subjekt einer Forderung gegen den Staat, sondern Objekt einer behördlichen Verpflichtung.

Das Bundesverwaltungsgericht hat 1954 entschieden, diese Auffassung sei mit dem Grundgesetz nicht mehr vereinbar (S. 161 f.):

> „Die unantastbare, von der staatlichen Gewalt zu schützende Würde des Menschen (Artikel 1) verbietet es, ihn lediglich als Gegenstand staatlichen Handelns zu betrachten, soweit es sich um die Sicherung ... seines Daseins überhaupt handelt. Das folgt auch aus dem Grundrecht der freien Persönlichkeit (Artikel 2 Abs. 1). Im Rechtsstaat sind die Beziehungen des Bürgers zum Staat grundsätzlich solche des Rechts; daher wird auch das Handeln der öffentlichen Gewalt ihm gegenüber der gerichtlichen Nachprüfung unterworfen (Artikel 19 Abs. 4). Mit dem Gedanken des demokratischen Staates wäre es unvereinbar, daß zahlreiche Bürger, die als Wähler

die Staatsgewalt mitgestalten, ihr gleichzeitig hinsichtlich ihrer Existenz ohne eigenes Recht gegenüberständen."

Also würde es dem Verfassungsrecht widersprechen, wenn man im Fürsorgerecht den Grundsatz beibehielte, daß die Bedürftigen keinen Anspruch auf Unterstützung hätten (S. 162):

„Soweit das Gesetz dem Träger der Fürsorge zugunsten des Bedürftigen Pflichten auferlegt, hat der Bedürftige entsprechende Rechte und kann daher gegen die Verletzung den Schutz der Verwaltungsgerichte anrufen."

Die Klage war also zulässig, auch wenn sie in diesem Fall für den Kläger kein Erfolg war. Denn, so das Gericht, die Frau könne und müsse die Hälfte der Miete zahlen. Darauf habe er ihr gegenüber einen Anspruch und sei insofern nicht bedürftig. Die Klage war zwar zulässig, aber unbegründet. Trotzdem. Die Tür zur verwaltungsgerichtlichen Kontrolle der Leistungsverwaltung war für die Zukunft geöffnet.

333. BVerfGE 33.1: Der Brief des Strafgefangenen

Im Gefängnis von Celle wurde 1967 ein Brief einbehalten, den ein Gefangener an eine Hilfsorganisation in Hannover geschrieben und in dem er sich abfällig über den Anstaltsleiter geäußert hatte. Der Brief sei beleidigend und würde Anstaltsverhältnisse erörtern, die den Gefangenen nichts angingen. Seine Beschwerde gegen die Einbehaltung wurde vom Oberlandesgericht Celle endgültig zurückgewiesen. Er sei Gefangener in einer Strafanstalt und seine Grundrechte damit eingeschränkt, auch das der Meinungsfreiheit. Das ergebe sich aus dem Zweck der Freiheitsstrafe und dem besonderen Gewaltverhältnis dieser Anstalt. Ihre Leitung sei berechtigt, Briefe von Strafgefangenen zu kontrollieren und dann zurückzuhalten, wenn sie der Sicherheit und Ordnung in der Anstalt widersprechen. Dafür gab es eine entsprechende Dienstordnung des Justizministers. Daran habe sich der Anstaltsleiter gehalten. Der Brief sei zu Recht kontrolliert und eingezogen worden.

Der Gefangene erhob Verfassungsbeschwerde und das Bundesverfassungsgericht hat ihm 1972 Recht gegeben. Im Grundgesetz sei zwar in Artikel 104 die Gefängnisstrafe zugelassen, und deshalb dürfe in Haftanstalten die Bewegungsfreiheit eines Bürgers eingeschränkt werden. Damit sei aber nichts gesagt über die anderen Grundrechte von Gefangenen. Wie für alle Bürger gelte auch hier der Grundsatz, daß Grundrechte eingeschränkt werden dürfen, aber nur auf Grund eines Gesetzes. Der Vorbehalt des Gesetzes. Es könne ja durchaus Gründe geben, auch die Meinungsfreiheit von Gefangenen einzuschränken und ihre Briefe zurückzuhalten, zum Beispiel bei Ausbruchsplänen. Aber das müsse auf gesetzlicher Grundlage geschehen. Dafür brauche man ein Strafvollzugsgesetz, das es damals noch nicht gab. Eine Anordnung des Ministers genüge nicht (S. 11):

> „In Art. 1 Abs. 3 GG werden die Grundrechte für Gesetzgebung, vollziehende Gewalt und Rechtsprechung für unmittelbar verbindlich erklärt. Dieser umfassenden Bindung der staatlichen Gewalt widerspräche es, wenn im Strafvollzug die Grundrechte beliebig oder nach Ermessen eingeschränkt werden könnten. Eine Einschränkung kommt nur dann in Betracht, wenn sie zur Erreichung eines von der Wertordnung des Grundgesetzes gedeckten gemeinschaftsbezogenen Zweckes unerläßlich ist und in der dafür verfassungsrechtlich vorgesehenen Form geschieht. Die Grundrechte von Strafgefangenen können also nur durch oder aufgrund eines Gesetzes eingeschränkt werden ..."

Der Brief nach Hannover ist also mit einiger Verzögerung auf den Weg gegangen und fünf Jahre später – 1977 – hat der Bundestag das Strafvollzugsgesetz erlassen, in dem nun alles geregelt ist. Ein kleiner Brief mit großer Wirkung. Jetzt war Otto Mayers altes Verwaltungsrechtsgebäude endgültig umgebaut. In seiner „Anstalt" gibt es Grundrechte, sie gehört nicht mehr zum Innenbereich. Dort ergehen Verwaltungsakte und es gilt der Vorbehalt des Gesetzes. Das besondere Gewaltverhältnis gibt es nicht mehr, stattdessen auch hier gerichtliche Kontrolle.

334. Justiz und Rechtswissenschaft

Wie überall war auch in der Justiz die Entnazifizierung gescheitert (Rdz. 323). Und es kam noch schlimmer mit dem Gesetz zu Art. 131 GG von 1951. Der Bundestag erfüllte damit einen Auftrag des Parlamentarischen Rates, die Rechtsverhältnisse derjenigen zu klären, die im öffentlichen Dienst des Dritten Reichs beschäftigt und bisher ohne Anstellung geblieben waren. Im wesentlichen handelte es sich um Flüchtlinge, Vertriebene und Berufssoldaten. Die anderen waren sowieso schon wieder im Amt. Der Bundestag erfüllte diesen Auftrag in sehr großzügiger Weise mit Ansprüchen auf Einstellung im öffentlichen Dienst der Bundesrepublik, also auch in der Justiz. Eine im Prinzip richtige Politik Adenauers. Aber sie führte zu dem grotesken Ergebnis, daß an manchen westdeutschen Gerichten der Prozentsatz von NS-Richtern höher war als in der NS-Zeit. Aus dem einfachen Grund, weil die in der sowjetischen Zone entlassenen in den Westen geflohen waren und dazu noch diejenigen kamen, die aus den ehemaligen Ostgebieten des Dritten Reichs vertrieben worden sind. Sie alle mußten bei Einstellungen bevorzugt behandelt werden und so war nach dem Gesetz zu Art. 131 GG die Mitgliedschaft in der NSDAP fast eine Art Einstellungsvoraussetzung der fünfziger Jahre. Erst Anfang der sechziger Jahre wurde das Thema „Ungesühnte Nazijustiz" öffentlich diskutiert und das 1961 erlassene Richtergesetz gab belasteten

NS-Richtern die Möglichkeit, sich ohne finanzielle Nachteile vorzeitig pensionieren zu lassen. Aber nur wenige haben davon Gebrauch gemacht.

Das Thema „Ungesühnte Nazijustiz" und das Versagen der bundesdeutschen Justiz bei der Verfolgung von NS-Unrecht (Rdz. 326) waren in den sechziger Jahren der Anlaß für eine längere öffentliche Justizkritik und Forderungen nach Justizreform. Ralf Dahrendorf schrieb 1962 über „Die Juristen des Monopols" als ein „seiner selbst ungewisses Reservoir der Machtelite wider Willen, das nach Herkunft, Ausbildung, Stellung und Verhalten für die Verfassung der Freiheit nicht vorbereitet ist". Justizreformer wie Theo Rasehorn und Rudolf Wassermann forderten Demokratisierung und Reform der Juristenausbildung. Unerwünschte Verstärkung erhielten sie durch die „Justizkampagne" des Sozialistischen Deutschen Studentenbundes 1967/68, die ihren Höhepunkt erreichte mit einem Satz des „Kommunarden" Fritz Teufel im Prozeß wegen der Demonstration gegen den Besuch des Schahs von Persien 1967 in Berlin. „Naja, wenn's der Wahrheitsfindung dient", sagte er als Angeklagter, nachdem der Richter ihn aufgefordert hatte, er möge sich von seinem Sitz erheben. Mit großer Resonanz in der Öffentlichkeit. Das veränderte das Klima der Justiz in der Bundesrepublik. Seitdem ist es eher liberal, kaum noch autoritär, zumal neue Generationen von Juristen heranwuchsen, die nicht mehr ganz dem Bild entsprachen, das Dahrendorf beschrieben hatte. Die Forderungen der Justizreformer hatten kaum Erfolg. Eine Demokratisierung der Justiz fand nicht statt, auch wenn nun Wahlen stattfinden für die Präsidien der Gerichte seit der Änderung des Gerichtsverfassungsgesetzes 1972. Und die Juristenausbildung ist im Prinzip auch noch so wie vor einhundert Jahren. Eine besondere Art bethlehemitischen Kindermordes. Man versuchte eine Änderung nach dem „Loccumer Modell" mit der Einphasenausbildung, das heißt ohne die bisherige Trennung von theoretischer Ausbildung an der Universität und Referendardienst als Praxis, sondern in ständigem Wechsel, kürzerer Zeit und mit einem einzigen Schlußexamen. Sie fand statt in Augsburg, Bayreuth, Bielefeld, Bremen, Hamburg II, Hannover, Konstanz und Trier. Aber das Experiment – ermöglicht 1971 mit einer Ergänzung durch § 5b im Richtergesetz – wurde 1984 abgebrochen.

Ähnlich wie in der Justiz war die Entwicklung der Rechtswissenschaft. Im Grunde blieb alles beim alten. Man gewöhnte sich an die Demokratie und wurde im Lauf der Zeit etwas liberaler. Fast alle Professoren kamen wieder zurück an die Juristenfakultäten, auch die im Dritten Reich schwer belasteten. Eine der wenigen Ausnahmen war Carl Schmitt (Rdz. 299). Einzige Folge der nationalsozialistischen Rechtsverwüstung war eine kurze Verunsicherung, verbunden mit der Wiederbelebung naturrechtlicher Vorstellungen (Rdz. 249) als Reaktion auf die Verabsolutierung des Staates vorher. Bald ging man wieder über zum Tagesgeschäft normaler juristischer Dogmatik, wie sie sich im 19. Jahrhundert entwickelt hatte. Allerdings kam in den sechziger Jahren auch für die Rechtswissenschaft eine kurze Zeit der Kritik. Zunächst war es der moralische Vorwurf gegen die „Braune Universität" im Dritten Reich und ihre personelle Kontinuität in der Bundesrepublik. Dann folgte eine Methodendiskussion, wie sie in der Zeit der Studentenrevolte allgemein üblich war. Sie wendete sich gegen die formalistische Ausblendung gesellschaftspolitischer Probleme in der juristischen Dogmatik. Ohne Erfolg.

335. Zivilrecht

Im Gegensatz zum Zivilrecht der DDR konnte sich das der Bundesrepublik bruchlos weiterentwickeln auf der Grundlage des BGB, das auch im Dritten Reich nicht angetastet worden ist. Nur die Vorschriften des Eherechts waren herausgenommen und sind im Ehegesetz ausgegliedert gewesen bis 1976. Im übrigen blieb der Wortlaut des BGB im wesentlichen derselbe. Aber es hat sich viel verändert. Am meisten im Schuldrecht, am wenigsten im Sachenrecht. Dabei hat der Bundesgerichtshof die Entwicklung stärker beeinflußt als das Reichsgericht. Richterliche Rechtsfortbildung wurde immer wichtiger, wohl auch deshalb, weil Wirtschaft und Gesellschaft der Bundesrepublik sich schneller verändert haben als im Deutschland der ersten Hälfte des Jahrhunderts.

Im Schuldrecht war es besonders der Schadensersatz. Vertragliche und deliktische Haftung sind ständig ausgeweitet worden. Eine Folge der großen Steigerungen in Produktion, Handel und Verkehr. Die Vertragsfreiheit ist aus sozialen Gründen zunehmend eingeschränkt worden. Und in der Dogmatik des Bereicherungsrechts gab es Anfang der sechziger Jahre einen entscheidenden Umbruch, der aber nur theoretische Bedeutung hatte (Rdz. 154).

Die Ausweitung des vertraglichen Schadensersatzes erfolgte in vielfältiger Weise. Größte Bedeutung hatte 1968 die Entscheidung des Bundesgerichtshofes zur Produzentenhaftung (Rdz. 336), die zwar technisch über das Deliktsrecht gelöst wurde, systematisch aber zum Vertragsrecht gehört. Das Deliktsrecht ist 1954 erweitert worden durch die Anerkennung des Allgemeinen Persönlichkeitsrechts (BGHZ 13.334 „Hjalmar Schacht"), dessen Verletzung seit 1958 sogar die Zahlung von Schmerzensgeld zur Folge hat (BGHZ 26.349 „Herrenreiter"). Die starke Zunahme von Motorisierung und Verkehrsunfällen führte 1964 zur „Kommerzialisierung" entgangener Gebrauchsvorteile (BGHZ 40.345). Seitdem erhält man für Kraftfahrzeuge eine Nutzungsausfallentschädigung in der Zeit der Reparatur nach einem Unfall. Ganz allgemein wurde der „natürliche" Schadensbegriff ersetzt durch den normativen. Der natürliche Schadensbegriff Friedrich Mommsens (Rdz. 282) war eine Scheinlogik. Der neue normative bedeutet eine wertende Abwägung der Interessen von Schädiger und Geschädigten.

Die Einschränkung der Vertragsfreiheit des BGB (Rdz. 282, 285) ist am größten im Arbeitsrecht und im sozialen Mietrecht (Rdz. 337). Wichtig ist sie auch im Gesetz gegen Wettbewerbsbeschränkungen von 1957 (GWB), das sein Schöpfer Ludwig Erhard als Kernstück der sozialen Marktwirtschaft sah, weil marktbeherrschende Kartelle nicht mehr dem Verbraucher die Preise diktieren konnten. Einem verfeinerten Verbraucherschutz dient die Einschränkung der Vertragsfreiheit im Gesetz über Allgemeine Geschäftsbedingungen von 1976 (AGBG). Nach einer Entscheidung des Bundesverfassungsgerichts von 1993 gelten auch strenge Maßstäbe für Bürgschaften oder Schuldmitübernahmen von Familienangehörigen mit geringem Einkommen und Vermögen.

Im Sachenrecht gab es nur zwei wichtige Veränderungen. 1951 kam mit dem Wohnungseigentumsgesetz die Möglichkeit von Sondereigentum und 1956 entstand mit einer Entscheidung des Bundesgerichtshofes (BGHZ 20.88 „Dittmann-Anhänger") das Anwartschaftsrecht als neues dingliches Recht, über das sein Inhaber frei verfügen kann, nämlich der Abzahlungskäufer, der noch nicht alle Raten bezahlt hat. Beides bedingt durch die Kapitalknappheit beim Wiederaufbau in den fünfziger Jahren, der dadurch angekurbelt werden sollte.

Für das Familienrecht blieb der Auftrag des Art. 3 Abs. 2 GG lange unerfüllt. Das Grundgesetz hatte dem Bundestag in Art. 117 eine Frist bis 1953 gesetzt, die ungenutzt ablief. Nun traten alle Vorschriften außer Kraft, die der Gleichberechtigung offensichtlich widersprachen, also das Kündigungsrecht des Mannes für Dienstverträge seiner Frau und der Güterstand der Nutznießung und Verwaltung des Vermögens der Frau durch ihren Mann. Er wurde von der Rechtsprechung ersetzt durch den der Gütertrennung, die 1957 durch das endlich verabschiedete Gleichberechtigungsgesetz ergänzt wurde durch die Zugewinngemeinschaft (§§ 1363–1390 BGB). Dieses Gleichberechtigungsgesetz trug seinen Namen teilweise zu Unrecht. Das entschied das Bundesverfassungsgericht 1959 (BVerfGE 10.59). Der Stichentscheid des Vaters bei der gemeinsamen Erziehung der Kinder war wegen Verstoßes gegen Art. 3 Abs. 2 GG verfassungswidrig. 1976 wurde von der sozialliberalen Koalition das Scheidungsrecht liberalisiert, indem man das Verschuldensprinzip wieder durch das Zerrüttungsprinzip ersetzte. Die gleichzeitige Verbesserung des Namensrechts in § 1355 BGB verstieß aber immer noch gegen Art. 3 Abs. 2 GG und wurde 1991 für verfassungswidrig erklärt (BVerfGE 84.9). Nach dem neuen § 1355 BGB von 1993 kann nun jeder Ehegatte seinen alten Familiennamen behalten. Die von Art. 6 Abs. 5 GG geforderte Gleichstellung der nichtehelichen Kinder mit den ehelichen kam erst 1969, aber unvollständig. Zur selben Zeit entwickelte sich ein neues dazugehöriges Rechtsinstitut, die nichteheliche Lebensgemeinschaft. Ihre

Anerkennung wurde 1970 eingeleitet durch die Abkehr des Bundesgerichtshofes von seiner bisherigen Rechtsprechung zum sogenannten Geliebtentestament, das seitdem grundsätzlich nicht mehr sittenwidrig ist (BGHZ 53.369), und 1974 durch die Streichung des Kuppeleiparagraphen, nach dem bisher beim Zusammenwohnen nichtehelicher Paare die Vermieter mit einem Bein im Gefängnis standen. Auf vielfältige Weise ist diese Lebensgemeinschaft inzwischen allmählich juristisch akzeptiert worden, durch die Rechtsprechung zur gemeinsamen Wohnung (§§ 549 Abs. 2, 569a BGB), beim Sorgerecht für gemeinsame Kinder (BVerfGE 84.168) und im Sozialhilfe- und Steuerrecht (Bundesfinanzhof NJW 1994.2911). Für die Zukunft bedeutet es, daß eine neue freie Eheform neben der gesetzlichen des BGB entsteht, ähnlich wie sich im römischen Recht die freie Ehe neben der manus-Ehe entwickelt hat (Rdz. 143) oder im deutschen Mittelalter die Friedelehe neben der munt-Ehe (Rdz. 224).

336. BGHZ 51.91: Hühnerpest-Fall

1963 ließ eine Hühnerfarm ihren ganzen Bestand gegen Hühnerpest impfen. Wenige Tage danach brach die Hühnerpest aus und viertausend Tiere waren tot, weil der Impfstoff nicht ausreichend immunisiert gewesen ist. Die Hühnerfarm klagte gegen das Impfstoffwerk auf Schadensersatz in Höhe von über 100000 Mark und hat den Prozeß 1968 endgültig gewonnen. Das war der Beginn einer allgemeinen Produzentenhaftung in der Bundesrepublik, die vom Bundesgerichtshof mit einer Reihe anderer Urteile ausgebaut und 1989 ergänzt worden ist durch ein Produkthaftungsgesetz des Bundestages, das aber nicht so weit reicht wie diese Rechtsprechung und nur erlassen wurde aufgrund einer Richtlinie der Europäischen Gemeinschaft (Rdz. 342), die in den Mitgliedstaaten ein gemeinsames Minimum garantieren sollte.

Es war lange fraglich, auf welcher Grundlage solche Ansprüche gegen Hersteller begründet werden können für Schäden durch ihre fehlerhaften Produkte. Die Schwierigkeit besteht darin, daß regelmäßig keine vertraglichen Beziehungen zwischen den Herstellern und den Verbrauchern existieren, weil Händler zwischengeschaltet sind. Vertragliche Beziehungen sind aber wichtig, weil hier bei Schadensersatzansprüchen auch das Verschulden von Mitarbeitern zählt (§ 278 BGB), anders als beim Schadensersatz aus Delikt nach § 823 BGB, wo das regelmäßig nicht der Fall ist (§ 831 BGB). Seit langem versuchte man es über vertragliche Hilfskonstruktionen, was aber nur in Ausnahmefällen gelang. Seit dieser Entscheidung des Bundesgerichtshofes im Hühnerpestfall geht man einen anderen Weg. Die Produzentenhaftung wird gestützt auf § 823 BGB aus Delikt, also einer allgemeinen Verletzung von Eigentum oder Gesundheit ohne vertragliche Sonderbeziehung. Das Problem des dafür notwendigen eigenen Verschuldens des Inhabers der Firma löst man über eine Umkehr der Beweislast. Nicht mehr der Geschädigte muß beweisen, daß der

Produzent schuldhaft gehandelt hat, sondern der Fabrikant muß beweisen, daß ihn kein Verschulden trifft. Und das ist meistens unmöglich, wie im Fall der Hühnerpest. Regelmäßig geht es um Fragen der Organisation im Betrieb oder Fehler der Konstruktion. Der Geschädigte hat keinen Einblick in den Betrieb. Und wenn nicht geklärt werden kann, daß Organisation des Betriebes und Konstruktion der Produkte fehlerfrei sind, geht das zu Lasten des Herstellers. Denn in seinem Bereich liegen die Ursachen dafür, daß dies nicht geklärt werden kann. Also ist es auch gerecht, sagt der Bundesgerichtshof, wenn er das Risiko der Beweislast trägt.

Beim Impfstoff gegen Hühnerpest war nicht zu klären, ob die Gefahr unzureichender Immunisierung hätte vermieden werden können durch eine maschinelle Abfüllung. Die Flaschen waren durch Umschütten von Hand gefüllt worden. Dabei konnten möglicherweise eher Fehler passieren. Also war ein Organisationsfehler möglich und damit ein Verschulden bei der Erfüllung jener allgemeinen Verkehrssicherungspflicht, die jeder hat, der Produkte auf den Markt bringt. Aufgrund der Beweislastumkehr mußte deshalb angenommen werden, daß der Inhaber des Impfstoffwerks fahrlässig und damit schuldhaft gehandelt hatte, wie es nach § 823 BGB notwendig ist. Ein Kunstgriff. Und im Grunde eine Haftung ohne Verschulden gegen den Wortlaut des Gesetzes. Aber eine sinnvolle Rechtsprechung, denn die Produzenten können dieses Risiko über den Preis wieder auf die Verbraucher abwälzen, die damit zu einer Solidargemeinschaft werden, in der jeder mit einem etwas höheren Preis dafür sorgt, daß der einzelne nicht schutzlos ist, wenn ihn der Zufall eines fehlerhaften Produkts trifft.

337. Arbeitsrecht und soziales Mietrecht

Im individuellen Arbeitsrecht wurde ausgebaut, was in der Weimarer Zeit und im Dritten Reich entwickelt war (Rdz. 287, 302). 1952 sind das Kündigungsschutzgesetz und das Mutterschutzgesetz erlassen worden, 1963 das Bundesurlaubsgesetz. Die – sechswöchige – volle Lohnfortzahlung bei Krankheit war für Angestellte schon 1930 im damaligen § 616 Abs. 2 BGB geregelt. Für Arbeiter wurde sie 1956/57 im längsten Streik der Bundesrepublik von der IG Metall in Schleswig-Holstein tarifvertraglich durchgesetzt, breitete sich in anderen Tarifverträgen weiter aus, ist 1969 im Lohnfortzahlungsgesetz geregelt worden und 1994 für Arbeiter und Angestellte gemeinsam im Entgeltfortzahlungsgesetz, das schließlich 1996 wieder eingeschränkt wurde auf die Zahlung von 80 % des Lohns, die in Tarifverträgen aber meistens auf 100 % erhöht worden ist.

Das kollektive Arbeitsrecht war im Dritten Reich beseitigt und kam auch in der Bundesrepublik nicht wieder auf den Stand der Weimarer Zeit. Das Streikrecht ist durch die Gerichte erheblich eingeschränkt worden nach einer Formel, die Hans Carl Nipperdey 1952 entwickelt hat. Danach ist jeder Streik grundsätzlich ein rechtswidriger Eingriff in das

Recht am eingerichteten und ausgeübten Gewerbebetrieb und verpflichtet zum Schadensersatz. Seitdem stehen Gewerkschaften unter dem Druck von Millionenforderungen der Unternehmer. Dieses Recht am eingerichteten und ausgeübten Gewerbebetrieb war am Anfang des Jahrhunderts vom Reichsgericht als „sonstiges Recht“ im Sinne des § 823 Abs. 1 BGB anerkannt worden für Klagen wegen Wettbewerbsverstößen zwischen Unternehmen, aber ausdrücklich nicht für Schadensersatzforderungen wegen Streik (RGZ 64.56, 1906):

> „Zu den an sich erlaubten Handlungen gehören auch die Koalitionen gewerblicher Arbeiter zur Erlangung günstiger Lohn- und Arbeitsbedingungen, und die zur Erreichung dieses Zweckes von solchen Koalitionen oder ihnen zur Seite tretenden Personen ergriffenen Maßnahmen sind keineswegs schon deshalb rechtswidrig, weil durch sie bestehende selbständige Gewerbebetriebe geschädigt werden. Es kann sich also nur darum handeln, ob die ... ins Werk gesetzten Maßregeln über dasjenige hinausgehen, was in dem Lohn- und Klassenkampf zwischen Arbeitgebern und Arbeitnehmern als statthaft anzusehen ist.“

Das sei dann eine sittenwidrige Schädigung nach § 826 BGB, aber nur in Ausnahmefällen. Das änderte sich jetzt in der Rechtsprechung der Arbeitsgerichte. Seit 1952 dient § 823 Abs. 1 BGB auch dem Zweck, Streiks in die engen Bahnen bestimmter Voraussetzungen zu zwingen, die in der Nipperdeyschen Formel als „sozialadäquat“ bezeichnet werden (zuerst LAG Frankfurt Betriebsberater 1953.290). Das war eine der Ursachen dafür, daß in der Bundesrepublik verhältnismäßig wenig gestreikt wird, und damit wohl auch eine der Bedingungen für das „Wirtschaftswunder“ der fünfziger und sechziger Jahre. Die ebenfalls unternehmerfreundliche Rechtsprechung des Bundesarbeitsgerichts zur Aussperrung wurde dagegen seit den siebziger Jahren teilweise zurückgenommen. Zunächst sagte es, jedes Arbeitsverhältnis werde durch sie aufgelöst und müsse danach neu begründet werden (BAG NJW 1955.882). Seit 1971 wirkt sie nur noch suspendierend, nicht lösend (BAG NJW 1971.1668), und steht seit 1980 sogar unter dem Vorbehalt der Verhältnismäßigkeit (BAG NJW 1980.1642). Auch zum Streik wurde das Gericht etwas milder. Seit 1976 sind immerhin kurze Warnstreiks zulässig (BAG NJW 1977.1079). Allerdings wurde das Arbeitskampfrisiko der Gewerkschaften 1986 vom Bundestag wesentlich erhöht durch eine Neufassung von § 116 Arbeitsförderungsgesetz. Seitdem gibt es kein Arbeitslosengeld, wenn Betriebe ihre Produktion einstellen müssen wegen Zulieferungsschwierigkeiten durch Streiks in anderen Gebieten. Das zwingt die Gewerkschaften, auch hier viele Millionen zu zahlen.

Das soziale Mietrecht vom Ende der Weimarer Zeit (Rdz. 287) blieb zunächst erhalten. Aber 1960 erging das „Gesetz zum Abbau der Wohnungszwangswirtschaft und über ein soziales Miet- und Wohnrecht". Ein Etikettenschwindel. Trotz einer vorsichtigen Sozialklausel in § 556a BGB wurde letztlich soziales Mietrecht wieder zu einem Notrecht gemacht (vgl. Rdz. 287), das auch noch schrittweise abgeschafft und ersetzt werden sollte durch die Rückkehr zur Vertragsfreiheit des BGB. Es war vorgesehen, daß bis 1965 alle Städte und Landkreise aus der „Zwangswirtschaft" ausscheiden. Dieser Schlußtermin wurde allerdings immer wieder verschoben und dann geschah 1971 ein Wunder. Die sozialliberale Koalition einigte sich auf die Wiedereinführung eines sozialen Mietrechts. Seitdem ist eine Kündigung durch den Vermieter grundsätzlich unzulässig. Nur bei Vertragsverletzungen durch den Mieter ist sie möglich, bei Eigenbedarf des Vermieters oder wirtschaftlicher Neuverwertung des Grundstücks. Mieterhöhungen wurden besonders geregelt. 1974 ist dieser Kündigungsschutz als § 564b in das BGB übernommen worden, die wichtigste soziale Änderung innerhalb dieses Gesetzes seit 1900. Allerdings hat die liberalkonservative Koalition sie gleich 1982 teilweise wieder zurückgenommen. Zeitmietverträge und Staffelmieten wurden zulässig und Mieterhöhungen in höherem Maße möglich als vorher. Hinzu kam ein für Vermieter übermäßig günstiges Urteil des Bundesverfassungsgerichts zur Kündigung wegen Eigenbedarfs, die seitdem weitgehend unabhängig davon ist, ob sie tatsächlich eine Wohnung für sich oder ihre Angehörigen brauchen (NJW 89.970).

338. Strafrecht

Am Anfang der Strafrechtsgeschichte der Bundesrepublik steht Art. 102 des Grundgesetzes:

> „Die Todesstrafe ist abgeschafft."

Das war nicht nur eine Reaktion auf ihren maßlosen Mißbrauch im Dritten Reich, sondern auch das Signal für eine allgemeine Liberalisierung des Strafens. Aber sie ließ lange auf sich warten. Zwar wurde 1953 die Möglichkeit der Strafaussetzung zur Bewährung eingeführt, eine der Forderungen der modernen Schule Franz von Liszts (Rdz. 293). Trotzdem blieb die klassische Schule Karl Bindings und seiner Vergeltungstheorie (Rdz. 293) herrschende Meinung in Rechtsprechung und Literatur, geprägt durch eine harte Haltung der Justiz. Noch 1954 konnte eine Mutter wegen Kuppelei zu Zuchthaus verurteilt werden, wenn sie dem Verlobten ihrer erwachsenen Tochter erlaubte, über Nacht in der gemeinsamen Wohnung zu bleiben (BGHSt 6.53). Auch der amtliche Entwurf für eine Strafrechtsreform von 1962 – E 62 – bewegte sich auf dieser Linie. Neben der Gefängnisstrafe sollte es weiter das Zuchthaus geben, die kurzen Freiheitsstrafen bestehen bleiben – die Franz von Liszt für besonders gefährlich gehalten hatte – und die Strafe für Ehebruch sogar erhöht werden. Nun regte sich allmählich Widerspruch in der Wissenschaft. 1966 veröffentlichte eine Gruppe von vierzehn jüngeren Professoren – unter ihnen Jürgen Baumann, Werner Maihofer und Klaus Roxin – einen Alternativentwurf, AE 66. Hier stand die Spezialprävention im Vordergrund (Rdz. 259) mit Forderungen nach einer Einheitsstrafe, Wegfall der kurzen Freiheitsstrafen, Erweiterung der Strafaussetzung zur Bewährung, Verwarnung mit Vorbehalt und Absehen von Strafe. Dieser AE 66 traf zeitlich zusammen mit der Bildung der großen Koalition. In ihr war ein Sozialdemokrat Justizminister geworden, Gustav Heinemann. Bevor er 1969 zum Bundespräsidenten gewählt wurde, hat er jene „Reform auf Raten" vorbereitet, die dann von den Sozialliberalen bis zur Mitte der siebziger Jahre vollendet wurde. Nun hatte die moderne Schule sich endlich durchgesetzt, nach einem Dreivierteljahrhundert. 1968 ist das Ordnungswidrigkeitengesetz erlassen worden, das Bagatelldelikte entkriminalisierte. Und von 1969 bis 1974 ergingen vier Strafrechtsreformgesetze, bis das Strafgesetzbuch 1975 endgültig in einer Neufassung veröffentlicht wurde. Die Strafbarkeit des Ehebruchs wurde abgeschafft, ebenso die der Homosexualität unter erwachsenen Männern und die Kuppelei auf schwere Fälle reduziert. Geldstrafen traten an die Stelle von kurzen Freiheitsstrafen und dafür wurde das Tagessatzsystem eingeführt. Am meisten umstritten war die Reform des Schwangerschaftsabbruchs. Die neue Fristenlösung der §§ 218 bis 219 von 1974 wurde 1975 vom Bundesverfassungsgericht aufgehoben (BVerfGE 39.1). Dann beschloß der Bundestag 1976 eine Indikationslösung. Sie blieb bis 1992, als eine neue Fristenlösung beschlossen wurde, um die Frauen in den neuen Bundesländern nicht schlechter zu stellen als vorher. In der DDR war seit 1972 der Schwangerschaftsabbruch innerhalb von zwölf Wochen erlaubt (Rdz. 319). Die neue Lösung des Bundestages enthielt eine zusätzliche Beratungspflicht. Aber auch dieses Gesetz hat das Bundesverfassungsgericht 1993 für verfassungswidrig erklärt (BVerfGE 88.203). Erst seit 1995 gilt eine Neufassung, nämlich eine Fristenlösung mit einer Beratungspflicht, die nach § 219 StGB die Aufgabe hat, „die Frau zur Fortsetzung der Schwangerschaft zu ermutigen".

Insgesamt hat sich seit dem AE 66 eine Tendenz zur Liberalisierung durchgesetzt. Sie ist durch die Rechtsprechung verstärkt worden. Zum Beispiel im Fall des Prototyps aller Straftaten, des Mordes. 1976 hat das Landgericht Verden nach Art. 100 GG einen Mordprozeß ausgesetzt, weil es den § 211 StGB für verfassungswidrig hielt, und die Frage dem Bundesverfassungsgericht vorgelegt. Der Übergang zum einfachen Totschlag des § 212 StGB sei fließend. Es käme auf Nuancen an. Aber die Rechtsfolgen seien völlig verschieden. Beim Totschlag können mildernde Umstände im Rahmen von fünf bis fünfzehn Jahren Freiheitsstrafe berücksichtigt werden. Für Mord gibt es ohne Ausnahme nur lebenslang. Das sei ein Verstoß gegen den Gleichheitssatz. Außerdem zerstöre die lebenslange Freiheitsstrafe die Persönlichkeit des Gefangenen. Das widerspräche der Würde des Menschen. Das Bundesverfassungsgericht hat 1977 entschieden (BVerfGE 45.187), § 211 StGB sei noch verfassungsgemäß, wenn man ihn eng auslegt. Dem ist die Rechtsprechung im Ergebnis gefolgt (Rdz. 339). Für die zerstörerische Wirkung der lebenslangen Strafe gäbe es noch keine sicheren wissenschaftlichen Erkenntnisse. Aber der Gesetzgeber müsse dafür sorgen, daß ein Gefangener nach angemessener Frist entlassen werden könne. Das hat der Bundestag 1981 getan. Nach § 57a StGB beträgt die Frist jetzt regelmäßig fünfzehn Jahre.

In der Strafrechtswissenschaft gab es eine merkwürdige Entwicklung. Sie hat im wesentlichen theoretische Bedeutung. Der Übergang von der kausalen zur finalen Handlungslehre in den siebziger Jahren. Er ist noch nicht vollkommen gelungen, beherrscht aber letztlich das Bild der Lehrbücher und ist auch von der Rechtsprechung teilweise akzeptiert. Die finale Handlungslehre wurde von Hans Welzel in den dreißiger Jahren entwickelt und entspricht seiner konservativen Einstellung , damals mit einer gewissen Nähe zum Nationalsozialismus (Rdz. 299). Ob sie mit der freiheitlichen Ordnung einer pluralistischen Gesellschaft vereinbar ist, bleibt zweifelhaft. Immerhin hat sie den Vorteil, daß die Wissenschaft nun unabhängig von der Frage des Vorsatzes im Rahmen der Schuld endlich auch einmal die Ursachen von Kriminalität diskutieren könnte. Was bisher nicht geschehen ist.

339. BGHSt 30.105: Türkenmordfall

Im März 1979 tötete der türkische Angeklagte seinen Onkel, der ein Jahr vorher die Frau dieses Neffen vergewaltigt hatte. Die Ehe war dadurch zerstört und die Frau hatte versucht, sich das Leben zu nehmen. An jenem Tag im März 1979 trafen sich die beiden Männer auf der Straße. Der Onkel verhöhnte seinen Neffen und protzte mit der Vergewaltigung. Der Angeklagte ging nach Hause, holte eine Pistole, folgte dem Onkel in ein Lokal, der dort an einem Tisch saß und Karten spielte, stellte sich an die Theke, wußte, daß der andere keinen Angriff erwartete und erschoß ihn. Das Schwurgericht München hat den Neffen wegen Mordes zu lebenslanger Freiheitsstrafe verurteilt. Der Bundesgerichtshof hob das Urteil auf, verwies zurück und sagte, es sei zwar Mord, aber er müsse milder bestraft werden. An sich geht das nicht. § 211 StGB gibt keinen Spielraum. Nach Meinung des Bundesverfassungsgerichts hätte man hier das in § 211 StGB genannte Mordmerkmal „Heimtücke" eng auslegen sollen. Heimtücke, sagt man, ist das Ausnutzen der Arg- und Wehrlosigkeit des Opfers.

Sie war hier an sich gegeben, aber nicht, wenn man zusätzlich noch eine niedrige Gesinnung gefordert hätte. Das wollte der Bundesgerichtshof nicht. Es war ihm zu ungenau. Also nicht „negative Typenkorrektur", sondern „Rechtsfolgenlösung". Es sei zwar Mord, aber die Rechtsfolge, sagte der Bundesgerichtshof, dürfe in besonderen Fällen nicht lebenslange Freiheitsstrafe sein. Das ergäbe sich aus dem verfassungsrechtlichen Grundsatz der Verhältnismäßigkeit. In diesen Fällen müsse die Strafe nach § 49 StGB gemildert werden. Einer Vorschrift, die an sich nur anwendbar ist, wenn in einem Straftatbestand ausdrücklich auf sie verwiesen wird. Das tut § 211 StGB nicht. Aber man muß sie analog anwenden, meint der Bundesgerichtshof. Analogie zugunsten des Angeklagten ist auch im Strafrecht möglich und sie sei für § 211 StGB notwendig bei außergewöhnlichen Umständen, die das Gericht in folgender Weise beschreibt:

> „Durch eine notstandsnahe, ausweglos erscheinende Situation motivierte, in großer Verzweiflung begangene, aus tiefem Mitleid oder aus ‚gerechtem Zorn' auf Grund einer schweren Provokation verübte Taten können solche Umstände aufweisen, ebenso Taten, die in einem vom Opfer verursachten und ständig neu angefachten zermürbenden Konflikt oder in schweren Kränkungen des Täters durch das Opfer, die das Gemüt immer wieder heftig bewegen, ihren Grund haben."

Solche außergewöhnlichen Umstände hätten zum Mord im März 1979 geführt, denn der Onkel habe nicht nur die Frau des Angeklagten vergewaltigt, sondern ihn auch noch zusätzlich in höchstem Maße provoziert. Also müsse die Strafe herabgesetzt werden.

340. Politisches Strafrecht

Das politische Strafrecht der Bundesrepublik entwickelt sich in Phasen mit stetigem Wechsel von Verschärfung und Liberalisierung. Am Anfang stand die Verschärfung der fünfziger Jahre. Zwischen Hochverrat und Landesverrat schob sich 1951 ein neuer Abschnitt „Staatsgefährdung". Hochverrat ist der Umsturz von innen, Landesverrat die Unterstützung des äußeren Feindes. Kommunisten waren nun sowohl innerhalb der Bundesrepublik tätig als auch außerhalb in der DDR und deshalb Staatsgefährdung die Kombination von Hoch- und Landesverrat. Eine neue Situation.

Wichtigste Vorschrift der neuen §§ 88 bis 98 StGB war § 90a. Er richtete sich gegen die KPD als „verfassungsverräterische Vereinigung". Bloße Mitgliedschaft reichte nicht aus. Aber nach der Rechtsprechung des Bundesgerichtshofes war man schon Rädelsführer bei nur „auf das Technische gerichteter Tätigkeit", die „keinerlei Führereigenschaften" erforderte. Tausende Kommunisten waren in den Gefängnissen, die Strafen allerdings bei weitem nicht so hoch wie die gegen politische Gegner in der DDR.

Die sechziger Jahre brachten eine Liberalisierung. Die Wende kam mit einer Entscheidung des Bundesverfassungsgerichts 1961, das die Bestrafung der Arbeit für die KPD vor ihrem Verbot 1956 für verfassungswidrig erklärte (BVerfGE 12.296). 1968 wurden die Tatbestände der Staatsgefährdung zum Teil gestrichen, zum Teil entschärft und im 1. Abschnitt mit dem Hochverrat zusammengefaßt als „Gefährdung des demokratischen Rechtsstaats". Gleichzeitig erging eine Amnestie für die Delikte des bisherigen 2. Abschnitts. Abschluß dieser liberalen Phase war 1970 die Entschärfung des Landfriedensbruchs und eine Amnestie für diese Straftaten als Versuch einer Integration der neuen Linken aus der Studentenrevolte.

Die dritte Phase der siebziger und achtziger Jahre ist bestimmt durch terroristische Anschläge der „Roten Armee Fraktion" RAF und durch wachsenden Widerstand gegen Atomkraftwerke und andere Großprojekte. Strafrecht und Strafprozeß wurden ständig verschärft. Mit der „lex Stammheim" wurde 1974 der Prozeß gegen die RAF vorbereitet durch prozessuale Einschränkungen von Rechten der Angeklagten und ihrer Verteidigung. 1976 erging das Gesetz zum Schutze des Gemeinschaftsfriedens mit Gummiparagraphen für Meinungsäußerungsdelikte (§§ 88a, 130a StGB) und das Antiterrorismusgesetz mit dem neuen Tatbestand der terroristischen Vereinigung in § 129a StGB und der damit automatisch verbundenen Untersuchungshaft, ergänzt 1978 durch die Trennscheibe für Gespräche der Gefangenen mit Verteidigern und Besuchern. 1985 und 1989 wurde der Landfriedensbruch wieder verschärft und 1986 der § 129a StGB („lex Wackersdorf"). 1989 ist die Kronzeugenregelung eingeführt worden.

Ein Menetekel bleibt der Stammheimer Prozeß gegen fünf Mitglieder der RAF wegen Bombenanschlägen in Frankfurt und Heidelberg, bei denen vier amerikanische Soldaten getötet wurden. Er begann 1975 und stand von vornherein unter außergewöhnlichen Belastungen, nicht nur durch das Sondergesetz und die extreme Haltung der Angeklagten. Der Vorsitzende des 2. Senats des Oberlandesgerichts Stuttgart war offenkundig zum Zweck der Führung dieses Prozesses eingesetzt worden. Die Haftbedingungen waren zum Teil unerträglich mit der Folge von ständigen Hungerstreiks der Angeklagten. Gerichtssaal war ein Betonbunker ohne Fenster. Im, um das und auf dem Gelände Hunderte Bewaffnete, draußen Helicopter und spanische Reiter. Die Verteidiger wurden stark behindert, ihre vertraulichen Gespräche mit den Angeklagten rechtswidrig heimlich abgehört. Der Vorsitzende Richter gab unveröffentlichtes Material gegen einen von ihnen an die Presse und mußte deshalb ausscheiden. Zwei Angeklagte – Holger Meins und Ulrike Meinhof – starben vor dem Urteil, das 1977 erging. Die übrigen drei – Andreas Baader, Gudrun Ensslin und Jan Carl Raspe – erhielten lebenslange Freiheitsstrafen.

Bevor das Urteil rechtskräftig wurde, kam der „deutsche Herbst" mit der Entführung und Ermordung des Arbeitgeberpräsidenten Schleyer, dem Kontaktsperregesetz für die Verurteilten und schließlich die „Nacht von Mogadischu", die Befreiung einer entführten Lufthansamaschine am 18. Oktober 1977. Morgens fand man die drei in ihren Zellen. Zwei waren tot. Der dritte starb im Krankenhaus.

Nach der Wiedervereinigung wird die Justiz in den neunziger Jahren wieder liberal, besonders in ihrer Haltung gegenüber ausländerfeindlichen Straftaten von rechts wie denen in Hoyerswerda und Hünxe 1991, Rostock und Mölln 1992, Solingen 1993 und Magdeburg 1994. Die Gerichte bewegen sich mit ihren Urteilen auf den normalen Bahnen wie bei Straftaten ohne politischen Hintergrund. Zum erstenmal in der Strafrechtsgeschichte der Bundesrepublik gab es im politischen Bereich kaum Ausschläge nach oben oder unten.

341. Verfolgung von DDR-Unrecht

Im Einigungsvertrag (Rdz. 328) war 1990 ein neuer Art. 315 des Einführungsgesetzes zum Strafgesetzbuch der Bundesrepublik beschlossen worden. Absatz 1 Satz 1:

> „Auf vor dem Wirksamwerden des Beitritts in der Deutschen Demokratischen Republik begangene Taten findet § 2 des Strafgesetzbuches mit der Maßgabe Anwendung, daß das Gericht von Strafe absieht, wenn nach dem zur Zeit der Tat geltenden Recht der Deutschen Demokratischen Republik weder eine Freiheitsstrafe noch eine Verurteilung auf Bewährung noch eine Geldstrafe verwirkt gewesen wäre."

Damit erhielt die Justiz der Bundesrepublik das Recht und die Pflicht zur Verfolgung von Straftaten, die in der DDR begangen worden waren, wenn die Täter noch nicht verurteilt sind. Dazu gehörte die gesamte Kriminalität. Aber in erster Linie zielte es auf Unrecht von Regierung, Militär und Justiz der DDR. Art. 315 EGStGB bedeutet, daß man sich sowohl nach dem Recht der DDR als auch nach dem der Bundesrepublik strafbar gemacht haben muß. Bei unterschiedlicher Strafhöhe sei das mildere Gesetz anzuwenden. Überlegungen für eine Amnestie waren damit hinfällig. Die überwiegende Stimmung im Osten war dagegen und auch aus der SPD kam Widerstand.

Anfang 1991 begannen Prozesse wegen Vermögensschiebereien der alten Führungsspitze, die mit Bewährungsstrafen endeten, und seit September 1991 liefen die „Mauerschützenprozesse" gegen insgesamt etwa einhundert Grenzsoldaten wegen der Toten an der Berliner Mauer. Es gab viele Freisprüche. Die meisten erhielten Bewährungsstrafen und nur Exzeßfälle – wie die Erschießung eines schon festgenommenen Flüchtlings – wurden bis zu zehn Jahren bestraft. Von November 1992 bis September

1993 fand vor dem Berliner Landgericht der „Honecker-Prozeß" statt, gegen sechs Mitglieder des Nationalen Verteidigungsrats (Rdz. 310) wegen der Toten an Mauer und Stacheldraht. Erich Mielke und Willi Stoph schieden wegen Verhandlungsunfähigkeit schon am Anfang aus, Erich Honecker im Januar 1993 nach einem Beschluß des Berliner Verfassungsgerichtshofes, weil nach ärztlichen Gutachten zu erwarten war, daß er vor dem Ende des Prozesses sterben würde. Verteidigungsminister Keßler, Generalstabschef Streletz und der Chef des SED-Bezirks Suhl Albrecht erhielten Freiheitsstrafen von fünf bis sechseinhalb Jahren. Im Oktober 1993 ist Erich Mielke von demselben Gericht zu sechs Jahren verurteilt worden, weil er 1931 zwei Berliner Polizisten ermordet hatte. 1995 begannen drei weitere Prozesse wegen der Toten an der Grenze, ebenfalls vor dem Landgericht Berlin, nämlich gegen acht Generäle des Verteidigungsministeriums, sechs Kommandeure der Grenztruppen und sechs Mitglieder des Politbüros der SED, unter ihnen Egon Krenz, der 1989 Nachfolger Honeckers geworden war. Das Urteil gegen die Grenztruppenkommandeure erging 1996. Ihr Chef Baumgarten erhielt eine Freiheitsstrafe von sechseinhalb Jahren, die anderen jeder etwas mehr als drei Jahre.

Tausende Verfahren wurden eingeleitet gegen Richter und Staatsanwälte der DDR wegen Rechtsbeugung. Nach der Rechtsprechung des Bundesgerichtshofes müssen sie bestraft werden, wenn ihre Urteile schwere Menschenrechtsverletzungen gewesen sind und über das hinausgingen, was in der DDR üblich war (BGHSt 40.272). So wurde eine Richterin zu fünf Jahren verurteilt, die am Prozeß gegen Wiebach beteiligt war (Rdz. 313). Auch die Staatsanwältin ist verurteilt worden, zu einem Jahr und zwei Monaten, die 1985 die Anklage gegen den Verkaufsstellenleiter der HO vertreten hat (Rdz. 320). Außerdem liefen viele Prozesse wegen der Fälschung der Kommunalwahlen 1989, gegen den „DDR-Unterhändler" Wolfgang Vogel wegen Erpressung und den „Devisenbeschaffer" Schalck-Golodkowski wegen illegaler Waffenimporte. Sie endeten mit Geld- oder Bewährungsstrafen. Das Urteil des Oberlandesgerichts Düsseldorf von 1993 gegen Markus Wolf wegen Spionage – sechs Jahre Freiheitsstrafe – ist 1995 vom Bundesverfassungsgericht aufgehoben worden. Spionage für das eigene Land sei nicht strafbar und es widerspräche dem Verfassungsprinzip der Verhältnismäßigkeit, wenn die Bundesrepublik nach der Wiedervereinigung dem neuen Bürger Markus Wolf als Feindstaat gegenübertritt (BVerfGE 92.277).

Die Justiz der Bundesrepublik bewegt sich bei der Verfolgung von DDR-Unrecht auf einer mittleren Linie zwischen dem Auftrag des Einigungsvertrages in Art. 315 EG StGB und den damit verbundenen Problemen des Rückwirkungsverbots in Art. 103 Abs. 2 GG, nulla poena sine lege (Rdz. 288). Es wird besonders in den Mauerschützenprozessen dadurch verletzt, daß man nach der „Radbruchschen Formel" zur Unwirksamkeit von NS-Gesetzen die Vorschrift des § 27 im Grenzgesetz der DDR für ungültig erklärt, nach der die Schüsse an sich erlaubt waren. Siegerjustiz? Keinesfalls. Aber das politische Problem dieser nicht unpolitischen Justiz besteht ganz allgemein darin, daß Richter und Staatsanwälte in den Prozessen alle aus dem einen Teil des Landes kommen und die Angeklagten aus dem anderen. Das ist der entscheidende Unterschied zur Verfolgung von NS-Unrecht (Rdz. 326).

342. Europarecht

In der Geschichte des Rechts ist es selten, daß Rechtsordnungen von außen bestimmt werden. Zuletzt ist das im Mittelalter geschehen mit der Rezeption des römischen Rechts, das die einheimische Ordnung völlig verändert hat (Rdz. 239). Aber völlig einmalig in der Geschichte moderner Staaten ist es, daß sie Teile ihrer Souveränität aufgeben – die Bundesrepublik nach Art. 24 Abs. 1 GG (Rdz. 328) – und sich freiwillig der Gesetzgebung einer gemeinsamen Behörde unterwerfen, die keine bundesstaatliche Zentralinstanz ist wie der Deutsche Reichstag von 1871, sondern ein schwer definierbares Organ einer Gemeinschaft ohne Rechtspersönlichkeit, im Völkerrecht bisher unbekannt, nämlich Rat und Kommission der Europäischen Gemeinschaft in Brüssel. Immer mehr haben sie in den letzten Jahrzehnten auch das Recht der Bundesrepublik geprägt, vom Bürger weitgehend unbemerkt, obwohl es sein Leben zunehmend beeinflußt hat. Das Europarecht mit Tausenden Verordnungen und Richtlinien. Die meisten Gesetze, die heute die wirtschaftliche Entwicklung der Bundesrepublik bestimmen, kommen aus Brüssel. Hier ist ein Rechtsgebiet von großer Bedeutung entstanden.

Es begann 1957 mit den Verträgen von Rom. Die Europäische Wirtschaftsgemeinschaft und Euratom wurden gegründet, nachdem 1951 schon die Montanunion vereinbart war, die Gemeinschaft für Kohle und Stahl. Seit der Zusammenlegung ihrer jeweiligen Organe – Rat und Kommission – 1965 in Brüssel werden sie Europäische Gemeinschaften genannt. Ziel ist ein einheitliches Wirtschaftsgebiet, das ohne weitgehende Angleichung der nationalen Rechte nicht funktionieren kann. Von 1973 bis 1995 sind neun neue Staaten dazugekommen, zusammen fünfzehn. Ihre Vereinigung wurde 1992 intensiviert durch den Vertrag von Maastricht. In ihm ist die Einführung einer gemeinsamen Währung vereinbart, die Gründung einer europäischen Zentralbank, die Stellung des Europaparlaments verbessert und die Europäische Wirtschaftsgemeinschaft umbenannt worden in Europäische Gemeinschaft, und zwar auch deshalb, weil sie ergänzt wurde durch eine politische und militärische Europäische Union mit neuen institutionellen Regelungen.

Daten zur Europäischen Einigung

1951	Montanunion (Benelux, Bundesrepublik, Frankreich, Italien)
1957	Verträge von Rom: EWG und Euratom (Staaten der Montanunion)
1958	Europäischer Gerichtshof (Luxemburg) und Europäisches Parlament (Straßburg)
1965	Gemeinsame Organe – Rat und Kommission – der drei Gemeinschaften in Brüssel („Europäische Gemeinschaften“)
1973	Beitritt Großbritanniens, Dänemarks und Irlands zu den Europäischen Gemeinschaften
1979	Direktwahl des Europäischen Parlaments
1980	Finanzhoheit der EG durch eigene Einnahmen (Zölle, Mehrwertsteueranteil usw.)
1981	Beitritt Griechenlands
1986	Beitritt Portugals und Spaniens
1988	Europäisches Gericht erster Instanz (Luxemburg) für Klagen von Privatpersonen und Firmen
1992	Vertrag von Maastricht: Europäische Gemeinschaft und Europäische Union
1995	Beitritt Finnlands, Österreichs und Schwedens, jetzt 15 Mitglieder

Seit 1957 entsteht europäisches Gemeinschaftsrecht direkt oder indirekt. Indirekt durch Richtlinien, die von Kommission und Ministerrat beschlossen werden und die Mitgliedstaaten verpflichten, im Rahmen ihrer eigenen Gesetzgebung bestimmte Vorschriften zu erlassen. Auf diese Weise ist zum Beispiel 1989 das Produkthaftungsgesetz zustandegekommen (Rdz. 336). Kommission und Ministerrat – genauer: der Rat auf Vorschlag der Kommission – können aber auch Verordnungen erlassen, die seit 1957 ohne den Umweg über die nationale Gesetzgebung sofort wirksam sind. Art. 189 Abs. 2 EGVertrag:

> „Die Verordnung hat allgemeine Geltung. Sie ist in allen ihren Teilen verbindlich und gilt unmittelbar in jedem Mitgliedstaat.“

Von Anfang an gab es zwei Probleme. Das Demokratiedefizit und die Kompetenz zur verfassungsrechtlichen Überprüfung dieser Vorschriften, besonders im Hinblick auf die Grundrechte. Das demokratische Defizit besteht darin, daß hier Gesetze nicht vom Parlament erlassen werden, sondern von einer Behörde. Der Rat besteht aus Vertretern der Regierungen und die Kommission aus zwanzig Mitgliedern, die vom Rat gewählt werden. Das Europaparlament hatte bei dieser Gesetzgebung bisher nur beratende Funktion. Seit dem Vertrag von Maastricht gibt es einige wenige Fälle, in denen es zustimmen muß (Art. 189b EGVertrag). Das Demokratiedefizit bestand nicht nur darin, daß an sich ein Parlament entscheiden müßte. Es wurde verstärkt dadurch, daß die Kommission, die die Gesetze erläßt, noch nicht einmal parlamentarisch verantwortlich war. Der Ministerrat sowieso nicht. Er besteht aus Mitgliedern von Regierungen, die jeweils in ihren eigenen Ländern Verantwortung tragen und für das Europaparlament von vornherein unerreichbar waren. Aber lange Zeit hatte es noch nicht einmal Einfluß auf Besetzung und Abberufung der Kommission. Das hat sich inzwischen geändert. Seit dem Vertrag von Maastricht hat es das Recht, die Wahl der Kommission zu verhindern (Art. 158 Abs. 4 EGVertrag). Und sie muß zurücktreten, wenn ihr das Mißtrauen ausgesprochen wird (Art. 144 Abs. 2 EGVertrag).

Während das Demokratiedefizit langsam abgebaut wurde, ist die „konfliktträchtige Zone" (Dieter Grimm) der verfassungsrechtlichen Überprüfungskompetenz eher größer geworden. Im Hinblick auf die Überprüfung von Gemeinschaftsrecht gibt es nämlich eine gewissen Konkurrenz zwischen Europäischem Gerichtshof und Bundesverfassungsgericht. 1986 hatte das Bundesverfassungsgericht noch entschieden, daß es seine Gerichtsbarkeit nicht ausüben werde, solange ein ausreichender Grundrechtsschutz durch den Europäischen Gerichtshof gewährleistet ist (BVerfGE 73.339 „Solange II"). In seiner Entscheidung zum Vertrag von Maastricht ist es 1993 davon etwas abgerückt und hat von einer Zusammenarbeit – „Kooperationsverhältnis" – mit dem Gerichtshof in Luxemburg gesprochen (BVerfGE 89.155). Zwei Jahre später ist es noch ein wenig weitergegangen. 1995, in einer Entscheidung über eine EWG-Verordnung von 1993 zur Importbeschränkung von Bananen, hat es eine eigene Überprüfung im Hinblick auf die Eigentumsgarantie des Art. 14 GG für eine deutsche Importfirma für möglich gehalten (NJW 1995.950). Vielleicht wird sich das Verhältnis der beiden ähnlich entwickeln wie im Alten Reich das von Reichskammergericht und Reichshofrat (Rdz. 242). Grundsätzlich hat der Europäische Gerichtshof den Vorrang. Aber in Zweifelsfällen entscheidet, wer zuerst angerufen wird.

343. Eine andere Tradition

Der Weg des Rechts ist nun beschrieben von seinen Anfängen bis in die Gegenwart. Seit dem Mittelalter hat er sich in dieser Darstellung verengt auf den nationalen Bereich. Das entspricht der Entwicklung des Staates. Aber sie ändert sich jetzt, öffnet sich wieder nach Europa. Der Staat. Nicht nur Karl Marx sah da ein baldiges Ende, auch Konservative schreiben über „Erinnerung an den Staat“ (Ernst Forsthoff). Europa ist gewachsen mit dem römischen Recht, wie Paul Koschaker 1947 gezeigt hat in einer eindrucksvollen Studie. Wobei er den Einfluß des kirchlichen zum Teil unterschätzt hat. „Europa und das römische Recht“, so heißt das Buch, sollte in die Zukunft weisen. Und tatsächlich, Europa wächst nun wieder zusammen. Wie das juristisch im einzelnen aussehen wird, kann noch niemand sagen. Aber wesentliche Grundstrukturen bleiben. Die aus dem Römischen stammende Rechtsförmigkeit, Menschenrechte und Gerechtigkeit. Sie sind in Jahrhunderten gewachsen und die Bundesrepublik hat sie wiederhergestellt nach ihrer Verwüstung im Dritten Reich. Rückschritte sind immer möglich, wie man dort sehen konnte. Aber auch Fortschritte. Das zeigt nicht nur die andere Hälfte des 20. Jahrhunderts. Das Recht ist dabei selten Motor von Entwicklung, antwortet regelmäßig nur auf Veränderungen in Wirtschaft und Gesellschaft. Zuletzt waren sie begleitet von demokratischem Wachstum. Das hat auch dem Recht geholfen. Aber noch immer ist die Bundesrepublik eine Demokratie auf Stelzen. Wie der Anfang des Grundgesetzes zeigt, die Präambel. „Im Bewußtsein seiner Verantwortung vor Gott und den Menschen ... hat sich das deutsche Volk kraft seiner verfassunggebenden Gewalt dieses Grundgesetz gegeben“. Was leicht übertrieben war, wie man sah (Rdz. 327). Aber „das deutsche Volk“? Das ist sehr hoch. Im ersten Satz einer Verfassung von 1776 klingt es anders. „Wir, die Bürger der Vereinigten Staaten ...“ Und 1992: „Wir, die Bürgerinnen und Bürger des Landes Brandenburg haben uns in freier Entscheidung diese Verfassung gegeben“. Sie haben auch tatsächlich abgestimmt. Wir, die Bürgerinnen und Bürger. Eine Stimme von unten. Sie betont die Vielfalt einer pluralistischen Gesellschaft, statt der großen Einheit von oben im Staat, der sich auf das Volk beruft. Eine Stimme im aufrechten Gang. Den hat die Bundesrepublik demokratisch erlaubt. Aber er ist noch nicht überall Brauch. Auch Juristisches kommt bei uns gern noch von oben. Und dann muß man wissen, daß Recht nicht nur eine Antwort ist auf allgemeine Entwicklung, sondern auch eigene Struktur hat und manchmal sogar Motor ist für Freiheit und Gerechtigkeit oder Widerstand gegen Verwüstung. Dann muß man wissen, daß wir auch eine andere Tradition haben. Nicht nur a voice from above. Nicht nur, was versammelt ist in vorzüglichen Bänden wie „Deutsche und europäische Juristen aus neun Jahrhunderten“ mit über dreihundert Namen. Es gibt noch einen anderen. „Streitbare Juristen – eine andere Tradition“ heißt er und es sind nur vierzig. Aber immerhin. Unter ihnen E.T.A. Hoffmann, der nicht nur ein brillanter Jurist war, sondern auch tapferer Richter, Julius von Kirchmann, Anita Augspurg, Hans Litten, Hugo Sinzheimer, Gustav Radbruch, Lothar Kreyßig, Elisabeth Selbert und Fritz Bauer. Die andere Tradition heißt nicht herrschende Meinung, sondern Kritik und Mut zum Risiko. Auch im Recht wird das notwendig sein, wenn in Europa die Demokratie nicht auf Stelzen gehen, Freiheit und soziale Gerechtigkeit zunehmen und die ökologische Substanz erhalten bleiben soll. Mit dieser Tradition kann man in der Gegenwart leben, von der Zukunft träumen und aus der Vergangenheit lernen.

Literatur

322. *Morsey*, Die Bundesrepublik Deutschland. Entstehung und Entwicklung bis 1969 (3. Aufl. 1995); *Hillgruber*, Deutsche Geschichte 1945–1986 (7. Aufl. 1989); *Thränhardt*, Geschichte der Bundesrepublik Deutschland 1949–1990 (2. Aufl. 1996) – **323.** *Stolleis*, Besatzungszeit und Wiederaufbau deutscher Staatlichkeit 1945–1949, in: Isensee/Kirchhof (Hg.) Handbuch des Staatsrechts Band I (1987) 173–217; *Kimminich*, Deutsche Verfassungsgeschichte (2. Aufl. 1987) 584–612; zur Entnazifizierung *Fürstenau* und *Vollnhals*, zur Aufhebung nationalsozialistischen Rechts *Etzel*, zur Verfolgung von NS-Verbrechen *Rückerl*, alle Rdz. 309; zum Wiederaufbau der Justiz: *Wrobel*, Verurteilt zur Demokratie. Justiz und Justizpolitik in Deutschland 1945–1949 (1989) – **324.** Das Urteil von Nürnberg 1946 (dtv Nr. 2902, 5. Aufl. 1996); *Merkel*, Nürnberg 1945, Militärtribunal. Grundlagen, Probleme, Folgen, in: Rechtshistorisches Journal 14 (1995) 491–525; *Hankel/Stuby*, (Hg.) Strafgerichte gegen Menschheitsverbrechen 1995; *Taylor*, Die Nürnberger Prozesse 1994 – **325.** *Rückerl*, (Rdz. 323) 95–99; *Ostendorf/ter Veen*, (Hg.) Das „Nürnberger Juristenurteil" 1985; *Sigel*, Im Interesse der Gerechtigkeit. Die Dachauer Kriegsverbrecherprozesse 1945–1948 (1992), *Lessing*, Der erste Dachauer Prozeß (1945/46) 1993 – **326.** *Rückerl*, (Rdz. 323); *Ingo Müller*, (Rdz. 297) 240–261; *Werle/Wandres*, Auschwitz vor Gericht 1995; *Diestelkamp*, Die Justiz nach 1945 und ihr Umgang mit der eigenen Vergangenheit, in: Diestelkamp/Stolleis (Hg.) Justizalltag im Dritten Reich (1988) 131–149 (auch zum Rehse-Urteil) – **327.** *Mußgnug*, Zustandekommen des Grundgesetzes und Entstehen der Bundesrepublik Deutschland, in: Isensee/Kirchhof (Rdz. 323) 219–258; *Birgit Meyer*, Elisabeth Selbert (1896–1986) „Gleichberechtigung ohne Wenn und Aber" in: Kritische Justiz (Hg.) Streitbare Juristen (1988) 427–439 – **328.** *Hofmann*, Die Entwicklung des Grundgesetzes nach 1949, in: Isensee/Kirchhof (Rdz. 323) 259–319 – **329.** *Laufer*, Verfassungsgerichtsbarkeit und politischer Prozeß 1968; *Kommers*, Judicial Politics in West Germany 1976; *Robbers*, Die historische Entwicklung der Verfassungsgerichtsbarkeit, in: Juristische Schulung 1990. 257–263; U.W. Die Hüter der Verfassung – Das Bundesverfassungsgericht: seine Geschichte, seine Leistungen und seine Krisen 1996; zum Wertsystem: *Böckenförde*, Grundrechte als Grundsatznormen, in: Der Staat (1990) 1–31 – **330.** *Böckenförde*, (Rdz. 329) S. 4–6 – **331.** *Maurer*, Allgemeines Verwaltungsrecht (10. Aufl. 1995) § 2; *Bachof*, Über einige Entwicklungstendenzen im gegenwärtigen Verwaltungsrecht, in: Külz/Naumann (Hg.) Staatsbürger und Staatsgewalt (1963) 3–18; *Badura*, Verwaltungsrecht im liberalen Rechtsstaat 1966; *Stolleis*, Verwaltungsrechtswissenschaft in der Bundesrepublik Deutschland, in: D. Simon (Hg.) Rechtswissenschaft in der Bonner Republik (1994) 227–258; informelles Verwaltungshandeln ist die Entdeckung von *Eberhard Bohne*, Der informale Rechtsstaat Diss. Köln 1981 – **334.** Zur Restauration der Justiz: *Ingo Müller*, (Rdz. 326) 210–221; der Aufsatz von *Dahrendorf*, Die Juristen des Monopols, in: Der Monat Nr. 166 (1962) 260–276; Justizreformer: *Xaver Berra*, (:Theo Rasehorn) Im Paragraphenturm 1966 und *Rudolf Wassermann*, Richter, Gesellschaft, Reform. Prolegommena zu einer zeitgemäßen Justizpolitik, in: Recht und Politik (1966) 10–17; vgl. *Beer*, Sozial-liberale Justizreform – eine Bilanz, in: Kritische Justiz 1983. 375–385; zur Justizkampagne ein typisches Beispiel: *Rainer Langhans/Fritz Teufel*, Klau mich 1968; vgl. noch *Miermeister/Staadt*, Provokationen. Die Studenten- und Jugendrevolte in ihren Flugblättern 1965–1971 (1980) 177–196; das Loccumer Modell und die Einphasenausbildung: *Loccumer Arbeitskreis*, (Hg.) Neue Juristenausbildung 1970; *Voegeli*, Einphasige Juristenausbildung 1979; *Seiter/Stürner*, Zum Stand der Diskussion um die Reform der Juristenausbildung, in: Juristische Schulung 1982. 310–315; *Wassermann*, Der Gesetzentwurf zur Wiedervereinheitlichung der Juristenausbildung, in: Juristische Schulung 1984. 316–319; Kritik an der Rechtswissenschaft: *Wiethölter*, Rechtswissenschaft 1968; i.ü. *Dieter Simon*, (Rdz. 331) – **335.** Zur richterlichen Rechtsfortbildung: *Diederichsen*, Die Flucht des Gesetzgebers aus der politischen Verantwortung im Zivilrecht 1974; Zum normativen Schadensbegriff: *Honsell*, Herkunft und Kritik des Interessebegriffs im Schadensersatzrecht, in: Juristische Schulung 1973. 69–75; zur Entwicklung der Dogmatik des Bereicherungsrechts: *Reuter/Martinek*, Ungerechtfertigte Bereicherung (1983) 4–38; zur nichtehelichen Lebensgemeinschaft (auch mit historischer Entwicklung): *Christiane Schreiber*, Die nichteheliche Lebensgemeinschaft 1995 – **336.** *Larenz*, Lehrbuch des Schuldrechts 2. Band 1. Halbband (13. Aufl. 1986) 80–90 – **337.** *Rajewski*, Arbeitskampfrecht in der Bundesrepublik 2. Aufl. 1972; *Wahsner*, Das Arbeitsrechtskartell. Die Restauration des kapitalistischen Arbeitsrechts in Westdeutschland nach 1945, in: Kritische Justiz 1974. 369–386; U.W.: Arbeitsrecht, in: Fast alles was Recht ist (5. Aufl. 1996) 343–383; zur Entwicklung des Mietrechts: *Schmidt-Futterer/Blanke*, Wohnraumschutzgesetze (6. Aufl. 1988) 1–28 – **338.** *Rüping*, Grundriß der Strafrechtsgeschichte (2. Aufl. 1991) 109–119; zu Hans Welzel: *Frommel*, Welzels finale Handlungslehre, in: *Reifner/Sonnen*, (Hg.) Strafjustiz und Polizei im Dritten Reich (1984) 86–97 – **340.** *v. Brünneck*, Politische Justiz gegen Kommunisten in der Bundesrepublik Deutschland 1949–1968 (1978); *Cobler*, Die Gefahr geht von den Menschen aus. Der vorverlegte Staatsschutz 1976; *Hannover*, Terroristenprozesse 1991 – **341.** *Lüderssen*, Der Staat geht unter – das Unrecht bleibt? 1992; *Weber/Piazolo*, (Hg.) Eine Diktatur vor Gericht 1995; *Naucke*, Die strafjuristische Privilegierung staatsverstärkter Kriminalität 1996; U.W. Der Honecker-Prozeß 1994, dort auf S. 33–43 zu den Mauerschützenprozessen und der Radbruchschen Formel. Der Meinungsstreit in der Literatur des Strafrechts und Verfassungsrechts zu diesem Problem ist wiedergegeben in BGH NStZ 95.40 – **342.** *Beutler/Bieber/Pipkorn/Streil*, Die Europäische Union 4. Aufl. 1993; *Schweitzer/Hummer*, Europarecht 4. Aufl. 1993 beide jeweils mit einem historischen Überblick am Anfang; *Günter Hirsch*, Europäischer Gerichtshof und Bundesverfassungsgericht – Kooperation oder Konfrontation? NJW 1996.2457-2466 – **343.** *Forsthoff*, Der Staat der Industriegesellschaft (1971) 1. Kapitel; *Koschaker*, Europa und das römische Recht 4. Aufl. 1966; *Kleinheyer/Schröder*, Deutsche und europäische Juristen aus neun Jahrhunderten 4. Aufl. 1996; *Kritische Justiz*, (Hg.) Streitbare Juristen. Eine andere Tradition 1988.

Abkürzungsverzeichnis

aaO. . . . . am angegebenen Ort
ABGB . . . . Allgemeines Bürgerliches Gesetzbuch
Abs. . . . . Absatz
AE . . . . Alternativentwurf
AGB . . . . Arbeitsgesetzbuch
AGBG . . . . Gesetz zur Regelung des Rechts der Allgemeinen Geschäfsbedingungen
Alex. . . . . Alexander
a.M. . . . . anderer Meinung
Ann. . . . . Annales
AOG . . . . Gesetz zur Ordnung der nationalen Arbeit
Art. . . . . Artikel
Aufl. . . . . Auflage
BAG . . . . Bundesarbeitsgericht
Bd. . . . . Band
Bde. . . . . Bände
Bell.Gall. . . . . Bellum Gallicum
BGB . . . . Bürgerliches Gesetzbuch
BGL . . . . Betriebsgewerkschaftsleitung
BGHSt . . . . Entscheidungen des Bundesgerichtshofes in Strafsachen
BGHZ . . . . Entscheidungen des Bundesgerichtshofes in Zivilsachen
BGU . . . . Sammlung der Berliner Griechischen Urkunden
BVerfGE . . . . Entscheidungen des Bundesverfassungsgerichts
BVerwGE . . . . Entscheidungen des Bundesverwaltungsgerichts
C. . . . . Codex
Caes. . . . . Caesar
Cap. . . . . Kapitulare
Cels. . . . . Celsus
CIC . . . . Counter Intelligence Corps
Cic. . . . . Cicero
const. . . . . constitutio
D. . . . . Digesten
ders. . . . . derselbe
DEWAG . . . . Deutsche Werbeanzeigen-Gesellschaft
Diss. . . . . Dissertation
DJZ . . . . Deutsche Juristenzeitung
DVBl . . . . Deutsches Verwaltungsblatt
EG . . . . Europäische Gemeinschaft
EGStGB . . . . Ergänzungsgesetz zum Strafgesetzbuch
Einf. . . . . Einführung
Ekl. . . . . Ekloge
Ergbd. . . . . Ergänzungsband

EU .... Europäische Union
EWG .... Europäische Wirtschaftsgemeinschaft
f. .... folgende Seite
FDJ .... Freie Deutsche Jugend
FDGB .... Freier Deutscher Gewerkschaftsbund
ff. .... folgende Seiten
Flor. .... Florentinus
Gai. .... Gaius
GBA .... Gesetzbuch der Arbeit
GdA .... Gesetzbuch der Arbeit
Gell. .... Gellius
Gestapo .... Geheime Staatspolizei
GG .... Grundgesetz
GGG .... Gesetz über gesellschaftliche Gerichte
GIW .... Gesetz über internationale Wirtschaftsverträge
GmbH .... Gesellschaft mit beschränkter Haftung
GVGV .... Gesetz über die Zuständigkeit und das Verfahren der Gerichte zur Nachprüfung von Verwaltungsentscheidungen
GWB .... Gesetz gegen Wettbewerbsbeschränkungen
Hdb. .... Handbuch
Herod. .... Herodot
Hg. .... Herausgeber
HG .... Kohler/Preiser/Ungnad, Hammurabis Gesetz, 1904 ff.
Hist. Wb. d. Phil. ..... Historisches Wörterbuch der Philosophie, hg. v. J. Ritter/K. Gründer, 1971 ff.
HO .... Handeslorganisation
HRG .... Handwörterbuch zur deutschen Rechtsgeschichte, hg. v. A. Erler u.a., 1971 ff.
I. .... Institutionen
Jav. .... Javolen
Jul. .... Julian
JuS .... Juristische Schulung
JW .... Juristische Wochenschrift
Kap. .... Kapitel
KVP .... Kasernierte Volkspolizei
LAG .... Landesarbeitsgericht
Lit. .... Literatur
Liv. .... Livius
MEW .... Marx-Engels-Werke (Berlin-Ost) 1972 ff.
MfS .... Ministerium für Staatssicherheit
Ndr. .... Nachdruck
NE .... Nikomachische Ethik
NJW .... Neue Juristische Wochenschrift
Nov. .... Novellen
NÖS .... Neues Ökonomisches System
NÖSPL .... Neues Ökonomisches System der Planung und Leitung
NS .... Nationalsozialistisch
NSDAP .... Nationalsozialistische Deutsche Arbeiterpartei
NStZ .... Neue Zeitschrift für Strafrecht
OAG .... Oberappellationsgericht

OLG .... Oberlandesgericht
OVG .... Oberverwaltungsgericht
Pap. .... Papinian
Paul. .... Paulus
Pomp. .... Pomponius
pr. .... principium
RAF .... Rote Armee Fraktion
Rdz. .... Randziffer
RGZ .... Reichsgerichtsentscheidungen in Zivilsachen
RGSt .... Reichsgerichtsentscheidungen in Strafsachen
RIAS .... Rundfunk im amerikanischen Sektor
SMAD .... Sowjetische Militäradministration in Deutschland
s.o. .... siehe oben
StGB .... Strafgesetzbuch
SZ .... Zeitschrift der Savigny-Stiftung
(Romanistische Abteilung)
Tac. .... Tacitus
Tit. .... Titel
Ulp. .... Ulpian
UNO .... United Nations Organization
vat. .... Fragmenta Vaticana
VGG .... Verwaltungsgerichtsgesetz
VwGO .... Verwaltungsgerichtsordnung
ZGB .... Zivilgesetzbuch
ZK .... Zentralkomitee
ZPO .... Zivilprozeßordnung
ZVerglRWiss. .... Zeitschrift für Vergleichende Rechtswissenschaft

Namen- und Sachverzeichnis

Die Zahlen verweisen auf die Randziffern